LA RÉCRÉATION

DU MÊME AUTEUR

Lettres d'amour en Somalie, Regard, 1985.
Tous désirs confondus, Actes Sud, 1990.
Destins d'étoiles, tomes 1 à 4, P.O.L./Fixot, 1991-1992.
Monte-Carlo : la légende, Assouline, 1993.
L'Ange bleu : un film de Joseph von Sternberg, Plume, 1995.
Madame Butterfly, Plume, 1995.
Une saison tunisienne, avec Soraya Eyles, Actes Sud, 1995.
Les Aigles foudroyés, France 2 éditions/Robert Laffont, 1997.
Mémoires d'exil, France 2 éditions/Robert Laffont, 1999.
Un jour dans le siècle, Robert Laffont, 2000.
Tunisie entre ciel et terre, Mengès, 2003.
La Mauvaise Vie, Robert Laffont, 2005.
Le Festival de Cannes, Robert Laffont, 2007.
Le Désir et la Chance, Robert Laffont, 2012.

FRÉDÉRIC MITTERRAND

LA RÉCRÉATION

ROBERT LAFFONT

Ouvrage publié sous la direction de Betty Mialet

© Éditions Robert Laffont, S.A., Paris, 2013
ISBN 978-2-221-13307-1

Caramelle non ne voglio più.

Adriano CELENTANO

Pour Laurence, Béatrice et Rosita.
Pour Pierre-Yves, Félix, Cédric, Dominique, Stéphane et Lionel.

Un premier jour, mercredi 24 juin 2009

Mon premier Conseil des ministres, le président lance à la cantonade : «La règle absolue pour les apprentis ministres, c'est de s'abstenir de parler à tort et à travers.» Pas la peine de me faire un dessin, les apprentis ministres, c'est moi. Je me tiens bien tranquille sous les regards obliques de mes nouveaux petits camarades.

François Fillon me cueille à la sortie : «Si ça n'avait tenu qu'à moi, après une bourde pareille, je ne vous aurais jamais pris», mi-glacial, mi-goguenard. Je me console en me disant qu'il n'est pas donné à tout le monde de se faire engueuler par le Premier ministre.

Brice Hortefeux me prend à part : «Ne t'inquiète pas, le président était furieux, mais ce sera oublié demain.» Catherine Pégard, auprès de qui je me réfugie comme un chiot épouvanté, me confie la même chose.

À l'origine de ce début calamiteux, ma réponse à un petit farfouilleur antipathique de France 2 intrigué de me voir quitter Rome précipitamment à qui j'avais confié la raison de mon départ avant l'annonce officielle du nouveau gouvernement. Le futur ministre de la Communication ne pense même pas que son autoproclamation sera instantanément reprise sur Internet; difficile de faire pire comme erreur de casting.

Jeudi 25 juin 2009

Jean-Pierre Biron, mon conseiller providentiel, est très content d'être sorti de sa retraite : « Tout va bien, je me suis installé dans le bureau de Monique Lang ! »

François Fillon a tourné la page. Il me reçoit en me donnant l'impression d'avoir tout son temps, personne ne nous dérange. Sur sa relation avec le président : « Nous avons trouvé un mode d'emploi qui fonctionne. » Je comprends qu'il me faudra trouver celui qui fonctionnera avec lui. Il m'appelle par mon prénom quand je sors : « N'hésitez pas à me tenir au courant de vos difficultés, Frédéric, c'est un ministère bien plus dur qu'on ne le pense. » Je suis frappé par la beauté physique de cet homme, ce dont personne ne parle jamais, je me demande bien pourquoi. Notation trop frivole pour les pisse-froid de la politique et des médias ?

Le conseiller budgétaire, un gentil garçon tout frais émoulu de l'ordinateur de l'ENA, me dépose un dossier de mille pages bourré de statistiques et d'acronymes incompréhensibles. Moi : « Vous me le rapporterez quand il fera deux pages en français. » Il ressort un peu sonné.

Vendredi 26 juin 2009

Arrivée de Francis Lacloche. Incorrigible ermite, il s'installe dans un bureau au troisième étage. C'est charmant, jolie vue sur le Palais-Royal, mais un peu loin de moi. Il m'assure qu'il descendra de son petit nid aussi souvent que nécessaire.

Je campe dans le bureau de Malraux, celui qu'on voit sur les photos de Gisèle Freund. Trop de dorures, et un fabuleux fantôme qui m'intimide. Je m'installerai dans celui d'à côté, dimensions à l'italienne, haut plafond, plus vaste, plus simple. Il est en travaux. Jean-Pierre se bat avec l'architecte des Monuments historiques pour en réduire le coût ; adieu le velours frappé à l'ancienne, une toile uniforme fera aussi bien l'affaire. L'architecte fait grise mine.

Première rencontre avec Georges-François Hirsch, le tout-puissant directeur de la Création artistique qui regroupe le spectacle vivant (existe-t-il un spectacle mort ?) et les arts plastiques. Redouté et contesté. L'entretien se passe plutôt mal ; il est sur la défensive et m'abreuve de considérations sur son action. Mathieu Gallet, sitôt vu, sitôt nommé directeur de cabinet adjoint : « Tout le monde s'attend à ce que vous le viriez, et lui le premier. »

Le ministre est un personnage que l'on craint ; il peut briser une carrière en un instant et on n'est plus tout à fait soi-même quand on entre dans son bureau. Je ne dois jamais l'oublier, même si je souhaite instaurer des relations différentes, plus confiantes et paisibles. Débiner le ministre quand on est rassuré sur son propre sort est aussi un sport très répandu. Quant à l'administration, elle gère les menaces de heurts et de conflits en faisant le gros dos, en étant d'accord sur tout et en attendant que ça se passe ; les ministres se succèdent, l'administration demeure et joue la montre.

Jean Salusse, haut fonctionnaire émérite, qui s'est défenestré en 1977 au plus fort de l'une de ces crises hyperviolentes qui caractérisent l'histoire de l'Opéra de Paris, me disait alors que j'étais encore tout jeunet : « Le fond de l'histoire de notre pays, ce n'est pas la lutte des classes, mais la persistance de la féodalité. » J'y songe en recevant les patrons de quelques-uns des plus grands établissements publics. Seraient-ils donc des seigneurs protégeant farouchement leurs fiefs contre les prérogatives de leur suzerain ? À ce jeu-là, Jean-Jacques Aillagon caracole sur le coursier de Charles le Téméraire.

Le président : « Pour ton cabinet, n'écoute personne, tu fais comme tu le sens. »

Samedi 27 juin 2009

Solidays à l'hippodrome d'Auteuil. Organisation et logistique impressionnantes, un monde fou sous le grand soleil. Jack et Monique Lang, très amicaux avec moi, et populaires parmi la foule – je le suis moins ; mouvements divers quand je m'attarde dans les stands ; un type me crie : « Vendu ! » en passant vivement près de moi, un groupe ricane : « C'est mieux qu'en Thaïlande ? », des noms d'oiseaux se perdent dans le brouhaha. Normal.

Beau concert de Liza Minnelli au Palais des congrès avec Jean-Pierre. Line Renaud : « Lève-toi, les gens veulent te voir, il faut que tu apprennes à saluer. » Je m'exécute sans conviction. « Bon, ça va, mais tu as encore des progrès à faire. » Séance de photos ensuite dans la loge avec les deux chéries. N'ai-je donc rien de plus difficile à accomplir ?

Dimanche 28 juin 2009

Séminaire à Matignon pour cadrer le nouveau gouvernement sur le plan budgétaire. Bel exercice de chaque ministre jouant du refrain « Pour la dépense, c'est pas moi, c'est l'autre » qui laisse de marbre les corbeaux noirs de Bercy perchés derrière les ministres comme sur la branche du pendu. Je dis ce que l'on attend de moi : la culture crée des emplois et de la richesse. Mention honorable décernée par François Fillon et Christine Lagarde. Pourtant, la vraie valeur de la culture est insaisissable, je me garde bien d'y revenir.

Roselyne Bachelot n'est pas seulement la meilleure amie de François Fillon au gouvernement, c'est aussi sa pote.

Lundi 29 juin 2009

Pierre Hanotaux, le directeur de cabinet que j'ai choisi, est énarque, inspecteur général des Finances, ancien cacique de la direction des Impôts. Bien qu'il ne soit pas un rugbyman catholique marié avec cinq enfants comme je l'aurais souhaité pour mettre un semblant d'éteignoir sur d'éventuelles rumeurs et qu'il appartienne, en tant que supercontrôleur du fisc, à une tribu qui me terrorise, je sens que l'on s'entendra très bien. Préférant les dames, il fait partie de ces mélomanes qui apprécient la fanfare sans y avoir jamais joué.

Bernard Kouchner se bat pour faire adopter sa réforme des services de l'action culturelle extérieure. La raison est de l'appuyer, pour mieux défendre les intérêts de la Rue de Valois. Son administration nous savonne consciencieusement la planche afin de faire échouer la réforme. Il s'en plaint drôlement, avec ce mélange d'ironie et d'amertume qui fait son charme. Il me présente Pierre Sellal, le secrétaire général du Quai d'Orsay, très aimable quoique peu disert, exsudant l'intelligence et la puissance. Cet homme m'intimide, sensible aux titres comme je le suis, je suis impressionné qu'il fasse partie du tout petit nombre des diplomates qui ont été élevés à la dignité d'ambassadeur de France. Je repense à Philippe Berthelot, Alexis Leger, toute une certaine imagerie légendaire. Moi : « Tu as de la chance de l'avoir avec toi. C'est un type remarquable ; l'expérience, la maîtrise des dossiers, la grande classe. » Bernard me regarde, l'air navré : « Ne crois pas ça, je ne sais pas ce qu'il pense, il a tout le Quai derrière lui, il est cul et chemise avec Levitte. » Jean-David Levitte dirige la cellule diplomatique de l'Élysée, c'est la bête noire de Bernard.

Examen du projet de loi au Sénat sur la restitution des têtes maories à la Nouvelle-Zélande. C'est l'épilogue d'une macabre histoire : au XIXe siècle, des explorateurs ont rapporté en France des têtes rituellement tatouées que les Maoris gardaient pieusement intactes comme des reliques sacrées. Pour corser un peu l'horreur de la chose, il semble que certaines têtes furent d'ailleurs obligeamment fournies contre quelques verroteries après que l'on eut décapité des esclaves pour l'occasion. Elles furent ainsi exposées dans plusieurs musées, mais comme elles faisaient peur à tout le monde on les a transférées dans des réserves avant de les oublier dans des placards. On m'a montré des photos dignes d'un film d'épouvante. La sénatrice centriste Catherine Morin-Desailly, qui est la première à avoir trouvé une tête dans un débarras du musée de Rouen, avant de rassembler la charmante collection éparpillée un peu partout et de lancer la campagne pour la restitution, rapporte avec feu le projet de loi. Accord unanime des élus ; le débat se déroule comme une formalité. Un peu de baume pour la Nouvelle-Zélande sur la plaie toujours ouverte du *Rainbow Warrior*.

Inauguration de l'exposition des collages surréalistes de Max Ernst « Une semaine de bonté » au musée d'Orsay. Une dame me désigne à sa copine en parlant haut : « C'est sa présence à lui qui est surréaliste ! » Guy Cogeval me présente un type superbe, tout en jeans, cheveux gris et lunettes noires, un faux air de Cary Grant : Daniel Filipacchi, idole de mon adolescence – je n'aurais raté « Salut les copains » pour rien au monde. Mes compliments timides et maladroits glissent sur son sourire.

Mort de Pina Bausch. Je récris plusieurs fois le communiqué de condoléances du ministre, dont la platitude me navre sans que je parvienne à sortir des formules convenues.

Mardi 30 juin 2009

Conférence de presse avec le ministre turc de la Culture pour lancer la saison culturelle turque en France. Un homme austère, très proche d'Erdogan. Beaucoup de journalistes à l'affût d'un nouveau couac dans les mauvaises relations entre Paris et Ankara. À celui qui me demande pourquoi il a fallu attendre neuf mois pour tenir cette conférence, je réponds que c'est le temps nécessaire pour faire un bel enfant. Le ministre rit de bon cœur; islamiste peut-être, mais pas trop chagrin quand même.

Soirée à la Comédie-Française. Muriel Mayette, l'administratrice générale, que les intrigues du ministère fragilisent, doit sentir qu'elle peut compter sur moi qui l'ai toujours appréciée. Elle n'a d'ailleurs pas l'air d'une bête traquée prête à s'enfuir; elle est joyeuse, vive, contente d'être là, une belle personne.

Mercredi 1ᵉʳ juillet 2009

Réunion d'agenda avec le cabinet : je suis frappé par le nombre et la diversité des obligations qui m'attendent dans les prochaines semaines. Quand laisse-t-on au ministre un peu de temps pour réfléchir et travailler vraiment? Il paraît que Bertrand Delanoë entre dans des rages folles au cours de ce genre de réunions où on l'accable de demandes.

Hadopi (pour éviter le piratage sur Internet) sera mon fardeau. L'audition à la commission du Sénat se passe bien, mais ce n'est qu'un hors-d'œuvre. La plupart des jeunes et l'opposition sont hostiles, les députés de la majorité incertains, les médias unanimement contre, il y a là de quoi refroidir les énergies les mieux trempées; sans compter tous ceux qui n'y comprennent rien ou qui s'en fichent, comme moi il n'y a pas si longtemps. Quant aux artistes, aux créateurs et à tous ceux qui diffusent les œuvres, c'est l'évanouissement quasi général après avoir réclamé à cor et à cri une loi de protection. L'antipathie à l'égard du président et la peur de se couper de la presse et du public ont favorisé la débandade.

Dossiers et parapheurs, une montagne chaque jour. Je veux tout voir et renvoie beaucoup de notes obscures ou péremptoires pour supplément d'information. Comme le dit Michèle Alliot-Marie : «Jamais de "signature machine".» Il existe en effet un appareil qui dévore les réponses et imite la signature du ministre. Moi, je rajoute souvent un mot personnel.

Jeudi 2 juillet 2009

Petit déjeuner avec Frédéric Martel. Très influent dans la blogosphère, journaliste-enquêteur réputé, auteur de plusieurs livres sur le mouvement gay, la culture «mainstream». On le dit proche de Martine Aubry, farouchement anti-Hadopi. Il se montre très aimable, un tantinet protecteur, voire condescendant. Il voudrait jouer au conseiller occulte du ministre que cela ne m'étonnerait pas. La haute idée qu'il a de lui-même me gêne.

Les syndicats de la Culture ont la réputation d'être très durs. Je confirme.

Le secrétaire général de la CGT-culture, Nicolas Monquaut, est un garçon avec qui je partirais volontiers en vacances s'il me le demandait; on ferait du camping dans les Vosges, on dégoiserait sur les salauds de patrons en commentant *L'Huma*, on boirait des bières en parlant de foot et de filles. Je me sentirais heureux d'être avec lui au contact de cette force vitale prolétarienne qui n'a peur de rien, moi qui ne suis qu'une raclure timorée et prétentieuse de la classe des exploiteurs. Hélas, la vie est mal faite et nous sommes présentement en train de nous écharper au comité technique paritaire, la grand-messe syndicale trimestrielle du ministère, dans une salle de réunion sinistre. Maylis Roques, ma conseillère sociale, une belle fille qui n'a pas froid aux yeux, m'avait prévenu : «Vous verrez, s'il lui arrive d'être gentil, c'est quand même surtout un dur.» J'ai compris tout de suite en entrant dans la salle que pour la gentillesse ce sera une autre fois. Avec les camarades de la CGT et des autres centrales sur lesquels il exerce son ascendant, il m'attendait de pied ferme. Militant superzélé et travailleur qui connaît le fonctionnement du ministère à fond et pratique frontalement la lutte syndicale, ficelle et rigolard, vindicatif et violent, distillant une sorte de charme ténébreux, les pieds solidement enracinés dans la haine de classe et la tête dans les drapeaux du Grand Soir, il joue de mon inexpérience avec jubilation, retient à charge tout ce que me souffle ma bonne volonté et étale férocement le mépris que lui inspire le ministre de Sarkozy. La souffrance au travail et son grand frère le harcèlement moral volent dans ma direction comme des tartines de confiture amère ; mes collaborateurs, qui connaissent le jeu par cœur et y prennent même peut-être un certain plaisir, esquivent les projectiles ; en ayant la naïveté de répondre, je les prends en pleine figure. Ma prestation a été minutée dès le départ, mais je m'éternise pour apprendre et comprendre. Je m'en vais enfin sur un petit signe de Guillaume Boudy, le secrétaire général du ministère, connivence de celui qui est content que je sois venu et qui restera pour sa part jusque tard dans la nuit pour affronter la meute. Enfin, le droit du travail est bien fait : les permanents sont salariés par le ministère, qui régale aussi les affiches, les tracts, les appels aux manifs. Décidément, il faut tout m'enseigner, j'ai perdu trop de temps de la vraie vie à traîner avec mes copines Marie-Chantal et Bécassine.

Vendredi 3 juillet 2009

Petits arrangements décoratifs : le Mobilier national me propose un bureau : «C'était celui de Malraux.» Fort bien, et celui-là : «C'était celui de Malraux.» Et ainsi de suite. Je prends le sixième, beau et banal : «C'était celui de Malraux, mais Catherine Tasca s'en est aussi servi.» Ouf.

Déjeuner avec les huiles de France Télévisions. Sensation bizarre que celle de se faire appeler «monsieur le ministre» par des gens qui avaient cessé depuis longtemps de répondre à mes coups de téléphone. Seul Patrice Duhamel, qui arrive avec vingt minutes de retard, se lance dans un «Salut, Frédo» du plus bel effet. Ses comparses, pourtant peu regardants sur le savoir-vivre, plongent dans leurs assiettes. On se quitte tous très bons amis.

Visite à Jean-Paul Faugère, le directeur de cabinet du Premier ministre, pour essayer de débrouiller les embarras courtelinesques entraînés par la refonte des directions du ministère. Look de haut serviteur de l'État pour films de Claude Sautet, mais beaucoup de bienveillance à l'égard de l'étrange oiseau qui vient de se poser dans son bureau. J'obtiens quelques accommodements qui me valent les félicitations du cabinet.

Mon ami, Jean-Marc : « Un an de Villa Médicis, il fallait aller à Rome pour te voir. Maintenant, ça va être encore pire. »

Samedi 4 juillet 2009

Idoménée, roi de Crète, opéra de Mozart, au Festival d'Aix-en-Provence. Marc Minkowski à la baguette, tant mieux. Mise en scène d'Olivier Py, donc beaucoup de beaux gosses déshabillés qui se poursuivent dans un fatras de praticables en évoquant les sans-papiers. La cour de la République s'est déplacée en masse ; enivrée par le rituel de la belle soirée, la députée-maire, Maryse Joissains, que tous ces messieurs-dames de Paris considèrent avec la condescendance amusée des coloniaux à l'égard des chefs indigènes, se désole qu'il y ait si peu de représentations au Grand Théâtre de Provence qu'elle a fait bâtir pour qu'on y donne du « Vaguener, comme à Beyrouth »... Mettons que j'aie mal entendu, l'accent du Midi sans doute.

Martine Aublet, la femme de Bruno Roger, président du festival et grand manitou de la banque Lazard, irradie le charme et la gentillesse. Elle porte malheureusement le turban de l'affreuse maladie et je ne sais pas comment il faut se comporter en pareil cas.

Dimanche 5 juillet 2009

Spectacle désolant de la Fondation Vasarely, perdue dans un échangeur d'autoroutes, abandonnée, pillée, vide. La famille veut reprendre les choses en mains et n'en revient pas que le ministre soit venu pour la soutenir. En revanche, le directeur régional des Affaires culturelles s'en fiche, mes arguments l'ennuient, mon enthousiasme le dérange. Un allié de plus !

Dîner pour François Baudot à l'Élysée. Les amis de Carla, qui sont aussi les miens, pour la plupart. Ambiance de pré-vacances, insouciance d'un soir d'été, les portes-fenêtres grandes ouvertes sur le jardin. François vient de faire paraître un livre de souvenirs, émouvant et sulfureux. On le complimente, le président le taquine : «Tu te rends compte, c'est encore pire que *La Mauvaise Vie*, j'aurais dû te nommer à la place de Frédéric!» On rit.

Lundi 6 juillet 2009

Visite avec Guillaume Boudy du site des Bons-Enfants, l'annexe de la Rue de Valois. D'un étage à l'autre, Guillaume me promène à travers les services et me présente à peu près tout le personnel. Accueil très aimable. S'agit-il des mêmes gens qui m'envoient Monquaut et ses acolytes et souscrivent aux tracts furibards dont je suis bombardé? Jean-Pierre me fait remarquer le triste état du bâtiment pourtant récemment restauré : hall lugubre, jardin en état de dépérissement terminal.

Ma première vraie rencontre avec François Fillon date de sa visite à la Villa Médicis en 2008. Il est en pleine crise de sciatique aiguë. Je lui propose d'alléger son déplacement prévu dans le parc. «Non, non, ça va très bien, ne changez rien.» Il a le visage décomposé par la douleur.

Inauguration de la gypsothèque de la Villa Médicis que j'ai créée in extremis. Chaleur d'été romain, le crépuscule flamboyant a réveillé les lucioles dont Jean-Pierre Angremy parle si joliment dans son livre. Tout le monde est là, le personnel de la Villa, les pensionnaires, les amis d'une année trop brève. La brusquerie de mon départ a ajouté une blessure aux regrets; on se congratule mais chacun a le cœur gros. Je parle vaguement de revenir, on sait bien que c'est fini. Viviane Reding, la commissaire européenne qui se trouve par hasard à Rome, fait office de marraine et coupe le ruban. Sa bonne humeur nous aide à maîtriser nos émotions. Dans la nuit, le retour vers Paris est un arrachement.

Mardi 7 juillet 2009

Daniel Cordier, à qui je rends visite en voisin avec Jean-Pierre, veut faire paraître une version intime de ses Mémoires. Un joli scandale en perspective; j'imagine la tête des compagnons de la Libération et de tous ceux qui le considèrent, à juste titre, comme un héros quand ils liront ce livre et découvriront le défilé de ses amours. On le freine tant qu'on peut, mais à quatre-vingt-dix ans, Daniel Cordier n'a plus rien à perdre, et la perspective du pavé dans la mare le réjouit. Peut-être jettera-t-il même un éclairage insolite sur sa fabuleuse dévotion pour Jean Moulin ?

Christine Albanel au déjeuner. Amicale, désireuse de me venir en aide, très amusante, aussi. Anecdotes féroces sur le président et sur ses collègues. Personne ne s'occupe d'elle, elle ne sait pas ce qu'elle va devenir et ne s'inquiète pas, pour l'instant.

Première de *Victoria* au Normandie en présence de Sarah Ferguson, la duchesse d'York. Elle a plus ou moins produit le film, qui est nul. Le «tutti quanti» des amitiés franco-britanniques et quelques demi-célébrités assistent à la séance donnée sous un vague prétexte de gala de charité dont tout le monde se fiche royalement. La duchesse, très sympathique, appartient à l'inoxydable tribu des rousses anglaises fortement charpentées, dont le rire sonore et les manières peu farouches peuvent réveiller un régiment de Horse Guards. Il semblerait d'ailleurs qu'elle en ait réveillé un certain nombre au cours de sa volcanique carrière chez les Windsor.

Mercredi 8 juillet 2009

Interview de Jean-Michel Aphatie sur RTL dès potron-minet. Le pète-sec du Sud-Ouest tape vite et fort. Je ne m'en tire pas trop mal. Il conclut : «Je vois bien que vous avez appris votre nouveau métier.» Venant de lui, je doute que ce soit un compliment.

Hadopi en séance plénière au Sénat. Auditoire clairsemé, seul David Assouline vibrionne dans la léthargie ambiante. De toute façon, le Sénat est majoritairement à droite et l'affaire est dans le sac. Je me demande si les plus vénérables des sénateurs qui sont restés ici plutôt qu'ailleurs pour roupiller se sentent concernés par le téléchargement illégal et la piraterie organisée ; se sont-ils seulement jamais servis d'un ordinateur ?

Charles Pasqua, vieux lion repu, remonte pesamment les travées pour sortir bien avant la fin de la séance qui s'achève tard dans la nuit.

Je me souviens de notre première rencontre il y a une dizaine d'années. Je présentais une soirée pour les œuvres de charité de Mme Wade, l'épouse du président du Sénégal, et cela se passait dans une sorte de capharnaüm RPR et Françafrique bourré de militants à grosse cravate, de blondes tuméfiées par le Botox et de toutes sortes d'aigrefins trop aimables dont on se demande d'où ils sortent et que l'on retrouve précisément dans ce genre de soirées. Charles Pasqua présidait, on était sur ses terres. Il avait été mis en examen le matin même pour toute une série d'affaires et la presse résonnait à pleine page du vacarme des casseroles que les juges venaient d'accrocher à son paletot.

Après avoir bien fendu le cœur de l'honorable assemblée sur le sort des pauvres petits orphelins d'Afrique, je m'apprêtais à prendre discrètement congé lorsqu'il me saisit la main, me complimente avec effusion et exige de pouvoir me raccompagner vers la sortie. La salle est immense et, chemin faisant, on s'arrête de table en table, où il me présente aux principaux convives, le tout assorti d'un déluge de propos aimables à mon endroit. Vedette de la télévision, conteur incomparable, généreux bienfaiteur des déshérités : c'est tellement chaleureux que je me demande s'il ne me prend pas pour Michel Drucker; mais non, il s'agit bien de moi, le neveu de mon oncle, «avec qui on s'est beaucoup bagarrés, mais enfin c'était quelqu'un». On arrive enfin à la sortie, je suis sur un petit nuage, mais je me demande quand même ce qui m'a valu un traitement si chaleureux. Je sens toujours sa griffe sur mon épaule qui me pousse un peu maintenant pour franchir le seuil. On avait tout le temps, mais c'est fini, on a fait le grand tour, on est pressés, il y a des gens qui attendent de l'autre côté.

Dehors, plusieurs types mâchonnent des cigarillos éteints dans la nuit. Ils ont l'air de sortir d'un film noir et n'ont pas l'air très portés sur les bonnes œuvres. Plus de grands sourires patelins ni de présentations élogieuses. Il me donne une tape dans le dos et, le visage fermé, se tourne vers ces messieurs. Comme je traîne en général un peu dans ce genre de situations qui m'intéressent, il me jette d'une voix sourde : «Allez, tu files, maintenant, j'ai à faire.» Je pars sans demander mon reste, en tâtonnant dans l'obscurité à la recherche de ma voiture.

La promenade, c'était pour montrer que tout va bien. Le renvoi, c'était pour le débriefing entre potes; on n'amuse plus la galerie, on tire la chasse.

Jeudi 9 juillet 2009

Les jeunes du cabinet vivent à l'heure d'Internet. Ils se gargarisent de son vocabulaire et échangent frénétiquement des courriels à tout propos. Quand je manifeste quelque impatience, ils me répondent très aimablement, comme à un vieil oncle de province dépassé par le progrès, avant de retourner pianoter furieusement dans leurs bureaux.

Vendredi 10 juillet 2009

François Le Pillouër est un homme dangereux. Président du Syndeac, le tout-puissant syndicat du spectacle vivant, il terrorise le ministère avec de sempiternelles réclamations d'argent pour ses ouailles et des querelles à n'en plus finir pour chaque nomination. Il crie lui aussi à la volonté de démantèlement du ministère par le président et on prend ses menaces d'autant plus au sérieux qu'il a instrumentalisé toute l'affaire des intermittents. Son objectif est clairement de parvenir à une cogestion syndicale du spectacle vivant, qui démantèlerait pour le coup à son profit toute l'action qui revient au ministère aujourd'hui. Il tape à bras raccourcis dans mon bureau sur Marin Karmitz et son Conseil de la création artistique, malencontreuse invention du président qui colle comme un vampire au ministère et brouille son image dans la presse, où l'ancien trotskiste millionnaire joue au ministre bis. Moi aussi, j'aimerais bien me délivrer de Karmitz, et je louvoie pour ne pas donner raison à Le Pillouër tout en cherchant à me tirer de cette ornière. Gros monsieur mal fagoté d'apparence pateline, le parrain du Syndeac m'observe comme le chat la souris. Il a acquis une bonne réputation en tant que directeur du Théâtre national de Bretagne, et le ministère a cru pouvoir l'amener à de meilleures intentions en lui accordant une considérable subvention qu'il a discrètement négociée. Peine perdue. Georges-François Hirsch, sur qui je révise de plus en plus mon jugement, est bien le seul ici à pouvoir lui tenir la dragée haute. Il confirme une habileté mâtinée de ruse voire de fourberie qui me rend sacrément service en l'occurrence. Le rondouillard cède peu à peu du terrain devant le travail de l'artiste qui proteste de ses efforts pour le spectacle vivant et nous entraîne vers un examen attentif des entretiens de Valois, ce triangle des Bermudes de la négociation syndicale avec le spectacle vivant.

Francofolies de La Rochelle. Dans les coulisses, où flotte un fort parfum de pétard parmi des gendarmes qui ont providentiellement perdu l'odorat, Alain Souchon me considère, goguenard : « Alors tu regrettes déjà ! Tu viens chanter pour te faire pardonner ? » Cela dit gentiment, sans trace d'acrimonie. Plus tard, embrassade surprise avec Ségolène Royal devant une assistance médusée. Il y a quelques années, le bruit courait que Ségolène Royal était ma cousine, une autre fille naturelle de François. Nonobstant cette faribole, c'est comme s'il en restait quelque chose, un fond de vérité secrète. Malgré une dispute ancienne en direct à la télévision, on se parle chaque fois que l'on se rencontre comme si on était de la famille. Elle y met beaucoup d'entrain et de naturel, et je ne lui cache pas que cela me fait plaisir.

Samedi 11 juillet 2009

Retrouver Arles est toujours un bonheur. L'âme du Midi, rude et ensoleillée, de Mistral et de Daudet, y survit à peu près intacte ; même la gaieté de l'été avec ses myriades de touristes qui se baladent en short n'altère pas l'émouvante sensation de discrète mélancolie qui émane de cette petite ville pauvre avec ses vestiges romains en majesté, ses ruelles écrasées sous un soleil de plomb où l'on frôle entre ombre et lumière de beaux hôtels du XVIIIe amochés par le temps et repliés sur des secrets de famille, le Rhône qui passe somptueusement dans sa perpétuelle indifférence et que l'on redoute, ses boulevards très IIIe République, ses filles aux épaules nues et ses vieux qui sèchent sur leurs bancs, ses Beurs et ses Gitans, canailles et beaux comme dans les chansons d'amour, et partout le bel accent qui chante bien mieux que sur la Côte d'Azur.

Déjeuner rituel dans le beau jardin de Maja Hoffmann avec le gratin des rencontres de la photographie. Millionnaire et mécène, elle a confié à Frank Gehry le projet de la construction d'une fondation. Au fond du jardin, une petite porte ouvre sur la merveilleuse promenade des Alyscamps. La tour prévue par Frank Gehry portera-t-elle atteinte à la poésie du site ?

Soirée magnifique dans la chaleur de la nuit au théâtre antique où Nan Goldin projette la *Ballad of Sexual Dependency* avec en accompagnement musical les Tiger Lillies, trois Anglais peinturlurés directement échappés d'un cabaret berlinois des années trente. Christopher Isherwood et Klaus Nomi très «lost in Manhattan». Triomphe. Nan m'embrasse avec cette effusion américaine qui m'a toujours paru être un des versants de l'indifférence.

Dimanche 12 juillet 2009

Olivier Poivre-d'Arvor voudrait me succéder à la tête de la Villa Médicis. Je redoute un peu qu'il ne violente la délicate et vieille demoiselle de Rome, et le fait qu'il ne soit guère dans les petits papiers de l'Élysée rend son éventuelle nomination problématique. Il doit en avoir assez de me retrouver toujours sur le chemin de ses ambitions, comme une erreur de casting à répétition qui lui piquerait ses meilleurs rôles.

En cortège vers Avignon en compagnie d'un sous-préfet au seuil de la retraite qui me parle de Claude Guéant avec chaleur. Il a dû avoir des ennuis dans sa carrière.

Le projet de donation à l'État de la collection d'art contemporain d'Yvon Lambert est affreusement compliqué à mettre en œuvre pour toutes sortes de raisons inhérentes à ce genre d'affaire et parce qu'elle met en jeu les intérêts de personnalités aussi fortes que le collectionneur lui-même et Marie-Josée Roig, la députée-maire d'Avignon. Ils se parlent par intermittence, se disputent théâtralement, se réconcilient sur le dos du ministère. Après que Marie-Josée Roig, en perpétuelle tournée électorale, m'eut promené comme un teckel dans les rues d'Avignon, Yvon Lambert me déclare péremptoirement : «De toute façon, dans cette mairie, ils détestent tous les pédés.» Le préfet Burdeyron, aussi sympathique que plein d'humour, passe un temps fou à recoller les morceaux. Après une journée de marchandages surréalistes − il menace de donner sa collection ailleurs, elle menace de ne pas lui céder le bâtiment qui pourrait l'abriter −, ils me disent au revoir en protestant de l'affection et de la confiance qu'ils se portent. Deux beaux monstres, en somme, qui se connaissent parfaitement et s'écharpent en y prenant du plaisir. Ils attendent en fait un effort financier exceptionnel de l'État et font monter les enchères pour en avoir la meilleure part. Même Georges-François Hirsch, pourtant si fin manœuvrier, ne sait plus comment arrêter la machine infernale.

Lundi 13 juillet 2009

Déjeuner avec Hortense Archambault et Vincent Baudriller, les deux directeurs du Festival d'Avignon. Ils se demandent manifestement ce que je fiche là. Louis Schweitzer, le président, en rajoute en me parlant avec une condescendance de pasteur protestant. Tous sont en fin de mandat et inquiets.

Angelo, tyran de Padoue, sombre drame en vers de Victor Hugo mis en scène par Christophe Honoré et sauvé in extremis par Emmanuelle Devos. On s'ennuie ferme dans un opéra transformé en fournaise. Marie-Josée Roig et Yvon Lambert pioncent l'un sur l'épaule de l'autre. Christophe Honoré dans les coulisses : «Pour Hadopi, on ne vous laissera pas tranquille!» À bon entendeur, salut.

Réception donnée par Hervé Morin pour les militaires dans le jardin du ministère de la Défense. J'habite en face et je suis curieux de voir mon appartement en contrechamp. Cette intention frivole s'étrangle devant le spectacle des blessés en Afghanistan, amputés, trépanés, paralysés, leur jeune vie foutue, condamnés aux médailles inutiles, aux bonnes paroles et aux fauteuils roulants. Autour d'eux passent et repassent les uniformes, les dames endimanchées, les plateaux de flûtes à champagne.

Beaucoup de monde chez Marie-Luce Penchard, la secrétaire d'État à l'Outre-mer. Climat de jovialité générale lubrifiée à l'alcool des îles; notables cravatés, vahinés, colliers de fleurs et doudous. De beaux Canaques à peu près nus m'invitent dans leur chorale, on chante, on danse, on est filmés. Je promets d'aller leur rendre visite en rêvant d'escapade exotique et lointaine. Ils sont très contents, ils habitent tous Aubervilliers.

Mardi 14 juillet 2009

J'arrive sur la place de la Concorde soigneusement lissée, le cœur étreint par un souvenir fulgurant qui remonte à vingt ans très exactement, celui d'Emmanuel-Philibert de Savoie encore adolescent, mi-Rimbaud, mi-Tadzio, qui court vers moi afin d'obtenir une place pour la parade du bicentenaire que je commente à la télévision.

Brice Hortefeux : «Tu verras, c'est quand même très beau. À chaque fois, je trouve que c'est formidable d'être là ; on est si bien placés, cela n'arrive pas si souvent dans la vie.» En effet, le défilé est un spectacle admirablement réglé et on est mieux que devant son téléviseur. Ce spectacle a certainement une âme, mais laquelle ? Celle qui nous invite à nous lever au passage de chaque détachement m'est étrangère. Seules les musiques militaires me touchent par instants, elles peuvent être si mélancoliques.

Deux solutions quand on parle de Brice Hortefeux. Dire qu'il est extrêmement sympathique, et alors tous mes amis me tombent dessus à bras raccourcis, ou dire que c'est bien le nervi épouvantable de son maître, et alors c'est avec une commisération désolée que l'on me demande comment je peux frayer avec un type pareil. À tout prendre, je préfère quand même la première solution parce que c'est la plus honnête. Je concède cependant qu'en politique la sympathie n'est pas le seul critère.

Concert gratuit de Johnny au Champ-de-Mars. La fine fleur de la nomenklatura, en jean et tee-shirt «peace and love», très «on est des jeunes comme les autres», danse à tout-va dans le carré VIP. Johnny, sortant de scène en peignoir, les traits marqués : «Au moins, toi, tu es venu.» Le bruit avait couru que le président et Carla assisteraient au concert.

Mercredi 15 juillet 2009

Commission des Affaires culturelles à l'Assemblée pour Hadopi. Atmosphère nettement moins «cool» qu'au Sénat. Michèle Tabarot, la blonde des Alpes-Maritimes que Copé a lancée comme un scud pour écrabouiller une Françoise de Panafieu trop vive et intelligente, joue la présidente légaliste et démocrate. Patrick Bloche, député socialiste de Paris, joue l'opposant indigné par la «désinformation scandaleuse due au mépris de la majorité». Inutile de se faire des illusions, la comédie tournera bientôt au vinaigre.

Nous sortons bras dessus, bras dessous avec Nathalie Kosciusko-Morizet d'une réunion à Matignon. Elle est enceinte jusqu'aux dents. Les journalistes qui se pressent dans la cour : « Une déclaration, madame la ministre ? » Je lui effleure le ventre : « Tu n'as qu'à leur dire que c'est moi le père ! Ils seront ravis. » Elle rit et me donne un coup de coude, mi-choquée, mi-contente.

Si Aix est nettement *Figaro Magazine*, Avignon furieusement *Télérama*, les Chorégies d'Orange seraient plutôt *Nouvel Obs* pages culturelles. La gauche caviar parisienne descend donc de son TGV avant d'aller faire la soudure du week-end dans ses villas à piscine du Luberon. Il fut un temps où se rendre aux Chorégies passait pour un acte de résistance civique contre la municipalité Front national. J'entends encore comme si c'était hier les appels enflammés à terrasser l'hydre fasciste, l'horrible maire Bompard et ses majorettes provençales ringardes, avec le phénix de l'art et de la culture de qualité. La loufoquerie de ces élans de bonne conscience qui permirent de continuer à profiter sans remords d'agréables virées estivales s'est un peu estompée depuis que les infortunés indigènes ont refusé d'être libérés en réélisant le maire avec, chaque fois, une majorité tiers-mondiste. On se presse plus que jamais au théâtre antique et une foule de têtes connues s'étale à la terrasse des cafés. C'est la première fois depuis vingt ans que je reviens à Orange et je me sens mal à l'aise en face des bistrotiers bon enfant et de tous ces braves gens exubérants et sympathiques que je croise à tout instant et qui ont peut-être des pulsions de violence et de ratonnades plein la tête. Le Midi est si beau et rend parfois si malade.

On donne *La Traviata* et ma présence est censée encourager France 2 qui diffuse l'opéra en direct, histoire de faire valoir un « plus » culturel présumé dont la direction de la chaîne se gargarise, et moi avec bien sûr, le bon garçon de service.

Jeudi 16 juillet 2009

Ce qu'il y a de mieux sur le chantier balbutiant du Mucem à Marseille, c'est Rudy Ricciotti, son architecte pasolinien, au milieu de la foule des officiels échappée d'un film de Chabrol qui transpire de chaleur et de secret affolement devant sa dégaine : tongs, short et marcel, tignasse ébouriffée. Il m'observe comme un loup l'agnelet. « Moi, je ne fais pas une architecture de tapette», a-t-il confié un jour à mon frère Olivier. Je lui rappelle cette forte maxime en découvrant la superbe maquette du futur musée de la Méditerranée qui va coûter une fortune et dont personne ne sait au juste ce qu'il contiendra. Ça le fait rire, et pour aller au plus vite mettons qu'entre nous c'est «*love at first sight*».

J'arrive presque trop tard, ce diable va construire à toute allure, il va falloir que je me décarcasse pour que la bonne idée de ce musée fonctionne vraiment dans une ville magnifique et moribonde où la faconde légendaire de Jean-Claude Gaudin a noyé la culture dans le pastis de Pagnol.

Vendredi 17 juillet 2009

Hugues Gall m'incite à ne pas me laisser impressionner par les sempiternelles réclamations des établissements publics et du spectacle vivant qui gèrent l'argent public comme des enfants gâtés. Venant du meilleur directeur qu'ait connu l'Opéra de Paris, le conseil mérite d'être médité. Hélas, je n'ai ni son expérience ni son autorité naturelle.

Passage de Nicolas Monquaut dans mon bureau, tout sourires. Les petits arrangements en privé après les affrontements publics. J'ai du mal à m'y faire.

Samedi 18 juillet 2009

Tour de France. Depuis l'envolée du président sur la plus belle fête populaire française, les ministres se passionnent pour la Grande Boucle. Roselyne Bachelot est bien la seule que je ne soupçonnerai pas d'opportunisme, elle aime les hommes, la bagarre et l'imprévu. Pourtant, le look Spiderman des champions ne laisse pas beaucoup de place aux rêveries érotiques. Je finis le Colmar-Besançon avec le vainqueur de l'étape, entre deux blondes, comme à la télévision. Bien que je ne lui aie rien demandé, il m'explique qu'ils pissent tout en roulant dans une fiole en plastique. J'ai du mal à imaginer comment ils font avec leurs collants. Regard narquois : «Vous voulez que je vous montre ? — Non, merci, je risquerais de perdre les pédales !» Des trucs comme ça qui ne volent pas très haut mais qui font rire. Je n'arrive pas à me rappeler son nom ; il avait l'accent belge.

Dimanche 19 juillet 2009

Beaucoup de députés de la majorité ont des enfants déjà grands, des jeunes dans leur circonscription, tous très hostiles à Hadopi.

Guy Cogeval me montre ses nouveaux accrochages à Orsay. Sa vie, arrachée à un cancer qui a failli le tuer, se confond avec celle de son musée.

Maman s'inquiète du rythme auquel je suis soumis, pour mon équilibre et ma santé. Mais tout va bien ; j'en ai pris mon parti, les très rares moments de liberté dont je dispose sont pour ma famille et mes proches ; quant au reste, mieux vaut ne plus y penser. Cela durera ce que cela durera, c'est tout.

Lundi 20 juillet 2009

Longue conversation avec Éric de Chassey, jeune historien d'art très réputé que j'ai pratiqué lors du jury d'admission à la Villa Médicis. Jean-Pierre me confirme qu'il est très apprécié dans son domaine. Ce pourrait être un candidat inattendu mais de valeur pour la Villa.

Réunion avec le président pour resserrer les boulons entre Michèle Alliot-Marie et moi avant le débat sur Hadopi. Très content de constater que l'on s'entend bien. Hadopi lui importe beaucoup, il se sent investi d'un devoir de protection à l'égard des artistes, et tant pis s'ils ne lui manifestent aucune gratitude.

Hadopi toujours, mais changement radical de registre : Jean-Marc Ayrault et Patrick Bloche viennent me voir comme deux témoins de l'adversaire à la veille d'un duel. Le président du groupe socialiste pratique une cordialité sobre qui rend le contact facile, Patrick Bloche est nettement plus offensif, il me promet le feu du ciel. Avec Christine Albanel, il était à la limite de l'insulte.

Mardi 21 juillet 2009

Jean de Boishue, le conseiller pour la culture du Premier ministre, est un être délicieux qui réconcilierait n'importe qui avec la politique. À lui tout seul, il mériterait qu'on lui consacre un livre ; il a toutes les qualités romanesques que j'aime, humour et férocité, bonté et dureté, nostalgie et fidélité. Son physique de gentil nounours cache une intelligence rare des êtres et des situations. Il s'est donné corps et âme à François Fillon, ce qui ne l'empêche pas de lui reprocher sa prudence provinciale, son sybaritisme inavoué, sa réserve dans les sentiments. En revanche, il poursuit le président d'une animosité qu'il ne cache même pas.

Il est venu s'assurer que je ne flancherai pas pendant les débats sur Hadopi. Au fond, personne ne me fait vraiment confiance, hormis le président. Alain Minc a charitablement résumé l'opinion générale : «Mettez-le à la tribune de l'Assemblée nationale et il ne tiendra pas cinq minutes!»

Je tiens très bien. Succès de cabotinage et de vanité, ils sont tous sidérés par mon aplomb. Les années de direct à la télévision ont servi à quelque chose.

Vers minuit, à la fin de la première séance marquée par de rudes empoignades, Richard Eltvedt, mon assistant parlementaire : «Pour une première journée, c'est du costaud, monsieur le ministre.» *Indeed, my dear Dickie.*

Mercredi 22 juillet 2009

Conseil des ministres. Le président : «Facebook, ah oui, Mickey parle à Minnie et lui demande comment ça va pendant des heures. Vous trouvez que c'est intéressant?»

Suite des débats Hadopi. Il fait froid, Michèle sort un châle de son sac et me le noue autour du cou ; le genre de petit geste qui explique que ses conseillers, avec qui elle est si pète-sec, seraient prêts à lui décrocher la lune. La présidente socialiste de la séance s'embrouille dans le règlement et les temps de parole. Elle s'obstine à m'appeler

François Mitterrand. La fatigue aidant, fou rire général. Levée d'écrou bien après minuit.

Jeudi 23 juillet 2009

Hadopi toujours, mes deux directeurs adjoints en renfort. Olivier Henrard : «Ne soyez pas si aimable avec l'opposition, ils ne vous rateront pas.» Mathieu Gallet : «N'hésitez pas à être de mauvaise foi, soyez cash, ils ne s'en privent pas.» Le boxeur amoché et ses entraîneurs qui l'épongent.

Franck Riester, le rapporteur du projet de loi, est une lame à qui l'on peut prédire un bel avenir. Jeune, fin, beau gosse à cheveux gris, il me parle de son ami avec qui il vit depuis plusieurs années. Richard me confie qu'il y a eu des grincements dans la majorité quand on a su ce qu'il en était. Mais depuis que Copé l'a pris sous son aile, plus personne ne bouge.

Vendredi 24 juillet 2009

On traverse la vie sans être jamais assez attentif aux gens qui vous aiment, parfois secrètement. Et pour ma part, ceux que j'ai aimés continuent à vivre en moi comme si le passé et le présent se confondaient exactement. J'y repense très fort et sans rien dire quand Christian Lacroix vient me voir pour que l'on trouve une solution pour les premières d'atelier de sa maison de couture en dépôt de bilan.

Hadopi est finalement voté dans la soirée après le rejet d'une série d'amendements surréalistes où l'opposition s'en est donné à cœur joie. Patrick Bloche à la buvette de l'Assemblée : «Alors, monsieur le ministre, vous êtes content?» C'est bizarre, ce type ne m'est pas antipathique.

Jean-Pierre : «Au fond, le problème de votre relation, entre Patrick Bloche et toi, c'est un problème de gros nœud. — ... — Mais si, les petites filles à l'école avec des nœuds dans les cheveux, c'est à celle qui aura le plus gros. — Le plus gros nœud dans les cheveux? — C'est bien ça.»

Samedi 25 juillet 2009

Bureaux vides, ministère silencieux, pas d'appels au téléphone. J'en profite pour attaquer la montagne de parapheurs. Olivier Henrard passe sa tête de professeur Nimbus : «Vous travaillez le week-end, monsieur le ministre? — Oui, et vous donc? — Oui, mais moi, c'est normal.» D'un type qui passe, à juste titre, pour être très intelligent...

Dimanche 26 juillet 2009

Malaise du président, médias en folie. Meilleures nouvelles dans la soirée. Tous ceux qui se sont affolés toute la journée sur Internet et m'ont bombardé d'appels en sont pour leurs frais. Répulsion pour cette fourmilière d'intrigues.

Maman : «Tu lui diras que j'ai eu très peur pour lui.» Elle est persuadée que son fils est à tu et à toi avec les grands de ce monde. Du temps de mes difficultés à Antenne 2, elle voulait voir Elkabbach pour lui dire d'être gentil avec moi et de me confier des émissions. J'avais eu toutes les peines du monde à l'en dissuader.

Lundi 27 juillet 2009

Déjeuner avec Michel Boyon, le président du CSA. J'aime cet homme et il le sait. Tour d'horizon général sur le «paysage audiovisuel». Mathieu Gallet, surpris par la cordialité des échanges : «Il s'est montré drôlement sympa avec vous ! — Ça vous étonne ? — Mais non, pas du tout, monsieur le ministre, pas du tout.»

Visite en détail de l'hôtel de la Marine, place de la Concorde, qui éveille tant de convoitises depuis que l'on sait que la Royale doit en partir pour rejoindre le futur «pentagone des armées». Hormis les salons d'apparat, trop fastueusement restaurés grâce au mécénat de Bouygues, c'est un labyrinthe de pièces sombres et tristes, cloisonnées à la hâte. Morne victoire de la République des garnisons et des sous-préfectures sur l'écrin glorieux de Gabriel et de l'Ancien Régime. On me montre dans l'encoignure d'une fenêtre donnant sur la place le procès-verbal de l'exécution de Marie-Antoinette. Si j'en juge par les signatures, il y avait bien du monde dans cette pièce pour assister à cette infamie.

Dîner d'amitié avec Valérie-Anne et Bernard Fixot, très inquiets devant l'atonie des éditeurs qui n'ont pas l'air de se soucier du déferlement annoncé du livre numérique et d'Amazon sur le marché.

Mardi 28 juillet 2009

Patrick Devedjian réclame le parc de Saint-Cloud, qui est sous la tutelle du ministère, pour son royaume des Hauts-de-Seine. Il a préparé un dossier sur le mauvais état du parc avec des photos accablantes – le vrai dossier d'espionnage dénonçant l'incurie de l'ennemi. Moi : «En somme, tu es comme Brejnev : tout ce qui est à nous est à nous, tout ce qui est à vous est négociable!» Le compliment lui fait plaisir. La perspective de l'annexion s'éloigne.

Laurence Franceschini, la directrice des médias et des industries culturelles au ministère, me plaît infiniment. Elle a toutes les qualités des femmes de pouvoir, et le sien est énorme, et toutes les autres auxquelles elles ont renoncé en général. Moi qui me prends si facilement pour Vivien Leigh, j'ai l'impression de retrouver Anna Magnani, celle qui s'occupe de tout et de tout le monde sans relâche et à la loyale. Comment est-elle parvenue à rester si profondément féminine et humaine après de longues années dans la fonction publique? Mystère. En tout cas, pour le ministre, c'est une chance de l'avoir à ses côtés.

Christian Blanc boit sec, fume de gros cigares et se moque du qu'en-dira-t-on. Ses collègues le jalousent, en disent du mal et lorgnent sur son portefeuille du Grand Paris. Il est particulièrement gentil avec moi et attentif à mes demandes. C'est un homme qui a évité la guerre en Nouvelle-Calédonie et il sait que je le sais alors que tout le monde a l'air de l'avoir oublié.

Projection privée – pas si privée que ça, car le cinéma le Panthéon est plein – du film de Jacques Audiard, *Un prophète*. Si je pouvais avoir un Tahar Rahim dans ma vie, ne serait-ce que de temps en temps, comme je serais heureux! Le foyer de la salle a été décoré par Catherine Deneuve, une réussite, comme tout ce qu'elle touche.

Mercredi 29 juillet 2009

Dernier Conseil des ministres avant les vacances. Le président accuse la fatigue de la crise financière et de son accident. Il nous enjoint de ne pas nous éloigner trop longtemps et trop loin de Paris. Petit papier tordant de Roselyne qui n'apprécie pas d'être traitée comme une collégienne à qui le prof fait la leçon.

Renaud Donnedieu de Vabres roule pour Alexandre Allard, l'homme d'affaires qui veut s'emparer de l'hôtel de la Marine pour y installer une sorte de bazar de luxe. À ce compte-là, autant refiler aussi les clefs de Versailles à Bernard Tapie pour qu'il y fasse des salles de sport. C'est une folie. Il est sourd à tous mes arguments pour le dissuader.

Le président dans le jardin de la Lanterne. Grand soleil, arbres magnifiques, demeure ravissante. Il se remet de son accident. Lunettes noires, portable muet, ton tranquille. La perspective d'Éric de Chassey pour la Villa Médicis l'intéresse, mais j'aurais préféré avoir plus de temps pour examiner d'autres candidatures, voire pour essayer de remettre Olivier en selle. Il reste silencieux quand je lui parle de l'hôtel de la Marine; c'est mauvais signe; Renaud et Allard ont dû l'approcher. J'insiste, il sort de son mutisme : «Oui, je sais que ce type a sans doute gagné plus d'argent que nous n'en aurons jamais ni toi ni moi!» Il a peut-être pris sa décision mais il peut en changer. Catherine Pégard : «Tu as très bien fait, il aime qu'on lui parle comme tu viens de le faire.» C'est vrai que je n'ai pas peur de lui, enfin pour l'instant.

Le président : «Il n'y a que Claude Guéant pour s'être vraiment occupé de moi pendant mon accident. Il ne m'a pas quitté d'une seconde. Tous les autres étaient au téléphone, pour se dire quoi, on se demande!»

Jeudi 30 juillet 2009

J'étais en retard. Christophe m'a conduit à toute allure avec une formidable maestria dans un trafic insensé et je suis arrivé à l'heure exacte chez le président. Miracle du gyrophare, que j'ai pourtant toujours détesté.

Michel Colardelle, le patron du musée national des Arts et des Traditions populaires qu'on lui a fermé à petit feu, est l'exemple type du serviteur de l'État émérite que l'administration a constamment mal-traité parce qu'il en savait bien plus que ceux dont il dépendait. Modeste, bon, humilié.

Bonne journée pour Mathieu Gallet, constamment avec moi quand je reçois successivement toutes les grosses pointures des médias. Certains l'ont employé sans faire attention à lui, mais la fortune sourit aux audacieux, et si ces messieurs sont peut-être surpris de l'ascendant qu'il a pris sur le ministère, ils n'en soufflent mot.

Jacques Toubon est adorable de gentillesse, d'entrain et de gaieté. Il n'exprime aucune gêne ni amertume à me voir à la place qu'il a occupée.

Isabelle Lemesle, la directrice des Monuments nationaux, traîne une réputation terrible d'impératrice chinoise qui décapite ses conseillers l'un après l'autre. Faute de parvenir à la raisonner et en désespoir de cause, Jean de Boishue a fini par déjeuner avec son chien, la seule «personne» qu'elle aime et en qui elle a confiance. Avec moi, toute douce et amusante. Je prends des nouvelles du molosse, au cas où.

Vendredi 31 juillet 2009

Lever du soleil avec Bartabas et son cheval aux Tuileries. Le tour de force, c'est d'être là à cinq heures du matin, et le public nombreux apprécie d'assister à l'éveil du beau et de la bête à cet endroit que l'on traverse en général dans la foule et la poussière, si tranquille à cette heure où chantent les oiseaux de l'aube.

Fadela Amara, sympathique et gentiment foutraque, me propose de nébuleuses coopérations culturelles. Mais elle est en cheville avec de nombreuses associations très actives qui intéressent Francis.

Première rencontre avec Laurent Bayle, le président de la Cité de la musique. Il porte le projet de la Philharmonie qui suscite une forte opposition de Matignon pour des raisons officiellement budgétaires. Le chantier a été arrêté ; seules les fondations existent, comme la carcasse d'une baleine éventrée. Laurent Bayle a été longtemps l'assistant de Pierre Boulez, à qui il voue une admiration et une affection sans bornes, mais il n'est pas prisonnier de la rigidité dogmatique que l'on impute à tort ou à raison au maître; toutes les formes d'expression musicale l'intéressent. Très grand, très beau, avec un côté Laurent Terzieff quand il ne s'était pas encore consumé. Apparemment inconscient de la séduction qu'il exerce, il n'est pas habité par ce narcissisme plus ou moins conscient qui est le propre de bien des importants que je rencontre; c'est un rêve plus puissant qui l'anime, celui de nous construire une salle dont il attend qu'elle change notre perception et notre pratique de la musique. Il y a du moine bâtisseur en cet homme-là, le prieur des *Pierres sauvages* de Fernand Pouillon, le jeune fondeur de cloches d'*Andreï Roublev*, celui qui réussit malgré l'incompréhension et les moqueries de tous. Il comprend très vite qu'il n'a pas besoin de me convaincre; malgré toutes les embûches, je serai son allié.

Mon chef de cabinet est un personnage étrange. Lunaire et charmant, il est obsédé par ma sécurité, dont je ne sache pas qu'elle soit en péril. Il organise ses activités de manière mystérieuse et sa manie du secret comme sa hantise des dangers qui me menaceraient provoquent des courts-circuits dans son département. Muriel, la formidable secrétaire qui tient à bout de bras tout le service, à ses copines et sur le ton d'une chanson d'Édith Piaf, sans se rendre compte que j'entends tout en passant dans les couloirs : «Ah, ce type, j'en ai marre! Qu'est-ce que j'en ai marre!» Jean-Pierre l'a pris en grippe et le martyrise, mais l'autre, bizarrement immunisé contre toutes sortes de récriminations, la tête basse et le regard en alerte, continue imperturbablement à traquer les complots que la terre entière ourdit contre son précieux ministre.

Poème-spectacle de Pierre Henry dans sa petite maison du XIIe arrondissement. Le public s'installe dans chaque pièce équipée de baffles; il y en a partout. Depuis sa cuisine, au milieu d'appareils compliqués, le magicien des sons balance dans sa console une partition qu'un comédien accompagne de jolis textes récités en déambulant d'une pièce à l'autre. Le résultat est enchanteur.

Du samedi 1er août au mardi 11 août 2009

Vacances en Tunisie.

Ben Ali partout à Hammamet. Au carrefour, sur le rempart, en première page des journaux, à la télévision. La famille rachète une villa après l'autre, et même le petit café sur la place qui marche très bien va être obligé de vendre. Comme le dit l'ambassadeur d'Argentine : « Quel pays formidable, où il n'y a jamais que des bonnes nouvelles ! » J'évite autant que possible de faire ministre, mais les officiels sont tenaces. En revanche, les dossiers que j'ai apportés se racornissent sous le soleil.

Mercredi 12 août 2009

Éric de Chassey acquiesce à toutes mes recommandations concernant la Villa Médicis, mais d'où vient cette impression curieuse que j'ai de parler un peu dans le vide ? Son éventuelle nomination est bien accueillie dans le milieu de l'histoire de l'art. La Villa est si fragile, saura-t-il l'aimer et la préserver autant que moi ?

Appel affolé du producteur de Bertrand Tavernier qui doit commencer à tourner *La Princesse de Montpensier*, d'après Mme de La Fayette, dans trois semaines. Un financier dont les fonds étaient d'origine douteuse vient de s'évanouir dans la nature. Il faut refaire tout le tour de table ; commode quand tout le monde est en vacances.

Jeudi 13 août 2009

J'appelle Hugues Gall à la rescousse pour le film de Tavernier. Il préside un organisme de crédit qui peut contribuer à nous sortir de l'ornière. On refait tout le plan de financement avec Véronique Cayla, la présidente du Centre du cinéma, et je contacte un banquier après l'autre. Ils sont en croisière, en excursion dans les Alpes, en Provence, à l'autre bout du monde, mais rien ne résiste à l'opiniâtreté de mes secrétaires et de François Hurard, mon conseiller pour le cinéma, pour les joindre.

Vendredi 14 août 2009

Un plan de sauvetage du film prend forme. Le producteur se donne un mal de chien pour ajuster le programme de tournage. Ce sont des heures de palabres aussi avec les chaînes de télévision pour qu'elles augmentent leurs encours. On est très étonné que je m'investisse à ce point. Mais l'idée que Tavernier ne puisse pas faire son film m'est insupportable; et après le couac du président sur *La Princesse de Clèves*, il vaudrait mieux éviter que Mme de La Fayette se retourne une fois de plus dans sa tombe.

Samedi 15 août 2009

Fraîcheur et pénombre bienfaisantes de la cathédrale d'Auch par une journée mariale où la jolie ville, désertée et écrasée de chaleur, offre l'habituel spectacle d'une société déchristianisée qui vaque à ses vacances dès qu'elle en a l'occasion. Le fameux manteau d'églises qui recouvre la France est bien rapiécé. Le ministère pare au plus pressé avec les cathédrales qui lui appartiennent, mais comment préserver tout le reste des églises perdues, désertées par les fidèles et où le prêtre ne passe plus que de loin en loin ?

Joyeuse équipée au Festival de jazz de Marciac avec un sénateur de droite, un député de gauche, un préfet bon enfant, qui s'entendent comme larrons en foire. Un monde fou, la petite ville est en fête. Au concert de Thomas Dutronc, les caméras qui filment l'auditoire me montrent sur grand écran. Rien de tel que l'obscurité pour les sifflets et les «Frédo, retourne chez Sarko!» – «Allons, ce n'est rien» souffle le préfet au maire qui s'éponge nerveusement.

Dimanche 16 août 2009

Festival du documentaire de Lussas, village perdu au fin fond de l'Ardèche. C'est là que l'on peut voir ce que la télévision ne produit et ne diffuse pas. Je passe de la gauche républicaine à l'extrême gauche libertaire. Les organisateurs n'en reviennent pas de me voir débarquer.

Violent orage sur le site gallo-romain d'Alba où j'ai traîné le cortège. On repart comme des serpillières et le préfet, libéré de tout protocole par cette douche collective, me parle un peu de sa vie, de ses enfants, de son désir de connaître avec eux une autre existence. Ses confidences me touchent. On se quitte comme des amis.

Lundi 17 août 2009

Victoire ! *La Princesse de Montpensier* est sauvée. Le tournage peut commencer.

Mardi 18 août 2009

Pierre Nora m'intimide, je me sens comme un tout petit garçon devant lui. Il semblerait qu'il se trame un sale coup contre l'enseignement de l'histoire en terminale chez Luc Chatel.

Visite du musée de l'Histoire de France, au château de Versailles, comme on tournerait les pages d'un vieux Mallet et Isaac avec tous ces tableaux du roman national commandés par Louis-Philippe et recyclés par l'Instruction publique avant d'être oubliés dans une enfilade monumentale de salles fermées. Jean-Jacques Aillagon ramasse les papiers qui traînent par terre et redresse les luminaires qui penchent ; on est au moins deux puisque c'est ce que je fais en toutes circonstances, devant mon entourage médusé. Un papier qui traîne et c'est déjà l'abandon, la tristesse de ce qui s'abîme.

Qui sait que le musée des Antiquités nationales de Saint-Germain contient de magnifiques collections gallo-romaines ? Pas grand monde hélas. La présentation soviétique des œuvres s'est améliorée, tout le monde est très compétent et dévoué, mais il ne faut pas laisser les musées aux seuls scientifiques, ils les endorment pour pouvoir rêver tranquilles.

Mercredi 19 août 2009

Francine Mariani-Ducray préside le conseil d'administration de la Villa Médicis. Elle saura se faire respecter par Éric de Chassey, dont la volonté solitaire commence déjà à m'inquiéter. Le président lui a confirmé sa nomination (ce qui lui a sans doute donné l'occasion de porter une cravate) et il vient de lui adresser une note sur ce qu'il envisage de faire sans même m'en informer ni m'en adresser une copie. Je ne suis pas un maniaque du contrôle, mais le procédé me choque.

Jeudi 20 août 2009

Claude Guéant prend des notes au crayon sur un cahier d'écolier. Les socialistes qui ont eu affaire à lui lorsqu'il était préfet en province en gardent un bon souvenir ; il se montrait très correct avec eux, parfaitement républicain. Je commets la folie de lui dire que je voudrais me rendre à Angkor pour encourager l'École française d'Extrême-Orient. Il trouve l'idée très bonne. Il n'a pas lu mon livre et ne fait donc pas le rapprochement avec Bangkok. En sortant, je reprends mes esprits et j'abandonne tout projet de voyage extrême-oriental. La Corée du Nord, à la limite...

Vendredi 21 août 2009

Soixante-deux ans aujourd'hui. «Cette effrayante sensation de gâchis», comme le dit Franz-Olivier Giesbert en parlant de nos vies qui passent comme un trait de plume. Jean-Marc : «Mais non, mais non, ne pense pas à cela, il te reste du temps.»

La cité de Carcassonne ferme à six heures trente et l'unique guichet tenu à tour de rôle par deux gardiens qui ne parlent pas anglais ne délivre plus de tickets après cinq heures. On imagine ce que doivent penser les touristes qui ont fait la queue en plein cagnard et qui doivent repartir. En été, c'est à la fraîche, au crépuscule qu'il faudrait pouvoir visiter la cité. J'ai tout un stock d'invraisemblances de la même eau pour les syndicats qui empêchent qu'on engage des surnuméraires.

Arrivée à Venise pour la biennale d'art contemporain. Mais je n'ai jamais ressenti autrement que de manière superficielle et fugace cette tentation dont parle si bien Alain Juppé.

Au Danieli – il paraît qu'on a des prix –, mon inénarrable chef de cabinet ne flaire plus aucune menace d'attentat terroriste. La présence de quelques jolies femmes dans le hall de l'hôtel et la perspective d'en voir d'autres ce soir le rendent gai comme un pinson. Rasé de frais, œil qui frise et sourire enjôleur, ce n'est plus le Mister Bean de la lutte contre les comploteurs internationaux mais le Tino Rossi de *Naples au baiser de feu*. Évidemment, il n'a quand même pas pu s'empêcher de convoquer une escouade de *carabinieri* pour m'escorter, que nous avons le plus grand mal à renvoyer dans leurs foyers. J'imagine l'effet de notre arrivée à la biennale au milieu d'une armada surarmée.

Le Grand Soir, de Claude Lévêque, au pavillon français. C'est très bien, mais pas vraiment pour moi. Claude Lévêque ressemble au leader du groupe rock Les Garçons Bouchers ; il est désarmant d'humilité et de gentillesse. Après, on traîne un peu. Le pont des Soupirs est entièrement empaqueté, pas par Christo, mais par la publicité Coca-Cola, version berlusconienne du mécénat sans doute. Le chef de cabinet me borde quasiment dans mon lit pour s'assurer que je ne vais pas ressortir. Il semblerait qu'il ait un programme.

Samedi 22 août 2009

Le cortège que j'ai traîné partout est épuisé et demande grâce. Mais il faut ce qu'il faut entre l'art contemporain et les splendeurs italiennes pour que la mise à niveau du ministre soit à peu près acceptable.

Devant le Palazzo Fortuny où l'on s'attend à chaque instant à se faire taper sur l'épaule par le fantôme de D'Annunzio, un spectacle qui serre le cœur. Un groupe de Sénégalais reprend son souffle après une course-poursuite avec la police. Ils vendent des babioles aux touristes, dorment chez des marchands de sommeil, sont rançonnés par leurs passeurs et molestés par la racaille locale. Mais ils ne veulent pas repartir et tendent vers moi des passeports inutiles.

Dimanche 23 août 2009

Au ministère, tout le monde veut virer François de Mazières, le président de la cité de l'Architecture et du Patrimoine. On se demande bien pourquoi puisque la cité marche très bien. On lui reproche pêle-mêle d'être maire de Versailles et donc trop occupé ailleurs, d'être trop jeune en étant là depuis trop longtemps (!), d'appartenir à la franc-maçonnerie – je ne sais même pas ce que c'est hormis ce que j'ai lu dans les « marronniers » des magazines et je m'en fiche comme d'une guigne. J'imagine qu'il y a des candidats à la succession qui agitent furieusement le cocotier, mais aucun ne s'est déclaré.

Je l'ai longuement au téléphone. Il se défend comme un beau diable. Je n'ai plus aucune intention de le laisser tomber et les comploteurs feront aussi bien de rester dans l'ombre.

Lundi 24 août 2009

La bombe : la Bibliothèque nationale annonce par un simple communiqué qu'elle négocie avec Google pour lui confier la numérisation d'une part importante de son patrimoine. Les éléments sont encore vagues, ce qui est conforme à la folie du secret de Google, mais en l'état c'est inacceptable pour la forme et sur le fond. Réaction de ma part. Bruno Racine inquiet, Jean-Noël Jeanneney en embuscade ; le premier est à l'origine du projet, le second farouchement contre. La presse ne va pas tarder à prendre le mors aux dents. Face au géant Google et à son impérialisme forcené, j'ai l'impression de me lancer sur une bicyclette à la poursuite de l'Aston Martin de James Bond.

Le président : «Jean-Noël Jeanneney? Ce type est un excité! Bon, un excité intelligent, je te l'accorde, mais tu ferais tout aussi bien de ne pas l'écouter, il ne te donnera que de mauvais conseils.»

Georges-François Hirsch sur Nicolas Joel, le nouveau directeur de l'Opéra qui est venu me voir et affronte courageusement les séquelles d'une hémorragie cérébrale : «Il a tort de vouloir mettre en scène lui-même sa première production. Si c'est raté, tout le monde va lui tomber dessus.» Mais qu'oserais-je dire à l'homme foudroyé qui a besoin de se dépasser pour vaincre l'adversité?

François de Mazières agite furieusement ses réseaux, cela risque de se retourner contre lui. Je le lui dis, il me regarde avec un air de penser : «Toi, tu n'as encore rien vu.» J'avoue que ça me plaît assez, on manque tellement de machines désirantes fonçant à plein régime. Enfin, j'arrive quand même à le calmer.

Mardi 25 août 2009

Au Conseil des ministres, Bernard, juste et émouvant dans sa communication sur Clotilde Reiss, la jeune fille que les Iraniens incriminent d'espionnage.

On se demande comment la mère de Jean-Michel Ribes, une femme très belle, a donné naissance à un tel têtard bloqué dans sa croissance, énorme tête de Danton de comédie sur un petit corps rondelet. Mais c'est une laideur intéressante qui plaît aux dames en les émouvant et en les faisant rire. Il dézingue à tout-va François Le Pillouër et ses sbires d'une manière très rigolote, sans doute pour m'appâter. Il est brillant, sympathique, joyeux ; il est aussi très retors et me considère en fait comme un gros poulet à plumer avant que les autres ne s'y mettent. Il a fait du Théâtre du Rond-Point une réussite extraordinaire.

Festival de musique baroque à Sablé, la ville du Premier ministre. Un bon moment. Pas beaucoup de punks.

Mercredi 26 août 2009

Visite de l'hôtel Lambert avec Jean-Pierre. Ils sont tous fous : le propriétaire, un prince du Qatar qui veut creuser un parking sous la cour pour son armada de limousines, installer des batteries d'ascenseurs, aménager une piscine, percer murs et plafonds du XVII\e ; l'architecte des Monuments historiques qui l'encourage et voit grimper ses honoraires ; les associations de sauvegarde qui voudraient que l'État reprenne ce Titanic ; les voisins particulièrement enragés quand certains espéraient que les rois du pétrole rachèteraient aussi leur appartement et qui se vengent de ne pas avoir encaissé le pactole en excitant les médias. À la clef, la menace bien réelle d'une crise diplomatique avec l'émirat. La Ville de Paris joue double jeu pour embêter le ministère : risettes au prince et aux associations. Je vais être bien obligé de faire pareil mais pour trouver un arrangement.

Avec Jean-Pierre nous cherchons en vain les souvenirs des princes Czartoryski et de Chopin, de Mona Bismarck, de Marie-Hélène de Rothschild et du bel Alexis de Redé. Hélas, il ne reste rien que des papiers peints déchirés, des débris de boiseries arrachées, des planchers éventrés et des bouts de moquette maculée. Seulement une sensation de pillage et de désolation. Les morts sont bel et bien morts et ils sont partis en ne laissant rien derrière eux.

Jeudi 27 août 2009

Christine Ockrent et Alain de Pouzilhac, ou Bonny and Clyde à la tête de l'audiovisuel extérieur de la France. Ils tirent sur tout ce qui bouge pour les empêcher de réformer ce mille-feuille de sociétés et de mauvaises habitudes ; les syndicats, les journalistes, les producteurs. Trop brutalement sans doute. Mathieu Gallet : « Je ne m'étonnerais pas qu'ils se détestent un jour, à force de déployer leurs ailes ils vont finir par trouver que le perchoir est trop petit. »

Jacques Toubon tient à bout de bras la Cité nationale de l'histoire de l'immigration, que tous ses anciens copains snobent après avoir tenté de la torpiller. Sa bienveillance et son dévouement sont sans limites.

Rétropédalage de Bruno Racine sur le projet d'accord avec Google. Conversation solide dans un climat serein. Un ami qui lui veut du bien : « Prends garde, il te fera d'autres coups en douce. » Je fais comme si je n'avais pas entendu.

Chez Dina Kawar, l'ambassadeur de Jordanie ; drôle, vive, subtile, mais attention papillon d'acier, ça doit filer doux parmi les moustachus de l'ambassade. Rencontre avec Boris Boillon, notre ambassadeur en Irak, prototype particulièrement réussi de « sarkoboy » arabisant. Selon moi, Brad Pitt n'est pas son cousin, c'est avouer l'effet qu'il me fait.

Vendredi 28 août 2009

Alain Seban, le président du Centre Pompidou, devrait freiner sur les salles de sport. Il a l'air chargé comme un coureur du Tour de France, il marche les jambes écartées, à croire qu'il s'est développé de partout et on a peur pour les coutures de ses costumes, un mouvement brusque ferait tout craquer et jaillir ses muscles d'airain. Il arbore aussi le genre soigneusement non rasé de quelques jours qui se porte beaucoup dans certains milieux ; à côté de lui, l'hétéro de base, espèce à vrai dire menacée dont on rencontre encore des spécimens dans la fonction publique, passe pour une mauviette anémique. En revanche, si le président est fort gaillard, le Centre est en triste état, rançon de son perpétuel succès. On en parle en toute confiance ; c'est un type très fin et nous gardons de bons souvenirs du temps où il était conseiller de Chirac et se comportait très bien à mon égard.

Agréable déjeuner avec Jérôme Clément, qui me témoigne une sorte d'attachement mélancolique auquel je suis sensible et que je ressens aussi pour lui mais qui ne mène à rien. Toujours amical, jamais fiable.

Martin Hirsch, c'est le curé d'Ars du sarkozysme. Il incarne la foi qui s'est perdue et la charité efficace qui n'ose plus dire son nom dans un monde qui ne pense qu'en termes de pouvoir et de réussite. Il accomplit des trucs dans son coin, comme le service civique, on lui donne une petite tape d'encouragement sur le dos et on passe rapidement à autre chose.

Concert de Michel Plasson dans le jardin de sa belle bâtisse près de Béziers et des platanes en sursis du canal du Midi. Georges Frêche, le *conducător* de Septimanie, s'ingénie depuis des lustres à lui refuser tout subside et à lui barrer toutes les scènes qui devraient revenir à un chef de cette qualité. Je repense à la manière dont Martine Aubry appuie Jean-Claude Casadesus à Lille ; Michel Plasson, qui se remet d'un grave accident de santé, part pour la Chine où on lui ouvre les grandes portes de l'orchestre symphonique national.

Samedi 29 août 2009

Nouvelle lubie du ministre, tout le cortège dort à Lamalou-les-Bains, petite ville thermale aux allures de décor de café-concert, où se tient justement un festival de l'opérette. Hélas, la roucoulade tourne court, un illuminé parcourt la région avec une carabine pour descendre le ministre et l'auberge du Cheval Blanc est en état de siège. Mourir assassiné au théâtre du Casino de Lamalou-les-Bains en pleine représentation, ce n'est peut-être pas la fin glorieuse dont je rêve mais ça aurait au moins l'avantage de relancer le festival. On échappe au fou en parcourant comme des fugitifs en cavale les petites routes des belles montagnes de l'Hérault si chères à Jean-Claude Carrière.

La conservatrice du musée des Beaux-Arts de Béziers : une figure exemplaire de tous ces gens qui font un travail fantastique pour la culture, dans l'ombre et sans qu'on les reconnaisse ni qu'on leur dise au moins merci. Elle a exhumé les dessins et les caricatures de Jean Moulin. Le héros de la Résistance avait aussi ce talent-là.

Sur le chemin de l'aéroport on passe devant la poste, bel exemple des premières constructions en béton qui donne tout son sens à la perspective d'un boulevard haussmannien. Le maire veut la faire démolir, on se demande bien pourquoi.

Dimanche 30 août 2009

Mon chef de cabinet respire : on a rattrapé le fou de Lamalou-les-Bains, retranché avec tout un arsenal. Un pauvre hère dévoré de misère et de ressentiment.

Brice Hortefeux me montre le hit-parade des Renseignements généraux sur les ministres menacés par l'assassin qui sort du néant ; celui qui a bien failli tuer Jacques Chirac, Douste-Blazy ou Bertrand Delanoë et qui a mitraillé le conseil municipal de Nanterre ; à peu près toujours le même profil de solitaire à la *Taxi Driver*. Fadela Amara et moi sommes les chouchous des dingues de service, la petite Arabe qui a réussi, le neveu pédé qu'on a déjà trop vu à la télé.

Lundi 31 août 2009

La technique de Nicolas de Tavernost, le patron de M6 : « On tape d'abord, on cause ensuite. » Le genre de méthode que j'affronte comme le lapin halluciné pris dans les phares de la voiture qui fonce sur lui. Et en plus, il est très séduisant, le bougre ! Il me rappelle furieusement certains attachements exaltés de ma prime jeunesse bien lointaine, mais je ne suis même pas sûr que si j'évoquais, pour desserrer l'étau, le souvenir des camarades de mes émotions adolescentes il renoncerait à sa tactique et en serait déstabilisé. Le Mad Dog dans toute sa splendeur.

Renaud Donnedieu de Vabres a décidément eu la main heureuse en nommant Muriel Mayette à la Comédie-Française. Tout est simple, aimable, constructif avec elle.

Ariane Massenet me piège au «Grand Journal» de Canal Plus en me demandant ce que signifie l'acronyme *Hadopi*. Je m'embrouille. Une tribu indienne, peut-être? Ça fait rire, mais j'ai eu chaud.

Haute autorité pour la diffusion des œuvres et la protection des droits sur Internet, j'ai beau l'apprendre par cœur, j'oublie tout de suite.

Dîner avec Luc Chatel. Bon restaurant, *small talk*, je m'épanche un peu trop.

Mardi 1er septembre 2009

Matinale de France Culture. Clémentine Autain est tellement agressive que je me demande si elle m'en veut d'avoir parlé de sa mère, Dominique Laffin, dans mon livre sur le Festival de Cannes. C'était pourtant avec beaucoup de tendresse.

Nonce Paolini tape sur Tavernost, Tavernost tape sur Nonce Paolini, ils se retrouvent tous les deux pour taper sur Canal Plus, quant à France Télévisions, ils s'en foutent comme les capitaines de yachts de croisière cinglant la haute mer devant un rafiot rouillé.

Louis Schweitzer continue à me parler comme à un cancre sur le ton d'un préfet des études. Ça m'agace, mais bon ça ne change rien à l'estime que je lui porte.

Victoires de la musique de jazz. Je n'y connais pas grand-chose. Heureusement, Laurent Bayle est là, qui me «drive» doucement entre les groupes.

Mercredi 2 septembre 2009

Le président : «Tu as bien fait de renouveler François de Mazières. Pour une fois qu'on soutient quelqu'un de chez nous, ça nous change!» Aussi incroyable que cela puisse paraître, je n'y avais pas pensé, enfin à peine.

Il fait un peu chaud pendant le Conseil. Je tombe la veste et me retrouve en pull-over sombre sur chemise blanche et cravate. Personne n'a l'air de le remarquer. Un petit papier fait le tour de la table et se dirige vers moi, il y est écrit : «Remets ta veste», signé Éric Besson. J'obtempère discrètement. Il regarde ailleurs.

Nous nous appelons «mon cousin», Marc Ladreit de Lacharrière et moi. L'une des filles de mon frère Olivier a épousé l'un de ses neveux. Nous sommes aussi devenus amis. La phrase de Napoléon III en réponse au tsar qui l'appelait «mon ami» contrairement à l'usage qui aurait voulu «mon cousin» : «On subit sa famille, on choisit ses amis.» Compte tenu de la forte personnalité de Marc, de sa fortune et de sa puissance, j'hésite entre les deux.

Belle fête nocturne à la Mostra de Venise sur la plage du Lido. Les ministres italiens n'ont aucune envie de m'entendre parler de Google ou de prendre les notes que je leur ai préparées sur Arte. Ils regardent les starlettes de la télé. Grande classe d'Alain Elkann en smoking, comme Mastroianni dans les *Reflets de Cannes* de François Chalais.

Jeudi 3 septembre 2009

Jean-Noël Jeanneney. François l'appréciait, le président ne l'aime pas. Avec cela, beaucoup d'humour et de charme. Il a l'élégance du triomphe modeste devant les derniers développements de l'affaire Google-Bibliothèque nationale après avoir tiré la sonnette d'alarme dans l'indifférence générale.

Un député de la majorité me hèle tout joyeux. Il vient de faire passer un amendement à la sauvette pour restreindre les pouvoirs des architectes des Bâtiments de France : «C'est fini pour eux, ils vont arrêter de nous emmerder avec les permis de construire et toutes leurs conneries sur la protection des sites!» C'est moi qui l'emmerde maintenant, et dans les grandes largeurs : j'installe la commission qui va lui raboter son amendement. J'insiste pour des conclusions rapides.

Vendredi 4 septembre 2009

Université d'été du Medef sur le campus verdoyant de HEC à Jouy-en-Josas. Je ne peux rien refuser à Laurence Parisot mais je peine à voir ce que ma présence peut apporter aux débats : le public s'évente, rigole, se tort le cou pour apercevoir les stars et se contrefiche du discours du ministre de la Culture.

Préparation de la conférence de presse sur l'«avenir d'Internet». Tout ce que j'aime, mais j'ai bien lu les notes du cabinet. Mathieu Gallet : «On a tort d'être inquiets, dès qu'on vous laisse travailler tout seul, vous allez vite.» Un compliment du Speedy Gonzales du cabinet, c'est toujours ça de pris.

Quand on participe à une des émissions télévisées de Franz-Olivier Giesbert, il suffit de calculer mentalement le montant des pensions alimentaires qu'il doit payer chaque mois pour se trouver de bonnes raisons de lui rendre service en étant venu faire la plante verte.

Mon doux Richard est tout excité à l'idée de m'emmener aux assises de la jeunesse de l'UMP, comme le chevalier servant de la débutante qu'on emmène à son premier bal. «Enfin, Richard, je ne suis pas à l'UMP. — Je sais, *nobody is perfect.*»

Samedi 5 septembre 2009

Un village de vacances très location de comité d'entreprise, pinède et lac, confort rudimentaire, escadrilles de moustiques toute la nuit et cafétéria sinistre. Il ne manque que le concours de pétanque, mais il ne faut pas rêver, à moins d'un court-circuit dans le casting, le Picon-bière avec le Marlon Brando de la CGT-culture, Nicolas Monquaut, en slip et marcel, ce ne sera pas pour cette fois.

À la fin de mon tour de piste de bateleur télévisuel sous le grand chapiteau, Xavier Bertrand : «Pas mal, le lapin blanc que le président a tiré de sa poche. Mais ça fait drôle quand même d'entendre quatre mille jeunes militants qui scandent : Mitterrand avec nous!» À moi aussi, ça fait drôle.

Dimanche 6 septembre 2009

Au Rex Hôtel de Tarbes, Yvette Horner m'enfouit dans sa crinière rousse en me serrant comme son accordéon. «Frédéric, c'est mon amoureux le plus fidèle», lance-t-elle au préfet éberlué. Je me demande quel âge elle peut avoir, depuis les six jours du Vél' d'Hiv' où elle jouait sans s'arrêter.

À Tarbes encore, dix-sept mille costumes de hussards dorment dans la naphtaline d'un centre de réserves climatisé. Une armée qui attend de se relever avec la résurrection du musée de la ville.

Visa pour l'Image à Perpignan, c'est aussi bien que les Rencontres d'Arles. On commence à comprendre que je m'intéresse vraiment à la photographie et au reportage. Les organisateurs, Jean-François Leroy et Sylvie Grumbach, reçoivent dans une jolie maison de la ville ancienne abandonnée par la bourgeoisie locale. Jean-Paul Alduy, sénateur-maire, balayant du regard les rues vides et les alignements de façades aux volets clos : «C'est ici que les Gitans et les Arabes se castagnent dès qu'on a le dos tourné.»

Lundi 7 septembre 2009

Départ pour le Brésil avec le président.

Escale aux îles du Cap-Vert, en route pour Brasilia. Mais de cette destination qui m'a toujours fasciné, on ne voit que les baraquements déserts d'un aéroport militaire. «Vivement qu'il ait son nouvel avion, on n'en peut plus de ces sauts de puce dans des trous perdus», s'exclame un député réputé pour son contrôle sourcilleux des dépenses publiques.

Arrivée à Brasilia. Fasciné par le ballet de jouets mécaniques de la garde d'honneur, je traîne un instant au bas de l'avion. Par un petit geste très doux de la main sur mon épaule, Christine Lagarde me réveille et m'emmène vers les voitures.

Le défilé pour la fête nationale : le rêve d'Eva Joly. Des groupes de musiciens et de danseurs venus de toutes les régions, des Indiens, des Noirs, des enfants, les policiers et les pompiers, les postiers et les infirmières, tous avec leurs orchestres. Les rares escadrons de soldats portent des uniformes de contes de fées qui datent de l'empire du Brésil, et même les militaires de la brigade antiterroriste, en treillis et peinturlurés sur leurs jeeps, ont l'air de méchants pour rire. On chante et on danse jusque sur la tribune officielle, sauf Lula, qui a bien trop à faire avec tous les gosses qui s'échappent du cortège pour aller l'embrasser. Stupéfaction, rafraîchissante à voir, de la délégation française.

Il y a quarante-sept ans, quand je suis venu pour une journée à Brasilia, tout était encore en chantier. Le représentant de la France, un pauvre secrétaire d'ambassade au bout du rouleau, désigné à la courte paille par ses collègues qui préféraient rester douillettement à Rio, vivait dans un container et passait ses nuits à pourchasser des armées de rats qui faisaient la sarabande autour de son réfrigérateur. Son chauffeur, un beau gosse qui le consolait un peu de son sort misérable en se baladant en short et en lui montrant ses biscotos, poussait la voiture officielle pour la sortir des ornières tandis que je faisais le jeune homme au volant. Aujourd'hui, une ville immense, vaste, propre, où les habitants sont paraît-il très heureux d'habiter.

Lula exsude la sympathie, la bonne humeur et une sorte de ruse pateline qui donnent aussitôt envie de l'aimer.

Dilma Rousseff, la candidate de Lula pour la prochaine élection présidentielle, est superbe, puissante, chaleureuse. Elle m'embrasse comme du bon pain quand je lui dis que je suis aussi le neveu de François.

La photo de Dilma Rousseff à vingt ans devant ses juges. La dictature est implacable, elle a été torturée, elle risque des années de prison pour son appartenance à une fraction d'extrême gauche qui s'est lancée dans la rébellion armée. Elle tient tête, incroyablement belle et fière. Les juges n'osent pas la regarder.

Inauguration du bibliobus offert par la France. Je ne savais pas qu'il y avait autant de lecteurs francophones à Brasilia. En une seconde, c'est la cabine des Marx Brothers et il y a tant de monde qui pousse et tire à l'extérieur que le bus roule tout seul. La police regarde, intéressée.

Mardi 8 septembre 2009

Retour du Brésil, le président, debout dans le couloir, prend les ministres à témoin de l'avancement du contrat de vente des avions Rafale. Notre rôle est de hocher la tête avec approbation. En fait, rien n'est vraiment conclu, mais cet exercice d'autopersuasion lui est absolument nécessaire. Il n'y renoncerait pas même en plein naufrage du *Titanic*.

Mercredi 9 septembre 2009

Le président : «On aura tout vu, un préfet qui lance des insultes racistes à des employés noirs de la sécurité à Orly! Allez, du vent, dehors! Du balai! Qu'on nous débarrasse de ces types qui ne savent pas se tenir.»

Jean-Paul Cluzel nommé à la tête du Grand Palais. Eurêka! Il est bien le seul qui puisse relever cette sublime épave échouée en plein Paris. Le président a fini par passer l'éponge sur les espiègleries photographiques qu'on s'était fait un plaisir de lui montrer.

Mathieu Gallet sur Bruno Patino, l'un des bras droits de Jean-Luc Hees à Radio France : «Voilà le genre de garçon que nous devrions avoir avec nous au cabinet.» Moi : «Oui, mais je ne vois qu'une seule place disponible, la vôtre.» Il adore ce genre de répliques.

Un ascenseur suspendu dans le vide nous monte jusqu'au sommet de la tour de Radio France en pleine réfection. La vue sur tout Paris est superbe. Je demande à Jean-Luc Hees s'il envisage d'y installer son appartement de fonction. Effarement de tout le staff. Faudra-t-il donc que j'abandonne ce ton primesautier qui me rend tout un peu plus facile?

Martin Karmitz ne décolère pas depuis que j'ai dit que son Conseil de la création était une antenne *in partibus* du ministère, comme l'Église parle de certains évêchés sans diocèse défini.

Exposition des sculptures de Xavier Veilhan au château de Versailles. On m'annonce que je dois prendre la parole. J'improvise un petit discours. Francis : «Tu ne devrais jamais rien préparer, c'est bien mieux comme ça.» Mais non, c'est un coup de chance et je voulais tenir la dragée haute à Jean-Jacques Aillagon qui avait soigneusement écrit le sien.

Jeudi 10 septembre 2009

Dîner pour la presse organisé par *L'Humanité* dans un hangar sinistre du Bourget. Éclairage blafard, courants d'air d'automne, nourriture gélatineuse. On s'entend à merveille, de *Valeurs actuelles* aux gros bras du syndicat du livre et de *L'Huma* au *Figaro*, pour sucer la veine jugulaire du ministère où coule à gros bouillon le sang noir des subventions. Invincible Armada de la presse qui navigue à vue sans se donner vraiment les moyens de résister aux éléments déchaînés d'Internet.

Anne-Marie Couderc, ancienne ministre pleine d'humour et pompier de service de la diffusion des journaux : «Pour l'instant, tout va très bien», du ton du type qui a sauté du sommet d'un gratte-ciel et passe comme une pierre au niveau du troisième étage.

Vendredi 11 septembre 2009

Jean Sarkozy, le fils aîné du président, est poli, calme, silencieux, étonnamment mûr pour son âge.

Jean-Pierre déplore doucement cette tenace nostalgie que j'ai de la Villa Médicis. Il n'a pas tort : en m'installant enfin dans mon nouveau bureau, je constate à quel point il ressemble à celui que j'avais à la Villa.

Samedi 12 septembre 2009

Et voici que Rantanplan se pointe, le museau enfariné, à la Fête de l'Huma. C'est la grande fête culturelle et populaire de la rentrée, n'est-ce pas ? N'y a-t-il pas plein d'artistes, d'écrivains, de chanteurs célèbres qui ne sont pas tous communistes, loin de là ? Alors pourquoi Rantanplan n'irait pas lui aussi, lui qui aime la fête, le peuple et la culture ? Au dîner de la presse, les messieurs de *L'Humanité* lui ont dit qu'il serait le bienvenu et qu'ils feraient la visite avec lui. De toute façon, le ministère donne tellement d'argent chaque année au journal pour lui éviter de couler, vu qu'il n'a plus beaucoup de lecteurs, que Rantanplan a bien le droit de venir comme tous les autres parrains qui mettent leur nom sur les banderoles. Rantanplan a compris, ces gens-là sont de vrais amis. Au début, Rantanplan est bien content, il y a beaucoup de monde qui s'amuse sous un beau soleil, des tas de choses à voir, de bonnes odeurs de merguez et de frites. Mais c'est bizarre, les types de *L'Huma* qui étaient si sympas ont trop de choses à faire pour s'occuper de Rantanplan, ils le laissent se débrouiller seul avec Cédric, le gentil flic qui le tient en laisse. Enfin, seul, il ne le reste pas long-temps ; un monsieur du syndicat du ministère, qui a l'air très en colère, montre les dents à Rantanplan en lui saisissant la patte. Il lui dit des trucs très désagréables que Rantanplan n'avait jamais entendus : Rantanplan est très méchant, il se moque des travailleurs en venant faire le beau devant eux alors qu'il les méprise quand il est dans sa niche tout en or, Rantanplan mérite une bonne petite séance de dres-sage pour lui remettre les oreilles en place. Le monsieur en colère crie très fort et il appelle plein de copains qui ont l'air aussi furieux que lui. C'est la bousculade, la laisse a rompu et Cédric n'arrive plus à retenir Rantanplan que ses nouveaux maîtres trimbalent dans tous les sens en l'appelant de toutes sortes de noms qu'il ne reconnaît plus : « Salaud, vendu ! Retourne d'où tu viens ! » Ça fait longtemps que Rantanplan a perdu l'habitude de mordre quand on l'attaque, et c'est tant mieux pour lui, car s'il essayait de se défendre on lui taperait dessus, ce chien galeux qui a bien besoin d'une correction. Mais il sait encore se débattre et il a repéré l'enclos où se trouvent les gentils messieurs qui l'avaient invité. Il y parvient tant bien que mal, l'oreille basse et le pelage tout maculé par les tomates qu'on lui a jetées dessus. Les mes-sieurs se tiennent dans leur enclos, bien tranquilles. Ils ont l'air un peu embêtés de voir dans quel état est Rantanplan, mais ils entendent les cris des gens dehors qui poussent sur les barrières pour qu'on leur livre le clebs des riches, le chien de garde de la bourgeoisie, et ils n'ont aucune envie de sortir avec lui pour lui permettre de s'échapper. Rantanplan a manqué de flair, ceux qu'il avait pris pour des amis sont des malpolis, et ce sont des lâches. Heureusement, Cédric a réussi lui aussi à se glisser dans l'enclos, avec Rantanplan ils repèrent une petite porte qui ouvre de l'autre côté et ils appellent à la rescousse des cos-tauds qui étaient restés à l'entrée de la fête. Rantanplan sème ses pour-suivants et s'échappe. Il a eu le temps de voir ceux qui rigolent dans l'enclos avec leurs yeux jaunes pleins de morgue et de mépris. Dans la voiture de la fourrière qui l'emmène, Rantanplan est pris d'un fou rire ; ça lui apprendra à faire le cabot quand les molosses chassent encore en meute.

Dimanche 13 septembre 2009

Appel du président : «Ça va ? Ils ne t'ont pas fait de mal au moins ? Tu as eu bien raison d'y aller, mais il faut mieux te protéger. Fais attention à toi, mon Frédéric. »

Marre d'expliquer à mes amis pourquoi je serai loyal et fidèle à l'égard d'un homme qui m'a donné une chance extraordinaire et me témoigne sa confiance et son affection.

Lundi 14 septembre 2009

Le cabinet est tout surpris de constater qu'on se tutoie, avec Viviane Reding.

«Titien, Tintoret et Véronèse : rivalités à Venise» au Louvre. C'est assez réconfortant, de constater à quel point ces trois génies se détestaient. Toujours à se copier, à s'espionner, à se piquer les faveurs de leurs commanditaires et à médire les uns des autres.

Nicolas Joel rate sa mise en scène de *Mireille* à l'Opéra. Huées du public ce soir, critique ravageuse à prévoir pour demain. Georges-François Hirsch avait vu juste : il ne faut pas commencer en étant à la fois directeur et metteur en scène, il n'y a que des coups à prendre.

Mardi 15 septembre 2009

Christian Dupavillon : «Il y a beaucoup trop de musées en France, le ministère ne peut plus suivre, mais va le dire et tu peux ranger tes crayons. »

Déjeuner avec les grands patrons de la presse de province, des burgraves sympathiques qui ressemblent à Vincent Auriol et accrochent leur serviette autour du cou. Il ne manque que Martine Carol.

L'Opéra de quat'sous avec le Berliner Ensemble dans une mise en scène fabuleuse de Bob Wilson. C'est une production du Festival d'Automne. Alain Crombecque, que je félicite pour cette réussite, reste étrangement silencieux, pâle et défait, comme s'il était ailleurs. En revanche, Emmanuel Demarcy-Mota, le jeune directeur du Théâtre de la Ville, est tout à la joie de ce succès ; un elfe qui danse, bien malin qui l'attrapera.

Mercredi 16 septembre 2009

Petit déjeuner avec Mathieu, mon fils. Son travail l'entraîne à vivre perpétuellement dans les avions entre la Russie, l'Asie centrale et Dubaï. Qu'ai-je fait ou pas su faire pour qu'il ait choisi de mener une existence aussi dure ? On s'amuse, aussi, et il a un jugement très juste sur les êtres et les choses.

Le président : « Un ministre en déplacement, ça couche à la préfecture, pas à l'hôtel ! Les préfectures, c'est aussi fait pour ça. Les déplacements, c'est pas du tourisme. »

Réception pour les amis et les mécènes de Bob Wilson au ministère. Il est si ému qu'il peine à prononcer un petit discours de remerciement. Je garde précieusement toutes les cartes de vœux qu'il m'adresse chaque année avec cette calligraphie qui lui est si particulière et qui est si belle.

« Voilà, tout est là-dedans, vous verrez bien le mal qu'on se donne pour la culture à Marseille, ce qu'on dépense pour les artistes ! » Nous avons bien rigolé au déjeuner, avec Jean-Claude Gaudin ; je suis pardonné, quoique en sursis, pour ne pas être allé encore au château de la Buzine de Marcel Pagnol, et il me tend le volumineux dossier de l'action culturelle de sa mairie comme s'il le flanquait au broyeur. Il s'éloigne de son pas lourd sans regarder en arrière, les basques de son complet XXL battant comme les oreilles d'un éléphant, pressé de retrouver son TGV où il pourra somnoler sur sa revue de presse, ses obligés qui s'interrogent sur son taux de cholestérol, sa bonne ville où les affaires se règlent autour d'une table bien servie qui sent le pastis et l'aïoli.

Troisième Symphonie, en *ré* mineur, de Mahler par l'Orchestre de Paris à la salle Pleyel. Georges-François Hirsch : « L'orchestre a fait des progrès, il est bien meilleur qu'avant. » Moi : « Avant, c'est quand tu en étais le directeur ? » Il rit. Comment pourrait-on se fâcher avec un type pareil ?

Jeudi 17 septembre 2009

Mais pourquoi tous ces gens veulent-ils absolument voir le ministre ? Le cabinet est là pour les recevoir, mais il paraît que c'est de ma faute et que je suis incapable de refuser. Je termine chaque journée en ayant l'impression d'avoir la tête en carton.

Vendredi 18 septembre 2009

Je rentre du Festival de la fiction à La Rochelle où l'on me dit que j'ai fait bonne impression. Je suis en fait très mécontent de moi, de mon discours et de la propension du cabinet à préférer que le ministre aligne des platitudes plutôt que de donner un coup de pied dans la fourmilière.

Samedi 19 septembre 2009

Journée du Patrimoine, je fais le guide au ministère. Des dames qui passent dans mon bureau, avisant un portrait récent de maman près du téléphone : «Mais pourquoi a-t-il mis la photo de Liliane Bettencourt?»

Valérie Pécresse à la Techno Parade. Les gros bras de Jean-Paul Huchon font barrage pour qu'elle ne puisse pas monter sur le premier char. Je la kidnappe littéralement et la hisse. Elle se retrouve à côté de Jack Lang, qui lui fait le meilleur accueil en première ligne.

Dimanche 20 septembre 2009

On promène dans Paris depuis plusieurs jours un prince du Cachemire mandaté par le gouvernement de Delhi pour ouvrir une «maison de l'Inde» digne de ce nom. Il fait le tour des ministères concernés avec l'ambassadeur, tous deux dignes, élégants, cérémonieux. Ils ne sont reçus que par des sous-fifres pressés de les voir repartir alors qu'ils ne demandent qu'un peu d'attention. Le Japon et la

Chine ont été bien mieux traités et disposent de «maisons» qui ont pignon sur rue.

Lundi 21 septembre 2009

Emmanuel Berretta, journaliste au *Point*, doit vivre quelque part sous mon bureau, il passe son temps à diffuser des échos plus ou moins exacts qui donnent pourtant l'impression qu'il est au courant de tout. Avec une bonne dose de malveillance, comme il se doit. Piètre consolation, cette manie des fuites affecte tous les ministères et il semblerait qu'on ne puisse rien y faire.

Inauguration de l'Opéra de Versailles. Il est très fragile, on le restaure en permanence et on le réinaugure à peu près tous les cinq ans. Accueil très aimable de Jean-Jacques Aillagon, qui s'éclipse comme par enchantement à l'arrivée du Premier ministre. Je les retrouve dans la chapelle royale : je m'approche, il est en train de lui exposer ses griefs contre le ministère. François Fillon, quelques instants plus tard : «Ne vous inquiétez pas, Frédéric, il est toujours comme ça, j'ai l'habitude, ça n'a aucune importance.»

Trophées des arts afro-caribéens au Châtelet. Dans sa centième année, Jenny Alpha est encore belle comme sur le tableau de Picabia qui l'a peinte il y a très, très longtemps. En revanche, Maryse Condé est affaiblie, elle se déplace et parle avec difficulté. Elle enseigne toujours la littérature française aux États-Unis, puisque l'on n'a jamais été capable de lui trouver une chaire en France.

Mardi 22 septembre 2009

La bonté de Peter Brook, source d'un perpétuel émerveillement pour moi.

«Quand un problème est insoluble, ce n'est pas la peine de s'acharner à le résoudre», disait Toscan du Plantier. J'y repense devant les projets de réforme de l'AFP, dinosaure français qui a résisté à toutes les lois de l'évolution et dont la survie est menacée même s'il bouge encore malgré ses infirmités. Il faudrait pouvoir compter sur un appui absolu du président pour s'attaquer au problème. Je doute de pouvoir l'obtenir dans les proportions nécessaires.

François-Xavier de Sambucy me raconte son voyage au Canada où il est allé observer les rituels d'amour des cachalots : ils poussent des cris terribles, tout se passe dans la confusion entre l'eau glacée et un épais brouillard ; certains repartent bredouilles, ils deviennent dépressifs et se suicident.

Mercredi 23 septembre 2009

Le président : « Au moment de Lehman Brothers, j'étais le seul à réagir. Trois nuits sans sommeil, vraiment trois nuits avec les décalages horaires, à leur téléphoner pour qu'ils se réveillent tous autant les uns que les autres. On a frôlé la catastrophe planétaire. »

Puis : « Je ne laisserai jamais tomber les Grecs. Ils étaient déjà philosophes quand nous étions encore des cannibales ! »

Irina Bokova élue sénatrice générale de l'Unesco à la surprise générale. La discrète Bulgare a laissé s'enferrer les autres candidats, sans tapage ni arrogance, en faisant valoir son expérience et son aptitude au consensus.

Le prince du Qatar, qui s'occupe des intérêts de ses parents, propriétaires de l'hôtel Lambert, façon Dario Moreno dans ses meilleures prestations de loukoum hystérique : « *I love Paris, I love the arts, I love France.* » Fort bien. Il me reçoit en pleine nuit au Crillon car il semblerait qu'il ait beaucoup trop de choses à faire dans la journée. On ressort à une heure du matin, épuisés, avec Pierre Hanotaux, en se disant que nous ne sommes pas au bout de nos peines.

Jeudi 24 septembre 2009

Jean-Marie Besset a vécu longtemps à New York pour écrire dans l'anonymat et l'autre vie qu'elle procure. Je l'ai beaucoup envié et admiré pour ce choix. Il est l'auteur de très belles pièces, s'est fort bien occupé du Théâtre de l'Atelier, et postule à la direction du Théâtre des Treize Vents à Montpellier. Quoi qu'en dise le Syndeac, rien ne s'y oppose dans les statuts. Il est originaire de la région et ferait aisément le sacrifice de la vie parisienne pourtant prête à l'accueillir à bras ouverts.

Congrès de l'UMP au Touquet où me traîne le sémillant Richard qui en a assez que je lui fasse rencontrer des socialistes. Franche camaraderie de rigueur, succession de discours en langue de plomb, vent du nord qui s'engouffre dans le chapiteau et travaille à enrhumer tout le monde. Je me console en regardant Nadine Morano danser le rock avec les jeunes militants émoustillés. Nadine Morano a la réputation de ne pas être farouche avec les hommes, c'est aussi pour cela que je la trouve sympathique.

Vendredi 25 septembre 2009

François Fillon : c'est quand il donne l'impression de regarder dans le vide – une attitude qui lui est familière – qu'il vous observe le plus attentivement et jauge la situation. Le lézard mexicain immobile, accroché à son mur, et qui fond brusquement sur sa proie.

Réception des directeurs des instituts culturels étrangers. L'Iranien, un grand beau type avec un sourire éclatant : « Merci d'avoir pensé à moi. On ne m'invite pas très souvent. Il y a tant de malentendus. » Certes.

Samedi 26 septembre 2009

Si la gauche parvient au pouvoir, Didier Fusillier ferait un excellent ministre de la Culture. Il l'a prouvé à Lille auprès de Martine, qui lui fait totalement confiance. C'est le deuxième candidat socialiste auquel je pense en quelques jours. Je ne me demande même pas pourquoi, mais je ferais mieux de surveiller mes pensées vagabondes.

Dimanche 27 septembre 2009

Arrestation de Roman Polanski à Zurich, plus de trente ans après les faits qui lui sont reprochés. Je connais bien toute cette histoire et j'ai lu le récit qu'il en a fait dans ses Mémoires, les circonstances, l'atmosphère de folie qui régnait alors à Los Angeles, ses profonds regrets à l'égard de la jeune fille, sa terreur du lynchage médiatico-judiciaire auquel il a échappé en s'enfuyant. J'ai toujours pensé qu'il existait un risque sérieux qu'il se fasse rattraper un jour ou l'autre par la justice américaine alors que personne ne semblait s'en soucier. Le fait est que je l'aime, aussi, voilà tout.

Matinée d'appels en tous sens. Emmanuelle Seigner, Carla, le président, d'autres. Je leur dis que je vais prendre sa défense.

Déclaration de soutien à Roman dans le grand salon du ministère, beaucoup de caméras et de journalistes. Dans la soirée, levée de boucliers en sa faveur du monde du cinéma et de la culture en France et à l'étranger.

Jean-Pierre : «Pour le ton, ça allait, mais tu aurais dû te raser.» Il a raison, émotivité et surdramatisation pas indispensables.

Lundi 28 septembre 2009

On ne parle partout que de l'affaire Polanski pour s'indigner contre la justice américaine et l'attitude des Suisses qui voudraient se racheter de démêlés récents avec l'administration US. Mais quelques réactions négatives à l'égard de l'attitude de l'establishment européen et du ministre français dans la presse d'outre-Atlantique. Béatrice Mottier, ma directrice de la communication, circonspecte, se tient en alerte sur son ordinateur.

Les frères Berling sont à la recherche d'un théâtre dans une ville du Sud. Ils sont originaires de Toulon, cela vaudrait la peine d'en parler au maire, Hubert Falco, mon collègue au gouvernement.

Dîner avec les grands ancêtres du ministère.

Jacques Rigaud : «Un ministre de la Culture n'existe pas sans la confiance absolue du président. Il doit avoir régulièrement accès à lui.»

Hugues Gall : «L'essentiel, ce sont les nominations. Écouter tout le monde, ne se faire influencer par personne, résister à toutes les interventions.»

Robert Abirached : «Ne jamais oublier que ce ministère n'a aucun sens s'il n'accorde pas la priorité aux artistes sur toutes autres considérations. »

Emmanuelle Seigner au téléphone ; très courageuse, inquiète pour Roman soumis au sort commun des détenus en préventive, pour les enfants qui vont devoir subir le regard et les commentaires des autres et qui adorent leur père, pour la suite totalement incertaine, avec le ballet des avocats qui commence.

Mardi 29 septembre 2009

Jean-Marc : « Je ne la sens pas, cette histoire Polanski, mais alors je ne la sens pas du tout. »

Même si on arrive fatigué, abruti, la tête vide, après cinq minutes avec Teresa Cremisi on a l'impression que les neurones se reconnectent et que la machine repart. Miracle de la rencontre d'une personne vraiment intelligente.

Laurent Hénart, député de Meurthe-et-Moselle, est un beau gosse dans le genre fonceur qui a eu quelques ennuis avec les flics pour excès de vitesse et qu'André Rossinot parraine comme son futur successeur à Nancy. Le sage qui a pris de la bouteille et le jeune loup sont toujours ensemble ; ils se protègent mutuellement, peut-être se surveillent-ils aussi.

Réception pour les métiers de la mode. Pessimisme général au sujet de Roman dont on ne sait comment lui éviter l'extradition vers les États-Unis.

Mercredi 30 septembre 2009

Le président : « Ali Bongo a été élu normalement, non ? Quand on voit comment ça se passe ailleurs en Afrique, on n'a pas de leçons à recevoir. »

Le même : « J'ai encore eu Gbagbo au téléphone. Je lui ai dit que pour lui ça se finirait à La Haye. Il était furieux. Il ne veut rien entendre. »

Hubert Falco très intéressé par l'idée de confier le théâtre qu'il est en train de construire aux frères Berling.

Le président encore, à part, après le Conseil des ministres : « Tu as eu raison pour Polanski, mais fais attention, ils vont être après toi maintenant. » Il semblerait qu'il y ait des remontées très négatives de la part de certains députés de la majorité. Richard confirme mais précise que c'est circonscrit à une petite poignée d'élus. Sur Internet sont apparus quelques commentaires également très hostiles, selon Béatrice Mottier.

Le ministre de la Culture de Colombie est une jeune Noire formidablement sympathique qui m'appelle d'emblée « *mío ministro* ». Elle veut absolument que j'aille la voir à Carthagène. Un souffle de gaieté et d'optimisme quand la presse américaine se déchaîne contre Polanski.

Jeudi 1ᵉʳ octobre 2009

Journée trop chargée et à la hâte entre la biennale du design à Saint-Étienne et celle d'art contemporain de Lyon pour définir des « éléments de langage » car l'affaire Polanski tourne à l'aigre. Articles dans la presse qui donnent raison aux Américains.

Au dîner de la *Revue des Deux Mondes*, organisé par Marc Ladreit de Lacharrière, alors que je réponds à des questions générales sur la politique culturelle, Christine Clerc m'interpelle : « Cela ne vous pose quand même pas un problème d'avoir pris la défense de Roman Polanski ? Ce qu'on lui reproche est très grave et vous êtes ministre. » Irruption du réel dans une soirée courtoise et conventionnelle.

Vendredi 2 octobre 2009

La fronde UMP à propos de mon soutien à Roman Polanski s'amplifie. Plusieurs élus m'appellent ; ton cordial mais interrogations sur mon attitude. En l'occurrence, les interrogations ne sont que la forme voilée de la critique. Béatrice Mottier est inquiète, Richard aux écoutes mais je le sens inquiet également.

Le président : «Je comprends ton attitude à l'égard de Google à pro-pos de la Bibliothèque nationale, mais il faut calmer le jeu.» Cela dit assez froidement, je le sens préoccupé par autre chose dont il ne parle pas mais qu'il n'a pas besoin de m'expliquer.

Rencontre avec des journalistes du *Figaro*, on n'évoque pas ce qui est dans tous les esprits.

Samedi 3 octobre 2009

La chancellerie à Berlin est lumineuse, ouverte sur la ville par de grandes baies vitrées. Elle est apparemment peu gardée, le contrôle à l'entrée est précis mais très aimable, et quand je lui rends visite, Bernd Neumann, le ministre de la Culture, me montre la porte du bureau d'Angela Merkel au bout du couloir comme si on était à l'étage des directeurs dans une compagnie d'assurances ordinaire.

À Berlin, le milieu des artistes que je rencontre est en effervescence pour Roman. On me donne raison sans même que je pose la question. Bernd : «C'est une bien triste histoire, c'est une bien triste histoire.» Je sens qu'il est désolé pour Roman, mais aussi pour moi, ce qui ne me rassure qu'à moitié. Il évite de prendre position, personne ne lui a demandé de le faire.

Jean-Luc Courcoult, le «papa» de Royal de Luxe, qui vient de défi-ler devant la porte de Brandebourg au milieu d'une foule énorme, se couche en travers de l'escalier de l'ambassade. Il refuse de bouger tant que je ne serai pas venu lui parler. On l'enjambe pour passer comme on le fait avec les miséreux en Inde. Je m'assieds donc sur une marche près de lui et nous devisons longuement comme dans un salon devant l'ambassadeur pétrifié et les invités qui rigolent. Il se relève enfin et m'embrasse avec effusion.

Dimanche 4 octobre 2009

Emmanuelle Seigner se bat comme une lionne pour soutenir le moral de Roman, qui est très bas, et celui de ses enfants terriblement affectés. Elle insiste pour qu'ils retournent à l'école à partir de demain.

Le directeur de la prison se comporte très correctement avec Roman et l'encourage comme il peut.

Stéphane Martin, le président du musée du quai Branly : « Vous étiez mon ministre, maintenant vous êtes mon cher ministre. » L'affaire s'insinue partout, je lui suis d'autant plus reconnaissant de me le faire sentir de cette manière.

Lundi 5 octobre 2009

Werner Herzog veut filmer la grotte Chauvet. C'est a priori impossible car elle est strictement interdite à tout visiteur pour préserver les fresques préhistoriques. Mais il est familier des tournages très difficiles et s'arrangerait de conditions draconiennes : une équipe très réduite, en hiver, et seulement deux heures par jour. Il sent que je vais tout faire pour lui permettre d'obtenir ce qu'il demande et qu'on lui a toujours refusé. Mais comment pourrait-il en être autrement ?

Départ pour Astana avec le président. Le vent de la steppe après les remugles parisiens.

Mardi 6 octobre 2009

Noursoultan Nazarbaïev, le nom du président du Kazakhstan, cela signifie en somme : « le roi de la lumière qui voit autour de lui ». Ce n'est pas une raison pour qu'il me voie, moi, perdu dans la délégation des officiels et des hommes d'affaires ; adieu les rêveries romanesques d'un échange quelconque avec celui dont Gorbatchev parle de manière si élogieuse dans ses Mémoires. À la place, signature d'une convention de coopération culturelle avec mon homologue au milieu d'une assemblée surréaliste de coffres-forts à moustaches.

Astana, c'est Brasilia, mais construite par des Turcs qui ont beaucoup regardé *Dallas* plutôt que par Niemeyer, et dans une steppe de goulag plutôt que dans le Mato Grosso tropical. Ce n'est donc pas tout à fait pareil.

Je retrouve Dariga, la fille du président, qui chante très bien des airs d'opéra, au cours d'un banquet officiel, et Mathieu, mon fils, qui fait chanter mon cœur par toutes ses marques de tendresse.

Retour dans la nuit à Paris. Jihed, très inquiet : «Tu es au courant pour Marine Le Pen ? Elle vient de dire des choses terribles contre toi à la télé, ça chauffe de partout sur mon ordi. »

Mercredi 7 octobre 2009

Marine Le Pen a levé un beau lièvre en tripatouillant des citations empruntées au chapitre sur Bangkok et le tourisme sexuel dans *La Mauvaise Vie*. J'ai toujours pensé que mon livre aimé et maudit remonterait à la surface comme un mort-vivant, mais je n'étais plus sur mes gardes. Amère constatation : amené avec un mélange d'habileté brutale et de fausse indignation, l'amalgame entre Roman Polanski et moi fonctionne parfaitement.

Au Conseil des ministres, pas de commentaires, mais tout le monde observe le mouton noir sur son siège éjectable.

Audition mouvementée devant la commission des Affaires culturelles et atmosphère infernale. Patrick Bloche multiplie les sous-entendus désagréables, une meute de journalistes m'attend à la sortie : «Vous êtes au courant que Benoît Hamon réclame votre démission ? » Moi : « Se faire traîner dans la boue par le Front national, c'est un honneur, par les socialistes, c'est une honte pour eux. » Je n'ai pas trouvé mieux ; la réponse du ministre matamore passe en boucle sur toutes les chaînes. L'affaire Polanski est devenue l'affaire Mitterrand. Quelle dérision.

Le cabinet est effondré, Béatrice Mottier aux cent coups, le pauvre Richard au bord des larmes mais vaillant quand même. Les médias s'embrasent et je suis la propagation de l'incendie minute par minute. J'appelle la rédaction de TF1.

J'enregistre «Vivement dimanche» avec Michel Drucker, c'était prévu de longue date. On évoque *Fortunat*, le gentil petit garçon – moi – qui était le fils de Michèle Morgan, Dany Laferrière et Jean d'Ormesson disent que *La Mauvaise Vie* est un livre très bien écrit, il y a des chansons, des invités connus, le public applaudit beaucoup. Michel aurait pu annuler l'enregistrement compte tenu du tsunami qui bat jusqu'aux portes du studio Gabriel, j'aurais compris. La diffusion est prévue pour dimanche prochain. Le sentiment général est que je ne serai plus ministre ce jour-là.

Soirée dantesque. Je sèche la projection de *Casanegra* au ministère pour répondre à tous les appels. Manuel Valls et Arnaud Montebourg demandent à leur tour mon départ. C'est comme une guerre où l'on annoncerait à chaque instant la perte d'une ville après l'autre, passées aux mains de l'adversaire. Les propos mesurés de Cécile Duflot et un mot de Bertrand Delanoë me mettent un peu de baume au cœur.

Claude Guéant m'annonce que le président souhaite me voir le lendemain matin. Maman en larmes, mes frères : «Il faut tenir.» Jean-Marc : «Bon, y a rien à faire, tu t'accroches, tu t'accroches. Ils sont allés te chercher, ils peuvent pas te laisser tomber.» Jihed : «Te laisse pas faire, je peux témoigner pour toi si tu veux.»

Jeudi 8 octobre 2009

La voiture emprunte la porte de l'avenue Gabriel pour éviter les journalistes massés rue du Faubourg-Saint-Honoré. Je n'avais jamais imaginé que l'allée pût être aussi belle dans ses feuillages d'automne le long du mur de la rue de l'Élysée.

Dans le salon privé, vraie réunion de crise : le président, François Fillon, Franck Louvrier, d'autres ; je suis à la fois concentré et en plein brouillard. Atmosphère cordiale. Je leur annonce que je passerai au journal de vingt heures sur TF1. Ma réaction les prend de court, c'est ce qu'ils allaient me demander de faire. Franck revient sur les passages du livre que Marine Le Pen a «cités», arrangés à sa manière, et qui posent le problème. Le président reste un instant silencieux, je me demande s'il a vraiment lu le livre et s'il n'hésite pas à ce moment précis à me demander de démissionner. Quelques secondes d'une brusque tension insupportable, mais non : «En fait, on n'a pas de conseils à te donner, tu fais comme tu le sens, en tout cas on ne te laisse pas tomber, il n'en est pas question.» François Fillon : «Ne vous laissez pas impressionner par la grogne de certains de chez nous, on va les calmer.»

Je mets un point d'honneur à accomplir méticuleusement mon programme de la journée, surchargé de réunions et de visites de ministres étrangers. Jean-Pierre : «Je ne sais pas comment tu y arrives.» Jihed :

«Partir à cause de Marine le Pen? Mais c'est la honte, la honte! Tu vas pas te laisser faire, j'espère?»

Appel de Laurence Ferrari pour cadrer l'interview. Je la rassure, je n'ai pas l'intention de parler d'Hadopi! Appel d'Emmanuelle Seigner: «Roman est au courant. Il est désolé pour vous.» Liria a tenu à m'accompagner. Elle était avec moi à Venise, on n'a pas besoin de se parler pour se dire l'essentiel.

Au fond, je ne fais que sacrifier à un exercice de cannibalisme collectif, comme Isabelle Adjani ou Dominique Baudis l'ont affronté avant moi. Cela m'excite assez. Je n'ai pas le trac.

Douze longues minutes quand même avec l'impression que je n'arrive pas à convaincre et que je marche au bord du précipice. Un mot de travers et c'est la chute. Étrange impression, la vérité résonne à mes oreilles comme un mensonge et l'allusion pourtant exacte au «boxeur thaï de quarante ans» fait l'effet d'une plaisanterie sinistre. Mais ce n'est pas tant à Laurence Ferrari que je parle, ou à tous les téléspectateurs qui regardent, qu'aux types dans la régie qui communiquent avec elle dans ses oreillettes sous les jolies boucles blondes. Et puisqu'il s'agit d'un sport qui peut être mortel, j'attends le moment où ils vont la pousser à la faute. Ça arrive tout à la fin et je peux terminer bien mieux que je n'ai commencé.

Nonce Paolini me félicite, Liria m'embrasse comme un rescapé, Richard est plus chevalier Bayard que jamais et mon chef de cabinet, pour qui tout ce que je viens de dire évoque une terra incognita, me serre les mains avec effusion: «Nous avons gagné, monsieur le ministre, nous avons gagné!» Je pense à maman, à mes frères, aux trois garçons.

Messages du président et de François Fillon dans la voiture. Fou rire au téléphone avec Betty Mialet, mon éditrice: «Quand je pense qu'on s'était battus pour avoir le journal de vingt heures lorsque le livre est sorti, sans résultat, et voilà, maintenant, c'est fait! On réimprime!»

Vendredi 9 octobre 2009

Le cap est franchi, mais la tempête continue à faire rage. Avalanche de mots ou d'appels de soutien. Jean-Luc Mélenchon, Daniel Cohn-

Bendit, Georges Kiejman ont pris ma défense et Martine calme le jeu au Parti socialiste. C'est tout le clan de Benoît Hamon qui est maintenant pris à partie pour avoir emboîté le pas au Front national. Ils se défaussent peu à peu, sans conviction.

En revanche, Marine Le Pen persiste et signe. Elle pointe avec une efficacité redoutable toutes mes faiblesses durant l'entretien sur Europe 1. Razzy Hammadi, président du Mouvement des jeunes socialistes, dont je n'avais jamais entendu parler, me piétine à tout-va, tandis qu'Anthony Bellanger, de *Courrier international*, que je ne connais pas non plus, me défend avec une ardeur extraordinaire. C'est dans ce genre de circonstances que l'on se découvre des alliés inattendus, des ennemis de longue date qui veulent régler des comptes mystérieux, mais aussi des amis qui disparaissent et des adversaires qui cessent soudain de l'être. Ne m'auront pas lâché non plus Maurice Szafran, Denis Olivennes, Éric Fottorino, mais compte tenu des délais de parution des magazines, la bourrasque n'est certainement pas près de s'apaiser.

L'erreur serait évidemment de personnaliser à outrance une telle mésaventure et de ne pas voir qu'elle agite des enjeux bien plus importants qui ne relèvent pas tous de la morale en politique, loin s'en faut, mais enfin, comme le disait encore Toscan : « C'est surtout pour le lapin que l'ouverture de la chasse est une mauvaise journée. »

Les journaux télévisés insistent tous sur le thème : le président maintient sa confiance à Frédéric Mitterrand. Il me garde ostensiblement à ses côtés lors de l'inauguration de l'exposition « De Byzance à Istanbul » en présence du président turc qui intéresse manifestement moins les caméras.

Violente réplique du « tremblement de terre » en fin de journée : on vient d'exhumer la lettre que j'ai envoyée il y a deux ans à un juge de La Réunion au sujet d'un de mes filleuls et son frère embarqués dans une sale histoire de tournante. Le violeur des petits Thaïs complice des violeurs de mineures. On m'avait présenté Béatrice Mottier comme une directrice de la communication experte en situations de crise : elle est servie !

Samedi 10 octobre 2009

Toute la nuit, dans ma chambre lugubre d'un hôtel de Bordeaux, je reçois sur mon téléviseur la déferlante actionnée par la lettre de La Réunion. Appel de François Fillon : «Les salauds! Les salauds! Ne vous laissez pas faire, ils ne vous auront pas comme ça, vous pouvez compter sur moi.»

Inauguration de la fausse maison des Kabakov, une installation d'art contemporain où le charmant couple de vieux artistes russes met en scène la vie quotidienne à l'ère soviétique. Le cabinet, affolé, n'arrête pas d'appeler pour obtenir des éléments de réponse à prodiguer aux piranhas des médias. Un groupe de catholiques intégristes cerne les abords de la maison avec des pancartes, des haut-parleurs, leur progéniture à la main ou calée dans un escadron de poussettes. Bien que maintenus à distance par la police, ils déclenchent un charivari infernal aux cris de «Mitterrand démission» et «Touche pas à nos enfants» en brandissant devant les caméras de télévision des nourrissons promus au statut de futures victimes potentielles de l'abject ministre pédophile. L'assistance décontenancée me lance des regards angoissés. Je visite posément l'œuvre d'art comme si j'avais des boules Quies dans les oreilles et sans un regard pour les bambins et leurs chers parents trépignant à qui mieux mieux. Alain Juppé m'observe du coin de l'œil, je ne sais pas ce qu'il pense, je ne le saurai sans doute jamais.

Dîner à la mairie de Bordeaux, avec mes amis Philippine et Jean-Pierre et le couple Juppé. Ouf, un peu de douceur et d'aménité.

Dimanche 11 octobre 2009

Apparition d'une flopée de pseudo-témoignages d'illuminés sur la Toile qui relatent comment je les ai violés lorsqu'ils avaient huit ans, petits clips tournés en Thaïlande par des amateurs bien intentionnés où des orphelins me demandent de ne plus revenir; des inconnus les téléchargent, les échangent, les font circuler; Internet ou le procédé retrouvé de la lettre anonyme comme au bon vieux temps.

71

Emmanuel Berretta à Béatrice Mottier : «Il y en a tout de même marre de toutes ces histoires de petits garçons, vous ne trouvez pas?» Moi, c'est de ce genre de remarque que j'en ai marre.

Benoît Hamon maugrée : «Cette histoire laissera des traces.» Il n'a pas tort; elle m'aura renforcé parce que je n'ai pas lâché prise, que le président m'a soutenu et que les politiques respectent ceux qui traversent ce genre de crises sévères, mais elle m'aura aussi affaibli durablement en me renvoyant à mes tourments les plus intimes, en m'humiliant profondément et en faisant en sorte que je me demanderai désormais ce qu'en pensent les gens que je rencontre. Je suis comme ces amputés qui ont encore mal au membre coupé.

Dîner avec maman, mes frères, on se réconforte tous ensemble. Mathieu est loin, perdu quelque part en Asie centrale. Jihed n'arrête pas de se battre dans son école avec des petits malins pour me défendre.

Maman : «Cette histoire de Marine Le Pen avec ton livre, c'est l'affaire de l'Observatoire qui recommence. Tu t'en souviens, de ce cauchemar? Pour moi, c'est pareil.»

Je pense à Roman Polanski dans sa prison. Je recommencerais s'il le fallait, d'une manière peut-être moins émotive, mais, de nouveau, je lui apporterais mon soutien.

Lundi 12 octobre 2009

Réunion du cabinet. Allez, on fait comme si c'était terminé et on avance; ça ne l'est pas, mais tant pis, on avance quand même. Un bon signe, on plaisante sur «le boxeur thaï de quarante ans» que Francis assure avoir croisé dans les couloirs.

Figure tutélaire du ministère, Maryvonne de Saint-Pulgent a beaucoup de remarquables qualités mais ce n'est pas quelqu'un de commode. Mes prédécesseurs filaient doux devant elle. Elle me reçoit à dîner au Jockey Club, dont son mari est membre, avec Élie Barnavi. J'y vois une marque d'attention qui me touche.

Mardi 13 octobre 2009

Une grande banderole déployée par les syndicats dans la salle de l'Opéra-Comique archipleine pour célébrer les cinquante ans du ministère : «Non au démantèlement». Mais enfin, sur quelle planète vivent-ils ?

Première rencontre avec David Drummond, ambassadeur extraordinaire de l'empire Google. Beau Black aux manières élégantes et placides mais sans le charme de rock-star de Barack Obama à qui on le compare instantanément. Échange attentif et courtois. On se jauge.

Depuis un village allemand d'avant la Première Guerre mondiale, le *Ruban blanc* de Michael Haneke se déroule à l'infini. Magnifique.

Mercredi 14 octobre 2009

Le président : «Homophobe, moi? Mais je ne l'ai jamais été! Tu m'entends, jamais, tous ces trucs contre les homos, ça remonte à l'âge de pierre, et on n'est plus à l'âge de pierre. Je ne sais pas s'ils l'ont bien compris à l'UMP, il est grand temps que je le leur rappelle! Vivement que ça finisse, ce genre d'histoires.»

Le prince héritier du Bhoutan, en visite au ministère, est absolument ravissant, mais franchement ce n'est pas le moment.

Jean-Jacques Aillagon à son meilleur, intelligent, disert, charmeur; quel dommage qu'il faille faire attention à ne jamais baisser la garde.

Jeudi 15 octobre 2009

Rome. Je ne reconnais rien de l'appartement du directeur de la Villa. Éric de Chassey a fait déposer les tapisseries qui avaient été léguées par Federico Zeri et installer sa monumentale bibliothèque dans le bureau. C'est ainsi et il n'y a rien à dire.

Sandro Bondi, en plus d'être ministre italien des Biens culturels, est un poète élégiaque apprécié, même si ses émouvants sonnets de circonstance en l'honneur de la maman de Berlusconi suscitent des commentaires mitigés. Ses proches collaborateurs se plaignent de ne pas le voir beaucoup au ministère ; il a trop à faire avec les discours du président du Conseil. Ils expriment leurs doléances sans trop d'aigreur et espèrent peut-être qu'on s'en tiendra à cette formule idéale : un ministère sans ministre. Il note avec soin ce que je lui dis sur Google, en s'appliquant sur les deux *o*, et m'assure qu'il sera très vigilant en ce qui concerne les questions de numérisation. En fait, les principales bibliothèques italiennes sont déjà en train de négocier avec Google. On raconte aussi beaucoup d'histoires amusantes à son sujet. Mandaté par le parti communiste auquel il appartenait, il serait venu un matin chez le Cavaliere pour lui faire des ennuis, et en serait ressorti le soir bombardé secrétaire particulier du grand homme.

Dîner de délicieuse nostalgie avec Alain Elkann au Piperno, le merveilleux restaurant de cuisine juive dans le ghetto de Rome. Il veut faire éditer *La Mauvaise Vie* en Italie...

Vendredi 16 octobre 2009

Le directeur du Théâtre Tourski à Marseille arrête la grève de la faim à laquelle il se soumettait pour protester contre l'insuffisance des subventions. C'est le résultat d'une rencontre au ministère où il m'a quasiment broyé la main en me la serrant. Qu'est-ce que ce doit être quand il mange à sa faim !

Samedi 17 octobre 2009

Ariane Mnouchkine, la réussite d'une utopie politique comme j'en rêve parfois ; la monarchie communiste dont elle est la reine sans partage. Le Syndeac la considère d'un œil torve et ne se réfère jamais à elle ; à Peter Brook et à Jean-Michel Ribes non plus d'ailleurs.

Michèle Alliot-Marie m'invite au Festival international des jeunes réalisateurs de Saint-Jean-de-Luz. Ce n'est ni Cannes ni Venise, mais de sa part un geste d'amitié alors que certains s'attendent encore à ce que je démissionne. Elle me promène ostensiblement dans toute la jolie ville, et fait applaudir le ministre par le public. Aucune allusion à la fureur parisienne. Le soir, grand dîner à l'hôtel Chantaco, qui appartient à ses parents et qui me fascinait quand j'étais petit. Je n'avais jamais osé y entrer.

Michèle : «Mon record d'endurance, ce fut au ministère de l'Intérieur, où il m'est arrivé de passer trente-six heures sans dormir. Il y avait des drames partout et j'ai passé mon temps à aller de l'un à l'autre à travers toute la France.»

Dimanche 18 octobre 2009

Le ministre de la Culture d'Arménie est une grosse dame sympathique qui se demande bien pourquoi il n'existe pas une Maison de l'Arménie en France. Patrick Devedjian ferait bien de s'en occuper au lieu de continuer à lorgner sur le parc de Saint-Cloud. Pendant que je l'accompagne à un concert à la salle Gaveau, Prince met le feu au Grand Palais. On s'y amuse certainement plus et je me sens comme l'écolier en retenue pendant que ses copains sont à une super boum. Le concert du «Love Symbol» est une idée de Jean-Paul Cluzel, et le moins que l'on puisse dire est que ça déménage, au Grand Palais, depuis son arrivée.

Lundi 19 octobre 2009

Le mécanisme des intrigues est opaque, mais il fonctionne bien. On fait toutes sortes de difficultés en haut lieu pour la nomination de Jean-François Colosimo à la présidence du Centre national du livre. Sous prétexte qu'il a beaucoup écrit sur des sujets de spiritualité et de théologie, la rumeur en a fait une sorte d'illuminé obscurantiste d'extrême droite. En fait, c'est un érudit très calé dans ces domaines et un ponte du CNRS apprécié par ses pairs pour la qualité des collections qu'il dirige. Très bon contact, il reste à remonter la filière en débusquant les rivaux cachés qui lui font obstacle.

J'ai failli faire une belle connerie en ne renouvelant pas Jean-Louis Martinelli au Théâtre Nanterre-Amandiers. Je l'ai reçu longuement, seul à seul et au calme, et je suis revenu sur la décision que j'allais prendre. La folie très répandue de vouloir tout changer quand il y a un nouveau ministre me poussait à la faute.

Dîner souvenir pour Fellini après l'exposition au Jeu de paume. Anouk Aimée exquise.

Mardi 20 octobre 2009

Catherine Tasca est résolument dans l'opposition, et carrément hostile au président. Mais rien ne pourra la faire dévier non plus de l'amitié qu'elle me porte. Elle sait qu'il en est de même pour moi. Amusement discret de voir le doux Richard ajouter Catherine dans son disque dur déjà plein de socialistes.

Liliane Bettencourt pour la remise aux métiers d'art des prix qui portent son nom. Un friselis dans l'assistance quand elle entre dans la salle, impériale, au bras d'un majordome.

Une visite de ministre, ou comment ne voir que des gens qui vous tirent à hue et à dia et ne pas pouvoir regarder posément ce qui vous intéresse. Exemple, la FIAC cet après-midi.

Fabrice Hergott au dîner du musée d'Art moderne de la Ville de Paris ; pas le même homme que lors de son passage à la Villa Médicis, où il était méfiant et revêche, cette fois amical et sympathique. Suis-je devenu plus légitime ou plus puissant ? C'est peut-être moi qui deviendrais un peu parano. Il s'agit d'un homme de grande qualité.

Mercredi 21 octobre 2009

Bernard Brochand, député-maire de Cannes, essuie attaques et coups bas permanents de la part de Michèle Tabarot, députée-maire du Cannet. Ils ne boxent pas dans la même catégorie, mais le territoire vaut de l'or et elle est la figure de proue d'un clan familial enraciné parmi les rapatriés d'Algérie. La blonde enfant est née en 1962 à Alicante, base arrière de l'OAS.

S. A. le cheik Sultan ben Tahnoun al-Nahyan, ministre de la Culture et du Tourisme d'Abou Dhabi et responsable du projet d'implantation du Louvre, a les plus beaux yeux du monde. Ils découvrent avec surprise un ministre amical et qui connaît bien son pays.

Nouvelle visite de la FIAC avec François Fillon. À ce niveau de charivari général autour du Premier ministre, je fais tout aussi bien de jouer les marioles avec les mignons du «Petit Journal» qui s'en donnent à cœur joie.

Jeudi 22 octobre 2009

Monique Canto-Sperber et Érik Orsenna s'avèrent très remontés contre l'offensive Google-Bibliothèque nationale et prêts à en découdre où ils pourront se faire entendre, c'est-à-dire un peu partout.

J'ai connu Vincent Bolloré petit garçon en patins à roulettes au Ranelagh. Une impression bizarre me saisit de le retrouver à la tête d'un énorme empire, courtisé par tous les puissants.

Vendredi 23 octobre 2009

Obsèques de mon oncle, Jacques Mitterrand, mort à quatre-vingt-onze ans, le dernier survivant de la génération des huit frères et sœurs à laquelle appartenaient mon père et François; dans la morne église de la porte de Saint-Cloud plutôt qu'aux Invalides où elles auraient dû se dérouler compte tenu de ses brillants états de service et de sa grand-croix de la Légion d'honneur. J'y vois la dernière manifestation d'humeur et d'orgueil d'un homme dur et intraitable qui a fait toute sa carrière comme s'il était le profil en creux de son frère. Et quelle carrière! Parvenu au sommet de la hiérarchie militaire et à la tête d'Aérospatiale, président d'honneur d'une quantité de grandes sociétés, craint et respecté au-delà de nos frontières. Gaulliste intransigeant, forte intelligence et grande culture, mais caractère dévoré par l'ambition de se mesurer à son frère, de s'extraire de l'ombre qu'il jetait sur lui et d'en user en même temps pour accéder aux plus hautes fonctions en étant le bon Mitterrand de la droite. Son humour sarcastique, son refus des épanchements familiaux et sa pratique glaciale des relations humaines en faisaient le personnage le plus mauriacien de la famille. Mon frère Olivier lui manifestait beaucoup d'égards et d'attentions, et sans l'en remercier particulièrement, il y était sensible et se rendait à toutes ses invitations. Il n'a dû ressentir aucune satisfaction d'avoir survécu à tous les autres, son âme ne s'était pas trempée à ce genre de faiblesses.

Le Bal jaune, la fête rituelle offerte par Corinne Ricard chaque année au moment de la FIAC. Atmosphère ressuscitée du Palace le temps d'une nuit. On s'y amuse beaucoup, ce qui est devenu rare à Paris.

Samedi 24 octobre 2009

Gustavo Dudamel est à la musique ce que Maradona fut au foot, et en plus il lui ressemble incroyablement ; une furia qui emporte tout. Le meilleur moment du concert de ce soir à la salle Pleyel : un mambo où tout l'orchestre vénézuélien exsude littéralement la joie.

Les jeunes de l'Orchestre Simón Bolívar viennent de la rue et ont atteint un niveau professionnel élevé. Pain bénit pour Hugo Chavez qui les a récupérés pour sa propagande alors que les formations – il y en a plusieurs selon les âges des musiciens – ont été créées il y a trente ans par José Antonio Abreu, un vieux monsieur délicieux qui a traversé tous les régimes et tous les coups d'État. Laurent Bayle vient de lancer l'Orchestre des jeunes Démos sur un principe proche : sensibiliser les enfants des quartiers populaires à la musique classique.

Dimanche 25 octobre 2009

Monastère de la Pierre-qui-vire dans le nord du Morvan à la recherche de frère Angelico qui anima les admirables éditions du Zodiaque. Elles se sont éteintes et il est parti très âgé comme aumônier à Lyon.

En passant devant un des bâtiments conventuels sinistres dans la grisaille d'automne, le frère abbé : «C'était notre pensionnat de garçons, on l'a fermé, une centaine d'adolescents encadrés par des frères dans ce lieu isolé, ce n'était bon pour personne !»

Tout près, un petit musée Vauban, tenu par deux dames passionnées. Parfait, on apprend tout sur lui et notamment qu'il était un penseur et un écrivain politique extraordinaire.

Mon collègue, Henri de Raincourt, à Vézelay où il m'a promené en long et en large, prévient : «Celui qui oserait me coller des éoliennes autour d'ici n'est pas encore né!»

Lundi 26 octobre 2009

À propos d'un expert en communication qui vient me voir, Mathieu Gallet affirme : «Je vous souhaite de n'être jamais comme ça, bronzé, lifté, refait de partout.» Seul, je me regarde dans la glace ; mais si justement, au même âge, si seulement je pouvais être comme ça.

Georges Frêche au téléphone au sujet de la nomination de Jean-Marie Besset au Théâtre des Treize Vents de Montpellier à laquelle je tiens particulièrement. Le Syndeac tire à boulets rouges contre un auteur qui ne fait pas partie du sérail, le conseil municipal est contre, la presse est hostile. «Alors, c'est qui le scribouillard que vous voulez me refiler? Je vous signale que je ne vais pas me laisser emmerder par vous. J'en ai déjà eu ma claque avec votre négresse!» Élégante allusion à Rama Yade, secrétaire d'État aux Sports, avec qui il a été en conflit pour une affaire dont je ne sais rien. On parle quand même, il se calme assez vite et il écoute. «Bon, je le recevrai, mais vous savez bien que personne n'en veut.» Moi : «Justement, c'est une bonne raison de plus pour que vous le preniez.» Il me rappelle une semaine après : «C'est tous des cons, vous aviez raison, il est très bien votre type. Je le prends et on fait comme ça!»

L'île Seguin : à force de ne pas avoir su y mettre la Fondation Pinault on la bourre de projets immobiliers abracadabrants. Il paraît que des lapins s'y ébattent joyeusement, au point où on en est on ferait mieux de leur demander leur avis.

Mardi 27 octobre 2009

Marie-Luce Penchard est la fille de Lucette Michaux-Chevry ; il faut le savoir pour le croire et elle n'a pas l'air d'apprécier qu'on le lui rappelle.

Mercredi 28 octobre 2009

Le président : « Qu'est-ce que c'est que cette exposition ? Si on peut parler d'une exposition ! C'est la pornographie le plus infâme, comment peut-on montrer des choses pareilles ? C'est un taré complet, ce Larry Clark. Qui peut aller voir des choses pareilles ? C'est bien un truc de la Ville de Paris qui montrerait n'importe quoi pour les moustachus du Marais. »

Le ministre singapourien de la Culture voudrait qu'Alain Seban le conseille pour le futur Musée d'art moderne de Singapour. Il me montre avec ravissement des petits pandas en peluche qui chantent comme Michael Jackson.

Démonstration de télévision en 3D : j'essaie d'attraper une libellule qui s'est posée sur mon épaule.

Jeudi 29 octobre 2009

Étienne Mougeotte : « Du temps d'Alain Peyrefitte, il avait le déroulé du journal de vingt heures sur son bureau chaque soir avant que ça ne commence. » Il ajoute pensif : « Les temps ont bien changé. »

Georges Lavaudant n'a pas l'air déçu de ne pas avoir été nommé au Théâtre de Montpellier. Il n'en parle pas. Superbe, très aimable, la grande classe.

Vendredi 30 octobre 2009

Laurent Solly, numéro deux de TF1 : charme des très beaux hétéros *gay friendly*. Leur gentillesse à mon égard et la sienne en particulier.

Le président s'est entiché d'un sculpteur qui veut installer une fontaine dans la cour Carrée du Louvre. Je visite l'atelier de l'artiste. J'imagine la tête d'Henri Loyrette, directeur du musée, devant le chef-d'œuvre, et moi qui argumente : « Mais si, mais si cher Henri, ce sera très bien, tout à fait dans votre ligne ! » Réjouissante perspective, il va falloir se dépatouiller de cette toquade. Mais comment font tous ces gens pour parvenir directement jusqu'à lui ?

Samedi 31 octobre 2009

Un souvenir d'Hervé Bourges parmi d'autres. En avion, calé au premier rang des sièges de première, il s'empare voracement des journaux sur le petit chariot que lui présente l'hôtesse. Il n'en reste presque plus pour les autres. Il se tourne vers eux l'air indigné : « Quand même, quels pingres dans cette compagnie, il n'y a pas assez de journaux pour tout le monde ! »

Hervé Bourges ne deviendra jamais végétarien : à plus de soixante-quinze ans, c'est un ogre féroce, alerte et rusé, au fond bienveillant avec ceux qui ne lui font pas de tort et qu'il traite avec mansuétude. Le pouvoir qu'il a exercé avec beaucoup d'habileté et de talent lui manque, mais comme il n'est pas prêt à se retrouver sur une voie de garage, il se lance dans toutes sortes d'engagements auxquels on n'avait pas pensé et auxquels il donne une importance inattendue. De guerre lasse, la légion de ceux qui auraient aimé se débarrasser de lui a fini par admettre qu'il continue à occuper le paysage. Ils ont même besoin de lui. Il a de fortes convictions tiers-mondistes, une véritable empathie pour les laissés-pour-compte, une réserve coriace de catholicisme social, et les fourberies qu'on lui impute répondent du tac au tac aux ravages du cynisme ambiant. Archaïque et progressiste dans un monde qui se veut moderne et libéral − et pas prêt à en démordre. Il est très amusant à écouter et à observer ; il apprécie d'ailleurs le bon public.

Il m'adresse son rapport sur la diversité dans les médias, accompagné d'un mot très affectueux. Il regrette de ne pas m'avoir suffisamment soutenu dans le passé lors de mes passages à vide à la télévision. Je sais qu'il est sincère.

Dimanche 1ᵉʳ novembre 2009

François Baroin me confie : « À vingt-cinq ans, j'étais marié avec trois enfants. La mort de mon père après celle de ma sœur avait laissé un tel vide dans la famille, je devais devenir l'homme qui n'était plus. »

Je me souviens de sa mère qui me recommanda d'une manière très émouvante de veiller sur lui au tout début de sa carrière de journaliste – il avait l'air si jeune –, mais il n'a vraiment pas eu besoin de moi. Je l'ai croisée récemment, c'est une dame âgée maintenant, mais nous n'avons oublié ni l'un ni l'autre ce cri du cœur. Avec François, il y a quelque chose de fraternel dans notre relation, cela vient de là et son endurante jeunesse y contribue.

Lundi 2 novembre 2009

Thierry Mariani me demande d'augmenter la subvention pour les Chorégies d'Oranges. Elle est déjà importante ; on négocie. Je ne peux pas lui refuser, Richard me confirme qu'il s'est très bien conduit vis-à-vis de moi pendant toute la crise à propos du livre et il a eu d'autant plus de mérite compte tenu de l'attitude hostile de ses amis. Je prendrai sur ma réserve.

Les parlementaires d'outre-mer sont reçus dans la soirée, et étonnés voire stupéfaits que le ministre de la Culture s'intéresse à eux. Pour les esclaves de la Martinique, et encore plus en Guadeloupe, la mer était perçue comme dangereuse et hostile ; elle avait été l'instrument de leur martyre. Il en reste quelque chose aujourd'hui qui va au-delà de la méfiance.

Mardi 3 novembre 2009

Luc Chatel se félicite de l'introduction de l'histoire de l'art à l'école. Mais les syndicats de l'enseignement et l'administration ont réussi à engluer la réforme avec une telle application qu'on va se retrouver avec une autre discipline mort-née, comme l'instruction civique en son temps qui était au programme mais que personne n'enseignait sérieusement.

Jack Lang s'ennuie ; ses collègues du Parti socialiste le traitent mal, surtout depuis que sa voix a fait passer la réforme constitutionnelle et qu'il a soutenu Hadopi. Il est d'une élégance rare à mon égard. Quand tout le monde le presse avidement de me critiquer, ce qui aurait beaucoup de poids venant de lui, il répond que je me débrouille du mieux possible et que je dis «de belles choses».

Examen des crédits culturels en commission à l'Assemblée nationale. Marcel Rogemont, le député socialiste : «Pourquoi êtes-vous aussi agressif avec Patrick Bloche ? — Parce qu'il l'est avec moi.»

Malika Bellaribi-Le Moal chez Fadela Amara; avec une vingtaine d'artistes comme elle, on pourrait révolutionner la perception de l'opinion sur les Beurs et donner un élan formidable à l'action culturelle dans les «quartiers difficiles».

Mercredi 4 novembre 2009

Le président : «Qu'est-ce que tu me racontes avec ta présidente de Lettonie qui parle français. Je le sais très bien, qu'elle parle français, mais tu sais combien ça pèse, la Lettonie ? L'Europe, c'est déjà bien assez difficile comme ça, c'est pas le Rotary ou la SPA, il faut un super gros calibre qui puisse s'imposer à tout le monde. Il n'y a que Van Rompuy de possible pour présider le Conseil européen, personne d'autre, il a tenu la Belgique, il tiendra l'Europe. Les autres, ils n'ont qu'à aller faire des conférences.»

Karine Saporta n'arrive pas à boucler le budget de la construction de son nouveau lieu à Saint-Denis. Elle a pris des risques et où qu'elle se tourne on la laisse tomber. Le ministère n'est pas en reste, qui l'abreuve de bonnes paroles mais ne va pas au-delà. Elle n'a pas de réseau et elle est trop fière pour se plaindre dans les médias. Je presse le cabinet pour qu'il comprenne qu'il faut chercher sérieusement une solution.

Quand Robert Hirsch va au théâtre où il joue, il prend le métro vers cinq heures en bas de chez moi avec un sac en plastique qui contient quelques effets. Il a l'air d'un petit vieux pauvre et personne ne le reconnaît. Sur scène, c'est le génie absolu du théâtre retrouvé, comme ce soir avec *La Serva amorosa* de Goldoni.

Jeudi 5 novembre 2009

Jean Nouvel est génial, certes, c'est reconnu dans le monde entier, mais quel imperator !

Le ministre de la Culture polonais : « Ce qu'ils veulent en Amérique, c'est voir arriver Roman Polanski ceinturé et menotté devant toutes les caméras de télévision. Nous ferons tout ce que nous pourrons pour que cela n'arrive pas. »

Jérôme Deschamps est comme un poisson dans l'eau à l'Opéra-Comique. Il lui a donné un nouveau souffle. On lui reproche au ministère de mener une politique trop ambitieuse qui coûte cher. Mais ses demandes sont raisonnables compte tenu de sa réussite et on ferait mieux de commencer par observer les résultats pour juger.

Simone Veil sur Roselyne Bachelot : « Elle est remarquable. Elle tient son ministère comme personne. Tout le monde file doux devant elle. »

Roselyne sort tous les soirs ; à l'opéra, au concert, au théâtre, dans les dîners en ville ; elle est chaque matin à son bureau à huit heures. Elle est toujours en forme, a des amis partout et notamment à gauche, rien ne la démonte et elle est l'un des seuls ministres à dire à peu près ce qu'elle pense. Comment fait-elle ?

Roselyne : « Jean-Paul Cluzel au Grand Palais ; j'ai pas de cagoule, pas de string en cuir, pas de tatouage, tu crois qu'ils me laisseront quand même entrer ? »

Vendredi 6 novembre 2009

Le président, en pleine réunion à l'Élysée : « Écoutez Frédéric, c'est bien la première fois qu'un ministre de la Culture s'intéresse vraiment à l'outre-mer. »

Journaliste en charge de la rubrique culture, Claire Bommelaer du *Figaro* : incisive mais impartiale ; Vincent Noce de *Libération* : fin, avisé, très sûr de lui ; Nathaniel Herzberg du *Monde* : franchement hostile. Tous trois à déjeuner, avec d'autres ; souriants et lisses, absolument pas concernés par les dégâts qu'ils peuvent commettre ; la fameuse déonto-logie du journaliste, qui s'accommode si bien des préjugés dogmatiques qui sont propres à chacun.

Samedi 7 novembre 2009

Depuis la mort d'Alain Crombecque, survenue il y a trois semaines, j'ai eu plusieurs fois sa femme au téléphone. Elle est totalement désemparée et sa détresse serre le cœur.

Clemenceau a dit au moins une demi-sottise dans sa vie : « Les cimetières sont emplis d'hommes irremplaçables. » Nul ne sait qui serait en mesure de succéder à Alain Crombecque aux commandes du Festival d'Automne.

Dimanche 8 novembre 2009

Maman accuse un sérieux coup de fatigue. Je ne peux pas m'empêcher de penser que c'est le résultat de la polémique du mois dernier. Elle en a énormément souffert. Mes frères le pensent aussi.

Lundi 9 novembre 2009

Jean-Pierre : « Le cabinet ne fonctionne pas bien, chacun en prend à son aise. Pierre est trop gentil, et toi aussi. Olivier Henrard a pris trop d'ascendant et je suis sûr qu'il te dessert à l'Élysée. » Le seul reproche que je puisse faire à Olivier Henrard c'est de continuer à consulter son portable pendant les réunions. J'ai beau lui en faire la remarque, il me répond : « Oui, monsieur le ministre » et continue. Il semblerait qu'il y ait une guerre entre Mathieu Gallet et lui, mais je n'ai rien constaté.

Tout le gouvernement frigorifié assiste place de la Concorde au beau spectacle pour célébrer le vingtième anniversaire de la chute du mur de Berlin. Pierre Lellouche l'a organisé à la volée. Je crois bien être le seul à le féliciter, les autres ont eu trop froid, ils sont déjà partis.

Il y a vingt ans, Pedro Almodóvar et Hanna Schygulla avaient apporté des petits morceaux du mur sur la scène du Théâtre des Champs-Élysées lors de la remise en direct des prix du cinéma européen que je présentais pour la télévision. Seul moment de grâce d'une soirée catastrophique dont je garde un souvenir cauchemardesque.

Mardi 10 novembre 2009

Ce type m'a toujours enquiquiné. À Sciences Po, je le trouvais faux et prétentieux ; quarante ans plus tard, je le retrouve président d'une association de protection du patrimoine et, à ce titre, j'ai souvent affaire à lui. Il a un peu changé, il est pire.

Catherine Vautrin, députée UMP de la Marne. Pas commode. Elle veut tout : l'Institut d'archéologie à Reims, le champagne au patrimoine mondial de l'Unesco, le ministre aux petits soins. Richard me dit qu'elle ferait une très bonne ministre, ferme et décidée. Il a oublié qu'elle l'a été pendant six mois, ça n'a pas dû rigoler dans son cabinet.

Cesaria Evora est au bout du rouleau. Elle chante en vacillant et s'assied à plusieurs reprises pendant son récital. Mais c'est toujours aussi beau et le public, cruel, en redemande, ce qu'elle accepte comme une condamnée qui défierait ses juges.

Mercredi 11 novembre 2009

Le président : « Le discours à Berlin pour la chute du mur, je recevais les rafales de pluie en pleine figure, je ne sais pas encore comment j'ai pu faire mon discours. Et paf, et paf, toutes les pages s'effaçaient sous les trombes d'eau et moi je pouvais à peine ouvrir la bouche. »

Petit soubresaut des soucis du mois dernier : la presse tire à boulets rouges sur le ministre accusé de ne pas soutenir suffisamment Marie NDiaye, qui vient d'obtenir le prix Goncourt et qu'Éric Raoult accuse, en gros, d'être une mauvaise Française. *Libération* en fait sa couverture, symptôme du malaise que l'on y éprouve, Gérard Lefort en tête, à l'égard du Frédo d'autrefois devenu ministre. J'ai pourtant dit clairement qu'il n'était évidemment pas question pour moi de porter le moindre jugement sur le choix des jurés du Goncourt. C'est un piège et il serait absurde d'aller au-delà de cette évidence. Qu'est-ce qu'ils veulent ? Que je crache au visage d'Éric Raoult en pleine Assemblée nationale ?

Hôtel Lambert : le prince loukoum a mis un peu d'eau dans son thé : il renonce au parking et à la piscine olympique. Reste à courir de l'autre côté pour calmer les associations de sauvegarde.

Cérémonie à Rethondes avec Hubert Falco. «Mais si, voyons, tu es venu, tu déposes la gerbe avec moi.» Un ancien combattant médaillé jusqu'au cou refuse obstinément de me serrer la main. Parmi les jeunes qui sont pris en charge par l'armée pour leur éviter les centres de jeunes délinquants, les Français de souche ont hérité de générations d'alcoolisme, les Beurs sont beaux, élancés, vigoureux.

Jeudi 12 novembre 2009

Michel Destot, député-maire de Grenoble : «Alors, c'est pas trop dur ? — Non, et pour vous ?» Ils ont tout à Grenoble : musée magnifique, théâtre national, compagnie chorégraphique, Frac, etc.

Tenir entre ses mains une lettre manuscrite de Stendhal, parfaitement lisible, gardée bien à l'abri au sein d'une bibliothèque superbe, voilà une joie de ministre qui n'est pas donnée à tout le monde.

Vendredi 13 novembre 2009

Renaud s'obstine à soutenir Allard pour l'hôtel de la Marine. Il ne veut absolument pas m'écouter et me tient rigueur de lui résister.

Le président décore Clint Eastwood. Il est si content qu'il en abandonne le discours qu'on lui a préparé. Les flatteurs : «C'est toujours mieux quand il improvise.» En l'occurrence, je n'en suis pas sûr.

Samedi 14 novembre 2009

Ariane Mnouchkine n'a aucun état d'âme à traiter avec le ministre d'un gouvernement auquel elle s'oppose farouchement, et je n'ai aucun état d'âme à lui venir en aide pour réaliser la «soudure» dont elle a besoin. Nous vivons l'un et l'autre assez gaiement cette schizo-phrénie active.

Atmosphère plus tendue durant la visite détaillée de la Villette. Le président et sa directrice veulent se débarrasser du patron du Zénith pour des raisons obscures, peut-être simplement parce qu'ils sont de droite et qu'il est de gauche. Ils savent que je m'y oppose mais ils tiennent le conseil d'administration où le ministère s'est débrouillé pour être en minorité. Impasse, alors qu'il n'est pas question pour moi de leur céder. Comme je menace de ne pas renouveler le président pour l'amener à de meilleurs sentiments, argument imparable de Claude Guéant : «C'est impossible, on n'a pas d'autre Noir !» Jacques Martial, le président en question, est guadeloupéen d'origine. Je pense que ce genre de raisonnement a dû lui revenir plusieurs fois aux oreilles, cela me le rend plus sympathique.

Dimanche 15 novembre 2009

Catherine Pégard au petit déjeuner : «Quand je sens que ça se complique, je joue à la brave Normande qui n'est au courant de rien et qui ne comprend rien. Ça me laisse le temps de les voir venir et de réfléchir.» Si l'on en juge par la justesse de ses réactions, la méthode est efficace.

Hier, déjeuner avec Laurent Bayle ; ce soir, concert de Barenboïm avec Laurent Bayle ; le cabinet va encore me faire une crise de jalousie.

Lundi 16 novembre 2009

Jean-Louis Debré et moi voisinons au Palais-Royal. Nous avons fait retirer la barrière sur la galerie et nous pouvons nous rendre visite sans que personne ne s'en aperçoive. Il me témoigne une amitié qui me touche. «Quand ton oncle est devenu président, mon père lui a envoyé une longue lettre écrite de sa main pour lui dire ce qu'il lui semblait essentiel à préserver dans les institutions de la Vᵉ République. — Et François a répondu ? — Bien sûr, et sur le même ton.» François

Mitterrand et Michel Debré, adversaires apparemment irréconciliables, se retrouvant sur l'essentiel. J'aimerais bien voir les lettres.

Au Sénat, Jack Ralite ne tient jamais ses temps de parole, mais on ne l'interrompt pas. Il a l'éloquence tribunitienne que plus personne d'autre que lui ne pratique.

Le président de l'Irak est un très gros monsieur d'allure débonnaire qui fait le joli cœur auprès de Carla particulièrement en beauté ce soir. Il s'attarde longuement au salon après le dîner officiel et Carla, toujours aussi gentille, le cajole comme un vieux papy ami de la famille. Les moustachus tout autour ne savent plus sur quel pied danser et le protocole de l'Élysée pour qui la maison ferme tôt fait annoncer de moins en moins discrètement que la voiture est avancée. Il part finalement à regret, d'un pas lourd, un peu pompette. Le président, qui semble avoir oublié qu'il déteste se coucher tard, remarque bien gentiment : « Ce type est sympathique, à Bagdad il ne doit pas s'amuser tous les jours. »

Mardi 17 novembre 2009

Érik Izraelewicz pour *La Tribune*. Aucune connivence mais sensation agréable que chaque question est nette et que chaque réponse n'instruira pas forcément à charge.

Mercredi 18 novembre 2009

Le président : « Saclay, c'est Waterloo, morne plaine. Sauf qu'il ne s'y passe rien depuis cinquante ans qu'on en parle. Avec la réforme des universités, on va enfin construire le premier centre universitaire et scientifique d'Europe, et rien ni personne ne pourra nous en empêcher. »

À Cherbourg avec Michel Boyon pour la première phase de la télévision numérique terrestre. Surprise, des palmiers partout, encore plus que sur la Côte d'Azur. Une dame : « Oui, chez nous, on ne rentre jamais les géraniums en hiver. » Le Gulf Stream sous le crachin normand.

Bernard Accoyer, président de l'Assemblée nationale, a voté contre le Pacs. Il me reçoit néanmoins très gentiment. «J'étais oto-rhino avant la politique. Cela me permet de pratiquer la surdité sélective.» Utile en effet après tout le fracas du mois dernier... Le dîner à l'hôtel de Lassay : un gentil côté Labiche mais sans *Ôtez votre fille, s'il vous plaît*, la sienne est ravissante. Ami de Léonard Gianadda, l'homme de la fondation de Martigny, ce qui est bon signe.

Jeudi 19 novembre 2009

C'est un musée fermé depuis des années, dans l'un des derniers hôtels particuliers de l'avenue Foch. Je suis souvent passé devant en scooter, intrigué par cet abandon. Le ministre obtient de pouvoir visiter à l'improviste. Ce n'est pas une mince affaire, le gardien s'embrouille dans son trousseau de clefs. On progresse patiemment de pièce en pièce. Au rez-de-chaussée, un musée arménien rempli de caftans et d'un invraisemblable bric-à-brac hérité de successions multiples. Un vieux monsieur anxieux, sorti d'un placard, s'affole à l'idée que l'on pourrait s'intéresser à ce sympathique capharnaüm ; il a pris son parti de le garder caché jusqu'à la fin des temps. Au fur et à mesure que j'avance dans les lieux, je suis frappé par l'importance des volumes, le charme qui se dégage de toutes les autres pièces vides, plongées dans une semi-obscurité et recouvertes de poussière. Au premier étage, fantastique découverte : la collection d'Ennery, un ensemble extraordinaire de chinoiseries et de japonaiseries léguées à l'État par un couple de mécènes au début du XXᵉ siècle qui reposent dans leurs vitrines d'origine au long d'une vaste enfilade de salons. J'ai l'impression d'être l'un de ces archéologues qui pénètrent par surprise dans un mausolée dont seuls Marcel Proust et Pierre Loti auraient connu l'adresse avant de l'emporter dans leur tombe. Grâce infinie de cette plongée dans un temps perdu miraculeusement préservé.

Mais il se passe quelque chose de curieux ; ma visite s'est ébruitée et des inconnus sont venus me rejoindre. En fait, ce palais de la belle Orientale au bois dormant est sous la tutelle d'un autre musée, celui-ci très important et justement réputé ; c'est toute la direction du navire amiral qui vient d'accourir en pleine ébullition et me bombarde d'informations contradictoires sur les raisons de la fermeture. Elle remonte à si longtemps que personne n'en sait au juste rien. Mais il y a plus étrange encore, si la maison est bel et bien la sœur du motel de *Psychose*, le petit jardin qui donne sur l'avenue Foch m'a semblé entretenu, la porte d'entrée n'est pas rouillée et ne grince pas, le grand escalier est propre et l'électricité fonctionne. J'entends des raclements au dernier étage et avise un petit escalier qui y mène, moquetté de frais. «Ce n'est rien, là-haut il n'y a rien à voir, monsieur le ministre», s'écrie le chœur des guides de plus en plus fourni avec de déchirants accents d'angoisse. Je monte, deux ouvriers marocains sont en train de gratter les parquets, dernière touche apportée à un superbe appartement refait à neuf qui ouvre sur les frondaisons de l'avenue. Au prix du mètre carré, je calcule mentalement le bonheur du mystérieux locataire. Les deux Marocains sont ravis de ma visite surprise, ils m'ont vu à la télévision et se montrent très loquaces pour me conter tout le déroulement des travaux. Le cortège qui m'a suivi entend cette confession ingénue dans un silence de plomb. Certains très pâles, d'autres rouges comme des écrevisses, tous regardant leurs pieds qui pèsent une tonne sur le maudit parquet. Finalement, quelqu'un se dénonce : le futur occupant de l'appartement – «de fonction», précise-t-il dans un souffle. J'abrège le supplice et laisse toute la compagnie pétrifiée. Il y a d'autres musées abandonnés comme celui-là dans Paris, disparus du champ de vision de l'État qui en a pourtant la charge, mais pas perdus pour tout le monde et progressivement rongés par des occupants plus ou moins légitimes qui y font leur nid sans se faire remarquer.

Vendredi 20 novembre, samedi 21 novembre 2009

Forum d'Avignon. L'ambition : une sorte de Davos de la culture. Les habituels discoureurs internationaux avec Elie Wiesel en tête, des commissaires européens, des sous-ministres d'un peu partout, des philosophes et des sociologues pour magazines.

Au dîner, Androulla Vassiliou me jette à la dérobée des regards glacés. Elle se demande sans doute pourquoi je suis encore là. La commissaire européenne à la Culture est une dame très digne, très polie, très aimable. Elle n'a pas remarqué que je l'observais.

Dimanche 22 novembre 2009

Sur le chantier du Centre Pompidou à Metz avec Jean-Pierre : « Ils ne connaissent pas leur chance d'avoir Laurent Le Bon pour tenir la barre. N'importe qui d'autre se serait cassé la figure. »

Lundi 23 novembre 2009

Manuel Valls hurlait avec les loups pour réclamer ma démission pendant la polémique Marine Le Pen versus *La Mauvaise Vie*. Il est présent à l'inauguration de l'exposition de l'Orangerie sur « Les peintres et leurs enfants » et on ne lui a certainement pas dit que j'y serais aussi car elle n'était pas inscrite à mon agenda. Il se tient devant le superbe portrait que son père a fait de lui quand il était encore adolescent. Très ressemblant, il n'a pas changé, le Catalan fougueux. Stupeur muette en me voyant débouler. Les caméras se précipitent, attirées par le goût du sang. Je me répands en amabilités, ce n'est pas difficile, j'apprécie l'œuvre de son père et je trouve émouvant qu'il soit venu pour la mettre en valeur ; je me permets tout au plus d'ajouter qu'il est donc aussi beau gosse à cinquante ans qu'il l'était à dix-sept. Il cille un peu, c'est de bonne guerre ; il reste méfiant quand même, on ne sait jamais quand je dérape, surtout en présence de mes petits potes de Canal Plus décidément surexcités. Mais je tiens solidement la corde, je n'ai aucun réel différend avec ce type qui aurait certainement mieux fait de se taire et a dû se laisser entraîner par toute la clique des machos petit-bourgeois du Parti socialiste qui n'y comprennent rien. Il me sent sincère, il se détend, tout se termine très gentiment. Il en restera certainement quelque chose entre nous, une petite trace d'amitié un peu secrète.

Mardi 24 novembre 2009

Richard me traîne, comme à peu près chaque semaine, à la réunion du groupe UMP, histoire que je me refasse une virginité auprès de ceux qui voulaient que je m'en aille. Je ne sais d'ailleurs pas de qui il s'agit et Richard joue les mystérieux sur ce sujet.

Le président : «Et qu'est-ce que je fais, moi? Les députés UMP, je les remonte toutes les semaines à coups de cric. Si tu crois que c'est marrant, un par un, à coups de cric!»

Dans la salle de réunion, une grande tapisserie bucolique avec paysage en fleurs et colombes qui s'ébattent dans une pièce d'eau. C'est daté 1940, une année particulièrement heureuse comme chacun sait. Personne n'y fait attention.

Dîner pour les architectes du Grand Paris, organisé par ma conseillère, Ann-José Arlot. Christian de Portzamparc a l'air d'un enfant sage et doux dont émane une impression de pureté et de bonté. Il a pourtant trois ans de plus que moi.

Mercredi 25 novembre 2009

Le président : «Pour Polanski, tu ne dis plus rien, tu me laisses faire, doucement, gentiment, et ça se réglera correctement, avec humanité.»

Brice : «J'avais dit au président : "Mitterrand, c'est parfait, on aura paillettes et champagne, on en a bien besoin." On a eu des bourdes en série et un scandale carabiné, mais tu vois, je ne regrette pas de m'être trompé.»
Roman sort de sa prison avec un bracelet électronique et une caution à payer de plus de quatre millions de dollars. Il peut s'installer dans son chalet à Gstaad mais l'inquiétude demeure. Emmanuelle va le rejoindre.

Vladimir Poutine s'invite à dîner à l'improviste ce soir chez François Fillon. Il arrivera vers dix heures, pas de cravate, ce sera sans protocole. La journée s'annonce longue, le Premier ministre n'a pas l'air enchanté du programme. Je lui propose de me convier, je ferai la conversation si la fatigue se fait sentir.

Il bondit finalement de sa limousine blindée à 22 h 30, en polo et blouson de cuir, vrai jumeau de Daniel Craig. François me présente sur le perron, son regard me vrille comme un laser : «Je sais tout de vous!» Moi, du tac au tac : «Dans ce cas, je ne peux que remonter dans votre estime.» Il rit, François apprécie. Il ne devait pas faire bon être interrogé par lui dans les bureaux du KGB pendant les glorieuses années Brejnev.

On dîne dans le délicieux salon de musique au fond du parc. À six, avec les ambassadeurs et l'interprète. Les Français sont en costume-cravate, on ne peut pas se refaire. Il est très détendu, ravi d'être là, tout à fait charmant, pas ténébreux pour un rouble. Les bons vins coulent à flots mais il en faudrait bien plus pour entamer un Russe, François se contente d'une petite larme et arrête ma main, moins prudente, quand je m'apprête à me resservir. La conversation tourne sur l'histoire de la Première Guerre mondiale ; il est très calé et commence chaque phrase quand on arrive au chapitre de la révolution par : «Ces cons de bolcheviques». J'évoque le projet d'un monument en l'honneur des soldats russes tombés sur le front français. Banco, c'est comme si c'était fait. François ne regrette pas de m'avoir invité. Après, c'est un peu plus confus, mais je sens bien qu'on aborde les affaires sérieuses. Il sort un calepin et commence à y aligner des chiffres, le pourcentage des actions d'un combinat automobile qu'on pourrait échanger avec celles d'une grande société française. Mais ce n'est pas commode de faire passer le calepin d'un bord à l'autre de la table. Je lui cède la place pour qu'il puisse s'asseoir côté de François et me visse dans son fauteuil : «Il est gonflé, votre ministre, il m'a vendu un monument, et maintenant il se prend pour le tsar !» Rigolade générale. La valse des chiffres s'accélère, l'interprète s'embrouille dans les millions de roubles ; il n'est pourtant pas nécessaire d'être très malin pour saisir qu'il y aura de bons pourliches pour tout le monde si l'affaire se fait. François se penche poliment sur le fabuleux calepin, mais d'avoir arpenté pendant des décennies les marchés agricoles de la Sarthe ne prédispose pas forcément à troquer une ruine industrielle tentaculaire de la Volga contre un paquet d'actions Renault, ni à vouloir transformer une discrète gentilhommière du côté de Sablé en datcha de grand luxe remplie de Mercedes et de blondes peu farouches. On s'arrête là, il range son calepin en souriant, comme Oliveira da Figueira ferme sa boîte de produits ménagers dans *Tintin*, et on passe à «Paris sera toujours Paris» au vif soulagement de l'ambassadeur de France qui avait de plus en plus de mal à cacher son effarement et à l'angoisse perceptible de l'ambassadeur de Russie qui sait que la nuit ne fait que commencer.

Quand la limousine blindée s'éloigne vers une heure du matin emmenant vers une destination inconnue son passager plus que jamais dans une forme olympique, le Premier ministre prévient : «Pour le monument, faites attention tout de même à ce qu'il ne nous refile pas un de ses copains sculpteurs.» J'ai donné congé à mes officiers de sécurité, je rentre chez moi à pied, il bruine ; décidément, comme François, je ne saurai jamais comment il faut s'y prendre pour devenir milliardaire.

Jeudi 26 novembre 2009

Le président veut absolument faire entrer Albert Camus au Panthéon. C'est une belle idée, mais elle est certainement délicate à mettre en œuvre. Il faut l'accord de la famille ; Catherine, sa fille, le donnera sans doute, mais elle n'est pas la seule. En plus, l'affaire s'est ébruitée, le président lui-même en a parlé et il n'y a rien de tel pour braquer ceux qui pourraient refuser. Je lui touche un mot des Renoir, père et fils, le peintre et le cinéaste, ce serait un beau symbole pour le Panthéon. Il n'écoute pas ; c'est Camus et personne d'autre pour le moment.

Vendredi 27 novembre 2009

Réunion des ministres de la Culture des Vingt-Sept à Bruxelles. Chacun lit sa petite note que personne n'écoute vraiment, on rédige des conclusions qui ont été préparées à l'avance et qui n'apportent rien de neuf. Seuls les interprètes dans leurs cages de verre donnent l'impression d'être vraiment attentifs. Un petit moment de panique, la ministre irlandaise parle en gaélique, pour embêter le monde sans doute, car on ne trouve personne pour traduire.

Examen des crédits de la culture et des médias à l'Assemblée. C'est parti pour la nuit.

Samedi 28 novembre 2009

Jean Sarkozy a renoncé à prendre la présidence de l'Établissement public d'aménagement de la Défense après une violente bronca des médias. Long entretien téléphonique de tendance rigolote sur le thème

«Bienvenue au club des réprouvés». Sauf qu'en ce qui le concerne la majorité a largement savonné la planche et que le président n'a pas pu le soutenir.

Je m'enquiers auprès de Michel Drucker, qui préparait son émission du dimanche avec Jacques Chirac : «Tu crois qu'il va tenir pendant deux heures ? — On enregistrera comme il marche, à petits pas.» Je regarde l'émission, il tient très bien. Honneur aux pros, Michel et lui.

Dimanche 29 novembre 2009

Maman, horrifiée par la campagne sur l'identité nationale : «Qu'est-ce qu'ils veulent prouver, qu'il y a les bons Français et les autres ? Comme s'il n'y avait pas de bons Français qui sont de méchantes gens.»

Lundi 30 novembre 2009

Emmanuelle Seigner : «Le moral de Roman est très bas. C'est un homme de soixante-seize ans, il ne les paraît pas, mais il n'arrête pas de s'affaiblir. Le directeur de la prison a fait tout ce qu'il pouvait pour lui redonner confiance. Mais quelle confiance ? À Gstaad, maintenant, ce n'est pas beaucoup mieux, il ne peut pas sortir du chalet et on ne sait rien de ce qui va se passer.»

Mardi 1ᵉʳ décembre 2009

Pierre Ménat, ambassadeur en Tunisie : «Que voulez-vous, c'est comme d'habitude, Ben Ali a été réélu avec plus de 90 % des voix, tout est muselé, mon ministre n'arrête pas de protester, les Tunisiens sont furieux contre lui, et moi, qu'est-ce que je peux faire ? J'essaie d'arrondir un peu les angles, c'est tout.»

Mercredi 2 décembre 2009

Roselyne adore raconter des histoires lestes. Elle en possède un répertoire encyclopédique dont elle régale les autres ministres avant le Conseil. Bien qu'elles soient souvent très drôles, j'ai malheureusement tendance à les oublier après les avoir entendues. Pourtant, un personnage revient souvent dans ses plaisanteries : le petit chien Youki qui n'a pas la patte et le reste dans sa poche. À force, une curieuse confusion d'identité s'est opérée : d'ami et complice de Youki, je suis devenu Youki lui-même. C'est comme cela qu'elle m'appelle désormais et que je signe les petits papiers que je lui fais passer au Conseil. Sur les courriers officiels qu'il nous arrive d'échanger, Youki imprime encore sa présence avec deux petites griffures indéchiffrables pour tout autre que nous sous la signature ministérielle. Plus tard, si des archivistes se penchent sur ces lettres, ils y verront peut-être le signe mystérieux d'une affiliation à quelque société secrète et Youki trouvera enfin une place honorable parmi les Rose-Croix, les descendants des Templiers, voire les francs-maçons.

Le Centre Pompidou est en grève depuis cinq jours et il y a des arrêts de travail sporadiques au Louvre. Motifs classiques, avec le non-remplacement d'un fonctionnaire sur deux partant à la retraite en toile de fond. La volonté de tester le ministre est manifeste. Seban est bien plus fragilisé que Loyrette, il suffit qu'une dizaine de postes à la sécurité cessent le travail pour que tout le Centre soit obligé de fermer. Les salariés cotisent pour les quelques grévistes ; ils sont solidaires du mouvement tout en faisant semblant de travailler et en continuant à être payés.

Longue et houleuse réunion avec les syndicats. On se quitte au plus mal sur une menace de conflagration générale. C'était donc cela qui se préparait au cours de la gentille discussion avec Monquaut dans mon bureau il y a quelques jours ?

Le voici nettement moins aimable : «Enfin, à quoi servez-vous, monsieur le ministre ? À rien, vous ne servez à rien. Je ne vois pas pourquoi on perd son temps à vous parler. Vous êtes inutile, complètement inutile.»

Jean-Paul Cluzel, qui a assisté à la réunion : «Vous ne vous en sortez pas mal. Ne faites pas d'humour, ils détestent ça, et ne soyez pas trop cordial, ils en profiteront pour vous embarquer.»

Jeudi 3 décembre 2009

Les médias entrent dans la danse au sixième jour de grève. Nervosité à Matignon.

Raymond Soubie, tout-puissant conseiller social à l'Élysée : «Ça va, ne cédez rien, c'est votre baptême du feu, vous en verrez d'autres.» De la part de quelqu'un qui a perdu un bras dans un bombardement alors qu'il était encore bébé et qui a réussi à faire fortune tout en étant un maître du dialogue social, le conseil d'endurance vaut de l'or.

Alain Seban, très embêté, voudrait bien qu'on lâche un petit quelque chose sur les emplois, mais il ne sait pas vraiment quoi. Moi : «On ne lâche rien, vous tenez bon, chacun sa merde!» Mathieu Gallet : «Il n'a pas l'habitude qu'on lui parle comme ça, et en plus venant de vous!»

Fous rires nerveux pendant les réunions de cabinet. Les mauvaises nouvelles du front syndical tombent comme à Gravelotte.

Exposition Titien au Louvre, Henri Loyrette très calme et maître de lui. Les syndicats hésitent à lancer une offensive contre lui.

Vendredi 4 décembre 2009

Septième jour de grève. Les grévistes font de l'agit-prop sur le parvis de Beaubourg devant les caméras de télévision.

Première pierre du Louvre à Lens, en plein enracinement socialiste et sur le site même de la grande catastrophe minière de 1976. Jack Lang : «Tu as bien fait de t'en souvenir dans ton discours. Il n'y a que les gens d'ici qui n'ont pas oublié.» En fait, j'ai entendu deux femmes de mineurs qui en parlaient quand je suis passé devant elles et ça a «fait tilt» dans ma tête. Autrement, on crapahute dans la boue, il pleut et il fait froid. Les deux architectes japonais de l'agence Sanaa tremblent comme des feuilles au vent, en continuant à sourire.

Raout sous un chapiteau. Daniel Percheron, l'homme fort de la région, fait un beau discours dans la pure tradition jaurèsienne. Martine, pressée par les journalistes : «Je n'ai aucun problème avec le ministre de la Culture, c'est très bien qu'il soit là, même si j'imagine qu'il doit se sentir un peu seul au milieu de nous tous!» Première rencontre avec Sophie Flouquet, journaliste culturelle réputée à l'air de petite jeune fille sage. Je commets la bévue de lui dire qu'elle est jolie, elle me lance un regard venimeux, et voilà comment on se fait une ennemie pour la vie, en tout cas la vie de ministre.

Le maire de Lens accepte in extremis de ne pas démolir la belle façade Art déco du cinéma Apollo. Elle est en face de la gare, très belle réussite de la même période. L'Apollo pourrait servir de centre d'informations pour les voyageurs venus visiter le musée.

Samedi 5 décembre 2009

Plusieurs groupes veulent s'emparer du Zénith et continuent à travailler le conseil d'administration du parc de la Villette qui décide de la nomination. C'est un mauvais coup contre Daniel Colling, l'actuel patron du Zénith, marqué à gauche. Il vient de loin et remonte très haut, sans que je sache d'où exactement.

Dimanche 6 décembre 2009

Un Éléphant de Jeff Koons va être mis en vente par Christie's au profit de la Fondation Claude Pompidou. Admiration générale devant l'œuvre et le beau geste de l'artiste. Bernadette Chirac est venue pour remercier. Jeff Koons ressemble à un Jeff Koons : une sorte de grand jouet mécanique en couleurs et à la gaieté grimaçante.

Lundi 7 décembre 2009

Je me sépare d'Olivier Henrard : «C'est un rendez-vous qui ne s'est pas fait, monsieur le ministre.» Moi : «Croyez bien que je le regrette.» Mauvaise humeur à l'Élysée, échange glacial avec Jean-Marc Sauvé, le vice-président du Conseil d'État dont dépend Henrard, buzz féroce de la presse au sujet des caprices du ministre. Mathieu Gallet seul directeur adjoint désormais.

J'annule le voyage prévu pour l'ouverture de la Scala à Milan. Inutile d'agiter un chiffon rouge devant les grévistes : le ministre qui prend du bon temps en plein conflit social.

D'ailleurs, l'an dernier, ce fut le moment le plus triste d'une histoire d'amour impossible. Je me revois encore, échappé de la chambre d'hôtel attendant l'aube, transi de froid dans les rues désertes et glacées de Milan où passaient des tramways fantomatiques lançant des gerbes d'étincelles électriques. Cela faisait longtemps que je n'avais pas été aussi malheureux.

Mardi 8 décembre 2009

Onzième jour de grève.

Claude Guéant : « Il faut éviter les heurts avec la police. Je sais que vous en avez parlé avec le ministre de l'Intérieur. » Je ne dis rien, une délégation de grévistes menée par Monquaut occupe le salon d'attente du ministère et bloque l'entrée de mon bureau. Je passe par l'autre côté. Ils font un barouf d'enfer derrière la porte solidement tenue par des vigiles. Depuis qu'ils avaient réussi à passer par les terrasses pour coincer Catherine Tasca, on s'abrite derrière les grilles fermées du Palais-Royal. Cette fois, ils ont simplement forcé la porte d'entrée.

Le député communiste de la Seine-Saint-Denis, qui est venu pour me parler des anciens studios de Montreuil, a suivi le même parcours compliqué que moi pour atteindre mon bureau. Moi : « Vous ne voulez pas aller les soutenir, il n'y a qu'à ouvrir la porte ! » Il rit un peu nerveusement en jetant des regards angoissés vers la porte.

François Fillon : « Alors il paraît que c'est l'"Hôtel du libre échange" au ministère ! On entre comme dans un moulin chez vous, évitez quand même qu'ils ne s'installent ! »

Au retour de l'exposition Renoir, je demande à Pierre Hanotaux une intervention des forces de l'ordre pour accompagner la petite troupe vers la sortie. On nous envoie des spécialistes de l'évacuation en douceur, ce qui n'empêche pas Monquaut de hurler aux violences policières.

Jean d'Ormesson : «Plus personne ne parle de ton histoire, n'est-ce pas ? C'est toujours comme ça que ça se passe, quinze jours de drame et puis c'est oublié ! Enfin, j'ai beaucoup pensé à toi, cela n'a pas dû être très amusant sur le moment. — Ça ne l'est pas beaucoup plus actuellement. »

Mercredi 9 décembre 2009

Le président : «Arrête d'écouter tout le temps ton cabinet ! Ils veulent toujours t'empêcher de réagir ! Ils pensent que c'est leur boulot, alors que ça devrait être le contraire. Je sais ce que c'est, à force de se laisser conseiller, on ne ferait plus rien du tout. »

Douzième jour de grève. Deux délégués affirment avoir été blessés dans l'escalier du ministère au cours de l'évacuation et se sont fait prescrire un arrêt de travail. On m'affirme qu'il ne s'est rien passé et que ce n'est que de l'intimidation. Vérification faite, il ne s'est effectivement rien passé.

Anouar Brahem, merveilleux musicien tunisien luthiste et compositeur, à la salle Pleyel. Laurent Bayle est là, *as always*.

Jeudi 10 décembre 2009

Treizième jour de grève. Marc-Olivier Fogiel m'interroge sur Europe 1. Incorrigible, il revient longuement sur la polémique *La Mauvaise Vie*, l'amitié avec Carla, etc. Bon ami dans la vie, imprévisible ou plutôt trop prévisible et dangereux à l'antenne. À un certain point, j'en ai assez de faire la différence.

Chantal Jouanno : «Borloo, il est sympa comme ça, mais il ne faut pas trop s'approcher. Moi, il me pompe l'air littéralement, il ne me laisse pas respirer. Chaque fois que j'ai un projet, soit il me le pique, soit il me le bloque. » Elle est secrétaire d'État auprès de lui.

Christophe Beaux, le président de la Monnaie, porte bien son nom ; il est aussi fin, aimable et ambitieux. Jean-Pierre s'inquiète du charme qu'il pourrait exercer sur moi.

Vendredi 11 décembre 2009

Quatorzième jour de grève, aucun signe d'essoufflement, le public est furieux. La bataille se concentre autour d'une quinzaine d'emplois que les départs à la retraite ne remplaceront pas. Comme on n'a rien cédé sur le fond, Pierre Hanotaux pense qu'on pourrait «lisser» le problème, c'est-à-dire l'étaler dans le temps.

Samedi 12 décembre 2009

Une bonne idée de départ, une conservatrice compétente et infatigable, une réputation qui se forge rapidement et attire les donations pour agrandir les collections, un maire ancien ministre qui n'est pas avare de son soutien et l'on obtient le Centre national du costume de scène, qui organise de formidables expositions et draine un public considérable à Moulins, ville moyenne d'Auvergne qui roupillait en déclinant doucement.

Tout près, un délicieux illuminé a ouvert son propre musée d'habits religieux, le musée de la Visitation; absolument extraordinaire. Il entre jusque dans des carmels andalous, traque des supérieures bénédictines, prend pension dans des monastères slovaques, fouille dans les coffres de chanoines flamands et en rapporte des merveilles à réconcilier le pire bouffeur de curés avec l'Église.

Encore sous le choc d'avoir pu contempler le triptyque de la cathédrale, je tombe sur deux délégations : la CGT «pour nos camarades de la Culture en lutte»; les gens de robe pour que l'on rapporte le projet de fermeture du tribunal jusqu'ici.

Dimanche 13 décembre 2009

Seizième jour de grève. Ils ne sont plus qu'une poignée mais c'est suffisant pour tout arrêter et ils se savent soutenus par le reste du personnel. Assemblées générales encore très offensives.

Muriel Genthon va prendre la Direction des Affaires culturelles en Île-de-France. C'est la plus importante des directions régionales. Impression au-delà du favorable quand elle vient me voir.

Lundi 14 décembre 2009

Dix-septième jour de grève. Pierre Hanotaux toujours sur le front.

Yves Coppens se déplace avec des petits ossements dans ses poches. Il les met sur la table devant sa tasse de café et raconte. À la fin du petit déjeuner, on a l'impression que l'homme de Neandertal ou son rival Cro-Magnon sont en train de faire le service.

Georges-François Hirsch ronge consciencieusement le conseil d'administration de la Villette. Les comploteurs ne sont plus aussi certains d'avoir la peau du directeur du Zénith.

Jean de Boishue, sur François Fillon et moi : « Au départ, pour lui, tu avais tout contre toi. Ça s'est retourné comme un gant. Il t'aime beaucoup, vraiment beaucoup. Ça se sait autour de lui et plus personne ne se risque à dire quelque chose de désagréable à ton sujet. »

Mardi 15 décembre 2009

Dix-huitième jour de grève. Alain Seban exsangue, mais toujours solide et fiable. Une assemblée générale est prévue pour demain. À force d'entrer dans des considérations techniques très détaillées qui ne changent pas l'essentiel du conflit, on trouve des prétextes de satisfaction d'amour-propre qui permettent aux syndicats de sortir la tête haute sans avoir rien obtenu. Pierre Hanotaux et le cabinet sont très forts à ce jeu-là.

Le président rencontre à l'Élysée les architectes du Grand Paris, qui ont multiplié les études et les maquettes. Improvisation et déclaration d'intention. C'est bien de les avoir fait venir, mais j'étais gêné de les voir si respectueux sans qu'ils aient rien obtenu de vraiment concret.

Arnaud Lagardère : « Alors, comment va mon ministre ? » Il insiste sur le « mon ». C'est gentil, il n'était pas obligé. Bonne impression chaque fois qu'on le rencontre. Le problème, c'est qu'on ne le rencontre pas assez souvent d'une manière générale ; au ministère, ce n'est pas grave, mais dans ses affaires, ça l'est sans doute plus.

Mercredi 16 décembre 2009

Le président : «Vous feriez mieux de faire attention aux Suisses avant de parler d'eux en prenant de grands airs. Ils ont inventé la démocratie bien avant nous et ils sont plus respectueux des lois que nous. Cette affaire des minarets qu'ils ne veulent pas voir chez eux, cela veut dire qu'il y a un vrai malaise. On ferait mieux d'y réfléchir plutôt que de faire les malins à leur donner des leçons. Vous allez voir comment ça va venir en France cette histoire-là. On laissera faire, on s'en préoccupera trop tard et la réaction sera bien plus violente. Les Suisses, ils posent les questions franchement, ils consultent tout le monde et ils font des lois ; après, ils les appliquent, ça se passe sans violence.»

Le secrétaire général du gouvernement à Brice Hortefeux : «C'est plus possible, Fadela Amara vient encore de virer son chef de cabinet.» Brice : «Foutez-lui la paix, elle fait ce qu'elle veut!» Il la surveille comme le lait sur le feu et la protège en toutes circonstances.

Dix-neuvième jour de grève. L'assemblée générale se délite, la fin est proche.

Merveille absolue de la présentation du corps de ballet à l'Opéra, dans une chorégraphie de Serge Lifar. Et si c'était cela, cette grâce française qui aurait résisté à toutes les époques et dont le cœur bat encore, comme par surprise et quand on le croyait mort.

Jeudi 17 décembre 2009

Reprise du travail au Centre Pompidou. Il n'y a pas de quoi pavoiser. Je repense à tous ces films italiens qui racontent la fin amère d'une grève, la solidarité des travailleurs, le cynisme des patrons.

Renaud Revel, rédacteur en chef à *L'Express* : pas grande impression. Je croyais que c'était le fils de Jean-François Revel et de Claude Sarraute, mais non, aucun rapport ; je me disais, aussi...

Marc Ladreit de Lacharrière soutient La Source, l'œuvre de Gérard Garouste pour venir en aide par l'expression artistique aux enfants défavorisés. Ils se donnent à fond l'un et l'autre dans cette action pour laquelle le ministère s'est toujours montré d'une pingrerie absolue.

Vendredi 18 décembre 2009

Matinale de Canal Plus. Il faut arriver à 7 h 30. Mais qui regarde à cette heure-là ? Réponse : la nomenklatura qui commence chaque journée en pesant et soupesant ses propres membres pour relancer la machine à rumeurs et intrigues.

Bernadette Chirac à la Maison de Solenn qui lui doit d'exister. Elle arrive de Corrèze, elle s'est levée à quatre heures du matin, elle a soixante-seize ans. Les enfants anorexiques sont en général très doués et très intelligents, ils nient le plus longtemps possible l'existence de la maladie malgré leur terrible maigreur, il y a un garçon pour six filles, on tâtonne encore pour leur venir en aide, leurs parents dont il faut les éloigner vivent un cauchemar comme ceux des enfants drogués. Je sais beaucoup de choses dans ce domaine.

Sempé nous offre la carte de vœux du ministère. Choix judicieux de Jean-Pierre.

Catherine Hiegel vient d'être mise à la retraite par ses gentils collègues sociétaires de la Comédie-Française à la faveur d'un véritable coup d'État dirigé contre elle. J'essaie de la réconforter comme je peux, mais c'est une battante, et c'est un accident qu'elle surmontera.

Du samedi 19 décembre au mardi 22 décembre 2009

Départ pour Pékin avec le Premier ministre. Liria m'accompagne.

Dans l'avion qui nous emmène, François Fillon nous montre des photos de sa famille en vacances sur son iPad. Tout le monde en tenue estivale, l'air souriant et détendu. Ses fils sont très beaux, mais l'un d'entre eux accroche encore plus le regard ; je ne peux pas m'empêcher de dire : « Celui-là, vous n'avez pas intérêt à le présenter à

Frédéric Mitterrand. » François referme l'iPad d'un claquement sec, me regarde en rigolant et hèle le steward : « Vous pouvez préparer un parachute pour monsieur le ministre de la Culture, il faut qu'il descende de toute urgence. »

Escale à Novossibirsk, dans le sud de la Sibérie. Il est quatre heures du matin et il fait moins trente. Le grand jeu consiste à faire le partage entre les ministres poltrons qui préfèrent rester vissés sur leur fauteuil en prétextant qu'ils ont sommeil et les valeureux qui veulent visiter le duty-free de l'aérogare en traversant les pistes balayées par un vent glacial. Je me laisse entraîner par Pierre Lellouche ; nous piétinons péniblement dans les ténèbres et le froid intense, mais il me tient solidement par le bras pour éviter que la fragile poupée du XVIe ne défaille.

Pierre Lellouche : « J'en ai marre des bonnes femmes. C'est toujours la même chose. Elles m'ont complètement ratissé. Maintenant, je vis seul, un petit coup de temps à autre, bonjour bonsoir et je repars au turbin. Tu ne connais pas ta chance. » J'aime beaucoup ce type. Parents juifs tunisiens illettrés arrivés avec la valise en carton et de Gaulle pour idole, la castagne dans les rues du Paris pauvre et populaire, les devoirs sur la toile cirée de la cuisine pendant que les vieux s'activent à la gargote, le prof à l'ancienne qui le remarque, Condorcet, la fac de droit, Harvard, l'ascension sous l'aile de Chirac ; le parcours républicain idéal. La tchatche, la belle montre, les belles pompes, au départ pas très porté sur les pédés mais il en est bien revenu. Souffle long, très intelligent et courageux, fiable. Ministre réputé très efficace.

Bon, comme prévu, je ne reconnais à peu près rien de ce que j'avais vu il y a quinze ans hormis les alentours de Tian'anmen. C'est hallucinant, comme on le dit toujours sans trouver l'adjectif exact qui pourrait décrire ce que l'on voit et qui n'arrête pas de grandir à toute allure et dans tous les sens. Et de surcroît, par millions, les gens y vivent sans qu'on sache trop comment.

Peu de néons, peu de grandes publicités comme au Japon par exemple. Reste de puritanisme communiste ? En revanche, toutes les marques de luxe ont pignon sur rue. Liria : « La révolution, le grand bond en avant, la révolution culturelle, les famines, à chaque coup vingt millions de morts, soit quatre-vingts millions – et encore on n'a pas vraiment compté –, et au final c'est Hermès et Prada qui gagnent ! »

Au Sofitel Wanda (mais si, Wanda, comme la grosse copine de Cabiria dans le film de Fellini ; c'est certainement pour ça !), le *bellboy* est un garçon de trente ans déjà fripé par la vie, qui baragouine un anglais basique appris sur Internet. Il me bouleverse par sa gentillesse, le soin qu'il porte à son travail, l'humilité avec laquelle il accepte sa servitude. Toujours disponible à n'importe quelle heure du jour et de la nuit. Il dort avec les produits d'entretien dans un réduit près des ascenseurs, mais il considère qu'il a une très bonne place. Il a une fiancée qui est vendeuse dans un grand magasin. Je lui laisse de gros pourboires à tout instant en lui disant que c'est pour son futur mariage ; il me remercie avec l'émotion touchante d'un ami pour la vie. Il est probable, du reste, qu'il rédige des fiches sur les clients pour la police quand il se retrouve dans son placard à balais.

Éclairage blafard dégoulinant des lustres en cristal, vastes fresques de montagnes bleutées sur les murs, moquettes profondes, ballet silencieux des petites serveuses de thé, les délégations d'abord restreintes puis élargies se font face, les Chinois tout sourire, les Français, chiffonnés par le jet-lag, comme des nageurs dans une piscine où il n'y aurait plus d'eau.

Les entretiens et les cérémonies se passent comme dans les films. Pas de surprise. Pilotage automatique généralisé. Durant les conférences, si elle n'a rien à dire, Christine Lagarde crayonne sur son petit bloc (on a tous un petit bloc en face de nous pour les cas hautement improbables où l'on aurait une idée inattendue à mettre au clair et à exposer). Je le pique en sortant. Elle a fait le portrait de son compagnon.

Le ministre de la Culture ouvre des yeux ronds quand je lui dis que nous avons du mal à financer la construction de la Philharmonie. Il s'ensuit une conversation très animée entre ses collaborateurs et lui pendant que l'interprète est saisi d'une surdité soudaine. Au fond, c'est peut-être aussi bien comme ça.

Je signe toutes sortes de conventions culturelles bilatérales. Liria : « Tu crois qu'ils vont les lire ? » Moi : « Ceux qui les ont rédigées les ont lues, c'est déjà un premier pas. » « Oui, oui bien sûr », dit-elle toujours perplexe.

Chen Xin-dong est beau comme l'Amant de Marguerite Duras. Impossible de ne pas être séduit par son charme et son intelligence, d'autant plus qu'il parle un français parfait appris lors de son séjour à Paris où il était arrivé sans connaître personne pour faire ses études de physique nucléaire et dont il est reparti en expert de la création artistique contemporaine et joyeux bourreau des cœurs féminins. Il se partage entre la Chine et la France en pleine nébuleuse du marché de l'art international. Entre nous c'est tout de suite «Moi, Tintin, et toi, Tchang». Je sème sans regret la délégation officielle et il nous emmène partout avec Liria vers son autre Chine, celle qui n'est pas devenue l'usine de la planète. Dans les friches industrielles où les artistes s'installent provisoirement comme des nomades, chassés de l'une à l'autre par la prédation des galeries pour nouveaux riches. Dans les cafés enfumés des «hutongs», les vieux quartiers de Pékin, où une jeunesse crypto-punk se shoote à l'alcool de riz au milieu d'un bric-à-brac surréaliste de bimbeloterie maoïste. Au cabaret des anciens gardes rouges, où une troupe hétéroclite chante les refrains de la révolution culturelle pour un public incroyablement mélangé de nostalgiques plus très Mao-Spontex et de bobos sarcastiques qui reprennent en chœur les hits du détachement féminin rouge. Pour les boîtes gays, on n'a pas eu le temps. Il me dit en plissant ses yeux de chat qu'il y en a de formidables où l'on trouve tout ce qu'on veut, du lutteur manchou au minet inconsolable du suicide de Leslie Cheung, le James Dean homo des studios de Hong Kong qui s'est défenestré du haut de l'Hôtel Mandarin.

La reine Monique, du Cambodge, me demande : «Comment trouvez-vous le roi? Il va bien, n'est-ce pas?» Sihanouk : «C'est à ma femme et aux médecins chinois que je le dois.» Ils vivent six mois par an dans l'ancienne légation de France, villa très *55 jours de Pékin*, dans un beau parc qui résiste miraculeusement à la pollution infernale, heureux, apaisés et tranquilles. Le fameux charme opère pleinement sur Liria, comme il avait vaincu mes anciennes préventions dues aux horreurs de la période des Khmers rouges, hâtives et sans doute injustes. Chaque fois que je les retrouve, cette impression d'être traité comme une sorte de fils lointain, aimant et aimé.

Il ne faut jamais mettre un cortège en retard. Les voyages officiels sont faits d'attentes où l'on parle à des inconnus qu'on ne reverra jamais et de rushs vers les voitures dès que le Premier ministre s'engouffre dans la sienne.

Mercredi 23 décembre 2009

Le président : «Cette conférence de Copenhague sur les changements climatiques, c'était n'importe quoi. Tellement mal organisée. Difficile de faire pire. On dit que Barack Obama ne s'intéresse pas à l'Europe, eh bien là alors il a été servi!»

Les communications hebdomadaires de Bernard au Conseil des ministres sont toujours très intéressantes, instructives et vivantes. Le président et les ministres écoutent attentivement. Serait-ce le seul moment où il ne regrette pas d'avoir sacrifié sa liberté?

Jean-François Colosimo commence à trouver le temps long pour que sa nomination au Centre national du livre soit officielle. Je lui dissimule le patient travail de déminage auquel je me livre. La conjuration des médiocres et des intrigants.

Marc Tessier et Mathieu Gallet se tutoient. Mais d'où se connaissent-ils donc ces deux-là? Marc Tessier ou l'intelligence, humain dans un monde de brutes.

Jeudi 24 décembre 2009

Maison de retraite des artistes à Nogent, protégée et soutenue par la Fondation Rothschild. Un grand parc, des ateliers mis à la disposition de ceux qui souhaitent encore travailler, atmosphère quand même très *La Fin du jour*, le film de Julien Duvivier. J'apporte la bûche de Noël. Une pensionnaire : «C'est bien gentil tout ça, mais c'est pas parce qu'il est ministre qu'on va l'attendre pour se mettre à table!»

Alain Elkann : «La Villa Médicis est devenue triste. On ne sait plus ce qui s'y passe; les Romains s'en plaignent.»

De Noël 2009 au Jour de l'An

La trêve des confiseurs, paraît-il. Une semaine pour travailler au calme dans mon bureau avec le feu dans la cheminée et France

Musique continûment. L'idéal! Jean-Marc revient exprès des sports d'hiver pour me voir.

David Kessler au téléphone : «Toutes les cartes de vœux qu'il faut envoyer et auxquelles il faut répondre, c'est vraiment la plaie, ça bouffe tout le temps qu'on a réussi à retrouver et ça ne sert à rien.»

On bombarde le ministre de cadeaux de fin d'année, surtout des bouteilles de vin, des spécialités locales, des mignardises. Il y a de quoi monter une épicerie fine, je répartis les victuailles entre tous ceux qui veillent sur moi.

Petit déjeuner à 7 h 30 avec les femmes de ménage, les pompiers, tous ceux qui font l'entretien. Ils sont ravis, il paraît que c'est la première fois qu'on pense à eux. C'est le livre de Florence Aubenas qui m'a alerté, lorsqu'elle raconte que les femmes de ménage levées à cinq heures ne sont jamais gratifiées d'un bonjour ni même regardées par ceux dont elles époussettent le bureau et vident les corbeilles. Fatima, la patronne du groupe, Malienne imposante, est ma nouvelle copine.

Maman, le 31 au soir : «Il faut se dépêcher, chaque année compte triple, et quand elle commence je ne suis plus sûre d'aller jusqu'au bout.»

Roman travaille sur le montage de son film, *The Ghost Writer*, avec son ordinateur. Il ne peut toujours pas sortir de son chalet. Sa famille est avec lui et il reçoit quelques visites, comme celle de Bernard-Henri Lévy. Il n'a pas trop mauvais moral, avec de temps en temps des crises d'angoisse insupportables. Emmanuelle, parfaite.

Dimanche 3 janvier 2010

Je rentre de chez Liria et Luc en scooter en chantant *I Dreamed a Dream* qui a révélé Susan Boyle, et je ne vois pas la plaque de verglas qui m'attend dans le dernier virage avant la maison. Bilan : triple fracture de l'épaule. Je vais devoir garder le bras en écharpe pendant au moins deux mois avec un bandage qui me le tiendra serré contre le corps et me donnera l'apparence d'une sorte de Polichinelle difforme qui me gêne et m'humilie. Les gestes les plus simples de la vie quotidienne deviennent très compliqués. Saïd, particulièrement attentionné, m'aidera chaque matin à m'habiller et à me laver.

Jean-Pierre insiste auprès du cabinet pour que l'on réserve « du temps au ministre pour sa rééducation », mais comme on sait que je m'y refuse, cette bonne intention tombe dans le vide. De toute manière, rien qu'à voir leur tête, on sent qu'ils doivent se dire : « Encore un problème, ce ministre accumule les ennuis. » Ils n'ont pas tort.

Lundi 4 janvier 2010

Gérard Mortier a quitté la direction de l'Opéra sans être remercié par personne. Ni réception, ni marque de sympathie quelconque, rien. Il n'avait pourtant pas démérité, loin de là. Il a pris la direction de l'opéra de Madrid où on lui a réservé le meilleur accueil et où il a beaucoup à faire pour remonter la maison.

Mardi 5 janvier 2010

Petit déjeuner rituel du début de l'année, place Beauvau, offert par le ministre de l'Intérieur aux membres du gouvernement. Brice Hortefeux m'accueille sur le perron, un indéchiffrable sourire ironique aux lèvres.

Le président : « Arrêtez de vous chamailler. On cesse d'être ministre d'un jour à l'autre, pensez-y, moi ça m'est arrivé, c'est normal. Quand on a la chance d'être ministre, c'est vingt-quatre heures sur vingt-quatre. Ne faites pas n'importe quoi et ne négligez pas la sécurité. Un ministre qui se fait siffler ou qui reçoit une gifle, ça n'a rien d'héroïque, c'est qu'il ne s'est pas méfié et c'est toute la République qui est atteinte à travers lui. La faute, c'est lui qui l'a commise. Et puis j'en ai assez des ministres qui se comportent comme des gamins. Et toi, tu arrêtes le scooter, hein, tu arrêtes ! »

La fidélité et la tendresse de Pierre Bergé à mon égard ; quand je pense qu'il méprise le gouvernement actuel, déteste le président et fait peur à tout le monde !

Mercredi 6 janvier 2010

Ariane Chemin est jolie, spirituelle, sympathique ; elle n'en est que plus dangereuse car elle endort ma méfiance et m'inciterait aux confidences. Elle prépare un portrait de moi pour le *Nouvel Observateur*. Longue interview sur le mode «friendly» ; je n'aime pas ce genre d'exercice où l'on parle faux, et Béatrice Mottier est sur le qui-vive. Je ne doute pas du résultat qui sera au mieux sarcastique et où je ne me reconnaîtrai certainement pas.

Jean d'Ormesson enchanté de déjeuner avec deux jeunes femmes de lettres couronnées par des prix littéraires. Gwenaëlle Aubry est ravissante, diaphane et blonde, agrégée de philosophie, elle a obtenu le Femina. Léonora Miano est belle, camerounaise, bien en chair, avec de grosses lunettes de timide. Il les fait rire, s'intéresse vraiment à elles, touchées par sa disponibilité et sa générosité.

L'ancien directeur du Théâtre de Montpellier, furieux de la nomination de Jean-Marie Besset pour lui succéder, me menace des pires représailles, celles du Syndeac en l'occurrence. Sait-on qu'un directeur qui n'est pas renouvelé part avec cent cinquante mille euros d'indemnités ? Il obtient de moi une rallonge pour monter une dernière production à Montpellier. J'ai bien tort, il ressort aussi agressif qu'il est entré. Un grand type à catogan, le verbe haut et truffé de références au théâtre populaire et à la démocratisation de la culture.

Jean-Pierre Vincent, une tout autre classe évidemment, aimablement hostile : «Rien ne va plus pour le spectacle vivant, il va falloir faire un gros effort, monsieur le ministre, ou vous ne vous en sortirez pas.»

Jeudi 7 janvier 2010

Alfredo Arias est maltraité d'une manière indigne par les fonctionnaires de la sous-direction du Théâtre. À ma demande, Georges-François Hirsch le prend directement sous sa coupe. Il réagit tout de suite positivement quand il y a un vrai problème.

J'ai réussi à entraîner le président à la Cité de la musique pour ses vœux au «monde culturel». C'est un encouragement appréciable pour

Laurent Bayle et la Philharmonie puisqu'on en profite pour l'emmener sur le chantier toujours arrêté.

Petit rond autour de lui avant la cérémonie des vœux proprement dite avec Henri Dutilleux et quelques compositeurs de musique contemporaine. Il improvise sur le thème de l'admiration qu'il leur porte. C'est chaleureux mais un peu risqué quand il s'emporte contre le service public qui devrait diffuser leurs œuvres en prime time. Yeux ronds des musiciens plutôt habitués à ce que le service public ne diffuse tout simplement jamais aucune de leurs œuvres à quelque heure que ce soit.

Handicapé par mon bras en écharpe, je n'ai pas réussi à éteindre mon portable à temps. Le président : «Arrête ça, c'est exaspérant à la fin!» Un trait de familiarité naturelle comme à l'égard du sale gosse qu'on aime quand même.

La Cité de la musique affiche complet, assistance très majoritairement hostile mais médusée par son discours, les annonces budgétaires favorables, la confiance qu'il me réitère. En sortant : «Tu vois, ça s'est très bien passé. Tu es le seul avec moi à penser que je ne suis pas de droite. Je suis sûr qu'ils vont finir par s'en rendre compte.» Il part, remonté comme un ressort pour aller retrouver la famille de Philippe Seguin qui vient de mourir.

Vendredi 8 janvier 2010

Inauguration des colonnes de Buren enfin restaurées. Beaucoup de monde dehors, il fait un froid de gueux et il neige. Lionel, le majordome omniscient du ministère, a pensé à faire distribuer du vin chaud qui réconforte l'assistance frigorifiée. Catherine Tasca, Jacques Toubon et Jack Lang, hilares, un gobelet à la main, et soudain un air de fête improvisée où l'on est heureux d'être ensemble en oubliant tout le reste.

Samedi 9 janvier 2010

Blanche-Neige, ballet d'Angelin Preljocaj au Théâtre de Chaillot avec Jean-Pierre. Superbe. Luc Chatel avec sa femme et ses enfants. Son fils aîné, adolescent, très beau. Salutations cordiales, mais d'où vient cette gêne indéfinissable ; d'eux, de moi ?

Le Théâtre de Chaillot est en triste état quand on y regarde bien : peintures qui s'écaillent, fissures inquiétantes, accès condamnés car dangereux.

Dimanche 10 janvier 2010

François Fillon sur Philippe Seguin : « Ce n'est pas une mort naturelle, mais un suicide, un long suicide qu'on était impuissants à conjurer. »

Jean de Boishue m'a dit qu'il pleurait hier soir comme un enfant dans son bureau.

Lundi 11 janvier 2010

Obsèques de Philippe Seguin aux Invalides. La République au grand complet. À quoi pensent-ils donc, ceux qui se sont ingéniés à lui faire obstacle, qui y sont parvenus et qui se tiennent bien rangés selon le protocole avec leurs mines d'enterrement, et tous ceux qui l'ont vraiment aimé, parfois les mêmes ?

Au fond, ce qu'il a manqué à Philippe Seguin c'est un désastre. Que resterait-il de Clemenceau s'il n'y avait pas eu la guerre et le grand danger de la perdre ? Une figure de la République, pas un destin.

Discours vrai du président, il comprend ces choses-là.

Mardi 12 janvier 2010

Les journalistes se suivent et ne se ressemblent pas. Au déjeuner : un type sentencieux ; une petite frappe malpropre en pantalon-allumette ; une belle gueule de Kabyle qui me plaît tout de suite bien qu'il ne soit pas particulièrement cordial mais parce qu'il n'y a manifestement rien de veule en lui.

Monumenta Boltanski. On peut y voir tout ce qu'on veut : la déportation, les déchets du capitalisme, etc. Difficile d'occuper ce grand espace. Conversation intéressante avec l'artiste. Il habite plusieurs mois par an en Tasmanie et en parle avec une sorte de détachement mélancolique qui m'intrigue. On évoque les loups de Tasmanie, ces bêtes au cri horrible qui sont frappées par une bizarre épidémie qui leur ronge la gueule.

Dîner avec Françoise de Broglie, qui est d'origine haïtienne. On apprend la nouvelle d'un tremblement de terre apocalyptique à Port-au-Prince.

Mercredi 13 janvier 2010

Laurent Wauquiez au petit déjeuner. Précis, organisé, il a toute une «shopping liste» de demandes pour le ministre : c'est un garçon qui ne laisse rien au hasard.

Dans le jardin de son ministère, je retrouve la petite plaque indiquant l'endroit où est enterré Loulou, le bichon de Marie-Antoinette qui lui a survécu longtemps, recueilli par des âmes pieuses.

François Fillon, sur Bernard Kouchner qui passe près de nous : «Lui, il souffre beaucoup, avec tout ce qu'ils lui font subir, je me demande comment il tient.» Ils, c'est la cellule diplomatique de l'Élysée, largement relayée par la technostructure du Quai d'Orsay. C'est dit avec une réelle empathie. François sait ce qu'endurer signifie.

Dîner avec Dariga Nazarbaeva et des hommes d'affaires. Je parle des échanges culturels avec le Kazakhstan. Elle écoute avec attention. Ils pensent à autre chose. Je ne suis pas doué pour les conversations à tiroirs.

Jeudi 14 janvier 2010

Théo Klein est un très vieux monsieur fragile et presque aveugle, d'une douceur et d'une humanité exquises. Il est ému de constater à quel point je m'intéresse à l'archéologie du judaïsme en France.

La proposition de loi sur les délais de paiement dans le secteur du livre : on pourrait croire que le débat serait rapidement plié à l'Assemblée, pas du tout, on termine à une heure du matin et on reprendra la semaine prochaine.

Vendredi 15 janvier 2010

Tristesse de ce musée des Arts et Traditions populaires au bois de Boulogne, que l'on a laissé mourir malgré la richesse des collections et les efforts désespérés de mon cher Colardelle. Jean-Pierre me montre les poignées de porte dessinées par Alicia Penalba : le soin que Jean Dubuisson avait mis à le construire et cette architecture des années 1970 que tout le monde déteste maintenant et que l'on redécouvrira forcément un jour.

Bernard Arnault écoute avec attention ce que je lui relate de ma visite de ce matin. Je lui suggère de récupérer le bâtiment limitrophe de sa future fondation puisque personne ne sait ce qu'on en fera. Il me dit qu'il aimerait que je fasse un film sur Christian Dior quand je ne serai plus ministre.

Jacques Dutronc n'est jamais meilleur que quand il chante les chansons de Jacques Lanzmann. On peut faire une carrière avec *Paris s'éveille* quand on est à la fois surdoué et surparesseux comme il l'est. Le Zénith est plein à craquer ; j'ai trouvé des places pour Aurélie Filippetti.

Samedi 16 janvier 2010

Le professeur Barthélemy : «Puisque vous ne voulez pas faire de rééducation, si vous n'allez pas à la piscine au moins chaque semaine vous ne récupérerez jamais votre bras.» J'obéis, la piscine du Racing, rue Eblé, est quasiment vide le samedi matin.

Il y a des festivals de jazz durant l'été partout en France. Pourquoi pas aussi un festival de la musique arabe? Laurent Bayle m'aidera, mais il faut trouver une municipalité pour l'accueillir et la frilosité est générale.

Philippe Bélaval, nouveau directeur des Patrimoines : «Surtout, ne changez rien à ce que vous êtes, c'est très bien comme ça.» Ça fait plaisir.

Dimanche 17 janvier 2010

Le tremblement de terre d'Haïti se chiffre en centaines de milliers de victimes. Ann-José Arlot a déjà envoyé une mission des « Architectes de l'urgence ». Maman, bouleversée par le sort des orphelins, m'adjure d'intervenir auprès de Bernard pour qu'on facilite les adoptions.

Lundi 18 janvier 2010

François Fillon maîtrise l'univers numérique infiniment mieux que moi. Il adore ça et assimile immédiatement toutes les nouvelles techniques. À rapprocher de sa passion pour la mécanique et les bolides. Les ingénieurs superchevronnés qui le reçoivent sont époustouflés de constater qu'ils n'ont rien à lui apprendre. À côté du Premier ministre, le ministre de la Communication fait bien piètre figure.

Mardi 19 janvier 2010

La Cité internationale universitaire de Paris confie ses archives à l'État. Cela me permet de voir d'un peu plus près le Pavillon de l'Iran qui m'a toujours fasciné quand j'emprunte le périphérique. Il est juste à l'entrée de l'autoroute du Sud et il a été dessiné par Claude Parent à qui je rends hommage le soir même pour l'exposition qui lui est consacrée à la Cité de l'architecture. Ça tombe bien...

Mercredi 20 janvier 2010

Le président : « Et ceux qui sortent de l'école à douze ans, alors, qu'est-ce qu'on en fait ? On les reprend de force et il suffit de trois ou quatre pour détruire tout un établissement. On laisse tomber, on perd leur trace et c'est comme si on lâchait des bombes à retardement dans la nature. Alors qu'est-ce qu'on fait, je vous le demande, qu'est-ce qu'on fait ? »

Le recteur de Notre-Dame, monseigneur Jacquin, est un supercuré de choc à l'ancienne, bon vivant, truculent, batailleur. Le genre chanoine Kir, l'ancien député-maire de Dijon, qui s'exclamait : «Le bon Dieu, c'est comme mon cul, personne ne l'a jamais vu mais je peux vous certifier qu'il existe!» Il raconte très drôlement ses démêlées avec Act Up qui avait organisé à l'improviste dans la cathédrale le mariage de deux lesbiennes encadrées par des petites filles d'honneur à moustaches et gros biscotos. Bagarre à la sortie, procès, condamnation d'Act Up à un euro d'indemnité. Tout cela en faisant l'ascension des toitures avec Patrick Devedjian dans des nacelles suspendues au-dessus du vide pour inspecter les résultats de la restauration inscrite au plan de relance. Véritable cité céleste surplombant Paris où veillent les gargouilles, sœurs maléfiques de l'infortuné Quasimodo. On ne parle plus du parc de Saint-Cloud.

Jeudi 21 janvier 2010

Comment dire à Frank Gehry qu'il faudrait diminuer la hauteur de la tour de la future fondation de Maja Hoffmann à Arles pour éviter que le site ne soit déclassé par l'Unesco? Je bafouille un peu, mais comme il a l'habitude de ce genre de problèmes, il propose en fait très volontiers de réfléchir à une solution et il m'invite à visiter son bureau d'études à Los Angeles pour poursuivre la discussion. Si tout pouvait être aussi simple! C'est un homme âgé, tranquille, très modeste et affable.

Ma visite à Lascaux avec Yves Coppens et Adrien Goetz suscite une grande agitation de la part de tout le clan qui affirme que les fresques préhistoriques sont en grand danger du fait des moisissures, champignons et autres attaques par l'air extérieur qui s'infiltre chaque fois que l'on entre dans la grotte. En fait, personne n'en sait rien puisqu'elle est fermée comme un coffre-fort et ne s'entrouvre que très parcimonieusement pour l'équipe scientifique qui la surveille en permanence et soutient que le péril est écarté. Notre petit groupe y pénètre dûment chapitré et revêtu de combinaisons spéciales comme des infirmiers dans un bloc stérile à travers tout un jeu de sas qui se referment derrière nous. On ose à peine respirer une fois à l'intérieur, tels des petits enfants saisis par le vertige.

Le site de Lascaux est très dégradé. Les voitures se garent n'importe où, d'affreuses petites baraques à pique-nique sont éparpillées autour de la fausse grotte, fac-similé de la vraie, que les touristes viennent visiter en grand nombre. Pour des raisons mystérieuses, on m'adjure de ne pas m'y rendre, et j'y vais bien sûr. La fausse grotte, exact décalque de la vraie, est une réussite. Une exquise vieille dame y reprend régulièrement les couleurs des fresques avec une équipe d'étudiants des Beaux-Arts. Elle est surprise en plein travail puisqu'on lui avait dit que le ministre ne souhaitait pas visiter. Sans doute encore une de ces histoires de rivalité entre scientifiques et amateurs qui empoisonnent partout l'atmosphère.

Vendredi 22 janvier 2010

C'est Bernard Sobel qui m'a parlé le premier, il y a une trentaine d'années, de l'intimidation sociale que tant de gens ressentent devant ce que l'on est bien obligé d'appeler la culture. Je le lui rappelle, il fait soudain le lien entre le jeune animateur de télé qui l'écoutait bien sagement dans sa voiture et l'ennemi de classe qui se tient devant lui dans un bureau de ministre.

Signature de l'accord définitif pour la poursuite des travaux à l'hôtel Lambert entre le prince du Qatar et les associations de sauvegarde. Ils partent tous bras dessus, bras dessous pour aller fumer le calumet de la paix sur le chantier. J'entends un dernier : «*I love Paris*» dans l'escalier. Ouf!

Samedi 23 janvier 2010

Un garçon magnifique se déshabille dans le vestiaire de la piscine. Il n'y a personne d'autre. Il va se doucher, revient avec une serviette nouée autour des reins, qu'il retire pour s'essuyer posément. Je n'en finis pas de chercher quelque chose dans mon casier et tourne parfois un peu la tête. «Vous pouvez regarder, ça ne me gêne pas.» J'enfile mon maillot et plonge dans la piscine comme on s'enfuit d'un incendie. Quand je reviens, avec des trucs bizarres plein la tête, il n'est plus là. Je me demande si je cesserai un jour d'être con.

Dimanche 24 janvier 2010

Grise mine généralisée au Midem de Cannes. L'industrie du disque s'effondre, les ventes de CD plongent, et par voie de conséquence les jeunes artistes peinent à émerger; on se rabat sur les valeurs sûres. Comme toujours en pareil cas, les gros en profitent pour manger les petits. À ce jeu-là, Pascal Nègre, le patron d'Universal, est le plus fort, il rafle tout ce qu'il peut et maintient les bénéfices de sa boîte. On le considère comme un as dans la profession, où il répand la terreur parmi les artistes en étant l'arbitre de leur carrière. Difficile pour moi de faire la fine bouche, il défend Hadopi.

Mika se marre pendant mon petit discours précédant sa décoration. Je me doute de quelque chose mais je ne sais pas de quoi. C'était le petit garçon adorable et rieur qui faisait du skateboard dans le couloir de l'appartement de ses parents juste au-dessus de celui de maman, et je ne l'ai évidemment pas reconnu. Il a vingt-cinq ans maintenant, il est toujours aussi beau et charmant, sauf qu'il a vendu plusieurs millions de disques et qu'il est devenu une star internationale.

Visite à tante Henriette avant de prendre l'avion. Elle est très frêle, se tient au courant de tout, s'ennuie dans sa maison de retraire confortable et triste.

Lundi 25 janvier 2010

Roselyne aurait aimé être ministre de la Culture, et elle y aurait certainement très bien réussi. Quand elle vient dans mon bureau, elle me fait penser au croque-mort de *Lucky Luke* qui prend les mesures de ses futurs cadavres. Il s'agit de moi en l'occurrence. Je le lui dis, ça la fait rire mais elle ne dément pas.

Alexandre Avdeev, ministre de la Culture de Russie: «J'ai connu une série de chocs dans ma vie; quand Staline est mort, j'étais enfant, tout le monde pleurait autour de moi; quand Khrouchtchev nous a fait admettre que c'était un monstre, tout le monde pleurait encore, mais autrement; quand Khrouchtchev a été débarqué, on pleurait toujours, en douce, par inquiétude; quand Gorbatchev a liquidé l'Union soviétique, on pleurait comme à un enterrement. » C'est un homme avenant, délicat, qui parle merveilleusement bien français. Il a été ambassadeur ici pendant plusieurs années et dit que ce fut la meilleure période de son existence.

Collection haute couture de Christian Dior. Beaucoup d'épouses de ministres. John Galliano est tout de même un type bizarre, non ?

Concert de lancement de l'«année France-Russie» à la salle Pleyel. Laurent Bayle pour m'accueillir, toujours aussi prévenant et gentil. Relation hyper confiante sans aucune obséquiosité de sa part ni duplicité de la mienne.

Mardi 26 janvier 2010

Inauguration des vitraux de François Morellet dans l'escalier Lefuel du musée du Louvre. Henri Loyrette fait entrer l'art contemporain au Louvre par petites touches, en choisissant les meilleurs artistes, avec une élégance qui contraste avec le tapage publicitaire que pratique Jean-Jacques Aillagon à Versailles.

Une réunion interministérielle à Matignon, François Fillon : «Moi, je veux bien que vous ne soyez pas d'accord, mais on ne sortira pas de cette pièce tant que le problème ne sera pas réglé.»

Il faut accueillir Jean-Pierre Raffarin dans la rue à la porte du ministère. C'est un ancien Premier ministre et si on manque à ce devoir protocolaire il paraît qu'il est furieux. Je m'exécute bien sûr, mais était-il nécessaire qu'un de ses collaborateurs appelle à plusieurs reprises le cabinet pour s'en assurer ?

Édouard Baer a l'humour du désespoir, avec le grand chic de ne jamais s'appesantir ni de se plaindre de quoi que ce soit. On rit, on l'aime, on s'inquiète secrètement pour lui.

Mercredi 27 janvier 2010

Raout d'autosatisfaction collective pour célébrer les premiers pas réussis de la télévision numérique. Nathalie Kosciusko-Morizet, plus sainte-nitouche que jamais, tire doucement la couverture à elle devant les médias. Mathieu Gallet : «Certes, elle est très forte, mais vous n'en avez pas assez d'être le petit chaperon rouge, monsieur le ministre ? »

Roland Dumas à déjeuner. Il met tout le cabinet dans sa poche. Richard peine à reprendre ses esprits, il a succombé à la séduction du diable.

Installation de William Christie par Hugues Gall au sein de l'Académie des beaux-arts. Le ministre est installé au centre de la coupole. J'ai trop bien déjeuné, le besoin de sommeil m'attaque par vagues implacables, une vraie torture. Je négocie quelques secondes par-ci par-là en mettant la tête dans mes mains comme si j'écoutais avec concentration. On ne remarque rien et on se moque à mots couverts des académiciens qui ont dormi sans se cacher du début jusqu'à la fin. Dommage, les discours avaient l'air bien.

Jeudi 28 janvier 2010

L'une des raisons du succès grandissant de la Cinémathèque française ? La parfaite entente entre Costa-Gavras et Serge Toubiana, le président et le directeur. Quand on repense aux psychodrames du passé...

Après le dîner du Sidaction, SMS sur mon portable : «Vous aviez l'air triste, n'hésitez pas à m'appeler. Catherine». Deneuve qui voit tout, s'intéresse à tout, comprend tout.

Vendredi 29 janvier 2010

Folles Journées de Nantes. Nicolas Demorand m'interroge au micro de la matinale de France Inter. Il a pris le ton qu'il pense être celui de l'emploi : agressif, goguenard. Où est passé l'intello si fin et amusant avec qui nous faisions les quatre cents coups à Tanger il n'y a pas si longtemps ? Mais s'il a tellement changé, en mal, c'est certainement parce qu'il trouve que moi aussi j'ai changé, en plus mal encore peut-être.

Brigitte Engerer est gravement malade. Elle en parle comme d'une mauvaise blague et consacre tout ce qui lui reste de forces à s'accrocher à ce qui la maintient en vie : la musique.

Jean-Marc Ayrault, civil et lisse, professionnel. Il me fait comprendre que les nominations à Nantes sont de son seul ressort – pour le cas où je voudrais m'en mêler quand cela relève aussi du ministère. Je le laisse dire, il n'y a pas de nouvelles nominations en vue.

Comme d'habitude, on me promène à droite et à gauche, impossible d'écouter un concert jusqu'au bout. Le public déborde de partout et se montre chaleureux, des dames me demandent des autographes, mines constipées des élus socialistes que cela agace et qui ont hâte de me voir repartir.

Samedi 30 janvier 2010

Les colonnes de Buren ont un succès fou désormais. Malgré le froid, les touristes viennent se faire photographier devant. Les petits enfants les escaladent et se juchent sur les plus hautes. Ce sera un miracle si on évite un accident, mais nul ne s'en soucie.

Dimanche 31 janvier 2010

Maman : «C'était l'anniversaire du président avant-hier. As-tu pensé à lui mettre un mot ?» Mes frères, en chœur : «Si vous saviez comme il s'en fout de recevoir un mot de Frédéric !»

Lundi 1er février 2010

Jim Carrey ou la jovialité américaine, on se parle tout de suite comme si on était amis depuis longtemps. Ewan McGregor ou la rudesse écossaise, il parle au type qui vient d'entrer quand on lui dit que c'est le ministre. Je ne sais pas ce que je préfère. Ils sont à Paris pour la promotion de *I Love you*, le film qu'ils ont tourné ensemble, et les attachés de presse ont dû penser que cela ferait de bonnes photos s'ils passaient par le ministère. C'est une sorte de comédie gay autour de deux détenus qui sont devenus amoureux en prison. Ils ne sont pas du tout gays dans la vie et on voit bien qu'il y a quelque chose qui cloche quand ils s'embrassent sur la bouche, ce qu'ils refont devant les caméras dans le grand salon du ministère. Béatrice Mottier s'en étrangle, mais comme je reviens d'une interminable réunion à l'Élysée avec Claude Guéant sur le non-remplacement d'un emploi sur deux lors du départ à la retraite, ils pourraient tout aussi bien forniquer sur le tapis de la Savonnerie que je n'y verrais pas d'inconvénient.

Au déjeuner, à l'Élysée, quand le président turkmène s'adresse à l'un de ses ministres-robots, l'impétrant en complet noir se lève de sa chaise en tremblant comme une feuille au-dessus de son assiette pour lui répondre. Après leur départ, on rigole avec le président sur les améliorations à apporter à notre protocole : désormais, au Conseil des ministres, chacun d'entre nous se lèvera à la moindre manifestation d'intérêt de notre auguste maître.

Le président turkmène, un médecin qui est fortement soupçonné d'avoir fait la piqûre libératrice à son prédécesseur pour l'envoyer dans un monde meilleur après avoir été longtemps son lieutenant, se déplace accompagné d'une capiteuse créature au sourire sibyllin qu'il présente comme sa conseillère pour la culture.

Je m'accroche aux Turkmènes pour accomplir un dessein secret : obtenir que mon Mathieu puisse retourner à Achgabat, leur capitale où il a vécu plusieurs années pour ses affaires et dont il a été expulsé manu militari. Il y avait commis il est vrai une imprudence en allongeant une main tâtonnante vers une jolie jeune fille dont il ignorait qu'elle était la coiffeuse du président.

Irina Bokova : «Quand j'étais candidate à l'Unesco, j'ai bien senti que vous m'encouragiez alors que personne ne misait sur moi.»

Mardi 2 février 2010

Aimable bouffonnerie de la signature d'une mirobolante convention culturelle franco-turkmène en grand tralala à Matignon. Même François Fillon, l'homme le plus courtois qui soit, a l'air de caler devant cette délégation d'armoires à glace interchangeables. Comme j'interroge le ministre des Affaires étrangères, une sorte d'Attila en completcravate, sur le sort de mon infortuné rejeton : «*I will inquire the case, very delicate story.*» L'ambassadeur turkmène, qui sait de quoi il en retourne et qui m'a vu venir, se confond avec le tapis. C'est un pays où on se lève pour se faire fusiller et où on rampe pour se faire oublier.

À côté du président Berdymoukhammedov (!), le Staline d'*Une exécution ordinaire*, le film de Marc Dugain, passerait pour un bon papy un peu strict. André Dussolier génial dans le rôle du «Petit Père des peuples».

Mercredi 3 février 2010

Bruno Le Maire a fait Normale sup et l'ENA. Il a été reçu premier à l'agrégation de lettres modernes et il est devenu ministre à quarante ans. Il a épousé une femme superbe qui lui a fait de beaux enfants et tout indique qu'ils mènent une vie de couple très harmonieuse. Il a aussi une sœur, que j'ai rencontrée par hasard, charmante et chaleureuse. Il me dit qu'il a reçu une éducation très sévère et qu'il en a souffert.

Jeudi 4 février 2010

Bernd Neumann, mon homologue allemand, est né en Prusse orientale, peu avant le gigantesque exode des Allemands de janvier 1945 devant l'avancée des troupes soviétiques. Il a bien connu la comtesse Dönhoff, aristocrate antinazie qui a écrit des livres cultes sur le quotidien de sa famille et de sa jeunesse, dans son pays natal, près de Königsberg, balayé par la guerre, notamment *Ces noms que plus personne ne prononce* que j'ai offert à Jean d'Ormesson. On trouve toujours des choses à se dire avec Bernd, même quand on se retrouve comme deux plantes vertes à la réunion plénière franco-allemande à l'Élysée.

Vendredi 5 février 2010

Mes relations avec Luc Besson étaient quasi inexistantes, sans attirance réciproque. Il apprécie ma visite à l'énorme centrale électrique désaffectée de la Plaine-Saint-Denis dont il veut faire une cité du cinéma. C'est un endroit qui lui convient : dur, démesuré, propre à l'imaginaire. Pour l'instant, une friche monumentale balayée par un vent glacé, parcourue par des maîtres-chiens qui tiennent en chaîne des molosses terrifiants.

Anne-Sophie Lapix fait peur aux politiques qu'elle interroge sur Canal Plus. Elle est pourtant sérieuse et bien mignonne. Elle me dit que c'est difficile avec moi parce que je la déstabilise.

Samedi 6 février 2010

Jean Anouilh est en plein purgatoire littéraire. Sa fille Colombe se donne un mal fou pour l'en sortir à l'occasion du centenaire de sa naissance. Je la comprends en assistant à la belle reprise de *Colombe* avec Anny Duperey et Sara Giraudeau, moi qui m'ennuie parfois au théâtre en me demandant pourquoi les acteurs entrent souvent sur scène en criant.

Dimanche 7 février 2010

Lettre très émouvante de l'une des anciennes étoiles du Palace à qui l'on doit la réussite de fêtes mémorables dans le temple de la gaieté des années 1970. J'y allais peu mais je l'ai rencontré ensuite à plusieurs reprises lorsqu'il courait les cachetons ici ou là après la mort de Fabrice Emaer. Il est aveugle, malade, dans une misère noire.

Lundi 8 février 2010

Soirée d'hommage, à la Cinémathèque, à Éric Rohmer, qui est mort le mois dernier. Arielle Dombasle chante, très bien, sans lamento. Je dis quelques mots. Toutes les actrices qu'il a aimées sont là et pleurent à chaudes larmes. Je n'ai jamais vu Pascal Greggory aussi triste. C'est aussi toute notre jeunesse qu'il a emportée avec lui.

Mardi 9 février 2010

Werner Herzog a commencé à tourner à la grotte Chauvet. Ils sont trois à descendre, Werner tient lui-même la caméra. Il y fait très froid, ils pataugent dans une boue glacée, c'est une épreuve physique épuisante. Il ne s'en plaint pas, il est coutumier de ces aventures extrêmes.

Jean-Pierre : «C'est incroyable, le ministère n'a encore rien fait pour venir en aide à Anne Baldassari. Elle affronte la rénovation du musée Picasso dans une solitude et un abandon scandaleux. C'est pourtant un des grands enjeux du ministère.»

François Pinault : «Malgré tout ce qui nous sépare et tout ce qu'on peut dire à son sujet, Martine Aubry est une personne de grande envergure.» Silence autour de la table où l'on ne s'attendait pas à un tel éloge.

Mercredi 10 février 2010

François Fillon : «Ce qui est bien dans vos communications au Conseil des ministres, c'est qu'on a encore l'impression d'être en train de regarder une de vos émissions à la télévision.» Dans sa bouche, c'est un compliment affectueux.

Pierre Bergé à fond pour le projet de création d'un label «Maison des Illustres» que l'on apposerait sur les demeures de personnalités marquantes de notre histoire. C'est la visite à la maison bien délaissée du maréchal Foch qui m'en a donné l'idée.

Gilbert Mitterrand est affable, disert, un peu distant. Mon autre cousin, le député socialiste, Jérôme Lambert, d'une gentillesse et d'une amitié touchantes. Ma famille maternelle a toujours beaucoup plus compté pour moi que ma famille paternelle. «Les Mitterrand sont très intelligents mais ils n'embrassent jamais, les Cahier le sont peut-être moins mais ils embrassent tout le temps», c'est papa qui le disait avec une nuance de regret.

Visite du président à l'atelier du Grand Paris qu'Ann-José Arlot a réussi à installer au palais de Tokyo. Il est d'une humeur de chien et engueule dans un coin l'un de ses conseillers avant la réunion. Le pauvre ressort livide de l'algarade.

Agnès Varda très contente de la petite fête que je lui ai organisée au ministère après la projection des *Plages d'Agnès*. Elle est de bonne composition, le son de notre salle est si mauvais que j'en étais gêné pour elle.

Jeudi 11 février 2010

Toujours le même pincement au cœur lorsque j'arrive à Madrid, la ville de celui que j'ai le plus aimé et que j'aime encore puisque je continue à vivre le passé au présent.

Angeles Sinde, la ministre espagnole de la Culture, est une scénariste réputée. Elle s'exprime avec une sorte de détachement sérieux. Relations mieux qu'amicales, fraternelles. Son directeur de cabinet est très beau et me rappelle évidemment quelqu'un que j'aurais tendance à voir partout dans cette ville où il n'habite plus pour le moment. Elle, comme par hasard : «Ah, tu as remarqué toi aussi, mais tout le monde veut me le prendre et je crains qu'il ne parte à Washington.»

Celui qui veut aller à New York, en revanche, c'est Antonin Baudry, le conseiller culturel de l'ambassadeur. Encore un à qui il est difficile de résister quand il veut quelque chose, même s'il le demande en douceur. À chacun sa méthode. Je promets de l'appuyer.

L'ambassadeur Bruno Delaye respire l'intelligence et la sympathie. On parle de Lorca, si méconnu en France, au déjeuner qu'il organise à la résidence. La conversation avec les artistes qu'il a invités se déroule en français; encore cette fascinante persistance de l'attachement à notre culture que nous traitons avec tant de négligence.

Carmen Maura me donne son numéro de téléphone à Paris. On promet de se revoir, mais je crains que ce ne soit comme ces amitiés de vacances qui se perdent au retour.

Vendredi 12 février 2010

Concours de cinéphilie avec Alfredo Arias sur les mélodrames argentins de série B, voire Z. Il est surpris de constater l'étendue de mon érudition dans le domaine et stupéfait que j'aie bien connu Libertad Lamarque, l'Edwige Feuillère chantante du Río de la Plata ! Cela nous console, lui des mésaventures que lui a infligées le ministère et qui sont heureusement terminées, moi du premier article fielleux comme prévu de la charmante Sophie Flouquet ; mais en ce qui me concerne, ce n'est certainement qu'un début.

Samedi 13 février 2010

Alexandre Jardin : « J'ai mobilisé des milliers de retraités de l'enseignement pour favoriser l'apprentissage de la lecture auprès des jeunes et je n'ai aucun retour du ministère. »

Dimanche 14 février 2010

Viviane Reding, toute pimpante : « Une journée d'escapade à Paris avec mon fils. Ne me parle surtout pas d'Hadopi, j'ai baissé le rideau. On va aux puces et après au cinéma. » Je la vois s'éloigner avec son grand jeune homme, pleine d'allant et de gaieté.

Lundi 15 février 2010

Berlin, sous une épaisse couche de neige immaculée. Festival du cinéma.

Wim Wenders, Hanna Schygulla, Senta Berger, en les décorant tous les trois à l'ambassade j'ai l'impression de revivre les meilleurs moments de l'Olympic où ils venaient présenter leurs films il y a déjà trente ans. Flash de nostalgie violente.

Le film que Christopher Buchholz a consacré à son père, Horst Buchholz, le Delon allemand qui me faisait fantasmer durant mon adolescence, est extrêmement émouvant. Malgré son physique ravagé, Horst exerce un magnétisme intact. On sent bien à quel point sa femme et ses enfants l'aiment, même si son caractère reste une énigme. Il les a quittés à quarante ans pour vivre avec un garçon alors qu'il avait toujours déclaré détester les pédés. Il affirme dans le film qu'il n'attend plus rien de la vie puisque plus rien ne l'intéresse. Antonioni et Visconti lui avaient proposé de grands rôles qu'il a refusés : début de la dégringolade. Wim Wenders aime beaucoup le film de Christopher.

Mardi 16 février 2010

Déjeuner des ambassadeurs arabes au Bristol. Confirmation : tous ces messieurs, qui n'ont pas tous l'air d'être des enfants de chœur, mangent effectivement dans la main de Dina Kawar, leur doyenne à l'air angélique.

Séance de questions à l'Assemblée nationale, assis parmi le gouvernement, je fais une plaisanterie idiote, je ne sais plus laquelle mais sans doute dans le registre qui m'est habituel. François Fillon entend et se retourne vers moi : «Ah non, Frédéric, vous n'allez pas recommencer!» Il a son air sérieux habituel, un peu détaché, un peu lunaire, mais j'ai l'impression que la situation l'amuse. Peut-être que la plaisanterie était quand même drôle et peut-être que l'ancien chahuteur exclu du collège pour indiscipline apprécie toujours ce genre d'incartades.

Le ministre de la Culture d'Haïti : «Il n'y a plus rien, plus de bibliothèque, plus de musée, plus de théâtre. Tout a été détruit. Qui va nous venir en aide?»

Dîner des Amis du musée national d'Art moderne ou le plongeon en apnée dans la mare aux crocodiles. J'oublie de saluer Edouard Balladur dans mon discours; mon frère Jean-Gabriel me glisse discrètement un mot, je vais présenter mes excuses au cardinal qui les reçoit avec mansuétude.

L'association des Amis est présidée par un monsieur âgé en nœud papillon, très petit, d'apparence frêle. Il s'appelle François Trèves, c'était un ami d'Henri Michaux, grand collectionneur, il respire la bienveillance.

Mercredi 17 février 2010

Au cours de sa communication hebdomadaire au Conseil des ministres, Bernard Kouchner annonce que Mme Chinchilla vient d'être élue présidente du Costa-Rica. À sa petite table de secrétaire général de l'Élysée, Claude Guéant mime une caresse très douce au revers de sa main, comme s'il touchait délicatement la fourrure du petit animal.

Bertrand Delanoë me témoigne toujours beaucoup d'amitié et il m'en a donné des preuves qui m'ont touché et réconforté quand je traversais des passes difficiles ; je pense qu'il sait que je nourris les mêmes sentiments à son égard. Bien des choses nous rapprochent, et notamment l'attachement que nous partageons pour la Tunisie. Mais pourquoi faut-il qu'il me fasse toujours la leçon pour m'expliquer que je fais fausse route, que je lie mon sort à des gens épouvantables, que tout cela finira très mal pour moi ?

Bertrand ne supporte pas que je signe «F. Mitterrand» sur les lettres que je lui adresse. Je signe donc en insistant sur le prénom.

Jeudi 18 février 2010

Qui a financé pour la Bibliothèque nationale l'achat des manuscrits de Casanova ? Mystère, même Bruno Racine ne le sait pas, et ce sont des intermédiaires très discrets qui assistent à la présentation des précieux manuscrits au ministère. Ils ont très bonne réputation et il paraît qu'ils ne travaillent pas dans la blanchisserie.

Bernadette Chirac : «Cette petite socialiste, là, qui veut monter un centre culturel dans sa commune, il faut que vous l'aidiez. En Corrèze, vous savez, on se serre les coudes, et elle a toujours été très correcte avec moi.»

Gulnara Karimova, la fille du dictateur de l'Ouzbékistan, me parle avec feu de la démocratie et des droits de l'homme, qui sont comme chacun sait deux spécialités de son pays. Elle me montre des vidéos où elle chante dans le registre Mylène Farmer d'Asie centrale et Star Ac à Tachkent. Elle est grande, blonde, pétulante, suivie par quelques malabars à la mâchoire d'acier. Elle a une sœur dont on ne m'a pas encore annoncé la venue.

Leslie Caron traverse la scène du Châtelet en dansant une valse étourdissante. Avec Lambert Wilson, c'est quand même tout ce qu'on retient de cet *A Little Night Music* dont la presse s'est entichée et qui fait salle comble.

Vendredi 19 février 2010

Les musiciens du métro n'ont pas l'habitude de jouer pour un ministre. Ils écarquillent les yeux en me voyant débarquer. Durant ma tournée, je ne retrouve pas les sympathiques filochards plus ou moins russes qui jouent si bien du saxo. On m'explique qu'il y a les autorisés et les sauvages. Pour les autorisés, ma visite est une garantie de survie; pour les autres, je n'arrive pas à savoir.

Voyage officiel avec le Premier ministre.

Un restaurant chic dans une ancienne maison patricienne de Damas. Ambiance décontractée voire un tantinet «artiste». Bachar el-Assad en grand type sympa, ouvert, curieux de tout, heureux de retrouver son «copain français» et toute sa bande d'amis. Il ne faudrait pas le pousser beaucoup pour qu'il soit aussi «gay friendly». Il a vu toutes mes émissions, c'est ce qu'on dit en général quand on n'en a vu aucune, mais ça part d'un bon sentiment et ça fait toujours plaisir. Il est l'inverse de son père chez qui la tête était vissée dans les épaules, la sienne est juchée sur un long cou.

Henri Loyrette et Dominique Baudis m'accompagnent chez Asma el-Assad, la première dame. L'enjeu est important : le Louvre est pressenti pour réaménager le musée de Damas et tout le quartier qui l'entoure. C'est un projet que pilote la présidente et je fais évidemment assaut de bonnes manières pour faire avancer le Schmilblick. Mes deux compères retiennent leur souffle pendant que je pressure mon anglais de cuisine comme un citron. Je me garde bien évidemment de dire que je préfère le musée comme il est, dans son jus «mandat français du Levant», pour faire bien valoir les splendeurs qu'Henri lui mitonne déjà. Asma est belle, douce, souriante, encore mieux que dans les magazines, et l'affaire paraît décidément bien engagée. Nous ressortons enchantés. Il n'y a rien de plus entêtant que le parfum des fleurs carnivores, tous les papillons folâtres s'y laissent prendre.

Dans *Le Parrain III*, Al Pacino, héritier bien convenable, ne veut pas du pouvoir. On l'oblige à succéder à son père. Il devient pire. La même histoire.

Samedi 20 février 2010

Amman est devenue une ville énorme où surgissent des gratte-ciel financés par des consortiums irako-palestino-israéliens. Tout le monde allonge l'argent en douce et les journalistes ne se précipitent pas pour scruter les jetons de présence aux conseils d'administration.

Christine Lagarde devant la légion arabe qui rend les honneurs : «Ça, c'est pour toi, Frédéric, je t'aurais bien vu avec Lawrence d'Arabie!» Je sens qu'elle a envie d'ajouter quelque chose mais elle se retient. N'importe, elle a raison.

Abdallah II, vrai roi hachémite : poli, aimable, tranquille en pleine poudrière. Comme je l'avais pressenti, il est très prévenant avec Dina, elle-même parfaitement naturelle et maîtresse d'elle-même. Toute la famille est d'ailleurs constamment sur le pont et la mémoire du patriarche Hussein omniprésente. Rien à voir avec d'autres princes gâtés et jouisseurs que j'ai pu croiser ailleurs et qui traînent leurs caprices et le vide de leur existence au milieu d'une jet-set faisandée. Ce serait vraiment dommage que ces gens sages, modérés, concernés, soient emportés à leur tour par des gorilles en treillis et les barbus qui les talonnent.

Henri Loyrette surpris par la qualité du musée d'Art moderne, œuvre de l'une des cousines du roi que j'ai bien connue à Rome où elle était ambassadeur.

Découverte des ruines impressionnantes de Djerach, la Gerasa fondée par Alexandre dont je n'avais jamais entendu parler. Bonne route, champs et vergers bien entretenus malgré l'aridité du désert tout proche, marchés abondants, site bien indiqué et préservé, sensation d'un pays calme et qui fonctionne paisiblement. Mais ce n'est qu'une délégation officielle qui passe et n'a pas le temps de s'arrêter ni de bien voir.

Retour. François Fillon sur sa femme : « Penelope a d'autant plus de mérite à me suivre qu'elle déteste l'avion. » Quand il parle d'elle, ce qui arrive souvent, le Premier ministre dit toujours « Penelope ». Après trente ans de mariage, elle continue à l'étonner et on sent à quel point il l'aime. Penelope Fillon est tellement différente des autres femmes que l'on rencontre dans les allées du pouvoir qu'elle me fait penser aux personnages incarnés par Maggie Smith ou Deborah Kerr, l'« Anglaise romantique », si jolie et si discrète qu'elle pose sa bombe au quartier général des terroristes sans éveiller l'attention et sort les otages du brasier à temps pour ne pas rater l'heure du thé et le programme sur les jardins à la télévision.

Dimanche 21 février 2010

Maman : « Comme tu as de la chance de faire des voyages pareils et de rencontrer tant de gens intéressants ! » J'ai du mal à lui faire admettre que tout cela est très superficiel et je n'insiste pas : je lui permets de vivre par procuration une existence que l'âge lui interdit d'envisager autrement. Elle s'évade, s'inquiète et se passionne à travers mes récits et ceux de mes frères.

Lundi 22 février 2010

Marc Riboud est très âgé maintenant. Il s'inquiète pour ce que deviendront ses photos après sa mort. J'essaie de le rassurer mais j'enrage dans mon for intérieur à l'idée qu'on ait tant de mal à mettre sur pied la mission photo qui permettrait d'accueillir et de protéger correctement un tel patrimoine.

Chantal Jouanno : « Préviens-moi quand il y a des expos intéressantes, j'aimerais y aller avec toi. » Je l'aime bien, je l'emmène voir Turner. Il y a aussi des photographes.

Mardi 23 février 2010

Angelina Jolie incroyablement gentille et chaleureuse comme si on se connaissait depuis longtemps alors qu'on ne s'était jamais rencontrés. Je lui donne un exemplaire du *Festival de Cannes* en précisant qu'il y a un passage un peu «chaud» avec son mari, Brad Pitt, et en lui demandant de ne pas m'en tenir rigueur. Elle rit : «Ce ne sera pas la première fois!» Elle tourne avec Florian Henckel sur la place Colette, devant le Palais-Royal.

Hubert Falco et les frères Berling ont fait affaire pour le Théâtre de Toulon. Georges-François Hirsch : «C'est très bien, mais il ne faudrait pas que ce soit sur le dos du ministère. On ne pourra pas vous donner plus que ce qu'on vous a promis.» Autre visage de Falco : la remarque de Georges-François le met en colère, je découvre Falco la castagne. Le chant fleuri de l'opérette toulonnaise n'est plus qu'un souvenir.

Le cheik Sultan, mon ami d'Abou Dhabi aux yeux de braise, veut absolument m'emmener à la chasse aux faucons dans le désert. Difficile de lui expliquer que j'ai déjà bien trop à faire avec les vautours qui planent au-dessus du ministère.

Didier Fusillier avec une nouvelle «shopping list» de Martine Aubry. On discute comme des marchands de tapis. Georges-François moins braqué sur les freins qu'avec Falco. Mathieu Gallet : «Je comprends qu'elle vous ménage!»

Mercredi 24 février 2010

Cafouillage invraisemblable à l'arrivée à Moscou. Les services de police me demandent d'un air soupçonneux ce que je viens faire, chaque passeport est contrôlé interminablement. L'aéroport est toujours aussi sinistre, même s'il porte le nom de la famille Cheremetiev, qui incarnait l'aristocratie la plus raffinée de l'époque tsariste. Il a dû être construit sur l'un de leurs innombrables domaines. Je me raccroche toujours à ce genre de détails frivoles quand rien ne marche comme prévu.

Nous tombons finalement sur l'ambassadeur que l'on avait empêché d'approcher. Commence une course folle pour rejoindre la résidence où nous attendent trois cents invités. Brutalité de la circulation dans cette ville rogue et violente. Changement complet : après la mauvaise humeur russe traditionnelle, chaleur et fidélité des vieilles amitiés retrouvées, ce sont d'ailleurs parfois les mêmes gens qui vous parlent comme s'ils allaient vous mordre et qui se révèlent ensuite d'une affection et d'une fidélité touchantes.

Même nostalgie qu'à Berlin, les artistes que je décore sont ceux à qui j'ai consacré des émissions de télévision et la petite cérémonie est empreinte d'une émotion qui frappe toute l'assistance : nous ne nous sommes pas oubliés. L'ambassadeur semble stupéfait dans cette atmosphère de retrouvailles à laquelle il ne s'attendait pas.

Jeudi 25 février 2010

Le ministre Avdeev : «Tout a changé en Russie! Il n'y a que la police de l'aéroport qui est restée brejnévienne, vous qui êtes sensible à la valeur des traditions, vous avez dû apprécier.» On rit.

Irina Antonova, l'inoxydable directrice du musée Pouchkine a quatre-vingt-huit ans. Elle a commencé à travailler au musée en 1945 en faisant l'inventaire de toutes les œuvres pillées par les troupes soviétiques en Allemagne, selon la formule : on garde tout, on ne rend rien, vous n'aviez qu'à pas commencer. Elle a traversé les périodes de glaciation les plus sévères, l'écroulement de l'Empire soviétique, et les légendes les plus romanesques courent sur son compte. Toute jolie jeune fille ambitieuse qui a réussi à progresser et à survivre durant les années terribles a été forcément la maîtresse de Staline et la dénonciatrice de ses rivales, c'est bien connu. Maintenant, une gentille «mamie confiture» à rangs de perles et permanente bleue qui reçoit gracieusement le Tout-Moscou qu'elle aurait en d'autres temps vu partir pour le goulag en polissant son vernis à ongles.

L'épouse du président Medvedev regarde chaque Picasso et écoute Anne Baldassari avec une attention rare dans ce genre de visite. Tant mieux, pour une fois, je peux regarder moi aussi.

On me pousse de tous côtés à ne pas renouveler Hortense et Vincent à Avignon. Au moment même où je réponds à Louis Schweitzer que les carottes sont cuites sur un ton de facétie vulgaire, je mesure la bévue que je suis en train de commettre. (Réfléchis un peu plus, mon petit coco, ce n'est pas parce que tous ces gens te prennent pour un rigolo qu'il ne faut pas reconnaître leurs mérites.) Pendant qu'il s'éloigne mécontent et dépité, je suis soulagé d'avoir changé d'avis et sûr de la décision que je vais prendre. Je pourrais le rattraper et le lui dire tout de suite, mais tant pis.

Dans l'aéroport de Moscou à l'aube, en attendant l'avion du retour, on a tous des mines de papier mâché et plus envie de rien.

Vendredi 26 février 2010

Monseigneur Di Falco à déjeuner. Adorable, disert, délicat. Est-il vraiment en pénitence à Gap ? J'imagine le film que Robert Bresson aurait pu faire à son sujet.

Ça bloque toujours à Matignon pour le financement de la Philharmonie. Laurent Bayle très inquiet.

Nicolas de Tavernost : «Alors il paraît que je ne vous suis pas antipathique et que vous dites même des choses très aimables sur moi. Franchement, je ne suis pas habitué.»

Samedi 27 février 2010

Idrissa Ouedraogo : «Le cinéma africain est à l'agonie, toutes les institutions françaises nous ont abandonnés.»

Jack Lang à déjeuner : «C'est avec toi que je remets les pieds au ministère. Avant, c'était trop triste et je n'y tenais vraiment pas.»

Cérémonie des césars avec Fanny Ardant : «Vous restez avec moi, hein, vous ne me lâchez pas, je compte sur vous, mister ministro.» Tahar Rahim, césar du meilleur acteur ; pour lui, c'est maintenant que ça se complique.

Dimanche 28 février 2010

Le garçon de la piscine n'est jamais réapparu. J'ai presque récupéré, je ne reviendrai plus, le reste se réparera tout seul, ou peut-être pas.

Maman : «Qui était cette actrice tellement belle qui était avec toi hier soir?» Malgré toutes les évidences, il y a une part enfouie secrètement dans le cœur de maman qui espère encore.

Lundi 1ᵉʳ mars 2010

Comment s'appelle un kidnapping dont la victime est partie prenante du rapt et s'avère aussi ravie que ses ravisseurs? Il faut demander à Dominique Hervieu qui quitte Chaillot sans demander son avis au ministre pour rejoindre la Maison de la danse de Lyon que lui a proposée Gérard Collomb. Elle est un peu gênée, pas trop, et moi je n'ai pas envie de jouer au mauvais perdant pour toutes sortes de raisons et notamment parce que j'aurais sans doute fait pareil si j'avais été dans la même situation. Donc quand «les événements nous échappent, feignons d'en être l'instigateur». Le cabinet râle, le rapt de Dominique Hervieu va passer pour un camouflet pour le ministre. Allons, allons, ce n'est pas si grave.

Dmitri Medvedev et sa femme en hélicoptère au-dessus de Paris, d'Orly à l'esplanade des Invalides : un jeune couple en voyage de noces. Je leur parle de mon petit-fils russe.

Le président : «Medvedev, c'est le Canada Dry, ça ressemble à de la vodka sauf que ce n'est pas de la vodka. Poutine, c'est de la vodka, ça tient au corps, ça rigole pas, mais ça avance. Moi je ne bois pas d'alcool, mais s'il le faut, alors je préfère la vodka. On sait où on en est et on n'est pas malade après.»

Mardi 2 mars 2010

Jean-Pierre me reproche d'être trop indulgent à l'égard de tous ceux qui en prennent trop à leur aise avec le ministre. Il a sans doute raison.

Le quadrilatère Richelieu, ancien site de la Bibliothèque nationale : travaux pharaoniques, usage hypothétique, mille problèmes à la clef. Je découvre le monstre qui n'est pas né d'hier. Comment en est-on arrivé là ?

« Une fenêtre sur la Russie », exposition de jeunes artistes russes que j'inaugure avec Svetlana Medvedeva et qui ouvre sur des forêts de bouleaux, des champs de tournesols et des petites filles qui jouent du piano.

Premières joutes concernant le projet de Maison de l'histoire de France. Pierre Nora se montre très hostile, sans doute en partie à cause de l'aversion qu'il ressent à l'égard du président. Il va entraîner beaucoup d'historiens avec lui. « Levez-vous, orages tant désirés. »

Gérard Collomb se frotte les mains d'avoir récupéré Dominique Hervieu à Lyon, mais il est sensible au fait que je n'y aie pas mis obstacle. Je l'apprécie. Il le sent.

Exposition « Sainte Russie » au Louvre. Visite tendance plutôt Soyouz qu'Andreï Roublev. Présidents et cortèges passent à toute allure. Je fais le service après-vente pour la télévision russe.

Medvedev et sa femme parlent gentiment autour d'eux du grand-père de Sasha. Le président, intrigué : « Toi, tu as un petit-fils russe ? »

Qu'est-ce qu'un dîner d'État ? Un pensum dont je me retire en piquant les menus pour essayer d'imaginer que ce sera un bon souvenir.

Mercredi 3 mars 2010

Le président met la tête dans ses mains en plein Conseil et la ressort sans expression. Je ne lui ai jamais vu un tel aveu de fatigue. Je ne suis pas sûr que les ministres l'aient remarqué, sauf Xavier Bertrand qui est à côté de moi et qui remarque tout.

Jean-Louis Debré : « Quand les deux anciens présidents Chirac et Giscard d'Estaing siègent ensemble aux réunions du Conseil constitutionnel, je me contente de passer les plats ; la vengeance est un plat qui se mange froid, mais elle est servie en abondance à chaque changement de couverts. »

Georgette Elgey : «J'aimais de Gaulle et j'admirais votre oncle, ils me l'ont pardonné l'un et l'autre.»

Dîner chez Pascal Houzelot, sympathique ludion du Tout-Paris qui intrigue et cancane. Il me reproche de ne pas faire assez attention à lui. Jean-Pierre s'en charge et limite les dégâts.

Jeudi 4 mars 2010

Reconstruire les bouddhas de Bamiyan détruits par les talibans, ne serait-ce pas un bel objectif pour l'Unesco quand on pense que Christiane Desroches Noblecourt a bien réussi à faire déplacer les colosses d'Abou-Simbel condamnés à être engloutis par les eaux du barrage d'Assouan? Irina Bokova m'approuve, mais avec un sourire triste qui me montre qu'il était sans doute moins difficile de convaincre Nasser que la bureaucratie de l'Unesco.

Jean-Michel Ribes, moins enjoué que la dernière fois. Il réclame de l'argent et joue la ville et le ministère l'un contre l'autre. En fait, le premier qui bouge est flingué par l'autre.

Vendredi 5 mars 2010

Christian Noyer, le gouverneur de la Banque de France, va faire restituer les boiseries de la chancellerie d'Orléans aux Archives nationales. C'est un ensemble exceptionnel du XVIIIe, rescapé de la destruction de l'hôtel de Rohan perpétré dans les années 1920, et qui dormait depuis dans un entrepôt de la Banque de France. Opération suivie de très près par Jean-Pierre. Le gouverneur est un homme particulièrement agréable au sourire juvénile.

On se représente souvent les gens du Sud comme des Méridionaux généreux et volubiles, animés par des humeurs tumultueuses et changeantes. Ils ont le sang chaud, entend-on dire. Mais ils sont parfois tout le contraire, sombres, secrets et taciturnes, habités d'une seule passion à laquelle ils se consacrent tout entiers. Henri Guaino est de ceux-là, et sa passion, c'est celle d'une certaine idée très gaullienne de la France. Il a le sang d'encre pour nourrir sa belle écriture et y tremper son idéal.

Samedi 6 mars 2010

L'Académie franco-russe du cinéma : résurrection de l'entremets sucré qui faisait beaucoup de réclame quand j'étais enfant, désormais à l'usage des artistes qui cherchent quelques douceurs. Demandé avec insistance par Poutine *himself*; ça ne va pas chercher loin. Pavel Lounguine, très content.

Jack Lang à la décoration de Stevie Wonder. L'artiste – apparence formidable et discours solidement «droits civiques» – est heureux de le sentir près de lui et on sent une amitié réciproque sincère. Le fait que Jack reprenne de plus en plus souvent le chemin du ministère fait bisquer les journalistes. Moi, je n'y vois qu'une preuve de la belle relation qui nous unit.

La raison de la réussite incontestée de Jack comme ministre de la Culture, au-delà de sa relation quasi fusionnelle à François : il aime les artistes, les créateurs, ce qui veut dire aimer et qui ne s'explique pas ; librement, avec une curiosité que rien n'effraie, intensément, tout le temps.

Dimanche 7 mars 2010

Lucian Freud, comme Francis Bacon à la fin de sa vie, rude, se foutant des mondanités, portant le seul pantalon tirebouchonné et la chemise froissée qui ne soient pas maculés par la peinture, regard d'aigle, sourd quand ça l'arrange, pressé de regagner Londres et son atelier, très gentil avec moi.

Lundi 8 mars 2010

Les journalistes encartés ont de neuf à douze semaines de congés par an. Le syndicat : «C'est pour qu'ils aient le temps de réfléchir à leurs enquêtes et de renouveler leur formation.» Étienne Mougeotte pendant ce temps s'arrache les cheveux.

La Rafle, le film de Rose Bosch. Il y a ceux qui récupèrent et font du marketing, il y a ceux qui ricanent en faisant les malins. Éviter les uns et les autres et reconnaître honnêtement que le film est bien fait, juste et utile.

Mardi 9 mars 2010

Mon nouvel officier de sécurité, Pierre-Yves, me suivrait jusqu'en enfer. Je l'avais remarqué à l'arrière-plan des déplacements officiels et je constate immédiatement la chance que j'ai d'avoir obtenu qu'il me rejoigne.

En revanche, je ferais bien de me méfier un peu plus de mes épanchements affectifs qui résultent de la solitude et de l'épuisement. Comme lorsque je dis à Guillaume Boudy que je le trouve mignon. On ne dit pas au secrétaire général du ministère qu'il est mignon, d'abord parce que je le fais rougir et surtout parce que ça ne se fait pas. Pourtant, marié avec enfants, catholique pratiquant, tenue passe-muraille de rigueur, ce n'est pas de ma faute ni de la sienne s'il est quand même mignon! Promis, je me contrôle. Heureusement, Jean-Pierre n'a rien entendu.

Limor Livnat, ministre israélienne de la Culture, se concentre avec application sur nos dossiers. Elle n'a certainement pas envie que je parle des Palestiniens et de l'empathie des meilleurs cinéastes israéliens à leur égard. J'aborde néanmoins le sujet : j'avais tort de m'inquiéter, c'est un cinéma qu'elle connaît bien et qu'elle apprécie. Elle a quitté ses fiches et me regarde droit dans les yeux. C'est une jolie femme, à la fois inquiète et résolue, désireuse de bien faire.

Takeshi Kitano aurait été un samouraï terrifiant du temps des shoguns, comme dans *Tabou*, le film magnifique d'Oshima, où il se comportait en seigneur implacable d'un collège d'apprentis porteurs de sabre dans une atmosphère de violence et de sombre homosexualité militaire. C'est maintenant un robuste rigolard au sourire d'enfant incroyablement créatif : collages, dessins, installations en plus de ses films. Beaucoup de monde à l'inauguration de l'exposition qui lui est consacrée à la Fondation Cartier.

Dîner à la Fondation Pierre Bergé-Yves Saint Laurent. Le tramway habituel des étoiles parisiennes mais avec le chic singulier que lui confère Pierre Bergé. Catherine Deneuve, souveraine, *as usual*.

De beaux jeunes gens affairés ; hélas, plaisir des yeux seulement et « *noli me tangere* ».

Mercredi 10 mars 2010

Le président : « Le roi d'Arabie saoudite veut que j'aille passer tout un week-end avec lui dans sa ferme. C'est très gentil de sa part, mais vous me voyez, moi, pendant quarante-huit heures en plein désert ? »

Xavier Musca est à l'Élysée le grand argentier du pouvoir. Aucune dépense d'importance ne peut être engagée sans son aval. Inspecteur des Finances et corse d'origine, difficile de l'amuser avec des fanfreluches. Je plaide longuement le projet de la Philharmonie. Lui : « Il ne faut pas croire que je suis un ennemi de la culture ; j'écoute vos arguments. » C'est un ami de Marc Ladreit de Lacharrière.

Christine Albanel va rejoindre Orange. Les habituels petits chiens courants de la calomnie clabaudent sur le recyclage des anciens ministres, mais ça n'ira pas très loin. Elle est respectée, et peut-être d'autant plus depuis que je la remplace ; Stéphane Richard, qui est un type bien, la traitera comme il faut.

Stéphane Martin, le patron du musée du quai Branly, est toujours gai et de bonne humeur. C'est une raison parmi d'autres qui explique le succès de son musée où les gens sont contents de travailler pour lui et se sentent valorisés.

Pierre Notte, sympathique astéroïde surdoué de la constellation Ribes. Je n'ai pas compris grand-chose à sa pièce, *Les Couteaux dans le dos*, mais je dois être abruti car le public riait beaucoup autour de moi.

Jeudi 11 mars 2010

La sœur de Woody Allen voudrait s'assurer que le crédit d'impôt s'appliquera bien au futur tournage de son frère qui commence à Paris. Elle est aussi avenante et gaie qu'il est lunaire et triste.

François Mitterrand venait chaque année à la maison d'éducation de la Légion d'honneur à Saint-Denis dont il était le protecteur. Toutes ces jeunes filles autour de lui entonnant des chants séraphiques, cela me rappelle ce qu'en disait maman : «Ton oncle est un gratteur de mandoline.» Je n'ai pas vu les jeunes filles mais les installations largement modernisées grâce à lui.

Le sous-préfet : «La basilique est en bien triste état. Il n'y a pas que le dernier carré des royalistes qui s'en plaint, loin de là, les visiteurs étrangers sont effarés.»

Louis Schweitzer est content que j'aie décidé de reconduire Hortense et Vincent à Avignon. Il en perd ce ton ironique et condescendant à mon égard que je trouvais pénible.

Guillaume Cerutti, le patron de Sotheby's : «Si on veut que Paris continue à s'affaiblir sur le marché de l'art, il n'y a qu'à continuer comme ça ; des députés qui n'y comprennent rien, des fonctionnaires qui s'en fichent, et le grand public qui pense que ça ne concerne qu'une poignée de privilégiés.» Jean-Pierre me met en garde : «Fais bien attention à lui, il sait ce dont il parle et il est très fort.»

Vendredi 12 mars 2010

L'ensemble de la manufacture des Gobelins et du Mobilier national forme une oasis de douce tranquillité au cœur de Paris. Vastes jardins, beaux arbres, bâtiments superbes. Mais il ne faut pas s'y fier, c'est un nid de macération syndicale avec des agents particulièrement revêches qui n'ont aucune envie que le ministre vienne fourrer le nez dans leurs petites affaires. Beaucoup de locaux sont vides ou en très mauvais état quand ils ne sont pas squattés par des amateurs discrets et bien protégés de la campagne à Paris.

L'art de la tapisserie, défendu par une poignée de lisseurs vraiment admirables, survit grâce aux commandes de l'État. Mais la manufacture n'a pas le droit d'honorer des commandes privées ! Les syndicats font un casus belli de toute remise en cause du monopole. Le verrou a sauté à la manufacture de Sèvres, mais pas ici. Bernard Schotter, le patron, organise de belles expositions qui ramènent un peu de vie, mais pas assez de public. Cela vaudrait vraiment la peine de donner un bon coup de pied dans la fourmilière.

Installation du roi du Cambodge à l'Institut. Beau discours, assistance très «Académie», compliments et effusions diverses. Qui sait vraiment par quelle série de tragédies collectives et privées a passé Norodom Sihamoni, que voici parmi nous aujourd'hui dans cette ville où il a été brièvement heureux, au cours d'une vie de renoncement et de dévouement?

Daniel Benoin, directeur du Théâtre national de Nice me confie : «Vous savez très bien que je ne partage pas du tout l'esprit des campagnes du Syndeac contre le ministère.» Allez, un peu quand même, mais comme il est écartelé entre Christian Estrosi, qui le caresse et pourrait aussi l'étrangler illico presto, et ses petits copains revendicateurs, qui le surveillent de près, je comprends que sa situation ne soit pas très confortable. Cependant, à quoi bon m'abreuver de ce genre de bonnes paroles? J'en suis gêné pour lui.

Samedi 13 mars 2010

Francis : «Au fond, le boulot de ministre consiste à consacrer 80 % de son temps à empêcher qu'on fasse des conneries. Franchement, je ne t'envie pas.»

Dans une réunion avec le président, il est avisé d'éviter qu'il vous donne la parole en premier et, tout autant, d'annoncer tout de suite la couleur de ce que l'on souhaite aborder. Mieux vaut laisser les autres se découvrir et se faire éventuellement rembarrer, puis faire émerger peu à peu la solution que l'on juge être la meilleure. Le succès n'est jamais assuré, mais c'est la moins mauvaise manière de procéder pour qu'il garde sa marge de décision et vous donne finalement raison.

Dimanche 14 mars 2010

Compiègne : pas d'électricité dans les trois quarts du château. Il héberge le musée national de la Voiture : entassement de carrosses superbes dans le noir et sous une verrière qui prend l'eau. C'est fermé depuis des années. Le conservateur, monte de belles expositions patrimoniales avec des bouts de ficelle dans les appartements royaux à peu près préservés.

Villers-Cotterêts, le château où François Ier a sanctionné l'édit officialisant la langue française, un autre éclopé du patrimoine. Intérieur massacré et presque complètement obturé. Dépôt de mendicité de la Ville de Paris où de vieux SDF et des péripatéticiennes tellement sur le retour qu'elles semblent reparties dans l'autre monde coulent une retraite alcoolisée misérable. Toiture en toile goudronnée, c'est d'ailleurs pas mal à regarder, à la guerre comme à la guerre. Le maire : «Qu'est-ce que vous voulez que j'en fasse? On me l'a refilé sans me demander mon avis. Ici, on bat les records de pauvreté, de chômage et d'illettrisme.»

Blérancourt, le gracieux temple de l'amitié franco-américaine fondé par deux demoiselles yankees tendrement attachées l'une à l'autre et venues soulager la France des dévastations allemandes pendant la Grande Guerre : un trou énorme dans la cour laissé par les archéologues, qui y ont trouvé de vagues soubassements et qui sont partis évidemment sans reboucher. Les jolis pavillons sont sur le point de tomber dans le précipice. Le tout à l'agonie depuis des années, soutenu in extremis par des mécènes américains en état de lassitude avancée devant tant d'incurie. Autre conservatrice héroïque qui ne sait plus à quel saint se vouer.

Le Cateau-Cambrésis, musée Matisse. Miracle, ici tout va de mieux en mieux. Dominique Szymusiak, la conservatrice, a su s'y prendre pour terroriser tout le monde depuis des années et obtenir des subventions : les élus, le ministère et même la SNCF qui voudrait bien y étouffer le trafic ferroviaire à petit feu. Elle attend la gauche, mais elle me garde en probation.

Dîner avec Emmanuel-Philibert et Clotilde Courau; un peu de chaleur et de gaieté. Mon prince chéri s'occupe incroyablement bien de sa petite famille. «Ne sois pas triste, c'est encore pire en Italie. Le patrimoine s'écroule et Berlusconi s'en fout.»

Lundi 15 mars 2010

Bérézina pour la droite aux élections régionales. Richard me rappelle doucement que certains élus se plaignent de me voir passer trop de temps avec leurs collègues de gauche. Temps de désillusions et de mauvaise humeur.

Comment accrocher une médaille sur la poitrine de Marion Cotillard quand elle porte un chemisier en soie légère sans lui piquer son joli sein ? Les photographes sont ravis de l'aubaine.

François Baudot va bientôt prendre ses fonctions à l'inspection générale du ministère. Il a fallu tordre le bras de ses futurs collègues qui ont évidemment tenté de lui barrer la route et lui ont infligé toutes sortes d'humiliations, mais enfin le dernier mot était pour moi. Son état m'inquiète ; il allait mal lors de notre dernière rencontre il y a quelques jours : cassant, agressif, surexcité. Les ravages de la coke ou de la dépression, les deux sans doute. C'est terrible de voir quelqu'un d'aussi doué s'autodétruire et d'être impuissant à lui venir vraiment en aide.

Exposition « Crime et châtiment » au musée d'Orsay. La fougue de Robert Badinter et le talent érudit de Jean Clair, tous deux inspirateurs et commissaires de cette ahurissante promenade artistique au Grand-Guignol. Les gardiens ont toutes les peines du monde à empêcher les enfants de jouer avec la guillotine pour voir « comment ça fait ».

Claude Lalanne, admirée, célébrée par une foule de groupies de tous âges qui lui rendent hommage au musée des Arts décoratifs, mais depuis la mort de son mari, François-Xavier, silencieuse et seule au milieu de leur bestiaire étrange et magnifique.

Mardi 16 mars 2010

Catherine Tasca et moi au petit déjeuner, attentifs à ne pas commettre un faux mouvement, ne pas dire un mot tel qu'on pourrait se blesser mutuellement.

Thierry Saussez, le conseiller en communication du président et directeur du service d'information du gouvernement : « Vous travaillez bien, vous vous donnez beaucoup de mal, vous rencontrez tout le monde et vous allez partout, mais à ce compte-là il vous faudra dix ans pour vous construire une bonne image. En attendant on ne comprend rien. Vous devez choisir un ou deux points forts et marteler, marteler, il n'y a que cela que les gens retiennent, ne parlez pas du reste. »

Comme le boa constrictor qui a digéré son petit lapin et lorgne désormais un bœuf, Pierre Housieux, président de l'Association pour la sauvegarde et la mise en valeur du Paris historique, donc monsieur préservation du patrimoine et du vieux Paris, ne pense plus à l'hôtel Lambert ; il regarde l'hôtel de la Marine.

Départ pour Riyad.

Ils sont au moins trois mille dans la tribune, faucons de nuit en hawbs blancs immaculés qui écoutent le noble invité que je suis déclamant les félicitations du président français et la liste fleurie des vertus du roi. C'est sa fête, et ses frères, ses fils, l'innombrable cohorte des princes de sa famille l'entourent. J'ai un bon interprète, le décalage est presque imperceptible.

Après, danse du sabre et rugueuses psalmodies du désert. L'ambassadeur est enchanté, le roi tient à ce que je m'assoie à côté de lui pour suivre le spectacle, il me tapote le bras amicalement, les affidés hochent la tête avec sympathie dans ma direction. En voyant les sabres tournoyer, je repense avec quelle maestria ils font valser d'un seul coup les têtes des pauvres pédés immigrés, convaincus du «vice abominable».

Le roi est un vieil homme avec un air très gentil. Je me demande à quoi il ressemblerait si je le croisais en complet-veston.

Énorme festin après la cérémonie. Le ministre de la Culture d'un obscur émirat, colosse bonhomme et rondouillard m'explique à quel point le cinéma est dangereux pour les bonnes mœurs. L'armée des serviteurs emporte prestement les restes pour faire bombance.

Une énorme décoration m'attend dans ma chambre à la résidence des hôtes officiels, bunker climatisé à l'écart de la ville où il est exclu d'aller se dégourdir les jambes.

Tout est tellement étrange que je remise mes pensées dans un recoin obscur de mon cerveau provisoirement lobotomisé.

Obsèques de Jean Ferrat. Cinq mille personnes à Antraigues-sur-Volane chantant *La Montagne* et *C'est beau la vie* avec Isabelle Aubret sous un bienveillant soleil de printemps. Pierre me représente, on me reprochera pourtant de ne pas y être allé et on aura raison. Mais comment faire avec ce voyage en Arabie saoudite auquel je ne peux pas non plus me soustraire ?

Mercredi 17 mars 2010

Au musée de Riyad – belles salles consacrées aux royaumes naba-téens d'avant l'Islam contrairement à ce qu'on m'avait dit –, des classes de garçonnets en aubes blanches d'angelots des sables regardent fasci-nés de fastueuses collections de fusils et de poignards.

Au dernier étage du consortium international qui lui sert de quartier général, visite à la caverne aux merveilles du prince Al-Walid ben Talal ben Abdelaziz al-Saoud. Je m'entraîne à apprendre tout son nom par cœur au cas où le mirage deviendrait réalité et où il m'arracherait à mon sort de médiocre ministre nécessiteux d'un vieux pays déclinant pour faire de moi son confident et m'ouvrir enfin les portes de l'un de ses Boeing aux divans profonds, de ses suites internationales éclairées a giorno, de ses coffres-forts à Genève, de la fortune en somme. Mais le prince n'est pas là et ce sont des messieurs très empressés qui me font l'honneur des vitrines remplies de médailles, de diplômes mystérieux, de maquettes diverses et de montres en or massif incrustées de dia-mants. Je rajuste ma Swatch, me récrie d'admiration, et comme je suis bien sage j'ai droit à une belle photo dédicacée.

Inauguration du pavillon français au festival culturel de Riyad. La référence artistique se limite à quelques posters sur l'avenue Montaigne et les Champs-Élysées que le roi contemple en amateur éclairé puis on passe à l'essentiel de l'action culturelle qui nécessitait la présence du ministre : une succession de stands sur le TGV, les grandes marques de luxe, la boulangerie et les fromages.

Un jeune installateur égyptien me tape dans l'œil : furtive compli-cité, mais on ne se retrouvera sans doute jamais.

Je n'aurai entrevu aucune femme durant ces quelques heures au «jardin d'Allah», hormis quelques petites putains ukrainiennes, reflets de blondeur enfoncés dans des limousines.

Jeudi 18 mars 2010

Mathieu Gallet : «Excellent retour du Quai d'Orsay sur votre dépla-cement en Arabie, monsieur le ministre. Ils voudraient vous envoyer partout.» Il y a des moments où je me demande s'il ne se fiche pas de moi.

Discours d'installation de Simone Veil à l'Académie française. Empesé et conventionnel. Que se passe-t-il?

Vendredi 19 mars 2010

Matinée sinistre à Bruxelles. Comment faire vivre l'hypothèse de l'Europe quand on ne la confie qu'à des bureaucrates et à des comptables? Je me demande s'ils vont au cinéma ou au concert, s'ils lisent des livres, s'ils font des voyages pour visiter des musées ou rencontrer des artistes. Voltaire allait voir Frédéric, Diderot se tapait sur les cuisses à s'en faire des bleus avec la grande Catherine, Napoléon se découvrait devant Goethe : y pensent-ils quelquefois? François, lui, il y pensait tout le temps.

Mathieu Gallet : «Je ne vois pas l'intérêt de votre projet de voyage à Saint-Pierre-et-Miquelon.» Moi : «Occupez-vous de ce qui vous regarde, vous m'avez déjà empêché d'aller à New York pour faire la promotion de la traduction de mon livre!» Lui : «Ça n'a rien à voir, monsieur le ministre.» J'ai tort, il a raison, mais il m'embête à la fin!

À force de vouloir me protéger, le cabinet parfois m'étouffe.

Samedi 20 mars 2010

Abdou Diouf, élu depuis 2002 secrétaire général de l'Organisation internationale de la francophonie : «Ah, si vous pouviez être en France soixante millions de Québécois, je me sentirais plus tranquille! Ils sont mobilisés, réactifs et créatifs. C'est quand même désolant de penser qu'avec les Africains ce sont les seuls à se préoccuper de la francophonie. Ici, tout le monde s'en moque et bâille dès que j'aborde la question.»

Forest Whitaker, extraordinaire aura de douceur et de bienveillance. La même impression que j'avais ressentie avec Denzel Washington. L'un a incarné Idi Amin Dada, l'autre Malcom X.

Dimanche 21 mars 2010

Je raconte à maman le film coréen *Mother* où la mère d'un garçon à peu près débile accusé de viol et de meurtre remue ciel et terre pour faire innocenter son fils. Maman : «Tu sais bien que je ferais encore plus pour chacun de vous, et même si vous étiez des monstres.»

Xavier Darcos quitte le gouvernement. Le président préfère confier le dossier des retraites à Éric Woerth. C'est pourtant un ministre de valeur qu'on laisse ainsi sur le bord du chemin sans rien lui proposer en contrepartie. Cruauté de ce milieu.

Lundi 22 mars 2010

Longue matinée syndicale, Monquaut au mieux de sa forme.

Charles Rivkin, ambassadeur des États-Unis, s'intéresse beaucoup au travail de Francis avec les associations. Il envoie régulièrement des groupes de jeunes dits défavorisés en voyage «d'éveil» en Amérique.

Mon chef de cabinet regagne la filière préfectorale. Jean-Pierre a fait la paix avec lui. C'est un peu de poésie surréaliste et de fantaisie imprévisible qui s'en vont avec lui. Il va me manquer.

Bruno Racine a entièrement reconstruit la relation de la Bibliothèque nationale avec Google sur de nouvelles bases, nettement plus équitables.

Mardi 23 mars 2010

Cy Twombly me signe une belle affiche. François-Marie Banier, spécialiste du droit de propriété, en complet prince-de-Galles, précise : «Il ne fait jamais cela, mais il sait que tu es allé voir son exposition à Rome.» Jasper Johns, Robert Rauschenberg, Francis Bacon, étaient homosexuels. Cy Twombly l'est également.

Réception en hommage à Zeineb Marcie-Rivière, la romanesque reine de Tunis qui vient de mourir à quatre-vingt-dix ans. Son mari est fidèle à sa mémoire, il ne dispersera pas sa fabuleuse collection d'impressionnistes. Jean-Pierre l'incite à en faire la donation à l'État.

Zeineb perdait un peu ses repères dans les derniers mois de sa vie. Elle s'en rendait compte et tenait les conversations de salon en les émaillant de «comme c'est intéressant», «comme c'est sympathique». Fabuleuse ressource des automatismes mondains qui permettent de donner le change.

Mercredi 24 mars 2010

Michel Bouquet, le charme incarné, la mémoire délicieusement fertile, et la politesse des anciens temps, notamment à l'égard de sa femme qui parle tout le temps et ne cesse de l'interrompre sans qu'il manifeste la moindre impatience. Il me confie : «Évidemment, mes opinions n'étaient pas tout à fait les siennes. Mais l'histoire, la langue, la culture ! Incarner votre oncle au cinéma, quelle chance ! Je l'ai vécu comme un plaisir et comme un honneur.»

Moi qui ai toujours chanté tellement faux, j'aurais sans doute fait un bon slameur. Bilan personnel d'une journée de slam intensif avec les associations de banlieue.

Jeudi 25 mars 2010

Marie Rouanet est décorée officier de la Légion d'honneur. Émotion générale, la mienne, celle de l'assistance et même parmi ceux qui la découvrent. Une tragédie se déroule au même moment : son fils unique, dont elle est très proche, meurt subitement. Personne ne le sait, elle non plus.

Salon du livre. Le président du syndicat m'emmène de stand en stand sans me laisser de temps pour parler avec les petits éditeurs. Il me tire sur le bras, la douleur se réveille, très vive. Je lui dis de faire attention; «Oui, bien sûr, monsieur le ministre» et il continue de plus belle. Au fond, je ne suis rien pour des gens comme lui, juste un trophée qu'il faut brandir.

Arnaud Nourry, président d'Hachette, seul sur un stand misérable. Je le taquine : «Pour le groupe le plus important de l'édition française, on se croirait à un guichet de la Sécurité sociale.» Il encaisse en souriant. Il trouve le Salon inutile et le coût des stands trop élevé. C'est un homme très avisé, je pense qu'il changera d'avis l'an prochain.

Dîner pour le roi Sihamoni au ministère. Discours adorable, invités triés sur le volet, tout le monde fond d'affection pour lui. Je redresse la cravate d'un joli prince cambodgien qui habite à Paris. Il recule épouvanté. Allons bon, encore un lecteur!

Vendredi 26 mars 2010

Petit déjeuner dès potron-minet au cabinet. Thème : la réforme territoriale. Il y a des jours comme ça où j'ai de furieuses envies de grasse matinée.

Jean-Pierre : «Ta nouvelle recrue au cabinet : une vraie petite peste! Tu lui dis quelque chose, elle fait semblant d'écouter avec un petit sourire et ricane comme si tu étais un imbécile; tu lui donnes un papier à lire, elle te dit : "Très bien" et hop, direct à la corbeille! J'en ai vu des pas mal, mais alors elle c'est le pompon!» Moi je la trouve plutôt avisée et rigolote.

Un ministre de la Culture du Moyen-Orient en visite : «Oh, moi, les musées, je n'aime pas trop y aller, c'est aussi bien quand on regarde sur une vidéo.» J'aimerais voir à quoi ressemble la luxueuse résidence parisienne de cet homme d'affaires souriant et prospère!...

Laure Murat : lorsque j'aurai une autre vie, j'irai la retrouver où qu'elle soit, je sais qu'elle m'accueillera et qu'elle prendra soin de moi.

Dîner chez l'ambassadeur de Tunisie; les habituels amis de Sidi-Bou-Saïd et de La Marsa – ils ont beau être célèbres, ils n'aiment pas trop se voir cités dans les journaux. Azzedine Alaïa ne vient jamais, on s'en désole, pas lui.

Samedi 27 mars 2010

Jean-Claude Gaudin a manifestement d'autres priorités que le fort Saint-Jean qui resterait un désolant champ de ruines accolé au Mucem si Ann-José Arlot et moi ne mettions une pression infernale sur l'administration pour qu'on le restaure. Quand je lui dis que j'ai trouvé l'argent pour construire une passerelle qui le raccordera directement au quartier du Panier, son œil s'allume. Une vraie promenade de plus, c'est bon pour les élections.

Hyères. Nostalgie des aventuriers mécènes d'autrefois, légendes de la «Café Society» artistique de l'entre-deux-guerres, fantômes de vrais génies du style et d'amateurs par principe de toutes les avantgardes. On approche de la villa Noailles en tremblant à l'idée de ne pas être au diapason du snobisme rétrospectif qui s'attache à la mémoire de tant de gens illustres. C'est toujours très beau, ce devait être sacrément inconfortable et pas marrant à vivre tous les jours, mais enfin quand on dispose d'un somptueux palais surdimensionné place des États-Unis dans le XVIe parisien, on peut vivre extrêmement la passion de la modernité, l'été, au soleil, sur la Côte d'Azur de *Tendre est la nuit.*

La Villa est désormais un centre d'art et d'architecture. Un sympathique jeune homme me montre les nouveaux tubes de dentifrice qu'il a dessinés. Ne pas faire d'ironie facile, les autres pensionnaires ne sont pas là et le directeur est vraiment très bien.

Bal de la Rose à Monaco. Albert m'a invité personnellement. J'étais flatté. «Amour, quand tu nous tiens.» Mais tous ces enfants de la jeunesse dorée qui dansent avec ardeur, ça me déprime. Je pars avant la fin. Ce n'est sans doute pas très convenable.

Dimanche 28 mars 2010

Christian Estrosi : «Tu ne veux quand même pas qu'on s'arrête à cette fête des vieux Niçois.» Moi : «Mais si, au contraire, c'est tout ce que j'aime.» Il est stupéfait de me voir chanter «Viva, viva Nissa la bella» avec les électeurs qu'il dispute au Front national.

Christian Estrosi, à la fin de ma visite à Nice, où il se donne beaucoup de mal : « Moi, je viens d'un monde où il n'y avait rien, à peine de quoi bouffer. Je m'en suis sorti par la moto avec des gars qui ne pensaient qu'à s'entraîner. Autour de moi, on prenait les pédés pour des tarés ou des malades. J'ai bien changé ; tu n'en doutes pas, j'espère. » Il est très amical avec moi, et c'est sincère. Il parle d'Elton John, qui a une propriété près de la citadelle, avec admiration et une délicatesse intimidée qui me touchent.

Jean-Louis Martinelli m'annonce que le maire de Nanterre veut démolir le Théâtre des Amandiers pour le faire reconstruire ailleurs, aux frais de l'État, *of course*. La fièvre des bureaux, même chez les communistes.

Lundi 29 mars 2010

Ministre, ambassadeur, officiels biélorusses : tout droit sortis de la Bordurie de Tintin. Moi, du ton le plus aimable : « Vous avez peut-être un petit problème d'image avec les médias français, non ? » Ils soupirent la tête basse comme si je venais de les accuser d'avoir volé un pot de confiture.

Mardi 30 mars 2010

Je viens de prendre le petit déjeuner avec Yves Jégo, ancien secrétaire d'État à l'Outre-mer qui se plaint amèrement d'avoir été lâché par François Fillon dans un petit livre. On parle d'autre chose. Richard : « Hé, hé, Jégo-Mitterrand, hé, hé », il rit comme un écolier qui vient de tomber sur un magazine pornographique. Impossible d'en savoir plus.

Plan « lecture » sur lequel le ministère a beaucoup travaillé et que je lance devant la presse à grands coups de trompette. Je ne me fais pas beaucoup d'illusions : la plupart des plans sont comme le fleuve Amour, grandes eaux pour commencer et ça finit en se perdant dans les sables.

Mercredi 31 mars 2010

Réunion informelle des ministres de la Culture à Barcelone, tellement informelle que je n'en retiens rien si ce n'est une nuit sans dormir dans un hôtel qui devrait valoir une condamnation pour cruauté mentale à Philippe Starck ou ses disciples et une vision de cauchemar des nouveaux quartiers d'affaires de la capitale catalane.

Jeudi 1ᵉʳ avril 2010

David Kessler facilite beaucoup les relations du ministère avec la Ville de Paris. Il nous préserve des caprices et des forfanteries de Christophe Girard. Et puis, ensemble, on rit beaucoup. Combien de temps cela durera-t-il?

Réunion avec le président sur le thème «création et Internet». «Il faut civiliser Internet», les pensées de Mao à l'usage des ignorants que nous sommes.

Marina Foïs dans *Maison de poupée* aux Amandiers, merveilleuse comédienne. Après, course-poursuite dans les coulisses pour féliciter les acteurs. Ministre de Sarkozy, ça se gagne sur le front.

Vendredi 2 avril 2010

Une remise de prix à la Cité de l'architecture. Jacques Chirac doit prononcer un discours au nom de sa fondation. Il sort lentement de sa voiture et marche difficilement, à tout petits pas, soutenu par ses officiers de sécurité. On le salue, on se presse autour de lui, il répond très cordialement dans une sorte de brouillard. Deux brèves allocutions avant la sienne. Plusieurs fois, se tournant vers moi : «C'est à moi maintenant, non? — Bientôt, monsieur le président, bientôt. — Ah bon.» Enfin, il se tient bien droit derrière son pupitre et lit son discours de manière impeccable. Magnifique automatisme de la fonction.

Pierre Louette claque la porte de l'AFP. Pourquoi s'obstiner à vouloir réformer ce qui est irréformable quand Matignon et l'Élysée pressent le patron d'agir et se défaussent dès qu'il risque d'y avoir du grabuge? Pendant ce temps, le ministère continue à tenir des réunions dans le vide, sauf qu'il y a maintenant une vraie question urgente à laquelle répondre : trouver celui qui voudrait tenter de résoudre enfin la quadrature du cercle.

Patrick Devedjian n'a pas digéré la tentative d'OPA de Jean Sarkozy sur la Défense. Il a tout un sac de rosseries sur le président à la disposition de qui veut l'entendre. Il est désormais solidement retranché dans sa forteresse des Hauts-de-Seine et ceux qui voudraient l'y attaquer feraient bien d'y repenser à deux fois.

Dîner bons offices chez François Le Pillouër au Théâtre national de Bretagne. Un coup d'épée dans l'eau. Deux salles fermées sur trois ; il semblerait que personne ne va au théâtre pendant les vacances scolaires. J'aurais plutôt pensé le contraire.

Samedi 3 et dimanche 4 avril 2010

Épuisement. Deux jours à lire et à dormir chez maman à Saint-Gatien-des-Bois. Je lui commente l'actualité. Je promène Alphonse, mon chien beauceron, je téléphone à des amis. Il y a des gens qui vivent comme ça toute l'année. J'ai quand même emporté une malle de parapheurs, histoire de m'agiter un peu sur l'inhumanité du style administratif dans les réponses que fait le ministère à certaines demandes.

Lundi 5 avril 2010

Déjeuner avec Pierre Boulez. J'ai demandé un véritable exercice de formation accélérée à Laurent Bayle pour ne pas faire trop mauvaise figure. Le maître est indulgent, ça se passe bien.

Mardi 6 avril 2010

Je ne veux pas qu'on démolisse le bel escalier du site Richelieu qui mène au cabinet des médailles. C'est évidemment pris pour un caprice de plus, mais, concrètement, cette destruction devrait pouvoir être évitée. On s'agite beaucoup parmi les défenseurs du patrimoine. En réalité, mon refus vient de plus loin : tout se déroule dans ce chantier depuis des années comme une série de faits accomplis en dehors du ministère. Réunion générale : tout le monde râle contre moi.

Bruno Gaudin l'architecte est finalement le plus conciliant, il va réfléchir à une autre solution. Jean-Pierre, dans l'expectative, ni pour ni contre ma position.

Soirée de clôture de la saison turque à Versailles. Service minimum malgré le mal de chien que se sont donné les commissaires, les mécènes, Henri de Castries le principal d'entre eux avec Axa, et mes efforts pour surmonter l'indifférence, pour ne pas dire pire, de l'Élysée. Il paraît que les Turcs sont contents quand même.

Mercredi 7 avril 2010

Nadine Morano : « Ils ne me lâchent pas et ils sont tous à se foutre de moi en permanence. Ce qu'ils ne supportent pas, c'est que moi, je connais les cages d'escalier dans les HLM pourries. J'en viens et jusqu'à vingt ans j'y ai passé ma vie. »

Henri Loyrette inquiet. Il est question de lui raboter à la marge certains de ses crédits. On m'assure que c'est un effort qu'il peut assumer. Il est intraitable, je ne sais pas quel parti prendre. Jean-Pierre : « Il sait à quel point tu l'admires et il en profite. » Rien à redire, c'est exact.

Dîner pour Charlotte Rampling ; oasis de gaieté tranquille ; Brice Hortefeux raconte des histoires tordantes. Mais si, mais si. À ne pas ébruiter sinon je vais encore me faire taper sur les doigts.

Jeudi 8 avril 2010

Vincent Baudriller et Hortense Archambault. Ah, ces deux-là, il faut arrêter de les embêter ! Tout le monde, partout, donne son avis sur le Festival d'Avignon et les étrille ; les candidats à la succession, dépités de les savoir renouvelés, s'agitent dans la presse et les couloirs alors qu'ils tiennent la barre avec une ambition culturelle que je ne partage peut-être pas complètement mais qui est forte et cohérente. Le Festival d'Avignon, passion française envenimée par les intrigues germanopratines.

Réunion avec plusieurs directeurs de théâtres publics parisiens. Mal préparée et inutile. Ils ont dû repartir en se demandant ce que leur voulait le ministre.

Les inventeurs de la grotte Chauvet : volés, maltraités, humiliés par l'État qui s'est emparé de leur découverte sans leur en reconnaître le mérite. Désormais braqués, agités, hostiles, les voilà qui saisissent la justice, laquelle peut très bien leur donner raison et imposer un énorme dédommagement. On aurait pu éviter ce gâchis. Ils sont sensibles au fait que je les reçoive et que je les écoute. On va essayer de dénouer le problème.

Vendredi 9 avril 2010

Conseil des ministres franco-italien. Tous les ministres des deux pays serrés comme des sardines autour de la table. Chacun y va de son compliment à l'égard de son homologue. Il n'est question que de coopérations fructueuses, de perspectives pleines de promesses. Les grandes difficultés de l'heure et les éventuelles différences politiques entre les deux gouvernements ressortent essorées de ces assauts d'amabilités réciproques. Silvio Berlusconi a l'air très content, l'exercice d'euphorie collective convient à son bon naturel ; le madré sait qu'il faut amuser la galerie avant d'aller régler les affaires sérieuses en petit comité. Le président est moins patient : « On pourrait peut-être arrêter de se dire qu'on s'aime sur tous les tons et parler de ce sur quoi on n'est pas d'accord. » Un ange passe, Silvio l'arrête en plein vol : « *Mé, Nicolasse, la verità !* » Bougonnement impuissant en face. Le Cavaliere enchaîne : « Notré storia cé comme dans *La Caissière du Grand Café*, tou lé monde il é jaloux d'elle mé elle aime qué oune seul. » Et il commence à entonner ladite ritournelle, une de celles qu'il avait à son répertoire lorsqu'il chantait dans sa jeunesse pour se faire de l'argent pendant des croisières de rombières avant de s'envoyer les moins mûres. Effarement des ministres français, les italiens, qui connaissent la chanson et ont l'habitude, attendent gentiment que la caissière du Grand Café quitte la salle du Conseil pour aller rejoindre son amoureux, certains même fredonnent avec des sourires engageants. Et en plus, il chante bien, le bougre ! Vaincu et sous la menace d'une attaque de *Sole mio*, autre grand tube de l'*onorevole* de plus en plus en train, le président lève brusquement la séance. De toute façon, l'ordre du jour est épuisé.

Pendant le concours de compliments croisés du Conseil franco-italien, je déclare que nous avons fait un bel enfant avec mon homologue, Sandro Bondi : l'arrivée prochaine d'Arte en Italie. En réalité, il ne s'agit que d'un projet sur lequel Jérôme Clément et la Rai s'écharpent depuis des lustres, mais comme l'ambiance est à «tant qu'on a l'ivresse» plutôt qu'à la recherche de l'exactitude, cette bonne fausse nouvelle déclenche des hochements de tête d'approbation générale. Le Cavaliere, après le Conseil, avec son sourire à deux mille dents : «Tré bien la storia dé l'enfant avé Bondi, ma lui il sé pas comment lé faire!»

Le ministère participe à la reconstruction de L'Aquila, convention signée ce matin avec Sandro Bondi. C'est Didier Repellin, le magique architecte de la Villa Médicis, qui est désigné pour suivre les opérations.

À force de racler les fonds de tiroirs, Marie-Christine Labourdette, la directrice des Musées de France, a trouvé de quoi nourrir mon plan «musées». On dresse une première liste de soixante-dix, mais il en reste encore au moins quatre cents à secourir d'urgence.

Philippe Bélaval, le directeur des Patrimoines, et elle ne s'entendent pas. Ainsi, même les meilleurs en viennent à se disputer. C'est à désespérer de toute communauté humaine, surtout que les moins bons ne sont pas en reste.

On me rapporte que Denis Podalydès savonne la planche de Muriel Mayette pour lui succéder à la Comédie-Française. Il ne me parle jamais de cela quand on se rencontre; égal à lui-même : vif, brillant, très attachant.

Samedi 10 avril 2010

Mathieu Gallet : «Les organisateurs de la conférence de l'audiovisuel méditerranéen sont très contents que vous vous soyez donné tant de mal pour eux.» Lui aussi, me semble-t-il.

Dimanche 11 avril 2010

Marc Ladreit de Lacharrière nous emmène avec Catherine Deneuve et Sihem à la grotte Chauvet.

Elle est très difficile à atteindre. Contrairement à Lascaux, découverte à travers un trou à même le sol, c'est une anfractuosité au milieu d'une falaise qui a ouvert le chemin aux découvreurs, et ensuite c'est une descente vertigineuse en rappel pour atteindre les fresques encore plus anciennes que celles de Lascaux. Cela se chiffre en dizaines de milliers d'années. Raison de plus pour bien traiter les découvreurs.

La conservatrice se déclare très admirative de la manière dont Werner Herzog a tourné son film en respectant scrupuleusement toutes les consignes de protection des fresques.

Catherine dévalise le petit bazar du village où l'on trouve encore des ampoules à l'ancienne. Stupéfaction de la marchande en la voyant entrer.

Marc projette de créer un fac-similé comme à Lascaux, au pied de la falaise. Je lui dis qu'il faudra trouver un accord avec les découvreurs avant de monter l'opération. « Oui, oui, bien sûr » évasif. Je le comprends, c'est à moi de faire le boulot.

Lundi 12 avril 2010

Passage au MIPTV, marché international des contenus audiovisuels, à Cannes ; grands sujets du jour : la succession de Patrick de Carolis, la suppression de la publicité sur le service public, l'avenir de la télé en relief. On imagine à quel point je suis excité. Je retrouve un peu d'allant pour parler de la fiction française, qui est bien mal en point. Je ne peux évidemment pas signaler que l'arrogance et l'inculture de certains décideurs dans les chaînes constituent une partie du problème.

Discours d'inauguration alors que j'ai le logo d'une émission de catch américain derrière moi. Mathieu Gallet : « Un coup de pot, monsieur le ministre, on aurait pu avoir la boxe thaï. »

Pas le temps d'aller embrasser tante Henriette, aussi déçue que moi.

Mardi 13 avril 2010

Musée du Louvre, énième inauguration du département des arts premiers au pavillon des Sessions. Jacques Chirac regarde les vitrines une à une, très attentivement. Il y a quelque chose de particulièrement émouvant à partager avec lui cette lueur soudaine au crépuscule. Les photographes s'en donnent à cœur joie. Je les empêche de le suivre dans l'escalier, la lueur s'est éteinte. Il dit : «Où êtes-vous, Bernadette?»

Mort de Werner Schroeter. Assaut de souvenirs et de mélancolie.

René Ricol est le pilote, chaleureux et sympathique, du «grand emprunt», il a toute la confiance du président.

Jean-Pierre Raffarin en invité d'honneur au dîner du cercle des Amis du musée Guimet. Il possède la formule magique pour séduire les mécènes chinois qui sourient comme des tirelires autour de lui. Bien malin celui qui pourra la lui dérober.

Mercredi 14 avril 2010

Le président : «Barack Obama, il faut toujours que tout soit prêt avant pour qu'on puisse signer la déclaration. Mais si tout est prêt avant, c'est plus la peine de discuter, c'est même plus la peine qu'on se voie. Moi, c'est pas comme ça que je travaille : on parle, on discute, on échange et après on voit ce qu'on signe sur la déclaration.»

Et aussi : «Gordon Brown, ça c'est un type sérieux, on peut compter sur lui. Rien à voir, mais vraiment rien à voir avec les socialistes français.»

Énième tentative pour monter le festival de musique orientale. En désespoir de cause, deux nuits du ramadan à la Villette proposées par Yannis. Laurent Bayle est d'accord pour nous aider.

Déjeuner avec Jean-Marc Sauvé, le vice-président du Conseil d'État, c'est partager le repas de Richelieu en essayant de ne pas finir comme Cinq-Mars au moment où l'on sert le café.

Alexandre Pougatchev, le patron de *France-Soir* : jeune, blond, lisse, parlant un français impeccable. Serait formidable dans un *James Bond* en méchant qui veut devenir le maître du monde un demi-sourire glacé aux lèvres.

L'épouse du roi de Bahreïn est une gentille dame entre deux âges, discrète et instruite, qui passe beaucoup de temps en France et nous connaît très bien. Rien à voir avec les poupées arrogantes qui passent leurs journées à faire des courses avenue Montaigne ou avec la majestueuse Cruella du Qatar. Elle vient d'acheter un grand hôtel particulier dans le VII\u1d49 construit par Brogniart, souhaite faire des travaux considérables et veut présenter le permis de construire sans que cela ne déclenche une nouvelle affaire hôtel Lambert. Transaction à plusieurs dizaines de millions d'euros avec les bonnes sœurs qui étaient propriétaires et dont on est sans nouvelles depuis. Jean-Pierre : « Elles doivent faire la bombe à Saint-Tropez maintenant, enfin je l'espère pour elles. »

Jeudi 15 avril 2010

Jean-Luc Delarue : nos rares rencontres dans le passé ne m'ont pas laissé de très bons souvenirs et nous n'avons certainement pas fait de la télévision de la même manière. Mais il arrive quelque chose d'inattendu : un courant de sympathie passe entre nous. Il ne me demande rien et j'ai l'impression qu'il veut seulement que je l'écoute. Je sens une lassitude et une solitude terribles, même s'il garde le masque du « wonder boy » à qui tout réussi. Au fond, il est perdu, trop de tout et rien au bout du compte. Je lui dis doucement que je comprends très bien qu'il se sente fatigué après tant d'années de travail fou, d'efforts inouïs pour arriver là où il est, d'exposition frénétique. Chaque mot que je prononce semble résonner en lui avec une intensité extraordinaire. Je ne m'attendais vraiment pas à le découvrir si vulnérable. On s'embrasse en se séparant et en promettant de se revoir. Il a retrouvé un peu de sa superbe. Je ne sais toujours pas bien pourquoi il m'a choisi. Peut-être le mot amical que je lui avais envoyé lors de ses ennuis avec la brigade des stups.

Mathieu Gallet : « Rachid Arhab a l'air de vous en vouloir, vous savez pourquoi ? » Aucune idée.

Réunion générale de la crème des grands établissements à propos du grand emprunt. Tout comme à l'ouverture du testament d'un oncle à héritage, chacun est venu avec des projets plein la tête. Je crains qu'on aille vers quelques déconvenues. René Ricol n'est pas là pour distribuer des subventions et il s'est entouré de quelques polytechniciens durs à cuire qui demanderont des contreparties.

Pierre Bergé à dîner chez Doris Brynner : « Ça va se finir dans la rue s'ils continuent comme ça. Toi, tu avances et tu ne te préoccupes pas du reste. »

Vendredi 16 avril 2010

Printemps de Bourges. Paradoxe d'une industrie en pleine déroute et d'un dynamisme formidable sur la scène musicale. Un monde fou, les chapiteaux pris d'assaut. Charmant concert de quatre jeunes chanteuses en vogue comme dans un film de Jacques Demy. De très jolis jeunes rockers anglais qui se fichent bien d'être présentés au ministre. Daniel Colling, l'organisateur qui sait tout le mal qu'on se donne avec Georges-François pour lui conserver le Zénith. Accueil globalement sympathique. Promenade nocturne avec la préfète autour de la cathédrale.

Samedi 17 avril 2010

Jean-Charles de Castelbajac apporte un projet superbe pour mettre en valeur la statue d'Henri IV au Pont-Neuf. Le Vert Galant a été assassiné il y a quatre cents ans par Ravaillac, et la commémoration suscite beaucoup d'intérêt dans la presse et sans doute dans l'opinion. David Richard suit l'affaire, on prendra l'argent dans ma réserve afin d'éviter les ricaneurs qui me prennent pour la Ménine de Stéphane Bern.

Dimanche 18 avril 2010

Maman s'inquiète de me voir prendre souvent l'avion. Très frappée par le crash où le président polonais et une bonne partie de son gouvernement viennent de trouver la mort. Le président en question était un fieffé imbécile, homophobe, autoritaire et odieux avec qui je m'étais frité à Varsovie. Cela ne m'étonnerait pas qu'il ait donné l'ordre au pilote d'atterrir contre toute prudence, un peu comme l'amiral de *Noblesse oblige* qui grogne « À droite toute » malgré son équipage et provoque la catastrophe. Maman n'est qu'à moitié rassurée.

Lundi 19 avril 2010

Résidence de l'ambassadeur du Japon, faubourg Saint-Honoré : on déjeune dans les arbres grâce à l'aménagement intérieur de Charlotte Perriand. C'est très beau, mais je doute que l'on accepterait aujourd'hui la démolition du palais Pillet-Will du XVIIᵉ qui préexistait.

Renaud insiste toujours pour l'hôtel de la Marine et la candidature d'Allard. Je ne sais plus quoi lui dire. Jean-Pierre, qui le connaît bien, est aussi décontenancé que moi.

Récital de Madeleine Malraux dans le grand salon. Elle a quatre-vingt-quinze ans et en paraît vingt de moins. C'est une toute petite justice qu'on lui rend. Encore une bonne idée de Jean-Pierre.

Mardi 20 avril 2010

Jean-Paul Cluzel pousse les feux afin d'obtenir les financements qu'il demande pour le Grand Palais. La nef a été sécurisée mais il reste énormément à faire pour pouvoir utiliser tous les espaces. Or c'est un véritable ouragan de manifestations, toutes judicieusement croisées, qui souffle au Grand Palais depuis que Cluzel l'a pris en main. Cette merveilleuse machine, qui avait rouillé avant lui, ne tourne pourtant pas encore à plein régime, d'où la conférence de presse de ce matin devant des journalistes ravis, des fonctionnaires sidérés et un ministre pas mécontent d'avoir été piégé.

Visite de l'hôtel de Bourbon-Condé avec l'ambassadeur de Bahreïn. Les précautions de l'épouse du roi ne sont décidément pas de trop.

Jean-Jacques Aillagon dans mon bureau : particulièrement suave. Il souhaite être renouvelé à Versailles, mais se doute de la réticence du président qui le méprise. Je le soutiendrai quoi qu'il en soit, parce qu'il est bon, mais en attendant j'allume les warnings. On s'entend sur la durée du renouvellement si je le lui obtiens. Pas au-delà du couperet de l'âge de la retraite. C'est clair.

Mercredi 21 avril 2010

Pendant le Conseil, Xavier Bertrand consulte son iPad et sa revue de presse ; il s'occupe aussi de sa correspondance. Il semble parfaitement indifférent à tout ce qui se dit mais répond du tac au tac quand on l'interroge à brûle-pourpoint. Il se comporte de la même manière lors des séances de questions à l'Assemblée nationale, sortant brusquement de ses petites affaires quand vient son tour et épuisant très exactement son temps de parole, comme un métronome, parlant avec une pugnacité stupéfiante et sans consulter la moindre note.

Hélène Carrère d'Encausse, toujours si maîtresse d'elle-même, se trouble et me regarde avec intensité, émue et silencieuse quand je lui raconte les premiers pas de sa petite-fille, Jeanne, sur ma terrasse à Hammamet.

La Princesse de Montpensier en sélection officielle au Festival de Cannes. Elle revient de loin.

Un libraire supposé agressif face à moi dans «L'objet du scandale», l'émission de Guillaume Durand. Ça ne marche pas trop bien pour lui. Il aurait fallu lui expliquer que, pour être efficace à la télévision, l'attaque doit être doucereuse, souriante et de mauvaise foi. Il était en colère, sombre et sincère.

Gérard Depardieu dans son loft de la rue du Cherche-Midi, monumental, à sa mesure. Il me dit que c'est aussi un restaurant. Je ne comprends pas bien à quoi cela lui sert.

Jeudi 22 avril 2010

Éric de Chassey : «Tout se passe très bien à la Villa.» Je ne demande pas mieux, mais les échos que j'en reçois me disent le contraire. Il semblerait plutôt qu'il terrorise le personnel, ignore les Romains, travaille surtout pour sa réputation d'historien de l'art et néglige l'alchimie subtile qui assure la vie de la Villa.

Vendredi 23 avril 2010

Le Théâtre de l'Athénée : un passé prestigieux (Louis Jouvet notamment), de bonnes subventions, peu de productions, beaucoup d'hôtellerie, mais son directeur, Patrice Martinet, est radioactif, il se survit et se succède à lui-même depuis quinze ans, personne n'ose y toucher.

Rencontre avec Maurice Lévy. À quoi bon essayer de comprendre comment fonctionne le charisme ? Il faut se contenter de le subir. Enfin, pour lui qui me caresse avec ses compliments, je suis quand même un trop petit poulet. Il me donne un livre sur la révolution numérique dont il fait grand cas, le genre de bouquin que je vais traîner avec moi pendant des semaines sans avoir le courage de le lire et en me reprochant ma paresse.

Les Archives nationales : au-dessous, des souterrains comme à la ligne Maginot pour apporter les cartons de documents ; au-dessus, un parc interdit au public ; dedans, des chercheurs qui consultent et des syndicats réputés pour leur pugnacité ; entre, beaucoup d'espaces libres, un sentiment de somnolence. Un truc que je n'arrive pas à comprendre : il y a les Archives nationales et les Archives de France ; ce n'est pas pareil ?

Discussion avec Claude Guéant : «Emmanuel Hoog a donc accepté de reprendre le dossier AFP. C'est très lourd. Il m'a fait l'impression d'un homme remarquable. Maintenant, il faut trouver quelqu'un pour le remplacer à l'INA. On me dit que vous avez un candidat, j'en entends dire beaucoup de bien, d'ailleurs. Mais enfin, il est jeune, cela ne marche pas comme cela, il peut attendre, il faut quelqu'un de bien plus expérimenté. Je doute que le président vous suive... Vous y tenez vraiment ? — J'y tiens absolument. Le patrimoine audiovisuel m'importe, il faut quelqu'un qui connaisse par cœur le monde de la télévision et sache comment fonctionne le ministère. — Si je comprends bien, vous n'envisagez aucune autre candidature ? — Vous me comprenez très bien, monsieur le secrétaire général. Pensez-vous que je ne connaisse pas les autres candidats ? Cela fait au moins trente ans que je les pratique, et si c'est pour nommer quelqu'un du sérail qui ne sait même pas ce qu'est l'INA, alors ce serait vraiment une erreur. Emmanuel Hoog a très bien réussi, il faut continuer. D'ailleurs il approuve mon choix. — Il approuve votre choix? Bon, bon, vous verrez avec le président.»

Il note quelque chose sur son petit cahier. Ma résistance le surprend sans qu'il en prenne de l'humeur. En tout cas, ça va être dur.

Même thème, cette fois avec Jean de Boishue : «Mais enfin tu es tombé sur la tête? Et puis quoi encore? Vanessa Paradis à l'Académie française tant que tu y es! — Je n'y avais pas pensé, mais tu as raison, cela mérite réflexion. Malheureusement, ce n'est pas de mon ressort. — On ne nomme pas un garçon de cet âge à la tête d'un établissement de cette importance, aussi doué, compétent, tout ce que tu veux soit-il. — Tu le connais bien, tu m'as dit que tu l'appréciais beaucoup d'ailleurs, vous vous parlez tout le temps. — On se parle, je l'apprécie, soit, mais c'est énorme, ce que tu nous demandes, François va sauter au plafond quand il sera au courant. — Je ne crois pas, il était ministre à trente-huit ans. — Ah, le mystère des grandes carrières précoces! Oui, je sais, la valeur n'attend pas le nombre des années. — C'est bien, tu progresses. — De toute façon, c'est le président qui va décider. Je suis sûr qu'il a déjà quelqu'un. — Le président écoute ce qu'on lui dit, tu sais très bien comment ça marche. Et encore mieux si c'est le Premier ministre qui lui parle. — En somme, tu veux que ce soit François qui prenne les choses en mains. Tu trouves qu'il n'en a déjà pas fait assez pour toi. — Ce n'est pas de moi qu'il s'agit, mais de celui qu'il faut à la place qu'il faut. Je suis assez grand pour plaider tout seul, je veux seulement que François me soutienne quand ce sera le moment, quand il y aura une réunion avec le président. — Tu veux que je te dise le fond de ma pensée? Si tout marchait bien en politique, ce serait effectivement la bonne idée. Mais c'est un pari quand même. Tu es vraiment sûr de toi? — Ce n'est pas un pari, c'est au contraire très raisonnable. Je suis sûr de lui, c'est l'essentiel. — J'en parle donc à François? — Oui, toi seul, et très vite. C'est une question de confiance entre nous trois. Tu as confiance en moi, j'ai confiance en toi, il a confiance en nous. — Enfin, on n'est pas dans une cour de récréation, les affaires de l'État, ça ne marche pas comme ça, et toi tu es bien gentil, mais tu n'y connais rien. — Ah, oui?»

Je ne sais pas si je l'ai vraiment convaincu. Mais fidèle, volontaire et matois comme il est, c'est l'homme des missions impossibles sur qui on peut compter. Je compte sur lui.

Samedi 24 avril 2010

«Moi, j'essuie les verres / au fond du café, / j'ai bien trop à faire / pour pouvoir rêver». Me voir chanter Piaf et servir des blancs-cassis à Jean-Jacques Aillagon, à Renaud Donnedieu de Vabres et Christine Albanel, voilà qui amuse Jean-Michel Ribes et permet de l'amadouer un peu. Au fond, comme je sens qu'avec lui ce sera bientôt ma tournée, autant commencer tout de suite.

Comment dire à une directrice de théâtre qui est courageuse, enthousiaste, désintéressée, que je ne peux pas la renouveler parce que ses spectacles sont faibles ? La lâcheté serait de laisser Georges-François faire seul le sale boulot.

Dixième jour de grand soleil à Paris, pour ce que j'en profite...

Dimanche 25 avril 2010

Manuela chante depuis quarante ans le vieux répertoire réaliste dans un restaurant des puces. Je la décore devant le personnel et la clientèle. On accourt de tout le marché Vernaison. Petite émeute. Une dame : «Et le ministre en personne ! Pour une fois qu'une artiste est décorée comme elle le mérite ! » Je le pense aussi. C'est peut-être à des instants comme celui-ci que je suis le plus content d'être ministre.

Cérémonie des Molières. Atmosphère majoritairement hostile. La haine palpable du théâtre public envers le théâtre privé malgré l'appel à la concorde générale de Laurent Terzieff. J'utilise le micro glissé sous mon fauteuil pour répondre à un comédien inconnu de moi mais particulièrement remonté contre le ministère. Mouvements divers, quelques applaudissements. Le Théâtre du Soleil, lauréat, y va aussi de son petit couplet sur l'absurde politique culturelle, le manque de moyens et tutti quanti. Je m'en plains. Message vengeur de la maîtresse d'école Ariane Mnouchkine sur mon portable : «Ce n'est pas parce que vous nous avez aidés que nous n'avons pas le devoir de dire ce qui est.» Enfin, voilà, ce n'est qu'une habitude à prendre, même si je suis encore un peu lent à m'y mettre.

Lundi 26 avril 2010

Visite dans le Nord. Martine : «Bon, ça va à peu près. Deux cent mille euros. Mais il va falloir que tu fasses encore un effort. Didier Fusillier t'a déjà tout expliqué, tu n'as pas besoin que je recommence. Allez, reprends du café, tu as une longue journée devant toi.»

Dynamisme extraordinaire de tous les ateliers de jeux vidéo, où s'activent des jeunes du monde entier. Je complimente un graphiste à peine sorti de l'adolescence : «C'est très beau ce que vous faites, ça me fait beaucoup penser à *Metropolis*.» Lui : «Metropolis ? Qu'est-ce que c'est ?»

Déjeuner au Fresnoy. Christian Vanneste, député UMP condamné pour homophobie militante, toujours très aimable, entouré des élus socialistes tout sourires. Eux : «Qu'est-ce que tu leur mets quand même aux pédés.» Lui : «Oui, mais il y a pas de raison que je me laisse enculer.» Rigolade générale, on se regarde, effarés, avec Alain Fleischer. Je quitte la table, fatigué à l'avance par le poids de la montagne à soulever. Mornes pensées.

«La grande librairie» de François Busnel, séance de lecture en public au Théâtre du Rond-Point. J'ai choisi un texte de Jacques Chessex, mais je n'ai pas eu le temps de préparer suffisamment; trop long, trop hard. Béatrice Mottier aux cent coups. François Busnel, très sport, réduira pour la diffusion sur France 5.

Mika dans sa loge à Bercy : «Tu n'as pas amené ta mère ? Je n'ai jamais retrouvé la marque des chocolats qu'elle m'offrait.»

Mardi 27 avril 2010

Voyage officiel en Chine.

Syndrome polonais : compte tenu de l'importance de la délégation qui accompagne le président, si l'avion s'écrase, c'est une bonne partie du gouvernement et de la nomenklatura qui sera décapitée et ça laissera beaucoup de place pour ceux qui sont restés.

Michel Herbillon est un député UMP particulièrement accrocheur, pour ne pas dire casse-pieds. Il me poursuit dans le sinistre duty-free de

Novossibirsk à je ne sais plus quelle heure – nuit sibérienne plus décalage – pour se plaindre de ne pas avoir été consulté sur le choix du nouveau président de l'AFP.

Carla qui s'apprête à descendre de l'avion avec les officiels chinois, la garde d'honneur, les petites filles aux bouquets de fleurs en bas de la passerelle : «Allez, maintenant, je fais gaffe, pas de boulettes!»

Mercredi 28 avril 2010

Exercice d'admiration collective devant l'armée de soldats enterrés de Xi'an. Le président, heureux comme un enfant de pouvoir tout montrer à Carla.

Sofitel Wanda de Pékin. Je ne retrouve pas le gentil valet de la dernière fois, confetti englouti quelque part dans l'hôtel Moloch, une Chine à lui tout seul. Les Chinois fascinés par Carla : les officiels la traitent comme une porcelaine précieuse, des foules énormes s'amassent partout où elle passe.

En Chine, les banquets officiels se déroulent dans un des nombreux palais des hôtes brutalement illuminés où les honorables invités occidentaux prennent immédiatement un teint cireux tirant sur le vieux rose qui creuse les rides des dames et alourdit les poches sous les yeux des messieurs. Cela tient du centre de regroupement pour personnes déplacées et du congrès des amitiés franco-chinoises dans un casino de province. Un orchestre joue des mélopées sirupeuses et une armada de jeunes maîtres d'hôtel aux gestes saccadés de marionnettes sert une nourriture mystérieuse refroidie par la distance parcourue et qui défie toutes les lois de la résistance au cholestérol. La fresque de l'horizon radieux sur les montagnes bleutées, heureusement retrouvée grâce à l'automatisme quasi warholien qui la reproduit de halls officiels en salons de cérémonies, s'étale au-dessus de la tribune où se tient la crème des invités offerts à la contemplation respectueuse de leurs affidés répartis par petites tables au parterre. Les hiérarques chinois, uniformément en complet sombre, chemise blanche et cravate de chef de rayon, viennent sans leurs épouses et Carla a d'autant plus de mérite à affronter cette ambiance d'aquarium généralisé en peignant sur son visage le sourire permanent de la bergère enchantée à la découverte du château des merveilles. Passé le moment des toasts échangés par les deux chefs d'État sur le thème stupéfiant de l'amitié entre nos deux peuples et celui de la bonne tranche de rire obligatoire où le Français maladroit fait semblant de ne pas savoir se servir des baguettes, la conversation languit assez vite parmi les tables. Les ronflements et grognements de satisfaction des convives chinois assurent cependant la bande sonore tandis qu'ils enfournent leur manger avec la voracité de ceux qui redouteraient un retour brutal des grandes famines d'antan malgré l'escadrille de canards laqués qui s'abat sur les assiettes. Heureusement l'orchestre entame une version très fleuve Jaune de *Quelqu'un m'a dit* et un bref accès d'euphorie générale ponctué d'applaudissements généreux salue cette délicate attention de la République populaire de Chine à l'égard de la première dame parvenue au stade suprême de l'émerveillement. C'est aussi le signal de la fin des réjouissances : vaincue par le décalage horaire et des renvois inopinés de potage pékinois, la délégation française s'enfuit en cortège vers la promesse d'un repos réparateur.

Tentative d'exploration avec Xin Dong, miraculeusement retrouvé, de la nuit de Chine, hélas plus très câline compte tenu du nombre de flics qui ne nous quittent pas d'une semelle. Une visite d'État avec le président n'est pas une visite de travail avec le Premier ministre.

Jeudi 29 avril 2010

Le ministre du Cinéma a la réputation d'être un dur, le genre qu'on n'aurait pas très envie de retrouver comme GO dans un centre de rééducation par le travail. Il signe enfin les accords de coopération que l'on négociait depuis des années et dresse vers moi après le dernier paraphe un index comminatoire : «Attention! Convention provisoire! Pas un film sur Taïwan ou le Dalaï-Lama, cet imposteur maléfique!»

Déjeuner en petit comité au pied de la Grande Muraille. Il fait beau, le président et Carla, détendus, heureux comme en voyage de noces. La muraille au-dessus de nous serpente à l'infini sur la crête des montagnes, ponctuée de pavillons monumentaux de loin en loin; mon interprète, une dame adorable : «Au crépuscule, les montagnes deviennent bleues.» Je me disais bien aussi...

Cité impériale : on se photographie avec Christine Lagarde dans le petit jardin secret où Ts'eu-hi se faisait tirer le portrait par des reporters américains. Je lui demande de prendre la pose en ayant l'air mystérieuse et cruelle comme la dernière impératrice. Elle essaie mais elle n'y arrive pas très bien, elle rit. C'est un rôle de composition.

On se déplace au milieu d'un essaim d'officiels, on se congratule avec toutes sortes de gens très aimables, on passe devant des foules énormes, on pense au milliard et plus qui pousse derrière et, au fond, on ne voit personne.

Mon nouvel ami, Caï Wu, le ministre de la Culture que j'avais rencontré lors de ma première visite avec François Fillon, a l'air sincèrement content de me retrouver. Il me remercie pour toute l'aide que j'ai pu apporter pour le permis de construire du centre culturel à Paris. En fait, je n'ai pas fait grand-chose, mais d'avoir visité le chantier a laissé une bonne impression. Il veut absolument que je l'inaugure avec lui.

Bernard Kouchner : «Ce qu'il ne faut jamais oublier quand on traite avec eux : les Chinois sont fidèles, ils n'oublient pas ceux qui leur ont marqué de l'amitié, ils sont rancuniers avec les autres.» Jean-Pierre Raffarin en a fait son miel.

Qualité formidable de toute la cellule culturelle de l'ambassade ; ils sont galvanisés par l'électricité ambiante.

Vendredi 30 avril 2010

Dans les films d'Hollywood avec Anna May Wong et les comédies musicales en «ombres électriques» des années trente, les buildings américano-chinois du capitalisme triomphant sur le Bund, la «berge des étrangers» de Shanghai, paraissent énormes. Wall Street version *Lotus bleu*. Aujourd'hui, ils semblent tout petits, cernés par les gigantesques gratte-ciel du Dragon rouge. Difficile aussi de se faire une idée de ce qu'était réellement la ville de *La Condition humaine* dans cette mégapole où je doute qu'on puisse trouver beaucoup de lecteurs de Malraux.

Exposition internationale : il y a sans doute une part d'imbécillité crasse en moi qui m'empêche de m'y intéresser. La mondialisation dans ce qu'elle a de plus clinquant, marketing et réducteur. Enfin je participe comme il faut à la séance d'ébahissement général de la délégation sur le pavillon français qui n'est pourtant pas terrible du tout. Une petite envie quand même d'aller voir le pavillon espagnol, tout en vannerie, mais on n'a pas le temps et on n'est pas là pour ça. Toujours le syndrome *Vesoul* de Jacques Brel dans les voyages officiels («J'ai voulu voir ta sœur et on a vu ta mère»...).

Petit rond autour du président. Gabriel de Broglie, chancelier de l'Institut, honteusement ignoré. Je lui donne mon siège. Pourquoi emmener des personnalités comme lui dans un si long voyage si c'est pour les traiter aussi mal ? Le protocole est une machinerie qui mouline les invités comme des déportés.

Le clou de l'inauguration : une revue à grand spectacle offerte aux délégations étrangères pour les édifier sur les admirables progrès de la Chine. Dix mille spectateurs, une bonne centaine de robots dans la tribune officielle d'où se détache l'unique silhouette féminine de Carla, gracieuse fleur fragile d'Occident qui aurait poussé sur un bloc de fonte. Tsunami de kitsch où le tacot de la puissance déclinante européenne rend les armes devant la fusée chinoise lancée à la conquête du XIXe siècle. Le tableau final ajoute la note de douceur sentimentale qui anime certainement en secret les débats du comité central, une foule de jeunes filles en longue robe blanche respirant l'innocence et l'optimisme entonne une mélopée séraphique à faire fondre les cœurs les plus endurcis. Elle conclut ce vibrant défi au cynisme des cultures étrangères décadentes par une longue séquence d'applaudissements vers l'assistance émerveillée. Des caméras de télévision relaient le message de bienvenue de l'harmonie universelle sur des grands écrans et jusqu'aux derniers villages du Sinkiang et du Tibet où croupissent encore malheureusement quelques misérables ingrats qu'il faudra bien ramener à la raison. Comme la claque n'en finit pas, Jean-Louis Borloo se tourne vers moi, hilare : «Tu me vois, hein, quarante ans de bons et loyaux services auprès de la femme, jamais une réclamation, mais là alors, me faire applaudir par deux mille vierges en même temps, ça ne m'était jamais arrivé!»

Une cantatrice sur scène, ma Mlle Ying chérie de *Butterfly*, méconnaissable en star chinoise toute laquée, si loin de moi maintenant.

Samedi 1ᵉʳ mai 2010

La mort de Jean-Pierre Angremy passe presque inaperçue. C'était pourtant un écrivain souvent très intéressant dans le registre égotiste classique que sa graphomanie compulsive a conduit au succès puis au purgatoire de son vivant même. Dans la vie, un homme narcissique mais profondément bon, amical, enthousiaste. Par certains côtés, il me rappelait Toscan, je l'aimais beaucoup. J'apporte à maman son livre de souvenirs sur la Villa Médicis dont il a été le directeur et où il n'a pas été très heureux. Il éprouvait sans doute le syndrome de Stendhal : une tenace mélancolie devant une profusion insupportable de belles choses.

Dimanche 2 mai 2010

Sur le quai de la gare d'Avignon où nous avons essayé une nouvelle fois de faire progresser le feuilleton Yvon Lambert avec mon préfet préféré, un jeune couple se sépare en échangeant des baisers passionnés tandis que leur petit garçon pleure à chaudes larmes de voir partir son papa. Le cœur étreint brusquement en voyant ce que je ne connaîtrai jamais.

Un champ de colza le long du TGV, ce flamboiement du printemps qui est si beau à voir.

Gina Lollobrigida veut absolument que je trouve un musée de qualité pour y exposer ses photos. Elle me donne plusieurs livres qui attestent de sa «*furia del clic*». On a changé les piles, elle est en pleine forme. Hervé Guibert aimait beaucoup ses photos.

Lettre ouverte de Roman dans la revue de BHL. Il s'enfonce dans une détresse profonde. Emmanuelle : «Mais enfin, quand vont-ils admettre qu'il est à la fois un homme de soixante-seize ans à la santé fragile et un enfant perpétuel, fondamentalement candide et gentil ? Un enfant qui a fait une bêtise, qui l'a amèrement regretté et que l'on martyrise trente ans plus tard.»

Lundi 3 mai 2010

Ma copine la ministre de la Culture de Colombie vient me faire ses adieux. Elle démissionne pour reprendre ses études universitaires à Londres. Aucun regret de sa part, elle est ravie ; seulement : « Tu vas me manquer, *querido ministro mío.* » J'ai rarement rencontré quelqu'un d'aussi gentil et sympathique.

Mardi 4 mai 2010

Patrick Zelnik a fait de Naïve un label musical indépendant d'une qualité remarquable. Il est touché de plein fouet par la crise ; c'est mon meilleur soutien pour Hadopi ; il sait ce dont il parle et il en parle très bien. Doux mais ferme, un peu lunaire, beaucoup de charme. Les petits malins le brocardent car il est l'éditeur de Carla. Et alors ? Mathieu Gallet : « Est-ce que vous savez qu'il a hypothéqué tous ses biens pour éviter de déposer son bilan ? » Mathieu, toujours attentif à ce genre de choses qui passent bien au-dessus de la tête de l'administration.

Mercredi 5 mai 2010

Carla en larmes au téléphone. François Baudot s'est suicidé. C'est à un dîner chez lui que je l'ai rencontrée pour la première fois. Chagrin, sentiment d'impuissance, remords. Lui m'accompagnant par des pistes défoncées pour visiter les potières de Sejnane dans le nord de la Tunisie. Lui offrant à Jihed une énorme bouée canard à Hammamet : « Tiens, c'est ton premier Jeff Koons ! » Lui se portant au secours d'Andrée Putman bloquée un week-end dans un ascenseur et dont on était sans nouvelles. Son goût tellement original et sûr, son insatiable curiosité d'esprit, sa conversation étincelante. Sa fidélité depuis les années du Palace. Inquiet, neurasthénique, mystérieux, toujours seul, incapable de faire le moindre mal à qui que ce soit. Les beaux livres qu'il a édités, ses Mémoires dont les cent premières pages sont si bien, ce talent tellement singulier qui peinait à se faire reconnaître. J'aurais dû deviner lorsqu'il est venu déjeuner au ministère où il était soudain si agité et véhément. On s'était dit : c'est la coke ; qu'est-ce qu'on en savait ?

François avait tout préparé méticuleusement, jusqu'au cocktail de barbituriques imparable. Il a laissé des lettres où il demande que Carla soit son exécutrice testamentaire. Elle est détruite par la nouvelle. Elle avait tout fait pour le sortir de son malheur.

Réunion avec le président pour la nomination à l'INA. Jean de Boishue a drôlement bien fait son boulot. Claude Guéant ne trouve plus que mon idée soit si mauvaise. Le président, comme toujours incroyablement informé sur le parcours de mon candidat : «Il faut que je le voie, mais peut-être que tu n'y tiens pas beaucoup, n'est-ce pas?» Ironie légère qui n'est pas dans ses habitudes. Pas de décision pour l'instant; je m'attends désormais à un feu nourri de la part des adversaires de tout acabit lorsqu'ils auront senti que j'ai remporté la première manche.

Jean-Pierre : «Le musée des Arts décoratifs sans Hélène David-Weill? Mais il n'en resterait rien. Elle le porte à bout de bras.»

Dûment chapitré, c'est avec déférence que je m'avance dans les salons d'une des plus grandes fortunes de France où l'on m'accueille avec la tranquillité et le naturel de ceux qui n'ont rien à expliquer.

Jeudi 6 mai 2010

Parler avec Bernard Kouchner, avant qu'il ne devienne ministre, c'était mettre de la bonté, de l'enthousiasme, de la lumière en somme, dans la banalité du quotidien. On en ressortait plein d'ardeur et de joie de vivre. Maintenant, il est encore là, mais enfermé derrière une glace sans tain, et on le quitte avec un sentiment de tristesse au cœur.

Pierre Soulages m'a offert un petit pinceau lumineux dont le rayon extrêmement fin porte très loin. Il est venu pour dîner avec Colette, sa femme, et une merveilleuse vieille dame dont je ne connaissais pas l'œuvre mais que Jean-Pierre tient en haute estime : Pierrette Bloch. Tous trois entre quatre-vingt-quatre et quatre-vingt-dix ans, débordant d'énergie, d'entrain et de gaieté.

Claudie Haigneré au vingt-cinquième anniversaire de la Géode, faisant son discours sur un panorama d'étoiles filantes, comme lorsqu'elle était cosmonaute.

Vendredi 7 mai 2010

Jean-Louis Dumas, l'ancien président et directeur artistique d'Hermès qui a propulsé sa maison au premier rang de l'industrie internationale du luxe, est mort. C'était un homme d'une humanité extraordinaire qui crayonnait constamment de très jolis dessins sur un petit carnet et qui consacrait beaucoup de temps et d'argent à protéger la culture des petits peuples. Il a eu une fin de vie très cruelle, cancer et parkinson, encore assombrie il y a un an par la mort de sa femme, Rena. Ils formaient tous les deux un couple très uni et rayonnant pour tous ceux qui les approchaient.

L'affaire Zénith est réglée. La directrice générale du parc de la Villette accepte un nouveau conseil d'administration où le ministère a désormais la majorité. Un bon point pour elle que je ne souhaitais d'ailleurs pas humilier et pour Georges-François qui a été très habile, *as always*. Daniel Colling me doit une fière chandelle. Plus aucune raison d'embêter Jacques Martial, le président.

Samedi 8 mai 2010

Sombre début de journée. Luc très mal, Matthieu en Asie, Saïd dans ses films, Jihed parti en week-end avec ses potes, maman à Saint-Gatien, mes frères ailleurs, l'appartement dont je n'ai pas le temps de m'occuper qui se désagrège lentement. Je fonce au ministère où il y a toujours des parapheurs qui m'attendent. En fait, c'est devenu ma vraie maison. Jean-Marc passe avec son fils, Martin, un petit garçon délicieux. Il s'installe à ma place pour faire le ministre. On prend des photos qu'il veut absolument montrer à ses copains de CM1.

Dimanche 9 mai 2010

Laurent Delahousse est très beau gosse, c'est aussi un très bon journaliste, ni vicieux ni grande gueule. Je lui ai remis le prix Roland-Dorgelès il y a quelques semaines en l'honneur de sa belle pratique du français. Clara Saint, qui passe beaucoup de temps devant la télévision, me demande s'il est perdu pour elle, je la rassure, il est marié et c'est le chéri de ces dames. «Ah! Au moins vous nous en laissez quelques-uns!»

Dîner avec Fadila Laanan, la ministre de la Culture de la communauté francophone belge. Très sympathique, pleine d'idées et de projets, pas du tout gênée par l'interminable crise politique belge : «Au contraire, on me fiche une paix royale, ils sont bien trop occupés par leurs histoires.»

Le centre historique de Bruxelles qui était si beau il y a encore quelques années : impression d'abandon, de misère, de saleté. Il semblerait que la voirie ne vide les poubelles que deux fois par semaine, quand elle n'est pas en grève.

Lundi 10 mai 2010

Conseil des ministres de la Culture européens. Petite montée d'adrénaline sur fond de somnolence généralisée lorsque la présidente suédoise s'insurge contre les projets de réduction du budget de la Culture par la commission alors qu'il est déjà squelettique, à peine celui d'*Avatar*. Le brushing de la commissaire Androulla Vassiliou tient le coup mais elle est tout aussi remontée, c'est son budget et elle n'a pas du tout l'intention de se le faire raboter par Barroso. Y aurait-il des moments de pétard dans les couloirs sinistres du labyrinthe bruxellois?

Androulla est l'épouse de l'ancien président de la République de Chypre et elle est anglophone. Pour améliorer son français, elle s'enferme comme une collégienne pendant ses vacances dans une institution qui dispense un programme d'enseignement sévère.

À la gare du Midi, un type déboule sur moi, les yeux pleins de colère : «Encore deux ans et après couic! Bon débarras!»

Mardi 11 mai 2010

Inauguration du Centre Pompidou à Metz. Autour du président, la nomenklatura au grand complet avec Bernadette Chirac en figure de proue et les ex-ministres de la Culture en plein concours pour celui qu'on verra le plus à la télévision. Les élus de droite et de gauche sur le

179

mode «tous pour la Lorraine, on réglera nos comptes après». Consécration de Laurent Le Bon et d'Alain Seban qui savent, eux au moins, ce que signifie l'art contemporain. L'habituel rond autour du président de quelques artistes selon une liste que j'avais proposée et que l'Élysée a évidemment modifiée. Rencontre surréaliste avec Luc Moullet que je suis, pour le coup, bien le seul à connaître et à aimer dans l'assistance. Le président écoute avec des yeux ronds le réalisateur d'*Un steak trop cuit*. Pas sûr qu'il saisisse tout l'humour décalé de l'artiste. Les deux architectes Shigeru Ban et Jean de Gastines oubliés dans un coin. On passe à la vitesse du TGV devant la première expo. Discours solennel du président sur la renaissance de la Lorraine, mines concentrées des élus et frissons d'enthousiasme dans l'assistance. En appuyant sur la touche «accéléré» on obtiendrait peut-être le remake de *La Soupe au canard* avec le président en Groucho Marx, Bernadette en Margaret Dumont et moi en Harpo, le muet qui fait des trucs pour jouer à l'intéressant.

Mercredi 12 mai 2010

Daniel Canepa, le préfet d'Île-de-France, l'homme clef du Grand Paris, très fin, plein d'humour, amical, ne se laisse impressionner par personne. Extrêmement bienveillant à mon égard. On m'a rapporté qu'il fait régulièrement mon éloge au château où il est très écouté.

Ouverture du Festival de Cannes. Sensation étrange que celle de me retrouver en haut des marches quand je passais en douce il n'y a pas si longtemps par la sortie de secours pour entrer aux projections. Ne pas se tromper, les stars, ce sont les autres, pas le type en smoking à côté de Gilles Jacob et du maire de Cannes qui leur dit : « *Welcome, nice to see you tonight in Cannes, I'm supposed to be the minister of Culture* », ce qui a au moins l'avantage de les amuser. Siège vide de Jafar Panahi retenu quasi prisonnier en Iran parmi le rang du jury.

J'ai emmené avec moi une petite bande de jeunes d'un lycée technique avec leur professeur, tous ravis de l'aubaine.

Jean Voirin, le délégué CGT-spectacle au dîner après l'ouverture. Papillon défait et un bon petit coup dans le nez. Je le préfère comme ça, pompette, rigolo, bon camarade.

Squat dans ma suite au Majestic. Les «Bambis», Tomás et son copain Tony, dorment sur des canapés. Ni vu ni connu et aucuns frais supplémentaires pour le ministère. Ça me rappelle encore le bon vieux temps. À Paris, le cabinet fronce les sourcils, toujours la paranoïa *Mauvaise Vie* qui continue. «Mais puisque je vous dis que je ne couche avec personne depuis que je suis ministre!»

Jeudi 13 mai 2010

Effervescence cannoise. On croit que c'est du champagne mais il s'agit seulement d'un peu de Seltz dans l'eau du robinet. Deux grands sujets de préoccupation aujourd'hui : le volcan islandais qui a explosé et dont les cendres perturbent le trafic aérien, des stars manquent à l'appel; la sélection de *Hors la loi* qui met toute la communauté pied-noir en émoi. Le film fait l'apologie du FLN. Bernard Brochand, le maire de Cannes, est inquiet. J'ai l'impression qu'il redoute surtout une surexploitation de la controverse par le clan Tabarot, ses ennemis jurés. Je lui promets de redescendre samedi pour essayer de calmer les esprits

Appels aller et retour avec Bernard Henri-Lévy pour mettre au point la lettre de soutien à Jafar Panahi que je lis en haut des marches.

L'hommage au cinéma espagnol marche très bien grâce à la venue de Catherine pour la projection de *Tristana*. Angeles Sinde, Pedro Almodóvar *y todos* ravis du bon accueil.

Passage chez Gottfried Honegger dans son espace d'art concret à Mouans-Sartoux. Quatre-vingt-dix ans, une pêche incroyable, très soutenu par un inspecteur du ministère, Guy Amsellem, de gauche, courtois, fonceur. Le maire, lui aussi bien à gauche dans un département très à droite et contaminé par le Front national : «L'art concret, je n'y comprenais rien, alors les citoyens de Mouans, vous imaginez! Eh bien on s'y est mis, M. Honegger nous a bien expliqué et maintenant on est très contents de l'avoir ici.»

Vendredi 14 mai 2010

Réception à l'ambassade d'Arabie saoudite. Maman a été invitée, tout de suite très copine avec la femme de l'ambassadeur : «Ils sont charmants, il faut que tu les invites à dîner à la maison.» Oui, on invitera aussi des militants d'Act Up !

Inauguration nocturne de l'installation de Castelbajac autour de la statue d'Henri IV sur le Pont-Neuf. Toute une armature de néons qui donnent un relief extraordinaire à la statue à l'instant où des petits écoliers appuient sur le bouton pour éclairer. Beaucoup de monde, plus *Fig Mag* que *Nouvel Obs*, certes. Les deux jeunes cousins de la famille de France avec femmes et enfants, branche Orléans et branche Espagne côte à côte. Mais où est passé Stéphane Bern ? À une petite journaliste éberluée et qui se moque : «Braouezec organise bien des poules au pot à Saint-Denis.» Elle est stupéfaite de l'apprendre. Il fait très froid. Vin chaud.

Samedi 15 mai 2010

Musée Picasso d'Antibes pour lancer la Nuit des musées. Belle exposition Jaume Plensa, artiste catalan que je ne connaissais pas. Jean Leonetti, député-maire, est cardiologue ; c'est sans doute d'avoir sauvé beaucoup de gens que lui vient son approche humaine de la politique. Bon exemple de cette droite civilisée plutôt rare dans le Midi de la France.

En voiture avec Michèle Tabarot pour aller visiter le chantier du futur musée Bonnard au Cannet. Elle est très remontée contre la projection de *Hors la loi* dans la sélection française ; les habituels arguments : «Moi, je respecte la liberté d'expression, mais il y a des limites, et en plus c'est la France qui a produit le film ! Un tissu de mensonges ! Il va forcément y avoir des incidents regrettables.» En fait d'incidents regrettables, c'est toute sa petite bande qui y incite en soufflant sur les braises de la droite la plus extrême et d'une frange de rapatriés nostalgiques de l'OAS. On navigue, sous couvert d'indignation mémorielle, dans les eaux du racisme anti-arabe, du refus des émigrés, d'un piège tendu à Bernard Brochand, homme bien plus conciliant et modéré.

Elle a prévu une manifestation silencieuse à Cannes même le jour de la projection avec dépôt de gerbe devant le monument aux morts; Bernard Brochand, coincé, sera bien obligé de s'y rendre. Tout cela est d'autant plus médiocre que personne n'a vu le film.

Philippe, le jeune frère de Michèle Tabarot, est un beau gosse sympathique. Il est l'envoyé de la famille pour savonner la planche de Bernard Brochand et lui piquer sa place à la mairie de Cannes.

Dimanche 16 mai 2010

Jean-Pierre Elkabbach en direct : «Pourquoi persistez-vous à m'appeler Jean-Pierre Elkabbach?» Oui, c'est vrai, pourquoi? Mais comment faudrait-il donc que je l'appelle? Je bredouille que c'est par politesse, et c'est vrai aussi.

Bernard Brochand bien embêté. La mairie est submergée d'appels hostiles à la projection de *Hors la loi*. On le rassure avec le préfet, il ne se passera rien. Interviews très consensuelles de Rachid Bouchareb sur toutes les chaînes de télévision.

La ministre sud-africaine de la Culture est très stricte sur le protocole. Il faut que je l'attende au pied du palais pour l'accueillir et pas à la porte du salon de réception. Soit, mais c'est évidemment toute une histoire pour l'exfiltrer du charivari général parmi tous ces gens qui entrent et sortent des projections et me hèlent en criant «Frédo».

La Princesse de Montpensier, enfin. Mais pourquoi tous ces jeunes comédiens boulent-ils ainsi leurs mots? On ne comprend qu'une phrase sur deux, et encore. Méfaits confirmés du prétendu naturel. Quand j'étais petit, maman me disait : «Articule.» J'articule, ce n'est pas comme eux.

Mathieu Gallet : «Ils seraient contents de vous avoir à la fête de Canal Plus, mais à Paris ils n'ont pas l'air très chaud.» Moi : «Et puis quoi encore!» Je vais à la fête de Canal Plus, rien de spécial : blondes, fureteurs à mâchoires serrées, alcool et pétards. Tout cela, déjà vu mille fois.

Clotilde Reiss libérée des geôles iraniennes. On pourrait quand même un peu féliciter Bernard Kouchner, qui s'est dépensé sans compter. Mais non, rien!

Lundi 17 mai 2010

Bertrand de Labbey, agent des stars et sphinx omniscient du cinéma français, réservé, courtois, attentif. Même diagnostic que moi sur *Hors la loi* : ce que les mécontents ne supportent pas, c'est de voir que les bons Arabes d'*Indigènes* qui combattaient pour la France durant la guerre sont devenus douze ans plus tard les méchants fellaghas qui combattaient contre elle. C'est tout un processus historique qu'ils ne peuvent ni admettre ni supporter. Et d'ailleurs, au fond, ça les arrange si le gentil bougnoul d'avant est bien le bicot assassin de leurs fantasmes ; quelle chance, le deuxième efface le premier, l'erreur de casting est évacuée ! Moi, ce qui me gêne dans le film, ce serait plutôt qu'il légitime le pouvoir algérien actuel par son absence totale d'esprit critique à l'égard du FLN. C'est bizarre, je ne l'ai lu ni entendu nulle part. Bernard de Labbey me jette un regard de chat sans rien dire. Au fond, il doit aussi penser comme moi : beaucoup de bruit pour pas grand-chose.

Tante Henriette a suivi de près toute la polémique. Elle me demande si le film passera à la télévision. « D'ici deux à trois ans, je pense. — Deux ou trois ans, je ne le verrai pas, je ne serai plus là. »

Le sénateur-maire de Grasse est un homme habile : il joue des guerres fratricides qui déchirent la droite dans le département, Tabarot contre Brochand, Estrosi contre Tabarot, le Front national en embuscade, la gauche dans les choux.

Beaux flacons au musée de la Parfumerie.

Mardi 18 mai 2010

Repas à l'Élysée après les obsèques de François Baudot. Carla, sa sœur, sa mère, comme pétrifiées par le chagrin. C'est Carla qui est entrée dans son appartement et qui trie ses affaires pour les donner. Mais à qui ? Il n'avait plus personne.

Je maintiens la subvention des Bouffes du Nord malgré le départ de Peter Brook. Déclarations désagréables de Christophe Girard qui m'a fait la leçon mais ne sort pas un sou pour ledit théâtre. Georges-François très agacé, Jean-Pierre encore plus.

184

Mercredi 19 mai 2010

Deuxième réunion avec le président à propos de la nomination INA, après le Conseil des ministres. De charmants amis que je ne connais pas ont obtenu ce qu'ils voulaient. Il faut que je reprenne tout à zéro dans une ambiance plus lourde que la dernière fois. À la fin, le président : «Au fond, si tu y tiens tellement, moi je suis là pour te faciliter les choses.» Personne ne moufte, mais ce n'est pas encore gagné.

Larry Page dans mon bureau, tellement normal et lisse que c'en est angoissant. Surtout quand on pense qu'il gagne quelques millions de dollars par jour. Il me regarda avec la commisération gentille du savant qui vient d'isoler au microscope un microbe qui n'en a plus pour longtemps, alors que je m'escrime à lui expliquer que Google doit respecter certaines règles sur le marché français.

Jeudi 20 mai 2010

Saïd Mahrane, plus je parle avec lui et plus je l'apprécie; Sylvie Pierre-Brossolette, son chef au *Point*, qui n'est pas spécialement une tendre, le traite d'ailleurs avec beaucoup d'égards et d'attention.

Vendredi 21 mai 2010

Avec Madeleine Malraux aux ateliers des pianos Pleyel. On aurait pu faire de belles photos mais rien n'a été prévu. Jean-Pierre me dira une fois de plus que le cabinet fonctionne mal et il aura raison. Dans la voiture qui nous raccompagne chez elle, elle me parle longuement de Gauthier et de Vincent, les fils de Malraux qu'elle a élevés et qui sont morts dans un accident de voiture en 1961. Elle ne s'en est jamais vraiment remise. Je me souviens très bien de Gauthier, que mes frères amenaient à la maison et dont j'étais certainement amoureux sans m'en rendre compte. Quant à Vincent, c'était le grand amour de Clara, dont le regard se voile quand elle en parle, cinquante ans plus tard.

Déjeuner avec Mona Ozouf et Alain Finkielkraut. Il se lance dans des déclarations véhémentes sur la burqa, la barbarie des jeunes de banlieue drogués à l'islam radical, l'agonie de la citoyenneté républicaine minée par le communautarisme et les minorités issues de l'immigration maghrébine. J'ai du mal à le réfréner. Mona Ozouf ne dit rien mais je ne serais pas étonné qu'elle n'en pense pas moins et je suis gêné pour elle.

La Bayadère à l'Opéra Garnier. Fidélité de Brigitte Lefèvre à la mémoire de Noureev. De toute façon, rien de ce qui est bien ne lui échappe.

Samedi 22 mai 2010

Folle journée : un Zurbaran retrouvé dans l'église d'un petit village normand, l'inauguration de la médiathèque de Vire, le vin d'honneur au théâtre du Préau avec le député-maire (sympa, chaleureux pour un ex-inspecteur des impôts !) et quelques centaines de personnes attirées par la visite. Un gamin déclare à sa mère, bien fort quand je passe près de lui : « C'est lui, l'andouille de Vire ? C'est papa qui l'a dit. » Elle le gifle. Moi : « Mais non, le pauvre, puisque c'est papa qui le dit... » Le gosse me regarde éberlué. Puis, maison de Christian Dior à Granville avec Jean-Paul Claverie, visite du Scriptorial d'Avranches et de l'église Saint-Gervais avec le député-maire (sympa lui aussi, un peu allumé, très porté sur la demande de subventions exceptionnelles).

Arrivée à Saint-Malo, aux Étonnants Voyageurs, et dîner avec Michel Le Bris, Dany Laferrière, Boris Akounine, des cinéastes russes.

Le perpétuel sourire de Florence Aubenas, comme un rempart infranchissable. Je n'avais jamais rencontré Sergueï Bodrov ; je lui dis que son film *La liberté, c'est le paradis* fait partie de ma liste secrète d'inoubliables. C'est un film que très peu de gens ont vu en France, et il a l'air surpris et touché. On parle de l'enfance au cinéma, mais je le sens étrangement réticent. Maladroit que je suis, j'apprends par Michel Le Bris qu'il a perdu son fils unique il y a quelques années, Sergueï Bodrov junior, acteur et idole des jeunes filles russes, jumeau sibérien de Brad Pitt.

Je ne sais plus combien de préfets, d'élus, de discours, de livres d'or, d'autographes, de mains serrées, de pirouettes pour les photographes et de spécialités locales. Et pourtant c'était bien.

Dimanche 23 mai 2010

Visite du Centre culturel de Chine à Paris avec Wu Caï, qui me renouvelle de grandes démonstrations d'amitié. Des dames très comme il faut du VIIᵉ arrondissement s'initient avec ferveur à la calligraphie dans un grand atelier hors du temps.

Oncle Boonmee Palme d'or à Cannes. C'est signé Tim Burton, le président du jury, mais je suis sûr qu'Emmanuel Carrère a dû aussi voter pour le film. Une vraie joie pour moi qui ai connu et aimé avant tout le monde Apichatpong Weerasethakul, le réalisateur, dont j'apprenais le nom par cœur pour faire le malin.

Lundi 24 mai 2010

Kader Belarbi ne souhaite pas reprendre le Théâtre de Chaillot après le départ de Dominique Hervieu. J'essaie de le convaincre, mais en vain.

Peter Brook me remercie d'avoir maintenu la subvention des Bouffes du Nord depuis qu'il les a quittées. Il en reste le fondateur et l'inspirateur. L'élégance de cet homme est vraiment rare.

Mardi 25 mai 2010

Jean Voirin s'est repris depuis le Festival de Cannes. J'ai droit à la rogne des mauvais jours. D'où vient que je l'aime bien quand même ? Lutte des classes et agit-prop frontales plutôt que les petites combines venimeuses et la haine mortifère des trotskistes, je préfère sans doute.

Bettina est nommée commandeur des Arts et des Lettres. Grande excitation des photographes : la crème de la mode et l'Agha Khan assistent à la cérémonie.

Mercredi 26 mai 2010

Mathieu Gallet nommé président de l'INA en Conseil des ministres. Ouf!

Laurence Parisot se montre très prudente au sujet du dossier des intermittents du spectacle qui couve sous la cendre et qu'il faut officiellement rouvrir en 2013.

Sidney Peyroles accepte de devenir secrétaire général de la Villa Médicis. Sa bienveillance sera bien nécessaire pour contenir le despotisme d'Éric de Chassey qui se sent manifestement relevé de toutes les promesses qu'il m'a faites.

Avec Gérard Depardieu pour l'exposition sur le football et l'immigration chez Jacques Toubon, ensuite lectures avec lui à la gare Montparnasse pour la Journée du livre. Très coopératif, d'accord sur tout. Public très nombreux, attiré par sa présence. En voiture, gai, affectueux, rigolo. Un peu azimuté peut-être, comme s'il venait d'une autre planète et qu'il était prêt à y repartir bien vite.

Dîner pour Gérard Mortier, sensible à une attention que l'on a trop tardé à lui manifester. Il semble très heureux d'avoir repris le Teatro Real de Madrid, où on lui a réservé le meilleur accueil, y compris dans la presse; changement d'atmosphère avec la manière dont elle le traitait à Paris.

Jeudi 27 mai 2010

Jean-Claude Brisville a été le secrétaire de Camus, l'ami de Julien Gracq et de René Char, l'éditeur de Jünger, le patron du Livre de Poche, il a écrit sur le tard des pièces à succès mettant en scène des personnages de l'histoire ou de la littérature ainsi que des Mémoires délicieux à lire. C'est un très vieux monsieur modeste et mélancolique dont plus grand monde ne se préoccupe. Avec Jean-Marie Flotats, nous essayons de réparer un peu cette injustice en lui organisant une petite fête qui le touche aux larmes.

Vendredi 28 mai 2010

Tapisseries du château d'Angers. À chaque visite en province je découvre les trésors inouïs que recèle notre patrimoine. Catherine Tasca avait un secrétaire d'État dont la fonction consistait essentiellement à le valoriser, Michel Duffour, un communiste veinard qui avait pris sa mission très à cœur. Moi je mange de l'Hadopi à tous les repas et il y a des jours où ça me reste sur l'estomac.

Les Misérables au Châtelet. Les producteurs ont fait fortune. C'est bien fait, agréable et ça s'oublie très vite. Jean-Paul Goude fait la moue quand je lui demande ce qu'il en pense. Inventer Grace Jones, c'était tout de même autre chose.

Samedi 29 mai 2010

Marisa Bruni-Tedeschi me raconte quelques-uns des dangers auxquels elle a échappé durant son adolescence sous la république de Salo où elle risquait à chaque instant d'être déportée par les Allemands. Elle a transmis ses qualités à ses filles, Valeria et Carla. Elle ne s'est jamais consolée de la mort de son fils. Elle reporte son affection maternelle sur le fils de Carla dont elle s'occupe beaucoup et sur la fille de Valeria dont les reparties la ravissent. Avec sa sœur plus âgée et ses filles, elles forment une matriarchie à l'italienne, fusionnelle et agrémentée de disputes homériques et sans rancune. Elles s'appellent toutes les quatre plusieurs fois par jour pour ne pas oublier de prendre un parapluie parce qu'il pleut et penser à acheter du prosciutto chez l'épicier piémontais. Le président, qui n'a sans doute pas eu une jeunesse très heureuse, aime cette famille si différente de la sienne. Au cap Nègre où il s'agite dès le petit matin tandis que tout le monde dort encore et que sa belle-mère est déjà au piano, il n'est jamais de mauvaise humeur et rigole de bon cœur lorsque Louis Garrel, le beau fiancé de Valeria, lui demande au déjeuner de lui passer le pain en le traitant de fasciste.

Marc Ladreit de Lacharrière nous emmène avec Henri Loyrette et Liria à Abou Dhabi. Rien à redire, si le voyage est gratuit, le déplacement reste officiel. Mais on est juste à la limite de ce qu'il est possible de faire.

L'Emirates Palace est évidemment gigantesque et sans âme, la suite peut se parcourir en skateboard et il faut être un Prix Nobel pour comprendre comment fonctionne la salle de bains.

Dimanche 30 mai 2010

Il y a vingt ans, El Aïn n'était qu'une petite oasis perdue en plein désert. C'est maintenant une grande ville. Le cheik Sultan nous y emmène en hélicoptère pour saluer son père, un honneur qu'il ne réserve en général à personne, me confie l'ambassadeur.

Il a fait construire un musée en terre avec une collection d'objets de la vie bédouine et un très bel ensemble de tirages de photographies de Wilfred Thesiger, l'Anglais magnifique dont les récits de voyage, érudits et romanesques, sont des livres cultes pour tous les amateurs éclairés de ces déserts des déserts. Beaucoup de portraits du jeune bédouin d'allure plutôt farouche qui l'a accompagné dans ses plus rudes périples où il était sans doute autant espion au service de Sa Gracieuse Majesté qu'honorable correspondant de la Société de géographie. La tradition Lawrence, en somme.

Dans une annexe du musée, plusieurs Cadillac des années cinquante comme celle de *Tintin au pays de l'or noir*. On rêve d'en emprunter une avec Liria, juste pour voir.

Réception à l'ambassade. Expatriés et petites jeunes filles tout en noir mais pas du tout timides qui me montrent leurs travaux : peintures, dessins, photographies. Mathieu et Sasha, mon petit-fils, sont venus de Dubaï pour me retrouver. Sasha ouvre de grands yeux quand il entend que tout le monde appelle son dadou «monsieur le ministre». Je lui dis que c'est pour rire mais il n'est pas convaincu.

Lundi 31 mai 2010

Sur les étendues arides de l'île Saadiyat, le chantier du Louvre n'est encore qu'à l'état d'ébauche et j'arrive encore moins à localiser les futurs emplacements du musée Guggenheim et du musée Cheik-Zayed. On les voit sur une énorme maquette au centre de préfiguration où l'on projette un film en trois dimensions de quasi-science-fiction sur le futur de l'île.

Henri Loyrette fait très attention aux conditions de travail des ouvriers immigrés qui vont construire le Louvre : les contrats d'engagement doivent respecter des normes internationales strictes. On imagine le scandale si la noble construction de Jean Nouvel s'érigeait à coups de schlague administrés à ses esclaves.

Visite du village des travailleurs avec le chef, un Sud-Africain jovial qui n'a pas l'air d'un garde-chiourme. Aménagements apparemment confortables, chambres individuelles, cantines, salles de prière, espaces pour les loisirs. Discipline de caserne, pas d'alcool, pas de femmes. Certains travailleurs ont leur jour de congé : ils font la lessive, jouent au ping-pong ou regardent la télévision. Ils nous dévisagent sans défiance. Ce sont pour la plupart des Sri-Lankais ou des Bengalis. Le chef nous dit qu'il n'y a pas de bagarres entre les groupes, qui pourtant s'entretuent facilement dans leur pays natal.

La Sorbonne a ouvert une annexe sur l'île, parfaitement équipée mais sans beaucoup d'étudiants. Le directeur se plaint d'être négligé par la Sorbonne de Paris. Les professeurs ne font que passer pour grouper leurs cours qui leur rapportent pourtant des primes conséquentes. Les Français comme toujours pires ennemis de la francophonie.

Bahreïn, comme l'indique son nom arabe, c'est l'île aux deux mers, celle qui entoure le petit royaume grand comme Minorque, et celle souterraine qui coule à flots en sources abondantes. Ce qui explique qu'elle ait servi d'étape depuis la plus haute antiquité aux navires qui faisaient du commerce entre la Mésopotamie et l'Inde et qu'elle suscite aujourd'hui tant de convoitises entre ses puissants voisins. Les troubles récurrents qui agitent le royaume entre chiites et sunnites recoupent la fracture entre l'Iran et l'Arabie saoudite.

C'est cependant la douceur du soir qui nous mène au charmant musée de Manama, riche de belles collections d'antiquités hellénistiques, et d'une vue sur des jardins verdoyants et la lagune qui brille au crépuscule. Des enfants se poursuivent à cheval le long du fort.

L'épouse du roi nous a fait préparer un somptueux dîner. Elle est heureuse de recevoir des personnalités comme Henri et Marc dont elle sait très bien ce qu'ils font. Elle nous emmène visiter son palais privé au fond du parc en pilotant une petite voiture électrique où l'on s'entasse en riant comme les enfants des *Vacances* de la comtesse de Ségur dans la charrette à ânes de Mme de Fleurville. Ledit palais a été décoré par Jacques Grange ; on est loin du tape-à-l'œil ordinaire des monarchies arabes. Elle est gaie, gentille, gracieuse comme tout.

Beaucoup de photos du roi et d'elle ensemble quand ils étaient encore jeunes, beaux et minces. Il a pris deux autres épouses depuis mais elle est la mère du prince héritier, un gros monsieur timide dont chaque geste témoigne de l'amour qu'il voue à sa mère.

Mardi 1ᵉʳ juin 2010

Parmi les cinq tableaux de Bouguereau qui entrent par dation des héritiers au musée d'Orsay, l'extraordinaire *Dante et Virgile* m'impressionne tellement que j'évite de le regarder pendant que je m'adresse aux descendants du peintre pour les remercier. L'étreinte mortelle du Capocchio et Gianni Schicchi n'est pas censée être homosexuelle mais elle a de quoi faire chavirer les coureurs de back-rooms les plus endurcis. On peut comprendre aussi qu'Oscar Wilde ait apprécié. D'ailleurs l'érotisme de Bouguereau ne laisse personne indifférent : un petit garçon de la famille dévore du regard *Les Oréades*, invraisemblable ascension de corps féminins aux chairs sculpturales et laiteuses.

Dîner chez Jean-Paul Cluzel et son copain avec de solides gaillards de leur connaissance. Bonne chère, bonne humeur, bonne rigolade.

Mercredi 2 juin 2010

On est obligé de démonter la belle installation de Castelbajac sur la statue d'Henri IV. Des vandales ont cassé les néons à plusieurs reprises.

Les ministres de la Culture sont comme tout le monde. Ils cherchent de l'argent à cor et à cri. Le fait que ce soit pour leurs musées ne change rien à l'esprit de la démarche.

Raymond Soubie va nous aider, Laurent Bayle et moi, pour la Philharmonie. Nous l'avons convaincu qu'elle ne menacera pas le Théâtre des Champs-Élysées qu'il protège.

Jeudi 3 juin 2010

Christine Lagarde devant le syndicat des patrons de presse : «Vous connaissez toute l'attention et les efforts de mon ministère pour vous soutenir. Et s'il y avait une défaillance, vous pouvez compter sur le ministre de la Culture pour s'en plaindre auprès de moi. N'est-ce pas Frédéric ?» Il est difficile de trouver plus aimable et plus réglo.

Départ pour Fès. J'emmène Fawzi et Youssef, qui sont marocains d'origine, sur le contingent de l'invitation officielle. Un problème de moins pour le chef de cabinet.

Longue promenade nocturne dans la Médina de Fès. Parmi les flics qui nous accompagnent, un jeune, timide et confiant, me parle de ses difficultés : le manque d'argent qui l'empêche de se marier, la dureté du métier, la peur des chefs. Il le fait à demi-mot, sans que s'efface tout à fait la crainte que je trahisse ses confidences.

Dans ma belle chambre du palais Jamaï, je relis mes discours en laissant la fenêtre ouverte. J'entends les deux garçons qui se baignent dans la piscine en s'éclaboussant comme des gosses avec Cédric, mon officier de sécurité qui a le même âge qu'eux et avec qui ils ont immédiatement sympathisé. Nostalgie de l'insouciance de la jeunesse, je me sens comme le vieux professeur de *Violence et Passion* qui macère sur ses livres d'histoire de l'art pendant qu'on s'amuse dans l'appartement du dessus.

Vendredi 4 juin 2010

Toutes les puissances et les fortunes du Maroc réunies autour d'un important homme d'affaires et de sa famille pour célébrer l'anniversaire de sa fondation. À de tels moments, réflexe pavlovien de penser à une révolution comme celle qui a emporté le régime du shah et détruit l'ancienne société qui était au pouvoir. Il n'est pas exclu que d'autres y pensent aussi en même temps que moi, ce qui donne à ces instants une aura d'incertitude et de fragilité enveloppant les sourires, les compliments et les civilités. Les deux garçons qui viennent du monde des presque pauvres observent fascinés par ce qu'ils savaient mais n'avait jamais été offert à leur réflexion et à leur regard. Youssef, pensif : «Boum...» Pas le temps ni le cœur peut-être d'expliquer que nos hôtes sont des gens très bien, qu'ils aident beaucoup les artistes, etc.

Nass El Ghiwane, les Rolling Stones du Maroc, longtemps persécutés, ont maintenant l'âge de leurs frères britanniques. Mais ils sont loin d'avoir gagné autant d'argent, bien que leur popularité, en particulier auprès de la jeunesse, soit immense.

La princesse Bopha Devi est venue avec le ballet royal du Cambodge pour l'ouverture du Festival des musiques sacrées. Elle l'a fait renaître après les Khmers rouges, qui avaient assassiné la plupart des danseuses. Mais qui a vraiment conscience de la tragédie et de cette résurrection quasi miraculeuse parmi ce public mondain où se côtoient des snobs désœuvrés français, les riches héritiers du Maghzen et quelques épaves de la jet-set ?

Bopha Devi, la fille de Sihanouk, petite princesse royale réchappée des massacres où ont péri plusieurs de ses frères et sœurs, fine et discrète, volontiers silencieuse, dans le palais des Mille et Une Nuits illuminé où l'accueille Lalla Salma, la quasi-reine du Maroc, altière, majestueuse, adepte du *small talk* international. Bernadette Chirac, qui sent très bien ce genre de choses, tire la conversation vers le haut.

Samedi 5 juin 2010

Maman stupéfaite que plusieurs messieurs marocains d'un âge avancé m'aient demandé de ses nouvelles. L'un d'entre eux me parlait d'elle avec l'émotion perceptible d'un vieil amoureux transi. Cela remonte à 1957. «Oui, je sais, même le prince héritier Hassan me faisait du gringue.» Elle rit.

Les Naufragés du Fol Espoir, ah le beau titre ! Tout est bien chez Ariane Mnouchkine, le théâtre, les textes, l'engagement, l'intégrité, le communisme, le restaurant, les loges des artistes, les ateliers, les décors, les costumes, les lumières, la volonté et même le despotisme. Mais il y a encore ce que je préfère à tout, l'adorable petite actrice africaine, enfant perdue et retrouvée qui me bouleverse chaque fois que je la vois. Mon vieux fantasme sur l'infinie noblesse des humbles. Ariane m'envoie un texto depuis Taïwan : ma «chérie» s'appelle Eve Doe-Bruce. Quelle nationalité ?

Je présente mes excuses à la troupe pour ma sortie aux Molières. Réconciliation générale. Quand tout sera fini, je pourrais bien devenir balayeur chez Ariane, mais c'est le genre de rêve que je traîne avec moi et que je n'aurai évidemment jamais le courage d'accomplir. Et d'ailleurs rien ne dit qu'elle voudrait de moi.

Dimanche 6 juin 2010

Catherine Pégard, à propos du président : «C'est plus fort que lui, il n'arrête pas d'engueuler la presse, et eux, les journalistes, ils le haïssent d'une manière incommensurable. Je n'en suis plus à tenter de réparer les pots cassés. Je ne sais pas comment on pourrait s'en sortir.»

Lundi 7 juin 2010

Le bébé mammouth exposé au musée du Puy-en-Velay : un gros morceau de cuir racorni recraché par les glaces de Sibérie qui fait plutôt penser à un rhinocéros mal empaillé. Sous la houlette de Laurent Wauquiez, qui m'a fait venir spécialement, toute la région s'extasie devant la merveille. Pour mon camarade ministre, tout est bon dans le bébé mammouth puisque cela lui permet de promener le ministre parmi ses électeurs. C'est de bonne guerre, il n'est pas le seul à le faire.

Laurent Wauquiez écrit comme les gauchers, avec de grandes lettres filiformes qui feraient la joie d'un graphologue. Sa mère, très intelligente, ne l'a pas contrarié. Elle a eu raison : premier partout, Normale, l'ENA, etc.

Monseigneur Brincard, très aimable, pour la visite de la cathédrale. Il a l'air surpris que je la connaisse aussi bien, et moi, je le suis de son bon accueil car il aurait confié qu'il ne voulait pas rencontrer l'auteur de *La Mauvaise Vie*. Une rumeur du département sans doute. C'est fou ce qu'on doit s'ennuyer en province.

Rencontre avec des syndicalistes du ministère à Clermont-Ferrand. Atmosphère tendue, le discours sous-jacent des revendications, c'est l'animosité à l'encontre du président. Cri du cœur d'une jeune et jolie militante : «Mais enfin comment avez-vous pu vous mettre au service de crapules pareilles!»

Anniversaire de la fondation de Marc Ladreit de Lacharrière au Théâtre du Rond-Point. Salle comble, aréopage de politiques de tous bords. «Culture et Diversité» aide beaucoup de jeunes à poursuivre leurs études et elle est remarquablement efficace. Marc, heureux comme un enfant, danse sur scène avec quelques-unes de ses pupilles. Sympathique.

Mardi 8 juin 2010

Le visage ravagé par la déception de Catherine Anne, directrice de théâtre dont le mandat n'est pas renouvelé; sa démarche d'automate dans le couloir en évitant mon regard. Je fais un sale métier.

Alain Juppé a de grands projets culturels pour Bordeaux. Il les suit de très près. Il s'est mis à l'art contemporain avec autant d'enthousiasme qu'à la bicyclette. C'est aussi un cinéphile averti et depuis très longtemps.

Claude Lanzmann : «Il faut qu'on se voie plus souvent, Frédéric. Ne me laissez pas trop longtemps sans me faire signe.» Entre lui et moi, une longue histoire avec des malentendus et beaucoup d'erreurs de ma part, une tendresse mutuelle qui balaie tout.

Les patrons de presse, toujours inquiets, méfiants, soupçonneux malgré tout l'argent qu'on leur transfuse. Laurence Franceschini et mon conseiller Vincent Peyrègne admirables de patience à leur égard, comme vis-à-vis de moi qui accepte mal l'aveuglement et les perpétuelles exigences de ces messieurs.

Mercredi 9 juin 2010

L'escapade à Bahreïn n'était franchement pas inutile. On m'apporte le dossier du permis de construire de l'hôtel de Bourbon-Condé instruit et documenté avec tant de soin que je ne vois pas ce que les associations de sauvegarde pourraient trouver à y redire.

Jean-Pierre à la sortie du déjeuner avec Michel Mercier et monseigneur Barbarin, primat des gaules : «Il était temps qu'on s'en aille, j'ai cru qu'on allait avaler tout le bénitier!»

Visite de Fabienne Servan-Schreiber. Il est probable qu'elle s'intéresse de près à la succession de Patrick de Carolis à France Télévisions, c'est en tout cas ce qu'on me rapporte de tous côtés, et ce serait normal. Prudente, elle ne soulève pas la question devant moi. On évoque les difficultés que connaissent les producteurs.

L'avenir proche du palais de Tokyo est très inquiétant : situation juridique incompréhensible, disputes incessantes au sommet, absence de projet stratégique clair, délabrement généralisé auquel devrait remédier un programme de travaux que je n'ai pas encore réussi à voir. Francis me dit que tout va s'arranger, mais cela fait déjà plusieurs mois qu'il me le dit et j'ai l'impression que toute la petite bande qui passe son temps à se tirer dans les pattes ne tombe d'accord que pour le mener en bateau. Il va falloir remettre d'urgence les choses en ordre et que Georges-François s'implique aussi plus qu'il ne l'a fait jusqu'à maintenant pour aider Francis.

Les galeries d'art se plaignent de l'atonie du ministère et de son manque d'engagement à leurs côtés. Elles ont raison. Je pourrais faire bien plus. Le marasme persistant du palais de Tokyo est révélateur à cet égard.

Jeudi 10 juin 2010

Pierre Bellanger, le patron de Skyrock, est le fils de Christian Arnothy. Il me parle de sa radio. Je lui parle de sa mère. En fait, on parle de la même chose.

Colloque sur l'«équilibre des écosystèmes numériques» à la Maison de la chimie, avec discours très attendu du ministre. Peut-on imaginer quelque chose de plus folichon?

Alexandre Avdeev, le ministre de la Culture russe, est d'accord avec moi, même s'il me le fait comprendre en termes diplomatiques. Pour le monument en mémoire des soldats russes qui ont combattu en France pendant la Grande Guerre, il faut absolument éviter que Poutine nous refile le catastrophique Tsereteli qui après Moscou recouvre la Russie de statues monstrueuses. Je lui parle du petit monument pour Normandie-Niémen à l'entrée de l'aérodrome du Bourget. C'est banal, plutôt joli, ça ne choquera personne et le sculpteur est russe. Il va se renseigner et essayer de mettre la main dessus. Ça urge, Poutine piaffe depuis le Kremlin en réclamant son monument.

Vendredi 11 juin 2010

Laure Adler : chaque fois que je la vois je repense à Juliet Berto. Même beauté gracile d'adolescente perpétuelle, la petite danseuse de Degas passée chez Godard et Rivette, même esprit va-t-en-guerre contre les malhonnêtes et les médiocres, même rire aussi, subit et partageur, comme échappé de blessures qui font mal encore. Yves Simon aurait pu tout aussi bien chanter : «Au pays des merveilles de Laure.» Laure exerce son talent dans d'autres domaines que le cinéma, mais le temps reconnaîtra tout aussi bien son empreinte, peut-être mieux encore que ne le fait la société des intellos parisiens à laquelle elle appartient aujourd'hui. Ce sont des choses que je ne lui ai jamais dites, d'abord parce que Juliet est morte et que c'est triste, et aussi parce que je ne suis pas sûr qu'elle prenne le temps d'écouter quand on lui dit qu'on l'aime.

Comment remplacer Mathieu Gallet qui est, autant le dire tout simplement, irremplaçable? Je retiens la candidature d'Élodie Perthuisot, une jeune polytechnicienne qui a été enseigne de vaisseau dans la marine et qui a occupé ensuite des postes importants au sein de l'administration. Un profil atypique pour le ministère, mais elle m'a plu tout de suite; franche, gaie, méthodique.

Francis : «Je me disais bien aussi, la marine, ton côté Querelle de Brest...»

Samedi 12 juin 2010

Hassan de Jordanie chez la princesse Napoléon. La même grosse tête sur un petit corps que son frère, le roi Hussein, également très bien faite, modérée en toute chose. Il parle français avec circonspection pour être bien sûr d'utiliser le mot exact. Il porte sans doute l'amère déception d'avoir été écarté de la succession par son frère, au dernier moment de sa vie, pour des raisons demeurées obscures. Injustice ou malchance, la discipline de famille est la plus forte, il sert désormais son neveu.

Dimanche 13 juin 2010

Maman : « Tu aurais dû m'écouter quand tu avais tous tes problèmes avec tes cinémas et que je te disais d'aller voir Liliane Bettencourt. Elle t'aurait aidé, elle me l'a dit. Mais tu ne fais jamais ce que je te conseille de faire. » Mes frères rigolent : « Vous trouvez qu'il n'a pas eu déjà assez d'ennuis comme ça ? »

Lundi 14 juin 2010

Robert Lamoureux ne quitte plus son appartement de Boulogne. Il pousse de temps en temps son fauteuil roulant sur le balcon d'où il vitupère Roland-Garros, juste en bas de chez lui ; le projet d'extension des tennis qui menace les serres anciennes le rend fou. Il raconte ses démêlés avec la Ville de Paris d'une manière tordante, sur le ton de la chasse au canard : « Et puis voyez-vous, j'ai eu une belle vie, j'ai fait un métier où je me suis toujours amusé, j'ai connu de très jolies femmes, les amis qui ne m'ont pas quitté sont toujours là, on s'occupe bien gentiment de moi et je ne manque de rien. » Il vient d'avoir quatre-vingt-dix ans, un peu surpris que je vienne le voir pour son anniversaire mais content quand même.

Les Trois Sœurs à la Comédie-Française dans une mise en scène aérienne d'Alain Françon. J'ai vu la tombe de Tchekhov au cimetière de Novodievitchi à Moscou, si belle, dessinée par Alexandre Benois, près de toutes les horribles sculptures tombales des dirigeants communistes et de celle étrangement émouvante de l'épouse de Staline que le « petit père des peuples » a sans doute tuée dans un moment de rage éthylique.

Mardi 15 juin 2010

Satisfaction morose à refaire entièrement le fort Saint-Jean de Marseille avec Ann-José Arlot alors que vraiment tout le monde s'en fiche ; le ministère, le Mucem, Jean-Claude Gaudin. Pourtant, quand ce sera fini on dira de tous côtés : « C'est moi, c'est moi ! », alors que nous serons tous les deux sans doute sous d'autres cieux. Les paysagistes ont dessiné un beau projet, les bâtiments en ruines vont être reconstruits et aménagés pour les arts et traditions populaires, on pourra venir se promener en venant directement du quartier du Panier par la passerelle que j'ai demandée et tout cela pour pas cher. Quand je pense aux extraordinaires vestiges paléochrétiens entassés dans un entrepôt oublié de la Joliette, comme ce serait bien de les exposer sur le parcours ! Mais à Marseille, on ne me renvoie que des regards vides lorsque j'en parle, tandis que l'on rejette à la mer des centaines d'amphores romaines dont on ne sait que faire.

Mercredi 16 juin 2010

Fadela Amara : « Ah, mais qu'est-ce que j'en ai marre d'être ministre, qu'est-ce que j'en ai marre ! » Nadine Morano, bonne copine : « Démissionne ma chérie, démissionne donc, il faut pas se forcer. »

Je croise Christine Taubira à l'Assemblée. La majorité, qui ne sait pas ce que sont les « Femmes debout » en Guyane, l'ignore ou la méprise. Je lui dis : « J'ai voté pour vous au premier tour de la présidentielle », ce qui est vrai, même si je ne sais plus de quelle présidentielle il s'agit. Elle s'arrête, stupéfaite, puis elle rit : « Ça ne m'étonne pas de vous ! » Je ne sais pas trop comment je dois le prendre.

Martine Billard, pétroleuse de l'ultra-gauche du Parti socialiste, qui m'a écrit pour que j'intervienne en faveur du théâtre du Lucernaire en difficulté et à qui je dis en la croisant à l'Assemblée que je vais m'en occuper : «Ah, parce que vous vous occupez de quelque chose? Je demande à voir.» Ce n'était donc vraiment pas la peine de m'écrire.

Je suis toujours content de parler avec Jean Glavany et j'évite soigneusement de croiser le regard d'Henri Emmanuelli. Ils sont l'un et l'autre parmi les plus fidèles à la mémoire de François, mais Glavany considère que je fais toujours partie de la famille tandis qu'Emmanuelli voit en moi le neveu dénaturé et maudit.

Jeudi 17 juin 2010

Conseil national des professions du spectacle : peu de femmes, pas un Beur, pas un Noir, pas un jeune, mépris à peine dissimulé pour le théâtre privé et quasiment déclaré pour le cirque. En revanche, la CGT en pétard, des arguties à n'en plus finir sur les conventions et les barèmes, le ministère toujours soupçonné de ne pas en faire assez et de préparer des mauvais coups. Quant à la création, ce n'est pas le lieu d'en parler bien sûr, à moins qu'elle puisse servir de prétexte pour réclamer plus d'argent.

Jean Voirin : «Vous êtes en retard. Si vous étiez chez le président ou je ne sais où, ça ne nous regarde pas. Une minute de plus et on allait partir.» Dix minutes! Et toi, mon pote, quand tu es bourré je te dis quelque chose?

Heureusement, Emmanuel Demarcy-Mota pour commencer la journée et Laurent Bayle pour l'achever. Ils n'ont pas le temps de participer à ces réunions tandis que le ministre est là pour ça et que chacun sait qu'il adore ce genre de petites sauteries.

Vendredi 18 juin 2010

Saint-Pétersbourg, inauguration de l'exposition Picasso au musée de l'Ermitage, chefs-d'œuvre en location. Le petit business d'Anne Baldassari marche à merveille : il faut bien qu'elle fasse rentrer les sous que le ministère ne lui donne pas pour la rénovation du musée Picasso.

Christine Lagarde très contente de la rencontre que je lui ai organisée avec Alexandre Sokourov. Elle n'a pas vu ses films mais elle prend tout de suite la mesure du personnage.

Déambulations alcoolisées et fraternelles avec Valeri Guerguiev autour du Théâtre Mariinski qu'il est en train de refaire de fond en comble. Il semblerait que Poutine lui accorde à peu près tout ce dont il a besoin. Il a l'air soulagé de ne plus dépendre autant qu'avant des petits oligarques mécènes ignares qu'il était obligé de divertir à coups de banquets interminables où il fallait en plus aller leur chercher des filles. Il dort quatre heures par nuit, se lave quand il peut, répète à n'importe quelle heure avec un orchestre qui n'a jamais entendu parler du Syndeac, et fonce de toute sa vigueur caucasienne à l'assaut de la musique, le seul royaume qui l'intéresse.

Hôtel sinistre, impossible de fermer les rideaux dans ma chambre inondée de lumière. Ce sont les nuits blanches et tout est complet à Saint-Pétersbourg.

Mais pourquoi rester enfermé quand toute la ville est encore dehors ? On s'enfuit avec Valeri Katsuba pour faire la tournée des boîtes à mauvais genre. Valeri, je l'ai connu il y a plusieurs années, quand il n'était encore qu'un petit moujik au visage rond qui me considérait avec méfiance. Mais il est vite devenu mon ami et un photographe à l'aube de la célébrité. Pas de nouvelles en revanche d'Anatoli, le jeune transformiste au physique d'ouvrier bolchevique pour Eisenstein qui imitait incroyablement bien Mireille Mathieu et Dalida. Ni Valeri ni les serveurs ne savent ce qu'il est devenu, perdu quelque part dans l'immensité russe et la dangereuse galaxie homosexuelle qui court jusqu'à Vladivostok. On finit la nuit chez Africa, le peintre aux chats abyssins qui fait cracher des millions de roubles aux nouveaux riches. À quoi bon se coucher, de toute façon, puisque même le jour ne se couche pas.

Samedi 19 juin 2010

Nathalia Brodskaïa a protégé durant de longues années la collection Vallotton du musée de l'Ermitage contre des commissaires soviétiques pour qui sa peinture était décadente et petite-bourgeoise. C'est Lillian Gish dans *La Nuit du chasseur*, toute gentille et toute frêle, farouchement dressée contre le mal.

Le président est arrivé. Il m'emmène à l'entretien restreint avec Medvedev. Le petit périple en hélicoptère au-dessus de Paris a décidément laissé de bons souvenirs.

Dans une cour du musée russe largement ouverte sur la rue, la statue équestre d'Alexandre III par Troubetzkoï qui avait fait scandale lors de son inauguration par le tsar, en 1909, jugée trop réaliste et trop brutale. Les bolcheviques l'avaient déboulonnée sans oser la détruire. Poutine souhaite qu'on la réinstalle à sa juste place devant la gare de Moscou. Au fait, où en est-on des recherches pour trouver le sculpteur du monument prévu à Paris ?

Bernard Kouchner : « Si tu savais comme j'en ai marre. À la prochaine occasion, je me tire et il pourra me dire tout ce qu'il veut pour me retenir, c'est fini, bien fini, je ne reviendrai pas. »

Dimanche 20 juin 2010

Didier Deschamps qui a si bien réussi à Nancy est tenté par le défi du Théâtre de Chaillot. Voilà une nomination qui ne devrait pas susciter le concert de réclamations habituel.

Mathieu Gallet a déjà l'INA bien en main. Il n'a pas été trop mal accueilli par les syndicats mais ses collaborateurs sont surpris par le rythme de travail qu'il leur impose. Héritage du ministère, où il était sur le pont vingt-quatre heures sur vingt-quatre.

Maman : « On voit que tu n'as pas beaucoup dormi en Russie, tu as une mine épouvantable. Je m'inquiète, je m'inquiète. »

Lundi 21 juin 2010

Remise du prix Barbara à Carmen María Vega. Christine Lagarde et Marie-Paule Belle au piano à quatre mains tandis que Gérard Depardieu chante *Dis, quand reviendras-tu*. Les photographes s'en donnent à cœur joie.

Je cherche toujours quelqu'un pour succéder à Alain Crombecque au Festival d'Automne. René Gonzales, dont on me dit grand bien, vient me voir depuis Lausanne où il dirige le Théâtre Vidy. Mais il se dit fatigué, trop âgé pour relever un tel défi. Je sens aussi qu'il souhaite ne rien avoir à faire avec le ministère sous Sarkozy. Réaction assez fréquente mais que je préfère à celle des intrigants de tous acabits qui se précipitent sur les postes disponibles et qui nous débinent à qui mieux mieux ensuite pour se dédouaner une fois qu'ils l'ont obtenu.

Quand on se moque des Suisses : dans le seul canton de Vaud, on a réussi à donner à Maurice Béjart et à René Gonzales les moyens et la liberté qu'ils n'ont jamais eus en France.

Bamboula au ministère pour la Fête de la musique. Il semble que l'on se soit bien passé le mot : «Il y a une boum chez Frédo» ; Jerryka chante plusieurs heures sans s'arrêter et tout le monde danse. Marie-Luce Straburski me donne ma première leçon de rock : il était temps ; ce n'est pas si difficile.

Une administratrice civile, qui est bien l'une des seules à faire tapisserie, interpelle Lionel, le majordome du ministère : «Vous trouvez ça normal, ce qui se passe ici ?» Lionel : «Tout à fait normal, et je vous dirais même que ça arrive souvent depuis que le ministre est là.» La dame : «Enfin vous n'êtes pas là pour ça, c'est un ministère ici quand même.» Lionel, sans se démonter : «Personne ne s'en plaint, si vous saviez comme on s'embête dans les autres ministères!»

Mardi 22 juin 2010

Pierre Bergé a fait restaurer entièrement la maison de Jean Cocteau à Milly-la-Forêt. Comme on pouvait s'y attendre, le résultat est superbe : on passe insensiblement de l'espace musée proprement dit à la chambre et au bureau où la décoration, les meubles, les objets familiers ont été exactement retrouvés.

L'un des fils d'Édouard Dermit, Doudou le mineur slovène dernier amour de Cocteau, est présent, héritier qui aura vécu toute sa vie aux marges d'une histoire qui ne l'intéressait peut-être pas vraiment. Il a fini par se faire écraser par elle, comme il arrive souvent. La seule image que j'aie de Doudou de son vivant : dans le hall de mon cinéma, il y a longtemps, toujours beau et gentil, un peu égaré, parcheminé par des années d'opium.

Souvenir de Jean d'Ormesson, que j'avais emmené à la Boisserie, la maison du général de Gaulle, austère comme la grandeur. Jean : « C'est une maison d'écrivain. » Moi : « Oui, mais il manque Doudou. » Jean, comme s'il était frappé d'une illumination subite : « Oui, c'est ça, c'est exactement ça, il manque Doudou ! »

Jean-Marc Ayrault cherche un nouveau directeur pour son théâtre à Nantes. On fait le tour des possibles. Entretien agréable et détendu.

Dîner avec Nonce Paolini et ses collaborateurs. Moi : « Une des différences entre TF1 et France 2, c'est qu'à TF1 on a toujours dix ans de moins et à France 2 parfois dix ans de plus. Question d'éclairage. » Il est ravi. On continue comme ça, des petites choses aimables de part et d'autre, en évitant d'évoquer les grands méchants M6 et Canal Plus, et encore moins l'érosion de l'audience.

Mercredi 23 juin 2010

Le préfet de la Martinique, Ange Mancini, est un grand flic à l'ancienne formidablement sympathique qui ressemble à Robert Dalban dans *Les Tontons flingueurs* : « Quand j'étais le patron du Raid, Pierre Joxe était ministre de l'Intérieur. Il n'était vraiment pas commode. Se faire engueuler par Pierre Joxe, je ne le souhaite à personne ! » Il fait une grimace à mourir de rire, et il ajoute en se frottant gaiement les mains : « Alors ceux qui se font engueuler par le président et qui s'en plaignent, ils ne savent pas ce que c'est, ils ne connaissent pas leur bonheur ! »

Fort-de-France est pauvre et triste, mal entretenue, avec un beau patrimoine en déshérence. Tout ferme à six heures. Des quartiers sauvages s'accrochent sur les collines comme les favelas brésiliennes. La mémoire d'Aimé Césaire est très vive. Tous les politiques s'en réclament pour mieux se déchirer. Le leader qui s'affirme, Serge Letchimy, vient des quartiers sauvages. Sa mère était une femme de ménage qui trimait chez les Blancs. Grosse tête au crâne rasé, regard sombre, voix de basse. C'est un type rude, très à gauche, qui dénonce l'attitude coloniale de la République. Ses adversaires l'accusent d'être indépendantiste. Il me réserve plutôt un bon accueil. Mettons que je suis en observation.

L'hôtel de la région est une horreur de bunker en marbre et vitres fumées qui a dû coûter une fortune à construire. Je pense à ce que l'on aurait pu faire avec cet argent gaspillé c'était avant Letchimy, je doute qu'il aurait engagé ce genre de dépenses.

La statue de Joséphine sur la grande place est sans tête. On la décapite régulièrement pour lui faire payer d'avoir incité, paraît-il, Bonaparte à rétablir l'esclavage aboli sous la Révolution. De guerre lasse, on la laisse comme ça.

Cette impression qui ne me quitte pas d'être à la fois en France et pas en France. Ça n'a rien à voir avec le climat, les palmiers, la négritude ; c'est plus subtil, insinuant, impalpable. En France : tous les repères de la vie en métropole, les bâtiments officiels, la signalisation, les voitures, la publicité, les centres commerciaux, la langue du certificat d'études pratiquée avec une élégance rare, un patriotisme de vieille province. Pas en France : le créole, la misère, l'indolence et les accès de ressentiment et de colère, la manière dont certains affirment si fort qu'ils sont français comme pour mieux s'en persuader en face des autres qui gardent le silence, la culture enracinée dans la mémoire de l'esclavage et du racisme, l'angoisse du métropolitain à l'idée qu'il pourrait faire des gaffes.

Jeudi 24 juin 2010

Bernard Hayot : « Quand votre oncle est venu ici, à l'habitation Clément, nous n'avons parlé que de littérature antillaise et de peinture, pas du tout de l'esclavage. Il savait que j'entretenais de très bonnes relations avec Césaire. Le repas s'est prolongé longtemps, je crois qu'il a beaucoup aimé cette maison. » Bernard Hayot est le béké le plus influent de l'île, il dispose d'une fortune considérable et ses entreprises sont présentes dans tous les domaines. D'une politesse raffinée, il est tout simplement là, immuable évidence.

Tout voir, tout parcourir d'une institution à une autre ; curiosité d'enfance qui me porte en équilibre instable entre les élus, les acteurs culturels, les artistes.

Réception à la préfecture, le bal du gouverneur à Romorantin. Le préfet : « Il y a beaucoup de gens qui ne viennent jamais parmi ceux qui sont là. C'est bien parce que c'est vous. Moi, je les vois autrement, en petit comité, n'hésitez pas à revenir !»

Vendredi 25 juin 2010

On survole la Dominique, comme une montagne escarpée, couverte de forêts, arrachée à la mer ; c'est la seule île des Antilles où subsistent des Indiens Caraïbes.

La Guadeloupe a la réputation d'être beaucoup plus dure que la Martinique, héritage d'une histoire hyperviolente ; guerres franco-anglaises incessantes, Victor Hugues envoyé par la Révolution et guillotineur de masse des békés, révoltes des esclaves noyées dans le sang, répression féroce des manifestations de 1967 faisant une centaine de morts, agitations communistes et indépendantistes, omnipuissance syndicale et le leader Domota en loup-garou, grève générale de 2009, mémoire obsessionnelle de l'esclavage, séismes, cyclones... Période de bonace ou parcours bien balisé, je ne vois que des gens aimables et des sites enchanteurs.

Pointe-à-Pitre nettement mieux entretenue que Fort-de-France. Jacques Bangou, le maire, préserve le vieux centre colonial, mais le musée Saint-John-Perse est fermé depuis des lustres. Je n'avais jamais entendu parler d'Ali Tur, qui a reconstruit les bâtiments administratifs en béton après le cyclone des années trente. On ferait bien de s'intéresser à lui, ce qu'il a construit est superbe. Bouffée de nostalgie devant le cinéma La Renaissance abandonné et qui vaudrait vraiment la peine d'être restauré. Je suis comme François, qui ne pouvait découvrir une ville sans rêver d'en devenir l'architecte.

Projet d'un énorme monument sur l'histoire de l'esclavage, le Memorial Act, nom bizarre qui lorgne sur d'éventuels visiteurs américains. Jeunes architectes enthousiastes, auditoire ardent, élus très pressants, budget faramineux. On nage en plein délire quand on voit tout ce qui reste à réparer. Je garde mes pensées pour moi.

Simone Schwartz-Bart : «C'est sur cette table que nous travaillions avec André. On ne dira jamais assez à quel point on a pu le faire souffrir. Vous comprenez pourquoi il faut m'aider à garder cette maison, tout y parle de lui.» Elle est belle, douce, infiniment gentille. La maison de la «mulâtresse Solitude», on la classera dès mon retour.

Le préfet de la Guadeloupe réside à Basse-Terre, à l'autre bout de l'île, loin de Pointe-à-Pitre la frondeuse. Je ne suis pas sûr que ça le réconforte beaucoup. Chaleur moite, termites qui rongent les charpentes, gendarmes dépressifs, solitude. Ambiance Marguerite Duras garantie. L'épouse du préfet, une jolie femme, joue du piano la nuit, accompagnée par le concert assourdissant des grenouilles.

Lucette Michaux-Chevry est l'impératrice du bout du monde. Chérie de Chirac, elle a obtenu de bourrer Basse-Terre d'institutions administratives pour éviter que sa ville ne tombe tout à fait dans une agonie fantomatique. L'étiquette est celle des bouteilles de rhum : écoliers tout mignons en uniformes bien repassés, doudous, on chante *Adieu foulards* pour le ministre.

«Allez, vous n'allez pas me refuser cette danse, monsieur le ministre! Même votre oncle me l'a accordée. D'ailleurs, vous savez, il ne m'a jamais rien refusé.» Elle m'entraîne dans une biguine endiablée. À plus de quatre-vingts ans, Lucette est dans une forme olympique, tandis que je suis comme une sorte de vieille poupée de chiffon mouillée de sueur qu'elle fait virevolter dans ses bras. Il est vrai que François aimait bien danser. Plutôt le genre valse lente et paso-doble. Cela mettait en joie les épouses des présidents africains. Sur sa fille, comme un léger froid en pleine fournaise : «Ah oui, j'en suis très fière, vous pensez bien, mais il ne faut pas qu'elle se surmène. Ministre de l'Outre-mer, vous ne trouvez pas que ça fait un peu colonial?»

Un joli petit garçon avec un chapeau de paille dans une charrette attelée à une mule, surchargée d'une famille endimanchée qui se rend à la messe à Basse-Terre. Il regarde droit vers le photographe. D'autres clichés de l'enfant qui pêche sur les rochers au pied de la Joséphine, la maison de ses parents, ou qui est en train de lire tandis que les dames causent et que les messieurs font la sieste dans des hamacs. Décor tropical luxuriant. Tenues 1900, corsetées, amidonnées, un air général de gaieté et d'insouciance. Le bel enfant sage c'est Alexis Leger, dit Saint-John Perse, le diplomate pacifiste qu'Hitler appelait le «nègre sautillant» et le prix Nobel de littérature que de Gaulle n'a pas félicité. Étrange d'ailleurs, cette haine qu'il portait au chef de la France libre au point de le débiner auprès de Roosevelt qui ne demandait que cela.

Les photos sont encadrées dans le salon de la Joséphine que la famille entretient avec soin et qui est, comme tous les paradis, un endroit si loin de tout qu'on doit s'y ennuyer ferme si l'on manque de puissants ressorts pour la vie intérieure. Il l'a quittée à douze ans et n'y est jamais revenu.

Samedi 26 juin 2010

Haïti.

À Port-au-Prince les ravages du séisme sont partout : maisons en ruine, rues défoncées, foule de sans-abri et de réfugiés qui campent un peu partout. Sur le Champ-de-Mars, devant le palais présidentiel effondré comme un énorme vacherin à la crème qu'on aurait laissé couler sous le soleil, une vraie ville de tentes s'est déjà enracinée avec l'engrais des secours internationaux.

L'ambassade tient encore debout, apparemment. Mais il suffirait qu'on éternue un peu trop fort pour qu'elle s'effondre. L'ambassadeur dort dans une sorte de garage, ses collaborateurs sont sous la tente ou dans des trous. Tous jeunes, gais, pleins d'entrain, n'ayant aucune envie qu'on les déplace ailleurs.

On a tant dit de choses sinistres sur Haïti, sa misère, ses hordes de bandits, ses dictateurs paranoïaques, et maintenant l'épouvantable cataclysme, qu'on est stupéfait par le courage de la population, la vigueur de sa culture, la fierté générale d'avoir fondé la première République noire.

Sur des pans de mur, beaucoup d'inscriptions en créole, certaines appellent au retour de «Baby Doc». L'ambassadeur : «Il va certainement revenir, tout le monde revient depuis la catastrophe. Mais ça ne veut rien dire, personne n'en veut, trop de mauvais souvenirs.»

Le marché des tableaux haïtiens est reparti à la hausse depuis le séisme. Collectionneurs et courtiers jouent à fond la carte de la compassion internationale. Il y en a de très beaux dans la galerie où je me rends. Je n'ose pas refuser celui qu'on m'offre, un portrait d'homme d'une tristesse insondable qui me fascine.

On nous a trouvé des placards pour la nuit au Plaza Hôtel, le seul à avoir résisté, surpeuplé de secouristes, de journalistes et de toute la faune des faux bénévoles qui sont venus renifler quelques miettes de business parmi les ruines.

Le gosse d'une dizaine d'années qu'on a sorti des décombres dix jours après le tremblement de terre faisait le V de la victoire d'une main et rajustait son caleçon qui glissait de l'autre, par pudeur. L'ambassadeur me dit qu'une ONG l'a pris en charge pendant quelques jours et qu'il a disparu ensuite sans qu'on puisse le retrouver. Pauvre petit miraculé qui doit être encore en train d'errer dans cette nuit sans fin.

Dimanche 27 juin 2010

Le ministère a bien travaillé. Tout ce que j'avais demandé est en cours : le soutien à la bibliothèque des frères de Saint-Martial, la restauration du *Serment des ancêtres,* le tableau emblématique de l'histoire d'Haïti déchiré par la catastrophe, les chantiers des Architectes de l'urgence.

Frankétienne est l'enfant du viol de sa mère à quatorze ans par un Américain. Il a été confronté au mal toute sa vie durant : les années Duvalier, celles de l'exil où l'on se fichait bien de l'œuvre d'un écrivain poète haïtien. Il n'en garde aucune amertume et parle de la France qui a mis tant de temps à le reconnaître avec tendresse, dans sa maison ouverte sur le vide creusé par le tremblement de terre.

Haïti s'est vu reconnaître enfin son indépendance sous Charles X et a payé une indemnité compensatoire à la France jusque sous la IIIe République rubis sur l'ongle. Ils nous en veulent un peu, ça peut se comprendre.

Le cinéma Triomphe, sur le Champ-de-Mars, a tenu le coup. On pourrait en faire le premier centre culturel du renouveau de Port-au-Prince. Le collège des ministres de la Culture européens est prêt à faire un effort pour aider à financer l'opération. On accourt de partout pour engager l'opération ; l'un réclame Jean Nouvel comme architecte, l'autre propose sa banque pour recevoir les fonds, tous veulent contrôler l'opération pour qu'elle se fasse en pleine transparence. Mon œil, le mensonge et la corruption poussent déjà comme de mauvaises herbes sur le champ de ruines.

Tout autour de la cathédrale, ce sont des photos dignes d'Hiroshima. Il ne reste rien qu'un pan de mur, de loin en loin. Un violent orage tropical noie ce paysage d'apocalypse sous des trombes d'eau; de partout surgissent des fantômes qui titubent à la recherche d'un abri qui n'existe pas.

Adèle a seize ans. Un enfant dans les bras, un autre qui s'accroche à ses nippes. Elle est enceinte, pieds nus, ne parle que le créole. «Qu'est-ce que tu cherches, Adèle? — Je cherche mon homme, on m'a dit qu'il est là-dessous.» Elle montre un énorme tas de gravats. Ils reposent ainsi par milliers sous des décombres que les bulldozers araseront un jour.

Les écrivains écrivent, les peintres peignent, les musiciens jouent, personne ne s'arrête.

Au dîner chez l'ancienne ministre de la Culture, ils parlent un français parfait, celui qu'on ne parle plus, avec la forme interrogative, le subjonctif, la concordance des temps.

Lundi 28 juin 2010

Le président Préval reçoit dans l'ancien poste des gardes du palais présidentiel. La carcasse du dinosaure bouge encore; sous l'effet des pluies torrentielles d'hier, des morceaux de corniche s'effondrent, une poussière âcre et blanche s'infiltre par les fenêtres disjointes du bureau du président. Sur sa table de travail, la photo du haut fonctionnaire tunisien de l'OMS qui a été tué pendant le séisme. Sa mère, que je connais très bien, refuse de croire à sa mort.

«Nous n'avons jamais eu autant besoin des Français. C'est avec eux que l'on se comprend le mieux. Dites-le haut et fort tout autour de vous lorsque vous rentrerez à Paris. Merci, merci pour tout ce que vous pourrez faire.» Le président Préval parle doucement. Il a l'air à la fois épuisé et vaillant. Sa femme est très belle, ils se tiennent par la main.

Mardi 29 juin 2010

Un an déjà. Le cabinet est d'humeur à fêter l'anniversaire. Un mot bien gentil de Mathieu Gallet : «Vous avez tenu, vous avez fait beaucoup de choses.» Moi, j'ai l'impression de n'avoir rien fait.

Déjeuner avec Philippe Sollers et Julia Kristeva. Lui très amical et elle, que je connais à peine, absolument charmante. Sensation inattendue et agréable d'une sorte de déjeuner de famille où l'on peut parler de tout sans se contraindre.

La radio numérique, c'est l'avenir ! Sans doute, mais cela coûte très cher à installer et les grandes chaînes n'en veulent pas. Deux camps s'affrontent sur le sujet depuis plusieurs années. Solution provisoire : un énième rapport commandé à David Kessler, en grand arroi devant toutes les parties prenantes avec promesse à la clef, juré craché, qu'on en respectera cette fois les préconisations. Les pour et les contre prennent la parole pour rappeler leurs positions dans une atmosphère de veillée d'armes. Rachid Arhab, très offensif pour le projet, me parle comme à un débile. Christopher Baldelli, le patron du groupe RTL, qui appelle Nathalie Kosciusko-Morizet «madame le ministre», se fait reprendre sèchement par la belle enfant : «C'est madame la ministre, il faudrait quand même que vous en preniez l'habitude !» Regards gênés dans l'assistance. Bref, l'ambiance est d'ores et déjà au consensus et à l'harmonie.

À force de ne se préoccuper que des échos d'Emmanuel Berretta et consorts, la communication du ministère freine au maximum chaque fois que je pourrais participer à des émissions à grande audience. Traumatisme persistant de la polémique sur *La Mauvaise Vie* dont j'ai moi-même du mal à me défaire. Pierre Hanotaux : «Avec vous, on a une Ferrari et on s'en sert comme d'un Solex !» Il ne me reste qu'à faire «Vavavoum» dans ma salle de bains comme Nick Dennis, le Grec fou d'*En quatrième vitesse*...

Mercredi 30 juin 2010

Quand on échange des petits papiers avec Valérie Pécresse au Conseil des ministres, elle replie soigneusement ceux qu'elle reçoit et les range discrètement dans son sous-main. C'est une personne qui ne laisse rien traîner et j'imagine qu'il doit en être de même chez elle. Aucun risque de regards indiscrets. Les autres, pour la plupart, les abandonnent sur la table du Conseil après la séance. Les huissiers les ramassent, ou d'autres; après, on s'étonne qu'il y ait des fuites.

Valérie Pécresse : «C'est affreux, je viens de me rendre compte que mon fils a du poil aux pattes. Je n'avais même pas eu le temps de m'en apercevoir.»

Lamia Chakkour, l'ambassadeur de Syrie en France, parle le français parfait que l'on pratique dans la bourgeoisie du Moyen-Orient. En fait cette proximité est un leurre; madame l'ambassadeur est totalement dans la ligne du régime de Bachar el-Assad, elle pratique une langue de bois rigide et semble constamment à l'affût des questions gênantes qui pourraient surgir à l'improviste dans la conversation. On parle donc des projets du Louvre à Damas sans sortir de ce périmètre soigneusement sécurisé. Je compare avec Dina Kawar, l'ambassadeur de Jordanie, si fine, si gaie, si avertie de tout.

Edmonde Charles-Roux à François-Marie Banier : «Au fond, je suis la seule vieille dame dont tu n'as jamais pu rien obtenir!» François-Marie : «Parce que tu n'es pas une vieille dame.» Bernard Pivot : «Il se réserve pour la suite.» Nos deux Goncourt très gentils avec le réprouvé et lui heureux d'être traité comme un écrivain et de sentir que je ne l'abandonne pas.

Fête du cinéma à l'École des Beaux-Arts. Edgar Ramirez, le jeune interprète de *Carlos*, le film d'Olivier Assayas : très beau, très sympathique. Il est vénézuélien comme le terroriste, porte le même nom de famille, mais fait preuve d'une douceur et d'une gentillesse rares. Il me demande des nouvelles de Luc qui a monté les deux versions du film – je vais le voir chaque semaine –, hélas, elles ne sont pas bonnes.

Jeudi 1ᵉʳ juillet 2010

La vanité de Jean Daniel est un défi à sa magnifique intelligence. Elle l'enveloppe d'une sorte de nuage radioactif qui incite à s'adresser à lui avec précaution pour ne pas subir de violents accès d'humeur. Il semblerait que ce serait plutôt une pose de sa part et qu'il ne rechignerait pas à en plaisanter avec ses proches, mais comme je n'appartiens pas au cercle des heureux élus, je m'en tiens à une attitude prudemment respectueuse. Au fond, cette incroyable susceptibilité le protège peut-être des assauts des importuns et des détails ennuyeux du quotidien. À quatre-vingt-dix ans, il n'a d'ailleurs rien perdu de sa vigueur intellectuelle et de son talent d'écrivain. Et puis il aime la Tunisie depuis bien plus longtemps que moi et nous partageons un certain nombre d'amitiés précieuses.

François Armanet se comporte merveilleusement avec lui, comme une sorte d'assistant-disciple qui le seconde dans son travail et arrondit les angles avec ceux qui n'ont pas compris le mode d'emploi.

Le Conseil des collectivités territoriales pour le développement culturel est clairement orienté à gauche. Il accepte néanmoins de se réunir au ministère. L'une de ses directrices, Karine Gloanec-Maurin, que l'on dit très proche de Martine : «Que voulez-vous, il faut bien le reconnaître, on ne peut pas vous le refuser, vous avez la capacité d'apaiser les conflits.» Voilà qui est agréable à entendre.

Maria Schneider, les cheveux tout blancs; si frêle et marquée par la maladie. Elle tenait beaucoup à la décoration que je lui remets, minuscule compensation à toutes les avanies dont elle aura été accablée. Nous étions tous très émus autour d'elle, et son amie, Maria Pia, avait du mal à retenir ses larmes.

Réunion chez le président pour la nomination du patron de France Télévisions. Je plaide pour Alexandre Bompard qui me semble le mieux à même de maîtriser le monstre. Son principal handicap est d'être annoncé partout dans la presse comme étant déjà pratiquement désigné. J'aimerais bien savoir qui sont les gentils camarades qui ont lancé la rumeur. Aucune décision pour l'instant mais je sens bien que mon avis, pourtant solidement argumenté, a manqué son but. Résumé de François Fillon : «Vous avez bien défendu Alexandre, mais le président est furieux contre la presse qui veut lui forcer la main et il pense à quelqu'un d'autre.» Rémy Pflimlin assurément, ce n'est un secret pour personne, et que pourrais-je trouver à redire? On sortira en tout cas de la gestion opportuniste et arrogante de l'équipe précédente.

Jean-Pierre s'occupe aussi de choses que le ministère a toujours négligées : le hall sinistre et le jardin à l'agonie des Bons-Enfants, les vitrines abandonnées du Palais-Royal, l'aspect de l'entrée sans signalisation et avec les téléviseurs en panne, la décoration tristounette des espaces où l'on travaille et où l'on reçoit. Tout cela s'améliore grâce à lui, de manière inespérée et à très peu de frais. Il suffisait seulement d'y attacher de l'importance et d'y mettre du goût, ce dont il ne manque pas.

Vendredi 2 juillet 2010

Réunion avec les syndicats. Monquaut ronge son frein : ce n'est pas à la veille des vacances qu'on déclenche un conflit, on prend seulement position pour la rentrée.

Le Rossignol de Stravinski au Festival d'Aix-en-Provence. Très bien. L'habituel tramway des Parisiens BCBG qui se lorgnent et se saluent. Martine Aublet me décrit avec un détachement poignant l'avancée de sa maladie ; elle a vu ses radios où les taches noires envahissent son cerveau et elle ne peut presque plus marcher.

Samedi 3 juillet 2010

Rencontres d'Arles : annonce du plan photo et du lancement de la mission. Ambiance heureuse. Le traditionnel déjeuner chez Maja Hoffmann. Pas de progrès pour le projet de Frank Gehry. Il a pourtant accepté de raboter la tour après avoir vu les photos de l'expérience menée par Francis, qui a fait venir une grue de la même taille et l'a photographiée par-delà les arbres de la promenade des Alyscamps pour montrer que le site serait dénaturé. Il a aussi accepté de déplacer le bâtiment d'une centaine de mètres pour éviter que l'on se retrouve avec une fouille archéologique. Mais Maja, mécène de l'opération, se plaint de toutes sortes de griefs de la part du ministère que j'ai du mal à comprendre et donc cela n'avance plus. Francis : «On ne peut quand même pas la forcer puisque c'est elle qui doit tout payer.» Certes.

Un bel ado athlétique me suit pas à pas durant toute la journée et me photographie comme un paparazzo. Intéressé, j'engage la conversation, il me répond sur un ton déluré et provocateur on ne peut plus intriguant. Comme je lui demande son âge, son père surgit de nulle part : « Ah, si vous saviez comme il est doué pour un enfant de douze ans ! » Le genre de mésaventures qui me mettent en joie et qui colleraient un infarctus à Béatrice Mottier. Je me console en pensant que parti comme il est, à vingt-cinq ans, ce sera sans doute un monstre.

Dimanche 4 juillet 2010

Nouvelle visite de fond en comble du fort Saint-Jean marseillais. On devrait quand même trouver les moyens de tout rénover et de construire l'autre passerelle à laquelle je tiens pour le rattacher directement au quartier du Panier. Je l'ai dit cent fois, Ann-José Arlot s'y emploie, mais sur place on continue à faire comme si on n'avait rien entendu.

Passage chez mon frère Jean-Gabriel à Vauvert dans le mas qu'il a si bien rénové. Les habitants du coin sont de braves Camarguais qui ont longtemps vécu de peu en étant maraîchers ou en tressant des joncs pour la vannerie récoltés dans les roselières. Ils aimaient les courses de vachettes, la pétanque, les fêtes de village et l'anisette au comptoir. Ils habitaient de petites maisons robustes à l'abri du mistral. Ils ont tout, absolument tout perdu. La faute à Bruxelles, aux étrangers qui achètent les maisons avec un argent qui file entre les doigts et ne suffit plus à en racheter d'autres pour les enfants, au monde d'aujourd'hui qui se fout bien des roselières et pleure sur le sort des vachettes, à tout ce qui vient d'ailleurs en somme. Ils votaient communiste par habitude, ils votent Front national par abandon.

Démission du gouvernement d'Alain Joyandet et de Christian Blanc pour des coquecigrues. Un déplacement trop coûteux en avion du premier qui se vexe et claque la porte non sans courage. On incrimine les achats de cigares du second sur la carte bleue de son ministère. Il est en fait victime de son caractère entier et de l'animosité générale de ses gentils collègues.

Lundi 5 juillet 2010

Le président, à propos de Rémy Pflimlin : « Un type qui a dit "Ça ne marchera pas, je n'ai pas de charisme", eh bien justement c'est lui qui m'intéresse. Compétent, états de service impeccables, modeste, pas de poudre aux yeux. J'en ai assez des matamores qui se gonflent d'importance. On a bien vu ce que ça donne à la télévision. Alors on change : du sérieux, du solide, du dialogue, et ça ira bien mieux.» Bien vu.

Marcel Campion, le caïd des forains, terrorise les élus par ses coups de gueule et son habileté à les compromettre. On ne compte plus ceux qui lui ont cédé. À moi, il me fait peur, et comme je déteste avoir peur, je lui résiste. Il a beau être malin, il n'a pas compris comment je fonctionne.

Problème à Vallauris. Rapatriés et anciens harkis manifestent contre une vidéo où des femmes algériennes racontent les viols qu'elles ont subis pendant la guerre. Le maire a fait fermer l'exposition où elle était projetée. Polémique des défenseurs de la liberté de création, intransigeance du commissaire de l'exposition qui refuse que l'on appose un panneau expliquant le caractère artistique de la vidéo. Je passe un temps fou à rédiger et rerédiger le panneau après être venu au bout de la résistance du commissaire. Le maire cède, l'exposition rouvre, ça se calme.

Rémy Pflimlin nommé président de France Télévisions. Maintenant, c'est Alexandre Bompard qui va trinquer.

Mardi 6 juillet 2010

Jean-Pierre : «C'est une gabegie incroyable à Drouot; abus de confiance, vols en série, les commissaires-priseurs laissent faire, quand ils ne sont pas complices. Pour l'instant, on n'a coffré que des lampistes, mais on va tout droit vers un énorme scandale. Il ne manquait plus que ça; quand on voit dans quel état est le marché de l'art en France.»

Jean-Louis Borloo organise une réunion interministérielle où il y a presque tout le gouvernement. On évoque de plus en plus la perspective de sa future nomination comme Premier ministre pour remplacer François Fillon. Je doute fort que la réunion d'aujourd'hui lui serve à y parvenir.

Le directeur de cabinet de Jean-Louis Borloo, Jean-François Carenco, lui ressemble. C'est un bon vivant, gai et chaleureux, dont le franc-parler détonne dans le monde tellement gourmé de la haute administration. Il m'a pris sous sa protection, et avec lui aucun dossier venant de chez moi ne traîne. En revanche, je pense qu'on ne doit pas avoir intérêt à lui manquer.

La duchesse de La Rochefoucauld veut faire reconstruire le donjon de son château en Charente par l'agence de Peï. C'est une belle et forte femme d'origine arménienne qui se rit de son âge comme de tous ceux qui voudraient lui mettre des bâtons dans les roues. Les architectes des Bâtiments de France ont d'ailleurs jugé plus prudent de ne pas la contredire et toute la région, communistes en tête, la soutient. Mais où trouverai-je les quatre millions qui lui manquent pour ce projet insensé et donc remarquable ?

Auprès de René Ricol et du grand emprunt peut-être. Il écoute avec bienveillance mes récriminations contre ses services qui mettent tant de conditions à l'octroi des sommes que j'ai pourtant obtenues grâce à lui. « Ne t'inquiète pas, tu auras ce que l'on t'a promis. » Dont acte.

Éric Woerth, impavide, sous le feu roulant des questions d'actualité de l'opposition chauffée à blanc par l'affaire Bettencourt. Comment fait-il pour rester si calme ?

Mercredi 7 juillet 2010

Laurent Terzieff était donc bien gravement malade. Il ne se nourrissait pratiquement plus depuis des années. Ses propos lors de la dernière cérémonie des Molières : public, privé, il n'y a qu'un seul théâtre. Je ne suis pas certain que tous ceux qui se pressent à ses obsèques ce matin les ont entendus de la même manière.

L'ambassadeur Orlov a retrouvé le sculpteur pour le monument russe. Un petit monsieur assez âgé et timide qui m'apporte de beaux dessins de facture classique. Contrairement à ce que je pensais, il semble qu'il soit très connu et apprécié en Russie, où il a coulé dans le bronze des armées de prolétaires stakhanovistes, d'artistes du peuple et de soldats héroïques. L'ancien réalisme soviétique avait du bon. Il m'en présente une version adoucie et curieusement mélancolique, très dans la veine de *L'Enfance d'Ivan*, le beau film de Tarkovski.

Le clou du défilé de Jean Paul Gaultier : la strip-teaseuse américaine Dita Von Teese en «bondage» noir du plus bel effet. Les folles sont surexcitées, elles vont pouvoir renouveler leurs panoplies.

Des dingues arrivent parfois à se glisser dans l'agenda, on ne sait trop comment. Aujourd'hui, une illuminée qui veut faire la paix en Palestine en récitant des poèmes le long du Mur des lamentations. Jean-Pierre : «Mais c'est toi qui les laisses entrer, il suffit qu'ils t'alpaguent dans une réception et tu leur dis oui.»

Avignon, palais des Papes, spectacle de Christoph Marthaler. J'ai droit à un concert nourri de sifflets en arrivant, à une admonestation sur scène d'une actrice du Syndeac et à une bronca violemment hostile des intermittents du spectacle. Georges-François s'engueule avec quelques excités. On embarque ensuite pour trois heures de pérégrinations mystérieuses difficiles à suivre mais assez belles à voir. Vincent Baudriller applaudit à tout rompre en me jetant des regards féroces, histoire sans doute de me rappeler que je serai toujours du mauvais côté de la plaque. Ce n'est pas parce qu'on a été renouvelés qu'on ira lui manger dans la main ; certes.

Le préfet Burdeyron : «Eh bien, monsieur le ministre, si je vous connaissais moins maintenant, j'aurais souffert pour vous.» On rit.

Jeudi 8 juillet 2010

Ce qui est rassurant avec le trio infernal Tavernost-Meheut-Paolini, c'est qu'ils sont finalement sans surprise ; alors qu'ils dépensent une énergie considérable à essayer de s'entre-dévorer en permanence, il leur en reste encore assez pour mordre de concert le ministre quand ils se réunissent dans son bureau en protestant de leur parfaite entente.

Les grands nuages tourmentés de Zao Wou-ki ont fini par étendre leurs ombres sur son esprit. Françoise, sa belle épouse, me dit qu'il est certainement heureux que je sois venu le voir pour son anniversaire, même s'il reste dans les nuées où il demeure désormais.

Dîner pour les créateurs de mode au ministère. Atmosphère générale de frivolité sympathique, même si les pompiers de la sécurité sont à la peine pour éteindre les pétards qui fument un peu partout sur la terrasse d'une splendide soirée d'été.

Vendredi 9 juillet 2010

Henri Loyrette, Alain Seban et Guy Cogeval viennent me faire d'amers reproches parce que j'ai raboté leurs fonds de roulement. La mesure est infime, ils peuvent parfaitement l'assumer, mais, il n'empêche, ils sont furieux contre moi et prétendent que je les étrangle. Ils ont d'ailleurs signé une tribune dans *Le Monde*, ce qu'ils n'auraient pas dû faire. Je fais valoir tout le mal que je me suis donné pour protéger leur budget, mais, il n'empêche, ce n'est jamais assez. On se quitte tous un peu blessés par cet accroc.

Hubert Védrine à déjeuner : « Quand le président aura fini de pulvériser tout ce qui le gêne, il ne lui restera plus qu'à se pulvériser lui-même. »

On peut travailler avec la Ville de Paris, c'est compliqué mais on y arrive. Avec la région Île-de-France, c'est bien plus difficile. Jean-Paul Huchon en a fait une forteresse où chacun vaque à ses petites affaires avec la seule crainte de déplaire au patron. Et Julien Dray a beau être franchement sympathique, il ne s'intéresse pas vraiment aux dossiers « culture » dont il a la charge, pour ne pas dire plus simplement qu'il s'en contrefiche.

Samedi 10 juillet 2010

En Corse. Émile Zuccarelli, le maire de Bastia, est furieux que je ne m'arrête pas dans sa ville au cours de mon mini-périple corse. Il est presque menaçant au téléphone. Je lui promets une prochaine visite pour lui tout seul, il ne se rassérène qu'à moitié.

Corte, impression d'être au bout du monde et hors du temps au cœur d'un paysage sauvage et magnifique. Exactement le genre d'endroit où j'aimerais m'installer durablement, avec des livres, des projets de promenades, une solitude que je n'ai jamais su obtenir, mais il faudrait disposer d'une autre vie. En revanche, je me demande ce qu'en pensent les étudiants chinois qui sont inscrits à l'université : ils rêvaient d'une France de magazines et se retrouvent dans ce trou perdu, glacé en hiver et calciné l'été, maigrement peuplé d'autochtones aux mœurs mystérieuses. J'ai droit au grand jeu : toute la petite ville est dehors pour m'accueillir, musée, médaille, discours, livre d'or et chants des confréries.

Stupeur devant la richesse des archives conservées à la cinémathèque de Porto-Vecchio où m'emmène Camille de Rocca Serra. On projette un documentaire délicieux de Jacques Tati monté par sa fille et dont je n'avais jamais entendu parler, *L'Île en fête*. Toujours beaucoup de monde ; ils ont l'habitude qu'on leur envoie des flics, un ministre de la Culture, c'est une nouveauté qu'il ne faut pas laisser passer sans voir à quoi ça ressemble.

Avec le préfet, on s'envole en hélicoptère vers Ajaccio. Résidence au charme très second Empire (Napoléon III a fait bien plus pour la Corse que son oncle qui au fond ne l'aimait guère) avec en son cœur une marque de sang qui ne s'effacera jamais, la plaque rendant hommage au préfet Érignac assassiné.

Dimanche 11 juillet 2010

Paul Giacobbi, président du conseil exécutif de la Corse, me tient un discours d'action culturelle particulièrement érudit et volontariste. Le conseiller qui m'accompagne, fin connaisseur du mystérieux ballet des chaises musicales de la politique locale : «C'est du baratin, ce que vous voulez faire ne l'intéresse pas du tout, il bloquera tous vos projets.»

Simon Renucci, le député-maire d'Ajaccio, ressemble à Droopy, le petit chien mélancolique et malicieux des cartoons. On lui donnerait le bon Dieu sans confession et il me fait mille tendresses de bon toutou de la République avant de me promener dans la ville et de me montrer comment donner la papatte à tous ses électeurs. Le même conseiller : «Attention, quand il mord on ne s'en remet pas.»

Visite au palais Fesch dont le conservateur, Philippe Costamagna, a fait un palais italien au charme fou à partir des collections que cette fripouille de cardinal avait rapinées dans toute l'Europe avec la bénédiction de son neveu Napoléon.

Grand raout en plein cagnard au lazaret d'où l'on découvre le pano-rama somptueux de la baie d'Ajaccio pour célébrer le mécène François Ollandini. Tout le gratin de l'île de Beauté s'est déplacé pour l'occa-sion. Rantanplan se demande pourquoi les Corses ont si mauvaise réputation alors qu'il ne rencontre que des gens charmants, pleins de verve et de gaieté, qui le pressent de revenir pour lui faire découvrir leur beau pays. Je me souviens d'un sombre conseil d'Olivier Guichard : «Pour la Corse, il n'y a qu'une seule solution : ne rien faire. Tout ce qu'on y entreprend ne sert strictement à rien d'autre qu'à se faire des ennemis et à lever des querelles sans fin.» Où est la vérité ? Je serais bien en peine de la trouver en quelques heures.

Maman ne se souvient plus du prénom de sa grand-mère, née Orsatelli, une Corse farouche qui terrorisait toute la famille. Le bon garçon a pourtant pris bien soin de glisser dans chaque discours quelques paroles émues sur cette aïeule regrettée de tous qui lui aura fait aimer la Corse avant même de la connaître...

Lundi 12 juillet 2010

Train de plaisir vers Angers avec Roselyne sur le thème éminem-ment vivifiant de «culture et santé». Ça rigole un peu moins à l'arrivée avec un personnel hospitalier d'humeur chagrine qui attend sa ministre avec quelques placets. Mais enfin elle a le tour de main. De toute façon, la visite aux malades étouffe toute velléité de bouffonnerie.

Mardi 13 juillet 2010

Trésors archéologiques de l'Arabie saoudite au Louvre. Visite offi-cielle en turbo-caravane avec une flopée de ministres venus de Riyad. C'est une première ; le rigorisme wahhabite considère avec méfiance le patrimoine pré-islamique. Atmosphère irénique avec Henri Loyrette, aucune trace de la conversation un peu rude de la semaine dernière. Tant mieux.

Farah Diba assiste à l'hommage rendu à l'intellectuel iranien Shojaeddin Shafa au ministère. Branle-bas de tout l'étage pour voir la chahbanou et lui être présenté.

J'ai connu la petite Valérie sur un quai de gare, en Savoie, lors du Téléthon il y a une dizaine d'années, et depuis nous n'avons cessé de correspondre. Elle rédige ses lettres avec une application touchante, justement fière de me raconter qu'elle participe à la fanfare de son quartier. C'est maintenant une jeune femme qui découvre le ministère avec une attention inquiète et intimidée. Je compte certainement beaucoup pour Valérie, et il y a encore en elle cette crainte que les liens qu'elle a réussi à construire se déchirent. Malgré tout l'amour et le soutien que lui prodiguent ses parents, le monde extérieur restera toujours une grande machine mystérieuse qu'elle appréhende à sa manière, tantôt lucide, tantôt opaque, souvent douloureuse et angoissée. Ils sont venus pour assister au défilé et le cabinet leur a trouvé des places sur une tribune. Je les emmène voir *Le Roi Lion*; Valérie apprécie la musique mais toute cette joie, ce mouvement, ces couleurs sur scène sont un peu trop pour elle, même si elle se dit très contente. Valérie est trisomique.

Mercredi 14 juillet 2010

« La Françafrique c'est terminé ! » Ah bon. En tout cas, les présidents africains de l'ancien empire et des nouvelles prébendes ont quitté leurs somptueuses résidences parisiennes pour assister au défilé avec leurs épouses depuis la tribune officielle. Baobab d'or à la femme du président du Cameroun, sculpturale créature multicolore en trois dimensions comme je n'en avais jamais vu depuis la défunte Anja Lopez ; elle devrait rencontrer un succès considérable auprès des folles de Yaoundé si la police de son président de mari cessait de les jeter dans des geôles infâmes, un sort misérable dont nos associations homosexuelles ne se préoccupent que très mollement.

Belle prestation exotique de l'armée malienne ; c'est le Roi Lion qui continue en une version plus martiale. Qu'en pense Valérie dans sa tribune ?

À la fin du défilé, un orage tropical cataclysmique noie tanks et cavaliers, trompettes et tambours, galons et plumages, comme la mer Rouge se referme sur l'armée de Ramsès après le passage de Moïse.

Le président a décidé qu'il n'y aurait plus de garden-party du 14 juillet à l'Élysée. C'était pourtant une tradition républicaine franchement sympathique, entre la fête à Neuneu, le bal de la préfecture et la danse des canards des grands corps de l'État. On y rencontrait sans façons, dans une atmosphère d'euphorie citoyenne, toutes sortes de gens intéressants. Cette ambivalence du chef de l'État qui aime le peuple, déteste la foule et s'agace de certains usages.

J'emmène la petite famille déjeuner au Concorde. Ses parents me disent que Valérie a été très heureuse de son séjour parisien. Elle reste silencieuse, sourit gentiment ; je la sens triste et anxieuse à l'idée que la fête s'achève et que chacun va repartir de son côté.

Concert de Rachid Taha à la Cité de l'immigration, bourrée à craquer dans le genre «United Colors of Benetton» mais sans marketing. Jacques Toubon, comme toujours, la gaieté et la bienveillance mêmes. Nous dansons avec Lise tels des collégiens en voltage maximal à leur première surboum. Lise : «Ce n'est pas le moment d'être triste, on m'opère la semaine prochaine d'un sale truc au nichon.»

Réveil en pleine nuit. Je viens de rêver de Shirley MacLaine avec une netteté déchirante. Secrète alchimie de l'inconscient ; c'est sans doute Valérie qui m'a ramené vers l'innocente au grand cœur de *Comme un torrent*.

Jeudi 15 juillet 2010

Une strangulation brutale perpétrée dans un recoin obscur de l'administration, comme il arrive si souvent sans que les victimes osent s'en plaindre auprès de moi, vient de couper les vivres à la Maison des cultures du monde. C'est évidemment le contraire de ce que je souhaite. Catherine Clément a le bon réflexe de m'avertir. Je reçois Chérif Khaznadar et rétablis aussitôt les crédits. Mais qui sait Rue de Valois tout ce que Chérif Khaznadar a fait depuis des décennies pour accueillir des artistes venus du monde entier et que personne sans lui n'aurait jamais eu l'occasion de connaître ?

Visite aux Archives avec Henri Guaino. Accord immédiat : c'est ici qu'il faut installer la Maison de l'histoire de France. Mais dans le parc fermé, à l'abandon et désert, apparaissent peu à peu des ombres qui nous considèrent de loin et nous envoient des ondes hostiles.

Une émission de télévision politique plutôt confidentielle sur une chaîne de moyenne importance. Manuel Valls passe après moi. Je vais le saluer dans sa loge. Deux chemises impeccablement repassées et un costume de rechange sont sur des cintres. Une dame s'affaire avec un fer. J'ai envie de lui demander s'il change aussi de caleçon chaque fois qu'il passe à la télé mais je préfère m'abstenir. On se contente d'échanger des propos aimablement anodins. En tout cas, je constate qu'il soigne sa communication en ne laissant rien au hasard pour son apparence et que le style débraillé-sympa-de-gauche-limite-crado n'est vraiment pas son genre. Moi, je ne pousse pas l'attention aux détails jusqu'à ce point et je ferais sans doute bien de m'en inspirer.

Vendredi 16 juillet 2010

Élodie : « Votre visite aux Archives n'est pas passée inaperçue. Nous avons déjà une demande des syndicats pour être reçus par le ministre. Je pense qu'on peut la traiter pour l'instant au niveau du cabinet simplement, sans précipitation. »

Yannis a bouclé le projet de la Nuit du ramadan avec Laurent Bayle pour la fin de l'été à la Villette avec une diffusion en direct sur France Ô. Ce n'est plus le projet de Festival de la musique arabe, qu'aucune municipalité n'a accepté d'accueillir, mais c'est toujours ça de pris.

Samedi 17 juillet 2010

Stéphane Lepoittevin et ses joyeux chroniqueurs sur France Inter : c'est sympathique mais il n'y a qu'Hadopi qui les intéresse, avec l'habituelle litanie des indignations et des sarcasmes. J'ai beau faire, je n'arrive pas à les emmener ailleurs.

Dimanche 18 juillet 2010

Quand je suis fatigué de lire mes dossiers et d'aligner les signatures sur les parapheurs, je sors sur la terrasse et je regarde les fenêtres de l'appartement de Colette à l'autre extrémité du Palais-Royal. Je l'imagine quand elle remontait lentement les allées pendant la guerre, grosse et percluse d'arthrite, au bras de son mari, Maurice Goudeket, dont elle assumait bravement l'étoile jaune et qu'elle avait réussi à sortir de Compiègne, l'antichambre de la mort. Je préfère cette image à celle de Jean Cocteau, l'égoïste qui les regardait passer sans beaucoup s'émouvoir avant d'aller rédiger des lettres enflammées à Arno Breker et de plaindre son pauvre Jeannot harcelé jusque sous leurs fenêtres de l'entresol par les admiratrices de *L'Éternel Retour*.

Lundi 19 juillet 2010

Jeu de paume au château de Fontainebleau où sont conviés les enfants des «Portes du temps», une manifestation pilotée par Fadela Amara et Francis. Ils sont une bonne centaine à crier «Chiche, monsieur le ministre!» C'est un jeu très difficile dont on a oublié les règles depuis Saint Louis. Sans habitude, on ne sait jamais dans quelle direction la balle va rebondir. Les gamins de banlieue qui jouent contre moi sont bien plus habiles, ils sautent partout comme des diables. Je tiens une demi-heure, les gosses sont ravis, mais je m'arrête épuisé, en nage, le cœur battant la chamade. On peut mourir comme ça, bêtement, pour avoir voulu épater des petits Beurs délurés.

Mardi 20 juillet 2010

Réunion infernale sur le palais de Tokyo. Il est évident que l'on court au désastre si je temporise encore pour essayer de réconcilier une équipe de gens qui se détestent et qui montent sur leurs grands chevaux quand je leur demande de m'exposer posément les grandes lignes de leur projet, ce qu'ils sont bien en peine de faire de manière un tant soit peu convaincante. Francis effondré, Élodie silencieuse, il va falloir trancher dans le vif, mon horreur pathologique des conflits dût-elle en souffrir.

J'ai enfin réussi à faire nommer Jean-François Colosimo au Centre national du livre, et comme il arrive souvent en pareil cas, tous ceux qui ont utilisé les pires moyens pour torpiller sa candidature volent désormais au secours de la victoire et affirment que j'ai eu raison de tenir bon et d'imposer ma décision. Discours pour l'installer officiellement que je trouve médiocre ; j'improvise, c'est encore pire. La fatigue.

Des hommes et des dieux, le film de Xavier Beauvois inspiré par la tragique histoire des moines de Tibérine. Voilà, c'est bien ; scénario solide, émotion sobre, casting impeccable, et Dreyer n'aura pas été oublié par tout le monde. Une prémonition horrible que je garde pour moi : des saints hommes doux et tolérants aimés par de braves campagnards algériens, les uns et les autres surgis des remous de quelques nostalgies imprécises, assassinés traîtreusement par de méchants Arabes, succès assuré.

Mercredi 21 juillet 2010

Le président : « Tu as vu pour Polanski ? Ça s'est arrangé finalement, sans faire de vagues, je me suis bien débrouillé. »

Je dis à Rémy Pflimlin que j'avais milité pour Alexandre Bompard. Il le sait sans doute mais il est sensible à ma franchise. C'est bien mieux comme ça.

Wolfgang Schäuble, le ministre allemand des Finances, assiste au Conseil des ministres. Il se déplace en fauteuil roulant depuis plus de vingt ans après avoir été révolvérisé par un dingue. On force évidemment un peu sur le naturel, comme s'il était parfaitement valide. C'est un homme dur à la peine, au caractère inflexible et à la mécanique intellectuelle rigoureuse, que l'on écoute dans un silence religieux. Même le président n'ose pas l'interrompre et lui témoigne des égards de petit garçon intimidé.

Le couple d'architectes japonais de l'agence Sanaa qui construit le Louvre-Lens ouvre les grands cartons contenant la maquette de la future Samaritaine avec des sourires d'étudiants timides et remballe tout ensuite en courbant la tête comme s'ils avaient peur d'avoir raté leur examen. Ils n'ont pas d'assistant avec eux pour les aider. À comparer avec la morgue de certaines de nos stars. Travail magnifique alors que les contraintes sont nombreuses : bâtiment de Sauvage, enchevêtrement initial du beau et du médiocre, implantation et accès, etc. Bernard Arnault les accompagne, sidéré comme moi par la qualité, la modestie et la gentillesse des deux architectes.

Jeudi 22 juillet 2010

Richelieu, la cité utopique du cardinal, belle endormie dans sa superbe inutile, a certainement intéressé Julien Gracq qui d'ailleurs n'habitait pas très loin. Mais personne n'a la réponse quand je pose la question. Gentil musée qui évoque abondamment la mythologie de l'«homme rouge aux quatorze chats» mais fait l'impasse sur le slip Éminence qui régnait en majesté purpurine sur les réclames dans le métro de mon enfance. Je ne peux évidemment pas m'empêcher d'évoquer le fâcheux oubli. Regards interloqués de l'assistance.

Yves Dauge, sénateur socialiste de la région de Chinon, est un fidèle gardien de la mémoire de François. Il me réserve au début l'accueil républicain formaliste d'usage, mais la relation se réchauffe très vite, soit qu'il devine l'attachement que j'ai pour mon oncle, soit qu'il me juge digne d'être réadmis dans la famille de pensée qu'il partageait avec François. Au fond, le même genre de relation que j'ai avec Charasse, Glavany ou Védrine.

Les Marocains du Groupe acrobatique de Tanger ont installé leurs tréteaux au Palais-Royal pour leur *Chouf Ouchouf*. Ils font un numéro stupéfiant d'agilité en bondissant dans de grands cartons d'où ils disparaissent et surgissent comme par enchantement. Tous rudes, jeunes, le regard acéré. L'un d'entre eux se blesse, il appelle sur moi en arabe la bénédiction de tous les saints du paradis lorsque je viens le réconforter.

Vendredi 23 juillet 2010

James Thierrée est aussi splendide que son grand-père, Charles Chaplin, et à quarante ans il ressemble de manière stupéfiante aux portraits que l'on a de lui au même âge à Hollywood. Il a aussi hérité de sa grâce et d'une bonne part de son génie, même si tout a changé maintenant et qu'on ne sait pas quel sort le cinéma d'aujourd'hui réserverait à Charlot s'il revenait parmi nous.

Déjeuner seul à seul avec Jean-Paul Faugère. C'est l'un de mes plus solides alliés, même si je dois faire attention et ne pas trop tirer sur la corde. Il est d'une fidélité absolue au Premier ministre. Ça tombe bien, j'essaie de l'être aussi.

Obsèques de Bernard Giraudeau. Il a combattu et regardé son cancer en face avec un courage extraordinaire. Toute l'assistance est très émue. Je suis assis à côté de Lionel Jospin, qui était son ami. Salutations protocolaires. Je m'enferme dans mon bureau après la cérémonie pour lui écrire la lettre que je voulais lui envoyer depuis longtemps afin qu'il sache à quel point je me sens misérable de m'être comporté à plusieurs reprises avec lui de manière bêtement frivole et hostile. Je n'ai pas oublié ce qu'Hubert Védrine m'a dit de lui : «Ce fut sans doute le meilleur Premier ministre que nous ayons eu, en tout cas de la valeur de Pompidou et de Barre. »

Une petite déclaration que je fais aussi à Anne Hidalgo en sortant de la triste cérémonie : «Si nous avions tous les deux une autre vie, nous serions certainement très amis.» Elle : «J'étais en train de penser la même chose.»

Richard II au Festival d'Avignon. L'accueil houleux devenu habituel. C'est un coup à prendre et après ça va très bien. Patrick Mennucci, le socialiste qui monte dans la région, pelote goulûment sa copine blonde entre deux salves d'applaudissements aux intermittents. Curieux spectacle. La seule chose qui m'agace encore un peu, ce sont les articles qui racontent que j'avais l'air tétanisé et livide lors du dernier bizutage il y a quinze jours alors que je ne suis pas trop mauvais dans le registre «keep smiling». S'ils savaient comme je m'en fiche au fond! Et qu'est-ce qu'ils ont tous à critiquer Denis Podalydès? Il est formidable en roi shakespearien qui se détache du pouvoir, et moi, pour cette fois, je ne me suis pas ennuyé du tout. De toute façon, cette cour du palais des Papes est un désert que l'on traverse tel un insecte que les critiques laissent courir pour mieux l'épingler comme dans une boîte à papillons. Et crac une chiure de sang dans *Télérama*, et toc un coléoptère de plus à accrocher avec les autres sur l'étagère du *Nouvel Obs*!

Dîner avec Hortense et Vincent. Ça se détend, ça se réchauffe, tant mieux.

Samedi 24 juillet 2010

Beaucoup de gens hostiles, parfois même très excités quand je passe dans les rues. Le tout, c'est de ne pas renvoyer les regards et de jauger du coin de l'œil le plus vite possible si la confrontation peut dégénérer. Sécurité très sympa, fluide et attentive. Tenace nostalgie du temps où je pouvais traîner parmi les étals de livres près de la gare.

Le couple infernal Lambert-Roig au mieux de sa forme: ils continuent à se vilipender mutuellement en public et à se voir en secret. On en rit avec le préfet, toujours aussi drôle, fin et sans illusion sur la nature humaine.

Dimanche 25 juillet 2010

Qu'est-ce que je cherche, au fond? Accomplir de grandes choses, c'est vague, et de toute façon c'est impossible. Une revanche, une satisfaction d'amour-propre, sans doute, mais cela n'explique pas tout. Exercer une influence, rencontrer des gens qui m'intéressent, certainement, mais à quel prix! Essayer de bien faire son boulot et ne pas se poser de questions? Jean-Marc: «On est pareils, tu cherches à être vivant, c'est tout!» Il n'arrête pas de faire des affaires, gagne beaucoup d'argent, donne tout à ceux qu'il aime et ne garde rien pour lui.

Lundi 26 juillet 2010

Valéry Freland, mon conseiller diplomatique, me quitte pour rejoindre son nouveau poste à Tunis. Il m'a accompagné dans tous mes déplacements à l'étranger, a préparé mes entretiens avec mes visiteurs avec soin, rédigé des notes toujours intéressantes et fait parfaitement le lien avec le cabinet de Bernard. Il m'a aussi reproché amèrement d'être trop dur avec lui et de lui mettre une pression parfois insupportable, ce dont je ne me rendais pas compte. C'est un type vraiment très bien. Il paraît que depuis Jack, aucun ministre de la Culture ne s'était donné autant aux relations extérieures.

Éric de Chassey, toujours patte de velours et «tout va très bien, madame la marquise». Je me méfie de plus en plus compte tenu de ce qui me revient de Rome. Jean-Pierre : «Oublie la Villa Médicis, oublie-la une fois pour toutes.» Je n'y arrive pas.

Tournage du film de Woody Allen où Carla joue un petit rôle. Il pleut à verse rue Royale et l'effet est très beau sous le feu des projecteurs. La sœur de Woody, particulièrement aimable, ravie qu'on lui ait facilité les choses. Lui, renfrogné, à peine bonjour. Mais rien n'est plus embêtant que des visiteurs sur un tournage où ils n'ont rien à y faire.

Mardi 27 juillet 2010

Julien Dray : «Ce type-là, s'il me demande l'heure encore une fois, je lui fous mon poing sur la gueule!» Moi : «Il te demandera peut-être un autographe!» On parle de l'un de mes collaborateurs au tempérament espiègle et qu'il faudra quand même que je gronde. La passion de Julien pour les belles montres et les stylos de prix a failli lui coûter sa carrière, et il est ressorti profondément meurtri par l'abandon généralisé de ses petits camarades.

Jean de Boishue : «Méfie-toi de cette formule de la "culture pour chacun", c'est toujours la vieille lune de la démocratisation culturelle qui n'a jamais rien donné, avec une autre enveloppe à laquelle personne ne croit. Deux inconvénients pour le prix d'un seul.»

François Le Pillouër lui donne raison à sa manière. Il flaire sous la «culture pour chacun» un vivier de petits scorpions qu'il saura bien lâcher contre le ministère, et dans son obsession des complots qui menaceraient le spectacle vivant, il perçoit tout le travail que fait Francis avec les associations comme un danger potentiel pour son monopole.

Dîner chez Pierre Bergé. Hormis la politique, rien ne nous sépare. On pourrait penser que c'est déjà beaucoup, mais non, justement, entre nous deux, ce n'est rien, absolument rien du tout. Maison ravissante, jardin luxuriant, aucun bruit, en plein cœur de Paris, dans le quartier le plus convoité.

Mercredi 28 juillet 2010

Le président : « Profitez de vos vacances pour vous occuper de votre famille. En politique, c'est pas vous qui souffrez, c'est votre famille. »

Festival de La Roque-d'Anthéron. Année Chopin, trentième anniversaire, la grande coque parmi les pins rénovée pour améliorer encore l'acoustique, et manifestement grève des cigales, à moins qu'elles aient la musique en horreur, de fait on ne les entend pas. L'un des organisateurs : « Quel dommage que vous soyez venu ce soir, monsieur le ministre. Hier c'était merveilleux, et demain ce sera magnifique. — Et aujourd'hui ? » Il fait la grimace.

Dîner avec Jérôme Deschamps et Macha Makeïeff. Lui, drôle, patelin, un peu rosse. Elle, exquise, tout simplement exquise. Elle voudrait reprendre le théâtre de La Criée à Marseille où elle a de nombreuses attaches.

Jeudi 29 juillet 2010

Jean-Pierre : « Si tu ne tapes pas un bon coup sur la table, ils vont finir par te bousiller ton Festival de l'histoire de l'art ! Tout le monde dort à l'Institut d'histoire de l'art et tu les as dérangés dans leur train-train. Ils n'ont qu'une envie, c'est que le festival n'ait pas lieu. » Jean-François Hebert, qui doit l'héberger à Fontainebleau, également inquiet.

Dîner avec Farah et ma belle-mère, Arlette, au nouveau restaurant de Ralph Lauren, boulevard Saint-Germain. On évoque les vieux souvenirs de notre équipée dans la Tunisie profonde, avec Michel et Marina de Grèce, on y regardait alors beaucoup la Raï et les jeunes dans la rue, avec des yeux brillants, prenaient Farah pour Raffaella Carra, ce qui la mettait en joie.

Vendredi 30 juillet 2010

Jacques Attali me rapporte ce que le président lui a dit : « C'est exactement ce que j'attendais de votre rapport. Dedans, il y a tout ce qu'on doit faire. Résultat, à peu près rien. Enfin, vous connaissez l'histoire. Et pendant ce temps, notre retard s'accentue un peu plus chaque jour. On plonge, on plonge. »

Pascal Nègre, patron d'Universal Music France : « Vous croyez que c'est avec des artistes pareils que je peux continuer à faire tourner ma boîte ! Ils sont bien gentils, je les aime beaucoup, mais cela fait des années qu'ils ne rapportent plus un sou. » Il cite quelques-uns des plus grands noms de la variété française. « On me reproche de profiter de la crise pour racheter les petits, mais c'est la vocation des petits que de se faire racheter par les grands ! »

Le préfet, Hugues Parant, m'emmène passer la nuit à la préfecture de Toulon. C'est un motard athlétique à belle gueule qui aurait certainement fait carrière à Hollywood dans des films d'action du genre *Le Fugitif*, plutôt Tommy Lee Jones qu'Harrison Ford. Alors comme j'ai toujours eu un faible pour Tommy Lee Jones...

Samedi 31 juillet 2010

La préfecture est un mastodonte particulièrement disgracieux des années soixante-dix. Hugues Parant y vit seul et rien n'évoque une présence féminine quelconque. *Lonesome cowboy*. Mais comme je l'ai souvent constaté avec ce genre d'hommes qui incarnent sans même y prêter attention une idée assez romanesque du chef, il m'entoure de beaucoup d'attentions discrètes. La maison, tout affreuse qu'elle soit, est tenue avec style et le service roule à la perfection, invisible, efficace et silencieux. Mon hôte jouit d'un très grand prestige parmi ses administrés. Il a en effet géré les inondations catastrophiques qui ont dévasté la région il y a quelques mois avec un sang-froid et une maîtrise formidables. Comme je l'interroge à ce sujet, il m'en parle un peu, avec cette sorte de distance qu'il pratique à l'égard de tout ce qui concerne son métier, ses relations, sa carrière ; cette réserve contribue d'ailleurs encore plus à son charme. J'apprendrai aussi peu à peu, par Hubert Falco et d'autres, que son frère occupe une position importante à l'Élysée, qu'il est particulièrement craint et respecté des voyous en tous genres qui ont souvent tenté de mettre la main sur un département où les marlous prolifèrent au rythme où la population grandit, et encore, *last but not least*, qu'il serait marié, très aimé des dames ; aussi mystérieux sur ses attachements qu'il est secret dans l'expression de ses sentiments. Avec moi, toujours lisse et anticipant mes intentions avant que je ne les exprime, impénétrable et sans la moindre trace de flagornerie, facilement souriant ce qui le rend à une jeunesse dont je ne saurai jamais rien et que j'imagine pleine de risques et d'aventures.

Et une connerie de plus! En favorisant l'alliance de Falco et des frères Berling, qui s'entendent désormais comme larrons en foire, j'ai affaibli le Centre national de création et de diffusion culturelles de Châteauvallon et son pilote, Christian Tamet, que les municipalités successives ont essayé de dégommer pour péché d'indépendance et de gauchisme. Or Châteauvallon, c'est épatant, un vrai phalanstère artistique comme je les aime, et Christian Tamet est un type magnifique avec l'élégance en plus de ne me faire aucun reproche. Honte à moi, je ne le savais pas vraiment. Et voilà Gribouille qui s'évertue à tenter de vouloir rétablir l'équilibre en mettant tout le monde d'accord.

Georges-François appelé à la rescousse : «Je t'avais bien prévenu pourtant, monsieur le ministre, Falco et ses nouveaux petits chéris t'ont roulé dans la farine en t'arrachant des promesses et tu es bien embêté maintenant.» Gribouille, de parfaite mauvaise foi : «Tu n'avais qu'à me prévenir mieux! Maintenant, tu assures ce que j'ai promis et tu ne retires pas un sou à Tamet. Débrouille-toi!» Georges-François : «Ce sera fait selon tes désirs, monsieur le ministre...» Au fond, il adore me sortir de ce genre de pétrin où il va pouvoir enfumer tout le monde. Il protégera Tamet.

Dans la ville basse, écrasée de chaleur, au bas des hôtels menaçant ruine des vieux bourgeois partis depuis longtemps, des jeunes Beurs torse nu jouent au foot dans les ruelles et s'apostrophent en françarabe avec l'accent du Midi. Rude pulsion de désir sexuel. Ah, si je pouvais planter le cortège et rester ici le plus longtemps possible, oublié, anonyme, avec eux. Les bordels de garçons du *Livre blanc* où Jean Cocteau retrouvait de jeunes marins n'existent plus depuis longtemps, mais il doit bien y avoir un moyen. Le préfet, qui m'observe du coin de l'œil : «Il nous reste à voir l'Opéra, monsieur le ministre.» En effet, bel opéra à l'italienne où le directeur fait jouer du Kurt Weill; on est peut-être loin de Berlin mais pas de la chair des années trente et du seul désordre qui vaille. Le type a compris l'essentiel.

Brève échappée avec le préfet du côté du cap Brun : « C'est là que je vais me baigner, j'ai repéré des petites plages où il n'y a jamais personne. » À mon tour cette fois : « Bon, ce serait peut-être aussi bien qu'on rentre, monsieur le préfet, il fait vraiment trop chaud ici. » Il rit, on repart. Moi : « Le discours du président à Grenoble, vous ne trouvez pas que c'est pousser le bouchon un peu loin quand même ? » Lui, silencieux, puis : « Non, je ne vois pas ce que vous voulez dire. » Il voit très bien, mais j'avais un peu trop facilement oublié que c'est un homme d'ordre avant tout. C'est le seul moment où je vois passer une ombre dans son regard clair.

Je traîne Hubert Falco à Châteauvallon pour la représentation du soir. Il me délivre un chef-d'œuvre de rouerie politicienne, faconde fleurie, amour universel, le cœur sur la main : « Comme tu as raison, Châteauvallon, c'est un trésor pour Toulon. D'ailleurs, tu sais, je viens souvent voir les spectacles. » Christian Tamet, qui n'a pas entendu : « Nous sommes tous très contents de vous recevoir avec le ministre, je crois que vous n'aviez encore jamais eu l'occasion de venir. » Un délicieux vieil amiral qui préside Châteauvallon chasse les anges qui planent sur nous et s'envolent à tire-d'aile.

Dimanche 1ᵉʳ août 2010

Le préfet au petit déjeuner : « J'ai l'impression que vous avez fait du bon travail, monsieur le ministre, et nous avons passé une belle journée grâce à vous. » Il sourit. Je ne sais jamais s'il continue à accomplir méticuleusement son devoir ou s'il se fiche de moi. Mais je pense que je l'amuse, que je l'intéresse et qu'il a de l'amitié pour moi.

Marseille, villa Pastré, la belle bastide au fond d'un parc où Jean-Claude Gaudin aime régler ses affaires en discourant avec ses invités devant un bon repas. Regardant autour de lui d'un air morose : « C'est Mme Edmonde Charles-Roux qui a refait toute la décoration. Vous trouvez ça comment ? » Il insiste sur « madame » comme un valet de chambre que sa patronne a fait souffrir et qui tient sa revanche ; vieilles humiliations et rancunes longuement recuites. « Je trouve ça très bien, on voit que c'est une femme de goût. — Ah, vous trouvez ça très bien ; si c'est vous qui le dites ! » Il n'a pas l'air convaincu, mais il laisse tomber, les invités arrivent.

La directrice des musées de Marseille : «Je n'y arrive plus. Je n'osais pas vous le dire avant, mais je vais rejoindre Guy Cogeval à Orsay. Ici, j'ai fait tout ce que j'ai pu, mais je n'en peux plus.» Elle a l'air triste et épuisée, j'insiste un peu pour qu'elle reste au moins jusqu'en 2013. «Vous savez très bien ce qu'il en est, ce n'est pas faute d'avoir essayé, je n'y arrive plus. J'espère que vous ne m'en voudrez pas.» Comment lui en voudrais-je ?

Après Bernard Latarjet qui prend le large, c'est la deuxième défection d'importance. Marseille, capitale européenne de la culture en 2013, c'est le grand n'importe quoi et rien n'avance. Avec le maire, on rigole bien à table, mais la bouillabaisse risque bientôt d'avoir un goût saumâtre.

Retour à Paris le soir et sinistre bouffonnerie pakistanaise.

Les membres de l'ambassade du Pakistan attendent leur président en rang d'oignon au salon d'honneur. Il y a trois femmes en tenue occidentale banale. Il salue chaque homme avec chaleur et passe devant les femmes sans leur serrer la main et sans les regarder, comme si elles n'existaient pas. C'est le veuf de Benazir Bhutto.

Dans la voiture qui nous emmène d'Orly vers le Crillon, je tente une conversation sur les tragiques inondations qui viennent de faire plusieurs milliers de morts dans son pays, avec tout l'intérêt compassionnel qui s'impose. Il me répond en me demandant à quelle heure ferment les magasins avenue Montaigne. Ensuite, la conversation traîne un peu. Arrivés au Crillon, il retrouve sa fille avec des transports d'affection qu'il ne dissimule pas.

Lundi 2 août 2010

Suite de la bouffonnerie pakistanaise. Je commence à comprendre pourquoi aucun autre ministre ne s'est laissé prendre au piège d'accompagner un type pareil.

L'inauguration sur les trésors de Lucknow, au musée Guimet, est expédiée à toute allure. Les conservateurs s'essoufflent à suivre le président en tentant de brèves explications noyées dans un cortège manifestement habitué aux courses poursuites culturelles. Son fils, un beau jeune homme brun en Armani, pianote sur son portable plaqué or du début jusqu'à la fin sans un coup d'œil à l'exposition. Il doit accéder à la tête du parti de son père dans les prochaines semaines.

Selon les mauvaises langues du Quai d'Orsay, le président pakistanais passerait le plus clair de son temps reclus dans son palais par crainte des attentats, trompant son ennui en regardant à longueur de journée des dessins animés et les cours de la Bourse sur Internet.

Abdul Qadeer Khan, le père de la bombe atomique pakistanaise, a bel et bien refilé le mode d'emploi à la Corée du Nord, à l'Iran et à la Libye, pour son enrichissement personnel et pour l'accroissement de la puissance islamique, comme il l'a volontiers reconnu. Benazir Bhutto, madone des médias occidentaux et Premier ministre à éclipses, ne pouvait pas ne pas le savoir quand c'était encore un secret de polichinelle. Son mari, président actuel, a chaudement félicité le savant fou lorsque la justice de son pays l'a libéré de toutes poursuites. Des vétilles pour un État qui bat les records en termes de coups d'État et d'assassinats politiques.

Mardi 3 août 2010

Ma secrète alliée : « Ça t'étonne encore ? Tu devrais pourtant savoir comment il fonctionne depuis le temps. Tout est affaire de désir ; au début, il te veut tout le temps près de lui, te consulte en permanence, dit du bien de toi à tout le monde. Puis le désir passe, tu l'ennuies, il ne t'écoute plus, il t'évite ; on te rapporte des propos désagréables qu'il aurait tenus sur toi. C'est la phase délicate, si tu tiens à rester : il faut faire comme si de rien n'était, continuer comme avant, ne te confier à personne. Alors il commence vraiment à te juger et c'est là qu'il décide de te garder ou de te laisser tomber. S'il te garde, la relation devient normale, enfin à peu près, tu n'es jamais tout à fait à l'abri d'une foucade, mais il a admis qu'il a besoin de toi et il fait attention à ce que tu ne te décourages pas. S'il te sort de son champ de vision, il en ressent un certain remords et il te trouve quelque chose pour ne plus avoir à y penser. C'est incroyable, le nombre de gens qu'il a pu recaser comme ça. Il n'a pas d'amis, juste des copains, des collaborateurs et des obligés. Au fond, il est affectueux, sentimental et gentil, mais il déteste qu'on s'en rende compte ; il prend ça pour de la faiblesse et il est donc toujours sur ses gardes, prêt à mordre si on s'approche. Il attend de toi que tu sois comme lui et il veut aussi que tu sois le contraire et que tu n'aies pas peur de lui résister. Mais il ne faut surtout pas que tu fasses de scènes ou que tu sois de mauvaise humeur. Il a horreur d'avoir tort, mais comme il est aussi très intelligent, il peut l'accepter, à condition que cela ne perturbe pas son équilibre intérieur qui est donc fragile, envenimé par la fatigue, les soucis, la volonté de passer coûte que coûte.

«Je ne te parle pas de l'autre moitié de sa personnalité, sa relation aux femmes. Je constate seulement qu'il a trouvé en Carla celle qu'il lui fallait. Elle a beaucoup moins besoin de lui qu'il n'a besoin d'elle, et en même temps elle est parfaitement loyale et ne l'embête jamais. Elle l'épate autant qu'elle le rassure. Que savait-il vraiment de la vie avant de la connaître?»

Arrivée à Tunis dans la nuit. Chaleur intense.

Du mercredi 4 août au mercredi 18 août 2010

Vacances à Hammamet. La maison pleine d'amis. Lectures : Mémoires de Marceline Loridan, biographie de Richelieu, Christopher Isherwood, Colette Fellous, des vieilles revues du temps du protectorat. Les Alliot-Marie à dîner plusieurs fois. À Bizerte, je me casse la figure dans la piscine de Bertrand Delanoë, déchirure musculaire sérieuse que je ne soigne pas. Pas de contacts officiels mais déjeuner amical avec Abdallah, le conseiller de Ben Ali, qui s'étonne, ou fait semblant de s'étonner, que je m'étonne du culte de la personnalité de son patron et de l'avidité folle des Trabelsi, la famille de Leïla Ben Ali. *That's all folks*, ça passe si vite.

Jeudi 19 août 2010

Très belle réponse de Lionel Jospin à la lettre que je lui avais envoyée après les obsèques de Bernard Giraudeau. Écrite de sa main. Sobre, cordiale, émouvante.

Tournée avec Jean-Pierre. À Rodez, le maire et le député en viennent pratiquement aux mains en voulant me tirer chacun de son côté. Les statues-menhir du musée Fenaille, les vitraux contemporains de la cathédrale le site du futur musée Soulages. À Conques, les pèlerins de Compostelle veulent absolument qu'on fasse des photos, quand il y a bien mieux à voir. À Aurillac, la ville est envahie par une foule énorme venue pour le Festival des arts de la rue. Une découverte pour moi. Je retrouve Catherine Tasca, sa belle voix ardente et toujours un peu mélancolique. La ville plongée dans le noir avec toutes les images que les artificiers font défiler sur les murs et qui la rendent fantomatique. Chaude, la nuit où l'alcool coule à flots. Les gens du cru : «Si vous saviez comme il fait froid ici l'hiver. » Accueil plus que gentiment familial à la préfecture.

Vendredi 20 août 2010

C'est le pays d'élection de Jean-Pierre. Montagnes rudes et désertes où l'été finissant apporte un manteau de douceur éphémère. Centres culturels perdus, chapelles romanes abandonnées, partout des gens dans des ateliers d'écriture ou d'art dramatique, des bénévoles qui restaurent, des élus pour qui Paris est encore plus loin et froid que la planète Mars, tous contents de voir que le ministre s'intéresse à ce qu'ils font. Brioude, déjeuner avec Jean-Louis Prat. Les vitraux de la basilique par le père Kim En-joong, dominicain coréen désarmant d'humilité alors que fleurissent les compliments et les demandes venus du monde entier. La Chaise-Dieu, l'abbaye majestueuse des marches du ciel où même Michel Charasse en oublie son aversion pour les églises. Le village d'une beauté et d'une tristesse poignantes. Interminable route en lacets, comme tout le temps que l'on met à perdre la foi avant de rejoindre les autoroutes, Paris, cet autre monde dont on a cru pouvoir oublier l'existence.

Samedi 21 août et dimanche 22 août 2010

Mon anniversaire avec maman à Saint-Gatien. Bref post-scriptum des vacances. «Mais qu'est-ce que c'est que cette histoire encore à propos des Roms? D'où vient cet accès de hargne contre ces pauvres diables? »

Lundi 23 août 2010

La tapisserie de Bayeux : présentation remarquablement bien faite. Peu à peu arrivent la conservatrice et les élus, effarés de ne pas avoir été prévenus de la visite.

Mardi 24 août 2010

Visite de l'atelier d'Anselm Kiefer avec Francis. Il occupe un ancien entrepôt des grands magasins de trente-cinq mille mètres carrés dans la banlieue parisienne. C'est rempli de sous-marins rouillés, d'énormes débris de matériel militaire enchevêtrés, malaxés, ressoudés, à l'aspect encore plus inquiétant et redoutable, de fils de fer barbelés en grosses pelotes et de fresques hallucinées qui évoquent des panoramas sinistres de camps de concentration et de destructions mystérieuses. Des assistants tout droit sortis de *Blade Runner* circulent en Fenwick pour soulever les œuvres et les placer dans de grands containers qui doivent partir pour une exposition aux États-Unis. Tout est démesuré, propre, méticuleusement organisé. Le maître me fait servir un délicieux repas macrobiotique sur une mezzanine lumineuse qui surplombe le champ hérissé d'après la bataille. Conversation enjouée, jolies fleurs sur la table. Anselm Kiefer est né en mars 1945, au plus fort de l'apocalypse du IIIe Reich.

Mercredi 25 août 2010

Biennale d'architecture à Venise, Ann-José Arlot, en prêtresse de l'événement ; elle pourrait apprendre le swahili en vingt-quatre heures pour me faire rencontrer des urbanistes africains. Bordeaux et Nantes participent à l'opération. Dîner très amical et détendu avec Alain Juppé et Jean-Marc Ayrault sur la terrasse de l'hôtel Monaco. On parle des canaux de Nantes qui ont été comblés, victimes des folies modernisatrices du passé, et du futur pont sur la Garonne qui cause beaucoup d'émoi à l'Unesco. Devant nous passent les vaporettos du Grand Canal que Marinetti, le père du futurisme italien et chantre du fascisme, voulait justement transformer en autostrade !

J'ai opportunément retrouvé quelques écrits du bouillant poète à propos de la Cité des Doges : «Nous répudions l'antique Venise exténuée et anémiée par des voluptés séculaires, nous répudions la Venise des étrangers amants du snobisme et de l'imbécilité universels!» Têtes d'Alain Juppé, encore très «tentation de Venise» et de Jean-Marc Ayrault pour qui les grands artistes sont a priori de gauche. On a toujours du mal à faire admettre que des créateurs de génie puissent aussi être des abrutis qui profèrent des conneries monumentales. La conversation est si amusante et si agréable entre nous trois qu'elle se prolonge jusqu'à plus d'heure ; on se sépare quand il ne reste plus que des chats implorants qui sautent sur les tables.

Jeudi 26 août 2010

Alain Juppé, qui me donne l'impression d'être assez seul, peut-être en train d'attendre quelque chose : «Heureux d'avoir passé tout ce temps avec vous. Je ne vous savais pas si attentionné.» En politique, ce n'est pas forcément un compliment, mais il est sincère, et cela fait plaisir.

Vendredi 27 août 2010

Comment agrandir les espaces disponibles pour les expositions de photographies qui dépendent du ministère? C'est l'un des objectifs de la mission photo que nous avons tant de mal à mettre en place avec Francis contre, vraiment contre, la résistance de l'administration qui fait tout pour que les choses restent en l'état, c'est-à-dire dispersées, négligées, papelardes.

Visite du Jeu de Paume avec Marta Gili : c'est bien plus grand que je ne l'imaginais et très efficacement organisé, mais tout est déjà plein comme un œuf avec les ateliers, le magasinage et les réserves. Il y aurait paraît-il de vastes sous-sols adjacents qui s'étendraient sous les jardins des Tuileries, mais personne ne sait comment y accéder ni où se trouvent les plans. Ah, si j'avais dix ans devant moi...

Samedi 28 août 2010

Superbe Nuit du ramadan au parc de la Villette. Des artistes venus de toute la Méditerranée et d'autres surgis des banlieues, les uns et les autres à peu près inconnus des médias. Vingt mille spectateurs jusqu'à l'aube, aucun problème de sécurité. Yannis et Laurent Bayle ont remporté le pari. Seul petit couac, le présentateur signale ma présence et celle de Fadela tandis que les caméras de France Ô nous balancent sur les grands écrans. Déferlement de sifflets, et «Grenoble, Grenoble!» sur l'air des lampions. Fadela pas très contente et NKM, prévenue par des officiers de sécurité, qui ne vient pas. Cela ne m'empêche pas de courir un peu partout au contact des uns et des autres, ça se passe très gentiment. Je fais une provision de fanzines qui circulent dans le public, le genre de littérature que l'on ne consulte guère au ministère et l'on a bien tort. Elle tire évidemment à boulets rouges sur le gouvernement.

Dimanche 29 août 2010

Les esprits de la forêt sont bien plus présents que les vivants, mais ils sont très discrets et ne viennent converser avec nous que lorsque nous sommes prêts à les accueillir. C'est un moment qu'ils devinent mieux que nous et nous sommes souvent surpris de les voir apparaître alors que nous espérions leur venue sans l'avouer. C'est ce qui s'est passé à Cannes avec *Oncle Boonmee*, la Palme d'or qui a pris à peu près tout le monde par surprise. À rapprocher des travaux de mon ami le professeur Voraphath, le grand lettré francophile de Bangkok, qui m'a conté des récits passionnants sur les «bouddhas des bois», qui ne sont là que pour ceux qui savent les reconnaître.

Projection au ministère, public dubitatif qui confond les esprits et les fantômes et refuse de croire que les premiers inspirent souvent les textes administratifs pour les rendre incompréhensibles tandis qu'on croise parfois les seconds dans les couloirs.

Lundi 30 août 2010

Perpignan, visite de la cathédrale inscrite au plan de restauration du ministère, notamment célèbre pour son gros bourdon. Le maire : «Ah ça, les cloches, ce n'est pas ce qui manque à Perpignan, on en a de toutes les tailles.» Il fait glisser son regard sur les élus qui nous entourent et s'esclaffent sur le mode «rira bien qui rira le dernier».

Les premières mesures pour soutenir le photojournalisme sont accueillies avec intérêt mais sans grands transports de joie. Francis : «Depuis le temps qu'ils les demandaient, ils pensaient que ça n'arriverait plus. C'est normal qu'ils soient encore un peu méfiants.»

Depuis la terrasse du Palais des congrès, magnifique vue panoramique sur toute la ville et au-delà, mais à l'intérieur assemblée des maires du département venus en famille et qui attendent mon discours. Mais qu'est-ce que je vais bien pouvoir leur raconter ? Je me rappelle à temps les principes d'Edgar Faure : leur dire qu'ils ont souffert, qu'ils vont de l'avant et que la République les accompagne et leur fait confiance. Incroyable mais ça marche. Après, vins d'honneur en cascade, cochonnailles, photos avec les petits enfants et leurs parents attendris.

Le préfet, Jean-François Delage, est extrêmement sympathique. Il ressemble au deuxième mari de maman, que j'aimais beaucoup. Il se frotte les mains à chaque anecdote un peu croustillante. Coupes sombres dans sa cave et sa réserve de cigares avec toute ma fine équipe ; on regagne nos chambres à quatre pattes.

Mardi 31 août 2010

Jean-Paul Huchon très aimable, très intéressé par tous mes projets en Île-de-France, très désireux de coopérer. Ce n'est pas le même homme que celui qui réclamait ma démission à cor et à cri l'an dernier. Un de mes conseillers : «Ne vous faites pas d'illusion, il ne fera rien de ce qu'il vous a promis. C'est une planche pourrie, sauf qu'en plus il n'y a pas de planche.» Venant de quelqu'un qui est la mansuétude même...

Mercredi 1ᵉʳ septembre 2010

Pierre Lellouche atterré : «Mais qu'est-ce qu'il dit, qu'est-ce qu'il dit? C'est quoi cette histoire de Roms, c'est pas de son niveau. Il ne sait donc pas ce qu'on leur a fait pendant la guerre. Il sera bien avancé quand il aura Simone Veil au journal de vingt heures pour le lui rappeler.»

Il n'y a rien de plus traumatisant pour une administration que de devoir déménager. Les gens sont habitués à leur bureau, qu'ils ont souvent conquis de haute lutte et où toutes leurs petites affaires sont bien en place, plantes vertes et photos des enfants ou de petits chats au mur comprises. C'est le plus sûr moyen pour déclencher les fureurs syndicales. Emmanuel Hoog en fait l'expérience à l'AFP où il s'agit seulement de transporter quelques-uns des services de l'autre côté de la rue. Mauvais présage pour les réformes d'importance qu'il prévoit de mettre en œuvre.

«Des racines et des ailes» à Cluny, où le ministre vient faire le bon garçon. Le succès persistant de cette émission bien ficelée mais peu imaginative et plutôt superficielle témoigne en tout cas de l'attachement de l'opinion au patrimoine. Un bon relais pour le ministère.

Jeudi 2 septembre 2010

Bruno Le Maire est toujours très attentif à mes demandes. Il a réglé beaucoup de problèmes de papiers pour des artistes étrangers quand il était au cabinet de Villepin, efficacement et discrètement.

Vendredi 3 septembre 2010

La Guyane, c'est très loin, très grand, très peu peuplé. La République en a fait son débarras en y envoyant ses bagnards et ses fusées. La Guyane, c'est aussi très beau, très sauvage, très fascinant par le nombre des ethnies qui s'y trouvent. C'est un gisement de promesses pour l'action culturelle. Michel Collardelle s'est mis à l'œuvre, les premiers résultats sont remarquables et le préfet, très dynamique, marche à fond avec lui. Principal obstacle : les disputes habituelles entre les élus qui s'entre-déchirent en permanence en torpillant tout projet qui pourrait être utilisé par un camp contre l'autre. En présence sur le ring, Rodolphe Alexandre, président du conseil régional, ancien socialiste passé dans le camp sarkozyste, superpro de la politique et porteur d'un projet ambitieux pour sortir la Guyane de la marge en jouant de la métropole et du grand voisin brésilien ; Alain Tien-Liong, président du conseil général, socialiste d'opposition, rigolo et rusé, qui joue avec moi de son charme et de son joli petit cul moulé dans son jean Wonderbra ; autour, une myriade de challengers, depuis les indépendantistes jusqu'aux opportunistes de tout poil, prêts à s'allier au plus offrant et à chaparder la moindre miette de subvention. Au-delà de Cayenne, alanguie sur sa mangrove, ses palmiers déplumés et ses bars à putes, l'immense forêt amazonienne, les orpailleurs à la gâchette facile, les Amérindiens et les Nègres marrons, l'obsession du Suriname voisin, tombeau de Hollandais chlorotiques et vivier de desperados saute-frontières, bien plus présent dans les esprits que le Brésil, un vertige de langues et de cultures différentes, toutes étonnamment vivantes et bien décidées à ne pas se laisser noyer dans un quelconque pot au noir concocté depuis Paris. Et pour gratiner le tout, cette impression qu'on est quand même en France : RFO, Patricia Kaas et la Sécurité sociale.

Donc j'en fais un maximum et rencontre autant de gens qu'il est possible d'y parvenir en essayant d'avoir un contact un tant soit peu solide avec chacun. Mais évidemment ce n'est pas assez pour devenir un autre Jean Galmot, le héros de Blaise Cendrars et du petit peuple de Cayenne, quand tout incite ici pourtant à se projeter dans une dimension romanesque. Il faudrait pouvoir revenir, écrire, faire des films.

Grand raout à la préfecture après les premières visites protocolaires. Une dame me donne un dictionnaire imagé des langues de Guyane. Un combat pour leur survie à ne pas confondre avec celui qui concerne les langues régionales en métropole, me précise un quidam. Ah oui, et pourquoi donc ?

À la préfecture, ma chambre est un charmant petit bungalow qui donne sur la mer, réservé aux visiteurs de marque. Pensez donc, François, Chirac et Sarkozy ont dormi dans le même lit que moi !

Samedi 4 septembre 2010

Un objectif : refaire l'hôpital Jean-Martial, situé dans le centre de Cayenne, pour y installer un centre des cultures guyanaises. Tout le monde est d'accord sur le principe, personne ne l'est sur les modalités.

Pour gérer l'immense parc amazonien qui couvre la moitié du département, ils sont une trentaine de jeunes gens conscients des dangers, de la difficulté de leur tâche, de leur chance. On peut les envier. Ils m'offrent de beaux masques.

À Régina, que l'on gagne en survolant la forêt en hélicoptère, écomusée du bout du monde que des touristes intrépides visitent en remontant par les fleuves. Des gosses font de la bicyclette dans la seule rue, en tee-shirt Batman, comme dans un village du Midi. Tout autour, la forêt où il est impossible de s'aventurer et la nuit qui tombe brutalement vers six heures.

Le centre spatial de Kourou s'étend sur plusieurs dizaines de kilomètres de long. Personne ne me dira qu'on pourrait considérer cette énorme entaille interdite comme une blessure. Il n'est question que d'Ariane, de Soyouz, de conquête spatiale. Impressionnant à visiter, et je ne suis qu'un petit con qui ne comprend rien à rien.

Dîner républicain à la résidence du préfet : «C'est bien la première fois qu'Alexandre et Tien-Liong acceptent de dîner ensemble pour la visite d'un ministre.» La rectrice : «J'ai des gosses qui arrivent de partout, surtout du Suriname. Je les inscris, je ne suis pas là pour faire la police.» Le préfet ne dit rien, ou plutôt si : «Les orpailleurs sont le véritable fléau, ils tirent dès qu'on les repère, mais on n'arrête que des lampistes, les parrains sont au Brésil et on ne peut pas mettre la main sur eux.»

Dimanche 5 septembre 2010

Awala-Yalimapo. Le maire est amérindien, il a construit une médiathèque parfaitement adaptée au milieu avec très peu d'argent et beaucoup d'intelligence. Sa tribu danse, rien de folklorique, une façon d'affirmer tant de choses que je ne connais pas.

Léon Bertrand, le maire de Saint-Laurent-du-Maroni, ancien ministre, a de sérieux ennuis avec la justice. Il me fait pourtant la meilleure impression : calme, mesuré, d'un contact parfaitement normal et agréable.

Gentil déjeuner à la sous-préfecture, belle maison coloniale au bord du Maroni. La crème locale conviée pour le ministre. C'était la demeure des directeurs du bagne. Photos de gros messieurs barbus, genre président Fallières ; certains étaient des brutes sadiques.

Au camp de la transportation, les cellules des condamnés à mort avec les graffitis du désespoir sur les murs et l'emplacement de la guillotine au milieu des baraquements rongés par la moisissure tropicale. Albert Londres était décidément un grand homme.

Les îles du Salut comme un dépliant du Club Méditerranée. Des gendarmes en permission font de la plongée, les couples en voyage de noces passent leur lune de miel dans un hôtel ouvrant sur un décor paradisiaque. Mais c'est absolument sinistre, là encore le socle de la guillotine, les cellules de la mort, d'horribles petits animaux qui courent partout, les agoutis lorgnés par un vieux crocodile arthritique, l'île du Diable où était isolé Dreyfus, la côte bien trop loin pour songer seulement à s'évader.

Ruines des bagnes qui hurlent la misère humaine. Tentation de tout garder et tentation de tout raser. On laisse comme ça puisque désormais c'est la mémoire qui est prisonnière. Beaucoup de bagnards vivaient en couple ; mauvais fantasme, je me débrouille à ma façon. Faire un livre à partir des innombrables dessins qu'ils ont laissés.

Euphorie des déplacements en hélicoptère dans des horizons sans limites ; persévérance des pluies et des nuages qui se déchirent, le tapis vert au sol qui efface les reliefs, les fleuves boueux et les mangroves qui ondulent au passage ; un accident et on meurt, dévoré par la forêt.

Lundi 6 septembre 2010

Anthony Goicolea, Abdellah Taïa, Youssef Nabil, artistes pédés, encore jeunes, solitaires, affables mais au fond assez durs et intègres

247

pour ne pas se laisser fléchir par les difficultés ou par qui que ce soit, sauvés par leur travail et par leurs œuvres ; je n'ai jamais été capable d'en faire autant, ils ont la force et le courage en plus du talent, je ne suis qu'un amateur. Quand on me dit : « C'est fou tout ce que vous avez fait dans votre vie », je réponds : « Mais non, mais non » et je ris, mais c'est un rire triste.

Le président arbitre entre Christine Lagarde et moi au sujet de la fiscalité au cinéma. Bercy préparait des mesures qui menaçaient tout l'équilibre du financement des films. Grand émoi de la profession. Il tranche en ma faveur (ou celle de ses amis qui sont évidemment allés se plaindre directement auprès de lui). Christine, bonne joueuse, n'insiste pas. Au fond, elle couvrait plutôt ses services, sans beaucoup de conviction, et nous sommes incapables d'entrer en conflit l'un contre l'autre.

Carolyn Carlson rencontre toutes sortes de difficultés pour travailler dans son petit théâtre à la Cartoucherie du bois de Vincennes. Georges-François m'assure qu'il va s'en occuper.

Mardi 7 septembre 2010

Comme le Chinois dans les cirques qui fait tourner les assiettes sur des tiges de bambou et qui court d'un bout à l'autre de la rangée pour éviter qu'elles ne tombent, le ministre va d'une réunion à une autre pour que les dossiers continuent à avancer. C'est affreusement difficile et fatigant ; il ne faut s'attendre à aucun applaudissement de la part du public.

Dans un autre genre de course-poursuite, soirée partagée entre l'hommage à Annie Cordy à la télévision et la soirée de la Fondation Claude Pompidou avec Mme Chirac. Des petits limbes de sentiments se perdent dans l'agitation et la fausse effervescence, il n'en reste qu'une suffocante impression de solitude.

Mercredi 8 septembre 2010

Je pousse la candidature de David Kessler, très marqué à gauche, pour la présidence d'Arte. Le président s'y intéresse et l'a reçu longuement. Tir groupé des conseillers. François Fillon me glisse : «Laissez tomber. Vous allez trop loin. Il est sans doute très bien, votre Kessler, mais on aura tous nos députés contre nous.» Je propose Véronique Cayla, en observant qu'elle avait d'autres perspectives. Le président : «Bon, François, tu la vois et tu la persuades.» François, vers moi, *mezzo voce* : «Elle est comment?» Moi : «Mieux que bien. — Vraiment?» J'opine de la tête. Regard de lézard mexicain. Ça devrait être bon.

Le rapport Cardoso épingle toutes les dérives des aides à la presse, comme je l'avais demandé. Il nous est remis de manière très officielle, à François Baroin et à moi-même, en présence de journalistes, de photographes et du tout-venant de la haute fonction publique concernée. Il faut s'attendre maintenant à une campagne carabinée des principaux organes de presse qui n'auront point de cesse de vouloir l'enterrer; ce qui est un véritable état des lieux, solide et rigoureux, qui permettrait de remettre enfin de l'ordre dans cette pétaudière, risque de n'être bientôt plus qu'un tigre de papier. Laurence Francheschini, qui devine mon scepticisme : «Ne soyez pas désolé, monsieur le ministre, vous avez fait ce qu'il fallait faire, le rapport est très utile, il va nous permettre d'avancer quand même. C'est un instrument dont on pourra se servir.»

L'arbre de Penone qui était planté sur le piazzale de la Villa Médicis est reparti. Penone me dit d'un air très doux qu'il n'a pas pu s'y opposer, l'arbre ne lui appartenait plus.

Le Grenier des Grands-Augustins était l'atelier de Picasso durant la guerre, celui des photos de Brassaï. Alain Casabona, un homme adorable, y organise des soirées littéraires. Ce soir, lecture par Charlotte Rampling, toujours dans les bons coups, de la correspondance entre Jean-Louis Barrault et Claudel.

Jeudi 9 septembre 2010

Le Conseil de la création artistique se réunit au ministère. Tout le monde se joue la comédie de la réussite et de l'harmonie universelle, mais on sent bien que c'est la fin d'une opération qui n'a réussi qu'à compromettre des gens de qualité et à affaiblir le ministère. Jean-

Pierre : « Tu as fait le baiser de la mort à Marin Karmitz, tu peux compter sur lui, il ne te le pardonnera pas. »

Remise de la Légion d'honneur à l'Élysée. Olivia de Havilland au milieu de la rangée des décorés ; elle refuse obstinément de s'asseoir malgré le fauteuil qu'on lui avance. Elle a quatre-vingt-quinze ans, elle se tient droite, cheveux blancs, tailleur sombre, collier de perles, impeccable et belle. Sans doute la discipline de fer des studios hollywoodiens de l'âge d'or. Cela faisait des années qu'elle attendait qu'on lui remette sa médaille, je suis intervenu auprès de l'Élysée où plus personne ne se souvenait d'elle, sauf Carla bien sûr.

Deuxième dîner de la presse organisé par *L'Humanité* dans l'entrepôt lugubre du Bourget. Je détaille avec délectation les préconisations du rapport Cardoso dans mon discours, en face d'une assistance en processus de réfrigération accélérée.

Vendredi 10 septembre 2010

Les syndicats des Archives refusent toute installation de la Maison de l'histoire de France sur le site Rohan-Soubise et annoncent qu'ils vont entreprendre des actions de protestation. On me parle d'un certain Wladimir Susanj comme principal meneur ; à côté de lui, mon ami Monquaut ce serait Doris Day.

Samedi 11 septembre 2010

Je voulais connaître Lilian Thuram. Le type est tout d'élégance en apparence comme à l'intérieur. Compte tenu de ses convictions très affirmées contre le gouvernement, on s'inquiétait autour de moi pour notre rencontre à l'atelier des jeunes du Centre Pompidou. Mais il se montre très courtois, très aimable.

Dimanche 12 septembre 2010

Re-Lascaux avec le président, Carla et son fils, Yves Coppens. Le gentil prof et ses écoliers méritants. Cette part d'enfance du président.

Je suis, je traîne, je peine à trouver ma place. Cela ne se remarque pas. On retrouve Georgette Elgey au musée national de la Préhistoire des Eyzies. Un signe de plus de l'implication de plus en plus forte du président dans le projet de la Maison de l'histoire de France : il confirme son installation aux Archives. Victoire à la Pyrrhus, si j'en juge par les sourires en coin des journalistes présents. Ici et là des militants UMP en groupes compacts qui applaudissent à tout rompre le couple présidentiel : somnambulisme de ce genre de déplacements qui me rappelle ce que l'on me disait dans mon enfance sur le traumatisme et le danger d'un brusque réveil.

Dans l'hélicoptère qui nous ramène, le président raconte l'histoire de la découverte de la grotte au fils de Carla. C'est un joli garçonnet à lunettes dans le genre bon élève, intelligent et réservé, féru de préhistoire comme souvent les gamins de son âge. Je suis frappé par l'évidente affection entre l'enfant et son beau-père. Le chef d'État redouté n'est plus qu'un adulte plein d'attention et de gentillesse. J'ai pu observer qu'il se comporte de la même manière avec ses propres fils plus âgés. On m'a rapporté qu'entre son père inconstant et fantasque et sa mère qui s'épuisait à faire bouillir la marmite, il aurait été le mal-aimé de sa fratrie. Sur les photos de famille, celles qui sont reproduites dans les magazines, on découvre un petit garçon rieur, suractif et sans doute turbulent. Son frère, François, le seul que je connaisse un peu, est un modèle de gentillesse et de bonne éducation.

Le président terrorise les préfets; certains font quand même bonne figure, d'autres se liquéfient lorsqu'il est en visite dans leur département; souvenir d'un cortège où je partageais la voiture d'une préfète au bord de la crise de nerfs, scrutant avidement les bas-côtés où des manifestants n'auraient pas été garrotés par les CRS et sourdement exaspérée par mes réflexions sur le beau paysage pour tenter en vain de la calmer.

Lundi 13 septembre 2010

Jean-Louis Debré : « Ça dérape, ça dérape... »

Philippe Vayssettes a fait financer par le mécénat de sa banque la moitié de l'achat de la statue d'Aphrodite qui rejoindra un musée de

Lyon. Je désespérais de trouver les fonds nécessaires, il a littéralement sauvé l'opération. Grand raout pour fêter l'événement à la banque ; les employés sont ravis ; quand un patron explique bien ses actions de mécénat, chacun se sent valorisé.

Mardi 14 septembre 2010

Nous sommes à la recherche des animateurs culturels d'un quartier difficile de Lyon avec le maire, Gérard Collomb. Hormis une brave dame épuisée, ils sont introuvables, sans doute peu désireux de rencontrer un ministre sarkozyste ou en bisbille avec le maire socialiste qui n'est pas un type facile. À moins qu'ils ne soient en formation, en congés, ou en arrêt maladie... Ce genre de lapin étant assez rare, le maire est d'humeur combative. Un 4 × 4 étincelant, pile devant nous, deux jeunes Maghrébins en casquette US à l'intérieur, musique à fond ; la panoplie intégrale. Le plus âgé, moins de trente ans, abaisse la vitre électrique, m'interpelle : «On est dans la merde ici, monsieur le ministre, on fait rien pour nous, y a pas de travail!» Gérard Collomb : «Tu en as du travail avec une bagnole pareille, dealer de mes deux!» Le gars se renfrogne, il a reconnu le maire, le 4 × 4 repart en faisant crisser ses pneus.

Mercredi 15 septembre 2010

Inauguration du musée Paul-Belmondo à Boulogne. Je devais bien cela à son fils, Jean-Paul, qui a toujours défendu sa mémoire. Belles œuvres représentatives de la sculpture néoclassique de l'entre-deux-guerres, le tout bien présenté et mis en valeur. Pas trop de précisions sur les dates ni sur certains voyages malencontreux. Enfin, je ne suis pas venu pour faire le malin au milieu d'un public où les ignorants et les amnésiques se font la courte échelle. Et en plus j'apprécie les œuvres.

Jean-Paul heureux de ma présence, Paul junior toujours aussi charmant. Donc ça valait la peine de venir.

Jeudi 16 septembre 2010

Emmanuel Demarcy-Mota a cette grâce de garçon que la plupart des hétéros perdent quand ils parviennent à l'âge d'homme si tant est qu'ils l'aient jamais eue. Quelque chose de difficile à expliquer mais que je ressens quand il m'arrive de le croiser et de façon évidemment encore plus intense aujourd'hui où il vient me voir.

L'essentiel pour Emmanuel, on pourrait le résumer sans trop de précision comme étant la passion du théâtre qui lui vient sans doute de sa petite enfance auprès de ses parents, eux-mêmes gens des feux de la rampe, mais qui s'est nourrie certainement de bien d'autres expériences dont je ne sais rien ; lectures, rituels, amours, amitiés, rôle de la vie et de la culture portugaise dans sa formation sentimentale et intellectuelle.

Vendredi 17 septembre 2010

Jean-Michel Aphatie, deuxième ! C'est curieux, j'ai l'impression qu'il me ménage. Peut-être qu'il s'ennuie avec moi ?

Obsèques de Claude Chabrol, qui est mort après quelques jours d'une brève maladie. On a placé son cercueil à l'air libre devant la Cinémathèque ; tout autour, ses acteurs, ses amis, ses équipes, le ministre au milieu. Discours, celui d'Isabelle Huppert est le plus naturel. Le ministre s'incline devant le cercueil et y va de son petit speech ; il ne manque que le goupillon. Toute cette cérémonie a quelque chose de bizarre, j'imagine ce qu'elle aurait donné si elle avait été filmée par Chabrol lui-même, qui savait si bien se moquer des folies bourgeoises dont ces étranges funérailles sont une sorte d'apothéose dérisoire.

Alain Elkann : « Les Français ne mesurent pas leur chance d'avoir un ministère de la Culture qui fonctionne. En Italie, tout part à vau-l'eau, les monuments s'effondrent, le cinéma ne marche plus, les crédits sont laminés et le ministre ne vient plus au ministère ! »

Samedi 18 septembre 2010

Les enfants continuent à escalader les colonnes de Buren et à sauter depuis les plus hautes. Inconscients, les parents les photographient avec leur portable. À force, il va sûrement y avoir un accident. Les pompiers, fatalistes : «On n'y peut rien, monsieur le ministre, il faudrait doubler les équipes, et encore!»

Dimanche 19 septembre 2010

Clotilde Courau au Crazy Horse. Emmanuel-Philibert a rempli la salle et organisé la claque. Succès. Comme il a de la chance d'avoir trouvé la femme qu'il lui fallait, comme elle a de la chance d'avoir trouvé un homme pareil!

Lundi 20 septembre 2010

Guy Wildenstein, très aimable, très poli, très lustré : «Après tout ce que la France a fait pour moi, c'est bien la moindre des choses que je prête les Monet que Guy Cogeval m'a demandé pour l'exposition.» Son ex-belle-mère a déclenché une série de procès contre lui pour captation d'héritage et Bercy le poursuit pour évasion fiscale massive. Rien du musée Marmottant qui organise sa propre exposition de son côté : bel exemple d'avarice et de jalousie franco-française.

Quand je dis autour de moi que l'on s'acharne sur Éric Woerth parce qu'il est précisément innocent de tout ce qu'on lui reproche, même les belles dames du XVIᵉ qui voteraient Le Pen sans qu'on ait beaucoup besoin de trop les pousser se récrient en prenant des airs horrifiés. Je n'insiste pas et j'ai tort.

Autocélébration du Théâtre du Rond-Point : «Une aventure d'audace joyeuse et de rire de résistance». Soit. Toute l'opposition socialiste en rangs serrés dans la salle. Pour l'audace et la résistance, on pourrait peut-être mettre un bémol quand il s'agit surtout de voler au secours de la victoire socialiste que ce joli monde croit certaine. Pour le rire, ça va, rien à redire, Jean-Michel Ribes est toujours à son affaire.

Mardi 21 septembre 2010

Dans le même milieu mais dans une autre vie, je me donnerais du mal pour devenir l'ami de Pascale Clark ; elle est brillante, incisive et secrète. Compte tenu des circonstances, on se débrouille comme on peut.

Martine à l'ouverture du musée d'Art moderne à Lille : « Ton type, là, c'est vraiment plus possible. D'ailleurs ça n'a jamais été possible, mais maintenant il passe les bornes. Il faudra que tu m'expliques un jour comment tu peux rester avec lui. La seule chose que je te souhaite c'est qu'il te vire ! »

Lors d'un petit déjeuner tous les deux au Concorde, où les clients effarés nous observent à la dérobée : « Les trente-cinq heures, les trente-cinq heures, on saura un jour comment ça s'est décidé ; moi, je n'ai été que le bon petit soldat, comme d'habitude. » « Pierre Mauroy, tout le monde pense qu'il est con et gentil, en fait il est intelligent et méchant. »

À Francis, qui passe beaucoup de temps à Lille : « Mais enfin, pourquoi est-ce qu'il ne vient plus me voir ? Francis, dites-lui qu'il vienne me voir, il sait bien que je ne le mangerai pas. »

Raoul sympathique à la DRAC de Lille. Photo de famille. La directrice, Véronique Chatenay-Dolto, assez en flèche dans l'action syndicale, n'est jamais désagréable ni agressive. S'il pouvait toujours en être ainsi...

Inauguration triomphale de l'exposition Monet au Grand Palais, à verser entièrement au crédit de Guy Cogeval. C'est un homme d'acier ; à Montréal, dont il dirigeait le musée des Beaux-Arts, il n'a jamais cessé son activité depuis la chambre d'hôpital stérile où il se battait contre un cancer particulièrement féroce qu'il a fini par terrasser. On lui pardonne d'autant mieux de ne pas être un type facile.

Ce qui me touche plus particulièrement chez Monet, c'est son amitié avec Clemenceau, leur correspondance, leur complicité, le Tigre penché sur la tombe du peintre lors de ses obsèques quand il n'avait lui-même que quelques semaines à vivre.

L'intelligence, le charme, le succès de Kamel Mennour, le galeriste : À quoi bon en parler à certains de ces ignares dont je suis le si zélé camarade, ils me diraient : « Mais oui, bien sûr » sans que cela change quoi que ce soit à leurs préjugés. Et, heureusement, lui s'en contrefiche, il n'a pas besoin d'eux pour réussir. Il sera le maître dans sa partie quand ils continueront à tourner en rond médiocrement dans la leur.

Mercredi 22 septembre 2010

Le président lit attentivement les messages qu'on lui fait passer pendant le Conseil, puis soit il les range dans son sous-main, soit il les déchire méticuleusement en très petits morceaux.

Le président reçoit parfois des appels sur son portable pendant le Conseil. Il répond à voix très basse en cachant le portable dans sa main comme le ferait un gosse en classe qui ne voudrait pas se faire prendre. Tout le monde comprend que c'est Carla qui est à l'autre bout de la ligne.

Un de ses gentils collègues sur Nathalie Kosciusko-Morizet, en conciliabule avec Claude Guéant à la fin du Conseil : « Il ne faut pas la quitter des yeux. Elle trame toujours quelque chose qui peut revenir vous sauter à la figure. Elle n'a aucune conviction, sauf celle d'être la meilleure. »

On a pourtant toujours envie d'embrasser NKM, elle se sert d'un parfum délicieux à respirer.

Hommage à Roland Petit à l'Opéra. Il s'avance sur scène, devant le public levé applaudissant à tout rompre, avec le sourire de celui qui sent que la brume est chaleureuse mais qui ne sait plus qu'elle a envahi son esprit, dévoré sa mémoire et qu'elle épuise peu à peu ses dernières forces.

Jeudi 23 septembre 2010

Les syndicats des Archives font bloc contre le projet de la Maison de l'histoire de France. Conservateurs, archivistes, employés divers, manutentionnaires ; belle unanimité avec désormais Wladimir Susanj en chef d'orchestre. Magnétisme sombre, regard halluciné et voix râpeuse, c'est une figure de Marat d'aujourd'hui qui exsude une haine de classe féroce ; il est flanqué d'un petit binoclard malingre, plus silencieux mais tout aussi venimeux. Ces deux-là m'enverraient à la guillotine sans hésitation et en cas de révolution j'aurais intérêt à prendre le large au plus vite. Les excès de langage de Wladimir font parfois lever les sourcils autour de lui, mais il exerce une emprise telle que cela ne va pas plus loin. J'expose pourtant calmement mes objectifs, je souligne l'énorme effort que représente la construction du centre de Peyrefitte (il va multiplier par cinq les surfaces disponibles, financement considérable de l'État), j'insiste sur l'intérêt qu'il y aura à utiliser les surfaces libérées à Paris et à ouvrir le parc au public ; rien n'y fait, je me heurte à un mur. La réunion s'achève par une déclaration de guerre totale.

Wladimir Susanj : « Tout ça finira très mal, monsieur le ministre, très très mal. Je ne donne pas cher de ce qui va vous arriver. »

Vendredi 24 septembre 2010

Journées parlementaires de l'UMP à Biarritz. Ce n'est déjà pas très amusant au départ, mais comment font-ils pour trouver chaque fois des halls sinistres à l'éclairage blafard et à l'acoustique impossible ? On se réveille un peu pour le discours de François Fillon, nettement au-dessus des litanies en langue de bois de ceux qui l'ont précédé, et on se traîne vers le banquet où l'on nous sert l'habituelle nourriture grasse, froide et sans saveur, pour tout dire infecte.

Patrick Devedjian, plus tôt, au petit déjeuner à l'Hôtel du Palais : « Au fait, on pourrait rester ici à parler agréablement tous les deux. On serait bien mieux et je suis sûr que personne ne s'en rendrait compte. » Il en a assez d'être ministre chargé de la mise en œuvre du plan de relance, c'est-à-dire de plus rien du tout, et il pense surtout à renforcer sa forteresse des Hauts-de-Seine ; au royaume des coups fourrés on ne saurait être trop prudent.

Patrick Devedjian a beaucoup de charme et il est très amusant. Il pratique l'humour décapant des gens sans illusions et définit les êtres et les situations avec des traits acérés ; on comprend qu'il se soit fait pas mal d'ennemis puisque ce sont les mots cruels que l'on vous pardonne toujours le moins.

Mystère de son appartenance suractive au mouvement Occident durant sa jeunesse. Il en est totalement revenu. Peut-être la mémoire de la tragédie arménienne qui suscita une génération d'enragés. Il reste toujours fidèle à ses origines, mais j'ai du mal à l'intéresser au devenir du Musée arménien de l'avenue Foch, alors qu'il est très attentif au musée Albert-Kahn, sans doute parce qu'il est sur son territoire.

Samedi 25 septembre 2010

Le musée d'Art moderne et contemporain de Strasbourg : œuvre superbe d'Adrien Fainsilber à qui l'on doit aussi la Cité des sciences à Paris. Pour une fois, on me laisse le temps de visiter à peu près tranquillement. Panorama somptueux sur la ville et la cathédrale.

Au palais Rohan, le conservateur a fait retirer pour ma visite les cordons de sécurité et allumer les luminaires en demi-teinte, à peu près comme au temps du fâcheux cardinal, vil intrigant pour l'affaire du collier de la reine et homme de goût, ce qu'il aurait dû se contenter d'être. C'est à ce genre de détails que l'on mesure la délicatesse d'un homme, je le dis au conservateur, heureux que j'aie remarqué ses attentions.

Strasbourg, la ville de Bernard-Marie Koltès ; sa beauté fulgurante, le souvenir de notre rencontre hélas trop tardive, le regret de ce que je n'ai pas compris, pas su dire, pas su faire, m'accompagnant toujours.

Dimanche 26 septembre 2010

En voiture, Philippe Richert, le président du conseil régional, me parle de sa jeunesse : parents métayers, illettrés, sol en terre battue, pas d'eau courante, d'électricité, de chauffage, l'angoisse de ne jamais manger à sa faim.

Camp de concentration du Struthof par un sale petit brouillard d'automne. Première pensée parfaitement égoïste : je n'aurais pas tenu plus de quelques jours à cause du froid. Ensuite, fascination morbide pour l'horreur du camp lui-même, qui servit de prototype à toutes les abominations : la mort par épuisement au travail, les essais de chambre à gaz pour tester les plus efficaces, les expériences médicales, les dissections pour l'institut anatomique de Strasbourg et la collection de crânes du professeur Hirt, les exécutions massives, le sadisme robotisé et hallucinant de Joseph Kramer, le chef du camp, etc. Avant la guerre, le Struthof était une petite station d'hiver très fréquentée; dans le musée, fort bien fait, on voit des dépliants publicitaires avec des familles souriantes à skis devant l'hôtel qui servit ensuite à loger Kramer et ses sbires. Plaque souvenir pour les deux Anglaises et les deux Françaises de l'Intelligence Service qui ont été pendues devant tout le camp; vingt-deux mille morts au total; beaucoup de résistants, de Juifs d'Europe centrale et de Tsiganes, des Roms.

Visite de la cathédrale de Strasbourg avec le vicaire général, très gentil, très érudit, très surpris aussi que je prenne tout mon temps pour l'écouter. Sa bonté me lave du Struthof.

Anniversaire de mon frère Jean-Gabriel aux Bouffes-du-Nord. Il ferait un bien meilleur ministre que moi si j'en juge par la chaleur des artistes, très nombreux et d'horizons très divers qui sont venus pour l'entourer.

Lundi 27 septembre 2010

Dilemme : le président veut visiter l'exposition Monet le jour de fermeture du Grand Palais. Il ne m'a pas fait prévenir. Dois-je être présent pour l'accueillir, ou m'abstenir pour préserver l'aspect privé de la visite? J'y vais. Il n'avait effectivement aucune envie de m'y voir et s'engouffre sans un mot. Je suis à bonne distance. Puis il demande avec humeur où je suis : «Reste avec moi puisque tu es là.» À la fin : «Merci d'avoir pu te libérer, c'est bien d'avoir pu faire la visite ensemble.»

Élodie ne dit mot mais je sens bien que le concept «culture pour chacun» ne l'inspire pas beaucoup. Elle est sur la même ligne que Jean de Boishue.

Victoria, princesse héritière de Suède : une vraie pro de la communication royale, un mot aimable pour chacun des invités au dîner du ministère, un toast soigneusement préparé. Assez épatée semble-t-il par tout ce que j'ai pu dire sur sa famille durant le mien où je me référais abondamment à son extraordinaire grand-père, Gustave VI Adolphe, l'un des meilleurs rois qu'ait connus l'Europe au XXᵉ siècle. Je comprends qu'elle ait voulu à tout prix épouser Daniel Westling, le sportif d'un milieu modeste qui l'a sortie de sa dépression et de l'anorexie. Il est assis à côté de moi et respire à la fois la gentillesse, la sécurité et la séduction virile. On devine sa musculature, la fermeté de son corps rien qu'à le regarder. Cela fait longtemps que je me dis que je devrais m'intéresser aux bienfaits de la gymnastique suédoise...

Mardi 28 septembre 2010

Le président Napolitano me rappelle beaucoup François dans sa manière d'amener toujours la conversation sur des sujets intéressant les arts et la culture, avec le même penchant pour le patrimoine et les écrivains plutôt conservateurs. Sa femme est bien plus ouverte d'esprit que Danièle ; elle fume aussi à table : «Mon mari a renoncé depuis longtemps à m'en empêcher», dit-elle avec un rire de jeune fille. Ils sont tous les deux très âgés, étonnamment alertes intellectuellement, fidèles à leurs engagements communistes d'autrefois, mais à l'italienne et sans plus guère d'illusions. Je me demande ce qu'ils pouvaient trouver à dire à Brejnev pendant leurs vacances obligatoires en Crimée. Lui parlaient-ils de Proust, qu'ils peuvent citer par cœur dans un français parfait ?

Il s'agit d'une visite officielle mais j'ai l'impression que l'Élysée s'en tient au service minimum. Comme je faisais son éloge au président : «Oui, oui, je vois où tu veux en venir, mais qu'est-ce qu'on peut espérer d'un homme qui a été communiste pendant quarante ans !» Il dit ça parce que je l'agace en ce moment, mais je ne suis pas sûr qu'il le pense.

Mercredi 29 septembre 2010

On continue à chercher le successeur d'Alain Crombecque pour le Festival d'Automne. Ses deux collaboratrices, Marie Collin et Joséphine Markowitz, accueillent toutes les suggestions avec méfiance. En plus, chacun donne son avis, Pierre Bergé, Bertrand Delanoë, même l'Élysée s'en mêle. Je me refuse à les brusquer, je laisse venir un candidat après l'autre ; quand la liste sera épuisée, je pourrai imposer plus facilement Emmanuel, le seul qui vaille.

François Baroin : «Hein, tu as vu, on les a bien eus pour le budget !» Il parle des grands argentiers de Bercy qui voulaient raboter le budget du ministère qu'il a défendu sans défaillir, autant par conviction que par amitié pour moi. Je lui baise la main en l'appelant «Don Corleone». Il rit.

Deuxième conférence de presse pour présenter le budget du ministère. Assistance nombreuse. Les journalistes ont beau chercher, ils ne trouvent pas grand-chose à redire. Cela ne les empêchera pas d'écrire que tout va de mal en pis.

Nouvelle réunion désastreuse sur le palais de Tokyo. Rien ne s'est arrangé depuis la dernière fois, bien au contraire. Francis : «Il faut que tu leur laisses encore une chance.» Élodie : «Il ne vous reste plus beaucoup de temps, tout est bloqué.»

Jeudi 30 septembre 2010

L'exposition sur le Risorgimento est bien maigrelette. Le président Napolitano a la politesse de la trouver très intéressante mais il préfère nettement se perdre avec moi dans le musée Nissim-de-Camondo pour admirer les meubles anciens et les porcelaines.

Hugues Gall à déjeuner : «N'acceptez plus que l'Élysée se mêle de vos affaires. — C'est facile à dire, vous connaissez le président encore mieux que moi. — Je sais, je sais, c'est pourquoi je n'aurais jamais voulu être à votre place. — Il en a été sérieusement question pourtant. — Vous me voyez parler à tous ces gens? — Et les valets sont encore bien pires que le maître.»

Vendredi 1ᵉʳ octobre 2010

Christian Deydier, antiquaire très influent dans le domaine du marché de l'art, se répandait paraît-il en propos désagréables sur le ministère et sur moi. Il a l'oreille du président, ce qui n'arrange rien. Rencontre, mise au point, entente et réconciliation.

Mark Alizart m'emmène chez Bouchra Jarrar, jeune styliste talentueuse qui peine à faire reconnaître son travail. L'autre versant du monde tout en lumières et frivolités de la mode, celui qui se presse à la collection Lanvin où l'on m'a incité de tous côtés à me rendre et où je retrouve toujours ce même malaise de ne pas y être à ma place.

Projection *Des hommes et des dieux* à l'Élysée. Atmosphère de flatterie écœurante de l'équipe du film autour du président qui en rajoute dans la connivence rigolarde. Je file à l'anglaise pour retrouver Roman et Emmanuelle chez Danièle Thompson.

C'est curieux, mais j'ai une sérieuse propension à partir de plus en plus souvent avant la fin. De quoi, mon Dieu ? Mais de ce que je supporte de moins en moins. Enfin, c'était pareil avec François.

Samedi 2 octobre 2010

Spectacle d'Abou Lagraa à Villeurbanne, avec de jeunes danseurs de hip-hop algériens. La salle est pleine et déborde d'enthousiasme. Gérard Collomb : «Vous comprenez maintenant pourquoi je suis si ambitieux pour la danse à Lyon. Ici, c'est Billy Eliott, tout le monde s'intéresse au ballet. J'ai des ateliers dans chaque quartier.» Villeurbanne n'est pas Lyon, il y a une compétition entre les deux villes.

Guy Darmet, le grand patron de la danse à Lyon, très apprécié dans son domaine, mais avec qui je n'ai pas eu des relations très agréables, prend sa retraite au Brésil. Il en aime la culture, la vitalité. Mais oui, mais oui, *of course*...

Dimanche 3 octobre 2010

Déplacement en voiture pour gagner Turin, seul avec Pierre-Yves. Il fait un temps radieux jusqu'à la barrière des Alpes; de l'autre côté, en descendant vers le Piémont, brouillard humide et froid de l'automne. Nous vivons ces quatre heures de route comme une escapade de vacances et d'amitié.

Séjour délicieux chez Alain Elkann, qui nous reçoit chez lui et me fait faire la tournée des musées dont il est le protecteur. Découverte du Lingotto, l'énorme bâtiment des anciennes usines Fiat avec son circuit automobile sur le toit; souvenir des extraordinaires films d'actualités des années trente, les voitures roulant en rang serré au sommet de l'usine tentaculaire, des visites de Mussolini en plein délire de grimaces d'histrion, des *Cahiers* de Gramsci et de l'enterrement impérial de Giovanni Agnelli. Mais je ne sais pas grand-chose de toute cette histoire qu'Alain connaît par cœur. C'est un père magnifique pour ses enfants, John qui préside Fiat, Lepo que la presse people pourchasse, Ginevra qui dirige le musée d'Art contemporain du Lingotto. Un homme d'une élégance rare qui ferait certainement un excellent ministre de la Culture si l'outrageante vulgarité berlusconienne n'avait pas tout laminé sur son passage.

La journée s'achève par un grand raout dans un palais où tout le monde parle le français d'autrefois.

Lundi 4 octobre 2010

Inauguration du nouveau siège de l'Alliance française qu'Alain Elkann a réussi à remonter pour pallier la disparition de l'Institut français de Turin emporté par des coupes sombres dans le budget du Quai d'Orsay qui n'ont ému personne à Paris.

Reprise du trajet vers Cannes pour inaugurer le Mipcom. Parmi la profusion de stands, la multiplicité des rencontres et des salutations en tous genres, où se trouvent les projets, les images que je souhaiterais retenir? Je ne sais pas, je ne vois qu'un nuage comme celui qu'on découvre depuis l'avion au-dessus des capitales du tiers-monde, jaune, lourd, irrespirable.

Tante Henriette, bien contente de ma brève visite. Plus frêle encore que la dernière fois mais toujours aussi vive. Très remontée contre le président. Comme maman, elle ne pardonne ni Grenoble ni le sort réservé aux Roms. Elles ont quatre-vingt-dix ans l'une et l'autre et se souviennent de tout.

Curieuse exposition sur le style de vie des riches Chinois de Singapour au musée du quai Branly. «Baba Bling»! Joli nom n'est-ce pas? L'esprit tellement libre de Stéphane Martin assure le succès permanent de son musée. Il trouve du sens à ce que l'on côtoie distraitement et invente des expositions originales qui ne doivent rien au politiquement correct ni à la culture officielle des fâcheux et des cuistres.

Vingtième anniversaire de la création d'Arte célébré en grand tralala au Châtelet dans une atmosphère de congratulations générales franco-allemandes. En fait, la chaîne roupille, l'audience diminue, la programmation est paresseuse et routinière.

Mardi 5 octobre 2010

Présentation du dispositif «Ciné-lycée» avec le président et Luc Chatel dans un établissement méritant et soigneusement balisé de Savigny-sur-Orge. La première performance, c'est de l'avoir trouvé, la deuxième c'est que le dispositif pourrait marcher si les profs s'en donnaient la peine, ce qu'ils ont l'air de faire ici et dont ils se moquent en général ailleurs. Le président, en pleine autopersuasion de la réussite de l'opération à laquelle il tient, détendu et content de parler aux élèves et aux enseignants, du moins à ceux du premier rang qui acceptent de s'entretenir avec lui, ceux qui se tiennent en arrière, restant silencieux et renfrognés. Luc Chatel, parfait en «Monsieur Tout-va-très-bien», les questions gênantes glissant sur son plumage, ça fait longtemps que j'ai renoncé à les lui poser.

Le président : «Cette pièce que nous avons vue hier soir avec Carla à la Comédie-Française, quel ennui, quelle prétention! Quand je pense que toute la fine fleur crie au génie. C'est le monde à l'envers, et il y a des gens qui paient pour aller voir ça et qui sont très contents. Tu le connais, toi, cet auteur?»

Mercredi 6 octobre 2010

Réunion avec le président et François Fillon à propos de la réforme de l'AFP. Je décris les difficultés de tous ordres auxquelles se heurte Emmanuel Hoog. Conclusion : il faut absolument le soutenir dans ses efforts. Très bien, mais jusqu'à quel point en cas de grève et de bronca généralisée de la presse, ce qui ne manquera pas puisqu'il suffit de déplacer un ordinateur pour que la maison s'emballe.

Jeudi 7 octobre 2010

Foire du livre de Francfort avec Antoine Gallimard. Apparition des premières liseuses ; jugement unanime : ça ne marchera jamais. Ah bon ! Amazon dans un coin, sur un stand qui ne paie pas de mine, comme la bête à l'affût qui observe son terrain de chasse et s'apprête à bondir pour dévorer tout le monde.

La directrice allemande d'Europeana, la bibliothèque numérique lancée par la Commission européenne : « Comment voulez-vous qu'on s'en sorte face à Google : nous n'avons pas de budget permanent, il faut négocier à Bruxelles pour chaque projet. » Bon exemple de l'étouffement d'une opération importante par l'action combinée d'une politique hésitante et de la bureaucratie.

Pierre Cardin veut construire une tour de soixante-cinq étages à Venise qui ressemble aux meubles qu'il dessine. Je n'arrive pas à déterminer si c'est beau ou affreux, mais je doute qu'il y parvienne. Je me trompe peut-être, c'est un homme qui a gagné les paris les plus fous dans sa vie, et pour ce qui est de Venise, dont sa famille est partie misérable, il y a un côté revanche de Monte-Cristo qui doit encore stimuler son inépuisable énergie. À quatre-vingt-huit ans, toujours le même charme, la belle voix nasillarde et traînante, toute son immense fortune consignée dans un petit carnet élimé au fond de sa poche.

Adriana Asti dans *Oh les beaux jours* à l'Athénée ; j'y assiste en compagnie d'Arlette. Les critiques franchouillards la comparent défavorablement à Madeleine Renaud en écrivant qu'on ne comprend pas ce qu'elle dit à cause de son accent italien. Argument faux et pensée minable : elle est tout simplement magnifique. Le garçon qui nous place et qui sert au bar du foyer n'est pas mal non plus dans un autre genre. J'arrive à lui glisser mon numéro de portable comme on jette une bouteille à la mer.

Vendredi 8 octobre 2010

Musée Goya de Castres. Très belle collection de peintures espagnoles, muséographie tristounette. Le conservateur est dépressif, paraît-il. Albi, depuis que la cité épiscopale a été classée par l'Unesco au patrimoine mondial de l'humanité, connaît un boum des visites touristiques dont profite aussi le musée Toulouse-Lautrec en plein chambardement. Tout le monde est très content. Tant mieux. Lavaur, jolie petite ville où m'entraîne le député-maire Bernard Carayon dont Richard m'a dit : «Soignez-le, il voit souvent le président!» C'est toujours ce qu'il me dit quand il sent que je rechigne un peu. Enfin, l'endroit est beau, le type sympathique, l'accueil chaleureux.

Samedi 9 octobre 2010

Le président, sur Jean-Louis Borloo : «Mais enfin pourquoi est-il toujours fichu comme l'as de pique? Comment nommer Premier ministre un type qui s'obstine à avoir un tel look de pirate?»

Le garçon de l'Athénée laisse un message sur mon portable. Il me propose de le revoir. Je suis si content que j'appuie sur la mauvaise touche, effaçant son message et son numéro. Bravo le ministre de la Communication! Ça t'apprendra, retourne à tes parapheurs!

Dimanche 10 octobre 2010

À maman et mes frères qui s'inquiètent de ma suractivité et de mes signes d'épuisement (il m'arrive de tituber de fatigue) je ne sais pas quoi répondre. Le fait est que ne pouvant pas mettre en œuvre un vrai programme de réformes, j'essaie de compenser en étant présent partout et en faisant mille petites choses plus ou moins utiles. Je n'ai pas d'autre choix que de continuer dans cette voie. Ainsi va le piège, j'y vais à fond ou je m'enfuis.

Lundi 11 octobre 2010

Découverte avec Bernd Neumann de l'étrange royaume d'Anselm Kiefer à Barjac, à la limite du Gard et de l'Ardèche, trente-cinq hectares de garrigue autour d'une ancienne magnanerie abandonnée. Le site est isolé, superbe, un peu angoissant. La vie s'en est retirée avec les dernières ouvrières magnarelles qui y travaillèrent jusque dans les années 1960. Anselm Kiefer y a ramené une autre sorte de vie, la sienne, habitée par des fantasmes de violence, de destruction et de mort. Donc ce n'est pas très gai, surtout sous une tenace bruine d'automne. L'univers qui le hante s'est enraciné parmi le maquis des chênes-lièges et des bruyères : fausses ruines en cubes de béton posés de guingois les uns sur les autres, casemates servant de gros écrins pour les fresques, passerelles d'acier qui ne mènent nulle part et miradors qui ne surveillent personne. Mais ce n'est encore rien à côté de l'invraisemblable fourmilière qu'il a creusée dans la colline : un labyrinthe de tunnels, de corridors et de cavernes reliant des sortes de grands cachots et des salles vides qui commandent des rangées de cellules. Çà et là, des sommiers à ressorts rouillés, des portes massives qui battent dans le vide. Cela tient de *Stalker*, de Buchenwald et des usines souterraines où Speer faisait fabriquer les V2 par des déportés faméliques. Comme on n'en finissait plus de marcher dans un des lugubres couloirs de ce bunker, je ne peux pas m'empêcher de demander s'il nous conduit au boudoir en satin d'Eva Braun. Bernd n'a pas entendu mais je juge plus prudent de ne pas répéter mon espièglerie car le froid de la mort vient de frapper la petite troupe qui nous accompagne, scrutant anxieusement une réaction courroucée du maître, qui n'apprécie pas que l'on taquine son œuvre. Personne ne rit, évidemment. Sauf moi, un peu quand même, mon meilleur public que toute cette pesanteur morbide rend naturellement insolent et facétieux.

Le but de la visite est d'évaluer comment on pourrait créer une fondation franco-allemande qui recevrait le domaine de Barjac en donation. Bernd, qui s'est donné la peine de venir spécialement de Berlin et qui a donc dû se lever avant l'aube, paraît un peu refroidi par l'ampleur du chantier et peut-être aussi par la bizarrerie consistant à reconstruire un camp de concentration dans le Midi de la France.

Pourtant, contre l'avis des membres du cabinet qui m'accompagnent, je suis plutôt partisan de faire avancer ce projet à la folie vertigineuse.

Jean-Pierre : «Est-ce que tu as réfléchi aux problèmes de gardiennage et de maintenance? Sais-tu qu'il demandera certainement une exemption fiscale du montant de la valeur qu'il estime pour son œuvre? Et crois-tu qu'on trouvera assez d'amateurs pour aller visiter?» Bonnes questions.

Fête de l'INA à La Bellevilloise, grand café-restaurant branché dans le XXe. Éloge de Mathieu Gallet par le ministre. Il n'a pas besoin de ça; moi si, la journée a tout de même été éprouvante.

Mardi 12 octobre 2010

Gilles Carrez, rapporteur de la commission des Finances à l'Assemblée nationale : «François Fillon a eu bien raison de dire : "L'État est en faillite et on ne fait rien pour l'en sortir." Vous, par exemple, cela ne vous empêche pas de demander encore de l'argent!»

Dîner chez Bernard Arnault dans le superbe hôtel particulier qu'il a racheté à Betty Lagardère. Une quinzaine d'invités qui sortent souvent en ville. Jean-François Copé se lance dans une diatribe d'une extrême violence contre le président. C'est tellement excessif que je lui demande d'arrêter. Il n'exprime pas seulement l'intense animosité qu'il lui inspire mais il veut aussi m'entraîner dans un jeu pervers pour tester mes propres sentiments et me compromettre auprès de gens qui se feront un plaisir de tout répéter dans le microcosme parisien.

Jihed part pour les États-Unis, moi toujours inquiet, lui toujours content.

Mercredi 13 octobre 2010

Déjeuner avec Hélène Carrère d'Encausse. C'est à elle que je dois d'avoir eu l'idée de postuler pour la Villa Médicis. Cela lui fait plaisir de constater que je ne l'ai pas oublié.

Frédéric Martel demande que l'on veille à ce que le contrat de sa société de conseil avec l'INA soit reconduit. Et puis quoi encore, ça ne me regarde pas et je me garderai bien d'intervenir. Je le lui dis le plus aimablement possible. Il se renfrogne.

Jeudi 14 octobre 2010

Jean-Claude Dreyfus, génial dans *Le Mardi à Monoprix*, monologue pathétique d'une vieille travelote. Au Théâtre Ouvert, cité Veron, tout près du boulevard où ses sœurs également sur le retour tapinent juchées sur leurs talons aiguilles pointure 45 achetés chez Ernest, le spécialiste du talon aiguille, grosse pointure, que Jean-Marc m'a obligeamment indiqué pour le cas où...

Au-dessus du Théâtre Ouvert, sur la terrasse du Moulin-Rouge, l'appartement de Prévert et celui de Boris Vian. Chez Boris Vian, tout est resté exactement dans le même état qu'à sa mort, figé en 1959.

Vendredi 15 octobre 2010

Bernard Fixot : «Les éditeurs sont à la traîne sur tous les sujets importants : le prix unique du livre numérique, la TVA, Amazon. Ils passent leur temps à se disputer et ils vont finir comme ont fini les pays de l'Est après la guerre, une rondelle après l'autre.»

Catherine Marnas s'intéresse elle aussi beaucoup au théâtre de la Criée à Marseille. Bref, tout se complique puisque Macha est déjà sur les rangs. Georges-François : «Ah! si tu avais Martine en face de toi au lieu de Gaudin, on arriverait à construire une solution qui arrangerait tout le monde. Elle ne laisserait pas passer l'opportunité d'accueillir deux talents pareils dans sa ville!» Oui, ah si, ah si, la Canebière à Lille...

Samedi 16 octobre 2010

Visite avec Francis de la tour Utrillo implantée juste à la limite de Montfermeil et de Clichy-sous-Bois. Elle doit être démolie dans les prochaines semaines dans le cadre du serpent de mer de la restructuration urbaine. Nous montons les quinze étages jusqu'au sommet d'où l'on découvre le no man's land habituel et tous les stigmates du naufrage des banlieues. C'est un article du *Monde* qui m'a alerté il y a quelques jours. Les maires des deux communes, l'un de droite et l'autre de gauche, demandaient que l'on garde la tour pour y installer une Villa Médicis de la banlieue ; idée fortement relayée par Jérôme Bouvier, le médiateur ultra sympathique de Radio France qui multiplie les actions culturelles sur place depuis plusieurs années. C'est ici que sont morts les deux gosses qui avaient tenté de fuir la police en cherchant refuge dans un transformateur électrique ; soulèvement populaire, répression, amorce de guerre civile urbaine, évanouissement de la République. Tout le monde très excité par ma venue qui donne une crédibilité inespérée au projet.

En bas de la tour un vaste marché que nous parcourons longuement, d'Alger à Colombo en passant par Dakar et Bamako. Beaucoup de femmes en hijab, quelques barbus. Accueil indifférent, c'est déjà ça, émaillé de quelques sautes d'hostilité chez les jeunes. Regards défiants, verbe haut en verlan : « T'es qui, toi ? C'est vrai que t'es ministre ? » Finalement, photos sur les portables.

Un type d'environ cinquante ans surgit de nulle part. Visage dur, une femme tout en noir qui marche derrière lui, des gens qui s'écartent quand il s'avance, les deux maires soudain rembrunis : « Ah, la visite d'un ministre de la Culture ! Vous êtes le bienvenu ; on peut saluer les élus, ça n'arrive pas tous les jours ! » Jérôme Bouvier : « C'est lui qui tient les réseaux islamistes, les cafés et la drogue. Attention, c'est du lourd. » Il y a pourtant des flics dans le coin, la trentaine, en jean et blouson, l'air coriace et qui savent très bien tout ce qui se passe. Ils considèrent en silence le ministre qui cherche des ennuis.

Exposition « Lénine, Staline et la musique » avec Laurent Bayle. Prokofiev est mort le même jour que Staline. Forcément inaperçu. Le moustachu l'aura embêté jusqu'au bout.

Exposition à Rambouillet pour faire plaisir à Gérard Larcher, ce qui ne sert à rien, et pour faire plaisir à Richard, ce qui sert au moins à le rendre heureux.

Sait-on qu'il y a dans toute la France des clubs de karaoké uniquement dédiés à Joe Dassin et à Claude François ?

Dimanche 17 octobre 2010

Les Rendez-vous de l'Histoire, à Blois. Comment se fait-il qu'ils soient tous très contents de se côtoyer pendant quelques jours, les dames à cheveux bleus qui font de la généalogie dans les châteaux, les romanciers inconnus qui écrivent sur les mystères des Templiers, les disciples chevronnés des Annales, les universitaires marxistes, etc., et qu'ils se déchirent sur le projet de la Maison de l'histoire de France que leur expose Jean-François Hebert ?

Catherine et les syndicalistes dans *Potiche*, que l'on projette au ministère. C'est incroyablement bien observé, hélas, je ne suis pas Catherine, et pour moi la séance est permanente.

Lundi 18 octobre 2010

On met les petits plats dans les grands pour Larry Gagosian : réception, Légion d'honneur, interviews en pagaille, ouverture triomphale de sa galerie. Bonne manière à l'égard d'un grand du marché de l'art qui trancherait sur la désinvolture habituelle du ministère en la matière, ou complexe obséquieux d'une petite ville de province vis-à-vis de la métropole New York ? En tout cas, bonne occasion pour moi de faire des photos avec Roman, parmi les invités.

Même avis que Jean-Pierre à propos de la table ronde sur le marché de l'art ce matin – lourde, mal conçue, sans conclusion – et de la réception pour la Fiac ce soir – babillante, superficielle, convenue. Quant au beau Larry, objet de l'attention générale : aimable et distant, sourire automatique, indifférence américaine.

David Hockney utilise des portables et des iPad pour peindre ; on tire ensuite des lithos numérotées sur papier. Il expose les petits écrans merveilleusement colorés chez Pierre Bergé. Résultat superbe. Je lui montre une carte postale qu'il m'avait signée il y a quarante ans et que j'ai précieusement gardée ; il me dit qu'il se souvient très bien du jeune homme qui avait pris un petit déjeuner avec lui au Flore ce jour-là. Pure politesse. Je voudrais toujours qu'on se souvienne de tout mais c'est impossible.

François-Marie, éprouvé par les rebondissements de l'affaire Bettencourt et le traitement que lui réservent la justice et la presse : «J'ai un milliard, j'ai un milliard! Un milliard d'emmerdes, oui, plutôt!» On essaie de lui remonter le moral avec Jean-Pierre, mais ça manque quand même un peu d'entrain.

Le président : «François-Marie Banier? Moins tu parles de lui et mieux c'est! Et en plus, si c'est pour en dire des choses gentilles comme tu le fais, franchement, abstiens-toi et laisse tomber.»

Mardi 19 octobre 2010

Élodie, à propos de mon rendez-vous avec Jean-François Copé, auquel je lui ai demandé de m'accompagner : «Je n'ai pas très bien compris ce qu'il attendait de vous. — Moi non plus, que je me taise peut-être.»

Dîner avec mon fils, Mathieu. Il m'en raconte de belles sur les affaires de certains élus avec les dictateurs d'Asie centrale. Il sillonne en permanence ces contrées périlleuses pour ses affaires et il est aux premières loges pour observer la fièvre de l'or. Je ne le vois qu'une fois par mois, il me manque énormément.

Mercredi 20 octobre 2010

François Fillon, sur un ministre : «Franchement, je ne sais pas ce que vous lui trouvez. C'est un rustre, totalement inculte, et en plus il faut le tenir très serré.» Le ministre en question donne pourtant l'impression de faire tout ce qu'il peut pour bien se comporter avec lui, mais je ne suis pas dans le secret des dieux.

Quelques propos à l'approche du remaniement ministériel.
Bruno Le Maire : «Notre vie, c'est la caserne, on devient fou à l'intérieur et encore plus quand on en sort.»
Moi, à Roselyne, silencieuse : «En tout cas, ce qui est sûr, c'est qu'ils vont te garder. — Détrompe-toi, les politiques, on ne peut jamais leur faire confiance. — Même François?» Elle hésite : «Non, pas François.» C'est dit avec plus d'espoir que de certitude.
Dominique Bussereau : «Bon, j'ai bien l'impression que je ne passe-

rai pas le cap. J'aimerais seulement le savoir un peu avant pour avoir le temps de ranger mes crayons. »

Hervé Morin : « Au prochain remaniement, moi, je me tire, j'en ai assez, plus qu'assez. — Pourtant, tu es toujours sur tous les fronts et on a l'air de t'apprécier. — C'est la guerre ici que je ne supporte plus. »

Patti Smith n'a pas oublié mes visites à Robert Mapplethorpe lorsqu'ils vivaient ensemble, tous les deux dans un loft à New York rempli d'instruments de torture bizarres qui servaient à Robert pour photographier ses modèles. « *Andy doesn't like pretty faggots like you and me* », me disait Robert, ce qui n'était pas tout à fait exact mais résonne encore dans ma mémoire. Il était génial, je m'en rendais vaguement compte, en tout cas assez pour que Patti se souvienne de la visite du jeune Frenchy.

Course-poursuite désormais traditionnelle à la Fiac. Au fond, la seule chose que je me rappelle en sortant du caisson sensoriel surpeuplé, c'est le teint de pêche de Jennifer Flay, la directrice, et la beauté de ses yeux.

Détestable ambiance pour la constitution du conseil scientifique de la Maison de l'histoire de France. Le péché originel sarkozien et le débat sur l'identité nationale plombent tout le projet. Plus personne ne veut en être, hormis Jean-Pierre Roux dont le sens de la communication n'est pas le principal talent. La polémique enfle dans la presse avec l'occupation du site des Archives par les amis du cher Susanj.

Jeudi 21 octobre 2010

Quatre enfants de harkis campent depuis des semaines en bas de chez moi, tout à côté de l'Assemblée. On les chasse, ils reviennent. J'en ai parlé à tout le monde à l'Assemblée, et d'ailleurs il est impossible de ne pas remarquer leur présence. Il semblerait qu'un seul député, élu socialiste de l'Oise, ait pris sur lui d'aller voir les quatre malheureux pour les écouter et leur apporter un peu de réconfort. En vain bien sûr, mais ce n'est pas la question. Il s'appelle Michel Françaix. Cela ne m'étonne pas de sa part ; belle gueule, beau sourire, toujours très gentil avec moi, sans l'habituelle distance un peu goguenarde.

Muriel Mayette, après la représentation d'*Andromaque* qu'elle a joliment mis en scène : « Vous aviez raison, on devrait inscrire Yasmina

Reza au répertoire.» Mais je vois mal les sociétaires, qui rêvent tous individuellement de jouer pour Yasmina, se départir de leur attitude condescendante quand ils se réunissent en conclave.

Vendredi 22 octobre 2010

Déjeuner pour l'épouse du roi de Bahreïn. Nous avons soigné le tour de table avec Jean-Pierre. Elle charme tous les invités par sa modestie et sa gentillesse. Je lui devais bien cette petite grâce protocolaire, elle nous a évité une autre affaire hôtel Lambert en préparant soigneusement le permis de construire de l'hôtel de Bourbon-Condé.

David Lynch vient m'alerter sur le sort d'une des dernières imprimeries d'art de Paris où il tire lui-même ses lithographies. Je lui promets d'y aller avec lui lorsqu'il reviendra des États-Unis.

Samedi 23 octobre 2010

La perspective du prochain remaniement ministériel agite décidément beaucoup le microcosme. Café semi-clandestin avec Franck Riester qui souhaitait me voir. On parle clair : il ambitionne de se voir confier le secteur du numérique, il a les capacités et la légitimité pour l'obtenir et je lui assure que je serai heureux de travailler avec lui si je suis moi-même maintenu. Je suis sincère, mais j'ai l'impression qu'il ne me croit qu'à moitié. Le soupçon, cet autre venin de la politique.

Hommage à Catherine Paysan dans son village près du Mans. Le cabinet ne voulait pas me laisser y aller selon la règle absurde du «C'est pas du niveau du ministre». Eh bien si! justement, c'est lors de ce genre de déplacements auprès de gens que j'estime que je respire un autre air et reprends des forces.

Visite du ministre de la Culture d'un grand pays africain. Mon inconscient est charitable, il me fait oublier aussitôt ce curieux personnage qui ne m'a parlé que de montres de luxe et de voitures de sport.

Dimanche 24 octobre 2010

Mort de Georges Frêche, le «parrain» de Montpellier, foudroyé à son bureau. François ne l'aimait pas, les socialistes en avaient honte, il régnait comme un despote, mais cet homme cynique, brutal et mal embouché était fin, érudit ; prototype réussi de beau monstre romanesque. Mes relations avec lui étaient excellentes.

Lundi 25 octobre 2010

Tunis. L'Institut des belles-lettres arabes, fondé par les Pères blancs en 1926, a brûlé il y a quelques mois et une grande partie de la bibliothèque a été détruite par le sinistre. Le ministère et l'ambassade devraient aider à reconstituer autant que possible toute cette mémoire perdue.

Visites aux ministres, signatures de conventions de coopération culturelle comme les bureaucrates les adorent : longues, ampoulées, suffisamment vagues pour qu'il n'en sorte pratiquement rien. Chaque fois la mélodie de l'amitié franco-tunisienne suivie de considérations sur les «malheureux malentendus» suscités par «une presse française de parti pris» avant d'attaquer bille en tête Bernard Kouchner accusé d'attitude inamicale incompréhensible, le tout émaillé de protestations sur la liberté de la presse, le soutien aux artistes et à la culture. À quoi bon répondre, je sais depuis bien longtemps que cela ne sert à rien. La seule chose que j'obtiens : un certain degré de protection pour ceux que je cite ou que je rencontre ostensiblement, comme le soir même à l'inauguration des Journées cinématographiques de Carthage.

Grand raout à l'ambassade, décorations, discours, télévision ; Canada dry de visite officielle dans un pays normal ; tout comme une bonne bouteille, l'apparence, la couleur, l'étiquette, mais sans l'essentiel, le bel alcool de la liberté.

Mardi 26 octobre 2010

Symposium des Journées audiovisuelles de Tunis. Vibrant hommage aux créateurs et aux artistes (lesquels ? on ne prend le risque de citer personne) et langue de bois tous azimuts. Cela fait longtemps que je n'avais plus vraiment de relations avec le pouvoir en place; d'être devenu ministre, j'ai replongé dans la marmite. Je ne sais qu'en penser.

Retour et nuit au Sénat pour se remettre dans le bain de la démocratie active. Menu affriolant : la loi sur le prix du livre numérique. Il faut savoir ce qu'on veut : le colloque robotisé de Tunis ou la grande séance collective de dodo hypnotique de Paris. Puisqu'il faut choisir...

Mercredi 27 octobre 2010

François Fillon sur la Carte musique : «C'est une belle connerie, ça ne marchera jamais. Comment voulez-vous qu'on achète ce truc quand il suffit d'un clic pour avoir toute la musique qu'on veut, et je parle bien de ce qui est légal. Le président est incroyable, il n'a pas encore compris comment ça marche, et vous, il serait temps que vous vous sépariez de votre Teppaz.»

Éric Besson n'a pas l'air affecté par la détestation que lui vouent ses anciens camarades du Parti socialiste ni par son impopularité dans l'opinion. Il parle du livre de son ex-femme avec détachement et je ne serais pas étonné qu'il lui garde une réelle affection. Il évoque ses enfants avec une tendresse admirative. Seule la haine des médias l'ébranle un peu, mais il la traite comme un détail du combat politique. Pourtant, je ne douterais pas qu'un jour le barrage rompe et qu'il envoie tout promener.

Éric Besson : «Il y a des trucs que je peux faire et d'autres pas. Si j'allais au-delà, les types chez moi ne le comprendraient pas.» Il vient de m'arranger une affaire de papiers très délicate.

Inauguration de l'exposition sur la culture du Kazakhstan au musée Guimet, coincée entre deux autres rendez-vous de telle sorte que je n'ai qu'une demi-heure à consacrer à mon homologue. Tout se déroule dans un bordel monstre : je ne savais pas qu'il y avait autant de chaînes de télévision au Kazakhstan, autant d'élus qui adorent le Kazakhstan, autant d'hommes d'affaires qui se passionnent pour la culture du Kazakhstan, etc.

Le président à l'exposition «Douze campus du XXIe siècle» avec Valérie Pécresse. Richard, enthousiaste : «Vous avez remarqué, il vous a cité cinq fois dans son discours.» Si même Richard s'y met...

Jean-Pierre : «Hier tu as eu le prix du livre numérique, ce soir c'est le sort des œuvres orphelines. Tu pourrais freiner un peu : elles sont orphelines, elles peuvent le rester encore un moment, personne ne les réclame.» On est dans le tuyau parlementaire, impossible de ralentir le mouvement.

Jeudi 28 octobre 2010

L'ambassadeur Orlov : «Pour la statue, ce sera prêt dans les délais. Maintenant, il ne faut plus tarder pour la cathédrale, le concours d'architecture est ouvert.» Jean de Boishue, à la fois pour et prudent : «Tu suis de près et en même temps tu ne peux pas grand-chose. Le président l'a promise à Poutine.» Comme si la cathédrale de la rue Daru ne suffisait pas! Mais elle échappe au contrôle de Moscou et c'est impardonnable aux yeux du nouveau tsar.

Lancement de la Carte musique : conférence de presse laborieuse, personne ne s'y intéresse ni ne croit que ça peut marcher. Seule Laurence m'encourage avec la foi du charbonnier.

Vendredi 29 octobre 2010

Lecture de Jeanne Moreau à l'Odéon, les très belles lettres de la mère d'Amos Gitaï; sortilège de la diction et de la voix, elle pourrait aussi bien lire l'annuaire ce serait toujours formidable. Standing ovation à la fin.

Samedi 30 octobre 2010

Charme de ces musées de province où s'affairent des conservateurs compétents, dévoués, mal payés, dédaignés par leurs collègues de Paris. À Honfleur, le musée Eugène-Boudin où l'on pourrait passer des heures tant les collections sont de belle qualité. Il a été agrandi à plusieurs reprises, notamment grâce à un mécénat Schlumberger. La famille Schlumberger a multiplié les actions de ce genre dans toute la région.

Dimanche 31 octobre 2010

Véronique Cayla a finalement accepté de prendre la présidence d'Arte. J'ai beaucoup insisté auprès d'elle, mais c'est le président qui l'a finalement convaincue. Elle redoute de ne pas parler allemand et il est probable qu'elle espérait aussi recueillir un jour ou l'autre la succession de Gilles Jacob au Festival de Cannes. Son sens du service de l'État a prévalu. Pour Arte, son arrivée est une chance. Je ne doute pas qu'elle va s'y mettre à fond, qu'elle réussira et qu'elle n'aura pas de regrets. Le président, qui la considérait sans aménité avant de la connaître, ne jure plus que par elle depuis qu'il l'a vue.

Lundi 1ᵉʳ novembre 2010

Dîner chez Doris Brynner, comme toujours sympathique et amusant en l'honneur du délicieux Pierre Barillet, ravi du succès de *Potiche* au cinéma. Il serait amusant de reprendre aussi *Fleur de cactus* ou *Folle Amanda*, mais c'est sans compter sur la haine du boulevard que professent les beaux esprits. Ses livres sur la vie du théâtre sous l'Occupation sont passionnants à lire. Avec les Catroux, Catherine Agha Khan, Pierre Bergé et Marina de Grèce, sans Michel qui travaille sur un livre et ne sort plus en ville. Encore *Tendre est la nuit*; pourvu qu'elle dure longtemps, longtemps.

Mardi 2 novembre 2010

Commission des Affaires culturelles à l'Assemblée nationale : atmosphère très différente de celle de l'an dernier. Patrick Bloche, presque aimable, en tout cas mesuré. Mes deux copines socialistes, Boulestin et Martinel, chaleureuses, sans trop vouloir le montrer bien sûr. Toutes les deux, en aparté, après la séance : «Allez, on sait bien que vous sauvez les meubles!» Marie-George Buffet, vive mais également agréable.

Michèle Tabarot préside, comme la blonde dans son pavillon qui lit le mode d'emploi de sa machine à laver.

Mercredi 3 novembre 2010

À la sortie du Conseil des ministres, en pleine controverse sur l'absurde circulaire concernant les diplômés étrangers, Claude Guéant, ministre de l'Intérieur : « Ce n'est pas parce qu'ils ont Isabelle Adjani qu'on va les laisser nous marcher sur les pieds. »

Toni Morrison est extraordinairement sympathique, pleine de bienveillance et de vivacité, superbe avec sa coiffure afro aux cheveux blancs. Elle n'a rien de la virago féministe que voudraient dépeindre ceux qui ne la connaissent pas, n'ont pas lu ses livres et n'ont toujours pas digéré qu'elle ait obtenu le prix Nobel. Elle vient assez souvent en France. Je repense à la séquence hilarante de la bande dessinée *Quai d'Orsay* où Villepin reçoit une prix Nobel et ne lui laisse pas placer un mot. Quel dommage que François ne l'ait pas connue. Elle me dit d'ailleurs qu'elle aurait aimé le rencontrer, et quand je lui montre qu'elle n'a plus que le neveu à sa disposition, et de surcroît ministre d'un gouvernement de droite, elle part d'un grand rire.

Marc Ferro ne ressent pas un grand enthousiasme pour la Maison de l'histoire de France. Il pense qu'en l'intitulant seulement Maison de l'histoire j'aurais peut-être de meilleures chances de le faire aboutir. Il me dit tout cela très gentiment, avec cette nuance d'affection qu'il m'a toujours gardée depuis le temps où je suivais ses cours, il y a quarante ans de cela. C'est un vieil homme maintenant, malade et fragile, qui a fait l'effort de venir me voir. Il est accompagné de Jean Favier, pour sa part favorable au projet, sans réserve.

Jeudi 4 novembre 2010

Valse des auditions à l'Assemblée nationale. Élodie à Jean-Pierre : « Franchement, je ne vois pas pourquoi on s'inquiéterait encore ; il connaît tout ça par cœur et il suffit qu'on lui prépare bien ses fiches. » Le fait est que le cabinet m'épargne désormais ces longues séances de « remise à niveau » que je subissais stoïquement et qui ne m'aidaient guère à affronter tout ce que les séances au Parlement ont de mouvant, d'inattendu et d'impondérable.

Dîner à l'Élysée pour Hu Jintao, le robot-président de la Chine, c'est quand même moins sinistre qu'à Pékin et on échange des clins d'œil avec Carla.

Après le dîner, chaque ministre y va de son bref aparté avec le «fils du ciel» dans le salon où se pressent les invités de marque triés sur le volet. C'est mon tour, j'ai préparé juste trois phrases en langue de bois sur les radieuses perspectives de la coopération culturelle franco-chinoise pour ne pas lasser la patience de mon auguste interlocuteur. Trois petites phrases de rien du tout pour un milliard trois cent soixante-dix millions de Chinois, ça me semble raisonnable. On me présente, l'interprète toute souriante traduit, Hu Jintao pose sur moi un regard mort. Je lance ma première phrase, elle traduit derechef, toujours aussi gracieuse, mais il y a un petit problème : le président chinois a disparu. D'un pas mécanique il a rejoint le groupe des grands patrons de l'industrie à l'autre bout du salon. Je ne sais pas comment on dit «culture» en mandarin mais c'est un mot qui ne doit pas réson-ner très fort pour le Terminator suprême de l'empire rouge, à moins qu'il ne déclenche une sorte de réflexe pavlovien qui consiste à enjam-ber comme des cadavres les moucherons culturels de mon acabit. Je libère l'interprète affolée et qui ne sourit plus du tout ; elle doit calculer la distance qui la sépare d'un camp de rééducation en filant vers son maître à la vitesse d'une étoile rouge. Pierre Lellouche, qui a assisté à la scène, rit de bon cœur, mais un peu jaune quand même : il devait passer après moi.

Petit cercle à l'Élysée après le départ des Chinois. Bernard Kouchner, Christine Ockrent, le président, quelques autres. Ambiance très ami-cale. On parle de tout et de rien, gaiement. Il est difficile d'imaginer qu'ils sont pourtant assis l'un et l'autre sur des sièges éjectables qui peuvent être actionnés désormais à tout moment.

Vendredi 5 novembre 2010

Forum d'Avignon : «Les nouveaux enjeux de l'économie numé-rique»... Enfin, ça me permet de retrouver la commissaire européenne,

Neelie Kroes, qui me fait sentir à sa manière franche et amusante à quel point l'approche «exception culturelle» de la France sur le numérique lui paraît dogmatique et vétilleuse. Pour tout arranger, mon anglais de cuisine, qui me permet de me débrouiller en général, ne tient pas le choc en face de son débit rapide tandis qu'elle tourne à vive allure les pages de son iPad rempli de questions auxquelles je peine à répondre.

À l'université, devant un auditorium bourré d'étudiants frondeurs, Nicolas Seydoux me présente en m'appelant François Mitterrand. Je lui réponds en l'appelant Jérôme Seydoux. Ça fait rire et ça détend l'atmosphère. On s'amuse comme on peut, d'autant plus que seul Hadopi est au menu.

On campe dans le palais des Papes, où les groupes de travail se disputent les salles de réunion. Cela donne quelques courts-circuits, comme lorsque je tombe sur celle où se changent les vigiles. De beaux garçons pas gênés du tout. L'un d'eux, torse nu et regard effronté : «Vous ne voulez pas vous changer vous aussi, monsieur le ministre ? » En novembre, il flotte encore comme un air d'été à Avignon.

Nuit à la préfecture, chez François Burdeyron, où j'ai pris, grâce à lui, mes habitudes, comme en retrouvant une maison de famille.

Samedi 6 novembre 2010

J'ai un scénario qui tient la route pour les nominations à Marseille : Macha à l'Opéra, qu'elle ferait enfin revivre, et Catherine Marnas à la Criée, dont elle revisiterait la tradition de grand théâtre populaire. À la clef, promesse d'une augmentation conséquente de la subvention de l'Opéra que le maire me réclame depuis des mois. Ce n'est pas que la programmation de l'Opéra soit franchement mauvaise, mais on est quand même un peu loin du compte. Marseille disposerait ainsi de deux personnalités féminines de premier plan pour diriger ses deux institutions phares. J'en ai parlé à Macha, que l'Opéra intéresse autant que la Criée. Ce serait parfait pour Marseille, capitale culturelle en 2013.

Jean-Claude Gaudin me reçoit dans son bureau, et pour une fois nous sommes seulement tous les deux. Entre anecdotes pagnolesques contées avec verve, jugements et répliques où il se donne le beau rôle avec un talent inénarrable, et visionnage d'une interview qu'il vient de donner à France 3 en envoyant les journalistes au tapis, j'arrive tant bien que mal à faire passer mon programme qu'il écoute distraitement mais en m'assurant que ça l'intéresse.

On passe ensuite à l'essentiel, c'est-à-dire au restaurant, un établissement réputé du quartier du Prado. Séance de comédie de haute volée où il salue chaque table en n'oubliant ni la décoration du notaire, ni la première communion du petit dernier.

Après m'avoir dit qu'il y a effectivement un problème à l'Opéra et que Mme Michalef l'intéresse beaucoup – je précise : «Makaïeff. — Oui, c'est ça, Michalef, je la connais très bien» –, j'ai l'impression d'avoir marqué des points. À la fin : «Bien, on va faire comme ça, monsieur le ministre, vous êtes de très bon conseil. Évidemment, Mme Marnas est très à gauche et à la Criée elle va en profiter pour me casser du sucre sur le dos, mais j'ai l'habitude, tous ces artistes n'ont jamais voté pour moi et puis j'ai les épaules larges. Donc je vois Marnas, Mme Michalef, vous me confirmez pour l'augmentation de la subvention de l'Opéra et on y va. N'oubliez pas qu'il faut aussi qu'on trouve quelque chose pour le jeune qui fait de la danse, vous savez comme je m'intéresse au ballet. Le petit dont je vous ai parlé, il a beaucoup de talent, vous ne trouvez pas? Il danse très bien et il est très gentil, mais vous savez ce que c'est, c'est difficile dans ces métiers. Il faut que vous l'aidiez, monsieur le ministre. À propos, vous avez vu le succès des trois séminaristes chanteurs? Le petit Vietnamien qui fait des trilles dans son *Ave Maria*, il suffit de regarder son cul pour comprendre pourquoi il porte des souliers en croco!» Je promets donc de m'occuper du danseur et de regarder la vidéo des séminaristes chanteurs. Tout va bien.

Georges-François, dans le TGV : «Méfie-toi, il n'osera jamais toucher à sa copine qu'il a mise à l'Opéra, c'est un pacte entre eux depuis des années. Plus il t'amuse et plus il te roule dans la farine!» Moi : «Il sait tout le mal que je me donne pour Marseille, je pense qu'il faut qu'on lui fasse confiance.» Georges-François : «On va faire comme si, mais ne te fais pas trop d'illusions. Au fond, la clef, c'est le petit danseur, qui n'est pas mal d'ailleurs.» Il imite Gaudin à la perfection. Moi : «C'est bien, toi aussi tu t'intéresses enfin au ballet à Marseille!»

Retour à Paris. Impression de victoire fragile et d'équilibre instable.

Salon du patrimoine et des métiers d'art. Les grands oubliés du ministère dont personne ne s'est préoccupé depuis Jack Lang, hormis la sénatrice Catherine Dumas qui plaide pour eux en plein désert. Ce sont essentiellement des artisans qui maintiennent des savoir-faire précieux dans des conditions de grande précarité. La phrase entendue partout : «Ah, si vous pouviez faire quelque chose pour nous. Encore quelques années et nous aurons tous disparu»...

Lundi 8 novembre 2010

Jérôme Savary ne se plaint de personne, ne réclame rien; il s'étonne seulement un peu d'avoir tant de difficultés à monter des spectacles à Paris où il se heurte à des portes closes. Moi aussi. La «grande famille» du spectacle vivant est implacable, elle ne pardonne rien à ceux qui ont déjà eu leur chance et répugnent à l'agitation syndicale. Jérôme Savary n'a pas d'ennemis déclarés, il se heurte seulement au monstre flasque et hargneux de la jalousie et de l'indifférence.

Valérie Toranian dirige *Elle* et vit avec Franz-Olivier Giesbert. Deux atouts pour que je l'apprécie. Mais autrement, je l'apprécierais quand même : elle est totalement dénuée de snobisme et d'arrogance.

Hi! c'est David Drummond, plus Obama que jamais, qui passe voir ce bizarre Français tellement buté qui occupe la fonction encore plus bizarre de ministre de la Culture et de la Communication et qui rechigne à se laisser persuader de tous les bienfaits que Google dispense avec un total désintéressement à la maussade tribu hexagonale. On cause bien gentiment. Le débat porte cette fois sur la numérisation des œuvres orphelines, c'est-à-dire les œuvres épuisées ou celles dont les auteurs ont disparu corps et biens et dont les éditeurs ont encore les droits mais qu'ils n'envisagent pas de rééditer. David joue sur du velours; le front des éditeurs qui proclamait la nécessité de passer un accord global est en train de se fendiller. Il le sait et il sait que je le sais. S'il passe un accord après l'autre, en durcissant ses conditions au fur et à mesure que l'étau se resserrera sur les récalcitrants, ce sera parfaitement légal et je n'aurai rien à objecter. Il se trame évidemment quelque chose. Je doute que le beau David soit venu à Paris pour me faire seulement un petit bisou.

Michel Field : « Patrick Buisson n'est pas le dangereux gourou fantasmatique du président, c'est un type avec qui il est intéressant de discuter même si on n'est pas d'accord avec lui. »

Mardi 9 novembre 2010

Retrouvailles avec Bernard Plossu, avec qui j'étais en classe à Janson et qui me fascinait par son charme. Il est devenu un grand photographe. Francis et Jean-Pierre, qui ne savaient pas que je le connaissais, avaient fait acheter certains de ses tirages originaux pour les exposer dans l'entrée du ministère.

Décoration de Karim et Amin Agha Khan qui ont sauvé le domaine de Chantilly. Ils sont surpris par mon discours où je reviens sur toutes les actions de mécénat de leur famille, agréablement me semble-t-il. En face de ces deux hommes, dans la soixantaine, aux manières royales, je repense à cette photo où on les voit petits garçons au château de l'Horizon à Cannes, jolis, charmants, l'œil vif, en maillot de bain. La photo a été prise par leur belle-mère, Rita Hayworth, que leur père, Ali Khan, venait d'épouser.

Claude Guéant, l'air de rien : « Et vous, Frédéric, vous souhaitez rester au gouvernement ? » Je bredouille oui. Il note quelque chose sur son petit cahier et le referme. On parle des lampes allumées a giorno dans son bureau : « Oui, le président déteste quand ce n'est pas éclairé. »

Jean-François Bregy et Jean-Luc Choplin veulent racheter la maison natale de Colette à Saint-Sauveur-en-Puisaye, qu'elle évoque à plusieurs reprises dans son œuvre. Le prix est raisonnable mais l'affaire est un peu compliquée car les vendeurs sont déjà plus ou moins engagés ailleurs. Le genre d'opération dont l'administration du ministère ne veut pas entendre parler, elle s'est donc bien gardée de m'en avertir. Ils ont organisé en toute hâte une soirée au Châtelet pour recueillir des fonds et m'ont fait approcher à tout hasard, sans beaucoup d'espoir. Je m'y rends. Stupeur : un nombre considérable d'artistes célèbres apparaissent sur scène, de Josiane Balasko à Carole Bouquet, et tous ont préparé une chanson, un sketch, une lecture inspirée de l'auteur de

La Vagabonde. À la fin de la soirée, très enlevée, très brillante, les deux organisateurs ont déjà obtenu un tiers de la somme. Je les assure qu'ils peuvent compter sur moi pour que l'on trouve le reste.

Ma tribune dans *Le Monde* pour défendre le projet de la Maison de l'histoire de France n'a pas du tout calmé le jeu. Au contraire, la polémique enfle chaque jour ; le péché originel de l'exaltation de l'identité nationale revient en boucle dans les critiques virulentes des adversaires. Pas seulement des historiens marqués à gauche, mais aussi de tous ceux qui haïssent le président, quelles que soient leurs convictions politiques, et qui sautent sur l'occasion. Jean-Pierre : « Il t'a enfermé dans un truc impossible, tu ne vas jamais réussir à t'en dépêtrer. »

Mercredi 10 novembre 2010

Questions d'actualité à l'Assemblée.

Lorsque je réponds à l'Assemblée, les petits malins du PS me saluent par des « Bonsoir » tonitruants. C'est Aminthe, ma maquilleuse de TF1, qui me disait toujours à la fin de mes émissions : « N'oublie pas ton bonsoir. » Il y a des expressions auxquelles on ne pensait pas et qui vous suivent comme ça toute la vie durant.

Si un ministre fait poser une question qui l'arrange par un député de la majorité, toute l'opposition accueille sa réponse en faisant « Allô, allô », histoire de bien montrer qu'elle n'est pas dupe du téléphone.

Aux questions d'actualité, les députés d'outre-mer ne posent jamais d'autres questions que celles relatives à l'outre-mer. À l'exception notable de Christine Taubira, qui aborde tous les sujets.

Un historien dont je n'avais jamais entendu parler s'est fendu d'une tribune assassine contre la Maison de l'histoire de France. Je le reçois. Je comprends assez vite qu'il changerait d'avis si je lui proposais de piloter le projet. Il n'est sans doute pas le seul. Ah, les bons apôtres !

Les architectes du Grand Paris de nouveau à l'Élysée. Le président les bombarde de bonnes paroles enthousiastes et vagues. En fait, tout avance très lentement et il tient à les garder au chaud le plus longtemps possible. Ils se déclarent très contents de la rencontre.

Jeudi 11 novembre 2010

Le sénateur Marini est tout à fait acquis au projet de rénovation du musée de la Voiture du château de Compiègne, dont l'état d'abandon continue à me désoler. Visite aux Haras nationaux, juste à côté, qui pourraient accueillir cette fantastique collection, bien plus riche que celle de Versailles et comparable à celle du musée de Lisbonne qui est très visitée. Enfin, toute cette histoire de carrosses de l'Ancien Régime, voilà encore une autre lubie du ministre, n'est-ce pas?

Le directeur du haras fait galoper devant moi un cheval de trait belge dont la race est provisoirement sauvée. Beauté de cet animal tellement lourd et puissant et qui se déplace avec une grâce merveilleuse.

Vendredi 12 novembre 2010

Lettre ouverte à mon endroit de Pierre Nora dans *Le Monde* à propos de la Maison de l'histoire de France. Ton aimable, écriture brillante, effet dévastateur pour le projet qu'il ratatine complètement. Les adversaires ont désormais un boulevard ouvert devant eux pour leur entreprise de démolition. Je pense que le président ne s'attendait pas à une telle levée de boucliers et qu'il va me laisser me débrouiller tout seul, ce qui m'arrange plutôt. Une inconnue : l'attitude d'Henri Guaino, qui pour l'instant m'observe en silence.

Samedi 13 novembre 2010

Pascal Ory m'écoute avec attention et bienveillance. Il me rappelle qu'il était un spectateur assidu de l'Olympic. Il réserve sa réponse pour faire partie du conseil scientifique de la Maison de l'histoire.

Pierre Assouline m'oppose en revanche un refus absolu. Il est particulièrement remonté et reprend tous les arguments des syndicats des Archives. Je ne m'attendais absolument pas à ce qu'il se montre aussi cassant et rogue. Je croyais qu'il accepterait au moins de discuter compte tenu de nos anciennes relations. Mais rien, un mur d'hostilité intraitable. Impression de rupture irrémédiable et sentiment de tristesse que je garde pour moi.

Maman est tombée dans la maison de Saint-Gatien. Elle me dit au téléphone que tout va bien mais elle rentre à Paris. Elle aura quatre-vingt-dix ans dans quelques jours.

Dimanche 14 novembre 2010

Tout le cabinet attend la liste du nouveau gouvernement devant le téléviseur dans le bureau de Pierre. Atmosphère de suspense fiévreux. Je suis dans le mien, j'ai laissé la porte ouverte et continue à signer mes parapheurs. Je viens d'avoir François Fillon au téléphone, et bien que je leur aie dit de ne pas s'inquiéter ils jouent à se faire peur. D'ailleurs, ils ont peut-être raison, on ne sait jamais. Finalement, je suis reconduit, champagne, tout le monde est très content.

Éric Woerth, qui a conduit jusqu'au bout le dossier des retraites dans une atmosphère de violence et d'attaques personnelles inouïes, ne fait plus partie du gouvernement. Il paie pour l'affaire Bettencourt, avec tout ce qu'on a réussi à lui coller sur le dos, à Florence et à lui. Indignité de la politique.

Maman : «Je t'assure que tout va bien et encore plus maintenant que je sais que tu restes au gouvernement. J'étais quasi morte d'angoisse en attendant le résultat.»

François Fillon : «Mais non, Frédéric, s'il y en a un que je n'ai jamais pensé changer, c'est bien vous. C'est même pour ça que je ne vous avais pas appelé, ça me semblait évident.»

Lundi 15 novembre 2010

Plan de financement pour la maison de Colette avec les deux courageux pilotes de l'opération. Depuis que j'ai demandé à l'administration de ne plus faire obstacle, cela s'éclaire peu à peu. Le ministre n'a eu qu'à les soutenir et toutes sortes de portes s'ouvrent désormais devant eux.

Déjeuner des ambassadeurs d'Amérique latine, tout ragaillardis par le retour des têtes maories en Nouvelle-Zélande. Ils ont tous leur «shopping list» d'œuvres d'art qui dorment dans nos musées et qu'ils souhaiteraient récupérer. L'ambassadeur du Guatemala, blonde charmante très Debbie Reynolds grande période, tempère leurs ardeurs en douceur.

On me traîne aux dix ans du Fooding, étrange manifestation de gastronomie hyper branchée qui se tient aux Buttes-Chaumont : «Vous ne pouvez pas passer tout votre temps à ne voir que des politiques et des fonctionnaires quand il y a des jeunes pleins de talent qui vous demandent partout.» Soit, va pour le fooding et la crème des créateurs de l'avenir. C'est raté, fête confuse et froid de canard.

Mardi 16 novembre 2010

Refonte du cabinet à l'occasion du remaniement ministériel. Je me sépare de l'une de mes conseillères. Son chagrin fait peine à voir et ils sont furieux à l'Élysée où elle dispose de sérieux appuis. Il y a déjà de la vengeance dans l'air. Mais c'est la bonne décision.

Mercredi 17 novembre 2010

Un nouveau ministre, que les habituels dosages d'un remaniement ont propulsé au gouvernement, lorgne l'ordre du jour par-dessus mon épaule comme un copieur à l'école : «Excuse-moi, c'est un peu difficile à suivre, il faut que je me mette au courant.»

Un autre, sempiternellement : «Alors Frédo, ça va, la forme?» On a dû jouer au foot ensemble, même si je ne m'en souviens plus très bien.

On va ouvrir le jardin des Archives au public. Trois hectares d'espaces verts en plein Paris dans un quartier qui en est dépourvu. Rage du charmant Susanj et de ses amis des syndicats. Aucune réaction de la Ville de Paris qui ne veut pas d'ennuis et qui récupérera sans doute l'initiative à son profit quand ce sera terminé. Ann-José Arlot comme toujours sur la brèche, proposant des paysagistes et déjà prête à planter arbres et massifs de fleurs.

Catherine Tasca et Alain Elkann à déjeuner. Elle est la fille de l'un des fondateurs du parti communiste italien, organisateur des premières grandes grèves à la Fiat avant le fascisme, et le père du jeune président actuel de la même Fiat ! Mais comme le temps passe...

Lulu de Wedekind au Théâtre de la Colline. Conversation détendue avec Stéphane Braunschweig, qui a signé la mise en scène. Il se plaint évidemment de l'insuffisance de sa subvention, mais sans cette animosité hargneuse qui semble être la règle et à laquelle je suis habitué.

Jeudi 18 novembre 2010

Lise Sarfati est discrète, douce, tranquille. Ses photos captent des vies normales, de jeunes Américains surtout, empreintes d'une mélancolie secrète qui confine à la détresse absolue. Elle m'offre un tirage que je fais placer dans mon bureau en vis-à-vis du très bel envol d'oiseaux noirs sur Manhattan de Nan Goldin.

Jean-Pierre Rioux, tout feu tout flamme pour la constitution du conseil de la Maison de l'histoire de France. C'est son enfant, il a du mal à admettre que le nourrisson risque la mort subite et qu'il traîne autant de casseroles qu'un vieillard.

Pierre Nora me redit de vive voix ce qu'il a écrit dans son article. Termes mesurés, assaut de prévenances réciproques. De toute façon, la polémique est telle désormais qu'il peut se tenir en retrait. Élégance et habileté.

Jean-Noël Jeanneney n'a pas d'idées préconçues sur le sujet, mais sa méfiance à l'égard du président, pour ne pas dire plus, est telle qu'il ne me soutiendra pas. Bien qu'il ait deux ans de plus que moi, frais comme un gardon, l'œil vif et ironique, un autre adolescent perpétuel.

Vendredi 19 novembre 2010

Le *Herald Tribune*, qui est installé à Paris depuis 1887, envisage sérieusement de transférer son siège et sa rédaction à Londres. Les actionnaires du *New York Times*, qui possèdent le journal, sont excédés par les grèves dans la distribution et les exigences des syndicats. Tout le monde s'en fiche au gouvernement, je dois bien être le seul ministre à être abonné au *Herald* et à le lire. Mauvais signal si le départ se confirme.

Arnaud Nourry me confirme qu'Hachette vient de signer un accord avec Google pour la numérisation des livres épuisés. Depuis la gentille visite tendance mamours de David Drummond, je m'attendais à un coup de Trafalgar pour tout le monde de l'édition. L'objectif d'un accord global n'est plus qu'un souvenir. Les éditeurs me font penser à ces chœurs d'opéra où les guerriers chantent «Partons, partons» et sont encore en scène une demi-heure plus tard; à force de ne pas savoir s'unir, il va forcément y avoir des morts. Vous aimez Google, vous adorerez Amazon. Moi, j'ai une fois de plus l'impression d'être comme le chef d'une gare désaffectée qui agite en vain son petit drapeau quand les TGV défilent à toute vitesse sans s'arrêter. Au demeurant, si j'étais Arnaud Nourry, à la tête du principal groupe français, j'aurais fait pareil. Il est d'ailleurs sympathique, et il a eu l'autre bonne idée de prendre Laure Darcos dans son équipe.

Samedi 20 novembre 2010

Je poursuis comme une fourmi besogneuse mes consultations pour le conseil scientifique de la Maison de l'histoire. Accord d'Emmanuel de Waresquiel, refus de Jacques Le Goff que je vais voir chez lui. Il est sur la même ligne que Pierre Nora : projet suspect, inutile, traumatisant pour le personnel des Archives. Il me reçoit dans un petit bureau surchargé de livres avec une courtoisie adorable. C'est un homme âgé qui a du mal à se déplacer et consacre son temps à travailler. Un étudiant africain qu'il aime comme un fils s'occupe de lui avec dévotion. Fascination pour cette vie d'étude et de labeur. Autres contacts. Autres refus. C'est long et difficile.

Bernadette Chirac à la soirée de l'Arop à l'Opéra, où j'ai amené le ministre de la Culture serbe et sa femme qui partagent notre loge et sont éblouis par la qualité du spectacle de ballet : «Ah, monsieur le ministre, comme je regrette de ne pas connaître Belgrade. Mon mari et moi avons toujours eu une grande estime pour votre pays, et ce n'est pas Frédéric qui dira le contraire, son oncle, le président Mitterrand, partageait nos sentiments pour la Serbie.» J'ai cru que le ministre allait l'embrasser; dix ans de guerres yougoslaves épouvantables effacées par les trois B. : Béjart, Balanchine, Bernadette.

Brigitte Lefèvre, à un cuistre : «Vous croyez qu'on ne peut pas aimer et le tutu et Preljocaj?»

Dans mon petit speech durant le souper de l'Arop, digression sur la merveilleuse Mildred Clary qui vient de mourir. Une dame chic : «Mais de qui parle-t-il enfin?»

Dimanche 21 novembre 2010

Maman a quatre-vingt-dix ans aujourd'hui. On plaisante avec mes frères sur les corrections qu'elle apportait à son passeport : il a suffi longtemps d'un petit trait de plume délicat pour changer 1920 en 1926, voire 1929. Elle a fini par y renoncer, non sans regret. En plus, elle nie farouchement!

Dîner avec Liria, Clara et Luc qui se bat comme un fou contre son cancer et continue à travailler chaque jour sur des films très importants en ayant transporté sa salle de montage dans son appartement. Cette image de Sacha Guitry, que François Truffaut aimait tellement : à l'article de la mort, montant l'un de ses films, assis sur son lit, tout ce qui lui reste comme force dans le regard.

Lundi 22 novembre 2010

Jean-Pierre : «Pour ton projet d'exposition itinérante de l'art français en Asie centrale, c'est Philippe Costamagna qu'il te faut. Il est le seul qui aura à la fois le goût, les connaissances et la fantaisie nécessaires.» Exact.

Mardi 23 novembre 2010

Jean-Marie Bockel, en pleine séance de questions d'actualités où les deux camps s'invectivent, me glisse à l'oreille sur la banquette du gouvernement : «Celle-là, j'en suis fou.» Il bombarde Aurélie Filippetti de petits messages galants que les huissiers transmettent avec diligence en gravissant les travées. Elle y répond sans barguigner. Il est beau gosse, elle est belle gosse, je suis un gentil garçon, mais de là à tenir la chandelle !

Centenaire de Pierre Schaeffer à l'auditorium de Saint-Germain. Tous ceux qui se souviennent de lui sont présents, heureusement cela fait encore du monde. C'est Mathieu Gallet, une fois de plus, qui a eu l'idée de cette célébration pour le père fondateur de l'INA. En revanche, la Ville de Paris qui a prêté la salle et Radio France dont il a écrit quelques-unes des plus belles pages brillent par leur absence.

Hommage à Michel Guy à la Cité de la musique. Maryvonne de Saint-Pulgent a bien fait les choses ; Lionel Esparza parfait en maître de cérémonie. Je l'écoute souvent sur France Musique où je le trouve particulièrement brillant. Beaucoup de monde, les anciens de cette brève période bénie et tous ceux qui en ont la nostalgie sans l'avoir connue. Jack Ralite : « Évidemment, nous n'étions pas du même bord, mais nous étions souvent d'accord sur ses choix. Et puis, c'était un parfait gentleman qui m'a éclairé sur ce qui était encore un mystère pour moi : la droite fréquentable ! »

Hôtel particulier d'un milliardaire mécène qui donne un grand dîner pour le photographe allemand Andreas Gursky. J'arrive pour le dessert. Au cœur du faubourg Saint-Germain, le parc est si vaste, encadré par ceux des demeures voisines, que des oiseaux migrateurs viennent y nicher pour leurs amours. Tableaux de maître, société choisie, grand style de l'ensemble. Les médias et le cinéma ne savent jamais montrer comment vivent les vrais riches, ils ne montrent que ceux qui ne le sont pas depuis longtemps et ne le resteront peut-être pas. Ça vaut sans doute mieux pour éviter une nouvelle révolution.

Mercredi 24 novembre 2010

J'attends l'arrivée au Palais de justice du président de la République, qui veut voir les maquettes du concours pour le futur tribunal de grande instance qui sera construit sur la friche des Batignolles. Avec des personnages aussi considérables que le président de la Cour de cassation, celui de la cour d'appel de Paris et la crème de la crème des gens de justice qui me donnent tous du «monsieur le ministre» long comme le bras. Toujours cette impression étrange d'être entré par effraction dans un film où l'un de ces messieurs, reprenant ses esprits, repérera soudain l'imposteur et exigera que je sorte de l'image. En ce qui concerne le scénario, pas de changement notable, le président arrive de très méchante humeur, les notables glacés d'effroi se marchent sur les pieds pour le suivre, il se détend peu à peu devant les maquettes, commence à demander leur avis aux uns et aux autres, finit par plaisanter et taquine gentiment son ministre à qui tout le monde fait désormais de grands sourires comme si on venait de gagner tous ensemble un match de foot.

Francis : «Les maîtres d'art, c'est toi qui t'en es occupé le premier. Ils le savent, ils peuvent le répéter partout, et toi tu ne dis rien, il n'y a pas de presse et tu as l'air de trouver ça normal.» Si je devais me rebeller contre tout ce que je ne trouve pas normal...

Jeanne Moreau et Étienne Daho lisent *Le Condamné à mort* de Jean Genet à l'Odéon. Texte superbe, couple d'enfer, succès monstre, Olivier Py presque aimable.

Jeudi 25 novembre 2010

Le numérique hier, aujourd'hui, demain : succession de colloques et de symposiums, prises de parole, disputes, discours du ministre. Du vent! Google fonce sur un boulevard vide et Amazon se pointe à toute allure.

Roselyne Bachelot à déjeuner, qui se nourrit comme un oiseau et mincit à vue d'œil : «Ce n'est pas difficile de faire un régime par les temps qui courent, avec tout ce qu'on nous demande d'ingurgiter et que je refuse absolument d'avaler!»

La constitution du conseil scientifique de la Maison de l'histoire, c'est soulever le couvercle d'une marmite où bouillonne la soupe à la grimace de la haine anti-Sarkozy.

Jean-Michel Ribes : «De l'argent, des sous, du flouze! Delanoë m'en a promis si tu m'en donnes aussi.» Vérification faite, Bertrand n'a rien promis du tout, et le rusé Jean-Michel n'est pas le plus mal traité d'entre tous.

Vendredi 26 novembre 2010

Deux aimables ambassadeurs m'annoncent l'ouverture prochaine d'un centre culturel Google sur six mille mètres carrés en plein Paris. Très bien, mais qu'est-ce qu'on y fera au juste ? Langue de bois dont je ne retiens pas grand-chose. J'essaie d'en savoir plus en consultant sur la toile Google précisément, je n'apprends rien.

J'ai vingt ans, qu'est-ce qui m'attend ? Au Théâtre Ouvert chez le délicieux couple Attoun que je protège contre tous ceux qui veulent les sortir au prétexte de leur âge pour s'emparer du lieu qu'ils font si bien vivre. La pièce a été coécrite par Aurélie Filippetti annonce le programme, et c'est d'ailleurs par sympathie pour elle que je me suis déplacé. Écrite, c'est beaucoup dire, la chère Aurélie devait avoir la tête ailleurs. Enfin, tout va bien, petite salle comble et public enthousiaste.

Samedi 27 novembre 2010

Éric Deroo et Benjamin Stora rejoignent le conseil. Marques de confiance et d'adhésion précieuses qui contribuent à desserrer l'étau du piège.

René Ricol très réceptif au projet d'une aide spécifique du grand emprunt aux éditeurs pour qu'ils aient une alternative à la numérisation made in Google. Les autres dossiers présentés par le ministère s'enlisent lentement. Ses collaborateurs tentent de reprendre d'une main ce qu'il offre de l'autre. Il m'assure qu'il va s'en occuper, mais le ministère n'est qu'un petit caillou dans son soulier comparé au volcan de l'enseignement supérieur qui entre en éruption au-dessus de son magot.

Dîner Aids sous la belle coupole des Beaux-Arts ; le tramway des branchés «gay friendly». À la table de Carla, une invraisemblable folle maharadja, ou plutôt maharanée, carambolage du *Tigre du Bengale* et du «Tableau hindou» aux Folies-Bergère, qui vaut à lui tout seul le déplacement.

Dimanche 28 novembre 2010

Chérif Khaznadar est heureux de me recevoir à l'antenne de la Maison des cultures du monde qu'il a installée à Vitré. La mésaventure que lui a infligée le ministère est effacée. La ville est belle, Pierre Méhaignerie, qui la câline depuis des décennies et a obtenu que le TGV s'y arrête (!), est bien plus chaleureux qu'à l'Assemblée nationale, le délicieux Max Karkegi est ravi de m'accueillir avec sa femme au milieu de son incroyable collection de souvenirs de l'Égypte faroukienne ensevelis dans cet insolite mastaba de la France profonde, et la bretonne du vestiaire au centre culturel Jacques Duhamel est furieuse de faire le poireau avec le manteau du ministre cinq minutes après l'heure où elle avait prévu de s'en aller.

Mondrian au Centre Pompidou. J'adore la manière dont Agnès Saal, la directrice générale, m'accueille à chaque fois avec les transports de Mademoiselle Jeanne pour Gaston Lagaffe. Elle est très à gauche pourtant. Serais-je donc si peu à droite ?

Lundi 29 novembre 2010

Réunion pour les nominations avec le président. Aucune objection de sa part à mes demandes. Le projet Emmanuel Demarcy-Mota au Festival d'Automne conforté depuis qu'il l'a croisé avec Carla au Théâtre de la Ville. On glisse sur le Festival de Cannes, c'est bon signe, il sait que la solution qui le tente ferait beaucoup de dégâts et il a deviné que j'y suis hostile. On glisse aussi sur l'Odéon, ce qui est en revanche de mauvais augure, il pense à quelque chose que je ne sais pas. Catégorique sur Versailles : « Aillagon a obtenu ce qu'il voulait, tu l'as soutenu, très bien. Mais il a encore un an à faire, ce ne sera pas un jour de plus, tu m'entends, pas un jour de plus. » Éric Garandeau, prévu pour succéder à Véronique Cayla au CNC : le seul hic pour moi, c'est de savoir qui va le remplacer à l'Élysée où il est mon meilleur interlocuteur et me protège des intrigues de tous les autres.

Bernard Kouchner, qui a été remplacé par Michèle Alliot-Marie, au téléphone : « Quinze jours sans un coup de fil, on le sait, mais ça fait bizarre quand même. Maintenant, tu vas voir, ils vont s'attaquer à

Christine. Je compte sur toi pour l'aider à se défendre. Ils sont sans pitié, ça va être atroce ; et quoi qu'il dise, le président ne lèvera pas le petit doigt. »

Deux journalistes du *Monde* pour la Maison de l'histoire de France : doucereux, insidieux, rien à espérer. Très mauvaises ondes.

Mardi 30 novembre 2010

L'ambassadeur du Danemark est une femme pleine d'humour, cultivée et chaleureuse ; le conseiller culturel est un beau garçon, tout aussi agréable, qui me parle de sa femme et de ses enfants avant même que j'attaque l'esturgeon fumé. Mais qu'est-ce qu'ils ont tous à me préciser dès la deuxième phrase qu'ils sont mariés avec une flopée de gosses ? Bon, d'accord, ça se sait, mais est-ce que ça se voit tellement ?

Les petites cérémonies de remises de décorations, auxquelles je procède avec soin une à deux fois par semaine ont fini par convaincre le cabinet. Elles me permettent de recevoir chaque fois deux cents à trois cents personnes sans aucune exclusive et montrent que le ministère est une maison ouverte. J'y entends beaucoup de choses qui m'intéressent. Cela ne grève pas le budget car Lionel est plutôt chiche sur les sandwiches et ça fait plaisir à tout le monde. Jean-Pierre, qui a monté toute une cellule qui fonctionne à la perfection : « Au fond, ici, c'est comme la Hongrie au temps du rideau de fer, la baraque la plus gaie du gouvernement ! » Stupéfaction d'Élodie le soir de son arrivée : on fêtait toute une brochette de nouveaux décorés, il y avait de la musique, les gens dansaient, le ministre avait l'œil allumé. « Oui, c'est comme ça tous les soirs, ma chère Élodie, il faudra vous habituer. » Elle s'est très bien habituée, mais il est vrai que ce n'est hélas pas comme ça tous les soirs, le grand salon servant plutôt ordinairement de salle de torture où François Le Pillouër et consorts s'exercent sur le ministre.

Mercredi 1ᵉʳ décembre 2010

« La fabrique de l'histoire », avec Emmanuel Laurentin sur France Culture. Le duel classique avec un historien très hostile à la Maison de l'histoire. Il perd peu à peu son calme, je ne m'en sors pas trop mal. Mais les irréductibles ne cèdent pas d'un pouce.

Quand Michel Mercier répond aux questions sur la justice, matière particulièrement radioactive, c'est toute la République du *Président*, le film d'Henri Verneuil, qui débarque dans l'hémicycle, mais sans Gabin ni les dialogues d'Audiard. Voix sourde, langue de bois, grosses lunettes, embonpoint de notable lyonnais, tout le monde devise dès la deuxième phrase. Même le charivari habituel ne prend pas. Au fond, c'est peut-être une technique, celle de l'enfumage généralisé par endormissement collectif. Auquel cas, ce type serait bien plus habile qu'il n'y paraît. On échange des regards mi-goguenards mi-accablés avec Jack Lang.

Patrick Ollier est toujours très secourable, le vrai manager du boxeur. Mine de rien, depuis le rang des ministres, il me chuchote assez fort pour que j'entende le temps qui me reste quand je file dans ma réponse à l'Assemblée, cela m'évite d'en perdre en regardant l'horloge. Je fais toujours trop long et je m'embrouille si je quitte mon texte ne serait-ce qu'un instant. Grâce à lui je tiens la durée réglementaire de deux minutes. Bernard Accoyer, le président, est aussi souple et me laisse déborder de quelques secondes.

Jeudi 2 décembre 2010

Anthony Rowley rejoint le conseil. C'est le père de Neville, qui était le plus brillant pensionnaire de la Villa Médicis quand j'en étais le directeur, je l'ai connu lorsqu'il venait voir son fils ; un homme remarquable, sympathie réciproque immédiate.

Hommage à Werner Schroeter, qui est mort il y a six mois, au Centre Pompidou avec la projection de *La Mort de Maria Malibran*, que j'avais projeté pour la première fois à l'Olympic. Nous nous étions perdus de vue après quelques mois d'intense amitié au début des années 1970. Sans brouille et sans se retrouver, juste comme ça sur les chemins de la jeunesse si facilement infidèle. Revoir Ingrid Caven que j'aime et qui me manque.

Vendredi 3 décembre 2010

Rendez-vous avec Olivier Py. Mais pourquoi est-il si arrogant, tranchant, désagréable ? Parce que cela l'embête de venir dans le bureau d'un ministre qu'il ne trouve sans doute pas légitime, parce qu'il se sent humilié en ayant l'impression de devoir rendre des comptes, parce qu'il déteste une certaine manière d'être pédé qui n'est pas la sienne ? Je fais pourtant tout mon possible pour que cet entretien ne lui pèse pas, mais le malaise ne se dissipe en rien.

Ann-José Arlot : « Vous voulez votre passerelle du fort Saint-Jean au Panier, vous l'aurez ! Vous voulez votre jardin paysager autour du Mucem, vous l'aurez ! Quoi d'autre ? » L'équipe du Mucem écoute sidérée cette collaboratrice du ministre qui lui parle comme Agrippine et le défend comme la louve romaine.

Plus tard, Ann-José Arlot encore : « Pour la tour Utrillo, Yves Lion va nous faire un projet formidable et vous pourrez emporter le morceau sans que personne n'y trouve rien à redire. N'est-ce pas, Yves, que vous allez nous faire ça aussi bien et aussi vite que possible ? Le ministre est pressé et il compte sur vous. » Elle rit comme une ogresse. Nouvel effarement silencieux du petit cercle qui commence pourtant à avoir l'habitude. Au cinéma, Simone Signoret aurait été obligée de lui faire de la place. Même Marie-Christine Labourdette, la directrice des Musées nationaux, si calme, mesurée, bon genre, subit sans révolte le charme invraisemblable qu'elle exerce. En poussant un peu le bouchon, Scarlett et Mélanie.

Jean-Paul Baudecroux : confirmation, j'ai toujours préféré les rugbymen aux footballeurs, et en plus Toscan du Plantier l'aimait énormément.

Funérailles d'hiver au Théâtre du Rond-Point. Amusant, bons acteurs, mise en scène de Laurent Pelly, qui tire un peu à la ligne pour ce coup-ci et qui en aurait sans doute d'autres sur le feu. Soit cela s'oublie trop vite, soit je vais trop souvent au théâtre.

Dîner avec Jean-Michel Ribes et Sihem : tout bien, tout gentil, comme en vacances. Si ça pouvait toujours être comme ça.

Maman, angoissée à l'idée que je parte en Inde demain : «Quand vais-je te revoir?» Insensiblement, nous entrons dans le royaume de l'inquiétude qui ne finit pas.

Samedi 4 décembre 2010

Une historienne américaine, au demeurant charmante, m'accable de reproches : selon elle, je voudrais la mort des Archives et de son personnel.

Départ pour l'Inde. Passer la nuit avec Christine Lagarde, la sentir qui s'endort près de soi, écouter sa respiration régulière dans son sommeil, s'endormir à son tour en ayant son parfum léger qui flotte autour de soi, franchement, ce n'est pas donné à tout le monde, même s'il y a quand même une bonne centaine de gus derrière dans l'avion qui font semblant de consulter leur ordinateur en coulant des regards obliques.

Dimanche 5 décembre 2010

En arrivant à Delhi, petit flottement pour moi dans l'observation du protocole. Une fois de plus enchanté par le spectacle d'un détachement de soldats enturbannés tout droit sortis d'un film de David Lean qui défilent musique en tête sur le tarmac, je traîne un peu à rejoindre le reste du cortège. Christine revient discrètement sur ses pas et, ni vu ni connu, me prend par la main pour me ramener dans le droit chemin. Ça devient une habitude, je fais sans doute exprès.

L'hôtel s'appelle le Taj Mahal. Justement, le vrai Taj Mahal, le président et Carla y sont déjà partis pour le visiter, avant d'aller passer quelques instants dans un temple où les divinités sacrées exaucent les dames en mal d'enfant. La télévision et déjà les premières éditions des journaux ne bruissent que de cela : «*Honeymoon in Agra*», «*A baby in Bengalore*», etc. L'importante délégation qui est venue pour vendre des usines et des centrales nucléaires avait pourtant tout prévu, les contrats, les communiqués de presse, mais pas la layette.

Fabuleux spectacle que la découverte des palais de l'Empire des Indes construits pour le *durbar* de George V qui se détachent peu à peu de la brume aux premières heures du jour.

Anish Kapoor est protégé par Sonia Gandhi. Le musée d'Art moderne de Delhi lui consacre une grande exposition. Partout des teenagers en uniformes de *public schools* anglaises filment avec leur portable les œuvres de la nouvelle gloire de l'art indien.

L'idée même de la France n'est qu'un tout petit confetti d'histoire et de culture perdu dans l'immensité de l'imaginaire indien. C'est à grand-peine que l'ambassade m'a trouvé une dizaine d'artistes vaguement intéressés par la perspective de me rencontrer. La future exposition d'art contemporain indien prévue pour bientôt au Centre Pompidou permet de faire la conversation. Ils sont d'ailleurs très aimables, mais peu convaincus par les choix des commissaires français.

Au Centre des arts Indira Gandhi, très belle exposition de photos, les plus anciennes réalisées par des Anglais dont je ne sais rien, les plus récentes par des Indiens dont je ne sais rien non plus. Le conservateur me dit qu'il y en a des milliers dans les réserves. Comme je lui demande si on aura la chance de les voir un jour en France, il me répond en souriant qu'il faudrait déjà que des Français se donnent la peine de venir regarder sur place.

Découverte de Tato, un jeune Indien musulman, vif et charmant, qui travaille au centre culturel français et lit Nathalie Sarraute et Claude Simon dans le texte. Il m'emmène visiter un mausolée au cœur d'un grand parc où les familles se promènent avec des enfants qui jouent au cerf-volant et des jeunes qui disputent des parties de cricket. Tout est propre, organisé, pas d'impression de misère.

L'ambassadeur de France, un homme jeune aux manières décidées qui m'inspire tout de suite beaucoup de sympathie, a la réputation d'être l'un de nos meilleurs diplomates. Il vit depuis des années avec un garçon qui se tient à l'écart si discrètement que je ne me doute de rien. Tato m'affranchit malicieusement à demi-mot. Le président, qui n'a en général pas beaucoup de considération pour les ambassadeurs, ne tarit pas d'éloges sur son compte et il veut absolument qu'il lui présente son compagnon.

Tandis que la plupart des autres ministres et l'ensemble de la délégation, déjà bien entamés par le décalage horaire, sont conviés par leurs homologues pour des banquets business où ils auront tout loisir de confronter leur Assimil au *broken english* à l'accent impénétrable des Indiens, je fais partie de la poignée des heureux élus que le président et Carla emmènent dîner en petit comité chez le Premier ministre.

Et là, rencontre surprise avec l'héroïne de mes rêveries romanesques. Sonia Gandhi, la belle Italienne de Vénétie, devenue présidente du parti du Congrès, après les assassinats successifs de sa belle-mère, Indira, et de son mari, Rajiv ; l'une des femmes les plus puissantes du monde comme on l'écrit dans les magazines sérieux qui n'hésitent pas à flirter avec ce genre de fantasmes.

Sonia Gandhi ne parle plus italien avec grand monde depuis longtemps. Je me lance avec les quelques notions que j'ai gardées de mon séjour à Rome, elle s'amuse à me corriger. Sa mère vient la voir à Delhi chaque année et reste chez elle pendant plusieurs semaines. C'est pour bientôt. Elle lui fait des pâtes *al dente*, des pizzas et lui apporte du panettone. Elle se comporte en toutes circonstances comme si elle ne savait pas que sa fille est la figure emblématique la plus influente de l'Inde. Sonia m'en parle d'une manière naturelle et enjouée.

Être à la tête du parti du Congrès, qu'elle a mené à la victoire lors des dernières élections, n'assure pas exactement une position officielle, elle en joue habilement pour ne pas se mettre en avant et c'est ce qui me vaut d'ailleurs la chance d'être assis à côté d'elle. Mais les convives, le Premier ministre en tête, un homme en turban, affable et d'apparence douce et tranquille, mesurent évidemment très bien qu'aucune décision d'importance ne peut être prise sans son aval : ils lui parlent avec un respect nuancé d'affection qui rappelle curieusement les usages en cours dans les royautés, sauf que Sonia gouverne autant qu'elle règne. Comme nous rions beaucoup tous les deux, ils aimeraient sans doute bénéficier eux aussi de cet état de grâce et me considèrent avec une cordialité un peu furtive. Seul le ministre de l'Économie, un petit monsieur olivâtre au regard perçant coiffé d'une sorte de bizarre mouchoir blanc, que l'on dit sévère et redoutable, m'observe d'un air soupçonneux. «*Non si preoccupa, lui è sempre un po brutto*», me dit-elle en lui décochant un sourire radieux.

Tato m'attend à l'hôtel. Il m'emmène en pleine nuit visiter une *madrassa* soufie au fin fond d'un quartier misérable du vieux Delhi, à des années-lumière des avenues rectilignes, ombragées, bien peignées de la ville impériale. Des fidèles prient, mangent et dorment un peu partout, des rats aux yeux jaunes se disputent des sacs-poubelle éventrés dans les coins sombres, des mendiants s'approchent en brandissant leurs moignons ; grouillement indistinct et à vrai dire peu rassurant. Mais Tato me dit qu'il n'y a rien à craindre.

De retour à l'hôtel, je me fais tirer les oreilles par un conseiller de l'ambassade : l'endroit d'où je viens est jugé très dangereux, infesté de fanatiques.

Lundi 6 décembre 2010

Le président a été informé de mon escapade et il est furieux contre moi. En revanche, Carla regrette de ne pas m'avoir accompagné. Le président : « Heureusement que tu ne l'as pas suivi, Frédéric est dingue, plus ça craint et plus il est content. Je ne sais pas qui m'a fichu un ministre pareil, il ne pense jamais aux conséquences. » Je prends l'air contrit, elle rit, il soupire de traîner des irresponsables avec lui. Je ne vois pas comment elle aurait pu venir avec moi, la sécurité ne la lâche pas d'une semelle et il ne supporte pas qu'elle s'éloigne de lui un seul instant.

Ambika Soni, ministre de l'Information et de l'Audiovisuel, coiffe tous les services de la Culture. Elle fut l'un des bras droits d'Indira Gandhi et de Rajiv. Grande, majestueuse dans son sari de couleur, très aimable, mais certainement pas commode si j'en juge par les têtes baissées de ses collaborateurs lorsqu'elle s'adresse à eux d'une voix douce et mélodieuse. Elle est stupéfaite d'apprendre que son administration a refusé d'associer le site de Chandigarh au projet de faire inscrire l'œuvre de Le Corbusier au patrimoine de l'humanité de l'Unesco. Marmottements angoissés des fonctionnaires qui se confondent avec le tapis sur le sol. Déjà qu'en France les instructions de la Rue de Valois s'étiolent au fur et à mesure de leur diffusion, alors depuis le bureau d'Ambika Soni, comme Chandigarh doit être loin.

Le bâtiment de l'ambassade a été construit par Paul Chemetov dans le style massif qu'il affectionne et qui a d'ailleurs fait ses preuves. Mais il tombe en ruine, mal entretenu du fait de la pingrerie du Quai d'Orsay. Ne sait-on rien à Paris des ravages de la mousson qui disloque les meilleurs carrelages, corrode les huisseries en acier les plus solides et pourrit jusqu'au béton ?

Dîner à l'hôtel dans la suite présidentielle. C'est ce que le protocole inscrit dans le programme du déplacement sous la rubrique «temps réservé», ce qui excite évidemment l'envie et alimente les intrigues chuchotées de tous ceux qui voudraient en être dans la délégation. Un officier m'a prévenu discrètement. Il n'y a effectivement que quelques intimes ou supposés tels. Farida Khelfa, qui fait définitivement partie du fond de sauce, Christine Ockrent, qui peine à panser les plaies que lui inflige désormais Alain de Pouzilhac, apéritif saumâtre de la lutte à mort qui s'annonce et que le président fait pour l'instant semblant d'ignorer, Fabienne Servan-Schreiber, en bonne copine et sous-marin de la gauche, des messieurs aussi, qui à force de picorer à tous les râteliers auraient bien tort de se priver de celui-là. Mais dans de tels moments de détente, c'est la compagnie des femmes que préfère le président. Farida Khelfa, plus que jamais fleur des Minguettes devenue reine de Paris, un rôle balzacien qu'elle incarne avec une sorte de génie, est de loin la préférée du harem; fantasme de la transgression et de la réussite sociale qui fascine le président. Elle est assise à côté de lui et le fait rire aux éclats. Je l'ai rarement vu aussi content et aussi gai. Pourtant, le meilleur moment, c'est encore lorsque Carla se met au piano : elle joue très bien, les leçons de sa mère n'ont pas été perdues. Le président la dévore littéralement des yeux, entre le gamin amoureux d'une étoile et la machine désirante qui peine à se réfréner. Adoration quasi enfantine émouvante à observer.

Henri de Raincourt, ministre de la Coopération, est un type adorable, d'une extrême gentillesse. D'ancienne noblesse, plutôt vieille France, avec les bonnes manières et les solides vertus qu'on prête aux hobereaux de province, amplement vérifiées dans son cas.

Au cours des voyages officiels, nous dormons parfois l'un à côté de l'autre dans l'avion, et je n'ai pas pu m'empêcher de faire quelques plaisanteries douteuses sur le plaisir que j'ai pu ressentir à partager mes nuits avec un père de famille bien sous tous rapports; elles ont fait le tour de l'avion et le cher Henri, qu'on ne peut guère soupçonner d'une quelconque déviance, a été le premier à s'en amuser.

Lors de notre arrivée à Delhi, la réception de l'hôtel s'était trompée dans l'attribution des chambres. Nous nous retrouvons dans la même à contempler d'un bord à l'autre un lit certes «king size» mais quand même tout ce qu'il y a de plus matrimonial. Avertie de son erreur, la réception nous attribue derechef deux nouvelles chambres cette fois bien séparées. Explorant la mienne à la recherche des toilettes, j'ouvre une porte – c'est donc une suite puisqu'il y a un salon –, et dans le vestibule, sur le côté : des toilettes. J'y entre et je tombe sur Henri de Raincourt qui y avait été appelé par la nature. Cette fois, il ne s'agit plus de badinage mais bel et bien de harcèlement ! Je venais en fait de pénétrer dans ses appartements sans m'en rendre compte. Gorges chaudes dans toute la délégation. Le président : «Alors, Henri, c'est vrai ce qu'on raconte sur Frédéric et toi ? Ta femme est au courant ?»

Dans l'avion du retour, le chef de cabine : «Je vous ai mis côte à côte, comme d'habitude.» Le «comme d'habitude» est repris en chœur sur l'air de la chanson d'Aznavour. Cette innocente espièglerie de collège nous suivra jusqu'au bout sans qu'Henri de Raincourt ne s'en offusque. Peut-être lui a-t-elle permis de considérer autrement, avec sa bienveillance habituelle, le continent mystérieux et vaguement délétère dont il ignorait à peu près tout.

Je me souviens aussi que sa femme et lui m'avaient écrit une très belle lettre de soutien lors de la polémique sur *La Mauvaise Vie*.

Mardi 7 décembre 2010

Haïku :

Un champ de neige devant la pyramide du Louvre,
Les enfants s'amusent, un petit chien court,
Brumes de pluie qui m'attendent,
Meurt la douce aurore.

Le Conservatoire national supérieur de musique et de danse revit depuis que Bruno Mantovani en a repris la direction. Je lui ai dépêché mon ancien secrétaire général de la Villa Médicis, qui redoutait de devoir quitter Rome et qui trouve désormais qu'il a gagné au change. Il va quand même falloir leur trouver un peu d'argent en plus car les locaux sont en très mauvais état.

Mercredi 8 décembre 2010

Ann-José Arlot : «Ne vous inquiétez pas pour le palais de Tokyo, les travaux seront terminés à temps pour l'inauguration. Lacaton et Vassal ont très bien compris le bâtiment, ils vont vous faire quelque chose de formidable.» Les travaux seront terminés et ce sera parfait, soit, mais qui fera marcher ce monstre ? Pour l'instant, c'est toujours le foutoir, pire que jamais. Si j'ai tant de mal à prendre une décision, c'est aussi parce que je navigue en plein brouillard, je n'ai aucune solution crédible devant moi.

Conseil des ministres. Il neige à gros flocons sur le parc de l'Élysée. Petits mots échangés. On rêve avec Roselyne de promenades en traîneau et de sports d'hiver.

Départ pour Moscou avec Jean de Boishue, Muriel Mayette et une amie de François Fillon, promenade nocturne sur la place Rouge. L'amie en question est charmante, Muriel est gaie, comme d'habitude, et Jean, déjà tellement vivant, l'est encore plus chaque fois qu'il peut parler, rigoler, vivre comme un Russe. Il fait étonnamment doux pour la saison. Une vieille femme vend des pommes, ce n'est pas la sorcière de *Blanche-Neige*, je n'en ai jamais mangé de meilleures de toute ma vie.

Plus tard, j'embarque Jean et Muriel dans des mauvais lieux dont ils ne soupçonnaient pas l'existence, en fait une boîte gay où je me suis rendu autrefois.

La voiture erre longuement avant de trouver l'adresse et nous dépose dans une rue sinistre. Jean, qui n'est jamais allé dans ce genre d'endroit, s'accroche au bras de Muriel, manifestement plus avertie de telles acrobaties nocturnes. À l'intérieur, quelques folles déplumées avec des moustachus motards, des téléviseurs qui diffusent le making-of du calendrier des «dieux du stade», un beau gosse sur un podium qui exécute un strip-tease sans beaucoup de conviction. Seul, ce serait lugubre, ensemble c'est amusant. Jean : «J'ai l'impression de faire une visite de chantier. Appelez-moi le sous-préfet !»

Jeudi 9 décembre 2010

Pendant que François Fillon est dans le tuyau des négociations de contrats divers avec Poutine, ce qui ne doit pas être une mince affaire malgré leurs bonnes relations personnelles, visite du Musée historique de Moscou. Le genre de dinosaure broutant le roman national page par page qui ferait un peu plus bondir les adversaires de la Maison de l'histoire de France si l'on songeait à s'en inspirer. Ce ne sont que batailles, héros, slavismes et orthodoxie triomphants. Après 1917, on n'y comprend plus rien, l'histoire officielle brejnévienne n'est qu'à moitié décrochée. De belles pièces pourtant un peu partout, un rêve de reconstruction pour des scénographes imaginatifs.

Réunion des ministres dans l'ancienne demeure d'Yvan Morozov, qui fut avec Sergueï Chtchoukine l'un des plus avisés collectionneurs d'art moderne français avant la Révolution. C'est un grand hôtel particulier situé dans le quartier de l'étang des Patriarches où habitait Boulgakov et où l'on imagine très bien l'atmosphère dans laquelle vivait la grande bourgeoisie cultivée d'avant la catastrophe. C'est Alexandre Avdeev qui me dit où nous sommes exactement. Il me donne l'impression d'être le seul à le savoir. Tous les autres officiels n'ont pas la moindre idée de ce dont nous parlons et s'en contrefichent. Je me remémore peu à peu les photos du passé avec les fresques de Matisse et les Picasso aux murs en parcourant avec lui les grandes pièces désormais occupées par l'habituel et triste fourbi des salles de conférences.

On signe plein de papiers pour s'autoféliciter de la réussite de l'année croisée franco-russe. Conférence de presse entre François Fillon et Poutine. Vladimir : «Ah, le monument, j'ai vu la maquette et vous avez trouvé un bel emplacement, c'est bien, monsieur le ministre.» François Fillon, tout bas : «Attention Frédéric, pour la cathédrale, il n'en démord pas. C'est presque devenu une condition sine qua non pour tout le reste. Vous les voyez, vous, les bulbes au pied de la tour Eiffel ?»

On rentre à Paris sous la neige. «C'est beau», dit François avec un regard vif de jeune skieur et la voix triste de celui qui pense à tous les ennuis qui l'attendent.

Vendredi 10 décembre 2010

Conseil des ministres franco-allemand à Fribourg dans la Forêt-Noire. La ville entièrement détruite pendant la guerre a été reconstruite avec tant de soin qu'on a un peu l'impression d'être dans une version d'*Hansel et Gretel* pour Walt Disney.

La fanfare de la Bundeswehr joue *La Marseillaise* sur la place battue par le vent d'hiver comme je ne l'avais jamais entendue. Rien à voir avec la mélopée informe que l'on nous inflige la plupart du temps. Le tempo est assez lent et chaque instrument, chaque note se détachent avec une clarté cristalline extraordinaire. C'est très beau à écouter et on aurait envie de demander un bis si c'était possible. Je comprendrais encore un peu mieux le courage et l'élan des soldats de la Révolution si c'était cette *Marseillaise*-là qui les portait.

Comme il me revient de partout qu'Anselm Kiefer aurait quand même obtenu le soutien d'Angela Merkel pour la fondation de Barjac et qu'il se plaindrait de ma réticence, je demande son avis à la chancelière. Avec un grand sourire, comme à un enfant gâté à qui l'on refuse une sucrerie : «C'est très intéressant mais cela relève du mécénat, il n'y a pas d'autre solution.» Bon, fermez le ban.

Le président : «Mon seul problème avec Angela, vraiment mon seul problème c'est quand elle m'invite chez elle et qu'elle veut me faire la cuisine. Elle adore faire la cuisine et ce qu'elle aime le plus, c'est la soupe au chou rouge avec du paprika. Elle est persuadée que c'est ce que je préfère depuis que je lui ai dit que c'était bon la première fois par politesse. Elle m'en fait chaque fois, j'essaie de négocier mais elle pense que c'est par discrétion. Je déteste la soupe au chou rouge avec du paprika. Je crois qu'en cuisine, c'est ce que je déteste le plus au monde !»

Conférence d'Asma el-Assad à l'Académie diplomatique internationale, l'un de ces lieux improbables où de vieux ambassadeurs à la retraite lisent en public des extraits de leurs Mémoires pour d'autres ambassadeurs qui attendent leur tour pour lire les leurs. Atmosphère placard et naphtaline. La première dame de Syrie, jolie comme un cœur, est une pro de la communication, elle fait toute sa conférence sans prompteur et d'une seule traite sans se départir de son sourire et de ses manières gracieuses. Thème lambda : «La culture dans la Syrie de demain», avec les ingrédients habituels, dialogue des civilisations, liberté de création artistique, transmission des savoirs, etc. Même au Danemark on n'est pas si respectueux des intellectuels et des artistes. Pendant que la belle enfile doucement son collier de perles, je balance in petto entre les projets du Louvre à Damas et ce que je sais de la réalité d'un régime tellement étouffant et répressif qu'il n'est pas nécessaire de montrer la police tant la peur règne et les mouchards prolifèrent. Auditoire conquis de dames à teckels et sacs en croco et d'affairistes huileux d'obséquiosité. À la fin de la conférence, Asma me demande si elle pourrait visiter l'exposition Monet demain matin en petit comité, au milieu du public bien sûr, ajoute-t-elle avec le sourire de celle qui connaît les mœurs démocratiques occidentales. Rendez-vous pris à son hôtel pour demain à 8 h 30 donc.

Passage en coup de vent de Neelie Kroes et son iPad magique, gaie, pimpante, tournant toujours aussi vite les pages de son instrument de torture. Je compare avec l'autre séquence charme de l'après-midi. Impression de retour à la vie après être sorti de la cage de la panthère. Mais la journée a été longue, j'ai la tête comme du carton et Neelie qui repart telle une étoile filante doit se dire qu'il faudra encore quelques séances de formation accélérée pour que «my dear Fred» commence à comprendre enfin quelque chose au numérique.

Belle lettre de l'Agha Khan pour me remercier de mon discours lors de sa décoration. Mauvaises ondes de Marseille où Jean-Claude Gaudin assure à qui veut l'entendre qu'il ne m'a rien promis du tout.

Samedi 11 décembre 2010

Le président : «Chirac ne voulait plus parler à Bachar el-Assad. Quelle erreur! Moi, j'ai rétabli le courant et ça se passe très bien entre nous. C'est quand même pas un pestiféré ce type-là, et on ne peut rien faire sans la Syrie.»

Donc au Bristol à l'heure dite, la belle enfant m'annonce une bonne nouvelle : son mari nous accompagne. Ça change tout, on passe de la visite tranquille avec deux moustachus au débarquement avec vingt malabars, les flics de la visite officielle, les motards et tout le tintouin.

Je fonce au Grand Palais où il y a déjà la queue pour entrer, poireautant dans le froid, tandis qu'une première vague de visiteurs occupe l'intérieur en rangs serrés. On étudie avec Jean-Paul Cluzel le moyen d'infiltrer nos illustres invités par une porte dérobée, mais justement, de portes dérobées, il n'y en a pas. Il faudra passer devant tout le monde. À me voir m'affairer, la queue commence à gronder : « Frédo, on veut entrer ! Bravo le musée du ministre, ça fait deux heures qu'on attend ! Ah, la culture pour chacun, elle est bien bonne ! » Pin-pon, c'est le cortège qui arrive en fanfare. Les portes claquent, Asma et Bachar sortent de leur limousine tout sourire, encadrés par leur escadron de gorilles qui n'ont pas exactement le profil des visiteurs d'une exposition au Grand Palais. La foule, un instant médusée par le spectacle, explose d'une juste colère devant cette attaque de resquilleurs. Moi, tel Mister Bean en proie à des événements incontrôlables, j'essaie de diriger le couple présidentiel vers l'intérieur tout en prenant l'air dégagé du type qui ne fait pas attention aux sifflements stridents de la populace. Ils sont heureusement dirigés contre moi, la Syrie c'est un peu loin et personne n'a reconnu le couple présidentiel. Mais le chemin est long depuis les voitures jusqu'à l'entrée, et les gros-bras de l'escorte n'ont pas l'air d'apprécier le concert. Bachar, en type habitué à mater les émeutes : « Qu'est-ce qui se passe, monsieur le ministre, ils ne sont pas contents ? — Mais si, mais si, monsieur le président, ils sont toujours comme ça quand ils voient le ministre de la Culture, une tradition bien française. » Jean-Paul, de son côté, presse galamment le mouvement en tirant Asma pour qu'on sorte au plus vite de ce guêpier. On entre enfin, la clameur s'apaise faute de munitions. Enfin, pour des gens qui sont habitués à ne voir la foule qu'à bonne distance, tenue en respect par des types surarmés ou sous la forme de militants lobotomisés qui poussent devant eux des enfants agitant des petits drapeaux, cette protestation démocratique n'est pas de nature à modifier fondamentalement leur conception blindée du dialogue des cultures, et ils me paraissent tout de même un peu rembrunis. À l'intérieur, le chemin de croix continue : comme les salles sont déjà bourrées de visiteurs, les gorilles bousculent les vieilles dames qui stationnent devant les tableaux pour que je puisse expliquer ce qu'est l'impressionnisme à Bachar – « Heu, c'est quand le peintre met les couleurs selon ses impressions », ça ira comme ça et ça a l'air de lui suffire –, et je les sens prêts à garrotter le premier gamin qui s'approcherait pour regarder la jolie dame. D'ailleurs, Asma, fine mouche, sent que la situation est délicate et prononce quelques mots en arabe à l'adresse des molosses, qui se transforment aussitôt en gentils toutous de compagnie. Retour des vieilles dames devant les tableaux. Bref, ils n'ont pas vu grand-chose et sont repartis en disant qu'ils étaient très contents. Je ne suis pas sûr d'avoir fait beaucoup avancer les affaires d'Henri Loyrette pour le Louvre à Damas.

Dominique Missika rejoint le conseil scientifique. Deux refus indignés.

Anniversaire de Pierre Bergé au Don Camilo. Beaucoup de monde. Ambiance très sympathique quoique peu sarkozyste. Juliette Greco chante. Bises à Ségolène et *small talk* parfaitement affable avec Laurence Ferrari. *Sic transit...*

Dimanche 12 décembre 2010

Le roi et la reine des Belges à l'exposition Marie Bonaparte à Saint-Cloud avec Tatiana Fruchaud, la petite-fille de «princesse Marie» comme l'appelait Freud, son mari, le député-maire, la conservatrice, deux ou trois autres personnes. Ça change d'hier. Gens de bonne compagnie, exposition bien sage, Sigmund en gentil prof ami de la famille sans trop insister. Albert fait des photos, Paola s'intéresse, on passe rapidement sur le film de Benoît Jacquot avec Catherine Deneuve qui n'est pas la tasse de thé des royautés et je ne dis mot de Célia Bertin, dont la biographie de Marie a été honteusement pillée par les producteurs sans qu'ils lui versent un sou. À quoi bon, tout s'endort si vite quand se referme le bienveillant silence des familles.

À dîner chez Philippine, Jean d'Ormesson récite par cœur des tirades entières de *Phèdre*. Et moi qui n'arrive même pas à me souvenir correctement d'un sonnet de Verlaine.

Lundi 13 décembre 2010

Qui est l'homme dont on peut dire qu'il est vraiment un homme de culture, qui s'intéresse à tout sans exclusive, qui ne pense jamais à ses intérêts ni à sa carrière, qui se contente d'animer un petit musée privé quand il pourrait diriger de grandes institutions, qui célèbre les grands sans les flatter et soutient les petits sans les humilier, qui se moque du qu'en-dira-t-on et répond aux critiques par des plaisanteries amusantes et dénuées de méchanceté, qui est toujours prêt à monter des aventures auxquelles personne n'avait pensé et qui intéressent aussitôt le public, qui est de gauche mais par principe ne crache pas sur les autres, qui est gai, aimable, toujours allant ? Réponse : Jean Digne.

Mardi 14 décembre 2010

Fabrice Bousteau est un de ces petits messieurs qui s'activent beaucoup dans le monde de l'art et qui distribuent les bons et les mauvais points au gré de leur humeur. Il dispose d'une tribune dans le magazine relativement influent qu'il dirige, s'est constitué un réseau d'affidés admiratifs ou apeurés, c'est selon, et n'a aucun mal à se persuader de son importance. En apparence, c'est un garçon chétif avec de gros yeux toujours à l'affût et qui porte en permanence un petit galurin rond qui lui confère une sorte de personnalité bien visible dans le microcosme où il s'agite. Ce serait rigolo de le lui retirer un jour, juste pour voir, mais il y a un risque, on découvrirait peut-être qu'il n'est sans doute pas seulement chauve mais qu'il a tout simplement perdu la tête. Personne n'a osé jusqu'à maintenant, on a assez d'ennuis comme ça. Je le reçois à déjeuner et l'abreuve de flatteries éhontées, la lucidité n'est pas son fort et il repart encore plus content de lui. Normalement, je devrais avoir la paix pour quelques semaines, pas plus, le scorpion pique au milieu de la rivière.

Le dilemme pour moi concernant le palais de Tokyo est que j'éprouve de réels sentiments d'amitié pour l'un des deux directeurs qui se disputent le pouvoir et mènent le navire droit au naufrage. C'est un homme de valeur avec qui j'ai partagé beaucoup de complicité avant de devenir ministre. Je connais mal l'autre directeur, un jeune Suisse réputé très talentueux et grand connaisseur de l'art contemporain. Solution : se séparer des deux directeurs et tout remettre à plat, brutalement s'il le faut et très vite. Un mini-coup d'État en somme, que je ne peux réussir qu'à deux conditions : avoir Jean de Boishue avec moi pour qu'il écarte les torpilles qui partiront de partout, et trouver l'ange exterminateur qui chassera tous les diables de l'intrigue incrustés sur place et reconstruira seul et à coups d'épée un vaisseau qui ne soit plus fantôme.

Mercredi 15 décembre 2010

Avoir une bonne haleine, les mains sèches, et d'entrée toujours un mot aimable pour son interlocuteur quel qu'il soit, Silvio Berlusconi applique pour la millionième fois sa méthode imparable avec moi bombardé incontinent : «Celui que tout le monde regrette à Rome!» Le Cavaliere nous fait l'honneur d'inaugurer l'exposition du palais Farnèse que l'ambassadeur a réussi à monter à force de persuasion auprès de tout un ensemble de mécènes que j'avais trouvés moins généreux pour la Villa Médicis.

Liftings, régimes, cheveux implantés, sourire à trois mille dents soigneusement reblanchies, celui que les Italiens appellent «la Momie» appartient désormais à cette espèce indécise et vaguement inquiétante des gens qui ne font pas leur âge et n'échappent pas pour autant aux stigmates de la vieillesse. Malgré tout, s'il marche toujours le ventre en avant et d'un pas décidé de petit homme, la silhouette s'est épaissie, le regard est plus terne, on peut compter un à un les cheveux collés par la brillantine comme les derniers vaillants fantassins d'une armée en déroute sur le front de la calvitie.

Il s'arrête longuement en face d'une fort belle copie sur étain du *Jugement dernier* de Michel-Ange : «La politique, la *fortuna*, l'*amóre*, *niente* devant *il capolavoro*.» Est-ce qu'il est sincère comme l'admirateur qu'il prétend être, est-ce qu'il ressent une sorte de regret amer devant ce que sa volonté de puissance ne lui a jamais permis d'atteindre, est-ce qu'il surjoue pour toute sa suite et ce ministre français à qui il fait de grandes démonstrations d'amitié? Tout cela ensemble sans doute.

Actuellement, tous les scandales qu'il réussissait à prendre de vitesse et à faire étouffer sont en train de le rattraper et éclatent comme des boules puantes sous son nez. Le peuple de droite qui le soutenait se délite, l'Église s'éloigne, les juges se rapprochent et la presse unanime le traîne dans le caniveau, tandis que la petite Ruby court les plateaux des émissions de variétés sur les chaînes de télévision dont il s'est servi pour lobotomiser les Italiens. Il crâne, dans un français soudain parfait : «Ils me demandent tous de rentrer à la maison, mais comment voulez-vous que je fasse? Des maisons, j'en ai cinquante-sept rien qu'en Italie, je ne sais pas laquelle choisir.»

Confidence impromptue sur Cheikha Mozah, altière épouse de l'émir du Qatar : «*Questa donna mi fa paura!* Et yé mi conné en femmes, mon cher ami.»

Un sympathique dîner de folles près du Vatican. Un monsignore qui fait partie des convives ouvre une fenêtre qui donne sur la caserne des gardes suisses : «Et ça, c'est le garde-manger!»

Personne n'a jamais réussi à m'expliquer pourquoi les gardes du Quirinal mesurent tous près de deux mètres de haut. De vrais géants qui donnent le vertige quand ils se lèvent et se déplient. Du temps du roi Victor-Emmanuel, qui était un nabot, le contraste devait être encore plus saisissant.

Jeudi 16 décembre 2010

En dépit de mon année à la Villa Médicis, je n'ai même pas eu le temps d'aller à Naples ni de découvrir Capri.

Cosimo, qui travaille à la Villa : «Du temps où vous étiez directeur, on aurait déplacé le palais jusqu'au fond du jardin si vous nous l'aviez demandé. Avec le nouveau directeur, on tremble dès qu'il nous demande quelque chose et on fait ce qu'il dit, mais juste ce qu'il dit.» Cela prononcé dans un bel italien des Abruzzes qu'ils ont tous gardé et que j'oublie peu à peu.

Revenir à la Villa est un crève-cœur insupportable parce qu'ils continuent tous à me regretter sans relever que c'est moi qui leur ai infligé le directeur actuel qui les terrorise et les maltraite. Je voulais les protéger, en fin de compte je les ai trahis, et ils ne m'en veulent pas.

Le maire de Rome est un fasciste même pas honteux. Il me traîne sur un petit balcon qui surplombe le forum. «C'est de là que le Duce s'adressait aux Balillas», me dit-il avec une rogue nostalgie. Autrement, c'est quelqu'un qui ne vous regarde pas en face et qui est pressé de vous voir sortir de son bureau pour recevoir des types à la mine patibulaire qui ont des petits bars près de la stazione Termini et à qui ne manque que la chemise noire.

Retour à Paris.

Orchestre français des jeunes à la salle Pleyel : encore une de ces initiatives heureuse de Laurent Bayle.

Vendredi 17 décembre 2010

Jean de Boishue : « Tu ne fais pas assez de politique. Tu te donnes beaucoup de mal, mais tu ne fais pas assez de politique. »

Je rencontre chaque jour des gens remarquables auprès de qui je me sens bien petit petit. Ils sont tous très respectueux avec le ministre sans que je leur laisse deviner à quel point c'est moi qui me sens intimidé et respectueux à leur égard. Et chaque fois, la rencontre que j'essaie pourtant de protéger des contraintes de l'agenda me semble trop courte alors qu'ils me remercient de l'avoir organisée, ce qui ajoute à ma confusion.

Samedi 18 décembre 2010

Deux nouveaux concours pour le conseil scientifique de la Maison de l'histoire de France. Compte tenu de l'éventail très ouvert qui se dessine, ceux qui refusent se montrent moins virulents et je sens qu'il y en a qui hésitent mais n'osent rompre avec les opposants déclarés toujours aussi inflexibles et que je n'essaie même plus d'approcher.

Catherine Pégard : « Ouf, François a refermé cette boîte infernale de l'identité nationale. Copé, c'est Pandore, il voudrait absolument la rouvrir, mais il n'y arrivera pas, François s'est assis dessus. » Moi : « Au fond de la boîte il restait l'espérance. » Catherine : « Tant pis, depuis le temps qu'on s'en passe... »

Dimanche 19 décembre 2010

Jean-Marc : « J'en ai marre que tu sois ministre, marre qu'on ne puisse pas se voir quand on en a envie, marre d'entendre des conneries sur ton compte. »

Maman à propos de Jacqueline de Romilly : « Elle meurt au même âge que maman. Si tu savais comme ta grand-mère me manque. » Nous trois : « Elle nous manque aussi, tous les jours. »

Lundi 20 décembre 2010

Éric Besson à mon bureau pour parler de l'économie numérique. À la fin de la réunion, nous restons seuls un instant. Lui : «Il vient de se passer un truc grave en Tunisie ; un jeune s'est immolé par le feu à Sidi Bouzid. Tu sais où c'est ? — J'y suis passé deux ou trois fois. C'est au centre, loin de tout, encore très pauvre. — La ville est en insurrection. Ben Ali a envoyé des détachements spéciaux. — Comment le sais-tu ? — C'est Yasmine, ma femme, qui m'en a parlé.» J'appelle mes amis les plus proches à Tunis, personne n'est au courant. Comme d'habitude, on sait mieux à Paris qu'à Tunis même ce qui se passe en Tunisie.

Soirée Voirin, Le Pillouër ; ça m'apprendra d'avoir programmé d'aller voir *Ariane à Naxos* à l'Opéra. Jean-Pierre me remplace. Il m'appelle après la représentation. Mise en scène superbe de Laurent Pelly, me dit-il. Je n'en doute pas, ce type a un talent fou ; dommage qu'il se montre toujours si narquois quand je l'approche.

Mardi 21 décembre 2010

Christian Deydier, le nouveau président du syndicat des antiquaires, au petit déjeuner. Depuis que nous avons fumé le calumet de la paix, il m'affranchit sur toutes sortes de questions qui vont bien au-delà de son domaine. Il y a sans doute à prendre et à laisser avec un caractère si tranché, mais c'est toujours intéressant.

Claude Guéant et Jean-Paul Faugère me donnent un bon point pour le suivi du «non-remplacement d'un fonctionnaire sur deux partant à la retraite» au ministère. Compliment au goût amer. Jean-Pierre : «C'est une catastrophe pour le ministère, heureusement que tu triches tant que ça se peut.» Pas assez puisqu'ils ne s'en rendent pas compte. En même temps, on est tellement surveillés que je ne vois pas comment je pourrais faire plus.

Déjeuner table ronde sur la situation des orchestres en France à la suite d'une série d'articles de Benoît Duteurtre et de Christian Merlin qui critiquaient l'inaction du ministère. Ils ont raison. Mais là, devant le ministre, tout le monde met un bémol aux accusations. Toujours cette étrange situation où le drame reste à la porte alors qu'il continue à se dérouler à l'extérieur.

Visite d'Olivier Henrard qui se retrouve pour la première fois dans mon bureau depuis notre abrupte séparation. Il me confie que l'Élysée souhaite qu'il prenne la place d'Éric Garandeau comme conseiller pour la culture. Je comprends pourquoi Claude Guéant était si bienveillant avec moi tout à l'heure ; il était à la manœuvre de ce que tout le microcosme va prendre pour un camouflet cinglant à mon égard, le viré par le ministre qui se retrouve au cœur du dispositif pour le surveiller et le contrôler. Retournement rocambolesque. Il est probable qu'Olivier est venu tâter le pouls du ministre pour constater s'il peut encore le mordre. À sa grande surprise, je ne vois aucun inconvénient à sa nomination. En effet, je préfère prendre le risque de nous donner à tous les deux une seconde chance. Je le lui dis exactement comme je le pense et il en reste estomaqué. À moi de gérer le concert des ricanements qui ne va pas manquer.

Appel de Claude Guéant un peu plus tard : «Merci Frédéric, je n'en attendais pas moins de vous et cela ne me surprend pas.»

Centième anniversaire de Rosita Bouglione au cirque d'Hiver. Toute sa famille autour d'elle, gens de la balle avec de rudes gueules de forains comme on n'en voit même pas dans les films. Sympathique, mais il paraît que les familles rivales sont furieuses. Jean-Pierre : «Tu en parleras à Olivier Henrard, il t'arrangera ça ! »

Mercredi 22 décembre 2010

Le président : «Ce pauvre pape contre qui tout le monde s'acharne ! C'est un saint homme au sens le plus exact, tout de bonté et de charité. Il m'a beaucoup impressionné quand je l'ai rencontré, et je n'ai vraiment aucune sympathie pour ceux qui le critiquent. Ils ne savent pas ce que c'est que la foi, ça je peux le comprendre, mais ils la remplacent par la méchanceté et la bassesse, et ça je ne leur pardonne pas.»

Comme prévu, Jean-François Hebert connaît beaucoup de conflits avec les syndicats qui lui reprochent d'employer des surnuméraires pour le gardiennage des salles et des jardins du château de Fontainebleau qu'il a ouverts au public. Il ressort éprouvé de chaque confrontation. Depuis une certaine promenade à la Villa Médicis où il m'avait parlé à cœur ouvert, il y a un réel sentiment d'amitié entre nous.

Jeudi 23 décembre 2010

Renaud s'obstine encore sur l'hôtel de la Marine. Aucun de mes arguments ne le convainc d'abandonner. Comment un homme aussi intelligent ne sent-il pas qu'il s'expose d'une manière très dangereuse pour sa réputation ? Il fut un bon ministre, actif, à la fois conciliateur et courageux, qui a traversé sans faiblir des situations de tensions violentes, mais son opiniâtreté lui joue en l'occurrence un mauvais tour. Je n'arrive pas à comprendre comment Allard le tient, ce ne peut pas être une simple question d'argent. Alors quoi ? La volonté d'avoir raison à tout prix, peut-être ? Le fait qu'il ne me trouve sans doute pas légitime ne me facilite pas la tâche pour qu'il accepte de m'entendre.

Vendredi 24 décembre 2010

J'espère que celui ou celle qui me succédera perpétuera la tradition que j'ai inaugurée du petit déjeuner de fin d'année avec les femmes de ménage et la sécurité du ministère. Il faut se lever à six heures mais la joie et la fierté qu'ils ressentent à se savoir reconnus justifient ce simple geste qui me fait plaisir autant qu'à eux. Enfant, la lutte des classes commençait dans la cuisine et j'en étais solidaire. Ma copine Fatima, la Malienne qui est la star de la bande : « On espère que vous resterez toujours notre ministre ! » À ceux qui hausseront les épaules en disant que je fais du paternalisme, j'ai envie de répondre qu'ils n'ont encore rien vu puisque je vais ce soir passer la veillée de Noël avec les Petits Frères des pauvres boulevard de Strasbourg.

On chante, on danse ; je n'imaginais pas qu'il y eût tant d'artistes parmi eux, vieux chanteurs de petits cabarets populaires qui n'existent plus depuis longtemps, danseuses épuisées d'avoir couru le cacheton il y a des années du côté de Pigalle, follassons des faubourgs qui servaient de boys à Coccinelle ; tous me montrent des photos, des affichettes, de modestes coupures de presse ; le monde obscur des survivants de Francis Carco et des *Je m'voyais déjà* de Charles Aznavour tombés dans la mouise et qui me disent : «C'est bien d'être avec nous ce soir, forcément entre artistes on se comprend.»

Samedi 25 décembre 2010

Le feu dans la cheminée du bureau, la neige qui recommence à tomber sur le Palais-Royal, France Musique et les parapheurs que je peux signer dans le calme, après le déjeuner de Noël avec maman, instants de grâce dans une vie de ministre.

Dimanche 26 décembre 2010

Escapade à Berlin avec Sihem pour aller visiter en détail le musée d'Histoire. Je n'ai prévenu personne, nous sommes tous les deux seuls, partis dans la nuit noire et marchant quand le jour se lève dans les grandes avenues encore illuminées et couvertes d'un épais manteau de neige.

Le docteur Ottomeyer, très professeur Unrath de *L'Ange bleu*, a conçu le musée et le dirige encore; il se montre le plus disponible des hôtes. Beaucoup de visiteurs dans le bâtiment de l'arsenal de l'ancienne Prusse auquel Peï a ajouté une aile moderne consacrée aux expositions contemporaines. Celle sur Hitler et les Allemands est terrifiante, surtout quand on se retrouve confronté à l'armée des uniformes SS dessinés avec toute l'élégance des ateliers d'Hugo Boss dont j'ignorais les débuts si prometteurs. Rien en revanche pour les bottes obligeamment fournies par Salamander. Dans son bureau, Hans Ottomeyer me montre les piles de revues de presse attestant du déchaînement de la polémique lorsque Helmut Kohl a pris la décision de créer le musée. Le but était alors de recycler les collections de l'histoire prolétarienne exposées par le régime communiste de l'Allemagne de l'Est...

Du lundi 27 décembre 2010 au dimanche 2 janvier 2011

Louis XVI écrivait : «Rien» sur son journal le 14 juillet et le petit monde d'Hammamet vaque tranquillement à ses affaires. Tout est calme, paisible, la somnolence sans rêve de toujours. Pour qui aurait le mauvais esprit de s'interroger sur ce qui a été lu encore distraitement dans les journaux français, la presse tunisienne dispense son lot quotidien de flagorneries pâteuses pour le régime ; c'est tout juste si elle signale en bas de page que les incidents survenus dans une autre Tunisie lointaine se sont apaisés grâce à la sollicitude bienveillante du président, qui s'est personnellement penché sur le sort de ces zones déshéritées. À la télévision, Zine parle paternellement à ses ministres respectueux et bien sages, Leïla embrasse des petits enfants, jeux et chansons, le foot en guise de Prozac national.

C'est un peu bizarre, quand même, cette manie des quelques officiels auxquels je n'échappe pas de me dire que tout va très bien ; le maire, le gouverneur, le ministre de la Culture. Je veux en avoir le cœur net : virée en voiture avec mes amis, Karim et Salem, autour de Kairouan. On ne voit rien, tout est apparemment normal. On aurait dû aller plus loin, plus profond sans doute.

Salem : « Ça va se finir comme à Gabès il y a deux ans avec les mineurs du phosphate. Il a tapé dessus et il a distribué de l'argent. On n'en parle plus. » Karim : « Comment voudrais-tu qu'il se passe quelque chose ? Tout est serré, verrouillé, personne ne moufte. » Mathieu m'appelle de Dubaï, il a croisé il y a trois jours le couple des tourtereaux présidentiels faisant des achats. Je ne peux pas m'empêcher de penser à Ceausescu en voyage officiel la veille même de la déflagration qui allait l'emporter.

Premier signe tangible d'un ébranlement profond. Au retour de Kairouan, on voit successivement à la télévision Ben Ali entouré de blouses blanches au chevet de Mohamed Bouazizi emmailloté comme une momie dans des bandelettes à l'hôpital des grands brûlés, puis l'audience qu'il donne à la mère du marchand de légumes ; la paysanne au palais, autre couplet sur la mansuétude et l'attention que le raïs manifeste aux malheureux. Ensuite, discours où il accuse les meneurs étrangers. Il vire peu après plusieurs ministres et gouverneurs, dont le ministre de la Communication qui regrettait en soupirant devant moi il y a quelques jours les malentendus de la presse française. Pour un homme qui a la hantise des médias et dont les apparitions sont calibrées au millimètre, cette succession de séquences insolites démontre que la situation est bien plus sérieuse qu'on ne le pensait.

Karim : « Ça sent le roussi ! » On rit, qui pourrait encore imaginer l'inimaginable ? Puis tout retombe. Il fait toujours aussi beau, Hammamet est toujours aussi paisible, les nouvelles toujours aussi rares. C'est la vacance autant que les vacances.

Dîner avec Michèle Alliot-Marie, ses parents, Patrick Ollier. Ils reviennent de Tabarka et envisagent d'aller faire un tour dans le Sud. Les parents sont très âgés, Aziz Miled a proposé de prêter son avion. Il a bonne réputation, ce qui est rare, et il soigne ses relations françaises de droite comme de gauche. Michèle devine que ce programme touristique ne me dit rien qui vaille : « Kamel Morjane, le ministre de la Défense, m'a confirmé que Ben Ali a saisi la portée des événements et qu'il va prendre des mesures positives. » Moi, je ne bouge pas de la maison, comme Bertrand Delanoë qui ne sort pas de la sienne à Bizerte. Sensation qu'il se passe quelque chose d'insaisissable et qu'on est mieux chez soi pour essayer de comprendre ce qui peut arriver.

Salem a des problèmes avec son petit club sportif sur la plage. Les hôteliers s'emparent des dernières enclaves qui leur résistent, et il est accablé par toutes sortes de tracasseries relayées par la police qu'ils exercent contre lui pour le faire décamper. C'est la lutte du pot de terre contre le pot de fer, il n'a plus guère de chance de pouvoir sauver sa modeste entreprise. Il me harcèle depuis des mois afin que j'intervienne pour le secourir ; j'ai essayé à divers échelons où l'on m'a abreuvé de bonnes paroles sans autre résultat que d'aggraver la situation. J'appelle le ministre qui peut changer la donne. Je ne l'ai pas vu depuis plusieurs années, il m'invite à déjeuner dimanche, le 2 janvier, je prendrai l'avion après.

Le ministre et sa femme me reçoivent dans leur maison sur la falaise de Sidi-Bou-Saïd, qu'ils ont aménagée avec goût. La vue est spectaculaire, le temps magnifique, leur jeune fils vient gentiment dire bonjour avant d'aller jouer avec son iPad dans un coin du salon. Le ministre est un homme encore jeune, beau, affable, doté d'un charme persistant, qui ne ressemble pas du tout à la plupart des passe-murailles du gouvernement. Ben Ali s'en méfie tout en préférant le garder au gouvernement, sans doute pour mieux le surveiller. Il m'a toujours manifesté beaucoup d'amitié et me reproche sur un ton plaisant de ne pas être venu le voir depuis longtemps. Il sait très bien pourquoi et n'insiste que pour être bien certain que la séduction qu'il exerce sur moi est intacte. J'ai toujours pensé qu'il serait appelé à jouer un rôle essentiel dans l'hypothèse d'un scénario déjà éprouvé ailleurs où le régime changerait de l'intérieur.

Il me promet de s'occuper de mon protégé. C'est le prix de nos retrouvailles. Ensuite, on parle de tout et de rien, heureux de partager une complicité qui n'a pas varié. Avant de repartir, j'évoque quand même les «événements». Il me répond très sereinement et du ton le plus sincère que la crise n'est pas très grave et qu'elle va s'apaiser grâce aux mesures prises par le président en faveur de tous ceux que le régime a négligés. Au fond, un problème de politique ordinaire, un accès de mauvaise humeur comme il y en a eu déjà dans le passé, un gouvernement à l'écoute qui saura réagir de manière positive.

L'heure tourne, je pars pour l'aéroport envahi de touristes qui ont passé de belles vacances et qui se demandent si on leur permettra de garder leurs cages à oiseaux avec eux dans l'avion.

Lundi 3 janvier 2011

Présentation de la maquette du palais de Tokyo rénové, sauf qu'il n'y a pas de maquette et que je dois me contenter de ce que me disent les architectes. Tout le monde autour de moi a l'air de s'en contenter, sauf moi : on continue à avancer en plein brouillard.

Mardi 4 janvier 2011

Camille Pascal, qui travaillait auprès de Patrick de Carolis à la présidence de France Télévisions, vient m'annoncer qu'il suivra les dossiers de la communication à l'Élysée. Très souriant, très aimable. Jean-Pierre : «Méfie-toi, c'est un spécialiste des fuites et des coups tordus.» Déjà qu'il me fallait trouver le mode d'emploi avec Olivier Henrard, aurais-je deux interlocuteurs ou deux problèmes de plus ?

La maison de la culture de Bobigny, MC 93, est sise boulevard Lénine, la fidélité de la banlieue rouge à l'un des pires assassins de masse du XXe siècle me laissera toujours rêveur. La maire communiste qui assiste avec moi à la représentation de *Sale Août* est d'ailleurs parfaitement désagréable, flanquée d'une sorte d'Ana Pauker qui fait froid dans le dos.

À Tunis, Bouazizi succombe à ses blessures. La contestation s'étend de plus en plus.

Mercredi 5 janvier 2011

La noria des obligations protocolaires a repris : petit déjeuner du gouvernement chez Brice Hortefeux et gaieté de commande des collégiens ministres, puis départ en rangs serrés vers l'Élysée avec une meute de journalistes à qui on souhaite la bonne année en pensant «Allez vous faire foutre», et présentation des vœux au président avec une gravité de bon aloi. Cérémonial vide de sens où l'on chercherait en vain une once de sentiment sincère.

Éric et Florence Woerth à déjeuner avec Alain Decaux pour parler de l'avenir du château de Chantilly. Alain Decaux, qui me confiait il y a quelques années qu'il n'en avait plus pour longtemps à cause de son cœur, a tenu bon. Il est affaibli mais toujours aussi gentil, fin, délicieux dans ses attentions et sa conversation. Éric et Florence affrontent d'autres tourments, mortels d'une autre manière, mais ils tiennent bon eux aussi. J'aurais bien tort de me plaindre de mes petits ennuis quotidiens.

Rêve d'automne de Jon Fosse au Théâtre de la Ville dans la mise en scène de Patrice Chéreau. Tous ceux qui avaient loupé les premières représentations au Louvre sont là et il paraîtrait même que certaines personnes qui auraient raté leur suicide entre-temps seraient revenues. Nec plus ultra de la sinistrose hyper branchée avec une affiche alléchante : Pascal Greggory, Valeria Bruni-Tedeschi et Bulle Ogier qui se roulent dans le désespoir avec une conviction entraînante. Miracle des grands acteurs. Emmanuel entrevu à la sortie pour se remonter un peu.

Jeudi 6 janvier 2011

Sir Michael Caine est persuadé que je vais lui remettre la Légion d'honneur alors qu'il s'agit de l'ordre des Arts et des Lettres. Foule de photographes et de journalistes, chaînes de télévision anglaises et américaines à qui il confie sa fierté aussi grande que lors de son anoblissement par la reine, insiste-t-il. Pas le temps d'interroger mes services sur le cafouillage qui risque de tourner à la catastrophe s'il se rend compte de ce mauvais tour. Je fais comme si et marmonne à la fin de mon discours la formule sacramentelle en lui épinglant la médaille, la mienne, pas celle de la chancellerie. Personne n'a entendu et ne relève la supercherie. La petite cérémonie se termine dans l'euphorie. Le ministre escroc peut retourner à ses parapheurs, la conscience pas très tranquille, mais sain et sauf.

C'est une journée «bureau des réclamations» : les organisateurs de concerts sont furieux contre les associations qui achètent des billets en bloc et les revendent plus cher en empochant la différence ; les documentaristes en ont marre d'être maltraités par les chaînes de télévision qui leur imposent des conditions draconiennes et toutes sortes d'humiliations. Cerise sur le gâteau, engueulade carabinée du président au téléphone parce que j'ai accordé une avance sur sa subvention à *Libération*. Je vais pleurnicher chez Jean de Boishue, qui me passe le Premier ministre : «Ah, il recommence ! Il m'avait pourtant assuré qu'il en avait fini avec les coups de sang. Laissez tomber, ça se calmera aussi vite que c'est arrivé.»

Vendredi 7 janvier 2011

Chez Marc-Olivier Fogiel pour évoquer la mort de François, survenue il y a seize ans. Mais il dérape très vite sur la politique actuelle, Carla, mon livre, Bangkok ; incorrigible.

Olivier Laban-Mattei, photoreporter de grande valeur, repart pour Tunis. Selon lui, c'est une véritable révolution qui se développe de manière foudroyante. Les manifestations ont gagné Tunis. Pourtant, les amis joints au téléphone, opposants de longue date au régime, ne pensent pas que cela puisse aller beaucoup plus loin.

Charles Berling au Théâtre des Amandiers, près de quatre heures en scène pour *Ithaque* de Botho Strauss. Il déploie une sorte de force hallucinée impressionnante. Cela ne m'étonnerait pas qu'il la tourne contre le ministère au fur et à mesure que l'on se rapprochera de l'ouverture du Théâtre de Toulon pour lequel il me demande toujours plus d'argent que prévu.

Samedi 8 janvier 2011

Robert Darnton, directeur de la bibliothèque d'Harvard : «Le livre papier survivra à la révolution, mais toute l'économie a changé et il y a beaucoup de morts. En France, vos éditeurs et vos libraires se comportent comme si la révolution devait ne pas avoir lieu.»

Sihem depuis Tunis : «C'est la panique au gouvernement; il paraît que la police a tiré à balles réelles sur des manifestants, mais en fait on ne sait rien. Tout le monde se rue sur Facebook.» Rien de plus dangereux que l'animal blessé qui se sent traqué.

Dimanche 9 janvier 2011

Avec Anne-Sophie Lapix sur Canal Plus. On ronronne courtoisement au jeu des questions-réponses sur la politique culturelle. Images des troubles en Tunisie, réponse prudente sur le pouvoir qui devrait prendre mieux en compte les demandes de la population et dérapage brutal : «Le régime de Ben Ali n'est pas une dictature univoque.» D'où sort ce mot bizarre dont je sens immédiatement qu'il n'est pas juste, qu'il sonne faux et que je n'aurais pas dû le prononcer? Le fait est que je connais bien mieux la Tunisie que la plupart de mes interlocuteurs habituels et qu'il y a quelque chose qui m'échappe tandis qu'ils peuvent embrayer sans aucun risque sur le pilotage automatique confortable de leur discours critique bien-pensant, univoque pour le coup.

Tout de suite, un premier retour désapprobateur : Saïd et Jihed sont mécontents de moi; ils ont regardé Canal Plus et trouvent que j'aurais dû critiquer bien plus fermement Ben Ali. J'essaie de leur expliquer qu'un ministre en exercice peut difficilement lancer des flèches quand son gouvernement se refuse à condamner le régime. Ils ont passé leur journée à pianoter sur leur ordinateur et me montrent sur Facebook les images des manifestations et de la répression policière. On se couche tous les trois de très mauvaise humeur.

Lundi 10 janvier 2011

Visite du laboratoire de restauration du Louvre et de la caverne à la James Bond creusée sous les Tuileries où s'enroule le synchrotron, énorme dragon plus ou moins atomique qui analyse l'état exact des œuvres en péril. Les conservateurs et le personnel se révèlent très inquiets à l'idée qu'ils pourraient avoir à se transporter avec le dragon dans le nouveau centre de réserves en projet à Pontoise. Toujours la hantise des déménagements.

Au déjeuner du lundi avec les directeurs, on charrie Georges-François pris en photo l'air épanoui au premier rang des huiles socialistes qui ont fait le voyage de Jarnac pour célébrer la mémoire de François. Le genre de cliché qui doit passer de main en main à l'Élysée avec moins d'indulgence que dans notre salle à manger. Georges-François dans ses petits souliers. Allez, on rigole et on s'en fout !

Amel au téléphone : «Vous, à Paris, vous ne vous rendez compte de rien. C'est une révolution. Tout le monde est choqué par ce que tu as dit sur Canal Plus, on est furieux contre toi, on se sent trahis et on ne sait pas comment te défendre.» Sur Facebook, les garçons me montrent les images des morts et des blessés à Sfax, les hôpitaux débordés, les snipers embusqués qui tirent sur la foule. Fortune inouïe du mot *dégage*, même en arabe c'est facile à prononcer.

Mardi 11 janvier 2011

Le discours de Ben Ali hier soir : il continue à vitupérer des «meneurs étrangers» et se lance dans un vaste programme de promesses sociales auxquelles personne ne peut croire. Un homme aux abois. Réactions très négatives à Tunis ; on attendait qu'il annonce qu'il allait se séparer de sa femme et mettre la famille Trabelsi en prison. On est loin du compte. Les syndicats, qui se sont benoîtement arrangés du régime pendant des années, passent à la révolution.

Intervention de Michèle aux questions d'actualité à l'Assemblée nationale. Elle propose que «le savoir-faire de nos forces de sécurité, qui est reconnu dans le monde entier, permette de régler des situations sécuritaires de ce type». J'échange un regard inquiet avec Xavier Bertrand, mais comme souvent en pareil cas, l'effet calamiteux tarde à se déclencher.

L'opposition ronchonne pour la forme, la séance de questions continue à se dérouler dans l'ambiance de confusion potache habituelle. Au fond, l'intervention de Michèle part d'un bon sentiment : éviter que l'effusion de sang tourne au massacre et permettre que les manifestations puissent se poursuivre en sécurité. Mais dans le contexte d'une révolution qui déferle et du passé colonial de la France, cela ne peut passer à Tunis que pour un appui apporté au dictateur et un réflexe répressif appartenant aux pires heures du protectorat. Onde de choc dans la soirée sur le thème : «Provocation de la ministre des Affaires étrangères qui veut envoyer des troupes au secours de Ben Ali». Les réseaux sociaux s'enflamment des deux côtés de la Méditerranée et l'opposition se réveille ; elle a trouvé une nouvelle proie, elle ne va pas la lâcher. Amel au téléphone : «Au moins, après une bourde pareille, on parle un peu moins de la tienne !» Pas à la maison en tout cas où les garçons sont surexcités.

Reste de la journée en pilotage automatique : réunions, visites, etc. J'aimerais être à Tunis.

Mercredi 12 janvier 2011

Rien sur la Tunisie au Conseil des ministres. Juste une phrase du président après la communication très «matter of fact» de Michèle : «À tout prendre, on peut préférer un dictateur corrompu mais solide et moderne à des illuminés islamistes.» Et on passe à autre chose. Petit mot de Xavier Bertrand : «Tu crois qu'il va sauter ?» Moi : «Je n'en sais rien, mais s'il saute, il ne sera pas le seul.» Il fait la moue, regarde vers Michèle et revient vers moi.

Déjeuner chez M6 avec toute la petite bande de Tavernost. Les zélés collaborateurs qui m'accompagnent ne connaissent pas la grille de la chaîne, moi si. Je leur fais honte en sortant.

Les Mamelles de Tirésias à l'Opéra-Comique, mise en scène de Macha Makeïeff. Mais enfin pourquoi Gaudin ne peut-il pas comprendre que c'est elle qu'il faudrait prendre pour l'Opéra de Marseille ?

Jeudi 13 janvier 2011

Olivier Henrard et Camille Pascal officiellement confirmés comme conseillers en charge de la culture et de la communication à l'Élysée. Jean-Pierre : «N'oublie pas d'envoyer un petit mot à ton ami Guéant pour le remercier!»

Installation du conseil scientifique de la Maison de l'histoire de France devant la presse. La liste est très ouverte et ne comprend que des personnalités de grande qualité. Les journalistes, décontenancés, mettent un bémol à l'agressivité de leurs questions. Pendant ce temps, Wladimir Susanj et ses amis continuent à occuper le site des Archives. Ils collent des banderoles qu'on retire et qu'ils remettent ensuite. Le sémillant Wladimir, qui proclame haut et fort qu'il passe ses nuits sur place pour parer à un mauvais coup du ministre, a été piqué au vif lorsque je lui ai demandé s'il accueillait aussi le public en pyjama. Il y revient dans toutes ses interventions en s'étranglant d'indignation.

Jean de Boishue, à propos de la «culture pour chacun» : «Les changements sémantiques, c'est comme les déménagements; même si c'est justifié, personne n'en veut.»

Couvre-feu à Tunis. Troisième discours de Ben Ali, en arabe dialectal, aux accents gaulliens du «je vous ai compris». Il lâche tout. Happenings libératoires permanents à la télévision tunisienne et manifestation de soutien pendant la nuit au centre de Tunis, trop organisée pour être convaincante. Il se réfère certainement au même scénario que Bourguiba quand il cédait brusquement aux revendications des émeutes de la faim après l'échec de la répression et en appelait au peuple pour retrouver sa confiance. Ça marchait avec lui, je ne suis pas sûr que ça puisse encore marcher. Entre Bourguiba et les Tunisiens il n'y avait rien pour faire obstacle, entre Ben Ali et le peuple d'aujourd'hui il y a Facebook et ses terribles images de snipers et de morts. Tour téléphonique à Tunis : l'impression générale est que son discours va lui permettre de reprendre la main.

En revanche, nouvelle séance de rééducation révolutionnaire via Internet à la maison. Les garçons : «C'est trop tard, on se fiche de ce qu'il peut bien raconter, il est foutu.» En tout cas, la Tunisie d'avant, c'est fini. Saut dans l'inconnu, il va falloir faire avec. C'est venu tellement vite. Il aurait tort de faire le malin, le «grand ami de la Tunisie», il est promis aux poubelles de l'Histoire.

Vendredi 14 janvier 2011

Le rafistolage in extremis n'a pas tenu, insurrection générale à Tunis, Ben Ali dégage.

Je continue à m'en tenir scrupuleusement aux obligations de mon agenda ; rencontres, visites, discours ; mais le cœur n'y est pas. L'instant le plus surréaliste : la galette des rois avec le personnel du ministère. À chaque instant de libre je me rue sur la télévision.

Déjeuner avec Jack Lang : «Tu l'avais vu venir ? — Et toi ?» Conclusion sur laquelle nous sommes bien d'accord : il va falloir subir maintenant les déclarations triomphales de tous les «je vous l'avais bien dit».

Samedi 15 janvier 2011

Le château d'Écouen, musée national de la Renaissance voulu par Giscard d'Estaing. C'est superbe, mais les visiteurs sont rares. La situation proche de Paris dans cette triste plaine, après Roissy, mal desservie, gagnée par la banlieue, hérissée de pylônes à haute tension ? Le manque de soutien du ministère pour se faire connaître ?

Lucas Mebrouk Dolega, photojournaliste franco-allemand de trente-deux ans, a été grièvement blessé à Tunis hier. Un flic lui a tiré une grenade lacrymogène en pleine tête. Il est dans le coma. Appel à l'aide d'Olivier Laban-Mattei que je répercute aussitôt sur Valéry Freland.

Dimanche 16 janvier 2011

Inauguration de la tour nord de Saint-Sulpice qui a été soigneusement rénovée. Ambiance très tradition catholique. Discours avec de grandes rasades de Péguy et de Bernanos. Au-dessus des lodens et des petites jeunes filles en jupe plissée, mon regard se perd vers l'autre côté de la place et l'appartement de Catherine Deneuve. Que fait-elle en ce moment ?

Mark Alizart m'emmène chez Marian Goodman, galeriste améri-caine qui s'est réinstallée à Paris. Il m'a fait un programme de visites systématiques pour tordre le cou à cette réputation que je traîne de ne pas m'intéresser à l'art contemporain et à laquelle je ne répondais pas puisque précisément ça m'intéresse.

Maman : «Alors tu dois être content. C'est terminé, cette révolution en Tunisie.» Mais les révolutions ne se terminent jamais, elles s'éteignent parfois peu à peu et pas comme on aurait pu le prévoir. Heureusement qu'elle n'a pas entendu Jean-François Kahn, qu'elle adore, expliquant avec indignation un peu partout que tout le monde sait ce que je faisais en Tunisie, «à tripoter des gamins, c'est ignoble, etc.», le même qui prône l'honnêteté en toute chose et se refuse aux attaques personnelles ; calomnie parfaitement dégueulasse.

Hammamet vit dans la psychose des snipers qui entretiennent un climat de peur et d'insécurité. Les grands panneaux du raïs détrôné ont été lacérés, on a incendié et pillé les villas de la famille. Atmosphère de libération et de règlements de comptes où il est difficile de se repé-rer entre les anciens militants de l'opposition au régime, les opportu-nistes et les pêcheurs en eaux troubles.

Lucas Mebrouk Dolega toujours entre la vie et la mort. Le flic visait vraiment la tête dans l'intention de tuer.

Lundi 17 janvier 2011

Au musée national des Arts et Traditions populaires trahi par une incurie de l'État digne du tiers-monde, les conservateurs et le person-nel inventorient les collections avant de les mettre en caisse ; on ne s'étonnera pas qu'ils soient de mauvaise humeur. On pourrait y faire tant de choses plutôt que de le rendre à la Ville de Paris qui le réclame mollement. Mais c'est un énorme sandwich à l'amiante, et le coût d'une remise aux normes est prohibitif.

Julio Cesare à l'Opéra Garnier. Mise en scène plutôt «moderato» de Laurent Pelly. Natalie Dessay, gracile, à demi nue, rampant parfois sur le sol et qui arrive à chanter quand même ; petit oiseau plein de gaieté en coulisses. Ardente jeunesse.

Lucas Mebrouk Dolega est mort, et moi pendant ce temps je vais à l'opéra.

Mardi 18 janvier 2011

Maurice Leroy, le ministre de la Ville, devant le projet de la tour Utrillo. Déluge de compliments, protestations d'intérêt le cœur sur la main et «par ici la sortie», en l'occurrence chez son directeur de cabinet chargé de l'éclairer sur la question et qui ne veut pas en entendre parler.

Dîner de parlementaires UMP triés sur le volet par Richard. De la belle gosse crypto-lepéniste au jeune de la droite light : ignorance abyssale de la révolution tunisienne et indifférence absolue à ces événements dont ils se contrefichent autant les uns que les autres. Valéry Freland me raconte au téléphone avec le brave détachement de ceux qui sont soumis à une tension violente que les nuits de Tunis sont devenues très dangereuses : des bandes organisées sèment la terreur et des comités d'autodéfense leur répondent ; on vit barricadé pour ne pas être pris dans les bagarres. La confusion est générale et il semblerait que d'autres journalistes aient été gravement blessés par ce qu'il reste d'une police devenue folle.

Mercredi 19 janvier 2011

Vœux du président de la République au monde de la culture sous la nef du Grand Palais qui peine à contenir tout le monde. Plusieurs digressions où il renouvelle sa confiance au ministre, le cabinet est aux anges. Il confirme qu'une commission va lui remettre un rapport sur la question de l'hôtel de la Marine. C'est un désaveu implicite de la funeste hypothèse Allard. Renaud me serre la main avec des flammes dans le regard. Est-ce qu'il se rend compte que je l'ai préservé de la menace d'un scandale ? Plus tard peut-être.

Jeudi 20 janvier 2011

Dernières photos prises par Lucas Mebrouk Dolega juste avant le drame qui lui a coûté la vie au cœur même des manifestations. L'une particulièrement saisissante de l'une de ces rues étroites de Tunis en pleine échauffourée policière, à quelques mètres et quelques instants de son assassinat.

Je n'avais pas dix ans lorsque Jean-Pierre Pedrazzini a été mortellement blessé à Budapest en 1956. Je me souviens que cela m'avait bouleversé. L'émotion que je ressens devant la mort de Lucas Mebrouk Dolega vient de loin.

Vendredi 21 janvier 2011

Déjeuner de presse : exercice désagréable ; de ma part, fausse décontraction, connivence hypocrite, vilains petits mensonges. Une exception, Ruth Elkrief, chevronnée et sympathique en même temps, c'est donc possible. Hervé Algalarrondo était très beau, très incisif il n'y a pas si longtemps ; il m'observe sans dire grand-chose. Il a écrit un livre bizarre sur les derniers mois de la vie de Roland Barthes, mélange de fiel, de proximité et d'admiration perplexe dont je n'arrive pas à démêler les fils. Il faisait partie de la petite bande sans doute, mais je ne m'en souviens pas.

J'ai pris parti lors d'une séance de questions à l'Assemblée pour les organisateurs des petites fêtes de village et les fanfares qui se sentent traqués par la Sacem. Tempête dans un verre de kir, tout l'état-major de la Sacem débarque dans mon bureau pour me demander des comptes. Mais c'est moi qui leur en demande ; ils vont revoir leurs méthodes et leurs barèmes.

Jean-Pierre : «Est-ce que tu te rends compte que c'est aussi parce qu'il te fait confiance que Jean-Pierre Marcie-Rivière s'apprête à faire la donation à l'État de son extraordinaire collection de Vuillard et de Bonnard? Tu devrais t'en prévaloir *urbi et orbi*, et au lieu de cela, monsieur fait le modeste et ne houspille même pas la communication du ministère.» Élodie sur la même ligne.

Samedi 22 janvier 2011

Cafouillage affreux du retrait de Céline de la liste des célébrations nationales hier soir lors de la présentation à la presse. Sur la forme, je suis doublement en tort : j'ai laissé passer cet anniversaire dans le recueil lorsqu'on m'en a présenté la première mouture sans réagir, et j'ai annoncé ma décision sans prévenir le professeur Henri Godard qui a rédigé l'article consacré à Céline dans le recueil. Négligence et incorrection. Sur le fond, je persiste à penser que j'ai eu raison, soulagé d'avoir pris la bonne décision quoi qu'il m'en coûte. Rebondissement d'un interminable débat qui ne cessera jamais et début d'une polémique virulente où ceux qui devraient défendre ma décision s'évanouissent dans la nature et ceux qui la contestent se déchaînent à qui mieux mieux. À cet égard, blog particulièrement venimeux de Pierre Assouline. Découverte intéressante, il n'était certainement pas mon ami quand j'étais heureux d'être le sien. François Gibault, avocat de Lucette Destouches, la veuve de Céline, me dit que j'ai bien fait et qu'elle m'approuve, consciente d'un danger que personne ne veut considérer lucidement.

Ensuite, discussions byzantines au sein du cabinet qui se serait bien passé de cette histoire pour déterminer s'il faut adopter à l'avenir le mot de *commémoration* plutôt que celui de *célébration*. On désigne un groupe de travail !

Le bon ministre c'est celui qui sent les choses, ne confond pas l'essentiel et l'accessoire et obtient la même vigilance de ceux qui l'entourent. J'ai de sérieux progrès à faire...

Qui est Geza Szocs, le ministre de la Culture hongrois ? Un bon papa, fin et lettré, un nationaliste farouche proche de cet excité de Victor Orban, un poète égaré dans la jungle politicienne ? Impossible à déterminer. Conversation intéressante, peut-être parce que je ne lui cache pas ce que je pense de la manière dont la France a opéré le dépeçage de la Hongrie au traité de Trianon.

Michaëlle Jean, gouverneur général du Canada de 2005 à 2010, d'origine haïtienne, ce qui en dit long sur la démocratie canadienne si l'on songe aussi que le précédent gouverneur était également une dame d'origine chinoise, vient me voir au nom de l'Unesco pour évoquer la reconstruction de Jacmel anéantie par le tremblement de terre. Exactement le genre de personne dont j'aurais aimé faire le portrait quand je travaillais pour la télévision.

Dimanche 23 janvier 2011

Le président : « Tous ces journalistes qui ne savent rien, qui ne comprennent rien, qui écrivent n'importe quoi. Qu'est-ce qu'on peut faire contre ça : rien, on ne peut rien faire ; il ne faut même pas essayer de les convaincre, c'est encore pire. »

François Fillon : « Céline, Céline, vous n'avez pas honte ? C'est l'un des plus grands écrivains français et vous le retirez de la liste des célébrations ? Vous vous rendez compte de ce que vous faites ? — Je me rends très bien compte, et pour une fois c'est moi qui ai raison et c'est vous qui avez tort. — Allons bon, monsieur Mitterrand fait encore des siennes. Mitterrand, salaud, le peuple aura ta peau ! » Il rit, nous n'en parlerons plus.

Certains me reprochent de ne pas avoir aussi retiré Frantz Fanon des célébrations nationales sous prétexte qu'il a signé de véritables appels au meurtre dans ses écrits de militant antiraciste et anticolonialiste.

Maman très intéressée par la controverse. Mes frères m'écoutent et me donnent raison.

Lundi 24 janvier 2011

Richard Descoings, au petit déjeuner, à propos du projet de la tour Utrillo à Clichy-Montfermeil : « Tout ce qui est mis en place dans les banlieues dites difficiles comme équipements culturels est perçu comme autant de structures de contrôle et d'aliénation imposées par le gouvernement. Il n'est pas surprenant qu'elles soient incendiées et détruites à chaque mouvement de rébellion. Vous n'arriverez à rien tant que vous n'aurez pas perçu exactement l'attente des habitants et que vous ne les aurez pas aidés à la formuler. C'est d'ailleurs la même question que l'enseignement des arts à l'école ou ciné-lycée, les enseignants ont beau jeu de traîner les pieds comme ils le font puisque les élèves n'ont rien demandé. Ce n'est pas qu'ils n'en veulent pas ou qu'ils s'en foutent, mais personne ne leur a démontré que ce serait d'abord leur affaire, pour eux ce n'est qu'une contrainte de plus sans rapport avec l'existence qu'ils mènent. Les ordinateurs, avec ce que cela implique de liberté et d'autonomie, ça oui, c'est à eux, pour eux, et ça les intéresse. »

La mission photo : Francis s'escrime avec l'administration ; ça avance cahin-caha. Nous avons pourtant fait un plan, annoncé des engagements, organisé une structure, mais c'est comme si cela n'intéressait personne d'autre que lui et moi.

Jeannette Bougrab me demande de l'argent pour son « concert de la jeunesse » avec des mines de chatte amoureuse. La « Roula » type, jolie, fine et charmante, celle qui sait manier les hommes en arabe. Donc encore une ponction à prévoir dans la réserve du ministre. Elle a réussi à entraîner Yannis pour faire filmer le concert. Moi : « Fais attention à ce qu'elle ne te vampirise pas complètement. » Lui, inquiet : « Oui, oui, bien sûr. »

Mardi 25 janvier 2011

Convocation au politburo de l'Orchestre national de jazz où je suis accusé de ne pas donner assez d'argent. Vérification faite, le ministère accorde autant de subventions qu'à un centre dramatique.

Entretien avec Olivier Henrard. Une sorte de sympathie précautionneuse s'installe.

Brume de Dieu au charmant théâtre La Ménagerie de verre que je ne connaissais pas. Il s'agit d'un monologue adapté d'un auteur norvégien, dont je n'avais jamais entendu parler non plus, qui écrit dans une langue des confins du Grand Nord que même ses concitoyens doivent traduire pour la comprendre. Tout pour plaire à Claude Regy qui met en scène. Résultat : une des plus belles soirées depuis longtemps, texte magnifique et jeune comédien fantastique de vingt-deux ans, Laurent Cazenave. Le dispositif scénique imposant un revêtement très fragile pour refléter la lumière, il est rigoureusement interdit de le fouler en gardant ses souliers. Le maître y veille depuis le fond de la salle, et comme il a la réputation de ne pas être commode, tout le monde obtempère. Donc je traverse la scène en chaussettes pour aller féliciter le comédien à l'issue de la représentation. Voix tonnante de l'irascible vieillard : «Qu'est-ce qui m'a foutu un gougnafier pareil qui marche sur la scène sans ôter ses souliers!», le tout agrémenté de quelques qualificatifs encore moins amènes. Comme je me déplace dans une semi-obscurité, j'ai beau tendre mes chaussures à la main pour prouver mon innocence, les malédictions continuent à pleuvoir. Puis la tempête s'apaise, on a dû lui glisser que c'est le ministre qui est l'objet de son courroux, et comme j'arrive enfin à sa portée, toujours en chaussettes : «Ah bon, c'est vous, je n'avais pas vu que vous aviez retiré vos souliers.» Il s'en va en bougonnant. Le genre de malentendu qui me met en joie.

Mercredi 26 janvier 2011

Alain Juppé dans son bureau de ministre de la Défense, gai et détendu comme jamais. Il me parle de Michelangelo Pistoletto, l'un des maîtres de l'arte povera qu'il va exposer à Bordeaux, avec un enthousiasme juvénile. Évidemment, il y a quelques petits sous du ministère qu'il conviendrait de rajouter pour que la fête soit parfaite. «*Arte povera ma non troppo, pero anche il ministro è povero.*» Alain adore Venise, mais il y a des phrases en italien qu'il n'entend pas. Je dois sans doute mal prononcer.

Joute entre le préfet Canepa, mon meilleur allié pour la tour Utrillo, et Maurice Leroy, nouveau ministre de la Ville, qui a consciencieusement passé l'aspirateur sur le projet. À malin, malin et demi. Je compte les points sans vouloir mettre Leroy en difficulté, car si l'on arrive à le faire changer d'avis, son appui pourra être alors décisif. Comme le préfet tient manifestement la corde, Nathalie Kosciusko-Morizet s'intéresse alors qu'elle était muette jusque-là.

Le président : «Et notre ambassadeur à Tunis, qu'est-ce qu'il foutait à nous envoyer des télégrammes pour dire que tout allait bien? Il faisait des soirées karaoké avec la famille Trabelsi! Des soirées karaoké avec une bande de marlous quand la révolution est en marche!» Tentative de Jean-David Levitte, le conseiller diplomatique, pour défendre l'ambassadeur et ses télégrammes en fait plus nuancés que ce que le président en a retenu. Le président monte de quelques crans dans la colère. Jean-David Levitte, sans se démonter : « Qu'est-ce que vous voulez, on ne leur lit pas du Paul Valéry aux copains de Ben Ali. Ce sont des gens comme lui, mettons... un peu rustiques. » Le président : « Rustiques ! Rustiques ! Le karaoké ! On voit le niveau ! Et après on est surpris de ce qui arrive ! C'est une histoire de fous ! »

Vœux du CSA. Rachid Arhab égal à lui-même, j'ai chaque fois l'impression qu'il va me taper dessus. C'est bizarre quand même, et à la réflexion peut-être pas tant que ça.

Jeudi 27 janvier 2011

La joie de vivre et d'entreprendre de Marc Ladreit de Lacharrière est contagieuse. Le cabinet sort requinqué d'une réunion où il nous parle de sa Fondation Culture et Diversité. Un Warren Buffett à la française ? Sa bienveillance doit se doubler d'une pugnacité implacable quand on lui oppose la bêtise, la paresse ou la lâcheté ordinaires.

Débat surréaliste à l'Assemblée sur l'indépendance des rédactions demandé par les socialistes en plein délire paranoïaque sur de prétendues atteintes à la liberté de la presse.

Nora Berra au dîner de la mode en faveur du Sidaction comme Alice au pays des merveilles fascinée par le lapin blanc Pierre Bergé.

Vendredi 28 janvier 2011

Bernard Tschumi me montre la maquette du zoo de Vincennes qu'il restaure complètement avec son atelier. Le décor à la Tarzan, si poétique avec son paysage de cavernes et le grand rocher, est globalement préservé et sera même magnifié par l'adjonction d'une savane africaine et d'une immense volière. Les bâtiments de service en revanche sont assez tristes et banals. Je n'ose pas le lui dire carrément, Ann-José prend le relais et n'y va pas par quatre chemins.

C'est la journée des maquettes : toutes celles du futur « Pentagone à la française », absurde appellation du futur ministère de la Défense dont on se goberge unanimement, ont prévu la démolition du « bassin

336

des carènes» où la marine expérimentait les prototypes de navires et de sous-marins dans une sorte de grand aquarium dessiné par les frères Perret. Je le regrette à voix haute ; silence de mort de la brochette de généraux au garde-à-vous devant leurs nouveaux joujoux et agacement du président : «Si on t'écoutait, on ne toucherait jamais à rien.» Le projet retenu (Jean-Michel Wilmotte) préserve tout de même le plus bel immeuble des frères Perret sur la parcelle. De toute façon, foin de formalités et de paperasses inutiles, le ministère de la Défense a fait raser le bassin des carènes dès qu'il a appris que je m'y intéressais. Pour le cas où je l'aurais fait classer.

Une belle jeune femme, riche, intelligente, cultivée, à un dîner en ville : «Pas d'ordinateur, pas d'Internet, rien, je ne veux rien avoir à faire avec tout cela, je n'ai pas de téléphone portable et je n'en aurai pas non plus. Et je me fiche bien de ce que les gens peuvent en penser.» Je souligne, intelligente, cultivée, et de surcroît d'un commerce très agréable.

Samedi 29 janvier 2011

Hommage à Lucas Mebrouk Dolega au congrès de l'Union des photographes professionnels. C'est Carlos Munoz qui me l'a signalé. Tout le groupe des photojournalistes que la mort de Lucas a dévastés se montrent assez surpris quand même de me voir débouler sans prévenir.

Déjeuner chez Jacques Attali pour la sortie de son nouveau livre. Que du beau monde, très dans le vent qui tourne, atmosphère sympathique. Flash pour Jérôme Cahuzac ; c'est simple, même si nous ne sommes pas du même bord, tout me plaît en lui. Récits désopilants – c'est le cas de le dire – sur son expérience de chirurgien esthétique.

Le théâtre de Suresnes Jean-Vilar est situé au centre de la cité-jardin construite durant l'entre-deux-guerres. Réussite architecturale qui m'émeut chaque fois que je la traverse ; beauté de l'ensemble, générosité des architectes, valeurs sociales de la République, le tout à taille humaine et sans emphase.

Olivier Meyer, qui dirige Suresnes cités danse, dont chaque édition est une vraie fête, ramasse comme Jean-Jacques Aillagon les papiers dans les couloirs quand il y en a qui traînent par terre. Et comme moi.

Le plus surprenant c'est que cela puisse surprendre. Il est aussi le mari de Brigitte Lefèvre. En somme, il a tout pour lui.

Dimanche 30 janvier 2011

Poitiers : le préfet de région, Bernard Tomasini, ancien affidé de Charles Pasqua, la droite bien charpentée certes, mais avec de fortes traditions républicaines et sans doute plus de vertu que chez tant de girouettes opportunistes avec qui je fraye. Fort bel homme de surcroît. On lui a fait la réputation d'avoir été nommé pour surveiller Ségolène Royal. Il en rit : «La seule chose que je surveille, ce sont les scuds qu'elle n'arrête pas de m'envoyer. Pour le reste, une fois que l'on a compris qu'elle est totalement incontrôlable, tout va très bien entre nous, enfin quand Sa Majesté daigne parler au modeste serviteur de la République que je suis.»

Retour de Rached Ghannouchi, leader des islamistes, à Tunis, après vingt ans d'exil en Angleterre. Scènes de liesse à l'aéroport. Sihem, au téléphone : «On ne les voyait nulle part, maintenant ils sont partout.»

Lundi 31 janvier 2011

Déplacement à Bruxelles; au programme, la TVA sur le livre, le prix unique du livre numérique, l'harmonisation d'Hadopi avec les autres règlements européens, le financement du CNC et d'autres dossiers tout aussi rigolos avec plein de visites à faire. Il y a des moments où il faudrait pouvoir s'enfiler une ligne entière de chemin de fer de coke pour traverser un tel programme. Mais voilà, je n'ai jamais su où ça s'achète. Heureusement, Laurence Franceschini m'accompagne et sous sa férule j'arrive à peu près à tenir.

Bâtiment Berlaymont, celui qu'on voit aux informations à la télévision, aussi chaleureux qu'une morgue immense où se promèneraient des revenants affairés. Salles de conférences auprès desquelles le style Putman passerait pour du rococo échevelé, éclairage réglé par la Guépéou, plantes vertes qui regrettent de ne pas être en plastique. Seul moment qui nous rattache à l'humanité, l'entretien avec Neelie, flanquée d'une superbe assistante, dans un bureau aménagé en « cosy corner ».

José Manuel Barroso, croisé dans l'ascenseur : « J'aimais beaucoup vos émissions historiques à la télévision. Elles nous manquent beaucoup ! Enfin, maintenant, pour vous, c'est l'histoire en direct, n'est-ce pas ? » Sourire de gratitude intimidée de ma part. À ce jeu-là, les femmes de ménage du bâtiment Berlaymont doivent aussi se vivre comme les femmes fatales de la nouvelle Europe en marche. Laurence, à la fin des entretiens, d'un ton sans réplique : « Vous avec été formidable, monsieur le ministre ! » Ce qui est bien avec Laurence, c'est que même dans le couloir de la mort à Sing Sing à l'annonce du report de mon exécution pour quelques heures elle me dirait encore : « Allez, on a encore une belle journée devant nous ! »

Remise de l'Équerre d'argent devant tout l'aréopage des architectes en vogue. Ann-José Arlot en pleine forme, entre Lady Macbeth protégeant son ministre et la fée Clochette de tous ces messieurs-dames. Elle m'a écrit un beau discours qui m'apprend beaucoup de choses que je devrais savoir.

Dîner mécénat concocté par Francis. À ma table, six chefs d'entreprise de gros calibre. Au cours de la conversation, je raconte ma journée et m'abandonne à un vibrant éloge de Neelie Kroes. Elle les a tous fait condamner par Bruxelles à d'énormes amendes lorsqu'elle était commissaire à la Concurrence. Léger froid dont je me dépatouille comme je peux.

Comme prévu, Michèle Alliot-Marie se voit férocement attaquée par l'opposition sur ses vacances de Noël en Tunisie. Elle fait face, mais le bec du *Canard enchaîné* ne lâche plus sa proie et détaille de plus en plus son séjour. Elle se contredit puis repart à l'assaut. Mais qu'est-ce que font ses conseillers ? Autour d'elle, l'habituel phénomène de la désertification rampante.

Quant à la révolution tunisienne, elle fait tache d'huile : Égypte, Yémen, Bahreïn...

Mardi 1ᵉʳ février 2011

Le Centre national des arts plastiques : un enchevêtrement de bureaux tristement administratifs et d'entrepôts sous le parvis de la Défense où s'accumulent le meilleur et le pire des commandes et des achats de l'État. Ce devrait être excitant, amusant, poétique et donner l'envie de s'y perdre, c'est seulement morne et on a l'impression de se trouver aux objets trouvés de la rue des Morillons. Le directeur n'aime pas beaucoup que le ministre s'intéresse à ses collections et encore moins qu'il donne ses instructions pour l'emploi du budget. Georges-François : «Fais attention, sujet radioactif, appui en haut lieu et réseau en éveil.» Présidente affable et bien plus attentive au bon ordre des choses.

Xavier Couture numéro deux d'Orange : le charme incarné, beau gosse, et la vraie intelligence qui sait qu'il n'est pas nécessaire d'être arrogant et agressif pour se faire respecter. Plus le côté hétéro vraiment «gay friendly» dont il a le bon goût de ne pas abuser avec moi; c'est seulement implicite et c'est très bien comme ça.

Ah, le beau jardin que m'a concocté Ann-José pour le fort Saint-Jean de Marseille !

Douloureuse explication avec l'un des directeurs du palais de Tokyo. Le responsable si compétent et dévoué à son domaine est un homme épuisé par les conflits qu'il n'a pas résolus et l'embrouillamini de bonnes idées inapplicables. Élodie : «Je vous comprends, monsieur le ministre, mais on ne peut pas continuer comme ça.»

Soirée de soutien à Jafar Panahi à la Pagode. Arnaud Montebourg, qui demandait ma tête il n'y a pas si longtemps : «Il est des circonstances où les différences politiques doivent s'estomper devant une injustice qui les dépasse et où l'estime mutuelle permet de s'opposer ensemble à la barbarie.» Enfin, quelque chose comme ça, du bien senti souligné par un regard appuyé dans ma direction. Soit.

Mercredi 2 février 2011

L'un des flics affectés à la sécurité du président et que je croise souvent dans l'antichambre du Conseil des ministres me fait un effet terrible.

340

Athlétique, quarante ans environ, les cheveux gris, cet air guère avenant qu'ils ont à peu près tous : Clint Eastwood au temps de *Dirty Harry*. Bien qu'il ne soit pas vraiment mon genre, je me repasse en boucle toutes sortes de situations invraisemblables où nous pourrions évoquer tranquillement ensemble la situation. Je le salue très cordialement chaque fois que je le vois, il répond sur un ton très service-service, il est évidemment parfaitement informé sur mon compte et sait à quoi s'en tenir. Avec le temps, ça s'est un peu réchauffé et il a même fini par me gratifier de quelques sourires aimables. Mais la perspective de le voir m'arracher des griffes des FARC en pleine Amazonie en me serrant dans ses bras, ou celle de m'exfiltrer d'une manifestation où les gros bras de la CGT m'auraient molesté en me faisant du bouche-à-bouche pour me ranimer reste encore lointaine. Pierre-Yves, qui comprend tout au quart de tour, a mis le holà à mes divagations érotiques : ««N'y pensez pas, c'est un gars de chez nous, pas un gendarme.» Conclusion 1 : le beau gosse a dû rigoler avec ses collègues. Conclusion 2 : la rivalité entre les policiers et les gendarmes n'est pas un vain mot. Conclusion 3 : il y avait sans doute un peu de vrai dans ses sous-entendus lorsqu'un colonel de gendarmerie me confia il y a bien longtemps : «Venez voir mes gars à l'entraînement, ce sont les plus beaux et ils seront très sympas avec vous.»

Le président : « Les assassins, les preneurs d'otages, tous les fous furieux comme ceux qui ont tué les deux pauvres gosses au Niger, on fait tout, vraiment tout pour les attraper. Mais le Sahel c'est grand comme l'Europe, j'aimerais les voir à l'œuvre ceux qui croient que c'est facile. Ils devraient avoir honte, ne serait-ce que envers les otages!»

Expolangues au Parc des expositions de la porte de Versailles. Le stand du ministère est minable, un comptoir perdu pour produits du terroir dans une foire de province. J'ai du mal à cacher mon désappointement devant ce nouvel exemple de l'habituel désintérêt général pour la francophonie. Embarras de ceux qui tiennent le stand : «Le secrétaire général ne nous a rien donné et le ministère des Affaires étrangères non plus.» On s'enlise dès qu'on cherche à comprendre, on se perd quand on veut réagir.

Un millionnaire iranien collectionneur et mécène d'art islamique, installé à Dubaï d'où il dirige son empire pharmaceutique, souhaite ouvrir un musée à Paris pour y exposer ses collections. Courtoisie orientale, belles manières. Je lui promets qu'on va chercher un lieu susceptible de l'accueillir. Le sénateur qui me l'amène est très empressé, je ne le savais pas tellement intéressé par les miniatures persanes.

Lancement de l'«année des Outre-mer» au Palais-Bourbon. Si ça pouvait servir à ce qu'ils se connaissent mieux les uns les autres.

Soirée de gala hyperchic pour le Festival d'art lyrique d'Aix-en-Provence à la Monnaie de Paris. On dîne au milieu d'une exposition de photos consacrée aux «peurs sur la ville», sélection choc d'images d'attentats, d'émeutes et de massacres. Bernadette Chirac : «Le contraste est, comment dirais-je, euh... intéressant, oui c'est cela, intéressant.» Doux euphémisme.

Jihed repart pour les États-Unis. Il pense moins à la révolution et a pardonné au suppôt de Ben Ali que j'étais à ses yeux. La vie sans lui à la maison est encore bien plus triste.

Jeudi 3 février 2011

Mort de Maria Schneider. Malheur d'une vie trop brève broyée par tous ceux qui ont abusé de son talent et de sa générosité quand les siens l'avaient abandonnée. Solitude et peine infinie de son amante qui l'a accompagnée jusqu'au bout.

Le chagrin ne me quitte pas de toute la journée. Le lapin au citron servi aux journalistes d'Europe 1 a du mal à passer. Je me ranime un peu pour Michel Colardelle, tout feu tout flamme pour sa Guyane chérie.

Un fil à la patte à la Comédie-Française. Mécanique implacable de Feydeau dont on comprend qu'il ait fini à l'asile. Malraux n'aimait pas son théâtre, comme quoi même les grands esprits peuvent se tromper. On rit beaucoup, mais la pensée de ma pauvre petite Maria ne me quitte pas. La chanson de Jacques Brel, «J'veux qu'on s'amuse comme des fous [...] quand c'est qu'on m'mettra dans l'trou». Ils sont morts de la même chose, cancer du poumon. Je vais voir Luc chaque semaine, ce n'est pas assez.

Vendredi 4 février 2011

Grande assemblée de «la culture pour chacun» à la Halle de la Villette. C'est le fruit du travail de Francis auprès d'une infinité d'associations, de groupements et de militants de l'action culturelle pour lequel il a même réussi à motiver l'administration. Mais le piège annoncé par Jean de Boishue s'est bel et bien refermé; en ces temps d'animosité virulente contre le président, cette tentative est rejetée par les syndicats, moquée dans les médias, ignorée par le reste du gouvernement et l'Élysée. Seul Yazid Sabeg, que le sujet intéresse et qui redoute que je ne me fasse sérieusement alpaguer, a le beau geste de venir me chercher chez moi et de m'emmener dans sa voiture.

Les participants se pressent à l'entrée mais les gros bras des syndicats leur interdisent le passage. Échauffourées où Georges-François, magnifique, n'hésite pas à se lancer dans la bagarre. Ils finissent par passer au compte-gouttes. Voirin et Pujol, son acolyte au bel organe, entrent à leur tour et haranguent l'assemblée en reprenant l'antienne du démantèlement annoncé du ministère par le pouvoir sarkozyen et son valet François Mitterrand. Ce lapsus me permet de mettre les rieurs de mon côté et de reprendre un peu la main. Les Cassandre qui ont échoué à torpiller la réunion plient bagage.

Je réussis bien mon discours, soigneusement pesé, où je définis les buts et le cadre du projet de «culture pour chacun». Accueil favorable du public qui se disperse ensuite dans les divers ateliers chargés de recueillir les doléances et les propositions. Il vient de plus en plus de monde au long de la journée qui prend des allures de fête où je retrouve quantité de sceptiques et de détracteurs surpris par le succès grandissant de l'opération. En fin d'après-midi je présente les principales conclusions des ateliers devant une Grande Halle comble, acquise et passablement survoltée en notre faveur compte tenu des émotions de la journée. Mais cette fois mon discours est raté, trop long, désordonné, chargé de digressions entre lesquelles je n'ai pas su choisir. C'est en croisant à chaque hésitation les regards d'Élodie, de Laurence et de Muriel Genthon que j'arrive à tenir à peu près le fil.

On se sépare tous dans l'euphorie des rescapés de ce qui aurait pu être un naufrage, mais dans l'inquiétude inavouée que tout le travail accompli pour un projet de cette qualité s'effiloche au fil des jours sous les coups de tous ceux qui n'en veulent pas. Seuls les représentants des associations repartent gonflés à bloc ; ils ont senti que le ministère considérait leur existence à sa juste valeur et qu'ils pourraient compter sur son soutien. Belle victoire pour eux, douce-amère et anxieuse pour Francis et moi.

Georges-François : « Si tu étais dans un gouvernement de gauche, tu aurais un boulevard ouvert devant toi. » Et voilà, je crains sans le dire qu'il ne s'agisse que d'une impasse. Il faut toujours se méfier de la grande pensée du règne quand le royaume n'existe pas.

Samedi 5 février 2011

La Folle Journée de Nantes. Brigitte Engerer voudrait aller jouer pour la révolution à Tunis. Je découvre qu'elle y est née et y a gardé beaucoup d'attaches. « Il ne faut pas trop tarder », ajoute-t-elle, et comme je ne sais trop quoi répondre : « Oui, au cas où Ben Ali reviendrait ! » Elle rit. Élégance.

Jean-Marc Ayrault évoque le « mémorial en souvenir des esclaves » qu'il veut construire. Il souhaiterait que je trouve un complément de financement. Autant la démesure mémorielle m'avait gêné à la Guadeloupe, autant le projet du maire de Nantes me semble raisonnable. Chaque fois que je passe devant tous les beaux hôtels XVIIIe qui sont un des charmes de la ville, je ressens un véritable malaise ; ils ont été bâtis avec les fortunes amassées par la traite des Noirs, un « détail » comme dirait l'autre, que les distingués propriétaires actuels, qui en ont hérité, balayent d'un revers de main comme une vilaine mouche surgie d'un passé dont on n'aime pas se souvenir.

La Folle Journée s'étend sur cinq jours, plusieurs villes des alentours et draine cent vingt mille spectateurs ; pas de tralala, une programmation rigoureuse, de grands artistes et de bons ensembles, des prix serrés, si ce n'est pas la culture pour chacun, ça y ressemble fort.

Dimanche 6 février 2011

Mort d'Andrée Chédid, avec qui j'avais fait plusieurs émissions et que j'aimais beaucoup. «Le corps s'en va, le cœur séjourne».

Lundi 7 février 2011

Marc Ladreit de Lacharrière est décidément infatigable. Il veut faire découvrir les «musées méconnus de la Méditerranée» à travers une série de films documentaires. Tour de table impressionnant pour le projet. Je joue le trublion en contestant la liste et le nom même du programme, mais de toute façon c'est déjà plié.

La guerre fait donc rage à France 24 entre Alain de Pouzilhac et Christine Ockrent. Audition à l'Assemblée nationale où je peine à expliquer que je n'ai aucune latitude pour intervenir. L'opposition boit du petit-lait.

Les Globes de cristal au Lido. Je ne sais même pas de quoi il s'agit – il semblerait que ce soit une sorte de césars du spectacle –, mais c'est l'occasion pour moi de dîner avec Franz-Olivier Giesbert. Peine perdue, nous voilà faits comme des rats, nous n'avons même plus envie de parler tant la vulgarité du spectacle nous déprime.

Jean-Pierre : «Je te rappelle que c'est toi qui a voulu y aller. Chaque fois que nous arrivons à te réserver une soirée enfin tranquille, tu trouves le moyen de rajouter quelque chose. En l'occurrence ça t'apprendra. Bien fait pour toi.»

Mardi 8 février 2011

Journée consacrée à l'économie numérique : colloques, discours, le cabinet très excité, moi en pilotage automatique.

Je supplie Laurence de ne pas me dire que j'ai été formidable. Manque de chance, c'est Élodie, toujours plus mesurée : «Vous leur avez vraiment fourni des pistes intéressantes. On croirait que vous avez fait cela toute votre vie.» Ce n'est pas possible, elles se sont donné le mot.

Mercredi 9 février 2011

Funérailles d'Édouard Glissant à la Martinique. Autant le déluge d'hommages au «grand poète de l'universel» me laisse froid, autant j'aime me replonger dans cette littérature antillaise, qui m'est au fond étrangère, dont il fut l'un des hérauts exemplaires. Mémoire amère de ce que l'on nous enseignait au lycée et où il n'était jamais question de Césaire, de Glissant, de Maryse Condé et de Schwartz-Bart. Il paraît que c'est mieux maintenant, je demande à voir. D'ailleurs, Édouard Glissant a dû s'expatrier aux États-Unis pendant de longues années pour enseigner, comme Maryse Condé, l'université française ignorant son œuvre et se méfiant de l'apparition incongrue du Nègre de mauvaise humeur.

Belle veillée dans la nuit, avec des lectures, de la musique, des discours. Patrick Chamoiseau est là, Raphaël Confiant l'est aussi, sans doute, mais nous ne nous rencontrons pas. Ils n'ont sans doute pas envie de parler au ministre de la Culture de Sarkozy, et comme je suis confiné avec Marie-Luce Penchard dans le carré des officiels, la caricature du pouvoir métropolitain doit être encore plus insupportable.

La petite église du Diamant, le village d'Édouard Glissant, à une trentaine de kilomètres de Fort-de-France, est pleine. La Martinique dans toutes ses composantes et le député Letchimy à quelques mètres de moi. Des dames en capeline, des enfants amidonnés, des messieurs bien mis, la distinction naturelle et gentiment province du peuple martiniquais qui passe, d'une phrase à l'autre, du parler créole à un français si délicat qu'il devrait nous faire honte.

Cortège dans la grande rue, avec beaucoup de fleurs, des drapeaux martiniquais, une émotion palpable. Inhumation dans le cimetière qui donne sur la mer, tombes blanches qui s'éteignent lentement dans la lumière déclinante du crépuscule. La femme d'Édouard Glissant me remercie très gentiment d'être venu ; les enfants d'un premier mariage, élancés, la grande classe ; le dernier, vingt ans, le sien, tétanisé par le chagrin de la perte de son père ; sa copine près de lui qui regarde un monde qu'elle ne connaissait sans doute pas encore vraiment, tant la joie d'être aimée par un si beau gosse pouvait lui suffire.

Plus tôt dans la journée : le bureau d'Aimé Césaire pieusement conservé par sa fille, très aimable et très douce, ses secrétaires qui veillent au culte du grand homme. Le cinéma Pax désaffecté et où l'on pourrait faire la cinémathèque caraïbe. Le petit théâtre à l'italienne que la sécurité maintient à demi fermé parce que le plafond des balcons serait trop bas. Des projets qui n'ont jamais abouti, des administrations tatillonnes qui règnent sans partage. On pourrait tout faire, on ne fait pas grand-chose, on veut toujours construire ailleurs, là où personne n'a rien demandé et où nul ne va. La ville moins triste que lors de mon premier voyage, l'agence de rénovation urbaine se donne du mal et il est probable que Letchimy y soit pour quelque chose. Il y avait deux palmiers de belle apparence autrefois devant la cathédrale dont la restauration progresse ; il en manque un, la place est borgne, on me dit : «Ah oui, c'est vrai» avec un peu d'humeur ; c'est certainement sans importance. Au regard du terrain vague en face qui a remplacé l'ancien monastère démoli il y a quelques années, le détail est dérisoire. Sur les anciennes cartes postales, le monastère était beau. «Il tombait en ruine, c'était dangereux.» Le terrain vague est certainement plus sûr, plaie béante et obscure en pleine nuit au cœur de la ville, infligée par l'incurie de l'État et l'affolement impuissant devant des tâches plus urgentes.

Jeudi 10 février 2011

Boris Boillon, nouvel ambassadeur à Tunis : «Ne vous excusez plus pour votre réponse sur Ben Ali à Canal Plus. On sait très bien tout ce que vous avez fait pour les Tunisiens depuis des années. — Oui, mais je ne connaissais pas ceux qui ont le plus résisté et qui ont été aux avant-postes de la révolution. — Et alors, qui les connaissait ? — Des gens que nous n'avons pas voulu écouter.» Boris, plus Brad Pitt que jamais, n'a rien perdu de sa fougue après deux années comme ambassadeur à Bagdad, un poste de tout repos comme chacun sait.

Laure Adler à déjeuner, seule à seul. On évoque longuement Christine Crombecque, la femme d'Alain, avec qui je parle souvent au téléphone et dont la détresse est poignante depuis la mort de son mari. Empathie de Laure pour ce type de douleur qui ne l'a pas épargnée.

Guerrière peut-être, mais fidèle en amitié et le regard tourné vers la solitude des autres.

Petite fête donnée par Marc Ladreit de Lacharrière pour son élévation à la dignité de grand-croix de la Légion d'honneur (mazette!). Savant dosage de droite et de gauche, mais plus de fillonistes que de sarkozystes, avec pour redresser la balance Xavier Musca, le croque-mitaine budgétaire de l'Élysée.

Vendredi 11 février 2011

Restitution au musée du Havre d'un petit tableau de Degas qui avait été volé en 1973 et qu'un médecin américain, propriétaire de bonne foi, avait mis en vente publique. Rocambolesque enquête pour retracer l'odyssée du tableau, en partie dévoilée par les policiers qui ont réussi à le récupérer, et bagarre feutrée entre la direction des Musées qui aurait bien voulu le reprendre et Le Havre qui le réclamait.

Francis Huster intéressé par la reprise des Tréteaux de France, mais est-il bien certain qu'il a compris que je cherche le capitaine Fracasse toujours à courir les mauvais chemins de la France profonde? Sympathique, étonnamment juvénile d'apparence.

Samedi 12 février 2011

Salon du livre à Casablanca : un certain nombre d'écrivains et d'éditeurs marocains boycottent la manifestation. Friselis de la révolution arabe qui vient de faire tomber Moubarak ou signe annonciateur d'une vague déferlante sur le Maroc?

Table ronde avec le public, confuse et vaguement corsetée par une profusion de langue de bois : la mienne, celle de mon homologue et des organisateurs. Edgar Morin, tout indulgence à mon égard. Il vit une partie de l'année au Maroc et cela l'incite peut-être à comprendre mieux que d'autres ma maladresse devant l'irruption de la révolution tunisienne.

Remise de décorations au consulat. Bruissement du «printemps arabe» dans toutes les conversations et assurance à qui mieux mieux des officiels sur la stabilité du Maroc, l'impossibilité d'une contagion pour un régime bien plus à l'écoute des citoyens dans un pays où l'on respecte Sa Majesté, commandeur des croyants et descendant du prophète, etc. Bref, circulez, il n'y a rien à voir, quand bien même beaucoup de regards furtifs semblent affirmer le contraire dans l'assistance. Mon ami Tajeddine, souriant, silencieux, circonspect.

Dimanche 13 février 2011

Merveilleuse promenade avec Jacqueline Alluchon dans le Casablanca Art déco, le New York de Lyautey et la métropole ambitieuse construite sur sa lancée. Elle anime sans se décourager une association avec de jeunes architectes marocains pour la préservation de ce patrimoine auquel les officiels prétendent s'intéresser mais qu'ils laissent en fait dépérir. Se rendent-ils compte de ce qu'elle fait pour eux, leurs enfants, leur pays ?

Réunion à l'Élysée sur l'année du Mexique, plombée par l'affaire Florence Cassez. Michèle Alliot-Marie penche pour l'annulation, Alain Juppé pour le maintien, un hurluberlu de la cellule diplomatique propose que l'on maintienne les manifestations en principe et qu'on les annule ensuite l'une après l'autre tant que les Mexicains ne changeront pas d'attitude ! Le président décide le maintien en dédiant l'année à Florence Cassez. Moi : « Et si les Mexicains décidaient eux de claquer la porte ? » On me regarde comme si j'avais perdu une occasion de me taire.

Dîner avec Michel Houellebecq en petit comité à l'Élysée. Il est accompagné d'un type vraiment bizarre qui animerait un blog de soutien au président mais qui me fait une impression épouvantable : cauteleux, fumeux, visqueux. Houellebecq lui-même, très intelligent et manipulateur, essaie d'établir une complicité en reliant *La Mauvaise Vie* à ses propres livres sur le thème des avantages et des bienfaits du tourisme sexuel. Je freine à mort. Il y ajoute quelques propos de table provocateurs et qui seraient peut-être amusants dans un autre contexte ; je les oublie tout de suite. Il est physiquement assez répugnant, la mise négligée et sale comme un peigne. Je ne peux pas m'empêcher de penser que cela relève d'une sorte de mise en scène où la déprime s'efface devant le narcissisme. Son dernier livre, qui lui a valu le prix Goncourt, est moins bon que les précédents, ce qui n'enlève d'ailleurs rien à son talent. Florian Zeller, qui est aussi de la partie, me paraît mieux que je ne l'imaginais ; il est nettement revenu du look échevelé de poète romantique égaré que je trouvais ridicule et parle de théâtre et de littérature avec une certaine finesse, ce qui expliquerait que Philippe Tesson fasse grand cas de lui. Curieusement, il se montre plutôt hostile à mon égard, presque vindicatif. Je laisse passer ; un défaut de jeunesse sans doute, pour se poser en société, que je connais pour l'avoir pratiqué. Sa copine, Marine Delterme, est une grande amie de Carla que je crois n'avoir jamais rencontrée auparavant ; belle et agréable. Compte tenu de l'atmosphère étrange du dîner, le président intervient peu, aimable mais en pilotage automatique. Carla l'a rejoint dans le cockpit. Séparation générale brouillardeuse et languissante devant les huissiers imperturbables mais qui sans doute n'en pensent pas moins.

Lundi 14 février 2011

Henri Loyrette furieux parce qu'on ne lui accorde pas tous les emplois qu'il réclame. Quel ministre passerait ainsi près de deux heures à négocier pour deux emplois sur un total de plus de mille ? Je n'ai pas la discourtoisie de le lui faire remarquer mais il s'en rend compte et se radoucit.

Berlinade : passage du flambeau d'Arte à Véronique Cayla. Je fais ce qu'on attend de moi, le gentil fanfaron sur scène qui prononce un discours rigolo et sympa, le bon garçon qui fait semblant de croire qu'il fait partie de la famille et qui parle à chacun. Grand raout ensuite à l'ambassade où je décore Hans Jurgen Syberberg, inchangé tant d'années après le temps où je montrais ses films extraordinaires à l'Olympic. Là encore applaudissements du ban et de l'arrière-ban du cinéma franco-allemand avant que tout le monde se rue sur les buffets et s'alcoolise abondamment. D'où viennent ces impressions de mensonge généralisé et de solitude désespérante qui m'étreignent à m'étouffer ? Je marche avec Cédric en pleine nuit, dans le froid et la neige, histoire de me remettre les idées en place. Cédric, très impressionné par le monument en mémoire de l'holocauste et par tout ce que je lui raconte sur les dernières grandes rafles de 1943. Je ne dirai jamais assez à quel point je suis attaché à mes officiers de sécurité, Cédric et Pierre-Yves, dont je sais qu'ils sont, chacun à sa manière, heureux d'être avec moi.

Mardi 15 février 2011

Jean-Pierre : «C'est simple, tu as deux nominations cruciales à faire pour que l'on admette enfin tout le mal que tu te donnes pour les arts plastiques : le palais de Tokyo et les Beaux-Arts. Il s'agit de ne pas se tromper.»

Les panneaux d'agglomération en langues régionales. Vous vous en foutez ? Pas ceux qui font le siège du ministre, suscitent des réunions à n'en plus finir et à qui il ne faut surtout pas donner l'impression que le ministre s'en fout aussi. Ce n'est d'ailleurs pas le cas, si vous voulez le savoir, hormis le basque, le corse, le platt, le flamand et le breton, ça fait déjà pas mal, il ne s'en fout pas, il est contre. Allons, vous n'êtes pas sérieux, il crée un groupe de travail pour départager les tenants du saintongeais et du poitevin qui l'ont bombardé de courriers indignés. Il est contre, mais il n'ira pas contre, nuance.

La Vérité, de Florian Zeller, avec Fanny Cottençon et Pierre Arditi. Bien ficelé, bien joué, bien mis en scène ; ça s'oublie très vite.

Mercredi 16 février 2011

Le président : «J'ai bien fait de demander à Giscard de présider la commission pour l'hôtel de la Marine, tu ne trouves pas ? Il est très content et avec ça Renaud va se tenir tranquille. Il nous embête à la fin celui-là !»

Et puis : «Tous ces amiraux qui ne veulent pas quitter l'hôtel de la Marine, mais enfin qu'est-ce qu'ils foutent à vouloir rester place de la Concorde ! La Seine, c'est pas la mer que je sache, ou bien ils sont devenus amiraux d'eau douce !»

Les tenanciers de kiosque de presse font un sale métier. Souvent dans le froid depuis le petit matin, noyés sous toutes sortes de publications que la loi leur fait obligation d'avoir en stock même s'ils ne les vendent pas, chargeant et déchargeant des paquets de journaux qui pèsent lourd, travaillant jusqu'à point d'heure pour un salaire de misère. Les municipalités ne les aiment pas parce qu'ils encombrent la voie publique, les jeunes ne veulent pas reprendre après leurs aînés. Et pourtant, ils sont attachés à leur profession et assurent la présence régulière de la presse dans la cité. Ils ont compris que je suis leur allié et que j'ai arraché à Bercy une prime qu'ils n'avaient jamais obtenue. J'essaie maintenant de persuader les diffuseurs de presse de participer au combat pour leur survie. Accueil poli, sans plus.

Éric de Chassey regrette que je ne passe pas par la Villa Médicis demain et me demande si je le regrette aussi. Oui et non. Oui parce que le personnel de la Villa me manque énormément et non parce que trop de choses ont changé et que c'est un crève-cœur.

Jeudi 17 février 2011

Émission de Laurence Piquet enregistrée au palais Farnèse : impression fugitive de renouer avec mon ancien métier. Pas de difficulté, pas de nostalgie non plus. Seulement celle d'un nouveau printemps romain qui s'annonce et que je ne verrai pas.

Michel David-Weill s'inquiète pour une des principales responsables du ministère qui craint d'être mal jugée par moi. Il n'en est rien, je le rassure. Une fois de plus, je constate que le ministre, aussi attentif qu'il puisse être à ses collaborateurs, est situé sur une sorte d'Olympe et que la moindre inflexion dans son comportement suscite rumeurs, commentaires, anxiétés.

Soirée de concert à la salle Gaveau pour célébrer le vingtième anniversaire de l'Azerbaïdjan en présence de l'épouse du président, qui joue paraît-il un rôle très important dans la politique de son pays. La «première dame», expression qui m'a toujours semblé un peu bizarre et notamment quand je l'entends employer pour Carla, est une femme encore jeune, belle et réservée, discrètement apprêtée, attentive à tous ses gestes et qui m'observe avec une grâce féline. L'exposition itinérante sur l'art français l'intéresse. Je ne savais pas qu'il y avait tant d'amis de l'Azerbaïdjan à Paris, la salle est pleine ; la deuxième partie du gotha des affaires ; pas les rois, ceux qui tournent autour.

Vendredi 18 février 2011

Isabelle Neuschwander, directrice des Archives nationales, très appréciée dans sa partie, réprouvait le choix d'y installer la Maison de l'histoire de France et son attitude encourageait la poursuite de l'occupation par les syndicats. Après avoir tenté à plusieurs reprises de l'amener à infléchir sa position, j'ai dû la décharger de ses fonctions, selon la lugubre formule du jargon administratif, ce qui lui a permis, sa liberté retrouvée, de dire haut et fort et d'écrire tout le mal qu'elle avait toujours pensé du projet. Excellente occasion pour la presse de tirer à boulets rouges sur le ministre et pour les adversaires de requinquer leur moral et de se relancer à l'assaut. Je reçois la nouvelle directrice, Agnès Magnien, à qui je ne promets que «du sang et des larmes». Elle accueille ce programme engageant d'un air imperturbable.

Le président : «Avec ces gens-là, ne t'excuse jamais, ils ne t'en auront aucune reconnaissance, ils en profiteront au contraire pour t'enfoncer.»

Il y a peu d'endroits plus sinistres sur terre que le crématorium du Père-Lachaise. Dans sa déréliction, je soupçonne François Nourrissier de l'avoir fait exprès. Immense écrivain habité par le sentiment du malheur et décidant pour ses funérailles d'une cérémonie et d'un lieu où tous ceux qui l'aimaient seraient saisis par le froid, l'angoisse et le désir qu'on en finisse au plus vite.

Au théâtre d'Emmanuelle Laborit, inutile d'applaudir, les comédiens n'entendent pas. Les spectateurs manifestent leur contentement en agitant les mains comme on le fait pour les enfants en chantant *Ainsi font les petites marionnettes*. Spectacle réussi, on écoute ce que l'on voit. Autrefois ce théâtre était celui du Grand-Guignol où l'on donnait des piécettes médiocres mais très «gore» avant la lettre, appréciées par des vieilles dames et des provinciaux en mal de sensations fortes, des adolescents ricaneurs et quelques surréalistes égarés.

Samedi 19 février 2011

Alexandre Astruc n'a plus d'argent, sa femme est gravement malade et il va entrer dans sa quatre-vingt-dixième année. Il voudrait rester dans le modeste appartement dont il ne peut plus payer le loyer pour pouvoir continuer à écrire à défaut de réaliser des films pour des chaînes de télévision où personne ne se donne plus la peine de le recevoir. C'est un homme qui compte beaucoup dans l'histoire du cinéma. Nous allons le voir avec Guy Seligman, le président de la Société des auteurs. Il nous accueille gaiement, émouvant de pudeur et de dignité. Il ne quittera pas son appartement, on fera ce qu'il faut, je ne sais pas encore comment mais on fera ce qu'il faut.

Dimanche 20 février 2011

Jacques Sereys traverse la *Recherche du temps perdu* comme il a toujours marché dans sa vie : le sourire aux lèvres, le regard allumé, la diction parfaite. Avec Robert Hirsch, il est le dernier frère survivant de la famille de Jacques Charon et Jean Le Poulain. Qui saura faire ce qu'il fait après lui ? Qui saura nous faire aimer ce théâtre que des générations successives ont progressivement effacé ? Qui saura retrouver le secret de dire un texte avec tant d'intelligence et de charme ? Fabrice Luchini peut-être, pour l'instant je n'en vois pas d'autres.

Lundi 21 février 2011

À force de m'entendre dire qu'une partie de ma famille maternelle vient de Cambrai, le sénateur Legendre a réussi à me kidnapper dans sa ville. Ciel bas du Nord mais nombre de beaux édifices qui datent du temps où c'était encore une principauté ecclésiastique du Saint Empire et tombeau de Fénelon pour mon édification personnelle : tout cela tient du miracle, la ville ayant été entièrement livrée aux flammes durant la retraite allemande en 1918. Tous ces détails m'intéressent, j'y cherche des indices de la vie d'ancêtres pas si lointains engloutis dans l'amnésie de l'histoire de ma famille ; ils étaient sans doute de trop modeste extraction et je n'ai retrouvé qu'une véritable armée de leurs noms au cimetière en m'y perdant.

Immense et très beau bâtiment en briques du XVIIIe, près du beffroi et dont la municipalité ne sait que faire. Elle n'est pas assez riche pour y entreprendre quoi que ce soit. C'était l'objet du kidnapping.

Passage à Blérancourt. L'état du château-musée est toujours aussi désespérant, mais cette fois nous avons trouvé les fonds avec Marie-Christine Labourdette pour reprendre les travaux qui vont bientôt commencer. La conservatrice récupère de son côté un à un les mécènes américains qui s'étaient découragés.

Une idée insolite de Camille Pascal : dîner à trois avec Olivier Henrard dans un endroit «où tout le monde nous verra» pour faire comprendre que l'on s'entend très bien. La naïveté provinciale de la proposition entraîne de mornes agapes au café Costes où tout le monde se contrefiche évidemment de savoir qui sont ces trois messieurs qui s'ennuient dans un coin. Il faut vraiment avoir passé sa vie à organiser des fuites et penser que c'est le b.a.-ba de la communication pour mettre au point un plan aussi puéril.

Mardi 22 février 2011

Réunion à dix pour préparer mon entretien avec Frédéric Lefèvre ! C'est inutile, on n'a pratiquement rien à se dire et on peut en tout cas se le dire en dix minutes sans une telle préparation d'artillerie. La réunionite, maladie infantile de la vie des ministères. Pierre et Élodie chargés de faire la police.

Frédéric Lefèvre a confié qu'il venait de lire *Zadig et Voltaire*. Roselyne, toute sucrée : «Demande-lui où il en est de *Victor Hugo Boss*.»

Hugues Gall : «Pour l'Opéra, ne vous laissez pas embarquer par le candidat du président. Il va vous expliquer qu'il faut le nommer sans attendre pour qu'il ait le temps de préparer sa programmation. J'entends bien, mais il y a des textes qui fixent la procédure et les délais ; il aura encore toute la marge nécessaire. Le nommer maintenant, ce serait mettre Nicolas Joel en difficulté et créer un précédent détestable.» Il a évidemment raison. Sur le fond, je trouve que le candidat en question, Stéphane Lissner, est le meilleur et le plus légitime, et puis c'est son tour, après il sera trop tard. Conformément à ce qu'il vient de me dire, Hugues Gall refuse de se prononcer. Brigitte Lefebvre est sur la même ligne qu'Hugues Gall.

Tonie Marshall : quand elle me parle des réelles difficultés à produire les «films du milieu», je comprends beaucoup mieux que lorsqu'on vient me menacer doucereusement dans mon bureau de me prendre à partie en direct à la cérémonie des césars. Certains rêvent encore du précédent d'Agnès Jaoui démolissant un Jean-Jacques Aillagon blafard en pleine cérémonie.

Mercredi 23 février 2011

Cet allumeur de Laurent Wauquiez me fait passer un petit papier au Conseil des ministres. Il est assis en face de moi. Il a écrit : «Pourquoi tu me regardes avec cet air langoureux ?» Je ne le regarde d'aucun air particulier, mais l'ambiance est morne, il doit s'ennuyer et teste son pouvoir de séduction sur moi pour se distraire. C'est effectivement un beau gars dans le genre qu'on regarde dans les vestiaires après un match de foot et à qui on parle de filles en pensant éventuellement à autre chose. Je lui réponds du tac au tac : «Parce que je te trouve vraiment sexy.» Il reçoit le message sans manifester de réaction et le range tranquillement dans son portefeuille. C'est à peine si nos regards se croisent encore deux ou trois fois jusqu'à la fin du Conseil et puis plus rien. Les petits papiers ont fait un long parcours aller-retour en passant de main en main puisqu'il faut chaque fois contourner le président, ils étaient seulement pliés, pas sous enveloppe comme on le fait habituellement. J'imagine la réaction de qui aurait déplié l'un des messages par mégarde en pensant qu'il lui était adressé. C'est le genre de choses qui mettent Roselyne en joie, mais on peut parier sur l'effarement de la plupart des autres, enfin ceux qui sont en mesure de comprendre.

Mathieu me confirme que c'est une bonne idée de faire circuler l'exposition sur l'art français dans les républiques d'Asie centrale. Ce sont des dragons économiques en puissance où il y a un réel intérêt pour notre culture. Mathieu arrive du Kazakhstan, il repart pour Bakou ; au fil d'une vie épuisante, mon fils connaît la région mieux que personne.

Les commissaires de l'année du Mexique profondément démoralisés par l'annulation. Ils s'étaient donné beaucoup de mal et avaient conçu un beau programme. Ils ne sont plus que les syndics de faillite appelés à liquider les résultats de leurs longs mois d'efforts.

Il commence à me casser les pieds, ce sympathique rocker des années 1960 qui me harcèle de ses demandes d'argent à coups de flatteries et de «J'ai vu le président» pour financer son jubilé. Je suis d'accord pour payer sur ma réserve en divisant le devis par deux. Démarche incroyable, Claude Guéant m'appelle pour savoir si j'ai «bien fait le nécessaire». De deux choses l'une, ou il n'y a plus aucun problème urgent en France et à l'Élysée on chante *Wap doo Wap* du matin au soir dans les couloirs, ou ce type est encore plus collant que le sparadrap du capitaine Haddock et la seule manière pour s'en débarrasser est de s'assurer que l'on me l'a bel et bien refilé. Quoi qu'il en soit, je reste ferme sur les prix.

Grosse excitation du cabinet à propos de mon déplacement en Californie. Pour San Francisco et la Silicon Valley, consensus général sur l'agenda des visites et des rencontres; mais pour Hollywood, chacun y va de sa mémoire cinéphile pour avancer des suggestions. Comme cela s'éternise : «Moi, la seule personne que j'ai envie de rencontrer, c'est Doris Day.» Effarement général. Élodie : «Et Brad Pitt aussi sans doute, monsieur le ministre? — Oui, bien sûr, comment l'avez-vous deviné?» Elle rit. On en reste là.

Jeudi 24 février 2011

Lancement en grand tralala avec Éric Besson du passage à la télévision numérique en Île-de-France au ministère de l'Économie numérique, dans l'enceinte si chaleureuse de Bercy. Bon, l'opération est un succès. Mais j'en ai plus qu'assez du petit jeu qui consiste à se faire des crocs-en-jambe entre ministres pour proclamer devant la presse qui ne demande que ça : «C'est moi! C'est moi!» Ni Éric ni moi ne sommes d'ailleurs tout à fait responsables de ces mauvaises manières. C'est tout le microcosme qui fonctionne comme cela, chacun pousse son champion fatigué et à triste mine.

Le pouvoir ne se partage pas, d'Edouard Balladur, certainement l'un des meilleurs récits de souvenirs politiques publiés depuis longtemps; cruel et injuste pour François, car la rancune est un plus sûr carburant que la mansuétude en politique, mais remarquablement bien écrit par un mémorialiste de talent. Cela nous change des ouvrages rédigés par des nègres et dont on se demande même parfois si leurs auteurs ont pris au moins le temps de les lire. Je confie la version élogieuse de mon sentiment au bel Edouard. Il darde l'œil du cardinal sur le misérable pécheur sans doute repentant que je suis : «Ah, vous trouvez? C'est bien aimable à vous de me le dire.» Épanchement maximal.

Vendredi 25 février 2011

Je ne sais plus combien j'ai pu faire d'émissions de télévision et de radio très, très matinales depuis que je suis ministre. Béatrice Mottier les trouve plus efficaces et moins «dangereuses» que les émissions du soir où je voudrais aller. C'est un différend permanent entre nous. Pourtant, je répugne à lui donner tort et à l'obliger à changer de stratégie, voire à me séparer d'elle. Jean-Pierre, très remonté, m'accuse de faiblesse incompréhensible.

Je n'en ai pas avec le réalisateur de Canal Plus qui refuse absolument que Jodie Foster, présidente de la soirée des césars, mentionne la présence d'Olivia de Havilland qui m'accompagne : «Plus personne ne sait qui c'est, le rôle des césars est de valoriser les jeunes, etc.» Bien que je n'arrive pas à joindre Jodie Foster au téléphone et qu'elle me renvoie à son attachée de presse qui me fait passer une sorte d'examen de passage avec une rugosité de fliquesse de série américaine, j'obtiens à l'arraché qu'elle y fasse quand même allusion dans son petit discours d'ouverture. Il se passe ce que j'avais prévu : longue standing ovation pour Olivia. Le réalisateur, beau joueur, reconnaît que j'avais raison. Ça sert donc à ça un ministre de la Culture? Quelle dérision !

Vulgarité routinière de la soirée, démagogie antigouvernementale exacerbée des mêmes que j'ai vus cirant les pompes du président à l'Élysée il y a quelques jours, mais tout de même quatre césars pour Roman et un pour Edgar Ramirez dans le rôle de Carlos.

C'est un césar implicite pour Luc qui a monté le film et avec qui je parle longuement au téléphone. On rigole comme au temps où on regardait la cérémonie à la télévision pour se moquer de tout le monde.

Samedi 26 février 2011

Roland Dubillard, magicien du verbe, trop malade pour pouvoir parler, soigné avec amour par Maria Machado, son épouse, dans une sorte de manoir délabré de la banlieue parisienne qui sent la gêne et l'inquiétude. Leur venir en aide. Son petit-fils, un adolescent joli comme une fille, qui veut devenir comédien et récite des *Diablogues* par cœur.

Le château de Gaillon, autre éclopé du patrimoine sur lequel veille un jeune conservateur qui parvient à y attirer des visiteurs. C'est magnifique, à douze kilomètres de Giverny, sur la route de Deauville. On pourrait y faire des lofts ateliers pour des artistes. Le genre de projet que l'on mène à bien si l'on est ministre assez longtemps. Gaillon, après Villers-Cotterêts et Blérancourt ; pour l'instant, je n'en suis qu'à Blérancourt.

Sylvie Genevoix voudrait que son père, Maurice Genevoix, entre au Panthéon pour le centième anniversaire de 1914. Hélas, quand je pense au succès que j'ai eu auprès du président à propos de Renoir père et fils, et après l'échec du projet pour Albert Camus, je vois mal comment je pourrais le convaincre. Je le dis à Sylvie, avec ménagement. Mon frère Olivier me confie qu'elle se bat contre un méchant cancer ; sa fidélité à la mémoire de son père est d'autant plus touchante.

Dimanche 27 février 2011

Yazid Sabeg, tout commissaire à la Diversité et à l'Égalité des chances qu'il puisse être, est découragé par les promesses non tenues. Il a l'impression d'avoir été mené en bateau. Il en aura fallu beaucoup pour qu'il ait envie de laisser tomber et de les envoyer tous au diable. Il continue quand même. Toujours la même question : être dedans pour essayer d'infléchir ou s'en aller pour voir le vaste monde. Il y en a aussi qui changent de camp...

Serge Toubiana à déjeuner. Je ne vois vraiment que lui pour pouvoir succéder à Gilles Jacob. Il a toutes les qualités et l'expérience nécessaires pour maintenir le Festival de Cannes au plus haut niveau international et éviter qu'il ne tourne à la cérémonie des césars à répétition. J'ai cité plusieurs fois son nom au président, qui n'a pas relevé.

Emmanuel-Philibert m'accompagne à la projection organisée par Arte à l'Opéra d'un téléfilm italien sur les militants républicains et socialistes qui ont participé à l'unité italienne et qui ont été trahis, emprisonnés et massacrés par les réactionnaires et monarchistes de tout poil rassemblés sous la bannière de la dynastie piémontaise. La salle de l'Opéra Garnier est comble et le public est évidemment du côté des gentils révolutionnaires contre les méchants royalistes. Un peu dur à avaler pour l'héritier des Savoie qui m'accompagne et que l'équipe du film a reconnu en l'accueillant avec des sourires grimaçants. Lui, toujours aussi généreux, prend les devants, car je suis quand même un peu gêné de l'avoir entraîné dans ce guêpier («Ne t'inquiète pas, j'ai l'habitude!»), et il va féliciter après la projection le réalisateur totalement médusé.

Lundi 28 février 2011

Michèle n'a pas pu tenir; carbonisée par ses mésaventures tunisiennes tandis que la révolution arabe continue à s'étendre, en Libye maintenant. Alain Juppé la remplace, Gérard Longuet récupère la Défense. Claude Guéant remplace Brice à l'Intérieur. On verrouille à l'extérieur; on verrouille encore plus à l'intérieur?

Michèle a été très appréciée par les militaires quand elle était ministre de la Défense. Les dames les intimident et ils adorent se mettre en valeur auprès d'elles pour leur expliquer ce qu'ils font. D'ailleurs, il suffit de la regarder, elle a la démarche d'un bon petit soldat.

Michèle, sur le ton détaché de l'évidence : «La vie politique, c'est un jour en haut, un jour en bas. Il n'y a pas longtemps, j'étais très haut, maintenant, je suis très bas. Il n'y a que l'ampleur qui me surprend.»

Michèle est comme Marlene dans *Agent X27* : devant le peloton d'exécution, elle vérifierait son rouge à lèvres en consultant son poudrier avant d'aller se faire fusiller.

Je récupère en douce quelques miettes du budget Mexique pour un programme de soutien aux artistes tunisiens de la révolution. On dira certainement que je fais cela pour me disculper, mais tant pis. Béji Caïd Essebsi, vétéran du bourguibisme nommé Premier ministre; une bonne nouvelle selon Sihem.

Mardi 1ᵉʳ mars 2011

Branle-bas général pour la tour Utrillo de Clichy-Montfermeil : les élus, Jérôme Bouvier, le cabinet et le préfet Canepa de plus en plus partant pour le projet ; il envisage d'ouvrir une station du futur métro au pied de la tour. Reste à trouver l'argent pour racheter le bâtiment. D'où la nécessité de mettre Maurice Leroy dans la boucle. Problème sur le nom : les élus veulent à tout prix qu'elle s'appelle Médicis ; ils sont allés à Rome et en sont revenus très excités. Aucun enthousiasme de ma part sur ce point. Villa Médicis n'est pas une marque.

Le ministre de la Culture syrien est un vieux monsieur charmant et d'une courtoisie exquise, poète de son état, qui me confirme que tout va pour le mieux : l'intervention du Louvre dans la rénovation des musées de Damas, la multiplication des expositions croisées, l'accord de coproduction cinématographique. Moi : « Et en Syrie même, les révolutions arabes ont-elles des conséquences ? » Lui, avec chaleur : « Aucune conséquence ; vous savez, les Syriens sont des gens très paisibles et raisonnables, et notre gouvernement a toujours été à l'écoute du peuple. » Il m'offre une très jolie boîte en marqueterie de nacre. Il l'ouvre devant moi, en retire un superbe châle en soie et me fait un clin d'œil complice : « Et ça, c'est pour madame ! » Plus aucun doute, en dépit de ses déclarations optimistes, la Syrie de Bachar el-Assad file un mauvais coton, si j'en juge par cette preuve flagrante du relâchement des services de renseignements et des failles de la police politique.

Réunion entre le syndicat des éditeurs et celui des libraires. Pugilat général à propos des marges que les éditeurs consentent aux libraires. Pendant ce temps-là, Amazon progresse à toute allure et dans un silence assourdissant.

Victoires de la musique au Zénith, histoire de vérifier une fois de plus mon insondable ignorance du monde des jeunes artistes de la chanson. Recyclage accéléré dans les coulisses où il est bien plus amusant de se promener plutôt que de rester coincé dans la salle au milieu des huiles des maisons de disques et de la télévision.

Mercredi 2 mars 2011

La Gaîté-Lyrique transformée en centre des cultures numériques et des musiques actuelles : une centaine de millions d'euros jetés par la fenêtre ! Heureusement que c'est la Ville de Paris qui paie, ce qui explique sans doute qu'elle n'ait pas un sou de reste à mettre dans les Bouffes du Nord. Du beau théâtre du second Empire, temple de l'opérette jusqu'aux années 1960, il ne reste plus que la façade et le foyer ; une première fois dévasté par une sorte de planète Mickey qui n'a pas marché, il est maintenant découpé en une série de caissons sensoriels qui tiennent des salles d'interrogatoires de Guantánamo. On est censé inventer dans ces lieux si plaisants les pratiques numériques de demain et toutes les nouveautés de la musique réclamées par la jeunesse. Tout est triste et oppressant : qui va donc se risquer à créer quoi que ce soit dans un endroit pareil ? Il semblerait que Bertrand Delanoë faisait une tête d'enterrement lors de l'inauguration. On le comprend.

À dix ans, j'y participais aux trente-six chandelles de Jean Nohain ; ça sentait la poussière, le patronage télévisuel, la vieille chanteuse naphtalinée et le parfum à la violette des mouchoirs de Jaboune. C'était charmant.

Brice Hortefeux, quand tout le monde s'installe pour le grand dîner officiel dans la salle des fêtes de l'Élysée en l'honneur de Jacob Zuma, le président d'Afrique du Sud : « Cette fois-ci, je sens qu'on va battre le record. Quarante-cinq minutes chrono. À dix heures, c'est plié, tout le monde s'en va ! » Le problème, ce n'est pas l'invité mais la hantise des banquets qui s'accentue chez le président.

Jacob Zuma est accompagné de sa femme, une belle créature un peu enveloppée. Mais de laquelle s'agit-il ? On se perd un peu dans les numéros vu qu'il est ouvertement polygame. Comme je m'en enquiers avec précaution auprès de ma voisine, la ministre de l'Enseignement supérieur, forte matrone qui ne doit pas être facile à manier tous les jours, elle me répond d'un ton sans réplique : « *Our president is a real man, you know.* » La folle imprudente retourne fissa dans son placard.

Jeudi 3 mars 2011

Déplacement présidentiel au Puy-en-Velay.

Visite de la cathédrale avec monseigneur Brincard, qui doit donc supporter ma présence une deuxième fois et s'y prête fort aimablement. Didier Repellin et sa petite lampe magique dont le faisceau découvre d'infimes détails au plus haut de la nef, en cicérone. Bain de foule d'un côté, manifestants du Front de gauche de l'autre, mais plus loin, derrière les CRS. Ça sent déjà la campagne présidentielle et encore plus durant le discours du chef de l'État : «héritage chrétien de la France» et «long manteau de cathédrales»; difficile de déterminer ce qui est du Henri Guaino et ce qui est du Camille Pascal, même si au fond c'est du Péguy tiré à bout portant sur les musulmans de France malgré toutes les circonvolutions d'usage sur le respect et la tolérance à l'égard des autres religions. Ce qui est curieux avec ce genre de discours, c'est qu'on ne se rend pas tout de suite compte de ce que cela dit vraiment; au fond, on sort bien d'une cathédrale extraordinaire au milieu d'une cité épiscopale magnifique, et à l'arrière du président, les baies vitrées de la salle du conseil général découvrent quelques-unes des grandes statues de la Sainte Vierge plantées sur les cheminées de lave. Dans de telles conditions, quoi de plus naturel qu'un bel élan de spiritualité; François lui-même ne s'en privait pas au cours de certaines de ses visites. C'est ensuite, quand on retrouve les petites phrases relevées tant par les conseillers de l'Élysée qui les surlignent avec enthousiasme que par la presse qui les commente aigrement, que l'on commence à s'inquiéter.

Pendant que le président déjeune longuement avec des bonnes sœurs, histoire de faire comprendre le fond de toute l'affaire au cas où l'on n'aurait pas bien saisi, le cortège musarde sous un clair soleil de printemps. Camille Pascal se livre un peu en me racontant l'horreur ressentie par sa famille lors de l'élection de François, Laurent Wauquiez me présente sa jolie femme. Hélas peu sensible au vivifiant climat d'élévation morale généralisée, ma pensée vagabonde un peu en projetant sur eux des images fantasmées d'égarements amoureux tirées de mon mauvais fond vicieux, et en observant les gendarmes qui se relâchent, s'ennuient, écoutent la radio dans les voitures, soudain rendus à leur jeunesse.

Dans l'avion du retour, concert collectif de flagorneries à l'égard du président et de son discours. Il écoute avec détachement ; il n'aimerait sans doute pas qu'on ne lui dise rien mais en même temps il est déjà ailleurs. Au fond, je connais peu d'hommes politiques aussi peu sensibles à la flatterie.

J'aurais souhaité déjeuner un jour avec Milan Kundera. Son épouse, très doucement, me dit que ce n'est malheureusement pas possible ces temps-ci. Je n'insiste pas. J'essaierai une autre fois, plus tard, et surtout quand je ne serai plus ministre.

Vendredi 4 mars 2011

La situation est devenue intenable à France 24 et c'est tout l'audiovisuel extérieur de la France qui tangue comme un bateau ivre. Au palmarès des coups bas, ceux que l'on inflige à Christine sont les pires. Réunion avec François Fillon pour qu'on puisse l'exfiltrer convenablement et rapidement.

Aux obsèques d'Annie Girardot, son petit-fils, âgé de dix-huit ans, évoque ce qu'elle fut pour lui avec une émotion qui touche profondément l'assistance. Il s'appelle Renato Salvatori, comme son grand-père, le mari d'Annie et son partenaire dans *Rocco et ses frères*.

Départ pour le Fespaco, le plus grand festival de cinéma africain qui se tient une année sur deux à Ouagadougou. L'avion serpente à travers l'Afrique avant d'atteindre la capitale lointaine du Burkina Faso.

Samedi 5 mars 2011

Le cinéma africain aujourd'hui, après les débuts plus que prometteurs du temps des indépendances : plus de salles, plus de matériel, exil des cinéastes harcelés par la censure et étranglés par la corruption, assèchement quasi complet des coproductions avec la France et bureaucratie paralysante des organismes de soutien européens. Seul le Burkina Faso résiste ; c'est pour cela que je suis là.

Palmarès du Fespaco dans le stade de Ouagadougou au milieu de la même foule en liesse que pour les matchs de foot. C'est le président lui-même qui remet le grand prix. Je repense au merveilleux court-métrage de Wim Wenders où le cinéma parvenu dans un village de brousse éclaire les regards des enfants dont les yeux étaient aveugles jusque-là. Je les retrouve comme autant de flammes qui brillent dans le tohu-bohu, les chants et la fête, la chaleur, le crépuscule qui s'étend brusquement sur le stade.

Réception à l'ambassade. Tout ce qui reste du cinéma africain a été convié. Des jeunes sont venus avec leurs ciné-scooters : on cale la Vespa, on déplie un grand écran et un appareil de projection sortis du porte-bagages, on met en marche le petit groupe électrogène accroché à la batterie et le film commence. Ceux-là ont obtenu par miracle des fonds européens et sillonnent le Burkina Faso avec une douzaine de scooters.

Xavier Darcos m'accompagne partout en tant que président de l'Institut français. Tout l'intéresse et c'est le meilleur camarade que j'aurais pu souhaiter avoir pour partager ma furieuse envie de venir en aide au dernier carré des valeureux combattants du cinéma africain.

L'ambassadeur est général de corps d'armée, ancien officier para-chutiste de la Légion étrangère ; ambassadeur et général au Burkina Faso, ça sent la Françafrique à plein nez et le Samu militaire régional en cas de bagarre. Je le trouve évidemment tout de suite très sympa-thique. Il faudra sans doute que je m'interroge un jour sur ce penchant que j'ai pour ce genre d'hommes, moi qui me suis fait réformer et qui suis quasiment terrorisé lorsque j'entre dans un commissariat.

Gaston Kaboré a construit un institut de cinéma, avec une école, une petite cinémathèque, des salles de montage, un auditorium et tout cela fonctionne très bien, malgré un budget acrobatique. Les fonctionnaires du Quai d'Orsay sont sidérés par la qualité de ce qu'il a réussi à construire. L'aide qu'on lui apporte est très modeste et il attend de nous que nous fassions un effort. Un beau garçon, très noir, très athlétique, filme la visite ; il porte une perruque blonde qui en fait une sorte de Marilyn. Renseignement pris, c'est à Madonna qu'il veut ressembler.

Dimanche 6 mars 2011

On ne s'adresse pas directement au Mogho Naba, le roi des Mossis, il faut parler à ses ministres qui traduisent assis en ligne à côté de son trône et il répond de même en passant par eux. Des pages adolescents à l'air farouche sont à moitié couchés devant lui, la salle d'audience est pleine de dignitaires pénétrés de respect. Le palais est un vestige du paternalisme colonial qui protégeait les souverains coutumiers, belle bâtisse en dur dans le genre Hôtel des Bains d'une petite ville thermale de province ; on trouve à l'intérieur des meubles des Galeries Barbès, de beaux tissus africains sur les murs, des batteries de pendules arrêtées, des défenses d'éléphant, des vitrines remplies de trophées sportifs, de fanions et de bibelots divers, des carpettes élimées, des photos de visiteurs officiels dédicacées, la pin-up blonde de l'ambre solaire des années 1950 ; des poulets attirés par la rumeur d'une audience à la cour risquent un bec par la porte restée grande ouverte et de jolis lézards de couleur courent sur la charpente. À la fin, comme on parle de foot et que je félicite le Mogho Naba pour le soutien qu'il apporte à l'équipe nationale des Étalons du Burkina, l'étiquette part en fumée et la conversation s'engage sans intermédiaire, ce qui n'a d'ailleurs pas l'air d'émouvoir les ministres qui s'échauffent à leur tour à comparer les mérites des différents joueurs. Seuls les jeunes pages restent hiératiques, méfiants et silencieux.

J'ai su faire bonne impression car le Mogho Naba me raccompagne à ma voiture, honneur insigne qu'il n'a paraît-il réservé qu'à François dans le passé. C'est un petit homme replet au regard vif et au sourire rare qui me demande en français de rechercher pour lui une photo de sa visite à l'Élysée il y a quelques années, celle où il est seul avec François, me précise-t-il, sans les autres rois qui devaient constituer la fournée ce jour-là. Je n'ai pas réussi à distinguer parmi les dignitaires et les ministres le Kamsonghin Naba, le grand eunuque royal. Il devait être au village des femmes, quelques cases en pisé juste à côté hérissées d'antennes de télévision.

Dans les rues, à chaque feu rouge, des gosses frappent à la vitre du conducteur en tenant une gamelle en plastique dans l'autre main. Ce sont des petits talibs, écoliers des madrassas coraniques que leurs maîtres envoient mendier durant la journée. Ils sont souriants, gais, parfois très beaux malgré leur sort misérable. Le conseiller culturel : « C'est un vrai problème, ils suivent le premier pédophile venu et nous ne pouvons pas contrôler tous nos expatriés, surtout qu'il y a beaucoup de pseudo-touristes de passage. »

L'Hôtel de l'Indépendance : atmosphère *Tintin au Congo*, *Indiana Jones* et *Coup de torchon* ; il ne manque que Foccart. Bar de Libanais, sécurité grassouillette qui baye aux corneilles, potentats anthracite signant des papiers que leur tendent des blondinets couleur cachet d'aspirine, vieux routards qui parlent fort, jeunes et jolies Ukrainiennes au cœur bien accroché faisant semblant de se prélasser au bord de la piscine. Encore un endroit où j'aimerais rester un peu.

Idrissa Ouedraogo au déjeuner : « Il y a des signes de reprise, mais on n'y arrivera pas sans l'aide de la France. Pour remplir un dossier de subventions à Bruxelles, il faut répondre à des questionnaires qui font plus de cent pages, alors qu'on n'arrive même pas à trouver une photocopieuse, et pour Internet n'en parlons pas, avec les coupures d'électricité. » Le directeur du Centre du cinéma du Bénin ne manque pas de courage : il n'a pas d'adresse fixe et sa dernière caméra est tombée en panne il y a plusieurs mois.

Le président Blaise Compaoré me garde bien plus longtemps que prévu pour un entretien qui se déroule seul à seul, sans témoin. Il pose des questions sur la vie politique française dont il connaît les réponses et parle sur un ton posé de tous les problèmes que connaissent ses voisins et notamment la Côte d'Ivoire où Gbagbo s'accroche au pouvoir dans un climat de guerre civile. Je me débats intérieurement entre la vanité d'être considéré par lui comme un interlocuteur digne d'intérêt, la réputation qui lui a été faite après l'assassinat de son « frère », Sankara, et de plusieurs opposants, encore aggravée par les rumeurs d'une alliance secrète conclue dans le passé avec le terrifiant bourreau libérien Charles Taylor, et le sentiment de confiance que m'inspire un dirigeant si maître de lui, si calme, informé, d'une intelligence supérieure.

Il l'a fort bien compris. En me raccompagnant dans son palais étrangement vide : « Revenez quand vous voulez, il y a beaucoup de sujets que nous n'avons pas abordés, nous parlerons. »

L'ambassadeur est parti ce matin, il surveille de très près l'opération *Licorne* en Côte d'Ivoire où, n'en déplaise à ceux qui savent tout, le contingent français empêche que ne se déclenche un nouveau Rwanda.

Fin de la séquence « Sarkomadit » où j'ai tenté le second rôle après le « papamadit » de Jean-Christophe.

Lundi 7 mars 2011

Mathieu toujours entre deux avions. Il arrive d'Astana où il fait moins quarante et repart pour Dubaï où il fait plus trente ; comment tient-il ?

Louis Benech est choisi pour aménager le parc des Archives Rohan-Soubise qui ouvrira au printemps prochain. Voilà qui devrait combler de bonheur Susanj et ses amis.

Le ministre de la Culture d'Afghanistan, un survivant du temps d'avant toutes les catastrophes quand le roi était un ancien élève du lycée Janson-de-Sailly et que les dames de l'aristocratie de Kaboul se faisaient photographier en tailleur avec des permanentes de vedettes de cinéma. Très doux, très cultivé, s'exprimant dans un français parfait.

Jean de Boishue : « On aura le résultat du concours pour la cathédrale orthodoxe dans une dizaine de jours. Tu ne voudrais pas qu'on parle d'autre chose ? »

Passage de tout le territoire français à la télévision numérique. Grande fête au premier étage de la tour Eiffel. Tout le monde se congratule mais le principal responsable du succès avant tous ceux qui chantent victoire, c'est Michel Boyon.

Mardi 8 mars 2011

Christophe Girard, le supergourou culturel de la Ville de Paris, au petit déjeuner ; on ne sait jamais s'il va vous embrasser ou vous mordre. Tellement sûr de lui ; nous étions assez amis autrefois. Pierre Bergé est irrémédiablement brouillé avec lui.

Paris Plages est sans doute une bonne idée, et il en est très fier, mais si d'aventure je m'y risquais, le simple fait d'imaginer que je pourrais tomber sur lui en plein mois d'août en string et rissolant d'ambre solaire me donne de furieuses envies de vacances sur les bords de la Baltique, sous la pluie, en plein brouillard.

Hervé de Charette voudrait que le ministre l'aide à restaurer la maison de Julien Gracq pour en faire une résidence d'écrivains. La maison est située au bord de la Loire, à Saint-Florent-le-Vieil, dont il est maire depuis vingt-deux ans. Agréable, mettant du style et de la politesse en toutes choses. Pour la maison de Colette, le tour de table est pratiquement bouclé.

Contact positif avec Augustin de Romanet, le patron de la Caisse des dépôts, pour la tour Utrillo. Il juge le projet intéressant et possible à monter financièrement. Élodie, qui m'accompagne au rendez-vous : « À partir de maintenant, j'y crois vraiment, monsieur le ministre, je suis sûre que vous allez réussir. »

Luc Bondy ne cache pas son intention de remplacer Olivier Py à l'Odéon. Il a vu le président qui lui aurait donné son accord. Georges-François, la tête dans les épaules, n'a pas besoin de me dire ce qu'il en pense ; comme moi : un tsunami d'emmerdements en perspective.

Dîner en l'honneur de Catherine Deneuve. François Ozon : « J'espère que tu t'amuses bien ? » Je ne sais pas comment il faut le prendre. Enfin plutôt si. Catherine : « Laissez-le tranquille, nous ne sommes pas venues pour donner des leçons. » Bernadette Lafont en renfort : « Oui il nous invite, on est là, on est bien contentes et c'est tout ! »

Mercredi 9 mars 2011

L'échec de l'opération Camus au Panthéon n'a pas découragé le président. Il pense maintenant à Aimé Césaire ; toujours cette fascination pour les grandes voix de l'autre bord, surtout lorsqu'elles sont magnifiées par la vieillesse. Il a eu un vrai coup de foudre pour Césaire, qui l'a très bien reçu à la Martinique. Afin d'éviter une nouvelle déconvenue, on se contentera d'une plaque et l'effet sera à peu près le même : cérémonie, discours, télévision en direct.

Jean-Pierre, avant que je ne reçoive un conseiller d'État très influent dans la nomenklatura culturelle : « Franc-maç', toujours fourré à l'Élysée, spécialiste des coups tordus. Tout pour plaire. Méfie-toi ! » Le type est charmant, tellement charmant que l'avertissement de Jean-Pierre résonne constamment à mes oreilles.

Ma chambre froide, de Joël Pommerat, aux Ateliers Berthier, annexe de l'Odéon. Beau spectacle sombre, fort impact sur le public, Joël

Pommerat est artiste associé auprès d'Olivier Py. J'en sors comme un petit enfant qui appellerait sa mère au secours, mais il n'y a pas de maman qui tienne pour le ministre, juste des marâtres en cravate et complet sombre qui discutent ensemble pour l'obliger à faire ses devoirs.

Rendez-vous pris avec Olivier Py pour dans trois semaines. Aurai-je le temps d'arrêter la machine infernale ?

Jeudi 10 mars 2011

Arrivée à San Francisco, que je ne connais que par *Bullitt* et le survol des *Chroniques* d'Armistead Maupin. Jihed m'a rejoint depuis New York. La tension de ces derniers jours s'efface un peu tant je suis heureux de pouvoir découvrir la ville avec lui.

L'ambassadeur, le consul général et le conseiller culturel forment une équipe de choc ; jeunes, sympathiques, s'entendant bien. Antonin, le conseiller culturel qui était à Madrid a donc obtenu ce qu'il voulait, je n'y suis pas étranger. Longue séquence de mise à niveau pour le ministre afin qu'il comprenne bien l'intérêt de sa visite à la Silicon Valley par un groupe d'expatriés français qui ont sauté à pieds joints dans l'ère numérique. Je coupe de justesse à l'interro écrite, mais enfin c'est utile et instructif.

L'un des directeurs d'Amazon venu de Seattle m'explique que le monde du livre n'a pas à s'inquiéter des progrès foudroyants de sa compagnie sur le marché. Il nie farouchement qu'Amazon soit à l'origine des poursuites et des perquisitions effectuées sans ménagement chez Gallimard et d'autres éditeurs pour entente illicite sur les prix, à la demande des autorités de Bruxelles. Je suis sceptique, si ce n'est pas Amazon, qui a dénoncé qui ? Je l'ai connu dans une autre vie, alors qu'il cherchait sa voie et un emploi. Il les a manifestement trouvés.

Dîner avec les fondateurs du Festival du film de Telluride, Tom Luddy, le patron de la cinémathèque de San Francisco, la crème de la crème de la cinéphilie américaine en somme. Francis Ford Coppola, très chaleureux, étonnamment accessible et en même temps mélancolique, un peu loin de tout. Sa femme et lui ne se sont jamais remis de la perte de leur fils, et l'industrie du cinéma s'est détachée d'eux. On peut lui avoir rapporté des milliards de dollars, elle ne pardonne pas une série d'insuccès. Le restaurant se situe dans l'ancienne rue des cinémas, monstres désaffectés dont les façades et les enseignes à moitié décrochées composent un décor pathétique et superbe à la David Lynch.

Vendredi 11 mars 2011

À l'entrée de la Silicon Valley, un grand panneau localise toutes les sociétés des «wonder boys» en baskets qui ont gagné plus d'argent en quelques années que nos milliardaires en cinq générations. On dirait une carte de la Thuringe du temps des principautés allemandes. La vieille phrase de *Nosferatu* que je cite souvent : «Passé la rivière, les fantômes vinrent à sa rencontre.»

Apple : univers lisse et immaculé, jeunes femmes souriantes et fermes en Armani, communicants hyperaimables avec une puce dans le cerveau directement reliée à l'iPad dernière génération de Steve Jobs.
Google : campus foutraque d'étudiants très «United Colors of Benetton», qui jouent au ping-pong en tongs et bermudas, ambiance coolissime, David Drummond en super GO du camp de vacances qui s'excuse que la prise de courant de son bureau ne marche pas. Décor à la Potemkine! Tous ces joyeux drilles travaillent comme des spermatozoïdes en folie dans un climat de compétition féroce.
Dans un cas comme dans l'autre, tout est savamment mis en scène par une autopersuasion collective du destin messianique de chaque entreprise. Arrière, mauvais esprits grognons et sceptiques de la vieille Europe! Il n'y a pas de place ici pour le doute, et d'ailleurs je ne doute pas qu'ils soient les meilleurs.

Mes piles étant rechargées par l'énergie ambiante, j'arrive même à faire une conférence d'une heure avec l'accent de Maurice Chevalier sur le thème des nouvelles pratiques culturelles devant une docte assemblée à l'université de Stanford sans que personne ne sorte ou ne s'endorme.

Cocktail au consulat avec des dames milliardaires et mécènes qui me parlent d'Henri Loyrette comme les bergères qui ont rencontré le prince charmant. Décidément, ce sacripant d'Henri est encore plus fort que je ne l'avais imaginé; le roi du bingo à Frisco!

On marche un peu dans la nuit autour de l'hôtel avec Jihed, enchanté de notre journée, comme moi-même. Effectivement, ça monte et ça descend, mais nous n'avons pas la Mustang de Steve McQueen, et les panoramas sont d'une beauté à couper le souffle, même si Kim Novak est repartie sans laisser d'adresse.

Samedi 12 mars 2011

Merveilleux Legion of Honor Museum, réplique de l'hôtel de Salm parisien et fabuleuses collections d'art européen : un exemple, il y a presque autant de Rodin qu'à l'hôtel Biron. Exposition temporaire des costumes en papier d'Isabelle de Borchgrave ; ce que je n'arrive pas à obtenir pour elle à Paris est un succès à San Francisco. Coup de foudre pour le charismatique directeur, John Buchanan, homme d'une délicatesse et d'une politesse exquises, avec cet enthousiasme et cette humilité préservés des étudiants américains en histoire de l'art quand ils visitent la France. Comme je lui dis que j'aimerais beaucoup le revoir à Paris, où il vient chaque année, il me sourit sans me répondre et son regard se voile fugitivement d'une indicible tristesse. Romain Serman, le consul, me confie qu'il est atteint d'un cancer au stade terminal et qu'il a certainement dû faire un effort surhumain pour m'accueillir et accompagner cette visite à l'élégance aérienne.

Devant le musée, vision fantastique du Golden Gate Bridge étincelant sous le soleil printanier.

Conférence de presse avec des journalistes français, qui me demandent si je suis vraiment ami avec Carla.

Avion pour Los Angeles.

Une avenue de Beverly Hills somptueusement ombragée, les maisons si vastes dans un délire de styles différents que l'on aperçoit à l'abri de hauts murs, les jardins débordant d'espèces méditerranéennes et de massifs de fleurs, l'impression générale de luxuriance et de calme ; aucune déception par rapport à ce que j'ai pu lire depuis les *Cinémonde* de mon enfance et tout ce que j'ai pu voir au cinéma. Je comprends que les chéris de la chance qui vivent et travaillent là n'aient aucune envie d'en repartir et que ceux qui restent à la porte de l'Éden ou qui sentent qu'ils n'y sont parvenus que par une effraction sans lendemain du destin n'aspirent qu'à repartir au plus vite ; la fortune des autres doit y être ressentie de manière insupportable et les illusions perdues y engendrent certainement un sentiment de détresse infinie. Entre les deux, on peut sans doute tenir quand même avec un cercle d'amis, toujours les mêmes, un sécateur et une tondeuse à gazon, comme en province. En tout cas, tout le monde se couche tôt, le paradis s'éteint chaque soir quand la nuit dévore l'ombre des palétuviers.

David Martinon, le consul général à qui ses gentils petits camarades de l'UMP avaient consciencieusement coupé les ailes lorsqu'il tenta de se faire élire à Neuilly, s'est donné beaucoup de mal pour m'organiser une petite fête hollywoodienne d'autant plus méritoire que la liste d'invités que je souhaitais rencontrer relevait plutôt du casting d'un film de John Waters que de la soirée des oscars ; stars d'antan que je suis peut-être l'un des derniers à ne pas avoir oubliées et réalisateurs pour les *Cahiers du cinéma*. En somme, je retrouve Tina Louise (*Le Petit Arpent du bon Dieu*, 1958, assassinée ensuite dans un des premiers épisodes de *Dallas*), Mamie Van Doren (*La Fille en collants noirs*, 1957, la médaille d'endurance des fausses Marilyn pour séries Z, un cran au-dessous de Jayne Mansfield mais ayant tout de même survécu à ses copines au point d'être devenue une idole des coiffeurs du Nebraska et des représentants itinérants en marque de soutiens-gorge), Louis Jourdan (*Gigi*, 1958, grande et brillante carrière, deux étoiles sur le Hall of Fame, toujours d'une immarcescible beauté à plus de quatre-vingt-dix ans et retiré au milieu de sa collection d'impressionnistes sous la surveillance attentive de son épouse pour qui on ne saurait jamais être trop prudent). Clotilde Courau amène Johnny Hallyday, plus en verve qu'il ne l'a jamais été avec moi, Sidney Poitier passe avec Jackie Bisset. Hélas, on n'a pas retrouvé Doris Day.

L'hôtel est confortable, mais dans un quartier sinistre, le genre d'endroit où la starlette qui a été embarquée à Cannes par un producteur véreux comprend soudain qu'elle ne mettra jamais ses pieds et ses mains dans le ciment frais du Grauman's Theatre et choisit de faire la couverture du *Hollywood Reporter* du lendemain en se jetant par la fenêtre du vingt-cinquième étage.

Dimanche 13 mars 2011

Venice, Santa Monica, Pacific Palisades, Malibu, Sun Valley, Pasadena, toutes ces villes dans la ville de Los Angeles, j'ai tant de fois égrené leur nom en y accolant des images de films et d'actualités, je m'y suis si souvent promené à travers le grand écran de mes cinémas, attiré par leur lumière, fanal étincelant au cœur des salles obscures, j'y ai tellement croisé d'étoiles au zénith ou finissantes que j'aimais sans les connaître et qui habitaient mes rêves ; il m'aura fallu attendre presque une vie entière avant d'arriver à Hollywood. Je ne fais que passer, je ne découvre pas grand-chose que je ne savais déjà, j'aimerais y rester et je me demande comment ça se passe quand on y achève son existence comme Jean Renoir ou Christopher Isherwood.

Mon ami, Jean-Claude, y vit depuis plusieurs années, chichement, de la vente de ses tableaux et de ses photographies. Il a beaucoup de talent mais se faire reconnaître n'est pas chose aisée. Il pleure d'émotion en me retrouvant, je le garde avec moi jusqu'à la fin de mon séjour.

Paul Getty, le milliardaire roi du pétrole, était d'une pingrerie féroce ; il installait des taxiphones dans les chambres de ses invités pour ne pas avoir à payer leurs communications et il attendit de recevoir l'oreille tranchée et sanguinolente de son petit-fils en envoi recommandé pour se décider à régler la rançon des ravisseurs qui l'avaient enlevé. Mais pour le Getty Center, qui coiffe une colline de Brentwood et surplombe tout Los Angeles, il faut bien admettre qu'il n'a pas lésiné sur la dépense. C'est à la fois la caverne d'Ali Baba de l'histoire de l'art, l'abbaye de Thélème des universitaires et des chercheurs, un Disneyland du savoir parcouru par des peuplades bigarrées de touristes qui s'affalent épuisées dans les cafétérias à la recherche des toilettes pour leurs enfants en larmes. Les collections sont d'une profusion et d'une qualité inouïes, rassemblées par une élite de conservateurs venus du monde entier et protégées par des armées d'avocats contre les accusations plus ou moins avérées de rapines d'œuvres d'art perpétrées par le capitalisme triomphant. Le fait est que le Getty Center a dû restituer un certain nombre de pièces à l'Italie après une enquête implacable menée depuis Rome par d'anciens conseillers du musée animés par le remords ou la rancune.

La conservatrice du département du mobilier français, qui exprime à travers toute sa manière d'être le charme de son sujet de prédilection, le XVIIIᵉ Pompadour, m'interroge longuement sur Marivaux que les Américains connaissent mal. Elle n'a jamais vu aucune de ses pièces et me demande si je pourrais lui faire parvenir une retransmission de

La Dispute dans la mise en scène de Patrice Chéreau. Aussi incroyable que cela puisse paraître, il n'en existerait pas de version complète sur Internet.

Le Larry Edmunds Bookshop, en face du Grauman's Chinese Theatre, était la librairie préférée de François Truffaut. Le patron me dit que les affaires ne vont pas très fort depuis que l'essentiel des commandes des lecteurs se fait via Amazon et j'ai l'impression qu'il ne va plus tenir très longtemps. J'achète une biographie abondamment illustrée de Lana Turner par sa fille. Elle est un peu maman et je suis un peu Cheryl Crane qui poignarda Johnny Stompanato, le vil et sexy amant maquereau de sa mère qui menaçait de la vitrioler.

Round de décorations au consulat. James Ellroy se lance dans un discours de remerciements d'une force hallucinatoire terrifiante. Eva Marie Saint se souvient tout d'un coup d'une journée passée à Évian, il y a cinquante ans, où elle m'avait signé un bel autographe sur lequel elle avait écrit que j'étais « such a good fan ». Gus Van Sant, qui commence à me connaître depuis que je le colle comme un toutou orphelin chaque fois que je le rencontre, abandonne un peu de sa fausse timidité défensive pour beaucoup plus de douceur et de gentillesse.

Le président du *New York Times* m'écoute très courtoisement lorsque je l'adjure de maintenir le *Herald Tribune* à Paris. Mon argument le moins faible : éviter que le journal ne s'aligne complètement sur l'information anglo-saxonne pour garder cette diversité de styles européens qui en fait la force. Nous en reparlerons à Paris bientôt.

Passage à un dîner offert pour Larry Gagosian ; la fine fleur des stars qui achètent à prix d'or de l'art contemporain et toute une série de satellites du maître, experts, journalistes et rabatteurs que je connais pour la plupart, aussi étonnés de me voir surgir par surprise que je le suis de les retrouver. Les enfants chéris du marché de l'art ne connaissent pas de frontières. Compulsion intercontinentale du dollar et des « beautiful people », rire obligatoire, avalanche de « *wonderful* » et de « *terrific* », adresses prestigieuses, « *Fly private* » et cocaïne ; le plouc ministre balbutie qu'il crèche au consulat pour ne pas avouer où il habite – le Château Marmont ou le Beverly Hills Hotel, ce sera plus tard, quand je serai « off-duty ». Ça passe à peu près, mais de toute façon comme ils s'en foutent... La maison est merveilleusement belle dans une architecture des années cinquante à son meilleur de toits en plans inclinés mélodieux, de grands volumes rigoureux et de baies vitrées ouvrant sur une piscine encore plus *bigger splash* que chez David Hockney. J'ai la furieuse impression de la connaître ; je demande, réponses vagues perdues dans le brouillard des poudres blanches, et puis je la retrouve : c'est la maison de Gary Cooper qui me fascinait sur les reportages de *Paris Match*. J'avais douze ans, moi qui n'arrive pas à me souvenir de la manière dont on extrait une racine carrée, il y a des sujets décidément où je peux avoir la mémoire longue.

Lundi 14 mars 2011

Quelques-uns des meilleurs scénaristes de séries télé au petit déjeuner, de *Desperate Housewives* aux *Soprano* en passant par *Dr House* et *Mad Men*. Âges divers, très cinéphiles, certains sont d'anciens journalistes et d'autres ont bifurqué depuis le cinéma ; aucune arrogance artistique, c'est le box office qui décide du succès. Ils se connaissent tous et travaillent les uns avec les autres en fonction des projets. Il n'est évidemment pas question d'engager une série sans avoir testé un ou plusieurs pilotes. Ils rigolent quand je leur dis que les cinéastes français ont l'impression de déchoir lorsqu'on leur demande de réaliser des fictions pour la télévision ; la simple idée d'une hiérarchie des genres ou d'une frontière impénétrable leur semble complètement saugrenue. C'est au fond le même état d'esprit que celui des grands metteurs en scène du premier âge d'or d'Hollywood qui n'avaient pas conscience de faire des chefs-d'œuvre mais aimaient le travail bien fait, ceux dont Truffaut disait avec admiration qu'ils avaient été soldat, pilote d'avion, boxeur, avant de se retrouver dans un studio, les parfaits gentlemen d'autrefois qui savaient aussi lire et bien éclairer les dames.

La Director's Guild of America, la plus importante association de réalisateurs d'Hollywood, est à fond pour Hadopi. Pas l'ombre d'une critique à la réunion à laquelle j'ai été convié, où l'on n'en revient pas que les débats aient été si difficiles au Parlement et que la loi soit encore tellement controversée.

Les studios de la Warner comme au temps où Bette Davis y tenait tête aux célèbres frères producteurs. La hache de guerre a été enterrée depuis longtemps, un superbe portrait d'elle trône en majesté dans le bureau des patrons. Ambiance très *Last Tycoon*, aristos de la production et royauté des stars, comme au bon vieux temps.

D'une manière générale, je suis frappé par l'extrême courtoisie de chacun, la facilité pour établir un contact, l'intérêt à l'égard de la culture européenne et la conscience très aiguë du caractère artistique du cinéma, à rebours de tout ce qu'on peut lire sur un univers implacable, peuplé de brutes cyniques et voué tout entier au culte du dollar roi. Mais il est vrai que je ne suis pas venu avec un projet de film et que je passe de main en main comme une sorte de flacon de parfum exotique qui fera bien sur la photo.

Mardi 15 mars 2011

Jean-Pierre : «Quatre jours, c'est trop long, on commençait à s'ennuyer!» Je ne suis pas sûr qu'on va quand même rigoler beaucoup aujourd'hui.

Visite d'Olivier Henrard, sur la même ligne que moi pour l'affaire de l'Odéon, bien qu'il ne puisse pas lutter non plus contre le souhait du président qui a été décidément chauffé à blanc par Luc Bondy.

Rapport assassin de la Cour des comptes sur la gestion des musées par le ministère, dont la presse se fait avidement l'écho. En fait, la rédaction de ce rapport traîne depuis des années et il est complètement bâclé. Moins d'une dizaine de directeurs de musées ont été auditionnés et aucun des patrons des grands établissements. Il ne devrait pas être difficile de montrer que ce n'est qu'un tissu d'approximations et de petits règlements de comptes.

Élodie : «La seule institution sur laquelle la Cour des comptes n'enquête jamais, c'est... la Cour des comptes!»

Mercredi 16 mars 2011

François Fillon : «Le week-end de Pâques? Arrêtez de me parler du week-end de Pâques, j'avais promis à mon fils de l'emmener faire du ski et il va falloir encore que je coure de droite à gauche. Si vous continuez, je vous colle une réunion le dimanche et ce sera tintin pour tout le monde. »

À l'issue d'une journée plutôt éprouvante, j'arrive pour le dîner chez Fabienne Servan-Schreiber. Parmi les invités, Pascal, dont je m'étais furieusement épris lorsque nous avions seize ans, et Jérôme Cahuzac, qui m'a fait tant d'effet lors de notre rencontre chez Jacques Attali l'autre semaine. Moi : « Quelle chance, mon premier et mon dernier amour réunis ce soir ! Je n'en espérais pas tant ! » Les deux chouchous se regardent passablement interloqués et un léger froid passe parmi les autres invités. Je fais profil bas durant le reste de la soirée en me refilant des gifles intérieurement.

Jeudi 17 mars 2011

Réunion avec les directeurs des centres dramatiques nationaux : concert de récriminations contre le manque de moyens attribués par le ministère et lamentations collectives sur la sempiternelle diminution de la marge artistique. En vérité, j'ai non seulement préservé le budget, mais j'ai aussi obtenu une légère hausse, supérieure au coût de l'inflation. Georges-François, qui dispose de tous les chiffres, ferraille valeureusement. J'ai une furieuse envie de dire que la fameuse marge artistique serait certainement mieux préservée s'il n'y avait pas trop souvent deux personnes pour un emploi et si les directeurs cessaient de marcher la main dans la main avec les syndicats pour avoir la paix, même au prix d'un dérapage de tout le système. On pourrait comparer avec le théâtre privé, contraint à une gestion plus rigoureuse.

Un des directeurs, habillé en Pinocchio, sans doute pour que l'on comprenne bien qu'il est artiste, et dont je n'ai jamais réussi à visiter le théâtre, fermé pour cause de répétitions ou de vacances scolaires, remet sur la table le sujet de la nomination de Jean-Marie Besset à Montpellier. Il était temps, la controverse sur les financements était en train de faiblir, elle repart de plus belle sur le thème du pouvoir discrétionnaire du ministre à décider des nominations. Haine de ce qui n'appartient pas à leur cénacle et retour en reptation de la revendication pour une cogestion qui existe de fait mais qui dépouillerait l'État de toute possibilité d'action culturelle dans ce domaine si elle était pratiquée comme ils l'entendent. C'est curieux, individuellement, ils sont souvent compréhensifs, posés, voire agréables, en groupe c'est la meute.

«Moi, je comprends bien, mais voyez-vous je ne vais pas pouvoir tenir mes troupes.» C'est l'argument classique de François Le Pillouër quand la négociation piétine. Le ton est patelin, la menace toujours sous-jacente. Comme tous les despotes, il prétend qu'il n'est rien du tout, un simple serviteur de la collectivité, alors qu'il tient le Syndeac comme d'autres le parti.

François Le Pillouër fait publier de grands encarts dans la presse où il dénonce avec virulence la politique du ministère. Au prix de la demi-page dans les journaux, cela doit coûter très cher, mais cela ne compte pas puisque c'est le ministère qui finance en dernier ressort.

En d'autres temps et d'autres circonstances, si j'avais besoin d'être défendu par lui, je trouverais peut-être François Le Pillouër sympathique. J'apprécierais sa faconde, sa ruse, son énergie.

Un de mes prédécesseurs à propos du Syndeac : «Tu peux les gaver tant que tu veux, ils te cracheront toujours à la figure.»

Au Salon du livre, le stand d'Hachette a retrouvé tous ses atours. Arnaud Nourry m'accueille avec un petit sourire ironique. On glisse entre gens de bonne compagnie.

Jérôme Bellay, mon ancien patron à Europe 1, superprofessionnel, brillant, massif et redouté : «Alors, le petit Frédo, il est content d'être là où il est? S'il en a marre, qu'il me le dise, je le reprends tout de suite!»

Jean-Pierre, qui revient du concours pour la cathédrale orthodoxe russe si chère à Poutine : «Je n'ai rien pu faire, tout était plié depuis Moscou, j'ai voté pour le moins pire, c'est celui qui a gagné.» Est-ce qu'on peut penser raisonnablement qu'il y aura un jour une cathédrale monumentale à bulbes dorés, enveloppée dans un voile d'acier inspiré par la Vierge Marie, sur le bord de la Seine, quasiment au pied de la tour Eiffel? Les Russes, lorsqu'ils seront confrontés à la levée de boucliers prévisible nous taxeront d'insigne légèreté pour les avoir laissés se bercer de faux espoirs en engageant la parole de l'État et ils auront raison.

Le président : «Proust, sur le service public, à une heure de grande écoute. Voilà, c'est bien. Tu as regardé l'audimat? Non, eh bien regarde, c'est beaucoup mieux que ce à quoi on s'attendait. Tu peux féliciter Pflimlin. »

Vendredi 18 mars 2011

François Fillon enterre définitivement le débat sur l'identité nationale. Du grand art : félicitations appuyées aux ministres qui sont montés en première ligne, émouvante prosopopée sur l'intérêt des réflexions et des conclusions, promesse juré-craché d'en tenir soigneusement compte à l'avenir, et hop, aux oubliettes! Soulagement général. Personne ne moufte.

L'Institut français, que le quai d'Orsay allait étrangler au coin d'une ligne budgétaire après le départ de Bernard, existe, vit, se rend utile. Le mérite en revient à Xavier Darcos. Compliments chaleureux de Marc Ladreit de Lacharrière à son sujet. Marc est très aimable, mais ce n'est pas un flatteur.

Samedi 19 mars 2011

Azedine Beschaouch, le ministre de la Culture tunisien, a contribué à la renaissance d'Angkor après les Khmers rouges; expérience qui pourra peut-être lui servir à affronter le déferlement des blogs de la révolution, parfois d'une violence insensée. C'est un aimable érudit, adepte des conversations intellectuelles sereines, il va certainement beaucoup souffrir.

J'appelle mon ami le ministre que j'avais vu en janvier, celui qui pouvait aider Salem pour son club de plage. Il est très calme : «Il faut soutenir la révolution de la jeunesse. Je n'interviens pas, mais ils savent que je suis avec eux.» Notre conversation est sans doute écoutée, mais de toute façon ce n'est pas le genre d'homme à s'enfuir.

La révolution s'étend partout, la Libye est à feu et à sang et c'est maintenant au tour de la Syrie de basculer; compte tenu de la nature du régime de Bachar, on peut s'attendre au pire.

Dimanche 20 mars 2011

Il existe des couples qui répandent autour d'eux la joie qu'ils ressentent à vivre ensemble. C'est assez rare pour être signalé. Exemple, Lise et Jacques Toubon.

Lundi 21 mars 2011

Mécénat croisé de LVMH et de l'antiquaire Kraemer : le château de Versailles acquiert un bureau qui avait appartenu à Marie-Antoinette. Déjeuner ensuite avec Jean-Jacques Aillagon et ses collaborateurs ; prévenant, conversation intéressante. Pourquoi n'est-il pas toujours comme ça ?

Visite de l'extraordinaire chantier du futur département des arts de l'islam au Louvre. Mario Bellini et Rudy Ricciotti sont descendus à une quinzaine de mètres au-dessous du niveau de la Seine pour aménager d'immenses volumes et on commence à poser la grande verrière qui va recouvrir la cour Visconti comme un voile ondulant, d'une légèreté ravissante.

Éric Garandeau assis sur le budget du Centre du cinéma. Le gentil chien fou de l'Élysée s'est transformé en bouledogue prêt à mordre quiconque oserait lui demander de reverser quelques sous à son ministre de tutelle.

Mardi 22 mars 2011

À l'Assemblée, tout le monde n'arrive pas exactement à l'heure pour les questions d'actualité, et c'est comme un petit théâtre où les retardataires se glisseraient sur scène en espérant ne pas trop se faire remarquer. Les entrées les plus charmantes sont celles d'Élisabeth Guigou et de Martine Lignières-Cassou : elles remontent les travées furtivement comme deux gentilles écolières intimidées qui vont passer leur première audition de piano.

En tant que Premier ministre, François Fillon échappe à la règle de la réponse en deux minutes. En fait, il s'exprime assez peu souvent, ne déborde presque pas, parle sans notes et mouche l'opposition avec une précision quasi chirurgicale.

Les deux meilleurs présidents de séance au Parlement : Sénat, Roland Du Luart, élu de la Sarthe, extrêmement courtois avec chacun, connaissant le règlement par cœur, comprenant les amendements les plus obscurs au quart de tour, dirigeant toute la musique *allegro vivace* ; Assemblée nationale, Catherine Vautrin, élue de Champagne, mène le débat tambour battant, ne laisse personne dépasser son temps de parole, compte les votes à toute allure sans se tromper, sidère par sa maîtrise d'un projet de loi qu'elle a eu à peine le temps de lire avant de monter à la tribune ; elle aussi reine de l'*allegro vivace*.

Offensive du ministère de l'Enseignement supérieur pour mettre la main sur les établissements qui dépendent du ministère de la Culture ; même schéma que le Quai d'Orsay voulant récupérer la Villa Médicis. Quoique paralysées par leur bureaucratie et les contraintes budgétaires, les administrations ont toujours assez d'avidité en réserve pour convoiter ce qui ne leur appartient pas au lieu de se réformer et porter chez d'autres la guerre qu'elles devraient se livrer à elles-mêmes. Colère des directeurs d'établissement concernés, réunions à n'en plus finir, courts-circuits jusqu'à Matignon, je coupe brusquement le courant. On n'en parle plus jusqu'à la prochaine alerte. Que d'énergie et de temps perdus !

Xavier Niel à déjeuner. Face au Citizen Kane de la communication *free*, adaptation française réussie des «wonder boys» milliardaires de la Silicon Valley, mon penchant pour les destins romanesques tourne quand même un peu à vide. J'essaie de me montrer aussi attentif et affable qu'il m'est possible de l'être, mais nous vivons dans des mondes trop différents et je sens bien que je ne suis pas son type. Au fond, il n'en a rien à faire du ministre de la Communication et de son Hadopi à la gomme. Ce ne sont que de vieilles boîtes de conserve qui traînent sur son chemin ; il les enverra valdinguer d'un coup de pied si elles le gênent pour avancer.

La jolie Marianne de nos sixties a bien failli être détruite par des années d'ardeur, de folle vie et de substances dangereuses ; elle en accuse la fatigue. Mais la Faithfull à la voix métallique incandescente et au formidable talent de musicienne est toujours d'attaque, de cela rien ne s'est perdu en route. Elle nous offre une soirée si émouvante et si belle au Châtelet, où elle se produit devant une salle comble, qu'elle efface tous les spectacles à mourir d'ennui et de prétention auxquels je n'ai même pas le courage de consacrer une ligne. Et qu'est devenue Anita Pallenberg? Tristesse d'Internet qui ne laisse pas de place au rêve : une dame un peu forte et bon genre comme on les voit dans les cars de touristes du troisième âge.

Le président : «Tous ces grands patrons qui délocalisent à tout-va, c'est insupportable! J'ai convoqué Carlos Ghosn, il va m'entendre; Renault, c'est la France, les voitures Renault on les fabrique en France.»

Mercredi 23 mars 2011

Jean-Pierre : «Brigitte Lefèvre est tellement intelligente qu'elle n'a même pas besoin de le faire sentir!» On est bien d'accord.

Jean Hornain, le patron du *Parisien*, et son compagnon ont adopté deux petits Ukrainiens qui, bien que n'étant pas frères, se ressemblent désormais comme deux gouttes d'eau. À eux quatre, ils forment une famille heureuse et épanouie. Les gamins vont à l'école alsacienne, ont des posters de footballeurs dans leur chambre et se lavent bien les dents en pyjama avant d'aller se coucher.

Jeudi 24 mars 2011

Après des mois d'allers et retours entre le ministère et le Conseil d'État, dont le grand salon n'est séparé que par une porte que l'on ouvre pour les Journées du patrimoine, le décret que j'ai réclamé pour la Villa Médicis n'est toujours pas à ma signature. Il ne s'agit pourtant que d'ajouter une ligne aux missions de la Villa pour préciser qu'il faut ouvrir les jardins à la visite, mesure que j'avais d'ailleurs prise quand j'étais directeur sans rien demander à personne. Mystère insondable des tracas bureaucratiques...

Le cardinal Ravasi est en quelque sorte le ministre de la Culture du Vatican. Après une bonne heure de ronron bien-pensant sur le thème si porteur de «christianisme et cinéma», je commets le péché mortel d'avoir une pensée pour Elizabeth Taylor qui vient de mourir. Le visage du prince de l'église se crispe comme s'il venait de recevoir une décharge électrique commandée par Lucifer en personne et j'ai vraiment l'impression d'être venu au bras d'une putain frapper à la porte du carmel.

Catherine Pégard : «Comme prévu, rien ne se passe comme prévu! Je pensais que tu aurais des difficultés avec Olivier Henrard et il ne dit que des choses aimables sur ton compte. Je pensais que tout irait bien avec Camille Pascal et il fait la gueule dès qu'on parle de toi. C'est ennuyeux, le président ne jure que par lui depuis le discours du Puy. Tu devrais trouver quelque chose pour le récupérer, je ne sais pas moi, aller à la messe avec lui par exemple!...»

Boris Charmatz, le chef de file de la non-danse dont les spectacles où il se produisait nu avec ses partenaires ont fait sensation, vient me voir on ne peut plus habillé. Jean-Pierre : «Il te demande de l'argent et il n'utilise même pas ses meilleurs arguments pour te convaincre!» Type charmant, beaucoup de réflexion et de conviction, je suis très curieux de voir ce qu'il prépare pour Avignon dont il est l'artiste invité.

Vendredi 25 mars 2011

À propos des visites de Rachida Dati au ministère :

François Fillon, sur la susnommée : «La fouteuse de merde intégrale! On ne peut absolument pas compter sur elle, elle ment comme elle respire.»

Rachida : «Allez, tu sais bien que c'est pas vrai, tout ce qu'on dit sur moi. C'est des jaloux. Je suis pas comme ça. Mais quand on me cherche, on me trouve!»

La même : «On va le démolir, leur truc, au couple Halter. Il était là pour trois mois et ça va faire dix ans maintenant. Tous les riverains du Champ-de-Mars se plaignent. C'est dégueulasse, ça part en morceaux, il y a des souris, c'est dangereux pour les enfants.»

La même : «Allez, tu es mignon, tu me la fais, cette lettre pour dire que le ministère souhaite qu'on le démonte, leur truc. Tu n'as qu'à le mettre au parc de la Villette, si tu y tiens vraiment, c'est bien chez toi, non ? »

La même : « Delanoë et toi, c'est du pareil au même, vous faites traîner pour qu'ils puissent garder leur truc. Mais j'ai parlé à Claude Guéant, au président, ils en ont plus que marre de cette histoire. Le *Mur pour la Paix* de Clara Halter, c'est le Mur de la Honte. »

La même : « Tu m'entends, je démolis, je rase, je paie rien. »

La même : « Ah moi, je ne suis pas antisémite, mais alors pas du tout. C'est Marek Halter qui raconte ça partout parce que je suis arabe. »

(*Le Mur pour la Paix* est une installation conçue par Clara Halter et Jean-Michel Wilmotte, implantée en 2000 au Champ-de-Mars, en face de l'École militaire, pour une durée de quelques mois. Ils ont obtenu de nombreux sursis pour le démontage.)

Nadine Morano, les yeux au plafond : « La rumeur insensée sur la mésentente entre Carla et le président, pas la peine de chercher bien loin. Elle a tout dans sa boutique, la cartomancienne ; les ragots, le vaudou, les maléfices, on trouve tout ce qu'on veut dans le souk à Rachida. »

François Fillon : « Elle me casse les burnes, excusez-moi mais il n'y a pas d'autre mot, elle me casse les burnes ! »

Morale de l'histoire : Rachida est une enquiquineuse patentée ; tout le monde en a peur et la respecte, sans l'avouer.

Dîner pour un bel aréopage d'artistes et de responsables de l'outre-mer. Marie-Claude Tjibaou : « Venez vite nous voir à Nouméa, le centre qui porte le nom de mon mari recevra comme il se doit le ministre qui a restitué les têtes maories. » C'est dit avec une chaleur que je ne mérite pas et qui me touche.

Samedi 26 mars 2011

Armand Gatti, c'est une terra incognita pour le ministère. On en est resté à sa collaboration avec Jean Vilar, qui remonte à plus de soixante ans, et au soutien que lui accordait Malraux, ce qui n'est pas tout récent non plus. On lit distraitement les articles qui lui sont consacrés et qui rendent compte de ses expériences théâtrales avec des jeunes partis en vrille, des détenus, des immigrés qui n'ont jamais eu droit à la parole, et tant pis si les critiques sont toujours élogieuses, on ne va pas voir ses spectacles ; on lui accorde juste assez d'argent pour se donner bonne conscience, ce qui n'est vraiment pas grand-chose. On en a un peu peur, comme de tout ce qui est inclassable et ne rentre pas dans les tiroirs bien rangés du ministère. Sa réputation d'agitateur libertaire inflexible, la petite bande qui travaille avec lui et qu'on ne connaît pas, tout ce militantisme sur le front de la misère culturelle et de l'abandon social qui n'a jamais été récupéré par la gauche du confort intellectuel, ça sent trop le phalanstère, le loin d'ici, le vieux et le passé. Au fond, il a bientôt quatre-vingt-dix ans et on attend qu'il meure, le communiqué de condoléances bien senti du ministre est déjà dans les tuyaux. Je veux aller le voir, je veux l'aider, je veux qu'il puisse continuer.

Une petite rue au fin fond de Montreuil. Des entrepôts en ruine et des restes d'usine. Décor d'Alexandre Trauner.

Je m'attends à tout : un accueil maussade, une arrivée comme celle d'un chien dans un jeu de quilles, voire pas d'accueil du tout et la porte close. C'est tout le contraire, une gentillesse et une empathie merveilleuses. Dans son pavillon bourré de souvenirs d'une vie follement aventureuse dédiée à tous les combats contre l'injustice, il m'embarque pour une formidable traversée du siècle portée par un verbe magnifique. Autour de lui, des gens qui ont la moitié de son âge qui l'accompagnent, le soulagent de sa fatigue, mettent en forme les projets qu'il porte. Rien d'une secte, juste un engagement obstiné et désintéressé. À côté, l'atelier théâtre avec le toit qui fuit, le chauffage qui marche mal et plusieurs spectacles par an qui font salle comble.

Passage à L'Albatros, l'ancien studio des Russes blancs de l'entre-deux-guerres, installé sous la verrière de Méliès. Donc carambolage de mémoires du cinéma menacées par un projet assez fumeux de centre culturel qui est plutôt une opération immobilière pour bobos vaguement artistes. En fait, la verrière est classée et ne sera donc pas démolie, mais reste à savoir ce qu'on fera autour.

Dîner avec Farah ; c'est la première fois qu'elle sort depuis la mort de son fils Ali-Reza. Ravages de l'exil, encore plus que de la révolution sur l'existence de ses enfants qu'elle aura pourtant essayé de protéger à tout prix.

Dimanche 27 mars 2011

Gödöllo, en Hongrie, était le château de prédilection de Sissi, qui de toute façon préférait nettement les Magyars aux Autrichiens. Ils étaient exaltés, malheureux et chevaleresques; parfait pour Sissi, névrosée, dépressive, qui ne supportait ni l'exaspérante bonne humeur des Viennois ni la routine petite-bourgeoise de la cour des Habsbourg coiffée par la chape de plomb d'un protocole implacable. Gödöllo servit aussi de résidence au régent Horthy, le crypto-dictateur de l'entre-deux-guerres aux grandes manières de parfait faisan, de casernement pour l'Armée rouge et une série d'instituts divers dont les communistes ont le secret pour ronger jusqu'aux fondations les vestiges de l'aristo-cratie féodale. Bref, j'ai toujours rêvé d'y aller et je ne retrouverai pas de sitôt une aussi belle occasion que la réunion des ministres de la Culture européens qui se tient dans le manège du château. Cerise sur le gâteau, c'est dans ce même manège que furent tournées certaines scènes du *Mayerling* de Terence Young avec une Ava Gardner impro-bable en Sissi, aussi somptueusement bien en chair que son modèle était anorexique.

La réunion est en soi sans intérêt, mais cela vaut toujours mieux que de passer son samedi à aligner les parapheurs et je profite des interrup-tions de séance pour visiter le château. Restauration basique à grands coups de teintes criardes, meubles genre Levitan qu'affectionnaient les derniers Habsbourg, parc qui se remet lentement des coupes de bois massacrantes effectuées par les Russes; il faut une solide dose de fantai-sie pour imaginer que Sissi y cachait durant de longues semaines sa beauté fléchissante en jetant au feu les lettres de François-Joseph qui la suppliait de revenir et signait «Ton tout petit qui t'aime tendrement».

Dîner pour les délégations étrangères au musée des Beaux-Arts de Budapest. Il y a marqué «Gala» sur les invitations, mais il s'agit plutôt d'un long pensum gastronomique agrémenté de quelques morceaux de cithare à la manière du *Troisième Homme* propres à éveiller une flamme romantique dans le regard généralement si posé d'Androulla Vassiliou. Conversation intéressante avec son mari, qui fut président de la

République de Chypre et qui plante brusquement sa cuiller dans le goulasch avec la férocité d'un sabreur à la seule évocation d'une entrée de la Turquie dans la Communauté européenne.

Lundi 28 mars 2011

Musée d'Histoire de Budapest. Je pense au sentiment d'épouvante qui saisirait Pierre Nora devant cette évocation triomphale du roman national magyar.

Maman me parle de son voyage à Budapest en 1937 et du plaisir qu'elle n'a jamais retrouvé à manger des pastèques par une chaleur caniculaire au bord du lac Balaton.

Création d'*Akhmatova* à l'Opéra Bastille. La musique de Bruno Mantovani est belle, le livret de Christophe Ghristi exact dans sa description des dernières années de la poétesse trahie par son mari et abandonnée par son fils. La mise en scène de Nicolas Joel, qui reprend habilement l'imagerie stalinienne, est infiniment plus inspirée que le chromo de Mireille avec lequel il avait imprudemment ouvert sa programmation il y a deux ans. Les snobs du public parisien haussent les épaules en prenant de grands airs mais ont-ils au moins conscience du tour de force qui consiste à s'attaquer à une histoire dont la plupart d'entre eux ignorent sans doute à peu près tout ?

Il y a un peu plus d'un an, je retrouvais pour la dernière fois sur la même rangée de l'Opéra Bastille Michel Glotz, l'imprésario de Maria Callas et de Karajan, l'homme qui m'a fait vraiment aimer la musique classique ; il n'aurait certainement pas eu la même réaction. Il me manque, et de retour à la maison je m'endors en tournant une nouvelle fois les pages de *La Note bleue*, son livre de souvenirs.

Mardi 29 mars 2011

Loïc me bombarde régulièrement de lettres délirantes où il accuse la Cinémathèque et la télévision de lui avoir volé ses films, me réclame des indemnités et menace de me dénoncer comme complice. Au temps où j'ouvrais mes cinémas, Loïc était un jeune réalisateur talentueux, beau, aimé des femmes, promis à un grand avenir. Ses courts-métrages passaient dans tous les festivals, les critiques disaient du bien de lui, des producteurs sérieux s'intéressaient à ses projets. C'était il y a quarante ans. Que s'est-il passé pour qu'il ne reste plus qu'un être rongé d'amertume qui vitupère dans son coin contre la terre entière? Son cas n'est pas unique. Je me demande souvent comment j'ai pu échapper à tous ces maux qui ont détruit tant de gens de mon âge : la drogue, le sida, les erreurs d'aiguillage qui font qu'on se retrouve à demi fou de douleur dans un fossé sur le bord d'un chemin sans plus aucun espoir d'en sortir.

Le conseil scientifique de la Maison de l'histoire de France travaille bien et dans une excellente ambiance. Mais le fait que des gens venus d'horizons politiques aussi divers, et dont certains considéraient le projet avec méfiance, puissent s'entendre ne désarme pas les adversaires.

Passage furtif et tâtonnant à la réception pour la fête nationale tunisienne. Excellent accueil. La blogosphère de Tunis qui me voue aux gémonies n'aurait-elle pas résonné jusqu'ici? J'ai du mal à y croire.

Et une soirée au Sénat pour le projet de loi sur le livre numérique, une! Enfin, c'est Roland Du Luard qui préside, ce sera courtois et ça ne va pas traîner.

Emmanuel-Philibert : «N'oublie jamais que tu es, *il mio ministro*. Si un jour tu ne l'es plus pour personne, tu le resteras pour moi!»

Mercredi 30 mars 2011

Le président : «Ils sont très bien, ces types du conseil révolutionnaire libyen, très corrects, très mesurés, pas du tout des excités, des gens tout à fait honorables.» Ils ont pourtant la petite tache sur le front qui m'angoisse toujours lorsque je la remarque.

Je passe un mot au président pendant le Conseil pour attirer son attention sur le comportement admirable du gouvernement provisoire tunisien qui parvient à faire accueillir un flot énorme de réfugiés libyens avec une logistique impeccable; tentes, vivres, soins médicaux. Il le glisse dans sa poche sans me regarder.

Anniversaire des «Grosses Têtes» de Philippe Bouvard. Le cabinet se bouche les oreilles à l'avance mais tout se passe très bien et ma cote va remonter auprès des chauffeurs de taxi.

Déjeuner avec Maja Hoffmann pour le projet de sa fondation et le permis de construire du bâtiment de Frank Gehry. Maja a ses bons et ses mauvais jours, et c'est un mauvais jour. Rien de ce qui a été fait ne lui convient. Et si on laissait tout tomber? Mais le syndrome «île Seguin» est le plus fort, donc on s'arme de patience et on reprend. Maja est milliardaire, elle est intelligente, elle est sympathique, elle veut réaliser l'opération, elle aime Arles et la photographie, elle a bien le droit de faire des caprices. Et c'est reparti pour un tour!

Remise de décoration au milieu d'une foule d'invités souriants à un monsieur qui a fait de belles choses dans sa vie. Il me remercie avec effusion en me parlant de très près et en dégageant une haleine affreusement fétide. Impossible d'y échapper, j'ai l'impression d'être embrassé par un cadavre. Je ressors de cet interminable enlacement avec une mine en papier mâché. Brigitte Lefèvre : «Quelque chose ne va pas, monsieur le ministre?» Elle connaît très bien le personnage; il y a des moments où je me dis qu'elle est trop forte pour moi.

Bondy Blog : qui sont-ils? J'ai cru longtemps que c'était «bandits blogs». En fait deux jeunes apprentis journalistes surgis de la banlieue qui entrent et sortent du ministère quand ils veulent. Un petit Beur déluré à l'œil vif et un Black silencieux. Petits elfes ironiques et tenaces qui feront leur chemin.

Jeudi 31 mars 2011

Je voulais rencontrer depuis longtemps certains délégués à la création artistique. Ils ont des responsabilités importantes et assurent le lien entre les artistes et la direction générale. Je découvre avec effarement leur arrogance, leur fermeture d'esprit, leur peu d'empathie pour ceux qu'ils doivent accompagner, encourager et parfois secourir. J'en parle avec Georges-François : «Je sais bien, mais je n'en ai pas d'autres, et ils sont très soutenus en interne.»

Alain Resnais, quatre-vingt-neuf ans, silhouette brisée par l'âge, le dos enfermé dans un corset, continue à chercher. Il tourne *Vous n'avez encore rien vu* avec une pléiade de grands acteurs qui se déplacent en suivant ses indications au millimètre dans un studio étrangement vide. Le décor est élaboré par des trucages en vidéo numérique ; Resnais, grand amateur de bandes dessinées et maître en conception de story-boards, a tout inscrit sur le scénario et contrôle chaque mouvement et chaque plan devant son écran. Jean-Louis Livi, son producteur, m'a informé du refus de la commission franco-allemande du cinéma de compléter le financement du film ; je suis intervenu et je viens sur le plateau pour l'assurer que tout est rentré dans l'ordre. Ce sont les derniers jours de tournage et personne n'a jugé bon, au Centre du cinéma, d'aller rendre visite à Alain Resnais pour lui demander s'il avait besoin de quoi que ce soit ou pour lui manifester simplement de l'intérêt. À mon retour, je fais la leçon à Éric Garandeau au téléphone ; il comprend tout de suite et il acquiesce.

Grand Corps Malade tout seul dans sa loge au Théâtre des Champs-Élysées où il doit se produire avec les sœurs Labèque. Il a de la chance, et il a le trac ; stupéfait et je crois heureux de me voir surgir avec des fleurs (je n'ai pas eu le temps de trouver autre chose, et puis c'est quand même mieux que les bonbons de Jacques Brel). Je trouve que ce type a un talent formidable.

Non, je ne suis pas le GO du Club Culture qui veille au confort des vacanciers souvent de mauvaise humeur. Mais à quoi bon raconter que je passe des heures plongé dans des dossiers techniques souvent arides ou dans des réunions où j'argumente avec des fonctionnaires, des syndicalistes, des élus, des ministres, des étrangers en visite. Le labeur quotidien est astreignant, difficile, essentiel ; ce sont les rencontres qui l'éclairent et font accepter ses contraintes.

Vendredi 1ᵉʳ avril 2011

Alain de Pouzilhac hait Christine Ockrent. La campagne dirigée contre elle est crapoteuse, mais il est impossible de le raisonner et il s'est assuré de toutes les garanties juridiques pour être inexpugnable. Le coup d'arrêt ne pourrait venir que de l'Élysée, or le président ne veut pas s'en occuper. J'assiste à cet assassinat en règle sans rien pouvoir faire. Bernard m'appelle pour que je défende Christine et il est probable qu'ils pensent tous les deux que je n'en fais pas assez. Je fais le maximum mais la partie est pipée et je n'ai que de mauvaises cartes.

Bertrand Meheut a sorti Canal Plus de la situation catastrophique où l'avait enfoncé la mégalomanie de Messier et il a adopté une stratégie de conquêtes tous azimuts. Le président, qui n'a aucune sympathie pour l'esprit Canal mais qui apprécie la réussite, a adopté une attitude ambivalente ; il se montre très aimable avec Jean-Bernard Lévy, le président de Vivendi qui contrôle Canal, mais laisse planer la menace d'une augmentation de la TVA préférentielle du groupe. En homme qui veille à tout, Bertrand Meheut vient régulièrement me voir ; il ne s'illusionne sans doute pas sur la portée de mon influence, mais préfère m'avoir avec lui que contre lui.

Patrick Zelnik : sang-froid et loyauté à toute épreuve. Au cœur du naufrage qui s'accélère de la filière musicale, Hadopi et les mesures de soutien sur lesquelles nous travaillons vont forcément produire leur effet. Mais les gens comme lui tiendront-ils jusqu'au bout ?

Samedi 2 avril 2011

Tunis.

Boris Boillon toujours aussi vif, souriant et plein d'allant, dans une atmosphère révolutionnaire insaisissable qui ne l'épargne guère. Son style direct de sarkoboy, la fameuse photo de lui en maillot de bain brandie par Marine Le Pen dont j'ai seulement retenu qu'il est vraiment super beau gosse, et même sa pratique de l'arabe classique, tout cela se retourne contre lui sans qu'on prenne en compte son intelligence, son expérience, sa connaissance de la culture arabo-musulmane.

En ce qui me concerne, profil bas et œil aux aguets. La nouvelle équipe autour du Premier ministre est dans doute la meilleure qu'ait connu la Tunisie depuis des décennies. Elle est composée pour la plupart de dirigeants d'entreprises et d'universitaires qui sont revenus spécialement de l'étranger en laissant derrière eux de brillantes carrières pour servir leur pays. Ils sont efficaces, désintéressés, patriotes et ouverts sur le monde.

Déjeuner avec de jeunes artistes qui ont participé activement à la révolution. Personne ne revient sur « univoque ». En revanche, avalanche de blogs assassins pour saluer ma visite.

Dimanche 3 avril 2011

Une bonne partie du gouvernement à déjeuner chez moi, à Hammamet, avec Boris, bien plus apprécié parmi les nouveaux ministres qu'il ne l'est dans la rue ou les médias. On ne peut que croiser les doigts pour qu'ils réussissent, mais c'est le temps qui leur manque tandis que la machine de guerre des islamistes quadrille le pays, s'infiltre partout, pratique la surenchère révolutionnaire à outrance. C'est au fond le même scénario que la prise du pouvoir par les communistes en Europe de l'Est après la guerre. Ils n'ont pas l'Armée rouge pour les soutenir mais les bataillons d'antennes de télévision tournés vers les chaînes du Golfe et leurs prédicateurs illuminés.

Conférence de presse annoncée comme le « débriefing » de la visite officielle mais qui tourne inévitablement à la séance d'autocritique devant un bloc compact de journalistes et de caméras. Normal, je m'y attendais et je le souhaitais même.

La journaliste du *Temps*, belle jeune femme d'une gentillesse insigne à mon égard. C'est elle que je croisais autrefois à Tunis et qui me donnait des marques d'affection qui me touchaient et auxquelles je ne savais comment répondre. Je note soigneusement son numéro de téléphone. Je le perds...

Lundi 4 avril 2011

MipTV, à Cannes : *business as usual!* La production télévisuelle française comme une sorte de Bantoustan où les infortunés « natives » de nos programmes pointent timidement le doigt vers les B52 américains qui passent en vrombissant au-dessus de leur tête en lâchant les colis de survie de leurs séries. Elles nous vaudront de nouvelles générations de Kevin et de Vanessa parmi les nourrissons de Maubeuge et de Périgueux.

Remise de la Légion d'honneur à Arnold Schwarzenegger au milieu d'un tumulte délirant de photographes et de caméras. Le temps où il posait en slip sur la plage du Carlton cornaqué par un essaim de folles surexcitées et où d'aventureuses jeunes filles rêvaient de s'endormir dans les bras de King-Kong est bien loin. Toujours sympa, mais momifié par les liftings et cuit aux anabolisants.

Tante Henriette a eu un mauvais hiver : chutes, blessures, fatigue intense. Elle est très remontée contre Guéant et ses déclarations contre l'immigration : «Tu ne dois pas t'amuser tous les jours avec des gens pareils. Moi, c'est bien simple, je ne descends plus à la salle à manger, pour entendre ce que répètent toutes ces vieilles biques lepénistes, merci!» Tante Henriette a quatre-vingt-douze ans, elle a eu une vie pleine et riche, sa nombreuse famille lui rend régulièrement visite, mais elle s'ennuie affreusement dans sa maison de retraite et n'a plus la force d'en sortir.

Dîner en l'honneur de Bill Gates, place des Vosges ; ambiance très start-up, frétillement de jeunes aux dents longues plus ou moins diplômés de business schools américaines, de bobos trentenaires qui causent le numérique, et de philosophes pour émissions de télé. Le supergourou mondialisé recueille les hommages de tout ce petit monde comme le tapir devant la colonne de fourmis.

Bill Gates manque totalement de charme ; il n'est ni aimable, ni sympathique, mais bon, c'est Bill Gates, l'un des hommes les plus puissants de la planète, comme on l'écrit dans les magazines. Quand je lui demande quels sont les principaux critères retenus par sa fondation pour ses actions philanthropiques, il répond sans hésiter que la priorité, c'est la lutte contre le tabac. Pauvre c'est bon, mais fumeur il faut s'adresser ailleurs. J'insiste pour savoir s'il est vraiment sérieux, il me considère avec agacement et passe au suivant. Le cow-boy Marlboro est mort à temps.

Bonne conversation en revanche avec Nicolas Baverez, plus pessimiste que jamais sur la situation générale, sur l'aveuglement généralisé, l'insuffisance des moyens mis en œuvre pour le redressement.

Mardi 5 avril 2011

Ann-José Arlot se bat pour que le 1 % culturel, c'est-à-dire la part du budget pour la culture engagé par l'État, soit respecté dans le projet du Grand Paris. Comme d'habitude, le préfet Canepa est le seul à la soutenir dans son combat contre les autres ministères concernés. Spectacle réjouissant des fonctionnaires devant elle comme des petits garçons médusés par son autorité.

François Trèves au dîner des Amis du Centre Pompidou : « On voit bien que c'est vous qui écrivez vos discours, monsieur le ministre. » Ce n'est pas tout à fait exact mais il est vrai que j'ai particulièrement soigné celui-là qui est un peu mieux que celui de l'an dernier.

Mercredi 6 avril 2011

Les communications des ministres en Conseil des ministres sont souvent ennuyeuses et ne suscitent qu'une attention distraite. On se contente d'exposer le contenu de notes préparées par le cabinet. J'ai obtenu en douce de pouvoir lire le texte que j'écris moi-même et qui ne correspond que vaguement à la note préparatoire que l'on est tenu de faire valider par Matignon. Cette exception a l'air de plaire et je me retrouve avec une communication à peu près toutes les trois semaines, soit une cadence extraordinaire qui rend Roselyne apparemment folle de jalousie : « Encore une communication pour Frédo, rien ne va plus décidément ! » Il arrive que je réussisse vraiment bien mon coup et que le président commente tandis que s'allongent quelques grises mines. J'ai dû me faire quelques amis pour la vie lorsqu'il s'est adressé aux autres ministres après une communication qui n'était pas trop mal tournée : « Eh bien maintenant que ça ne vous empêche tout de même pas de parler. » Petite satisfaction de vanité qu'il faudra bien payer un jour ou l'autre.

Nadine Morano : « Moi, je ne m'en fais pas pour mes communications au Conseil des ministres ; personne les écoute. »

L'ambassadeur Yves Aubin de La Messuzière s'inquiète pour le Mucem à Marseille. Trop d'incertitudes encore sur le contenu du musée et le programme des expositions. C'est un homme extraordinaire. Il a été fusillé contre un mur pendant la guerre du Liban par un groupe de fanatiques, neuf balles dans le corps et par une chance inouïe aucune n'atteignant un organe vital. Laissé pour mort par ses assaillants qui sont allés tuer ailleurs ou sont partis à la plage, puisque à Beyrouth on massacrait dans un quartier et on faisait du ski nautique dans un autre, il s'était relevé, tout sanglant, pour arrêter un taxi et aller à l'hôpital où il était resté quand même plusieurs mois. Plus tard nommé à Tunis, il fut le seul de nos diplomates à pointer la dérive dictatoriale de Ben Ali au point de se faire rappeler à Paris où on tenta d'occulter cette lâcheté en l'envoyant au palais Farnèse, cage dorée pour ceux qu'on veut récompenser en s'en débarrassant. Arabisant, mesuré, extrêmement courtois, vénéré par tous ceux qui ont travaillé sous ses ordres.

Hommage solennel pour Aimé Césaire au Panthéon. Le président a mené toute l'affaire tambour battant. Il lui voue un véritable culte et il n'a jamais pardonné à Jacques Chirac de ne pas avoir assisté aux obsèques de Senghor. Pour un chef d'État que l'on dit si impulsif et peu concerné par les usages, un tel geste est en fait d'une grande élégance. Belle cérémonie et discours très sobre. Sur les brochures que l'on distribue à l'assistance, il manque un *r* à Mitterrand, je m'amuse de ce détail plutôt que de me reprocher la mesquinerie de l'avoir relevé.

Jeudi 7 avril 2011

Obsèques de Martine Aublet à Saint-Thomas-d'Aquin. Je l'aimais beaucoup et je me demandais chaque fois que je la rencontrais si j'aurais autant de courage qu'elle pour affronter la maladie. Toute la nomenklatura est présente, se compte et se regarde à la fin sur le parvis ensoleillé de l'église. Sentiment violent qui me déchire d'un seul coup de ne pas appartenir à ce monde-là. Je ne sais pas vraiment pourquoi mais c'est irrémédiable.

Jean-Claude Gaudin a donc respecté à la lettre le scénario que m'avait décrit Georges-François et repoussé celui que je croyais naïvement lui avoir vendu. Catherine Marnas est écartée et Macha est très heureuse de reprendre la Criée où elle va faire du bon travail. C'est cela qui compte en définitive et tant pis pour l'Opéra de Marseille qui pourra continuer à ronronner tranquillement.

Vendredi 8 avril 2011

Réunion à l'Élysée. Le président met fin à l'expérience du Conseil de la création artistique. Prétexte juridique providentiel auquel on n'avait pas pensé (!) et félicitations empressées à tous les participants. Soulagement général et même sans doute pour Marin Karmitz. Cela me sera compté : par Marin Karmitz qui pourra me le reprocher et ne s'en privera certainement pas ; par toute l'armada des syndicats qui voulaient sa mort et vont s'empresser de plastronner en disant que c'est eux qui ont obtenu ce résultat.

Ils chantent effectivement déjà victoire en se moquant du ministre. Jean-Pierre : « C'est juste une habitude à prendre. Je constate que tu progresses, tu n'as même pas répondu ! »

J'annonce à Olivier Py qu'il ne sera pas renouvelé à l'Odéon. Plus qu'une erreur, la faute à ne pas commettre. Irrémédiable. Je n'ai aucun doute à ce sujet, et lui non plus, qui saura s'en servir. Son regard de rage et de mépris en sortant.

Samedi 9 avril 2011

Alain Delon, à la fin de la représentation d'*Une journée ordinaire*, remercie le ministre devant le public pour être venu voir la pièce. Petite brise de gentillesse avant que ne se lève le vent des malédictions.

Dimanche 10 avril 2011

Hubert Védrine : « Il est arrivé à tout le monde de devoir prendre une décision en sachant qu'elle est mauvaise. Il n'y a qu'une solution, l'assumer comme si elle était bonne. C'est ainsi qu'on arrive à limiter les dégâts. Surtout ne vous excusez pas, à chaud ça ne sert qu'à vous rendre encore plus impardonnable. Après vous verrez bien. De toute façon, les gens oublient, même si les artistes ont la rancune tenace. »

Lundi 11 avril 2011

Le cabinet passablement ébranlé par la férocité de la campagne de soutien à Olivier Py qui enfle d'heure en heure. De ma part, sérénité de commande, même si je n'en mène pas large.

Jean-Pierre : « Évidemment, on ne trouvera personne pour dire que Py, devenu saint et martyr, n'a pas fait que des mises en scène géniales, et que tous les copains se tiennent par la barbichette. »

Mardi 12 avril 2011

Py dans toute la presse tirant à boulets rouges sur le ministre inconséquent qui le félicite et le flanque à la porte. Pétition monstre pour le soutenir, je connais à peu près tout le monde, peut-être l'aurais-je signée aussi en d'autres temps. Appel de Claire Chazal, ferme sur le fond mais mesuré dans la forme : « Tu avais réussi à ne pas commettre d'impair dans la situation difficile qui est la tienne, mais là c'est une erreur incroyable de ta part. » Rumeur selon laquelle tout viendrait de Carla et du président ; là encore il faut nier, se défendre mordicus. Que pourrais-je faire d'autre en pleine mitraille ? Je suis là pour ça.

Le seul abandon qui me peine vraiment : celui d'Isabelle Huppert. Quarante ans d'amitié emportés par ce désastre et pas un mot de sa part. Elle travaille beaucoup avec Py. J'aurais compris.

Le président : « N'écoute pas ton cabinet ! Réponds, il ne faut rien laisser passer, il faut toujours y aller, toujours répondre. Il n'y a que ça qui marche. Je connais les cabinets, ils veulent toujours attendre, ils pensent qu'il ne se passera rien. C'est exactement comme ça qu'on se plante. »

Patrick Bloche ne me rate pas aux questions d'actualité. Huées des socialistes, applaudissements distraits de la majorité. Ils s'en fichent, ils ne savent pas qui est Py et toutes ces histoires de bagarres entre artistes leur passent au-dessus de la tête. Message de Luc Bondy pour me féliciter pour mon intervention. Il me compare à Clemenceau. L'outrance du compliment ne fait qu'ajouter un peu plus à mon désarroi. Il est en Autriche et se dit très affecté par la campagne ; il menace de tout laisser tomber et il faut l'appeler pour lui remonter le moral. Ajouter la désertion au gâchis et le tableau serait complet !

Pendant que la tempête fait rage, je continue à suivre mon agenda comme si tout était tranquille : exquise baronesse anglaise qui est sous-ministre de la Culture chargée de la défense des droits des créateurs et à qui je fais un petit cours d'Hadopi, Roselyne, Michel Charasse, interview sur Bourvil et, cerise sur le gâteau, soirée très « beautiful people » des Amis du Musée d'Orsay où je m'en tiens méticuleusement à mon rôle du bon garçon si gentil qui aime tout le monde. Je pourrai crier tout seul à la maison. Contre qui ? Mais contre moi seul pardi !

Mercredi 13 avril 2011

Le président joue les étonnés devant l'ampleur de la polémique et me prête une main secourable après m'avoir flanqué dans de si beaux draps. Impitoyable amnésie des politiques. On décide de confier la direction du Festival d'Avignon à Olivier Py. Mauvais coup pour le couple que je viens de renommer pour deux ans et dont je peux imaginer la réaction à la perspective de devoir cohabiter jusqu'à la fin de leur mandat avec un tel vibrion. Xavier Musca, le secrétaire général : « Mais enfin, ce genre de décisions dépendent de vous ! » Innocence difficilement compréhensible de la part d'un homme aguerri par la proximité du président, ou dédain pour ces histoires de saltimbanques.

Tentative d'explication argumentée auprès de René Solis de *Libération*. Plus neutre, voire compréhensif, que je ne l'avais imaginé. Christophe Barbier, de *L'Express*, plutôt sur la même ligne. L'effet Luc Bondy joue quand même un peu.

Georges Prêtre et sa femme, Mady Mesplé et André Tubeuf à déjeuner. Bref sentiment d'un retour parmi les vivants, gentils, fins, infiniment civilisés. Catherine Pégard, qui assiste au déjeuner : « C'est le pire qui pouvait t'arriver. Dis-toi que tous les ministres sont passés par là. Tu n'as aucun reproche à te faire, traverse sans rien dire. » Bruno Mantovani, également présent, silencieux, mais je le sens solidaire, comme Catherine.

La politique est une chose sale, disait Zola ; je pourrais ajouter qu'elle salit jusqu'au plus profond de soi-même.

Après, Paolini et Tavernost qui viennent se plaindre comme d'habitude, ce n'est qu'une aimable comédie, presque une partie de plaisir.

François Baroin et Philippe Marini sont tombés pratiquement d'accord pour trouver le financement de la restauration du musée des Voitures de Compiègne. S'accrocher à ce genre de projets qui n'intéressent que nous pour tenir.

Jeudi 14 avril 2011

Les émissions se succèdent où je tente de justifier ce qui est impossible à justifier. Ainsi avec Laure Adler qui pratique la schizophrénie sélective. Amicale et sympa comme avant et tout à coup très agressive, vindicative. Je réponds doucement alors que je pourrais sans doute la mettre sérieusement en difficulté, et ce n'est pas non plus parce qu'elle aime tellement la guerre que je vais lui offrir le plaisir d'y aller aussi. En tout cas, une constatation que le cabinet se refuse à admettre : deux années de travail et d'efforts patients dans un contexte difficile et beaucoup de relations et d'amitiés auxquelles je tenais ont été brusquement carbonisées. Isabelle...

Réaction particulièrement chic d'Hortense et de Vincent qui se refusent à tout commentaire à propos d'Avignon. Ils ont d'autant plus de mérite que Py se répand dans *Le Monde* en propos plein de suffisance pour s'autoféliciter de sa nomination à la direction du festival à compter de 2014. Cela jette même un froid parmi ses supporters.

Un syndicat de techniciens du cinéma refuse de signer la convention collective et fait une telle surenchère que les films aux budgets modestes risquent de ne plus pouvoir se faire. Tout est bloqué et les gros producteurs sont tranquilles tandis que les petits tremblent. Bel exemple d'aveuglement...

Une gentille dame s'avance près de moi alors que je visite le conservatoire de Châtellerault : «Vous ne me connaissez pas, je suis Lyane Daydé, j'étais danseuse étoile.» Lyane Daydé, légende du ballet de l'Opéra de Paris.

Vendredi 15 avril 2011

Valéry Giscard d'Estaing me reçoit chez lui dans son petit hôtel particulier qui jouxte celui d'Olivia de Havilland. Très beaux meubles anciens, fenêtres ouvrant sur un joli jardin, atmosphère ouatée. Le temps où il se rembrunissait au seul nom de Mitterrand est révolu. Il se montre très cordial ; sentimental comme le sont souvent les grands crocodiles de la politique, il a sans doute entendu les propos admiratifs que j'ai pu tenir sur lui et mon handicap de départ s'est renversé. On parle de l'hôtel de la Marine, et très vite de bien d'autres choses encore. Il évoque la situation politique actuelle avec un détachement apparent de vieux sage retiré des affaires. À quatre-vingt-cinq ans, silhouette étonnamment jeune et regard bridé de mandarin chinois, il n'a rien perdu de sa brillante intelligence et de ce charme qui le rendit si populaire lors de son élection et auquel j'étais d'ailleurs moi-même très sensible. L'humour assassin est aussi toujours en embuscade, mais comme il n'est pas encore très sûr de moi, il le distille avec parcimonie et en ce qui me concerne je n'ai droit qu'à des mots aimables : « Nous avons vu récemment avec ma femme votre programme à la télévision sur les Romanov. Félicitations. C'était vraiment très bien et très émouvant. »

L'entretien se prolonge. Il est probable qu'il éprouve une certaine curiosité à mon endroit et que la situation plutôt insolite d'avoir en face de lui le neveu de son vieil adversaire, attentif et respectueux, l'intéresse et l'amuse peut-être aussi. Je n'ai pas besoin d'insister pour qu'il se livre à quelques confidences mesurées dont il a parfaitement deviné qu'elles sauront me toucher : « Lorsque je suis allé rendre visite au président Mitterrand, avenue Frédéric-Le-Play – c'était bien votre oncle n'est-ce pas ? –, il m'attendait au bas de son immeuble. Après notre entretien, il est redescendu avec moi pour me raccompagner jusqu'à ma voiture. Il était très mal, c'était quelques jours avant sa mort. Comme je m'inquiétais de le voir faire un tel effort, il me répondit que c'était l'usage à l'égard d'un ancien président de la République. J'ai beau chercher qui aurait aujourd'hui un tel souci des convenances, je ne vois personne. » En somme, rompu à l'expérience des relations humaines, il apprécie l'émotion que je ne songe pas à lui cacher, et comme je prends congé de lui, il me salue avec une chaleur soudaine : « Nous nous reverrons bientôt pour la conclusion des travaux de la commission, mais en attendant, n'hésitez pas à revenir vers moi pour m'informer de vos éventuelles observations. »

Dans la voiture qui me ramène au ministère, je me remémore notre première rencontre déjà ancienne, remontant à une quinzaine d'années. Je l'avais alors brocardé d'une manière qui se voulait spirituelle mais qui était en fait injuste et vulgaire au micro d'Europe 1 et il en avait été blessé au point de m'envoyer une lettre sanglante, pleine de colère glacée. Après une lente montée du remords, je m'étais finalement décidé à lui écrire une lettre d'excuse sincèrement repentante. Pas de réponse. Quelques mois plus tard, me retrouvant en sa présence à un dîner d'ambassade où il me bat froid ostensiblement, je me tiens penaud et embarrassé en évitant de m'approcher de lui. Comme on reprend ses manteaux pour sortir, le hasard fait qu'on me tend le sien et là je n'ai plus aucune chance de lui échapper. Il l'endosse sans un regard pour le misérable insolent que je suis, puis il se retourne vers moi après avoir fait quelques pas : « Allez, c'est bon, vous n'êtes plus en pénitence, j'ai été sensible à votre lettre, il est temps de jeter la rancune à la rivière » et il me donne une petite tape amicale sur l'épaule.

On dit souvent qu'une belle âme se lit sur un visage. Il suffit de regarder celui de Pascale Roze pour constater que c'est vrai.

Samedi 16 avril 2011

Arrivée surprise au Centre national de la danse à Pantin. Le milieu chorégraphique lui adresse beaucoup de critiques et la directrice que je n'ai pas vue depuis que je suis ministre est particulièrement visée. Sur le canal de l'Ourcq, belle architecture brutaliste des années 1970, relookée et humanisée ensuite, mais ce fut un centre de police et même de rétention administrative et il en reste quelque chose ; le genre d'endroit idéal pour y faire des entrechats et s'y promener en ballerines Repetto ! Affolement du personnel en me voyant surgir à l'improviste. Je visite tout en détail, je regarde les programmes, les brochures : impression nettement moins négative que prévu.

Dimanche 17 avril 2011

Cérémonie des Molières. Ça se passe moins mal que je ne le craignais ; je suis raisonnablement sifflé et pas plus pris à partie que d'habitude. La présentation élégante et précise de Laurent Lafitte y est peut-être pour quelque chose. Parodie cruellement amusante de Carla et de son tube, *Quelqu'un m'a dit*, par Michal Fau, en transformiste à la façon kabuki de chez Michou. Marisa, la mère de Carla, rit de bon cœur, Valeria Bruni-Tedeschi, sa sœur, qui est assise à côté de moi, de moins en moins au fur et à mesure que le numéro traîne en longueur et que la salle trépigne de joie. L'œil cannibale de la télévision se pose alternativement sur l'une et l'autre. Moi : «Continuez à sourire, cela ne devrait plus durer très longtemps.» Elle s'y essaie bravement. Relation fusionnelle des deux sœurs qui se protègent et se défendent mutuellement en toutes circonstances.

Lundi 18 avril 2011

Rembrandt recherchait la figure du Christ sur le visage des jeunes rabbins d'Amsterdam. Sentiment de la vérité. Encore une exposition à mettre au crédit d'Henri Loyrette.

Déjeuner pour les sélectionnés du Festival de Cannes. Beauté foudroyante de Maïwenn. Tous les matous du cabinet, très excités, tournent autour d'elle en prenant de grands airs d'hommes influents. En revanche, Mélanie Laurent les intimide, pas moi.

Jean de Boishue : «L'affaire Py ! L'affaire Py ! N'y pense plus, c'est oublié maintenant. Tout le monde sait que tu n'y es pour rien, au fond c'est d'ailleurs ça qui est le plus embêtant, même si tu as eu raison de faire semblant que ça venait de toi et de monter en première ligne. Tu reprendras la main à la prochaine occasion.»

Premier (et unique) clash avec Mathieu Gallet, que je refuse de suivre dans une affaire intéressante mais où il prendrait un trop grand risque. Il sort de mon bureau, toujours aussi élégant et calme, mais accusant son échec et furieux contre moi : «Ça ne sera qu'une connerie de plus, monsieur le ministre !» Moi du tac au tac : «En ce qui vous concerne, ce ne sera que la seconde !» Le genre de réplique qu'il doit apprécier dans son for intérieur puisqu'il me fait porter ensuite un mot où il m'annonce qu'il renonce à son projet. Ce n'est pas un message d'excuse de sa part, mais compte tenu de son tempérament, c'est ce qui s'en rapproche le plus. De toute façon, l'orgueil est aussi une autre de ses qualités.

Exposition d'art contemporain d'Azerbaïdjan, place Vendôme, en présence de la première dame de plus en plus désireuse de se rapprocher du ministère. Public mélangé habituel entre mondanité «people» imprécise, faux amateurs et vrais pêcheurs de contrats, artistes azéris authentiques vivant à Paris. Pas le temps de regarder sérieusement les œuvres dans le charivari général, mais impression générale plutôt favorable. On verra plus tard pour les ambiguïtés et les limites. En attendant, passage éclair de Fabrice Bousteau et son petit chapeau rond, flanqué de deux acolytes : regards de vautours et ricanements de hyènes. La générosité bien française des gardiens autoproclamés du monde de l'art fera toujours mon admiration.

Mardi 19 avril 2011

Bien qu'il ne le dise pas carrément, Stéphane Lissner n'a pas l'air de douter qu'il sera nommé à la tête de l'Opéra pour succéder à Nicolas Joel. Il a certainement reçu des assurances du président. Il souhaite presser le mouvement en arguant de son contrat actuel à la Scala et de la nécessité d'arrêter sa programmation. C'est trop m'en demander, je sors à peine de l'affaire Py et je me souviens des recommandations d'Hugues Gall. C'est à mes yeux le meilleur candidat, mais je ne le lui dis pas, et cette fois on respecte exactement les règles ou je m'en vais.

Olivier de Bernon, directeur d'études à l'École française d'Extrême-Orient que j'ai connu à Phnom Penh où il partageait son bureau avec un énorme python somnolent, m'annonce que Sihanouk lui a confié toutes ses archives. Il ferait un formidable président pour le musée Guimet qui décline doucement, mais c'est un autre panier de crabes et je ne sais pas encore comment m'y prendre. Il repart comme toujours gai et chaleureux sans se douter de rien.

Recréer le Prix national de la poésie qui a disparu est un projet qui me tient à cœur. Je sollicite Silvia Baron Supervielle pour prendre la chose en main. Le cabinet pense que c'est encore une aimable lubie du ministre ; le soir même paraît une page entière du *Monde des livres* consacrée à cette femme de lettres remarquable : ce n'était pas prévu mais la cote du Prix de la poésie remonte d'un seul coup.

Concert de Georges Prêtre à la salle Pleyel avec Laurent Bayle. On ne peut pas avoir que des ennuis dans l'existence.

Mercredi 20 avril 2011

Le bureau de Valérie Pécresse est à l'image de son caractère : ordonné, clair, plein de jolies choses.

Aucun ministre ne m'aura envoyé autant de SMS aussi attentifs et chaleureux que Valérie Pécresse. Elle ne me fait jamais sentir que je suis une pièce rapportée.

Régis Debray vient déjeuner de temps en temps. Il me suit de loin depuis des années. Je suis très sensible à la sympathie discrète qu'il me porte. Mais nous n'avons jamais le temps d'approfondir vraiment nos conversations. Peut-être parce qu'il souhaite seulement s'assurer que le neveu de François ne dérive pas trop et peut-être parce que j'aurais du mal à le suivre dans toutes ses réflexions.

Maguy Marin, l'une des seules chorégraphes françaises reconnue et admirée aux États-Unis, veut quitter le centre de Rillieux-la-Pape qu'elle dirige depuis douze ans et auquel elle a donné un rayonnement exceptionnel pour rejoindre Toulouse, sa ville natale et son premier port d'attache. Elle me demande de lui faciliter ce nouvel atterrissage. Conversation agréable, dénuée de soupçons et d'acrimonie.

Je préfère de loin les émissions en direct avec des journalistes incisifs voire agressifs que les gentilles interviews qui sont censées me valoriser. Je réagis beaucoup mieux aux premières et m'endors dans un cabotinage inutile aux secondes. Confirmation ce soir à «La preuve par trois». Mes interlocuteurs cherchent à me coincer à tout prix et ont un bon stock de munitions à leur disposition pour y parvenir. Manque de pot pour eux, c'est raté.

Jeudi 21 avril 2011

Un avril comme un été. Je n'ai pas le souvenir d'une telle entrée dans la belle saison, sauf juste avant mai 68 où il faisait un temps aussi radieux.

Conseil supérieur des Archives. Tir groupé de tous les opposants à l'installation de la Maison de l'histoire dans le périmètre Rohan-Soubise. Tout les enrage dans la progression du projet, jusqu'aux travaux de jardinage pour ouvrir le parc au public. Heureusement Georgette Elgey, près de moi, les empêche d'aller trop loin ; elle a voué sa vie aux Archives et ils ne peuvent la contester.

Déjeuner en compagnie de Jean-Michel Aphatie. Mais de quoi ont-ils peur ? Le type est réglo, clair, normal. Décidément, je m'entends de mieux en mieux avec lui. C'est d'ailleurs sans doute pour cela qu'il ne m'invite plus !

La Bibliothèque nationale est encore bien plus grande que je ne le pensais et il reste de vastes espaces inachevés et inexploités où il serait question que Marin Karmitz installe des salles de cinéma. Je ne suis pas certain que cela soit conforme à la mission du site François-Mitterrand. Dans la forêt qui se trouve au centre, des petits malins qui avaient trouvé la clef ont autrefois lâché des lapins qui se sont rapidement multipliés ; ce fut toute une équipée pour les capturer. S'il n'avait tenu qu'à moi, je les y aurais laissés, à force de côtoyer des livres l'un d'entre eux serait peut-être devenu comme le lapin d'Alice.

Vendredi 22 avril 2011

Le président : « Excuse-moi de t'avoir fait attendre » ; « Pardon d'être en retard » ; « J'espère que je ne te dérange pas » ; « Merci d'avoir pris le temps de venir me voir » ; « Mais non voyons, je suis là pour te faciliter la tâche. » Marques de courtoisie fréquentes.

Réunion avec le président sur les nominations. Quartier libre pour le Festival d'Automne, les Beaux-Arts, le musée Guimet, diverses scènes nationales ; on ne bouge pas pour l'Opéra. L'affaire Py a laissé des traces, on me laisse tranquille.

L'hôtel de Nevers, juste à côté du site Richelieu de la Bibliothèque nationale. Superbe bâtiment abandonné qui date de Mazarin. Cela fait des mois que je veux m'y rendre et que l'on m'explique que c'est sans intérêt, en ruine et qu'on ne peut rien y faire. En l'occurrence, c'est moi qui avais raison de vouloir le visiter. Ce sera parfait pour la Maison de la photographie dont Marta Gili et le Jeu de Paume ont besoin pour remplacer l'hôtel de Sully qu'ils ont perdu.

Printemps de Bourges; c'est génial, en dehors de La Fouine et de Yaël Naïm, je ne connais personne! Tous ces jeunes chanteurs au regard intense et au sourire rare, qui portent des noms mystérieux et qui ont à peu près l'âge de Jihed chantent pour la plupart en anglais. Grosse excitation autour de Philippe Katerine qui ne m'affole pas beaucoup. Catherine Ringer et Sexion d'Assaut c'est pour après, quand je serai parti. Une autre culture qui draine une foule énorme sous des chapiteaux géants se pousse sur scène pour faire la nique à la crise de l'industrie du disque et n'a qu'une idée très vague de ce à quoi peut servir un ministre de la Culture.

La mince préfète à l'œil vif : «J'ai retrouvé des archives sur votre famille : il y a eu effectivement des prévôts de Bourges parmi vos ancêtres.» Prévôt : quelque chose entre le maire et le préfet aux temps anciens.

Samedi 23 avril 2011

Le roi du Laos qui avait accueilli l'avènement du régime communiste avec bienveillance est mort de faim dans un camp de concentration en 1978. Sa femme et son fils aîné ont subi le même sort. Ce meurtre perpétré par ceux qui sont encore au pouvoir n'a jamais ému grand monde. Les rescapés de la famille royale qui ont réussi à s'enfuir et qui survivent en France en occupant de modestes emplois savent que je n'ai pas oublié cet acte d'infamie relégué dans un paragraphe du tentaculaire inventaire des crimes du communisme. Je leur ai consacré une émission de télévision autrefois et il m'est arrivé de rencontrer des chauffeurs de taxi d'origine laotienne qui refusèrent obstinément de me laisser régler ma course après m'avoir reconnu. Les exilés m'ont convié à un spectacle de danse laotienne pour célébrer la nouvelle année et la mémoire des victimes. Étrange sensation de me retrouver dans une cour exotique de proscrits déracinés de l'ancien régime dont la pauvreté n'a d'égale que l'émouvante dignité. Qu'un ministre de la République française vienne leur rendre visite est un événement qu'ils attendaient depuis des années.

Sihanouk me disait souvent avec une compassion nuancée de fierté : «Au moins, je n'aurai pas fini comme Bao Daï dans un studio de Passy, ou pire comme le pauvre roi du Laos, la crème des hommes, assassiné par ceux qu'il avait aidés et protégés.»

Dimanche 24 avril 2011

Stupéfaction! Une obscure commission du ministère dont je ne soupçonnais même pas l'existence vient d'inscrire la tauromachie au patrimoine immatériel de la France au même titre que les chants de bergers basques et la tarte Tatin. On m'apporte la liste dudit patrimoine qui relève de l'inventaire à la Prévert et consigne toute une série de traditions innocentes. Mais la tauromachie n'est pas une tradition innocente et j'imagine le forcing auquel ont dû se livrer en catimini toutes sortes d'élus pour entraîner une poignée de fonctionnaires à consigner cette inscription. Je n'aime pas la corrida, que je trouve un spectacle cruel, et je n'ai jamais pratiqué le romantisme du torero. C'est une faute que de lui attribuer ce genre de label officiel qui laisse croire en plus qu'elle pourrait monter encore d'un échelon et être proposée au patrimoine de l'Unesco. De nouveaux ennuis en perspective.

Lundi 25 avril 2011

Départ pour l'océan Indien.

Le préfet de Mayotte est un ancien militaire qui a une longue habitude de l'île et possède un sang-froid à toute épreuve dans cette poudrière : immigration sauvage massive en provenance des autres Comores, décalage culturel abyssal entre les usages de la métropole et les traditions locales, sous-développement chronique aggravé par la manne de la République, cercles vicieux de l'assistanat, quasi-nullité des élus locaux, etc.

L'île en elle-même est très belle, les habitants, dominés par un matriarcat pittoresque, sont a priori sympathiques et il y a énormément de choses à faire pour valoriser une culture qui ne dispose d'aucune structure pour s'exprimer et garder son identité.

Je visite tout ce qui peut l'être, mais à la manière d'un ministre : trop vite et entouré d'officiels qui se disent contents de m'accueillir mais dont je ne sais pas ce qu'ils pensent. Il faudrait rester plus longtemps, rencontrer vraiment les gens, avoir le temps de lire et de s'informer plus à fond, au risque de s'engluer peu à peu dans les querelles partisanes ou le bon vieux paternalisme colonial. Le préfet, qui connaît toutes ces questions par cœur, me conduit en douceur et avec patience.

La belle rencontre de la journée : Mikidache, jeune musicien qui a connu un certain succès en métropole et qui souhaite implanter un Zénith dans l'île.

La résidence du préfet est installée dans une petite île à quelques encablures de la grande. Elle servit de base au conquérant colonial local, un capitaine qui s'adjugea Mayotte comme mini-royaume sous Louis-Philippe. Troubles rêveries romanesques d'un temps où le pouvoir exotique était à portée de fusil, loin de l'ennui d'une garnison de sous-préfecture. Le capitaine a beaucoup construit, beaucoup œuvré, beaucoup espéré avant de se faire rappeler en France par quelques envieux et de finir mornement sa vie au milieu de sa collection de papillons décolorés.

L'un des gendarmes qui m'accompagnent en permanence est très beau. Il ressemble à David Beckham et je ne résiste pas à l'envie de le lui dire. Il rougit, ne me quitte plus des yeux et ne me lâche pas d'une semelle. Les gendarmes à Mayotte sont facilement dépressifs : les rafles d'enfants abandonnés par les autres habitants des Comores et dont on ne sait que faire, les renvois d'immigrants illégaux qui reviennent aussitôt, la chasse aux trafiquants de drogue qui n'attrape que des lampistes toujours prêts à proposer «un petit pétard qui ne fait pas de mal» pour s'échapper. À la longue, toute cette répression sans fin et sans avenir, ça finit par porter sur le moral.

Mardi 26 avril 2011

L'ancienne demeure des gouverneurs, moucharabiehs et structure en acier de l'atelier Eiffel, à deux pas de la résidence préfectorale, est une merveille de ruine durasienne qu'on pourrait restaurer facilement pour en faire le premier musée des cultures mahoraises. Comme de juste, disputes immédiates entre l'historien local qui n'en veut pas pour des raisons obscures, le jeune et fringant architecte des Bâtiments nationaux qui rêve de tout reconstruire à grands frais et les quelques esprits éclairés pas encore trop désabusés ou dissous dans l'alcool qui trouvent que c'est quand même une bonne idée.

Parmi les expatriés qui ont tenté de construire quelque chose, comme la directrice des archives locales, beaucoup souhaitent repartir ; la carte postale n'a plus que les couleurs de l'amertume.

La Réunion est un monde en soi, avec sa géographie vertigineuse, peuplée de descendants de colons et d'esclaves, d'Indiens et de Chinois. Ce pourrait être ce « laboratoire de la diversité » dont se gobergent les bonnes âmes et le ministre fatigué, mais s'ils vivent tous bien ensemble, ils se mélangent en fait peu et l'identité de l'île est plus un kaléidoscope qu'un tissu métissé.

Décidément, les préfets de l'outre-mer relèvent d'une catégorie particulière ; ce sont des hommes d'action tout-terrain, aimant l'ordre mais à l'esprit libre, habitués à décider loin de la mère patrie, aptes au dialogue et aux situations difficiles. Michel Lalande, le préfet de La Réunion, incarne toutes ces vertus. D'origine modeste, exemple de la méritocratie, beaucoup de classe ; le magnifique bâtiment de la préfecture comme l'« île aux cent visages » sont taillés à sa mesure. Il a organisé mon déplacement avec beaucoup de tact et d'attention.

Théâtre, cathédrale restaurée et illuminée, grand raout et décorations à la préfecture pour le premier soir. On marche ensuite avec Pierre-Yves dans les rues de Saint-Denis. Désert de la nuit que traversent à toute allure des voitures de jeunes, la musique à plein tube, certainement moins préoccupés que moi-même de la fragilité émouvante des dernières maisons coloniales fugacement éclairées par le rayon de leurs phares.

Mercredi 27 avril 2011

Quelque part dans Saint-Denis, mon filleul et son frère sont donc en prison. Condamnés pour viol au cours d'une tournante et il leur reste encore deux années avant d'être libérés. Aminthe, leur mère, a beaucoup vieilli, elle peine à se déplacer. Leur père, apparemment plus solide, continue à proclamer leur innocence. Le préfet m'a ouvert son bureau pour les recevoir. Je tente de les réconforter comme je peux, mais je n'ai hélas que de bonnes paroles à leur prodiguer. Beaucoup de jeunes sont au chômage ; désœuvrés ils traînent entre alcool et pétards, sombrent facilement dans la violence et la délinquance, même lorsque leurs parents se sont occupés d'eux du mieux possible, comme Aminthe et son mari désormais éperdus de chagrin.

Visites protocolaires aux élus. Très mauvaise impression du président du conseil régional : inculte, méfiant, sûr de lui.

Tournée des musées avec des conservateurs qui font tout ce qu'ils peuvent pour ne pas être oubliés par la métropole ni se faire martyriser par les élus et me présentent de modestes « shopping lists » que je me promets de ne pas laisser se perdre dans les marais du ministère. Déjeuner à la direction régionale de la culture installée dans l'ancienne maison de famille de Raymond Barre abandonnée quelques années après la faillite et la fuite du père de l'ancien Premier ministre qui ne pardonna jamais à l'auteur du scandale. Trame d'un roman pour Simenon tropical comme il s'en déroula sans doute dans la moiteur et la macération du maussade Saint-Denis de l'entre-deux-guerres, il mériterait sans doute d'être écrit ou de devenir une fiction pour la télévision, débordante de nobles matriarches et d'épouses frigides, de créatures cupides, d'hommes faibles aux sens tourmentés et d'adolescents rebelles jurant de venger l'honneur familial. À la Drac, comme d'habitude, c'est « tout va très bien madame la marquise ». Le préfet m'a l'air moins convaincu.

Survol de l'île en hélicoptère pour visiter une médiathèque fourmillante de monde et d'activité. Un petit Angelo, joli comme un cœur, s'acharne à me demander mon contact sur Facebook. Il ne faut jamais oublier qu'on est aussi en France et que les jeunes voyagent jusqu'à Paris via Internet.

Le correspondant de l'AFP, en pleine visite de l'extraordinaire centre d'art contemporain de Saint-Pierre où les œuvres d'Erro et de Di Rosa brillent comme des masques sauvages dans une sorte de jungle introuvable : « Que pensez-vous des déclarations de Brigitte Bardot sur l'inscription de la tauromachie au patrimoine ? » Ça commence, et même jusqu'ici.

Je quitte le préfet à regret. « Revenez en vacances, on trouvera bien deux jours pour marcher dans les volcans. » Peut-être, quand je ne serai plus ministre, mais alors tout aura changé et vous ne serez sans doute plus ici.

Jeudi 28 avril 2011

Stéphane Martin est partant pour aller à Mayotte et étudier la possibilité de créer un musée dans la maison du gouverneur. Il n'a pas grand-chose sur Mayotte dans les réserves du quai Branly et l'idée de partir à la découverte d'un patrimoine méconnu l'excite beaucoup. Je lui aurais parlé du gendarme qui ressemble à David Beckham si je l'avais senti plus réticent.

Hommage à Maurice Nadeau pour son centenaire au Centre national des lettres, ou les nouvelles aventures de Rantanplan chez ses meilleurs amis. Mais atmosphère chaleureuse et le redoutable vieux dragon, stupéfiant d'alacrité, me fait le meilleur accueil. J'ai soigné le discours en travaillant mes classiques. Lui : « C'est bien, vous êtes gentil et vous vous êtes donné du mal. » Il y a des moments de grâce comme ça auxquels on ne s'attend pas.

Je recommence à tituber et je m'appuie contre les murs pour marcher. Pierre-Yves : « Vous êtes épuisé, monsieur le ministre, il faut vous reposer. Si vous continuez comme ça j'irai le dire à votre mère. » La bonté de cet être...

Vendredi 29 avril 2011

Jean-Marie Delarue : « Contrairement à ce dont on persuade l'opinion, le taux de récidive chez les détenus libérés est très faible. » Il est contrôleur général des prisons et je souhaitais le rencontrer pour développer l'accès aux pratiques culturelles des détenus. Un premier progrès serait de leur permettre d'accéder à la presse de manière régulière mais la décision est prise par les directeurs de prison, certains l'acceptent et d'autres s'y refusent. À rapprocher de mes tentatives pour développer les lectures et ateliers d'écriture dans les prisons en donnant moi-même l'exemple. Malgré mes demandes répétées, le cabinet de Michel Mercier traîne des pieds. Jean-Marie Delarue va m'aider à surmonter cet obstacle.

Le beau film que Werner Herzog a tourné dans la grotte Chauvet justifie qu'on lui ait permis de le faire. Mais pourquoi cette étrange séquence sur cette ferme d'élevage de crocodiles albinos à la fin du film ? C'est vrai que j'avais remarqué l'existence de ce curieux établissement sur la route près de la grotte et que j'aurais bien voulu m'y arrêter, je comprends qu'Herzog qui s'attache à ce genre de bizarreries n'ait pas voulu rater cette étape. Des crocodiles albinos, métaphore du pouvoir ?

Samedi 30 avril 2011

Visite de Valmy avec Benoist Apparu, plus Joe Pesci que jamais ; nerveux, vif, teigneux, efficace aussi. On se frotte de loin. Il insistait depuis longtemps pour que je l'y accompagne. Le fameux moulin a été détruit à plusieurs reprises et finalement reconstruit récemment. Sa présence aide un peu à imaginer ce que fut la bataille, en ranimant quelques souvenirs évanouis du Malet et Isaac. Pour les valeureux professeurs qui y traînent leurs bambins il y a aussi des statues de Kellermann, qui remporta la victoire, et de Miranda, héros de l'indépendance latino-américaine qui s'était enrôlé dans l'armée révolutionnaire, et tant qu'on y est aussi un buste de Bolivar, un char américain, une chapelle érigée par une mystérieuse princesse. Il ne manque que le raton-laveur. Autrement, morne plaine, comme à Waterloo, en trichant sur les dates.

Sur la route, crochet avec la voiture au cimetière russe de Saint-Hilaire-le-Grand où sont enterrés les pauvres moujiks du corps expéditionnaire de 1916. Belle église à bulbes, l'endroit est totalement désert.

À propos, où en est-on de l'inauguration du monument si cher à Vladimir Poutine ?

Pierre-Yves et Félix, en chœur : « Ce qui est bien avec vous, monsieur le ministre, c'est qu'on pourrait visiter la France de fond en comble. »

Fin de la visite dans l'école du cirque de Châlons-en-Champagne avec Bruno Bourg-Broc, l'inoxydable député-maire à qui l'on doit notamment le changement de nom de la ville, car Châlons-sur-Marne, c'était quand même moins chic. Centre droit, sympathique, parrain politique de Benoist Apparu. Acrobates, cavaliers, spectacle, euphorie générale.

Dimanche 1ᵉʳ mai 2011

Mes amis chrétiens de Syrie sont très circonspects à l'égard de la rébellion syrienne et soutiennent Bachar el-Assad même s'ils enveloppent leur opinion de toutes sortes de circonvolutions sémantiques. Les chrétiens du Moyen-Orient, qui sont aussi arabes que les autres, ont été horrifiés par les persécutions infligées à leurs coreligionnaires en Irak depuis la chute de Saddam Hussein qui les protégeait. Mes amis sont persuadés que le régime va résister et que l'Occident va le soutenir, ce en quoi ils se trompent lourdement. Après les ratés de départ, les démocraties courent après le train de la révolution arabe pour tenter de le rattraper.

Maman : « Tu tiens vraiment à garder ta maison en Tunisie ? Ce n'est pas dangereux avec tout ce qui se passe ? »

Lundi 2 mai 2011

Le président : « Bertrand Cantat n'ira pas se produire au Festival d'Avignon ? Mais j'espère bien, ce type est épouvantable ! Moi, les types qui frappent une femme, je ne peux pas leur pardonner. Qu'il aille au diable et qu'on n'en entende plus parler. »

Centenaire de la naissance de Jean-Pierre Aumont. On projette *La Nuit américaine* à la Cinémathèque en présence de sa femme, Marisa

Pavan, adorable de modestie et de fidélité à la mémoire de son mari. Elle a fait elle-même une brève carrière au cinéma et c'était la sœur jumelle de Pier Angeli, «fiancée» plutôt hypothétique de James Dean.

Mardi 3 mai 2011

Conclusion des grandes manœuvres pour remettre complètement à plat le statut juridique et l'organigramme du palais de Tokyo qui devrait être enfin en état de marche. Reste à trouver le nouveau directeur providentiel qui incarnera la réforme et assurera la réouverture quand les travaux, qui avancent vite, seront achevés.

J'ai approché Martin Bethenod, qui serait le candidat idéal selon le cabinet. Il y a un inconvénient majeur : il vient d'être engagé par François Pinault pour diriger sa fondation à Venise et il hésite beaucoup à lui faire faux bond pour le palais de Tokyo. Naïvement, je vais voir François Pinault pour le convaincre de le laisser repartir. Refus très courtois mais catégorique de sa part. L'État l'a laissé tomber totalement lorsqu'il a voulu implanter sa fondation dans l'île Seguin et voici qu'on vient lui demander le directeur qu'il a mûrement choisi. Difficile de faire pire dans l'inconséquence, la désinvolture et la goujaterie, même s'il a l'élégance de ne pas me le faire sentir. Je me sens dans son bureau comme un petit garçon qui vient de faire une grosse bêtise et à qui son gentil prof colle un zéro pointé bien mérité en lui épargnant malgré tout les heures de colle qu'il serait en droit de lui infliger. Je sors plutôt contrit de son bureau et lorsque je regagne le ministère, où tout le cabinet m'attend les yeux brillants d'espoir avec de grands «Alors, alors?», je me laisse aller pour la première fois à un mouvement d'humeur : «Allez vous faire voir, tous autant que vous êtes!» Reflux en désordre de la camarilla. Un peu plus tard, j'entends les comploteurs qui chuchotent avec inquiétude dans le bureau de Pierre Hanotaux. Ça fait du bien de se mettre en rogne de temps en temps, ils reconnaissent que la manœuvre était risquée. On rit. Réconciliation générale. En attendant, nous n'avons toujours pas de directeur.

Rencontre avec Jean de Loisy à qui je songe sérieusement pour la direction des Beaux-Arts; c'est l'un des commissaires d'exposition parmi les plus brillants et les plus réputés; il vient me parler de l'installation d'Anish Kapoor pour Monumenta au Grand Palais qui ouvre dans quelques jours. On évoque aussi les Beaux-Arts. Il se réjouit d'accéder à ce poste particulièrement important et prestigieux et avance quelques lignes de force pour son programme. Mais en fait, au fur et à mesure que la conversation se prolonge, je suis de plus en plus persuadé que c'est lui et lui seul qui pourrait reprendre le palais de Tokyo. Je ne lui en souffle mot; après la déconvenue de ce matin, je ne m'avancerai plus sans être sûr de mon fait; d'un côté il faut que je fasse passer ce nouveau changement aux dieux de l'Olympe qui ne sont plus aussi accommodants qu'ils l'étaient l'autre semaine, et d'un autre ce n'est pas quelqu'un qu'on peut manipuler facilement; il est parti pour les Beaux-Arts, rien ne dit qu'il acceptera de changer son fusil d'épaule pour le palais de Tokyo. Heureusement pour moi, au Rubik's Cube infernal des nominations, j'ai un autre candidat pour les Beaux-Arts qui est tout à fait à la hauteur. Rantanplan renifle désormais la meilleure piste pour parvenir à ses fins.

Au déjeuner avec les jurés du prix Goncourt. Edmonde : «On voit que tu aimes les maisons. Tu es comme moi. Il n'y a rien de plus sinistre qu'un ministère, mais quand on vient te voir on a l'impression d'aller chez toi.»

Mathieu Gallet nous donne un sérieux coup de main pour la Tunisie. Il a fait recopier toutes les archives dont il dispose et m'a transmis le coffret pour la télévision tunisienne. Il prend aussi des techniciens en formation.

Appel du petit Renato Salvatori à qui on a coupé l'électricité. Le chef de cabinet obtient qu'on la lui remette. Brigitte Bardot, qui a répondu très gentiment à la lettre que je lui avais fait parvenir à propos de l'impair sur la tauromachie, va payer sa facture et Alain Delon a promis qu'il prendrait la prochaine, en souvenir d'Annie Girardot et parce que ce gosse est totalement abandonné depuis la mort de sa grand-mère.

Mercredi 4 mai 2011

Le président : «Je n'y comprends rien, il a plu tout l'hiver, les rivières débordent partout et les préfets me disent qu'on va vers une sécheresse dramatique. Nathalie, tu m'expliques?»

Le dossier très pointu sur les retraites de certains techniciens du spectacle à propos duquel Voirin me harcèle : il n'a pas tort, je suis le énième ministre de la Culture qui lui a promis de s'en occuper et qui n'a rien obtenu du ministère des Affaires sociales qui gère conjointement le dossier. Nouvelle tentative auprès de Xavier Bertrand. Il m'attend sur la terrasse de l'hôtel du Châtelet où furent signés les accords de Grenelle en 1968. Il fait un temps magnifique, on reste dehors assis à une table de jardin. Il est accompagné par une de ses collaboratrices, belle fille au regard d'acier, mais je suis tranquille, j'ai amené Élodie avec moi. Avec sa réputation de dur à cuire, je m'attendais à me faire renvoyer dans les cordes après un dialogue de sourds, mais il a déjà lu et assimilé la note effroyablement technique que je lui ai adressée et on règle le problème en cinq minutes qui effacent des années de chicanes et d'indifférence. Je mesure une fois de plus son incroyable maîtrise des dossiers et l'autorité qu'il exerce sur son ministère. J'ai mis longtemps à m'inscrire sur son radar, mais il m'a à la bonne maintenant. On reste un peu à parler du ministère de la Culture dont il ne sait au fond pas grand-chose et il m'écoute avec sympathie. Le jardin du ministère dans la verdeur fraîche du printemps est très beau sous le soleil. Avec les arbres du boulevard des Invalides tout proche et le dôme qui se détache au-dessus des cimes, l'ensemble compose un paysage merveilleux. Pourtant, ce n'est pas tous les jours qu'on doit s'y embarquer pour Cythère et y donner des fêtes galantes.

Le salon d'art contemporain de Montrouge : un caravansérail comme je les aime où le meilleur côtoie le pire et qui forme une installation à lui tout seul. Accueil très aimable des organisateurs par ailleurs inquiets de la disparation programmée de la friche industrielle où ils campent.

Jeudi 5 mai 2011

Déjeuner avec Fabienne Pascaud, la vestale de *Télérama*. On ne s'aime pas. Le ministère de la Culture et son actuel titulaire ne lui inspirent que des critiques fielleuses. On s'achemine tout sourire et en faisant assaut de bonnes grâces jusqu'au dessert. Triste comédie pour une trêve provisoire ; elle sait que je suis très proche de Yannis qui produit son portrait pour la série « Empreintes » de France 5. Et alors ?

Laurent Lebon ne veut pas quitter le Centre Pompidou de Metz pour le palais de Tokyo. Il considère qu'il n'a pas achevé sa tâche et veut se consacrer à sa famille qui demande grâce après des années de travail délirant.

Marie-France Pisier est partie sans faire de bruit. C'est elle qui m'avait trouvé mon premier appartement du temps où elle était une actrice en vogue mariée à Georges Kiejman. Nous nous sommes beaucoup croisés avec une grande sympathie mutuelle sans nous connaître vraiment. Thierry Funck-Brentano, le père de ses enfants, était mon condisciple à Janson, fort beau et séduisant. Il l'est encore et son chagrin fait peine à voir. Elle était très aimée de ses proches et certainement bien plus vulnérable qu'elle ne le laissait paraître. Beaucoup d'émotion à l'église Saint-Roch ; service sobre, à son image. L'habituel discours insupportable sur la résurrection nous est épargné. Je rentre à pied au ministère, silencieux, avec Pierre-Yves.

Vendredi 6 mai 2011

On fait des tas d'ennuis à William Christie : des projets d'équipement menacent la quiétude et le paysage des jardins de Thiré en Vendée où il a installé les Arts florissants. Son assistant me montre les courriers administratifs abrupts qu'il reçoit. Ces gens ne savent-ils donc pas qui est William Christie et notre chance inouïe de l'avoir en France ?

Que d'efforts et de palabres pour obtenir quelque chose de si simple et qui va de soi : projeter les onze minutes du *Voyage dans la Lune* de Méliès, magistralement restauré, en préambule de la cérémonie d'ouverture du Festival de Cannes. Le refus venait de Canal Plus qui retransmet la soirée. Encore un truc de vieux, y pensait-on sans doute, toujours le syndrome Olivia de Havilland en somme. À Hollywood, on m'a montré des enveloppes pleines de poussière brune : ce qu'il restait de la copie du *Voyage dans la Lune* avant que des magiciens recollent tous les grains à l'aide de leurs ordinateurs. Il a fallu taper sur la table et crier que je suis le garant de la restauration du Méliès, du Festival et de Canal Plus par-dessus le marché que je n'arrête pas de protéger contre les accès de mauvaise humeur de Bercy.

Yvette Chauviré est une très vieille dame aux cheveux blancs, belle et fragile, dont l'esprit bat un peu la campagne. Nous sommes venus avec Brigitte Lefèvre et Hugues Gall lui apporter chez elle les insignes de grand officier de la Légion d'honneur. Elle paraît très contente et nous sommes tous les trois bien émus avec les photos de *Coppélia* et du *Lac des cygnes* encadrées sur un petit guéridon.

Concert d'adieux d'Eddy Mitchell au Palais des Sports où j'emmène mon filleul, Elias, pour qui le rock des années soixante est quelque chose comme la bande-son de *Jurassic Park*. Mais c'est un garçon éveillé : il trouve ça très bien et moi aussi. Je ne me pardonnerai jamais de ne pas en avoir fait suffisamment pour que Schmoll puisse donner cet ultime spectacle à l'Opéra Garnier comme il me l'avait fait demander. Encore une affaire que je n'ai pas suivie d'assez près.

Samedi 7 mai 2011

Charmant musée de Nogent-sur-Seine consacré à la sculpture sous la IIIe République. Cela pourrait être une galerie des horreurs académiques, entre les enfilades de nobles barbus oubliés, les Jeanne d'Arc à cheval, les copies de copies Renaissance pour salons bourgeois de province et les bondieuseries édifiantes accumulées par des Prix de Rome qui haïssaient Rodin et Bourdelle ; c'est en fait un très gentil bric-à-brac agencé avec goût où l'on redécouvre l'idée que la France radicale-socialiste se faisait de l'art, de l'histoire et de l'idée d'un monument. Superbe collection de sculptures de Camille Claudel que le plan musées va permettre d'installer dans une nouvelle aile en construction.

Parcours vers Troyes avec François Baroin, comme des collégiens en cavale, à échanger des souvenirs et des confidences personnelles, à piquer des fous rires aussi à l'idée qu'on pourrait planter là tout le cortège des officiels pour s'enfuir ailleurs tellement on est contents d'être ensemble. Las, Troyes, c'est sa ville, et tout ce qu'elle recèle de notables nous espère de pied ferme dans le jardin du musée que j'ai à peine le temps de voir. Cela va des jumelles harpistes à l'inévitable poète local en passant par un stupéfiant collectionneur de tanks de la Seconde Guerre mondiale qu'il est allé racheter jusqu'au fin fond des plaines d'Ukraine.

François Baroin : «Tu as tellement de chance d'être ministre de la Culture ; que de choses intéressantes à faire, que de gens intéressants à voir !»

Le même : «Ça va, l'œil de velours ! Tu sais très bien que je n'ai jamais été tenté d'aller faire un tour de ton côté. Tu ne lis donc pas les journaux ?»

Le même, en conclusion : «Cette visite aujourd'hui, il faut absolument remettre ça. On a vraiment été heureux ensemble.»

Paysage de ses tableaux et d'*Une partie de campagne* à Essoyes, petit village de l'Aube où vécut longtemps Renoir. La municipalité a racheté sa maison et son atelier avant d'ouvrir un centre d'interprétation faute de pouvoir s'offrir en vrai des toiles du maître. Il va sans dire que l'on attend de moi que j'intercède auprès de Guy Cogeval afin qu'il puise dans ses réserves pour confier un petit quelque chose en dépôt ; j'évite de trop m'engager sachant que la fourmi n'est pas prêteuse.

Pèlerinage au cimetière où repose toute la famille : Pierre, Jean, Dido, les deux Claude. D'autres descendants, bien vivants ceux-là, ont fait le voyage pour l'occasion. Je retrouve une jolie actrice que j'ai connue autrefois, avec son fils, post-adolescent d'une extraordinaire beauté qui regarde avec des yeux fiévreux toute cette histoire qu'on a dû lui raconter, qui l'ennuyait peut-être mais dont il se sent soudain investi.

Dîner avec Martin Scorsese et son épouse dans la salle à manger de l'appartement privé de l'Élysée. Je n'ai pas oublié la critique très élogieuse de *Madame Butterfly* qu'il avait fait paraître dans le *New York Times* et lui non plus. Sa femme a été une de mes élèves au temps où j'étais professeur à l'école active bilingue. Elle souffre d'une maladie qui s'apparente à la sclérose en plaques et qui la handicape ; il se montre d'une gentillesse et d'une prévenance touchantes avec elle. C'est dire que l'atmosphère générale est douce et chaleureuse. L'essentiel de la conversation porte sur ses films, que le président a pratiquement tous vus. Carla parle un peu de son apparition dans le film de Woody Allen ; à petite chose, paroles légères. Scorsese revient sur l'histoire du mariage de la fille de Mussolini, Edda Ciano, que je lui avais racontée quand j'étais allé l'interviewer à Palm Beach il y a quelques années et qui l'avait fasciné. Les grands maîtres italo-américains du cinéma, comme Coppola et lui, en racontant des histoires de gangsters et de parrains, sont les meilleurs analystes du pouvoir chez les dictateurs de la Méditerranée.

Dimanche 8 mai 2011

La plupart des meilleurs éléments de la haute administration du ministère votent à gauche par conviction et sont hostiles au gouvernement par un surcroît d'animosité à l'encontre du président. Certains s'en cachent par crainte ou par défiance à l'égard du ministre, ce qui est absurde et pas très courageux ; d'autres le laissent deviner sans sortir de leur rôle qui est de servir le ministère et d'appliquer les mesures décidées par le ministre : on sait où on en est et la relation avec eux est agréable. Le cas de Georges-François est emblématique : c'est un militant socialiste déclaré et sa loyauté à mon égard est absolue, fortifiée par notre affection réciproque.

« Grand jury » de RTL. Christine Lagarde vient me soutenir, ce qui est d'autant plus gentil de sa part qu'elle a franchement d'autres casseroles sur le feu. Émission tranquille, Jean-Michel Aphatie me ménage.

Lundi 9 mai 2011

Signature d'un accord culturel avec le ministre de la Culture du Monténégro, metteur en scène de son état, à belle gueule de bagarreur balkanique. Laissons les rieurs s'esclaffer dans leur coin, je me suis toujours intéressé à l'histoire du Monténégro depuis que j'ai consulté les foisonnantes archives filmées du début du XXe siècle. Le prince héritier de la dynastie, prétendant d'un trône dont sa famille avait quasiment oublié l'existence depuis 1918 et roi sans couronne d'une république trop contente de l'avoir sorti de la naphtaline assiste à la signature. Très sympathique. C'est mon côté *Sceptre d'Ottokar*. Frédéric Rossif, tout homophobe virulent qu'il fut, et Dado, artiste peintre sur qui Daniel Cordier écrivit un beau texte et à qui le Centre Pompidou rend hommage, étaient monténégrins.

Dîner en grand tralala à la galerie des Batailles de Versailles pour le lancement du centre culturel Google. J'ai hésité à y aller mais je ne veux pas être prisonnier de ma réputation d'hostilité, ce qui ne m'empêche pas d'énoncer souhaits et réserves devant une assemblée qui écoute poliment, hoche la tête avec affabilité et se contrefiche royalement de ce que je peux raconter.

Mardi 10 mai 2011

Cérémonie au Luxembourg en hommage aux esclaves. Ministres, élus et «grandes consciences» au garde-à-vous. Poèmes et déclarations diverses, musique et discours du président. Mon petit jeu favori : c'est du Guaino ou du Pascal? Lyrisme plutôt que pathos, c'est du Guaino. Cruelle ironie de l'histoire, le palais du Luxembourg abritait déjà le Sénat, protecteur des lois, qui n'a émis aucune objection, bien au contraire, au rétablissement de l'esclavage par Bonaparte, en 1802. De toute façon, pour le mari de la belle créole, Joséphine, qui ne peut se séparer de sa nounou noire, «la liberté est un aliment pour lequel l'estomac des Nègres n'est pas préparé»! Xavier Bertrand à qui je rapporte ces détails historiques : «Le problème avec toi, c'est que tu as mauvais esprit.»

Réunion avec le président sur le fonctionnement d'Hadopi. Ça commence à marcher, mais il trouve que ça ne va pas assez vite et que je communique mal sur le sujet. Il s'échauffe maintenant sur l'usage illégal du streaming où s'infiltrent les pirates.

Succès triomphal de l'inauguration du *Léviathan* d'Anish Kapoor pour Monumenta au Grand Palais. De tous les artistes, c'est celui qui a le mieux senti tout le parti qu'on peut tirer de la nef du Grand Palais. Moitié Jonas dans le ventre de la baleine et moitié fœtus in utero, je pénètre tout seul dans les entrailles du monstre.

Dîner avec Georgette Elgey dans son petit appartement de Saint-Germain-des-Prés avec Yannis qui va produire son portrait pour France 5. Elle est âgée, frêle, indomptable. Merveille mystérieuse de son extraordinaire accent.

J'arrive tard à la grande fête donnée pour Anish Kapoor aux Beaux-Arts. Je lui remets les insignes de commandeur des Arts et des Lettres dans un capharnaüm infernal. Cela comptait pour lui, mais tout le monde est alcoolisé et s'en fiche complètement. La chose à ne pas faire.

Je pense à Philippine qui aurait détesté ce genre d'impair et qui aurait eu raison.

Mercredi 11 mai 2011

Le ministre de la Culture au Festival de Cannes, c'est le geai paré des plumes du paon qui fait la roue devant les paparazzis alors qu'il n'est ni une star ni un créateur et le pique-assiette de luxe qu'on invite partout dans le vain espoir que le champagne lubrifiera les subventions. J'essaie quand même de me rendre utile pour ne pas avoir trop l'impression d'être un imposteur.

J'emmène une délégation de jeunes cinéastes tunisiens à la soirée d'ouverture. Illusoire consolation de la montée des marches pour des artistes que le cinéma français ignore et que j'obtiens de faire asseoir à l'orchestre quand le protocole les envoyait au poulailler. D'ailleurs, je les emmène partout et la petite bande s'éparpille peu à peu au hasard des fêtes de la nuit. Ils sont jeunes, innocents, la fausse effervescence les emporte.

Jeudi 12 mai 2011

Engueulade de forte amplitude avec Charles Berling sur le chantier de son futur théâtre à Toulon. Il me reproche de ne pas lui avoir lâché assez d'argent alors que j'ai tenu tout ce que je lui avais promis. Hubert Falco joue au bon parrain et sépare les chiffonniers en pleine bagarre. Il espérait sans doute pouvoir limiter son propre engagement et il a compris que je ne sortirai pas un sou de plus. En ligne de mire la subvention de la scène rivale de Châteauvallon dont il voudrait bien récupérer une partie et qu'il n'est pas question pour moi de diminuer. Déjeuner méridional arrosé et paisible à la mairie, on a laissé les mitraillettes au vestiaire mais je sens bien que ce n'est que partie remise.

Après Essoyes, Renoir a fini sa vie à Cagnes-sur-Mer. Dans une luxuriante oliveraie, le domaine des Collettes est un enchantement à l'abri du massacre immobilier de la Côte d'Azur. Mais la maison est en triste état et l'atelier, menaçant ruine, est fermé. Urgence de lui trouver une place dans le plan musées.

Remise des insignes de la Légion d'honneur à Nouri Bouzid, le maître du cinéma tunisien, qui a tenu bon durant toutes les années Ben Ali. Beaucoup de monde, larmes de joie et d'amertume.

Vendredi 13 mai 2011

Hervé Ghesquière et Stéphane Taponier, journalistes à France 3, sont otages en Afghanistan depuis bientôt dix-huit mois ; réunion de solidarité sur le parvis de France Télévisions où se rassemblent beaucoup de gens. À ceux qui disent que ça ne sert à rien, il faut objecter que ça sert déjà à réconforter leurs familles ; l'expérience a montré que les otages apprennent tôt ou tard qu'on ne les oublie pas même quand ils se trouvent au fin fond de leur enfer. Toutes les images circulent sur la Toile et les preneurs d'otages se servent en permanence d'Internet.

Agnès Magnien tient solidement la barre des Archives de France. Elle résiste à toutes les manigances de Susanj et de ses camarades. Mais elle ne doit pas s'amuser tous les jours : guerre des banderoles, grèves et occupations, tracts injurieux, anciens collègues qui se retournent contre elle, attaques sournoises distillées dans la presse.

Atys de Lully à l'Opéra-Comique. Le seul qui soit encore en pleine forme après quatre heures de songes funestes, c'est William Christie. Il émerge de la fosse d'orchestre frais comme un gardon devant un public recru d'admiration et d'épuisement.

Samedi 14 mai 2011

La confusion mentale et l'approximation historique conjuguées avec le désir de plaire à tout le monde étant des données fondamentales de mon caractère et de mon comportement, je me retrouve donc en ce matin pluvieux à inaugurer le boulevard François-Mitterrand à Nice avec Christian Estrosi, ravi de l'aubaine, et à rechanter *Nissa la bella* avec un nouveau contingent de mamies à cheveux bleus et de papis en marcel.

La villa Arson, École supérieure d'art, centre d'art contemporain et résidence d'artistes sur les hauteurs de Nice, est en proie à de sérieux problèmes de gouvernance dont on m'explique abondamment qu'ils sont en passe d'être résolus, certainement pour que je ne m'en occupe pas. Je garde pour moi la seule question qui me taraude : comment peut-on avoir envie de travailler dans un blockhaus pareil ? À mon humble avis, même Brejnev y aurait contracté une dépression carabinée et demandé en sanglotant à retrouver sa maman.

La villa Santo Sospir de Saint-Jean-Cap-Ferrat a été entièrement décorée par Jean Cocteau qui à chacun de ses séjours auprès de sa protectrice, Francine Weisweiller, recouvrait un mur après l'autre de jeunes faunes ressemblant à Jeannot et à Doudou. On est en bord de mer, l'humidité et l'air salin n'ont pas la douceur des éphèbes, ils les rongent inexorablement. La seule solution serait de mettre toute la propriété sous une cloche de verre, pour la protéger, mais comme c'est impossible matériellement, l'autre formule de la cloche de verre c'est la transfusion généralisée de subventions du ministère de la Culture et du conseil général. Une solution qui résonne agréablement à l'oreille de Carole, la fille de Francine, qui maintient la villa vaille que vaille et se heurte à de complexes problèmes de succession et de fiscalité, dont se sont occupés des conseillers autoproclamés avec pour principal effet de les rendre à peu près inextricables. Jean-Pierre, qui peut se montrer d'une patience infinie dès qu'il s'agit de sauver un patrimoine intéressant, s'étant penché sur la question avec ardeur et ayant finalement rendu son tablier, le ministre ne peut que prodiguer de bonnes paroles dans l'attente du moment favorable où, la lassitude ayant gagné tous les protagonistes, il lui sera possible de trancher le nœud gordien et d'arracher tous ces beaux gosses au regard de biche à une décoloration fatale.

Dîner de Gilles Jacob au Carlton. Robert De Niro, que je croyais mal embouché et brutal – «*Fuck*» à la chaîne dans les films et à l'adresse de quelques paparazzis –, s'avère absolument charmant. Il est stupéfait que je me réfère dans mon petit toast en son honneur aux deux critiques new-yorkais ultracinéphiles qu'étaient Carlos Clarens et Richard Roud, le premier emporté par une crise d'asthme alors qu'il n'avait pas de carte de crédit pour payer l'ambulance, le second tué par le sida. Ils étaient mes amis au temps de mes cinémas et de mes virées fiévreuses dans les salles de Greenwich Village, et ils étaient aussi les siens à la même époque alors qu'il était encore un aspirant comédien sans un dollar en poche. C'est toute la merveilleuse petite bande d'autrefois, soudée par l'amour du cinéma, désormais éparpillée par la pauvreté matérielle ou la mort, qui ressurgit soudain au milieu des lambris du Carlton et il en est profondément ému. Gilles Jacob nous écoute l'air songeur, il compare sans doute avec quelques vedettes françaises qui préfèrent la presse people et les plateaux de télévision à la Cinémathèque.

Dans un coin, entouré d'admiratrices inconnues, Woody Allen répond par monosyllabes à une nouvelle tentative de petit frais de ma part. En fait, ailleurs et sinistre comme d'habitude, histoire qu'on lui fiche la paix sans doute.

Qui sait qu'il existe un très joli musée, au Suquet, dans le vieux Cannes, ouvert cette nuit, si proche de tout ce qu'on aime et si loin des paillettes et du clinquant de l'excitation générale ?

Dimanche 15 mai 2011

Une fille en pleine scène de ménage sans doute hurle de colère au Majestic, on l'entend depuis sa fenêtre ouverte. Un type crie d'en bas : «Lâche-là, DSK!» Soit, c'est un peu vulgaire, mais le fait est que tout le festival, oubliant la sélection officielle et les habituelles rumeurs sur la Palme d'or, se passionne pour l'autre grand film qui passe en boucle sur les téléviseurs : l'arrestation à New York du patron du FMI soupçonné de viol sur une femme de chambre de son hôtel. Il y a vraiment tous les ingrédients pour faire un malheur au box-office : scénario formidable et réalisation brutale des séquences télévisuelles dont le cinéma peine souvent à retrouver la vivifiante barbarie.

On m'annonce qu'une journaliste de *Match* va suivre le ministre durant toute une journée au Festival de Cannes; on me donne quelques indications à son sujet que j'écoute distraitement et que j'oublie. C'est une belle femme dans la quarantaine, directe et précise, polie sans être aimable, pas du tout dans cette connivence si fréquente dont je me méfie car elle réserve souvent de mauvaises surprises. Elle suit sans rechigner le rythme fou auquel je nous astreins. Les heures passant, je l'apprécie de plus en plus; attentive, informée, toujours réservée, elle a l'air de s'intéresser à ce que j'essaie de faire sérieusement malgré la perpétuelle agitation ambiante. On rit aussi un peu de temps en temps. On parle prudemment de politique ; je lui dis qu'il faut faire attention à François Hollande pour l'année prochaine en citant le mot de Louis XVIII sur son cousin, le futur Louis-Philippe : «Il ne bouge pas, mais je sens qu'il chemine.» Elle me regarde fixement. Je viens de faire la connaissance de Valérie Trierweiler.

Interviews à la chaîne, discours aux professionnels. Au moins à Cannes on n'a pas l'air trop mécontent du ministre, j'en retire un sentiment de satisfaction idiot mais qui me fait quand même plaisir.

Faye Dunaway est belle en pièces détachées : les pommettes, le front, la bouche, mais les cordons-bleus du Botox et les virtuoses du bistouri n'ont pas complètement réussi à recoller les morceaux. Elle a aussi la réputation d'être une sacrée emmerdeuse auprès de qui Bette Davis ou Joan Crawford auraient pu passer pour Blanche-Neige. Je la trimballe donc comme un nuage atomique de la petite cérémonie où je la décore au déjeuner traditionnel donné par Philippine pour les célébrités du festival. Miracle du *small talk* ; après avoir appris par cœur la litanie des sujets qu'il ne faut pas aborder avec Roman Polanski, qui l'a pourtant mythifiée dans *Chinatown*, en bouton rouge déclenchant l'explosion nucléaire, je passe, quoique sur mes gardes, un moment plutôt agréable. Elia Kazan disait d'elle : «Toujours en train de se précipiter quelque part ; il en émane une impression de drame permanent.»

Thomas Langmann, très touché que je débarque à la fête de *The Artist* pour lui dire à quel point j'ai aimé le film. Bérénice Bejo aussi exquise à rencontrer qu'à regarder sur l'écran.

Lundi 16 mai 2011

La Fondation des Treilles, au cœur d'un panorama idéal ; le village de Tourtour, qui abrita Bernard Buffet, avec ses habitants si heureux de recevoir une visite ministérielle ; domaines inviolés de la Provence profonde sur lesquels veillent Maryvonne de Saint-Pulgent et Pierre Bergé.

Congrès des libraires à Lyon, ils commencent enfin à s'inquiéter, mais l'atmosphère est encore au colloque professionnel où les petites disputes s'étouffent dans les gueuletons et se noient dans le côtes-du-rhône. Quand donc se décideront-ils à mettre en place entre eux un système aussi performant qu'Amazon ? Ce devrait être possible quand même ! Pour l'instant, les fortes sommes que le ministère a allouées sont parties en fumée à travers des réunions, des pseudo-expertises et un programme informatique inutilisable.

Mardi 17 mai 2011

À quatre-vingt-cinq ans, Béji Caïd Essebsi est l'un des derniers bris-cards de l'ère Bourguiba et il préside l'un des meilleurs gouvernements que la Tunisie ait jamais connus avec la charge ô combien ardue d'ac-coucher la révolution d'une démocratie toute neuve. Il a de son ancien patron l'intelligence aiguë, le charme, la faconde, l'humour et la fran-cophilie tenace, mais sans le cabotinage narcissique, les caprices atrabi-laires, les terrifiants accès de colère. Le parcours depuis Orly où je suis allé l'accueillir jusqu'au Meurice est un moment privilégié pour moi tant sa conversation est vive, brillante, amusante. Il balaie mes erreurs concernant la révolution d'un revers de la main. Il attend beaucoup de la France et du président, qui n'a pas manifesté pour l'instant une grande considération pour la politique de la Tunisie de l'après-Ben Ali et qui devrait quand même rendre les armes devant un tel visiteur.

Zahia Ziouani, Malika Bellaribi, tant d'autres que je ne connais pas, entraînent des centaines de jeunes « issus de l'immigration », comme on dit, vers la musique classique en obtenant des résultats extraordi-naires. Je n'ai pas le souvenir d'avoir jamais vu quoi que ce soit sur elles à la télévision.

Et revoici le livre numérique à l'Assemblée nationale où il prend ses quartiers de nuit jusqu'à plus d'heure. Je le berce bien volontiers mal-gré l'humeur grognonne des fées qui vont se pencher sur lui.

Mercredi 18 mai 2011

Gérard d'Aboville milite pour la protection du patrimoine maritime et fluvial. Toujours la même impression intimidante quand je me retrouve devant un héros des temps modernes qui vient plaider modes-tement un dossier que je n'ai même pas eu le temps de consulter. Il a traversé l'Atlantique et le Pacifique à la rame en solitaire et moi je me plains de mener une vie de galérien quand je passe la nuit à l'Assemblée nationale !

Jeudi 19 mai 2011

Un petit tour à Bruxelles pour bien me culpabiliser de m'être quand même amusé au Festival de Cannes. La potion est amère mais efficace.

Incident à l'exposition de photos sur la révolution tunisienne à l'Institut du monde arabe. Un jeune me prend violemment à partie et ameute les visiteurs en me dénonçant comme un suppôt de Ben Ali dont la présence insulte les exposants. Réactions diverses. Je me garde bien de rappeler que c'est le ministère qui a financé l'exposition, cela le rendrait encore plus hystérique.

Vendredi 20 mai 2011

J'ai accepté de recevoir Jacques Drillon, du *Nouvel Observateur*, qui me poursuit de sa vindicte depuis près de vingt ans, pour tenter de désarmer encore une fois son incroyable hostilité. J'ai insisté pour être seul avec lui. Entretien correct en apparence, mais au détour de chaque question avancée bien posément, je sens la malveillance. Tant pis, j'aurai essayé d'élever le débat, je ne doute pas que son compte rendu sombrera dans l'horreur.

Marcel Bozonnet a été maltraité par l'un de mes prédécesseurs. Je veille à l'accueillir avec tous les égards qu'il mérite amplement. J'ai l'impression qu'il y est sensible.

Tant de monde à l'ambassade du Japon et trop de gens qui veulent me parler en prétendant qu'ils me connaissent ; je n'arrive pas à m'emparer d'un seul sushi parmi ceux qui passent sur des plateaux près de moi et dont s'empiffrent mes fâcheux discoureurs.

Inauguration de la médiathèque Gustave-Eiffel à Levallois. Accueil tout sourire de Patrick Balkany. Mais au fait, combien a-t-il de dents ? Cinquante, cent, plus encore ?

Dîner en l'honneur de Dina Kawar. J'ai beau être épuisé, je l'aime tellement que j'irais jusqu'au fin fond du désert jordanien, là même où Glubb Pacha n'osait pas se risquer, pour partager un verre de thé avec elle.

Le frère de ma copine Angeles Sinde, la ministre de la Culture espagnole, vient de se tuer à moto. Je n'ose pas imaginer l'horreur de la chose, le chagrin, le retour au bureau, les parapheurs, les réunions, les visites qui n'ont plus aucun sens.

Samedi 21 mai 2011

Toutes les friches industrielles sont émouvantes. En les parcourant, comme l'archéologue découvre des cités perdues, on aime imaginer une mémoire ouvrière fantasmée. Elle eut ses héros et ses victimes innombrables, ses dates et ses batailles ; les friches sont ses monuments aux morts, mais la plupart des noms ont été effacés par le temps ; la menace d'être démolies et définitivement effacées par la vie moderne les rend encore plus poignantes à visiter. La région parisienne en recèle un grand nombre ; l'immense usine des Œillets à Ivry-sur-Seine est l'une des plus magnifiques d'entre elles, on y fabriquait les plumes Sergent Major et les petits cercles de fer pour faire passer les lacets des bottines et on a du mal à penser qu'il fallait une telle cathédrale de verrières, de poutrelles d'acier et d'énormes crémaillères suspendues pour y usiner de si petites pièces métalliques. Mais il est vrai que l'on écrivait beaucoup pendant les guerres et que les armées en marche n'étaient plus constituées de va-nu-pieds.

Les maires d'Ivry-sur-Seine sont communistes de père en fils ; les aristocrates se lèguent des châteaux qu'ils ont bien du mal à entretenir, Pierre Gosnat a hérité la manufacture des Œillets de Georges Gosnat, l'un des plus proches camarades de Maurice Thorez. Elle a toujours été à eux puisque c'était leur fief dans la lutte des classes ; autant dire que le député-maire n'est pas prêt à la voir disparaître. D'ailleurs tout est classé. Cafés pour artistes, écoles d'arts appliqués, bientôt un théâtre dans la grande halle, il reste encore des herbes folles et des espaces à occuper, le ministre est le bienvenu s'il souhaite y réfléchir aussi.

Au MAC/Val de Vitry, premier musée d'art contemporain du Val-de-Marne, des enfants des écoles avec leurs maîtres. Les premiers aimeraient bien jouer avec les œuvres qui sont si ludiques, les seconds sont bien en peine de leur expliquer pourquoi c'est interdit. On cherche en vain les panneaux et les cartels pour faire comprendre.

La presse de gauche n'aime pas beaucoup Abd al-Malik, le rappeur réputé consensuel. Elle serait peut-être surprise de constater qu'il y a tant de monde pour son concert ce soir à la Villette.

Dimanche 22 mai 2011

Un chantier de fouilles archéologiques au Tremblay-sur-Mauldre, petit village d'Ambroise Vollard et de Blaise Cendrars à côté de Pontchartrain. Les archéologues qui se sont passionnés pour ce chantier se montrent diserts, aimables, très contents de la visite du ministre. On me sait gré d'avoir étouffé à petit feu le projet d'un déménagement de leur siège à Reims malgré les imprécations de la députée, Catherine Vautrin, qui a fait un forcing d'enfer pour l'obtenir.

Petit flash-back :
Valérie Renault, déléguée CGT de l'archéologie préventive, clone de Josiane Balasko dans ses rôles de forte en gueule, résolue mais sympathique : «Vous n'avez encore rien vu. Cette histoire de déménagement à Reims, c'est le pompon, si vous voulez que je me mette en pétard vous n'avez qu'à en reparler, seulement en reparler.» Et : «Vous nous avez gravement insultés en disant qu'on cherche des os de poulets mérovingiens. C'était pour nous taquiner ? Eh bien, ça ne passe pas, mais alors pas du tout!»

Exposition «Paris-Delhi-Bombay...» au Centre Pompidou dans une atmosphère de foire invraisemblable. Fabrice Boustau, le petit roi au chapeau rond de l'art contemporain, est le commissaire de la manifestation. Le résultat est pour le moins discutable; l'Inde est une fois de plus résumée en une sorte de grouillement indistinct. Malgré mon enthousiasme diplomatique de commande, l'ambassadeur, un brahmane raffiné et cérémonieux, porte un regard horrifié sur ce qu'il découvre. Par malchance, le flot des invités est tel qu'on se retrouve coincés la plupart du temps dans les salles où se carambolent des vidéos de travelos cachectiques, de drogués agressifs et de miséreux du *Lumpenproletariat* urbain ; je l'en extirpe à grand-peine, au milieu d'un public qui se récrie d'admiration, en évoquant avec effusion l'utilité de la controverse et de la provocation, les deux mamelles de la création artistique. Il est probable qu'il me prend pour un ignare ou un imbécile et même les deux à la fois sans doute.

Lundi 23 mai 2011

L'hôtel Gaillard est cet énorme château néo-Renaissance sombre et toujours fermé qui occupe presque tout un côté de la place Malesherbes. Je me suis souvent demandé à quoi il pouvait bien servir ; demeure maléfique d'un Dracula de la plaine Monceau ou mausolée hanté d'une cocotte de la IIIᵉ République. Il appartient en fait à la Banque de France et Christian Noyer, le gouverneur, veut en faire un musée de l'Économie. Visite en sa compagnie avec Pierre-Yves et Félix qui n'en croient pas leurs yeux devant l'invraisemblable délire architectural de ce qui était le Xanadu du banquier, Émile Gaillard. Folies bourgeoises au maximum avec salle de bal, loggias, boiseries de style Henri II, kilomètres de cuisines et ribambelles de chambres. Le rachat par la Banque de France lui a évité le sort du palais Rose de l'avenue Foch que l'incurie de la commission supérieure des Monuments historiques a abandonné aux démolisseurs en 1969.

Durant l'entre-deux-guerres, les grands argentiers ont construit dans la cour un blockhaus de béton destiné à abriter les réserves d'or, mais n'ont pas touché au reste. Mais soit qu'il y eût trop d'or à mettre en sûreté ou que le bâtiment fût trop malcommode, on a finalement tout laissé tomber et oublié le monstre pendant plusieurs décennies, miraculeusement préservé comme un mammouth dans les glaces de la haute finance.

Pour plus de précautions, le blockhaus était isolé du reste du bâtiment par un fossé rempli d'eau. Un gardien, sans doute rendu dépressif par des années d'existence somnambulique en compagnie des fantômes, y a lâché un jour des poissons rouges afin qu'il y ait au moins quelques espèces vivantes pour lui tenir compagnie. Comment ont-ils survécu dans cette profonde rigole obscure d'eau stagnante ? En s'entre-dévorant sans doute, mais le fait est que les rescapés pullulent, sont devenus énormes et bondissent hors de leur marigot, agressifs comme des squales dès qu'ils entendent du bruit. Pas pour voir ce qui se passe, car l'obscurité les a rendus aveugles, mais pour mordre ce qu'ils pourraient emporter dans leurs abysses. Le gouverneur, qui est un homme aussi amusant que sympathique : «Quand on parle des requins de la Banque de France, eh bien c'est là qu'ils se trouvent!» Espérons qu'on les gardera quand le musée sera ouvert, les enfants pourront les nourrir avec les stocks de vieux billets qui n'ont plus cours.

Mardi 24 mai 2011

Camp du Drap d'or de l'économie numérique et de la propriété intellectuelle aux Tuileries avec toute la fine fleur internationale de Google, Facebook et consorts, l'immense infanterie des accros d'Internet. Le président, qui n'entretient que des relations distantes avec l'ordinateur endormi dans son bureau, compte beaucoup sur ce forum pour faire valoir Hadopi, l'exception culturelle française, la protection des droits. Il a reçu Mark Zuckerberg et Eric Schmidt hier soir à l'Élysée. Rupert Murdoch sort comme un vieux crabe de la file des invités pour le congratuler et la manière dont il agite ses pinces toutes sanglantes d'espionnages et de diffamations pour embrasser le président me fait une impression sinistre.

Je discours, je vois du monde; la lieutenante de Mark Zuckerberg me sert, dans cet idiome américain incompréhensible dont usent les maîtres du monde pour les sous-développés de la vieille Europe, la vulgate de la communication respectueuse des droits et des différences; Eric Schmidt me félicite d'être un si bon partenaire pour Google comme on caresse distraitement la tête d'un orphelin somalien, et David Drummond me bombarde «*best french friend of american culture*», une arme dissuasive efficace pour flatter ma vanité naturelle.

Le cabinet est très excité de voir son ministre jouer dans la cour des grands, mais je doute fort qu'il résultera quelque chose de tangible et d'utile de cette messe médiatique qui me rappelle les réunions des Alcooliques anonymes où chacun assure qu'il a mis fin à ses mauvaises pratiques avant d'aller se replonger dans l'ivresse de la piraterie.

Mercredi 25 mai 2011

De tous les trucs incroyablement absorbants et à peu près inutiles que j'aurais eu à faire aujourd'hui, je ne retiens que la phrase de Line Renaud : «Tu es disponible pour les artistes, et s'ils ne le disent pas, ils le savent» et celle de Sihem : «Quoi qu'il arrive, même s'ils me forcent à porter un tchador, je ne quitterai jamais la Tunisie.»

Jeudi 26 mai 2011

Aux obsèques de Marie-Claire Pauwels, une dame très âgée entre lentement et s'assied à côté de moi. Elle paraît profondément émue, comme chacun dans l'assistance, car Marie-Claire était très aimée. La dame est belle, élégante, fragile. J'ai l'impression de l'avoir déjà vue et je la reconnais enfin dans un éclair. C'est Élina Labourdette, la merveilleuse grue des *Dames du bois de Boulogne*. Elle est la veuve de Louis Pauwels, le père de Marie-Claire. À la fin de la cérémonie, elle me sourit avec une grâce exquise avant de repartir par une porte de côté aussi doucement et discrètement qu'elle est entrée. Sentiment de nostalgie solitaire qui s'ajoute à la tristesse des adieux.

Vendredi 27 mai 2011

Christine Ockrent jette l'éponge à France 24 et Pouzilhac a obtenu ce qu'il voulait. Les procédés utilisés contre elle sont outrageants mais elle a été aussi poussée vers la sortie par l'Élysée et je n'ai rien pu faire pour lui venir en aide. Sale histoire : remords vis-à-vis d'elle, reproches que je m'adresse à moi-même pour mon impuissance.

Pierre Nora ne désarme pas dans son opposition à la Maison de l'histoire de France. Échange courtois au micro d'Emmanuel Laurentin sur France Culture où nous étions venus parler de tout autre chose – moi du Festival de l'histoire de l'art à Fontainebleau et lui des relations entre le romanesque et le récit scientifique –, mais le sujet Maison de l'histoire demeure si polémique qu'il a très vite surgi dans la conversation et englouti tout le reste. La localisation sur le site des

Archives continue à envenimer le débat ; on en est toujours à se battre contre les banderoles, les tracts vindicatifs, les admonestations médiatiques du fringant Susanj.

Samedi 28 mai 2011

Un moment de grâce au ministère : réception pour les traducteurs de langue arabe dont personne ne s'est jamais soucié auparavant. Poèmes, chansons, le Moyen-Orient, l'Égypte et le Maghreb réunis, souvenirs d'Andrée Chedid, de Mohammed Dib, de Rachid Mimouni, largement évoqués, véritables messagers de ce dialogue entre les langues qui est en général une tarte à la crème vide de sens et qui a pris ce matin un ton plein de ferveur.

J'emmène le petit Elias au Festival de l'histoire de l'art à Fontainebleau. Carlo Perrone reçoit la crème des historiens d'art pour un déjeuner dans sa merveilleuse maison. Beaucoup de monde aux débats et parmi les stands des éditeurs. Pierre Rosenberg et Jean-François Hebert enchantés de ce succès qui dépasse les prévisions les plus optimistes. Un petit accroc tout de même : l'ambassadeur d'Italie se fâche tout rouge contre un éminent historien d'art qui met publiquement en cause Berlusconi, son dédain pour le patrimoine et la culture en général. Il fait beau, on sert du champagne, les murs de Pompéi qui s'écroulent et L'Aquila qu'on tarde à reconstruire s'estompent peu à peu.

Dimanche 29 mai 2011

À Marrakech il faut mener une vie d'ermite, ne voir que des Marocains et travailler, ce que réussissent à faire quelques Européens planqués dans la médina ou bien à l'abri dans des maisons à leur goût où ils n'ont en général aucune envie qu'on vienne leur rendre visite. Autrement c'est l'enfer des mondanités vides de sens, des commérages sans intérêt et des relations fausses avec des officiels obséquieux comme des concierges de grands hôtels. Quand on est un ministre en déplacement, il est mathématiquement impossible de voir les premiers, on est coincé avec les autres à La Mamounia, bombe atomique absolue des relations publiques internationales.

Le but du déplacement du ministre de la Culture est de célébrer le dixième anniversaire de l'inscription de la place Jemaa el-Fna au patrimoine culturel immatériel de l'humanité ; une belle idée en somme qui pourrait justifier à elle seule l'existence de l'Unesco.

Flopées d'autorités au sourire perpétuel, gentils bavardages, congratulations diverses, le ministre fait le job et tout le monde est content. Heureusement pour lui, il s'échappe avec Youssef et Cédric pour assister au concert de Nass el-Ghiwane dans un terrain vague des faubourgs où dix mille jeunes Marocains s'époumonent en chœur dans cette flambée de gaieté sombre et cette expansion des corps qui les vengent pour quelques instants de leurs existences affreusement pauvres et mornes, sans espoir et sans avenir.

Lundi 30 mai 2011

Place Jemaa el-Fna. Chaleur torride, une foule énorme et soigneusement infiltrée de policiers qui applaudit à tout rompre avec le regard vide et l'enthousiasme factice de ceux qui nous jetteraient tout aussi bien des pierres ou nous proposeraient leur sœur avec le petit frère en prime s'il n'y avait pas ce ballet de limousines à l'arrière-plan et tous ces messieurs en costard-cravate qui incarnent une puissance vague et forcément dangereuse. On félicite les acrobates, les charmeurs de serpent, les conteurs et les diseurs de bonne aventure. J'oblige la délégation à traîner dans cet univers dont elle vante les délices quand elle en est loin et qu'elle redoute quand elle s'y trouve plongée. Youssef est devenu instantanément copain avec un flic marocain particulièrement malin et sympathique. Ils freinent l'odyssée à travers la place chaque fois que je le leur demande. Cédric, qui a bien compris où réside le vrai pouvoir, est évidemment entré dans la combine ; à force de vivre avec moi, il sait s'adapter à tous les imprévus.

Je parviens finalement à faire ce que je voulais le plus : déposer une gerbe de fleurs devant le café où des fanatiques ont jeté une bombe il y a quelques semaines causant la mort de plusieurs touristes. Les officiels n'y tenaient pas beaucoup, avec cette habitude tout orientale de cacher ce qui gêne, mais comme j'ai beaucoup insisté, ils ont changé leur fusil d'épaule et organisé toute une mise en scène : honneurs militaires, présentation des artistes qui ont décoré la bâche qui recouvre désormais le café, orangeade décontractée devant le café pour montrer aux caméras de télévision que tout va bien maintenant. Soit. Pour le recueillement, il faudra revenir une autre fois, car la foule est toujours aussi dense, et pour la présentation aux artistes, l'épisode s'avère lamentable. Ils sont littéralement parqués dans un enclos près du café, sous un soleil de plomb, et comme je suis pressé de toutes parts, je n'ai aucun moyen de pénétrer dans l'enclos ou de les en faire sortir. J'en connais certains, ils ont tous consacré leur temps et leur talent à réaliser cette bâche qui est très belle et qu'aucun officiel ne regarde vraiment. Je pense qu'on les a fait venir spécialement. J'imagine les coups de téléphone, les engueulades, les heures de route, le temps perdu pour cette humiliante simagrée. On se salue de loin, je croise des regards amènes auxquels je tente de transmettre mon impuissance et mes regrets, puis je détourne les yeux, j'ai honte pour eux et pour moi. On m'emmène boire mon orangeade, elle est délicieuse, la télévision filme abondamment comme on lui a demandé de le faire, ça fera une belle séquence au journal du soir. Les limousines sont arrivées, un bref coup d'œil vers les artistes encore dans leur enclos en plein cagnard et retour à La Mamounia, sa clim à pleins tubes et ses buffets garnis.

Escapade au jardin Majorelle. Pierre Bergé n'est pas là mais a donné des instructions pour qu'on m'ouvre la maison, celle où ils ont long-temps vécu, Yves Saint Laurent et lui. Moment de calme, thé à la menthe, tout est beau autour de moi, la mémoire imaginaire travaille à fond. Youssef, son copain flic et Cédric me rapportent hilares un bur-nous qu'ils sont allés acheter dans les souks ; tel que je l'avais souhaité : vieux, rêche et rapiécé – superbe. Ils ont pris tout leur temps et sont tellement de bonne humeur que je leur demande s'ils en ont profité pour aller voir des filles. On rit. Je me sens tellement mieux ici avec eux maintenant.

Dans l'avion du retour je repense à Jihed qui me manque. Je vais retrouver l'appartement vide car il est encore aux États-Unis. Après avoir mis autant de conscience à survoler de loin ses études qu'à me faire sentir qu'il m'aime, il a finalement accepté que je l'envoie passer un an à New York pour apprendre au moins l'anglais. Mais loin des yeux loin du cœur, je n'arrive à le joindre que de temps en temps. Il est

pourtant le meilleur compagnon de ma solitude malgré tous les égarements de sa jeunesse, celui qui s'intéresse un peu à ce que je fais,
qui est toujours content de m'accueillir quand je rentre le soir, et me
fait troquer des soucis pas trop graves contre ceux plus préoccupants
de la journée. Mathieu est loin, il a sa vie et survole l'Asie centrale,
Saïd est perdu dans ses films et ne veut pas que je l'aide. Sans Jihed,
je suis seul.

Mardi 31 mai 2011

Les questions cribles sont un des petits jeux préférés des parlementaires. Il consiste à mitrailler le ministre en séance publique de colles
diverses sur son action dont on ne lui a pas dévoilé la teneur et pour
lesquelles il n'a donc pas pu préparer de réponses. Effet de surprise
garanti et carburant de première qualité pour la rigolade au «Grand
Journal» de Canal Plus. Pendant que le cabinet explore fiévreusement
toutes les pistes possibles, je me repasse mentalement le sketch désopilant des Inconnus où Didier Bourdon, en midinette des supermarchés
très sûre d'elle, appuie avec autorité sur le bouton rouge pour répondre
triomphalement : «Stéphanie de Monaco» dès qu'on lui demande qui
a découvert l'Amérique ou le vaccin contre la rage. Il faut répondre
vite ; il n'y a pas de joker et on ne gagne pas des millions à la fin. J'ai
quand même droit au traditionnel «Vous avez été formidable, monsieur le ministre» de mes deux groupies préférées, Élodie et Laurence ;
on m'aurait sorti comme une épave entièrement essorée par Patrick
Bloche qu'elles m'auraient sans doute dit la même chose.

Jeannette Bougrab a réussi à monter sa fête de la jeunesse au Zénith.
C'est plein à craquer et elle danse comme une folle avec les sémillants
bébés énarques de son cabinet. Yannis, lui, tourne en rond mornement
autour des factures de la diffusion télé de cette belle soirée ; elles
sont pour lui ; la jolie sainte-nitouche du gouvernement a réussi à les lui
refiler non sans m'avoir taxé au passage et comme prévu d'un petit
complément que j'ai pris sur ma réserve.

Mercredi 1ᵉʳ juin et jeudi 2 juin 2011

Le président, de retour du G8 à Deauville : «Le Premier ministre tunisien est un type extraordinaire. Il est passé juste après l'Égyptien qui a endormi tout le monde en lisant son discours où il n'y avait rien à retenir, en parlant sans notes durant vingt minutes bourrées d'idées, d'anecdotes, de traits d'esprit. Dans un français parfait évidemment. À la fin, on s'est tous levés pour applaudir et Barack Obama l'a entraîné dans un coin après la séance pour lui parler, ce qu'il ne fait jamais. Cette génération des indépendances, c'est quand même autre chose que ce qu'on a aujourd'hui.»

Cette année, je suis autopromu moniteur de colonie de vacances à la Biennale de Venise avec une bien gentille petite bande : Bernard et Valérie-Anne Fixot, Xavier et Laure Darcos, Florence Woerth et *il signore* Pancotto, éminent critique d'art contemporain qui me voue une affection touchante mais excessive. Nous formons un groupe soudé, et comme je veux tout voir il ne faut pas lambiner et ignorer les regards qui implorent grâce.

Palazzo Grassi et Dogana di Mare, installation de Christian Boltanski au pavillon français, chaleur, ballet des canots sur la lagune, fête de François Pinault, belle jeunesse et alcool, d'autres fêtes aux objectifs imprécis, hormis celui de ne pas finir tout seul dans son lit, ce à quoi je me résigne pourtant bien sagement. Mon neveu, Édouard : «Je savais que Jeff Koons a beaucoup d'assistants mais, pour le coup, j'ignorais qu'ils étaient si nombreux.»

Et on reprend le lendemain, dès potron-minet : «Tout le monde est là, en avant marche!» Un pavillon après l'autre, les expositions sur le Grand Canal, le musée des horreurs de Vittorio Sgarbi, le provocateur berlusconien, le lunch chez Marian Goodman, Bernard Fixot effondré par à peu près tout ce qu'il voit.

La patrouille des Castors s'endort épuisée dans l'avion du retour tandis que je suis toujours aussi excité. Pierre-Yves : «À ce rythme-là, on aurait aussi pu faire les églises.»

Vendredi 3 juin 2011

Conséquence des folies vénitiennes, je recommence à tituber en marchant. Pierre-Yves me surveille en poussant de gros soupirs. Et pourtant, pas moins de sept réunions aujourd'hui sur des sujets qui me tiennent à cœur.

Déjeuner avec Bruno Roger à la banque Lazard. On m'avait prévenu, il ne faut pas louper la plaque de cuivre quand on passe boulevard Haussmann, elle est tellement discrète. Le reste est à l'avenant, on se croirait dans l'officine d'une discrète étude de notaire de province. Et d'ailleurs, tandis que l'on restructure gravement la dette de plusieurs États en faillite dans les bureaux à moleskine d'à côté, nous nous penchons avec des mines d'huissiers chagrins sur le modeste budget du festival d'Aix. Quand on se quitte, Bruno Roger me donne une belle photo encadrée de sa femme, Martine Aublet, prise alors qu'elle venait d'apprendre qu'elle souffrait d'un cancer. Elle resplendit de gaieté et de confiance dans la vie.

Le Crépuscule des dieux à l'Opéra. Il y a bien marqué « 5 h 48 » avec deux entractes sur les programmes ; mise en scène très « Panzer Division » ; public partagé entre allumés wagnériens extatiques, snobs prêts à fusiller du regard le premier qui s'endort, gens ordinaires de mon acabit qui se reprochent de penser encore à leurs impôts et à leurs petits problèmes ordinaires en gravissant les pentes escarpées du Walhalla. Il faudrait relire Bernard Gavoty qui a certainement écrit de bien belles pages sur le sujet avant d'aller rejoindre Germaine Lubin dans la nuit.

Samedi 4 juin 2011

Au Mont-Saint-Michel, pompe aspirante du tourisme planétaire, les élus locaux ont parfaitement organisé la chasse au gibier des visiteurs qui se déplacent en troupeau compact, photographient à tout-va et achètent des petits souvenirs. Profitant d'un réaménagement écolo-marketing sans doute bienvenu, les deux édiles qui se partagent le festin ont obtenu de concert la création d'un parking en rase compagne susceptible d'absorber et d'éloigner tout ce qui roule et qui pollue le bon air marin et l'atmosphère de pieuse spiritualité du site : cars, bagnoles, motos, caravanes; une navette étant commissionnée pour emmener les visiteurs depuis le parking sur le site même contre le paiement d'un titre de transport au tarif encore inconnu. Fort bien. Mais où installer le point de départ de la navette? À l'entrée du parking, comme on pourrait s'y attendre? Que nenni, le départ de la navette se fera après la zone commerciale regorgeant de restaurants, de sous-McDo et de magasins des horreurs abondamment garnis, soit un joli petit kilomètre de marche pour traverser ce capharnaüm d'une laideur cauchemardesque et qui appartiendrait précisément aux deux avisés protecteurs de l'environnement. D'où d'ailleurs leur concurrence effrénée pour contrôler la tirelire. Le parking lui-même étant une longue lanière de terrain qui se perd dans le bocage, on a tout intérêt à se pointer à l'aube si on ne veut pas se fendre d'une promenade supplémentaire au Salon de l'auto d'occasion. Au bas mot, compter une excellente marche hygiénique d'une bonne heure au minimum si on arrive en milieu de matinée et de bien plus encore si on a traîné sur la route, avec l'épouse qui fait la gueule, les enfants qui braillent et la belle-mère qui n'en peut plus et regrette le temps où on pouvait voir aussi bien le Mont-Saint-Michel sur les photos des compartiments de seconde classe. Il faut imaginer la chose parmi la foule sous le soleil en plein été ou au mois de novembre avec le pénétrant crachin normand et les rafales de vent qui balaient tout espoir d'arriver au but sain et sauf.

Comme j'évoque l'invraisemblable magouille auprès du préfet, il me répond en levant les yeux au ciel: «Je sais bien, on attend que le dispositif soit mis en place et que les gens se plaignent pour le changer.» Le Mont-Saint-Michel lui-même est d'ailleurs tellement gangréné par les marchands du temple et depuis si longtemps que je mesure un peu mieux l'impuissance d'un préfet de passage.

Au cœur du tourbillon, halte séraphique à la fraternité de Jérusalem qui niche dans un recoin de l'abbaye, hors du temps, hors du monde. Joli petit jardin de moniales suspendu entre ciel et mer, sourires diaphanes, enthousiasme évangélique, douce camaraderie autour d'un petit verre de jus de pomme et de langues de chat servis avec autant de prudence effarouchée que si l'on faisait circuler des pétards.

On visite quand même de fond en comble entre plusieurs séances de photos familiales ponctuées de «Quand est-ce qu'on vous revoie à la télé?» habituels en ce genre de circonstances.

Une déléguée syndicale, extrêmement gentille et intimidée, me demande un petit aparté. Elle me confirme la brutalité de la gouvernance au sein des Monuments nationaux. Je ne peux plus jouer à celui qui ne sait rien et ne se rend pas compte.

Au-delà des étendues de sable que la mer recouvre à marée haute, je découvre en me penchant une autre butte dont je ne connaissais pas l'existence, couverte de bois, isolée, sauvage. Impossible envie d'y aller voir, à pied mais en gardant à l'esprit les souvenirs des récits d'enfance où «la mer monte à la vitesse d'un cheval au galop»; toujours ce rêve vague de s'enfuir un jour.

Jazz sous les pommiers, à Coutances, avec le big band d'Yvetot et un jeune chanteur anglais plein de fougue qui allume une salle de messieurs-dames couperosés. Très sympathique, comme la petite cérémonie à la mairie où je décore le directeur du festival. Il y a des centaines de festivals comme celui-là chaque année qui portent des noms aussi poétiques et qui éclairent pour quelques jours le morne quotidien de la France profonde grâce aux efforts démesurés d'organisateurs bénévoles qui harcèlent les Drac, les conseils généraux et les élus pour obtenir de maigres subventions dont ils ne savent jamais si elles seront renouvelées l'année suivante. En tout cas, le député est aux anges, la ville est en fête et j'ai tenu ma promesse de venir. Une joie qui en vaut bien d'autres.

Existe-t-il un grand goût parfait? La réponse est oui, et je la trouve ce soir au château de Brecy dans le Calvados où Didier et Barbara Wirth me reçoivent à la tombée du soir sur le chemin du retour. Didier est le président du Comité des parcs et jardins de France et il a constitué une extraordinaire bibliothèque sur le sujet; Barbara a élaboré un magnifique livre sur les arts de la table, et le dîner qui m'est offert est d'ailleurs à l'avenant. Ce sont, bien sûr, des amis de Jean-Pierre.

Dimanche 5 juin 2011

Jeu vidéo au journal de vingt heures : un char roule sur le sable quelque part en Libye. C'est la cible. Un tir bien ajusté et paf le char est pulvérisé. Un bon coup de plus. Sauf que c'est un vrai char, un vrai missile et que ce sont de vrais êtres humains qui viennent de connaître une mort atroce. Des pauvres types à la jeunesse aveuglée, embarqués dans une guerre dont ils ne savent à peu près rien et dont on ne retrouvera que les cadavres calcinés si du moins il en reste quelque chose. On montre ces horreurs tous les soirs entre deux séries de nouvelles insignifiantes, comme si c'était tout naturel, avec une indifférence qui fait froid dans le dos. Personne ne s'interroge, personne ne s'en offusque.

Lundi 6 juin 2011

Au total une vingtaine de manifestations artistiques aidées en Tunisie comme en France pour soutenir les «créateurs de la révolution». Avec ce que j'ai pu récupérer de la défunte année du Mexique. On dira que c'est du favoritisme et que j'essaie de me dédouaner, eh bien qu'on le dise, et surtout qu'on fasse pareil!

Penelope Fillon à la représentation du *Fil à la patte* à laquelle j'ai convié les ministres et leurs épouses; je lui demande si elle ne trouve pas que c'est quand même le summum de la grivoiserie française pour une Anglaise aussi romantique et bien élevée qu'elle : «Justement, c'est ce que j'aime en France et que nous n'avons pas chez nous.» Dit avec un sourire de jeune fille et une délicieuse pointe d'accent britannique.

Mardi 7 juin 2011

Mathieu voulait connaître cet avocat d'affaires qui est en contact avec plusieurs réseaux d'influence et hommes politiques d'Asie centrale. C'est aussi l'un des conseillers de François Hollande. Je l'ai rencontré à plusieurs reprises. Tout cet univers du business en Asie centrale ne me dit rien qui vaille et je suis constamment inquiet pour Mathieu qui navigue dans ces eaux dangereuses, bien que je le sache très prudent; on se retrouve facilement exposé à la suspicion publique quand on traite avec les hommes d'argent de ces pays-là – et pire parfois au fond de la mer Caspienne avec de seyantes pantoufles en béton. Déjeuner instructif sur les mœurs locales plutôt rudes, contact agréable quoique un peu froid. L'avocat ne cache pas ses ambitions politiques, il est sûr du triomphe de son champion aux prochaines élections présidentielles et il ne peut pas s'empêcher de me rapporter les propos peu amènes que l'on porte sur moi dans les dîners en ville de la gauche caviar. Voilà tout un petit monde bien pressé qu'on lui cède la place et qui coupera les têtes sans aucune mansuétude.

Le gentil Richard s'échine à essayer de rééquilibrer mon carnet de rendez-vous avec les élus où il remarque avec désespoir qu'il y a selon lui beaucoup trop de parlementaires de gauche. Donc aujourd'hui, Laure de La Raudière, normalienne et véritable crack de l'économie numérique, Jean-François Lamour, champion olympique de sabre, ancien ministre des Sports sous Chirac et qui découperait bien Anne Hidalgo en rondelles si on adoptait les mœurs des samouraïs envers lesquels il nourrit une vieille tendresse, Daniel Spagnou, maire de Sisteron, père tranquille que l'on dit très à droite mais qui me semble d'une grande gentillesse, tous trois amusants, sympathiques. Allons Richard, trouve-m'en d'autres dans ce registre et le carnet ne te fera plus honte.

Mercredi 8 juin 2011

Le président : «Les éoliennes au Mont-Saint-Michel ? Mais enfin, c'est Frédéric qui a raison, il n'en est pas question ! Nathalie, il faut que tu arrêtes ça tout de suite. On les verra à peine ? Mais non, on ne doit pas les voir du tout. Et tant pis si on a donné l'agrément, on se débrouille pour le supprimer. Pas d'éoliennes au Mont-Saint-Michel, ni de près ni de loin, c'est tout !»

Pierre Ménat, l'ancien ambassadeur en Tunisie, brutalement rappelé peu après la révolution sous prétexte de ne pas l'avoir prévue, est nommé ambassadeur aux Pays-Bas. Une injustice réparée car en fait on n'avait livré que des versions tronquées de ses télégrammes où il analysait la situation plus clairement qu'on ne l'a dit. En revenant sur son jugement, le président se montre équitable. Scénario classique : colère, réflexion, bienveillance. Il a dû y avoir aussi une sérieuse remontée d'huile du côté du Quai d'Orsay et de Levitte.

Le financement pour acheter les manuscrits de Robespierre est à peu près bouclé. Grâce à Bernard Accoyer, toujours généreux quand il s'agit de valoriser le patrimoine de la République ; pas grâce à Gérard Larcher, dont la pingrerie le dispute aux manières cavalières ; et en dépit de Jack Ralite qui a fait monter les prix à force d'ameuter tout le monde.

À l'Ircam, où Frank Madlener est décidément l'homme de la situation après Pierre Boulez et Laurent Bayle, statues du Commandeur dont il câline la mémoire sans être intimidé pour autant. Fascinantes expériences sur la fabrication des sons et des voix artificielles, les usages proprement inouïs que l'on peut développer avec des ordinateurs pour reconstruire des partitions perdues, les recherches dans le domaine infini de l'électroacoustique.

Jeudi 9 juin 2011

Si on m'avait dit un jour que je sortirais d'une audition à la commission des Finances du Sénat avec le tableau d'honneur, je l'aurais pris pour une mauvaise blague. Et le pire, c'est qu'en plus je commence à aimer ça.

Préfecture maritime de Brest. L'amiral qui me fait visiter porte le nom d'un garçon que j'ai aimé lorsque j'étais adolescent et que j'ai très vite perdu de vue. Bel homme, l'âge et le physique coïncident, mais ce n'est pas lui. Il me parle d'un cousin qu'il a vaguement connu et qui vivrait depuis longtemps à Tahiti. Il me regarde soudain d'un drôle d'air mais avec sympathie. Je suis sûr qu'il en sait plus sur ce cousin des îles qu'il ne le laisse paraître. Arrêt sur image, silence, la rade de Brest flamboie sous le soleil et le cortège s'agite discrètement, le film reprend, l'amiral me parle de ses fils qui ne veulent pas prendre la mer, on continue la visite.

Arrivée à Ouessant en hélicoptère, c'est très beau et très impressionnant mais ne remplace pas le sentiment d'aventure que l'on éprouve en arrivant par la mer comme je l'ai fait autrefois par une journée de forte houle dans un rafiot qui craquait de partout et qui était rempli de femmes portant encore la coiffe traditionnelle. Toute l'île s'est réunie pour m'accueillir, chacun sait que l'on me doit la restauration et la remise à flot du dernier canot de sauvetage ainsi que le classement des phares. Pour une fois, je peste contre la communication du ministère, c'était vraiment l'occasion rêvée de faire de belles images.

Dîner à la sous-préfecture de Brest, avec les principaux acteurs culturels de la ville. Tout le monde vote pour l'opposition et le maire s'emporte quand je lui demande s'il est vrai que certains Bretons se sont laissé séduire par les nazis pendant la guerre au nom de l'identité celtique. Une jeune femme, belle et ardente, me laisse entendre qu'elle préfère ne rien demander au ministère pour le Festival de la littérature de mer qu'elle organise plutôt que de se compromettre avec un gouvernement qu'elle condamne. Pourtant, peu à peu, la tension s'apaise, tandis que le vent se lève avec des rafales de pluie qui frappent contre les carreaux et le bruit de la mer qui enfle au-dehors ; on se sent alors tous comme des passagers pris au piège dans le même bateau et contraints de traverser ensemble la tempête.

Vendredi 10 juin 2011

Le maire de Quimper, Bernard Poignant, est un socialiste bien moins sectaire que celui de Brest. Il a bien connu François et il est heureux de me parler de lui. Je suis venu pour évoquer l'action culturelle devant la fédération des maires des villes moyennes et il apprécie que je ne sois pas reparti tout de suite comme le font en général les autres ministres qui n'aiment pas s'éterniser dans des villes perdues pour la droite. Visite surprise au musée des Beaux-Arts, émoi du conservateur et de son équipe arrivés en toute hâte, belles peintures de mer, j'achète des reproductions.

Traversée de la France en petit avion pour assister au Festival du film d'animation d'Annecy. On dîne sur la plage avec Bernard Accoyer et Charles Rivkin, l'ambassadeur des États-Unis, au milieu d'une foire sympathique. C'est l'heure américaine de la remise du prix YouTube à un court-métrage d'animation ; McDo, frites et Coca au menu offert par l'ambassade. Un moment délicieux, si détendu, si joyeux, et déjà presque l'été qui fait scintiller le lac et découpe les montagnes sur un fond de ciel limpide.

J'ai tenu à retourner à Paris en train, c'est ce qui est le plus commode pour lire et se reposer un peu puisque je continue à tituber. Qui l'aurait imaginé, le jeune chef de gare est d'une beauté stupéfiante ! Décidément, ce fut une bonne journée.

Samedi 11 juin 2011

Hommage à Jorge Semprun, qui vient de mourir, dans la cour du lycée Henri-IV, où il fit ses études secondaires et obtint le deuxième prix au concours général de philo. Beaucoup de témoins de sa vie magnifique, Angeles et Felipe Gonzalez sont venus de Madrid, Catherine Pégard représente le président. Les prises de parole sont belles, sans lyrisme ni pathos, et Danièle Thompson m'a glissé en entrant un court texte bien meilleur que mon discours. Je le lis lentement, sans omettre qu'il me vient d'elle. Chacun garde sa tristesse pour soi, c'est mieux pour respecter la chaleur et l'amour de l'existence qu'il faisait rayonner autour de lui.

Il avait beaucoup décliné physiquement depuis la mort de sa femme. Florence Malraux s'occupait de lui constamment et tous ses amis étaient restés proches de lui. C'était quelqu'un qu'on ne quittait pas. Nous habitions le même quartier et on saisissait chacune de nos rencontres fortuites pour prendre le temps de se parler. Il n'a jamais critiqué mon parcours et me traitait avec une indulgence affectueuse qui me touchait profondément. On l'a enterré avec le drapeau de la République espagnole. Il me disait qu'il n'avait pas changé de convictions mais qu'il était devenu juan-carliste de raison.

Dimanche 12 juin 2011

Flash-back : visite à Jorge Semprun à l'hôpital Pompidou il y a un mois. Il tarde un peu à me reconnaître, puis : «Ah, Frédéric, comme c'est romanesque, comme c'est romanesque!»

Lundi 13 juin 2011

Le dispositif de mes officiers traitants à l'Élysée a donc beaucoup changé depuis des mois. Olivier Henrard s'avère parfaitement loyal. Xavier Musca me laisse tranquille. Pas de nouvelles d'Henri Guaino depuis que j'ai remis la Maison de l'histoire de France sur les rails. Et j'ai désormais un allié de poids en la personne de Jean Castex, le secrétaire général adjoint. Gersois massif, subtil et aimant rire, il est toujours disponible pour moi et répond à mes demandes franchement et rapidement. Au fond, le seul vrai problème, c'est l'attitude étrange de Camille Pascal, de plus en plus hostile au fur et à mesure de l'accélération de son ascension élyséenne. Comme il est le nouveau chouchou du patron, je dois me méfier de lui, le contourner autant que possible ; cette attitude ne fait que renforcer son animosité. Il suffit d'avoir un seul ennemi particulièrement bien placé et obstiné dans son aigreur pour que le poison des malveillances se diffuse un peu partout. Catherine Pégard, qui me lisait le mode d'emploi avec patience, se tient de plus en plus en retrait ; comme moi, c'est un jeu qu'elle déteste et dont elle souhaite désormais s'affranchir. Restent Jean de Boishue et Faugère à Matignon ; l'un solide comme un roc, l'autre toujours de bonne volonté et de grande expérience mais il a bien d'autres chats à fouetter et pas vraiment le temps de s'occuper des petits bobos du ministre.

Mardi 14 juin 2011

Gymkhana aux Archives entre les manifestants ameutés par l'infatigable Susanj et les escouades de flics dépêchés pour qu'Edouard Balladur puisse visiter tranquillement l'exposition consacrée à Georges Pompidou. Il en repart très satisfait et dans une atmosphère irénique comme à son arrivée. La guerre des banderoles, des haut-parleurs et des invectives, jusqu'alors miraculeusement contenue, reprend juste après et toutes mes tentatives pour parlementer se perdent dans la confusion générale.

Il ne manque que les militants anticorrida, qui ne me lâchent plus et qui ont le chic de surgir à l'improviste et de tromper les contrôles en mobilisant les agitateurs les plus improbables : gentilles mamies d'apparence inoffensive qui sortent brusquement des pancartes de leurs cabas et se transforment en harpies vociférantes, mignons étudiants à l'air de gratteur de guitare devenant de nouveaux Ravachol aux yeux injectés de sang, universitaires lunaires métamorphosés en terroriste de l'agit-prop philotaurine. Enfin, si ce n'est pas pour cette fois, je ne perds certainement rien pour attendre.

Réunion Maison de l'histoire de France. Pour Jean-Pierre Rioux, l'affaire est désormais bel et bien pliée, mais au stade où nous en sommes je me garderais bien de crier victoire. S'il est vrai que le projet avance dans le bon sens, la petite séance de ce matin m'incite à la prudence.

Audition de la commission des Affaires culturelles à l'Assemblée nationale. Même topo qu'au Sénat, ça se passe bien. C'est à croire que les socialistes me prennent désormais pour un vieux bégonia oublié dans le décor qu'il n'est même plus nécessaire d'arroser. Même Patrick Bloche a remisé son sécateur et ne parle plus de me dépoter.

Hallucinant dîner de gala au Louvre pour une milliardaire américaine supermécène qu'Henri Loyrette soigne aux petits oignons. Elle a convié tout le gratin de ses amis du «fly private» d'un bord à l'autre de l'Atlantique, et si les dames scintillent comme des sapins de Noël, ce n'est certainement pas parce que leurs maris ont braqué la place Vendôme toute proche, leurs fonds d'investissement l'ont rachetée depuis longtemps. Comme le parcours de la rue de Rivoli, où s'arrêtent les limousines, jusqu'à la cour Marly où se tiendra le festin est un peu long, les sémillants vigiles préposés pour guider les invités sont débordés, à tel point que nous prenons avec Henri la direction du filtrage à l'entrée. Le président du Louvre et le ministre de la Culture sont transformés en voituriers gaffeurs et en hôtesses d'accueil à demi mortes de rire. Effarement des rares invités qui tendent leurs cartons en ayant l'impression de nous avoir déjà vus quelque part et surexcitation des paparazzis qui n'en perdent pas une miette. Je traverse l'épreuve du dîner en apnée et je coupe au concert de Janet Jackson sous la pyramide. Aucune importance, le mouton-rothschild de Philippine a fait son office et personne ne remarque la disparition du ministre.

Mercredi 15 juin 2011

François Fillon : «Pour une fois, Frédéric, si vous pouviez faire ce que je vous demande! C'est la troisième nomination pour laquelle je ne suis pas d'accord et vous insistez quand même!» Il interpelle un ministre qui s'approche, piqué par la curiosité : «Tu as déjà vu ça, un ministre qui n'en fait qu'à sa tête? Eh bien voilà monsieur le ministre de la Culture! Il veut absolument nommer une adolescente impubère dont personne n'a jamais entendu parler à un poste où il faut quelqu'un de bien plus expérimenté. Tout le monde est contre et il s'obstine!» Je ne me suis pas obstiné longtemps; François valide la nomination quelques jours plus tard. Il aime bien que je lui résiste pour me faire sentir qu'il me fait finalement confiance.

Au Japon, ce seraient des trésors nationaux entourés d'un respect universel, en France ce sont des metteurs en scène de théâtre à la longue et brillante carrière qui ne sont jamais assurés de recevoir les subsides du ministère de la Culture dont ils ont légitimement besoin pour continuer à travailler. Georges Lavaudant pourrait m'en vouloir de ne pas l'avoir nommé à Montpellier, mais non, il se montre d'une élégance et d'une gentillesse extrêmes ; Jacques Lassalle se souvient de l'animateur de télévision intimidé qui bafouillait d'admiration en le recevant sur un plateau ; Bernard Sobel est touché que je lui dise que c'est lui qui m'a révélé le terme d'«intimidation sociale» et qui m'en a fait comprendre le sens ; André Engel pose silencieusement sur moi un regard intense quand il s'aperçoit que j'ai vraiment vu et aimé *La Petite Renarde rusée* et *Le Roi Lear*.

Jean-Pierre : «Tu donnes des "séries" au ministère comme Eugénie à Compiègne sous le second Empire.» La référence est cruelle, mais au fond elle est exacte ! Au moins deux cents personnes à chaque fois appartenant peu ou prou au même domaine de la création et de la vie artistique. Avec les cérémonies de décorations cela fait beaucoup de monde d'une semaine sur l'autre. Lionel s'en tire incroyablement bien avec le maigre budget que je lui alloue pour les buffets et il n'y a plus de loupés sur les listes d'invitations depuis que Jean-Pierre a repris en main toutes les relations publiques du ministère. Frédéric Sallet est enfin devenu chef de cabinet en titre et son service marche à la perfection, ce qui prouve accessoirement que j'avais raison dès le début de vouloir le promouvoir et que l'administration avait tort de m'en empêcher. Il est désormais secondé par un jeune militaire, Raphaël Benda, exemplaire d'efficacité et de délicatesse, qui veille sur moi comme il le ferait d'un extraterrestre qu'il faut absolument protéger des miasmes de l'existence ordinaire. Je tiens beaucoup à tout ce train de réceptions et je me moque bien des esprits chagrins qui sifflent entre leurs lèvres «paillettes», «frivolités», «superficialité». Le ministère est la maison des créateurs et des artistes, elle doit leur être largement ouverte, et d'ailleurs personne ne s'en plaint Rue de Valois malgré le surcroît de travail que cela représente. Ce soir, le monde du design ; il fait beau, on ouvre les portes-fenêtres sur les terrasses ; tant de choses se disent dans ce genre de réceptions que l'on n'entend jamais ou que l'on écoute à peine autrement.

Jeudi 16 juin 2011

Le Premier ministre m'interpelle : «Qu'est-ce que c'est que cette histoire de tauromachie ? Qui sont ces gens qui s'agitent pour l'abolir ? C'est une tradition, tu ne trouveras pas un élu du Sud pour les soutenir. J'espère que tu ne vas pas retirer cette inscription au patrimoine ! Il ne faut pas que tu leur cèdes ! — Et si vous me retrouvez au journal de vingt heures cerné de manifestants qui m'ont aspergé de peinture rouge en hurlant que c'est le sang des taureaux qui retombe sur moi, on aura l'air fin. Ils sont enragés, cela fait des semaines qu'ils ne me lâchent pas d'une semelle ; chaque fois que je fais une visite, maintenant, je dois passer par les sorties de secours. — Tu n'as qu'à courir plus vite. — Ils sont très forts, ils s'infiltrent partout ; on a l'impression d'avoir tout bien organisé et hop ils surgissent en criant et en brandissant des pancartes. — Débrouille-toi, tu ne retires pas l'inscription, tu ne cèdes rien. — Vous les recevez, vous, les lettres de Brigitte Bardot ? Vous en faites, vous, des corridas dans la Sarthe ? — (Rêveur :) Des corridas dans la Sarthe ?... — On n'a qu'à rajouter la chasse à courre et on aura toutes les associations sur le dos. Ça rigolera moins dans le Val de Loire ! — Tu ne changes rien, tu restes tranquille et tu ne bouges plus.»

François Fillon vouvoie le ministre et tutoie Frédéric. Parfois, ça se mélange un peu. Tant mieux !

Olivier Morel-Maroger a repris la direction de France Musique. Il a de la chance, c'est une maison remplie de gens de talent. Il en est conscient et il en parle bien. C'est d'ailleurs la chaîne que j'écoute le plus régulièrement en me réveillant vers six heures chaque matin avec à l'oreille la voix à l'accent mystérieux d'une délicieuse inconnue dont j'essaie d'imaginer le physique : jeune, douce, éthérée, certainement jolie.

Réunion pour la tour Utrillo de Clichy-Montfermeil. Le préfet, Daniel Canepa, prolonge encore le sursis à démolir qui la menace et fait tout son possible pour que le ministère puisse en prendre possession aux meilleures conditions. Les deux maires et Jérôme Bouvier insistent toujours pour qu'on l'appelle «tour Médicis».

Vendredi 17 juin 2011

Rama Yade assure qu'elle va soutenir le projet d'inscription de l'œuvre de Le Corbusier au patrimoine de l'Unesco. On m'assure par ailleurs qu'elle est sur le point de démissionner de son poste d'ambassadeur auprès de l'Unesco justement. Qui croire ?

Samedi 18 juin 2011

Inauguration du château de la Buzine à Marseille, qui doit devenir un centre de création dédié à Marcel Pagnol. Il voulait effectivement y transporter son studio mais il s'en est à peine servi et il n'y a pratiquement jamais habité. C'est une jolie demeure qui a été restaurée à grands frais par la mairie. Le projet culturel est plutôt vague et on se demande qui viendra se perdre dans ce quartier perdu de demi-riches pour revoir Fanny et relire *Le Château de mon père*. En tout cas, le Tout-Marseille qui gravite autour de Jean-Claude Gaudin se presse au cocktail et paraît enchanté, tandis que moi j'ai tenu la promesse de venir que je lui avais faite quand il tient si peu les promesses qu'il a pu me faire.

Le vin étant tiré, il faut le boire jusqu'au bout, je me transporte donc jusqu'à l'Opéra pour la première du *Cid* de Massenet avec Roberto Alagna et Béatrice Uria-Monzon. Belle affiche certes, public enflammé d'enthousiasme, musique de pompiers, hallucinante mise en scène néo-franquiste dont Dalí en pleine période chocolat Lanvin aurait su célébrer le surréalisme involontaire. Comme on m'assaille de tous côtés pour que je revienne sur d'imprudentes déclarations antérieures et reconnaisse enfin l'excellence de l'Opéra de Marseille, je me livre à l'exercice des compliments hyperboliques que l'on attend de moi et mon retour en grâce provisoire est enfin assuré. Au fond, c'est Jean-Claude Gaudin qui a raison : puisqu'ils sont tous si contents, pourquoi vouloir leur imposer d'autres bonheurs où ils ne se reconnaîtraient pas. C'est évidemment mieux à Lille, mais c'est sans soleil, sans pastis et sans calanques ; vu sous cet angle, tout devient relatif, et on s'en tire toujours dès qu'on peut ouvrir sa fenêtre sur la mer.

Dimanche 19 juin 2011

On ne badine pas avec l'amour au Vieux-Colombier dans une mise en scène aérienne d'Yves Beaunesne. Orchestre Demos à la salle Pleyel, constitué de jeunes venant des milieux sociaux défavorisés que des solistes moniteurs prennent en charge, l'une des réussites parmi d'autres de Laurent Bayle qui m'accompagne. Ouf, les affaires reprennent...

Lundi 20 juin 2011

Frank Madlener ne veut décidément pas entendre parler de la direction du Festival d'Automne. Jean-Pierre : «Je sais à qui tu penses, pourquoi ne le dis-tu pas ?» Je ne le dis pas parce qu'il ne faut pas s'avancer à découvert pour une nomination aussi sensible dont tout le monde veut se mêler jusqu'au président lui-même. Quand ils auront tous bien tourné en rond avec leurs candidats, il sera temps de sortir mon joker. Et puisque Jean-Pierre a deviné...

Frédéric Borel est l'architecte que je préfère et Ann-José Arlot, certainement pas étrangère au prix national qui lui a été décerné l'année dernière, m'emmène visiter son école du Val de Seine qui est absolument superbe. Comme beaucoup d'esprits novateurs et modestes, il aura mis longtemps avant d'être reconnu parmi les meilleurs dans les milieux où la compétition est féroce et les stars installées peu enclines à faire place à d'autres talents que le leur. Comme partout en somme.

Marianne Faithfull, sa belle voix métallique intacte et une terrible inquiétude dans son regard magnifique. J'aimerais la prendre dans mes bras, lui donner tout l'argent que je n'ai pas, la rassurer en restant près d'elle comme au chevet d'une petite fille qui redoute de retrouver des cauchemars et n'arrive pas à s'endormir.

Mardi 21 juin 2011

Philippe Starck est certainement l'un des grands designers de notre temps, mais est-il vraiment indispensable qu'il vienne me faire la leçon comme si je ne connaissais rien à rien ? Peut-être n'a-t-il pas tout à fait tort d'ailleurs, nous vivons bien dans deux mondes complètement différents et je n'ai pas envie de quitter le mien pour essayer de rejoindre le sien où je n'aurais aucune aptitude à survivre.

Inauguration du monument pour les soldats russes de la Première Guerre. Mon sculpteur, Vladimir Surovtsev — je dis bien «mon» sculpteur car je l'ai choisi et imposé —, a parfaitement respecté ce que je lui demandais : faire sobre, s'inscrire sans brutalité dans le site du cours la Reine et à proximité des autres statues d'époques et de styles différents mais généralement réussies qui parsèment les alentours, donner en somme l'impression qu'elle a toujours été là. Banale peut-être mais c'est une qualité à cet endroit, et si on la regarde avec un peu d'empathie, soigneusement réalisée, touchante par sa modestie et la mélancolie qu'elle exprime. François Fillon a d'ailleurs des mots très aimables pour moi dans son discours et Vladimir Poutine, radieux, me donne de grandes tapes sur l'épaule comme si on venait de crapahuter entre hommes en Tchétchénie. Voilà en tout cas une affaire rondement menée, et s'il ne reste rien plus tard de tout ce que j'aurai pu entreprendre au ministère, je pourrai toujours donner à manger aux pigeons, en chaussons et devant ma statue, comme Gloria Swanson regardant ses vieux films dans *Sunset Boulevard*. En quittant la cérémonie, malgré l'euphorie générale, je ne peux pas m'empêcher de couler un regard inquiet de l'autre côté de la Seine, vers le site prévu pour la future cathédrale Saint-Vladimir.

Fête de la musique ; j'ai fait venir au ministère le groupe de chanteurs des rues que j'avais repéré l'année dernière au Forum des Halles. On s'est donné le mot sur la bonne ambiance qui règne dans la maison et il arrive du monde de partout ; pris de folie, conseillers d'État et jolies branchées de la mode, élus de tous bords et comédiens évadés du Syndeac entonnent en chœur *Étoile des neiges* et *Le Petit Vin blanc*. Après, ça chante et ça danse jusqu'à plus d'heure avec Jerryka venue en renfort.

Mercredi 22 juin 2011

Ce sont les trois messieurs qui commandent à la toute-puissante administration des Impôts, les supermandarins de Bercy, décorés, suaves, lovés comme des boas constrictors sur les fauteuils de mon bureau. Tous les ministres ont été contrôlés et nous sommes plusieurs à nous être fait infliger un redressement. Le mien est carabiné et je le conteste. Le chef m'explique que si j'étais un contribuable normal, je pourrais saisir le tribunal administratif qui me donnerait sans doute raison, mais voilà je ne suis pas un contribuable normal et le *Canard enchaîné* est le seul animal qui reste sur l'estomac des boas constrictors du Trésor. Donc il faut payer sans discuter avant que ça ne s'ébruite. J'obtiens seulement un échéancier pour m'acquitter de la rançon du pouvoir. Ils glissent en souriant hors de mon bureau, satisfaits de m'avoir pris à la gorge et sans doute pressés d'aller étrangler un autre de mes collègues. Je n'ai pas la moindre idée de la manière dont je pourrais me sortir de cette nasse.

Dîner avec la famille Coppola et Paul Rassam chez L'Ami Louis. Sofia et ses parents entretiennent une relation fusionnelle et je ne peux pas m'empêcher de penser que l'ombre de Gio, son frère mort il y a vingt-cinq ans dans un accident de hors-bord, ne les quitte jamais. Sofia s'intéresse intensément à ce qui l'intéresse, le reste glisse sur elle et sur ses bonnes manières. Thomas Mars, le musicien avec qui elle vit et dont elle a deux enfants, est totalement intégré à la famille. Atmosphère confiante et affectueuse comme si l'on se retrouvait entre vieux amis qui se connaissent depuis toujours. En sortant du restaurant, Paul Rassam, qui a eu l'initiative du dîner, me dit avec chaleur qu'il faudra qu'on se revoie car ce fut une bonne soirée.

Jeudi 23 juin 2011

Jean-Pierre : «Tu ne nous parles plus assez et il y a de nouveau des tensions dans le cabinet entre ceux qui se sentent valorisés par toi et ceux qui pensent que tu les négliges.» À rapprocher des reproches que me fait Francis qui trouve que je me replie sur moi-même.

Alain Seban voudrait réorganiser la bibliothèque du Centre Pompidou qui s'est développée comme un corps étranger à l'usage des étudiants, isolée de l'ensemble par l'accès séparé qu'avait voulu Jean-Jacques Aillagon, on se demande bien pourquoi. Il a raison, mais un tel redéploiement coûterait cher alors qu'il est urgent d'entreprendre d'autres travaux. Le Centre est victime de son succès et vieillit très vite ; la climatisation, par exemple, risque de tomber en panne à tout moment.

Vendredi 24 juin 2011

En Corse, l'État fonctionne comme un vélo dont la chaîne a sauté et dont les freins ne marchent plus. Il va de plus en plus vite en roue libre dans les descentes et finit dans le décor. Il est incapable de remonter la pente. Les Corses restent sur les bas-côtés et vaquent à leurs affaires selon des codes bien à eux, obscurs et, il faut le reconnaître, apparemment de plus en plus déraisonnables. Voici donc une journée pour illustrer jusqu'à l'absurde ce principe d'irréalité : je pose la première pierre de la nouvelle station de France 3 en abondante compagnie de personnalités locales aux fonctions souvent imprécises qui se congratulent et se détestent farouchement, je visite la Drac sur laquelle je n'ai au fond pratiquement pas de prise, même si son directeur est remarquable, parce que son budget est dévolu à l'Assemblée de Corse, j'ai à chaque instant le sentiment angoissant de parler au nom d'une abstraction lointaine à des gens très sympathiques mais qui se fichent complètement de ce que je peux leur raconter.

À Bastia, Émile Zuccarelli m'attend de pied ferme. Je fais bien gentiment tout ce qu'on attend de moi : le musée, les églises, le cocktail. Sans trop de mal, la ville est très belle, exotiquement hautaine et mystérieuse comme l'était paraît-il cette arrière-grand-mère bastiaise qui a laissé un souvenir épouvanté à tous ceux qui l'ont connue dans la famille, mais il faudrait y parvenir uniquement par la mer, comme les conquérants génois, car l'arrivée par la route impose la traversée d'une apocalypse de zone commerciale dont les retombées en subventions, équipements et commissions diverses n'ont certainement pas été perdues pour tout le monde. Je ne sais pas si la Corse est plus ou moins détruite que le reste de la France par la prolifération des zones commerciales, mais d'où vient qu'il y flotte un air de désastre irrémédiable plus prononcé qu'ailleurs ?

À Mariana, une merveilleuse église et un centre de fouilles archéologiques avec des gens qui se donnent un mal fou pour qu'on s'intéresse à eux. Il faudrait déjà déplacer la route où un poids lourd qui louperait son virage démolirait tout sur son passage. Cela fait des années qu'on en parle.

À Biguglia, je rencontre un député-maire vraiment attachant et convaincant dans ses projets de valorisation culturelle de la commune mais cerné par les autres élus, ce qui n'est pas spécialement corse, et objet de menaces et d'attaques personnelles violentes, ce qui est plus dangereux ici qu'ailleurs.

Le préfet, homme fin et d'un contact agréable, a organisé un dîner avec des artistes et des personnalités culturelles. Conversation déliée et très intéressante avec des gens qui flirtent plus ou moins avec le nationalisme insulaire qui suscite en moi le mouvement ambivalent de tenter de le comprendre et celui d'en avoir peur et de laisser tomber.

La préfecture de Bastia a été construite dans les années quatre-vingt ; architecture très moche et bâtiment qui part en morceaux. Promenade nocturne sur la grande place, Cauet s'y démène pour animer une émission de radio mais le public est clairsemé et l'atmosphère plutôt morne. Les cafés sont rares, les terrasses fermées, les rues désertes ; ne se promène-t-on pas ici par une belle nuit d'été ? Encore plus qu'à Ajaccio, sentiment d'un monde opaque, triste, comme à bout de souffle. Une fois de plus, il faudrait rester plus longtemps pour s'apercevoir que l'on se trompe peut-être.

Samedi 25 juin 2011

Tante Henriette a été transportée à l'hôpital de Mougins, dans une chambre triste et sombre, une antichambre de la mort. Elle s'excuse du dérangement qu'elle me cause, je lui réponds que le dérangement, ce serait qu'elle refuse de se soigner comme elle menace de le faire. Bref, on se raconte des histoires. Les médecins pratiquent la méthode Coué avec aplomb en affirmant que tout est sous contrôle, mais ils ajoutent ce « que voulez-vous, à plus de quatre-vingt-dix ans... » que je connais bien depuis l'agonie de ma grand-mère chérie et qui ne me dit rien qui vaille. Elle rit comme une jeune fille quand on l'ausculte et se fiche de l'impudeur de la médecine qui la dévoile devant moi ; vestiges intacts de la beauté et de la vaillance du corps d'autrefois qui n'est plus qu'une pauvre petite chose épuisée et recroquevillée. Je lui dis : « Haut les cœurs ! » en la quittant, elle me répond : « Oui, c'est ça, haut les cœurs ! » Mais on ne parle pas des mêmes choses. Elle ne me regarde pas quand je sors de la chambre, je sens bien qu'on ne se reverra jamais.

Je demande à Pierre-Yves que l'on s'arrête un instant dans un petit café avant que le programme de la journée ne commence. J'aurais pu rester encore un peu plus avec tante Henriette et rencontrer l'une de ses filles accourue pour la voir. Je fais le décompte de toutes les petites lâchetés ordinaires que j'ai pu commettre dans ma vie. Il n'y en a pas tant que ça mais elles sont inscrites au fer rouge dans ma mémoire ; je me les raconterai peut-être un jour sans rien omettre pour savoir d'où elles viennent, quand je me sentirai moins mal.

La Marilyn des supérettes n'a pas loupé son coup, le musée Bonnard du Cannet est une réussite. Architecture simple et élégante, assez de souvenirs, de photos, de lettres, de dessins et même de tableaux qu'elle a pu acheter ou se faire prêter pour que cela se tienne bien. Il y a beaucoup de monde pour l'inauguration, cette foule des Alpes-Maritimes certainement rassurée que Bonnard soit bien de chez eux déborde de la place, il fait très chaud, mon discours n'est pas mal, *Nice-Matin* prépare un bel article. Miracle de l'ambition politique.

À Vence, Muriel Marland-Militello, la généreuse député UMP qui milite contre la corrida mais qui m'a pardonné l'inscription et m'entoure toujours d'une affection maternelle, m'emmène visiter la chapelle de Matisse où des bonnes sœurs angéliques me bourrent les poches de cartes postales et de pieux souvenirs. Matisse, l'agnostique, consacrant ses dernières forces pour ce qu'il appela le « chef-d'œuvre de son existence » par amour et gratitude à l'égard de la religieuse qui le soignait et n'hésitait pas à lui servir de modèle...

Dimanche 26 juin 2011

Quelques Canaques déplumés et grelottant de froid, des Tahitiens fatigués qui dansent un tamouré sans entrain, des élus qui ont l'air de regretter d'avoir sacrifié leur week-end : le lancement des Jeux du Pacifique au parc de la Villette est bien tristounet. On m'entraîne devant les écrans du reportage de RFO ; prodige de la télévision, on croirait une grande fête de la République chaleureuse et colorée avec le ministre de la Culture en ami fidèle de l'outre-mer !

Solidays avec Jack Lang. Le simple fait de s'y promener avec lui et tous les visages s'éclairent.

Maman voudrait absolument appeler tante Henriette. Mais on ne nous passe pas sa chambre où le téléphone est paraît-il en dérangement. Message des médecins sur mon portable : les nouvelles sont mauvaises, elle refuse absolument de s'alimenter et arrache le goutte-à-goutte. Ses enfants sont en route pour la rejoindre.

Lundi 27 juin 2011

Jean-Pierre : « Jamais aucune proposition de décoration ne remonte de l'administration. Il faut que je houspille les services pour qu'on me donne des noms. Et pourtant, quand on sait à quel point cela fait plaisir de recevoir les Arts et Lettres quand on a travaillé des années dans ce ministère, ce serait quand même la moindre des choses de s'en rendre compte ! »

Georges-François : « Oui je sais, on ne touche pas aux Attoun ! Il en sera fait selon vos désirs, monsieur le ministre ! »

Ann-José Arlot : « Vous m'acceptez à la réception des jeunes conservateurs ? Ce ne sont pas des architectes mais on ne sait jamais, j'ai besoin de faire mon marché pour plus tard. »

Élodie : « On vous a préparé deux discours pour la journée de la création télévisuelle ; un qui fera plaisir à Camille Pascal qu'on a fait passer à l'Élysée, et un pour vous qui est, mettons, moins consensuel. Je pense que c'est celui-là que vous allez emporter tout à l'heure, n'est-ce pas ? »

Doris : « Placido chante ce soir au Châtelet pour soutenir de jeunes artistes. Il vient d'avoir soixante-dix ans. C'est tout de même extraordinaire. Tu devrais trouver au moins dix minutes pour aller le saluer dans sa loge. »

Farah : « *La Séparation* m'a tellement émue que j'en ai pleuré. Est-ce que vous croyez que je pourrais appeler discrètement le réalisateur ? »

Mardi 28 juin 2011

Tante Henriette est morte cette nuit. Plusieurs de ses enfants étaient auprès d'elle. Je ne sais plus où j'ai lu que c'est souvent juste avant l'aube que bien des gens s'en vont.

L'agenda de la journée est terrifiant, quand j'aurais tellement envie d'être un peu seul.

À la remise des prix pour les programmes de télévision qui font la meilleure place à la diversité, j'oublie de remercier Michel Boyon dans mon discours pour toute l'action menée par le CSA dans ce domaine. Avec son élégance habituelle, il ne s'en formalise pas. Jean-Pierre m'en glisse un mot quand tout le monde est parti, je descends les marches quatre à quatre et, par chance, je le rattrape dans la rue alors qu'il monte dans sa voiture pour lui dire à quel point je suis désolé. Il me regarde silencieusement et met la main sur mon épaule dans un geste familier qui ne lui est pas coutumier, manifestement touché par mes regrets.

Jean-Pierre : «Silvia Baron-Supervielle, mais cette femme est magnifique, vraiment magnifique; ça vaut vraiment la peine de se tuer au travail au Ministère pour si peu de résultats quand on peut faire des rencontres pareilles!»

Claude Régy : «Vous n'êtes pas en chaussettes aujourd'hui, monsieur le ministre?» Il vient me voir pour qu'on l'aide à produire le tournage de la pièce que j'ai vue à la Maison de Verre. Coups de téléphone tous azimuts pour trouver l'argent et je taperai dans ma réserve.

Aréopage de maires de grandes villes pour parler d'action culturelle, thème trop vague et trop vaste pour qu'il en sorte vraiment quelque chose, mais je suis surpris de constater que plusieurs maires de gauche se sont déplacés pour l'occasion, et pas des moindres, comme Michel Destot, maire de Grenoble et président de leur association. Richard : «Bon, j'ai enfin compris, je prends ma carte du PS, comme ça on aura un peu plus d'élus de droite pour répondre à vos invitations. Il suffisait d'y penser.»

Dîner avec les conservateurs des musées de province. Ils sont aussi venus en nombre. Un petit groupe particulièrement réjoui : «Merci de nous avoir conviés, on est venus pour repérer!» La conservatrice d'un musée du Sud-Ouest qui sent bien que je la protège : «Le maire fait tout ce qu'il peut pour mettre la main sur le musée et m'évincer avec mon équipe; il m'a dit d'aller me plaindre au ministre si je ne suis pas contente.» Il n'est pas le seul à se comporter d'une manière aussi despotique et grossière avec des gens qu'il devrait pourtant soutenir et respecter.

Mercredi 29 juin 2011

Existe-t-il un exercice plus ingrat que d'essayer d'exposer ce que l'on tente de faire à un petit groupe de journalistes sourdement hostiles et goguenards que l'on a priés à déjeuner ? Pierre Lungheretti et Georges-François m'assistent dans l'épreuve puisqu'il s'agit de défendre le plan de soutien au spectacle vivant pour lequel on va injecter des sommes d'argent conséquentes que nous avons réussi à faire remonter d'un peu partout sans léser personne. Peine perdue, la vulgate de gauche ne nous pardonnera jamais rien et « qui veut tuer son chien l'accuse de la rage ».

Même si je ne titube plus en marchant, j'accuse la fatigue de ces dernières semaines ; Voirin et Pujol, mes deux grognards préférés de la CGT, voient bien que j'ai du mal à me concentrer sur le numéro de duettistes où ils alignent toute une série de revendications techniques en surjouant la mauvaise humeur. Ils se radoucissent devant ma mine vraiment défaite : « Bon, on a bien progressé quand même avec vous, monsieur le ministre, on verra le reste avec votre collaboratrice. »

Élodie, dans mon bureau, un peu plus tard : « Franchement, je ne sais pas ce que vous leur faites, mais vous étiez à peine sorti qu'ils avaient l'air inquiets pour vous. Ils nous on dit à plusieurs reprises qu'il faut que le ministre se ménage. C'est tout juste s'ils ne nous ont pas reproché de ne pas faire assez attention à vous. »

Mini-remaniement : François Baroin remplace Christine Lagarde, Valérie Pécresse passe au Budget, Laurent Wauquiez la remplace. Trois nouveaux. Les médias ne s'intéressent qu'à la lutte qui aurait opposé Baroin et Le Maire pour les Finances. En ce qui me concerne, je ne peux que me réjouir du ticket Baroin-Pécresse.

Marc Ferro a insisté pour que ce soit moi qui lui remette sa Légion d'honneur. Preuve de cran, de liberté d'esprit et d'affection fidèle dont je ne doutais pas venant de lui.

François Fillon m'emmène avec lui en Indonésie et au Cambodge. Nous parlerons, je dormirai dans l'avion ; la vie n'est pas si difficile.

En voyant François Fillon entrer pour la première fois dans son bureau, Joël Le Theule a dû tomber de sa chaise. Vingt-trois ans, d'une beauté solaire, respirant la politesse et la probité, le jeune assistant avait certainement tout pour susciter de sa part un attachement passionné. Avec son empathie silencieuse pour les êtres à qui l'on n'en témoigne guère, François l'a protégé contre les ravages d'une autodestruction commandée par l'homosexualité souffrante d'un homme public très en vue en des temps de Ve République puritaine. Il le faisait avec une générosité et une efficacité extraordinaires. Bien que tôt marié avec la belle Penelope, qui eut l'intelligence de comprendre cette situation insolite, François n'a jamais flanché dans sa fidélité absolue : il était auprès de son mentor quand il est mort prématurément, sans doute usé par l'angoisse et les excès. Aujourd'hui, la photo de Joël Le Theule est sur son bureau, à côté de celle de Philippe Seguin, et il en parle avec une émotion désarmante lorsqu'il est en confiance. Pour quelqu'un que l'on traite hâtivement de bourgeois conservateur de la Sarthe, il aurait sans doute des leçons d'humanité à donner à beaucoup de gens si sa pudeur et sa discrétion ne l'empêchaient pas de parler.

Jeudi 30 juin 2011

Djakarta.

Les expatriés français, étrange tribu disparate qui a le sentiment d'être abandonnée par la métropole et chante *La Marseillaise* à pleins poumons quand le Premier ministre la reçoit avant de le mitrailler de photos souvenirs sur ses portables. Mélange de jeunes qui en veulent et se présentent en collant le nom de leur entreprise à leur identité, d'épouses qui se plaignent de ne plus les voir, de patrons qui trouvent que la France n'en fait pas assez, de cuisiniers et de cadres d'hôtellerie, de briscards lessivés dont les vieux rêves d'aventures ont mal tourné et de binationaux olivâtres que Thierry Mariani couve du regard puisqu'ils éliront désormais les députés des Français de l'étranger et qu'il en a soupé de sa circonscription du Vaucluse.

Devant l'hôtel Hyatt et l'énorme centre commercial qui s'enfonce dans ses entrailles, toujours les mêmes voyous dépenaillés qui se louent pour quelques dollars, les mêmes petites putains épuisées qui jouent les gamines alors qu'elles n'ont plus d'âge, cette odeur douceâtre de l'Asie où fermentent les cuisines roulantes des marchands ambulants et le mazout des autobus brinquebalants.

Vendredi 1ᵉʳ juillet 2011

Djakarta est une ville expédiée en quelques pages négligentes dans les guides et méprisée par les circuits touristiques ; elle vaut bien mieux que ce dédain qui rejoint d'ailleurs l'ignorance très répandue des Français à l'égard de l'Indonésie. Pour peu qu'on se donne un peu de temps pour s'y intéresser, c'est au contraire une de ces capitales à la fois pourries et débordantes d'une rage de vivre insensée où il est fascinant de se perdre.

Mais la disparition d'un ministre de la République à la poursuite de ses vieux démons n'étant pas au programme, c'est le Djakarta des bâtiments officiels, climatisés et éclairés a giorno de néons blanchâtres que je parcours dans les pas d'un François Fillon stoïque qui parle mondialisation et négocie des contrats avec des officiels aux noms compliqués, signe des livres d'or comme s'il en pleuvait et dépose presque autant de gerbes de fleurs qu'il y eut de héros de la lutte d'indépendance contre les Hollandais. Pour ma part, je paraphe un mystérieux accord de coopération culturelle dont je retiens essentiellement que mon homologue sera officiellement invité au prochain Festival de Cannes. C'est ce que l'on appelle une « relance des relations bilatérales ».

François Fillon : « Le seul qui se soit intéressé à l'Indonésie, c'est votre oncle. Après lui, plus rien. Je dois tout reprendre à zéro. Il y a des opportunités formidables. »

J'étais curieux de voir de près le président Bambang, qui a sorti le pays de l'ornière où le gouvernement corrompu et mollasson de la fille de Soekarno l'avait laissé glisser. J'espérais au moins une brève conversation propre à quelque souvenir romanesque avec un leader charismatique dont mes lectures et des photos bien retouchées offraient un portrait flatteur. Il a fallu se contenter d'une poignée de main à se broyer les phalanges avec un gros monsieur compassé pressé qu'on expédie les danses javanaises pour aller se coucher.

François ne s'est pas dégonflé, malgré toutes les réticences qu'on a pu lui opposer : il leur a parlé de Michaël Blanc, ce Français condamné à perpétuité pour trafic de drogue au cours d'un procès opaque et incarcéré depuis plus de dix ans. Bambang lui a dit qu'il allait voir ce qu'il pouvait faire, le genre de propos qui n'engage à rien mais c'est en tout cas la première fois qu'il y a un début de réponse. La mère de Michaël Blanc s'est installée en Indonésie et remue ciel et terre pour faire libérer son fils. Lui-même se comporte comme un détenu modèle et il semblerait qu'il ne soit pas maltraité. Il continue à clamer son innocence et il est probable que les prétendues preuves contre lui ont été forgées de toutes pièces.

À l'ambassade, grands portraits de sultans datant du XIXᵉ siècle, en superbes uniformes exotico-napoléoniens. L'Indonésie, possession hollandaise, a été profondément marquée par un gouverneur jacobin sous le règne de Louis Bonaparte. C'est Thierry de Beaucé qui les a fait venir du Mobilier national où on les avait oubliés dans un coin quand il était en poste à Djakarta et qui les a fait installer. En visite à l'ambassade, les visiteurs indonésiens se récrient d'admiration.

Samedi 2 juillet 2011

Au palais royal de Phnom Penh, sorte de folie khméro-bavaroise construite par des administrateurs coloniaux qui avaient dû fumer de fortes doses de fleurs de lotus, la politesse de François et son sens aigu des égards font merveille auprès de Sihamoni, si timide et réservé, et de Sihanouk et de Monique qui nous reçoivent ensuite comme de gentils parents de province à qui des cousins éloignés rendraient une visite longtemps attendue. Je ne cache pas l'émotion que je ressens de les retrouver. François est surpris de découvrir qu'ils me traitent avec une affection qui va bien au-delà des règles protocolaires. Le climat de cette rencontre le touche : «Je ne savais pas que vous les connaissiez si bien. C'est le genre de visite que le président déteste faire, il n'aurait pas tenu cinq minutes, alors que vous et moi, nous sommes sensibles à ce genre de choses.»

Hun Sen, le Premier ministre à la poigne de fer qui est le vrai patron du royaume, nous reçoit en revanche dans un palais monumental à la chinoise où ça ne doit pas rigoler tous les jours. Habile, il commence son toast au dîner officiel par un éloge appuyé de la monarchie car il sait le vieil attachement des Français pour la famille royale qu'il a enfermée dans une cage dorée et qu'il fait chanter comme de délicats rossignols à sa merci. Puis on passe aux affaires au milieu d'un grand déploiement de ministres dont les visages burinés par les épreuves et la prudence matoise évoquent immanquablement les rescapés de la Révolution française se partageant les prébendes au festin de l'Empire. Comme leur maître, anciens Khmers rouges, collabos de l'occupation vietnamienne, exilés intermittents, plus ou moins maoïstes de formation devenus millionnaires, encore francophones et vaguement francophiles, plutôt rugueux d'avoir si souvent côtoyé la mort et de l'avoir également si souvent infligée à ceux qui leur résistaient ou ne savaient pas tourner casaque aussi vite que le leur avait enseigné leur formidable instinct de survie.

Délicat spectacle de danses khmères et atmosphère qui tourne aux serments d'amitié éternelle au fur et à mesure que le banquet se prolonge et que l'alcool circule. Je repense à ce dîner de ministres khmers où j'avais été convié il y a une dizaine d'années. Au premier plat, tous ces messieurs ne parlaient que cambodgien entre eux avec la mine renfrognée de rigueur en face de l'ancien colonisateur. Au dessert et après force libations, ils me montraient tous leur carte d'identité française et m'invitaient à découvrir leurs restaurants chinois dans le XVe où ils avaient laissé femme et enfants s'activer aux fourneaux pour se garantir d'un brutal retour de fortune qui les obligerait à déguerpir une nouvelle fois.

Arrivée de nuit à Siem Reap. La route depuis l'aéroport est jalonnée d'énormes hôtels pour tour-operateurs chinois et coréens qui n'existaient pas lors de mon dernier passage il n'y a pas si longtemps et qui confirment que le business Angkorland est en plein boom.

À Monaco, mariage du prince Albert et de Charlene Wittstock. Je n'ai pas été invité. Je croyais être un ami, je n'étais qu'un fournisseur.

Dimanche 3 juillet 2011

La visite du temple du Baphuon restauré grâce à la coopération française est un bel exemple de mobilisation populaire à la chinoise. Foule d'écoliers enthousiastes agitant des petits drapeaux khmers et français, officiels au sourire de grenouille qui applaudissent à tout rompre à chaque instant, militaires au faciès rébarbatif, tapis dans l'ombre de la jungle des alentours. Sihamoni officie dans une sorte de nuage avec son habituelle douceur éthérée, on marche derrière comme des somnambules dans le labyrinthe du temple ressuscité.

Au déjeuner, François, qui a toujours été fasciné par l'œuvre de l'École française d'Extrême-Orient, regrette amèrement que le protocole de fer ne lui ait pas laissé le temps de visiter un peu mieux Angkor. Il m'incite d'autant plus à tenir bon pour la nomination d'Olivier de Bernon au musée Guimet.

Dans l'avion du retour, François : « Matignon, le palais, le parc, tout ça c'est magnifique, mais l'appartement, des pièces tristes, moches, mal agencées, un inconfort dont on n'a pas idée. Allez dire ça ailleurs, personne ne veut l'entendre ! »

Sur son dernier fils : « Je pense qu'il n'est pas bon pour un enfant de vivre de cinq à dix ans à Matignon. Mais comment faire autrement ? Heureusement, Penelope veille au grain. »

Lundi 4 juillet 2011

Bertrand Delanoë trouve que c'est une très bonne idée de confier le Festival d'Automne à Emmanuel Demarcy-Mota. Il paraît seulement un peu surpris que je lui fasse la proposition qu'il allait me faire et peut-être un peu agacé que je lui grille la politesse.

Michael Peters, le directeur général d'Euronews, est aussi beau qu'Emmanuel-Philibert, dans une version un tantinet plus germanique, mais je ne suis pas sûr qu'il soit aussi gentil que lui. On me dit qu'il est en train de scier consciencieusement le fauteuil sur lequel est assis le président qui l'a nommé. Aucun signe de cet affrontement lorsqu'ils sont tous les deux dans mon bureau et que je leur dis tout le bien que je pense de leur chaîne.

Passage éclair dans le bureau de Pierre Hanotaux où François Le Pillouër se livre à son occupation favorite qui consiste à martyriser le cabinet en réclamant encore plus d'argent que celui que l'on a réussi à trouver pour le plan de soutien au spectacle vivant.

Mardi 5 juillet 2011

Jean-Pierre : « Tous tes prédécesseurs ont laissé au moins une loi qui porte leur nom, et toi qui te donnes plus de mal que la plupart, rien, pas un texte dont on pourra dire qu'il vient de toi. » Il a sans doute raison, mais d'une part je n'ai pas ce genre de vanité, et d'autre part pour qu'il y ait une loi conséquente, il faut qu'il y ait soit une réforme fondamentale, soit une création absolument nécessaire. Les choses étant ce qu'elles sont, l'une et l'autre sont impossibles à entreprendre. C'est déjà bien que je puisse maintenir l'essentiel et agir à la marge.

En revanche, les propositions de loi sur la distribution de la presse et sur la dévolution du patrimoine de l'État sur lesquelles j'ai beaucoup travaillé devraient être votées sans trop de difficultés avec toutes les modifications que j'ai voulu apporter. Premiers examens ce soir à l'Assemblée.

Mercredi 6 juillet 2011

C'est la mort dans l'âme que je consens à laisser démolir un ensemble de bureaux construit après la guerre par Bernard Zehrfuss. La société qui en est propriétaire a besoin de restructurer complètement la parcelle et menaçait de quitter la France si on le lui interdisait, avec à la clef la perte de plusieurs centaines d'emplois. Ann-José, sur qui je m'appuie pour refuser en général toute destruction est pour le coup favorable à l'opération ; selon elle, le site sera préservé et ce n'est pas un bâtiment très emblématique du génie de Zehrfuss ; le projet qui doit le remplacer donne une chance de se faire connaître à un architecte de grand talent qui a signé peu de chantiers de cette envergure. Il tremble d'ailleurs littéralement d'inquiétude en venant plaider son dossier et sort de mon bureau comme si je venais de le délivrer d'une énorme pierre sur le cœur. Comme nous restons seuls, Ann-José et moi, elle me réconforte : « N'ayez pas de regrets, et comptez sur moi s'il y a des critiques ! » Puis elle éclate de son rire d'ogresse.

Poursuite de l'examen nocturne des deux propositions de loi. La fin de la session parlementaire est très encombrée et comme d'habitude ce sont les textes concernant la Culture qui passent en dernier et me valent ces séances tardives exténuantes. Heureusement, le petit Richard est fidèle au poste et je peux le taquiner avec mes mauvaises plaisanteries qui le font rougir jusqu'aux oreilles pendant que les députés se succèdent à la tribune en répétant tous à peu près la même chose pour bien montrer à leurs électeurs qu'ils travaillent.

Jeudi 7 juillet 2011

Azzedine Alaïa se cache dans la cabine des mannequins à l'issue de son défilé pour ne pas avoir à saluer. Je vais le chercher et l'emporte bien qu'il se débatte comme un beau diable pour le déposer devant le public qui lui réserve une ovation triomphale. Petit moment de gaieté passagère.

Festival d'Avignon, plaisir de retrouver le préfet Burdeyron et de reprendre mes habitudes à la préfecture. *Enfant* de Boris Charmatz au palais des Papes, parabole sur l'oppression aveugle qu'exercent les adultes avec vingt-six bambins qui finissent par leur échapper et courent en tous sens. Un côté très *Sa Majesté des mouches* dont ni la cruauté ni l'aspect ludique ne semblent convaincre le public alors que j'y suis au contraire très sensible.

Vendredi 8 juillet 2011

Le préfet a donné l'hospitalité à toute ma petite troupe. Au petit déjeuner, Raphaël, mon chef de cabinet adjoint, confesse, en toute innocence : « Oui, c'est merveilleux d'avoir pu dormir ici, monsieur le préfet, j'ai l'impression de me retrouver chez ma tante dans notre maison de famille en province. » Un léger froid, Raphaël se mord les lèvres, puis éclat de rire général.

Présentation à la presse du plan de soutien au spectacle vivant. Le grand salon de la préfecture est comble, il fait très chaud, mais pour la première fois j'ai l'impression que le dispositif suscite autre chose que des critiques systématiques. Sensation intéressante de découvrir les visages de celles et ceux qui sont en général sans pitié, et notamment depuis la désastreuse affaire Py. Laurence Liban, de *L'Express*, élégante et l'air chaleureux et sympathique. Colette Godard écrivait : « Le metteur en scène est l'indispensable regard de l'autre. » Je la cherche souvent des yeux dans ce genre d'assemblée, mais hélas cela fait long-temps qu'elle s'est éloignée.

Le feuilleton de la donation Lambert n'a pas besoin de nouveaux personnages pour rebondir d'une visite à l'autre. C'est dire la qualité des scénaristes. Je laisse Georges-François à la tête du comité de lecture et m'enfuis à Aix-en-Provence.

Visite des archives d'outre-mer remarquablement bien préparée par Hervé Lemoine et l'équipe locale ; une de ces brèves nostalgies des autres vies que j'aurais pu choisir, chercheur se plongeant à corps perdu dans l'extraordinaire photothèque de l'histoire coloniale par exemple.

L'émotion ressentie à découvrir l'atelier de Cézanne ; *Le Nez* de Chostakovitch dans une mise en scène de William Kentridge ; la fin de *La Traviata* dans la cour de l'archevêché ; les rues de la ville si joyeuses dans la chaleur de l'été ; le préfet Hugues Parent que je n'avais pas vu depuis Toulon : mais qu'est-ce qui m'empêche de penser que ce sont des moments de fête qui compensent largement tous les autres tracas ? L'impression de les vivre par effraction, cette idée que la profusion n'est pas le choix et que je pourrais en fait m'en passer ?

Et en plus, je dors au Nord-Pinus, l'hôtel d'Arles où j'ai toujours rêvé de descendre ; j'y partage un petit appartement avec Francis. « Les hommes pleurent parce que les choses ne sont pas ce qu'elles devraient être », écrivait le cher Albert.

Samedi 9 juillet 2011

Les Rencontres d'Arles sont toujours magnifiques – la ville, la cha-leur, les rencontres –, et ce sont celles où j'ai le plus modestement et le plus sincèrement l'impression de pouvoir être un ministre vraiment utile à quelque chose. Et pourtant, de celles-ci, où je peux constater les résultats tangibles de quelques actions que j'ai menées et de quelques promesses que j'ai tenues, je retiendrai surtout la valise mexicaine où l'on a retrouvé des négatifs de Capa et de Gerda Taro et le dîner avec

Alain Elkann; une mémoire miraculeusement retrouvée et une amitié qui ne demande rien d'autre que de se laisser vivre.

Dimanche 10 juillet 2011

Avec le TGV qui remonte vers Paris, on n'a même plus le temps de voir disparaître la Provence. Seule reste la barre de Valence dont me parlait mon grand-père sur le ton où il évoquait la Première Guerre et les tranchées; une fois franchie, la lumière n'est plus la même.

Lundi 11 juillet 2011

Inauguration des quatre signaux de Takis installés pour l'été dans le jardin du Palais-Royal et nouvelle offensive surprise des anticorrida. On m'extirpe à grand-peine de la cohue soudaine où quelques militants sont d'une violence extrême. Sain et sauf, depuis la terrasse devant mon bureau, j'aperçois les signaux qui ondulent doucement dans le vent; l'effet est superbe.

«Comité supérieur technique», ce qui est le nom que l'on donne aux séances habituelles du tribunal syndical où Monquaut et ses copains invectivent le ministre et son administration. Le moins que l'on puisse dire est qu'il est au mieux de sa forme. Après les premiers échanges aussi vifs qu'à l'accoutumée, je laisse Pierre Hanotaux me représenter comme prévu jusqu'à la fin de la séance, conforme à la tradition syndicale du ministère, c'est-à-dire tard dans la nuit.

Jean de Loisy accepte de prendre la présidence du palais de Tokyo. C'est un geste généreux de sa part car il préférait les Beaux-Arts pour lesquels je l'avais pressenti. Mais avec la refonte complète des statuts que Georges-François a mise au point, il hérite d'un établissement qui ne demande plus qu'à marcher. Olivier Henrard a bien balisé la manœuvre à l'Élysée et je n'ai pas eu d'obstacles à surmonter. Maintenant, je m'attaque à l'autre côté du Rubik's Cube, la nomination pour les Beaux-Arts.

Liza Minnelli, à qui je viens de remettre les insignes d'officier de la Légion d'honneur, en aparté et me prenant la main très doucement:

«*If you feel bad, if you feel sadness in your heart, never forget that I'm your friend and that I will always be up for you... Never forget Liza your friend who loves you.*» Cela dit avec une chaleur et une sincérité qui me laissent interdit. Je crois qu'il est difficile de rencontrer un être aussi bon et adorable dans le milieu des superstars du show-business. Line a dû lui parler de moi, mais je ne sais pas ce qu'elles se sont dit.

Visite surprise d'Emmanuel-Philibert. Il s'arrête longuement devant le portrait de François par Pierre Le-Tan que j'ai placé sur la console derrière mon bureau à côté de la photo du président. «Ils ne t'ont rien dit à l'Élysée? Ils doivent le savoir, quand même. — Ils ne m'ont rien dit, mais ils en ont certainement parlé entre eux!» Il enchaîne les programmes de téléréalité en Italie et reçoit un énorme courrier d'admiratrices, mais dans l'aristocratie italienne c'est comme pour le portrait de François, s'ils ne lui disent rien ce n'est pas faute d'en parler entre eux avec des commentaires horrifiés. Alain Elkann pense comme moi qu'il a beaucoup de cran de s'exposer ainsi pour affirmer son indépendance vis-à-vis de sa famille.

Young Jeong-hee, l'héroïne de *Poetry*, le magnifique film coréen qu'elle a accepté de tourner après quinze ans d'absence loin des écrans, vit à Paris avec son mari, qui est un pianiste dont Georges-François m'a dit beaucoup de bien. Elle est extrêmement célèbre en Corée où son come-back inattendu et le succès international du film ont fait sensation. Mais elle n'envisage pas de renoncer à l'existence qu'elle mène en France, dont elle parle la langue à la perfection. Charmante, gaie, très cultivée. C'est l'ambassadeur qui a organisé le dîner pour que je la rencontre, car on lui avait rapporté les compliments que je faisais sur elle et sur le film.

Mardi 12 juillet 2011

Amadou Toumani Touré, que les soi-disant connaisseurs du Mali surnomment familièrement ATT, est un président doux et affable. Il fait figure de sage parmi les chefs d'État africains. L'hôtel Pullman où il me reçoit n'a rien d'un palace : «Je descends toujours ici, cela me permet d'aller acheter ma musique à la Fnac et de voir des films au Quartier latin sans rien demander à personne. On m'a dit que vous viendrez aux Journées de la photo à Bamako, j'espère que vous me rendrez visite, on parlera de culture et surtout de cinéma.» Je ressors de l'entrevue touché par le charme du personnage.

Alain Juppé est moins enthousiaste : «Il est effectivement très agréable, mais il gouverne à peine et laisse les rebelles faire tache d'huile dans le Nord. Il y a de fortes présomptions pour que l'on se partage autour de lui les commissions sur les rançons versées pour les otages et sur le trafic de drogue qui fait rage sans qu'il réagisse. Tout ça risque de très mal tourner.»

Aïda au Théâtre d'Orange, le public est un peu déçu de ne pas voir arriver les éléphants, on a sans doute eu peur que les trompettes ne les rendent fous et qu'ils ne foncent sur les gradins à l'entracte. Je présente avec Olivier Bellamy cette «magnifique manifestation culturelle diffusée en direct sur France 2 et qui illustre le respect de la mission de service public, etc.».

Je passe la nuit dans la maison de famille, chez le préfet Burdeyron, à Avignon. Conversation enjouée et rigolade.

Mercredi 13 juillet 2011

Le président a approuvé mon idée d'aller représenter notre pays pour le 14 Juillet au Japon en hommage aux victimes de la catastrophe de Fukushima. J'emmène une journaliste de *Match* et Fawzi, le protecteur de maman à Saint-Gatien, sur mes deniers personnels.

Fukushima, dans le nord-est du Japon : tremblement de terre, tsunami, explosion de la centrale nucléaire, radiations intenses, plusieurs milliers de morts et autant de réfugiés, région dévastée et villes fantômes. Maman terrifiée à l'idée que nous allons dans ce pot au noir de l'enfer moderne.

Jeudi 14 juillet 2011

Dans une école de Koriyama, préfecture de la région, plusieurs centaines d'enfants de réfugiés ont préparé une petite fête d'accueil avec dessins, danses et chansons pour remercier les enfants des écoles françaises qui leur ont fait parvenir des messages de solidarité. La grande salle où elle se déroule a été décontaminée mais le jardin de l'école et les pelouses sont encore fortement radioactifs. Herbes folles et floraisons anarchiques qui surprennent et cacheraient de mystérieux dangers.

Je connais l'ambassadeur, Philippe Faure, fils de Maurice Faure, grande figure de la IVe République, toujours vaillant, depuis le Maroc où il était en poste quand je m'occupais de la saison marocaine. Il a hérité de la forte personnalité de son père ; beaucoup de verve, libre et volontaire, pas du tout la tasse de thé du président et c'est certainement réciproque.

Il a organisé la réception traditionnelle du 14 Juillet à Koriyama et a tellement bien fait les choses qu'une foule d'expatriés sont venus depuis tout le Japon pour se mêler aux délégués des réfugiés. Cela fait beaucoup de monde, de discours et de musiques diverses avec des buffets croulant sous les camemberts, les saucissons et les vins du Sud-Ouest.

La télévision japonaise a dépêché plusieurs chaînes et je me soumets aux interviews. C'est ce qu'on appelle une opération de relations publiques. Philippe Faure : « C'est bien, il faut faire le maximum. »

À Koriyama, les ascenseurs ne fonctionnent pas, l'électricité est réduite et l'éclairage en conséquence, l'eau est rationnée : économies d'énergie en relation avec les radiations, ce que l'on m'explique et que je ne comprends pas. Le fait est que l'on se déplace selon des itinéraires fléchés et que plusieurs quartiers ont été évacués.

À l'étage élevé où se trouve ma chambre du grand hôtel de Sendai, la capitale régionale, panorama d'une ville d'un million d'habitants dont les gratte-ciel sont plongés dans la nuit et où l'éclairage urbain clignote faiblement de loin en loin. Il ne manque que Godzilla, le dinosaure atomique, pour que la science-fiction du désastre soit complète.

Vendredi 15 juillet 2011

À Natori, le tsunami s'est enfoncé profondément à l'intérieur des terres sur un front d'une bonne trentaine de kilomètres ravageant tout sur son passage. Les radiations sont venues ensuite infestant un paysage d'apocalypse jonché de cadavres. Les zones que je visite avec le maire sont strictement délimitées – au-delà les compteurs Geiger s'affolent –

et déjà partiellement déblayées. Amoncellements de motos et de carcasses de voitures rassemblées comme des jouets cassés sur des terrains vagues où il y avait des habitations dont il ne reste que les fondations en béton, cimetières où les tombes s'enchevêtrent, panneaux arrachés et petits bateaux de plaisance renversés au milieu des champs labourés par la vague monstrueuse qui a laissé une épaisse croûte de boue durcie sur son passage. Les mêmes images que celles d'Hiroshima après la bombe, avec çà et là un bâtiment en dur qui a résisté à moitié et quelques rares maisons isolées dont on se demande comment elles tiennent encore à peu près debout. Dans l'une d'elles, pour partie effondrée et complètement envahie par une gadoue noirâtre, je trouve des habits dans un placard, bien rangés sur des cintres, un album de photos avec des jeunes qui sourient en excursion à Tokyo; objets et souvenirs modestes d'inconnus qui me renvoient aux déchirants mélos familiaux d'Ozu et que personne n'est venu rechercher car ceux qui les possédaient sont certainement morts dans la catastrophe. Des habitants ont eu le réflexe de s'enfuir à temps et d'autres non, il ne reste d'eux que ces traces dérisoires de vies humbles et paisibles englouties et perdues.

On fait des photos, la journaliste de *Match* prend des notes, un cameraman filme pour le journal du soir. Elle est très sympa et il est beau comme les jeunes étudiants rebelles dans les films d'Oshima. Mais on a quand même du mal à ne pas regarder avec angoisse la mer qui roule ses vagues au loin et que tous ces gens disparus dont je ne saurai rien ont dû regarder, génération après génération, sans craindre qu'elle ne s'élance un jour sur eux pour les mordre jusqu'à la mort.

Réception à la résidence de l'ambassadeur à Tokyo. Je décore Keiko Kishi – souvenir d'enfance de *Typhon sur Nagasaki* et de *Qui êtes-vous, monsieur Sorge?*, les films d'Yves Ciampi dont elle était la femme – et Reiko Kruk, la maquilleuse géniale d'une flopée de films de monstres. Au dîner qui suit, violente secousse qui fait cliqueter tout le service de table. Je fais le petit malin et prétends continuer à converser comme si de rien n'était. L'ambassadeur apprécie en connaisseur.

Au sein d'un grand parc au cœur de Tokyo où le mètre carré coûte une fortune, la résidence a été fort bien construite par Desmarest et Belmont dans un style *Spirou et Fantasio*, à l'épreuve des séismes. J'y étais venu avec maman il y a vingt-cinq ans et je la retrouve exactement pareille à ce qu'elle était alors. L'ambassadrice, qui a pris Fawzi à sa droite pendant le dîner, me glisse gentiment : «J'ai mis votre ami dans la chambre à côté de la vôtre.» On en rira ensemble demain quand on se connaîtra un peu mieux.

Samedi 16 juillet 2011

Kyoto : déjeuner très heureux avec des universitaires francophiles, puis plongée dans la ville avec mon neveu Kenzo, charmant garçon franco-japonais qui poursuit ses études au pays de sa mère et avec qui nous allons acheter des estampes. Visite de la villa Kujoyama, manière de Villa Médicis d'une tristesse affreuse sur un horizon fermé que le Quai d'Orsay étouffe à petit feu.

Sur la route de l'aéroport, longue conversation avec Philippe Faure. Bien qu'il se montre discret sur le sujet, je devine que ses démêlés avec le président ont laissé des traces et qu'il y a chez cet homme de grande expérience une certaine lassitude à voir son action si mal et si peu reconnue. Il me dit des choses amicales sur mon livre, me parle avec émotion de son père, infatigable séducteur à près de quatre-vingt-dix ans.

Dimanche 17 juillet 2011

Je connais peu de textes aussi beaux sur le cinéma que celui écrit et dit par Wim Wenders, en français et avec son accent allemand, en prologue de son film sur Ozu. Je me le repasse plusieurs fois pour ne pas quitter tout à fait le beau voyage et me réhabituer à Paris et à tout ce qui m'attend.

Lundi 18 juillet 2011

La routine retrouvée des visites, réunions et rencontres, même si ça sent déjà un peu les vacances. La machine gouvernementale s'assoupit chaque année à la même époque, il n'y a que le président qui continue sa course comme un bolide et fouette ses ministres pour qu'ils restent d'attaque.

Robert Badinter veut créer un musée de la Justice à Grenoble, après le succès de «Crime et châtiment» au musée d'Orsay. Puisque la «veuve» qu'il a envoyée, bien heureusement, au chômage en était la star, il faudra certainement la remonter si le projet de musée se réalise. Il en reste encore deux ou trois qui dorment dans des caisses dont une qui n'aurait jamais fonctionné.

Le président : «On a regardé *Aïda* à la télévision avec Carla. C'est toi qui nous en as donné envie quand tu en as parlé au journal télévisé. Tu devrais faire ça plus souvent!»

Mardi 19 juillet 2011

Jean-Pierre : «Je ne te le répéterai jamais assez, oublie la Villa Médicis! Éric de Chassey est comme il est, c'est toi qui l'as choisi, dislui ce que tu penses mais ne va pas au-delà. Il n'y a rien de pire pour un directeur d'établissement que de se retrouver avec un ministre de tutelle qui l'a précédé.» Il a raison, mais la manière dont Éric minimise toutes les plaintes que je reçois ne peut pas me laisser indifférent non plus.

Cérémonie aux Invalides pour les militaires tués en Afghanistan, sous une pluie battante. Seul à ne pas être abrité, Gérard Longuet, massif comme un menhir, se laisse tremper jusqu'aux os sans trahir le moindre signe d'inattention ou de lassitude. Le président, grave et impavide, exactement ce qu'on attend de lui.

Déjeuner seul à seul avec Olivier Henrard. Je le remercie pour le comportement loyal qu'il manifeste chaque fois que j'ai besoin de lui et il me semble qu'il en est touché.

Visite des travaux du musée d'Orsay. Guy Cogeval, porté par le rêve qu'il est en train de réaliser, Jean-Michel Wilmotte, comme toujours, précis, chaleureux et sympathique.

Projection de *L'Exercice de l'État*, certainement le meilleur film à ce jour sur la manière dont fonctionne le pouvoir. Pierre Schoeller, le réalisateur, n'a rien perdu ni caricaturé de ce qu'il a pu observer au ministère quand il est venu passer quelques jours avec le cabinet : les relations entre le ministre et sa directrice de communication; Olivier

Gourmet en clone éparpillé de Thierry Mariani et Bruno Le Maire ; Michel Blanc, le directeur de cabinet, comme Pierre Hanotaux, qui se donne un mal de chien et qui est si mal récompensé ; l'imprévu et la fatigue, le jeu pervers entre l'honnêteté et l'ambition ; tout est juste.

Mercredi 20 juillet 2011

Réticence à peu près unanime du cabinet pour que je participe au «Dîner presque parfait», l'émission de téléréalité où l'on juge des cuisiniers amateurs et à laquelle participent des «personnalités». La cellule communication passe derrière mon dos pour décourager la production de M6 qui laisse tomber. Donc j'insiste, je rappelle Bibiane Godfroid, la directrice des programmes, elle remet tout en marche in extremis. Messes basses et murmures désapprobateurs. Élodie siffle la fin du mini-complot et Jean-Pierre me taquine : «On pourra emporter les restes à la maison ?» Lionel et la cuisine du ministère super excités à l'idée que je vais me mettre aux fourneaux.

Le préfet Lambert n'est vraiment pas très chaud pour le projet de visite des journalistes à la tour Utrillo. Il ne me cache pas que toute cette affaire relève pour lui d'un angélisme totalement déconnecté de la réalité qu'il affronte chaque jour dans le secteur de Clichy-Montfermeil. Je l'écoute sérieusement, l'expérience m'incite à respecter les avis et la parole des superflics dans son genre et il a un accès direct à Claude Guéant comme au président ; je ne souhaite pas qu'ils interviennent, me donnent tort et fassent échouer le projet. Consignes de prudence à Francis parti en flèche : mettre en place une tactique plus discrète et convaincante, et surtout que cela ne nous empêche pas d'avancer quand même.

Magnifique exposition de tapisseries aux Gobelins. La déléguée de l'intersyndicale qui assiste à la visite évite soigneusement de m'appeler «monsieur le ministre» ; d'ailleurs elle ne m'appelle pas tout court et me jette un regard venimeux lorsque je lui attrape la main pour la serrer en surjouant hypocritement l'amabilité et la satisfaction que je retire de notre chaleureuse rencontre.

Jeudi 21 juillet 2011

C'est le tour d'Éric Raoult de voir d'un très mauvais œil le projet de la tour Utrillo. Le Raincy, dont il est député-maire, c'est un peu le Neuilly du 93 et l'électorat qui va avec, cerné par les banlieues du «Nique ta mère». Il écoute mes arguments avec une commisération ironique comme si mon intention était de faire de la tour un château de contes de fées où de vieilles filles hystériques raconteraient *Blanche-Neige* à des casseurs de banlieue pour les ramener dans le droit chemin.

Julien Dray vient me voir pour qu'on essaie d'ajuster un peu mieux les budgets du ministère et de la région Île-de-France pour les institutions culturelles que nous aidons tous les deux. Or il est bien plus sévère que je ne le suis sur la lourdeur bureaucratique, la pression syndicale, les dérives en tous genres. Que se passerait-il si je disais seulement le quart de ce qu'il déclare dans mon bureau !

Grâce à la télévision numérique, France Ô va devenir une chaîne à part entière. Le seul risque est que toutes les autres chaînes, service public inclus, se déchargent sur elle de tous les programmes qui font référence à l'outre-mer et en fassent en toute malhonnête bonne conscience une chaîne ghetto de plus. Le syndrome Arte en somme : vous proposez une émission un tant soit peu ambitieuse : «C'est pas pour nous», et hop, direction Arte.

Mathieu Gallet réussit remarquablement bien à l'INA malgré les peaux de banane qu'on glisse sous ses pas : les médisances venimeuses de Frédéric Martel répandues dans la presse, la procédure minable diligentée par ce balourd hypocrite de maire de Jarnac. Il n'est pas impossible, à la réflexion, que l'animosité persistante de Camille Pascal vienne du fait qu'il guignait la place qu'on lui avait peut-être promis d'obtenir.

Dîner chez Jean-Paul Cluzel. Délicieux, amusant, l'amitié.

Vendredi 22 juillet 2011

Lucette Valensi, historienne qui a beaucoup écrit sur les relations entre l'islam et les cultures chrétiennes, vient me voir pour évoquer avec inquiétude la montée en puissance de l'intégrisme dans la révolution tunisienne et l'un de ses corollaires, l'antisémitisme.

Le préfet Canepa : « Pour la tour, il faut effectivement que vous parliez avec tous les élus des communes limitrophes et avec le conseil général. Ça prendra du temps mais vous saurez les convaincre. Quant au président, ne vous inquiétez pas, il est forcément au courant et il vous l'aurait déjà fait savoir, s'il n'était pas d'accord. » Une fois de plus, le sentiment qu'il est mon meilleur avocat auprès de lui.

Le « Dîner presque parfait ». Mes quatre invités sont charmants, un peu intimidés au début mais je crois qu'ils sentent vite qu'il n'y a pas de quoi. L'équipe de télévision, organisée et efficace, se fait oublier. Je rate la mousse au chocolat.

Béatrice Mottier a été bombardée d'appels de journalistes et il paraît que Nonce Paolini est furieux contre moi car je me prêterais à une manœuvre déloyale de M6 contre TF1. En tout cas, mes invités sont repartis très contents de leur soirée.

Rapport incendiaire de l'inspection sur les méthodes de gouvernance des Monuments nationaux et sur l'atmosphère de tyrannie que ferait régner la directrice. Elle est toujours charmante et patte de velours avec moi ; veto absolu de l'Élysée dès que je parle de la remplacer en lui trouvant une sortie honorable. Pourquoi ?

Samedi 23 juillet 2011

Déplacement à Châlons-sur-Saône pour assister au Festival des arts de la rue. Bien que je sois solidement ceinturé par les élus socialistes du département, le maire et Marcel Rogemont en tête, qui ne crachent jamais sur une petite apparition télévisée, fût-ce au prix d'une compromission « républicaine » mineure avec le renégat que je suis, et que l'atmosphère générale soit bon enfant, les officiels sont terrorisés de me voir me déplacer çà et là parmi la foule au gré des spectacles. Il faut dire à leur décharge que je mets une mauvaise volonté opiniâtre à ne pas prendre les directions qu'ils m'indiquent ; ils redoutent plus que tout que je me retrouve nez à nez avec un groupe d'artistes paraît-il très hostiles et chauffés à blanc de surcroît par des militants anticorrida. Justement, les **voilà** qui présentent une pantomime sur les expulsions de clandestins avec force valises en carton pour les jeux de scène. Ils ne m'ont pas vu arriver mais je ne peux pas non plus reculer car la délégation qui m'accompagne pousse derrière et le public qui nous entoure ne voudrait pas rater l'autre spectacle qui s'annonce. Je saisis une des valises en carton et me mêle à la troupe médusée sous les yeux hagards de mes protecteurs complètement dépassés par la situation. Innocente bravade au demeurant puisque je peux continuer mon chemin après quelques facéties sur lesquelles je n'insiste pas trop non plus au cas où le vent de la surprise tournerait brutalement à ma déconfiture. Sourire amical appréciateur de Rogemont, le maire moins rembruni, les officiels sans doute furieux et impatients de m'enfermer au musée de la photographie dont ils savent que je n'aurai pas envie de sortir de sitôt. Ce en quoi ils ont raison, le musée Nicéphore Niépce est une merveille.

Nuits de Fourvière à Lyon dans l'amphithéâtre romain, véritable belvédère d'où l'on découvre toute la ville en contrebas. Concert très «new sound» anglais, pas vraiment extraordinaire, mais l'ambiance est formidable. Il fait froid, il pleut, personne ne quitte les gradins où l'eau dégouline et, avec le préfet Carenco, nous restons assis jusqu'à la fin en partageant une sorte de toile cirée providentielle qui nous protège même si chacun tire un peu de son côté pour mieux s'abriter, un petit manège rigolo qui met en joie ses collaborateurs calfeutrés sous leurs parapluies tandis que les rangs d'à côté nous regardent en écarquillant les yeux.

Nuit à Évian, à la villa de ma grand-mère où j'ai si longtemps accouru durant les périodes sombres et où tout évoque sa présence plus de dix ans après sa mort.

Dimanche 24 juillet 2011

La Grange au Lac, magnifique auditorium en bois à l'acoustique parfaite, édifié par Antoine Riboud pour Rostropovitch et Isaac Stern dans le parc de l'Hôtel Royal, est à l'abandon. La structure imaginée par Patrick Bouchain est lentement rongée par l'humidité et le hall d'entrée que j'aperçois par une vitre cassée est jonché de prospectus.

J'ai tenté à plusieurs reprises de prendre un rendez-vous avec Franck Riboud, l'un des premiers patrons français qui dirige l'empire légué par son père et dont les eaux d'Évian sont l'un des fleurons, pour que l'on étudie la possibilité de mettre l'auditorium à la disposition de l'Orchestre des pays de Savoie, qui ne possède pas de lieu fixe pour travailler, mais je n'ai obtenu que des réponses dilatoires de son secrétariat sans parvenir à lui parler.

La mairie a évité ce sort funeste à l'ancien établissement thermal et y organise des expositions qui rayonnent jusqu'en Suisse, de l'autre côté du «beau lac» du petit Marcel avec ses bateaux à roues d'un autre temps. Aujourd'hui, un aperçu des collections princières du Liechtenstein.

Lundi 25 juillet 2011

Avec les cinquante ans des accords d'Évian se pose la question de savoir comment on va commémorer l'événement entre le souhait de ne pas froisser les Algériens, de ne pas braquer les pieds-noirs et leurs descendants, et l'exigence de rendre compte le plus sereinement possible d'un fait historique. Tous les points de vue sont sur la table de la réunion. Quand le président me demande mon avis, je suggère qu'il se contente de faire un discours de réconciliation au moment des vœux du Nouvel An et qu'il laisse aux ministres que cela concerne le plus directement le soin d'intervenir chacun dans son domaine. C'est la position qu'il avait choisi d'adopter.

Nadia el-Fani, cinéaste tunisienne laïque et qui n'a pas froid aux yeux, traînée dans la boue sur les réseaux sociaux et menacée de mort par les intégristes, vit à Paris dans des conditions extrêmement précaires. Digne et discrète, elle ne demande même pas qu'on l'aide; c'est pourtant ce que l'on va essayer de faire.

Mardi 26 juillet 2011

Jean-Pierre : «Est-ce que tu te rends compte de l'état du musée Rodin! Il pleut à l'intérieur, les parquets sont foutus, les circuits électriques peuvent déclencher un incendie au moindre court-circuit, la moitié des salles sont fermées, la part de ressources propres tirées de la vente de fontes d'origine est en voie d'épuisement et on vient te voir pour te dire que tout va très bien! L'un des musées de Paris les plus visités par les étrangers! C'est une honte, et j'espère que tu vas réagir!»

Jean Castex me fait les honneurs du Festival Pablo Casals de Prades. Pays magnifique, nous sommes juste à la frontière de l'olivier. Chaleur de l'accueil, magie des lieux, mémoire vivante du merveilleux violoncelliste catalan qui refusa toujours de se produire en Espagne sous Franco. Quelques anticorrida pimentent la soirée plutôt paisiblement. Le service du petit raout organisé après le concert est assuré par des jeunes d'un centre de réinsertion avec qui je fais autant de photos qu'ils m'en demandent.

Mercredi 27 juillet 2011

Beauté de la vue sur les Pyrénées et la mer depuis l'avion qui décolle dans la lumière éclatante d'un petit matin d'été.

Un ministre m'alpague à la sortie du Conseil : «Qu'est-ce que tu vas foutre à Saint-Pierre-et-Miquelon? C'était bon pour Chirac, mais toi, enfin, il n'y a rien à voir!» Le président qui a entendu : «Il fait ce que vous devriez tous faire, il se déplace et il a raison, il n'y a pas de petites destinations.»

Celle-là est en fait bien plus lointaine qu'elle ne devrait l'être; il faut d'abord aller à Montréal et revenir en arrière sur quelques milliers de kilomètres en changeant d'avion à Halifax. Magouilles de compagnies aériennes qui se sont emparées du monopole et sur lesquelles l'État n'aurait pas prise.

Du jeudi 28 juillet au dimanche 31 juillet 2011

Au fond, ce que je voulais voir sur ces îlots perdus en plein Atlantique nord, c'était la persistance d'une utopie, celle d'une poignée de Français isolés par l'histoire, la distance et le climat à vouloir rester français précisément, en s'accrochant de génération en génération à leur lopin de rochers désolés. Anciennes familles de Bretons, de Basques et d'Acadiens; des coriaces à la tête dure. Autour de moi, personne ne comprenait mon obsession à vouloir me rendre à Saint-Pierre-et-

Miquelon et je mets à profit l'apathie qui s'est emparée de la machine gouvernementale en cette fin de mois de juillet pour faire enfin ce voyage inutile aux yeux des autres et si important pour moi.

Le préfet nous installe dans une coquette maison de bois, sa résidence. On va y vivre trois jours, et tout de suite comme chez un ami. Je vois tous les élus et les notables ; c'est vite fait, à l'échelle d'une population qui oscille selon les saisons entre sept et dix mille habitants.

Les habitants gardent tout. Attachement aux fragiles objets de la vie quotidienne si difficiles à obtenir de l'extérieur ou à façonner sur place quand l'hiver et la neige durent de longs mois et que la belle saison déjà brève se déroule souvent en plein brouillard. Nous avons de la chance, il fait beau, on verra même des enfants intrépides qui se baignent dans un cours d'eau, et sur une vague brochure touristique qui n'a pas dû circuler beaucoup on découvre des familles qui jouent au bain de soleil sur une plage de galets inhospitalière plutôt réfrigérante.

Ce tout que l'on garde génère une quantité impressionnante de musées et de lieux de mémoire où des armées de réveils et de pendules voisinent avec des ustensiles de cuisine, des objets de culte, des cadeaux de mariage, toute une vie de ménage et d'écoles communales, à côté des outils de la construction et de la survie et l'attirail impressionnant de la pêche à la morue, labeur hugolien pour travailleurs de la mer décimés par les tempêtes de Terre-Neuve.

Cette mémoire est vivante. On s'acharne dans les familles à compléter le patrimoine, à consigner les récits, à peindre sur les murs des fresques qui racontent le passé ; on reconstruit les épaves, on répare les jolies maisons en planches, on lit et on écrit énormément. Il y a beaucoup de photos, beaucoup de films ; personne n'est vraiment mort, chaque instant peut être un événement, il faut surtout laisser des traces ; on est là, les ancêtres y étaient, les enfants y seront ou y reviendront.

Évidemment, l'économie d'autrefois n'a plus beaucoup de sens ; on ne pêche plus la morue, on ne trafique plus l'alcool pour les bootleggers ; on fait un peu de tourisme pour les Québécois, ces vendus aux Anglais dont il n'est pas question d'avoir l'accent. Beaucoup de fonctionnaires, au-delà de cette limite où il en faut toujours d'autres pour administrer ceux qui administrent...

La nature est belle et pratiquement sauvage, avec des landes comme en Bretagne, des reliefs comme en Irlande, quelques arbres en ville et des forêts rabougries ailleurs, et en même temps ça ne ressemble à aucun paysage que j'ai pu connaître. Ce fut longtemps trop pauvre pour que l'homme puisse y labourer le paysage.

Quand on quitte Saint-Pierre, la traversée vers Miquelon est un vrai voyage en haute mer. Miquelon est bien plus grand, escarpé avec une lagune au milieu, très peu peuplé, le bout du bout du monde et un terrain d'aventure magnifique pour des randonneurs qui n'auraient pas froid aux yeux et sauraient survivre quand ils se perdent. Les habitants ne sont pas comme moi, ils n'ont pas peur de l'océan fantastique et ils naviguent beaucoup entre les îles sur de petites coquilles de noix qui tracent à vive allure au milieu des grandes vagues. On aperçoit au loin les côtes de Terre-Neuve, on regarde bien devant soi durant la saison des baleines qui peuvent faire chavirer les esquifs.

À Miquelon, moins de mille habitants groupés autour de la belle église, on danse le quadrille à l'ancienne accompagné de vieux violoneux qui n'ont pas besoin de savoir lire les partitions parce qu'ils les connaissent par cœur et on demande gentiment au ministre quatre sous pour aller se produire dans les festivals country du Nouveau-Brunswick. C'était cela que je cherchais, ce battement de cœur de la culture que rien ne peut arrêter ni faire taire. À Miquelon, on pêche aussi des coquillages, on lit *Le Monde* sur Internet, on observe les lamas et les cerfs de Virginie arrivés par quelque caprice oublié et qui ont fait souche, on se laisse observer par les vastes familles de phoques qui font mine de dormir au bord de la lagune.

Gens que je n'oublierai pas à Miquelon : les deux dames qui ont remonté le quadrille et qui cousent les costumes, les jeunes filles qui tiennent le musée (encore un), le couple dans la seule ferme de l'île, les ouvriers de la conserverie des coquillages. À Saint-Pierre : la dame âgée qui fait des photos sous-marines (comment s'y prend-elle dans cette eau glacée?) et celle qui écrit la chronique de chaque jour sur de grands cahiers, le monsieur qui a ouvert un lieu de mémoire digne du facteur Cheval et qui me dit : «Vous venez, mais je sais que vous ne penserez plus à moi, personne ne m'a jamais aidé», la petite photographe qui ne m'a pas quitté d'une semelle, l'érudit qui recherche *L'Oiseau blanc* de Nungesser et Coli, le beau gosse qui restaure un bateau de pêche puisque c'est le dernier et qu'il n'y en aura plus d'autres. Et le préfet encore, tellement attentionné, qui a dû croire qu'on l'envoyait au diable et qui s'ingénie à prouver le contraire.

Lundi 1er août 2011

Maurice Leroy au petit déjeuner : «Tu as fini par nous cerner avec ton histoire de tour à Clichy-Montfermeil. Il ne se passe pas de semaine sans que quelqu'un m'en parle pour me dire qu'il faut y aller. Je ne sais pas ce que tu as fait à Canepa mais il te soutient mordicus.» Il rit ; je sens que le projet commence à l'intéresser, mais il faut que je trouve le moyen de lui faire prendre position officiellement. C'est un politique à mille pour cent, une fois qu'il est persuadé qu'un projet peut être bon pour sa communication, il s'en empare ; c'est aussi un vrai bulldozer une fois qu'il est lancé.

Dernier Conseil des ministres avant les vacances ; le bruit avait couru que le président voulait en tenir un autre la semaine prochaine, à la grande consternation de toute la petite classe. Il se contente de nous prodiguer les semonces habituelles : ne pas s'éloigner à plus de deux heures de Paris, en profiter pour travailler sur les dossiers de la rentrée. Le chemin de fer des petits papiers connaît un trafic particulièrement dense entre les cancres et fortes têtes qui se plaignent d'être traités comme des gamins, avec Roselyne en chef de gare.

Tunis, c'est à deux heures dix de Paris, je suis à peu près dans les marques, même si je pense que c'est aussi à quelques décennies voire quelques siècles de plus ou de moins, c'est selon. La maison, la chaleur, la mer, les livres.

Du mardi 2 août au mardi 9 août 2011

Jack et Monique Lang prolongent leur séjour. Nous passons beaucoup de temps ensemble, ce sont des compagnons de vacances idéals ; tout les intéresse : la situation politique en Tunisie, les amis que je leur fais rencontrer ; jamais aucune critique à mon égard, seulement un peu d'ironie plaisante et affectueuse. Jack va voir Béji Caïd Essebsi qui lui fait une très bonne impression. Déjeuner au Petit Mousse, à Bizerte, avec Bertrand Delanoë et Sihem ; toujours amical quand je le rencontre dans son pays de prédilection et que l'on évite d'évoquer les sujets qui fâchent.

Autrement, visites archéologiques et promenades dans la Tunisie profonde. Pas de contrôles, pas d'hostilité, une étrange apesanteur sous un soleil de plomb.

Mercredi 10 août 2011

Au restaurant du Palais-Royal, Laurent Joffrin, assis à quelques tables de la mienne, me fait un petit salut de la tête avec un sourire un peu coincé, vaguement ironique, comme si nous étions complices d'un bon tour. Veulerie de cette société de la connivence. *Le Nouvel Observateur*, dont il dirige la rédaction, a publié il y a quelques jours l'article encore plus dégueulasse que prévu de Jacques Drillon qui tartine en quatre pages un monceau d'horreurs sur mon compte. Le pire, c'est que je lui réponds en faisant le même genre de simagrée. Laurent Joffrin s'appelle Mouchard de son vrai nom, je comprends qu'il ait pris un pseudonyme.

Jeudi 11 août 2011

Dans la série des purs angelots de la presse dite d'investigation, je reçois deux journalistes de *Mediapart* qui préparent un livre sur les complicités dont bénéficiait Ben Ali parmi la nomenklatura parisienne. Comme je m'attends au pire venant de leur part en matière d'approximations et de malveillances, je ne perds rien à répondre à leurs questions. Elles sont donc insidieusement à charge et feulent autour du thème où Jean-François Kahn a déjà misérablement pataugé. Mais d'où vient cette faiblesse qui me porte à l'autojustification devant ce qu'ils insinuent ?

Cinq délégués bushinengués de Guyane me demandent de les aider à construire un centre culturel sur le bord du Moroni, mais bien au-delà de Saint-Laurent en remontant le fleuve, au cœur du pays des Nègres marrons. Ils sont intimidés, surpris d'entendre que je connais bien leur histoire et repartent encore plus sidérés avec la promesse que je viendrai les voir pour qu'on étudie ensemble sur place comment répondre à leur demande. C'est Michel Colardelle qui m'a fait découvrir leur culture, mon penchant pour les aventures romanesques et les petits peuples a fait le reste.

Vendredi 12 août 2011

Le mépris hargneux de la gent cultivée pour les cultures populaires est l'un des travers les plus insupportables des milieux que je pratique régulièrement. Il témoigne de la persistance d'un esprit de classe arrogant et mesquin au sein même du groupe social qui se proclame de gauche et qui affirme incarner la générosité de la création artistique. Les festivals de juillet, propices aux longs week-ends dans le Midi de la France, répondent aux attentes de la culture dominante. En revanche, les festivals d'août, qui s'inscrivent dans la durée et le cadre des congés populaires, laboureraient plutôt le terrain de la sous-culture médiocre, des loisirs franchouillards ou des rendez-vous folklorisants, certes parfois considérés avec une vague et lointaine sympathie, mais soupçonnés d'abriter des idéologies suspectes, aliénantes et pour tout dire réactionnaires. C'est lesté de cette forte conviction d'ensemble, dont les généralités gagneraient certainement à être nuancées, que j'ai arrêté mon programme des festivals du mois d'août.

Samedi 13 août 2011

À Paimpol, le Festival des chants de marins. Je suis venu un peu au hasard. Je ne me doutais pas que j'allais tomber sur une ville envahie par une foule considérable reprenant en chœur un répertoire apparemment inépuisable chanté par un nombre impressionnant de groupes et d'artistes bien connus du public et totalement ignorés de moi. En ce sens, je dois avouer que mes vilaines pensées de chevalier blanc autoproclamé des cultures populaires sont sorties renforcées de *La Paimpolaise* et de *Adieu chers camarades*.

Quoique l'ambiance générale ne soit pas très *Querelle de Brest*, le charmant jeune maire, Jean-Yves de Chaisemartin, n'hésite pas à me présenter son compagnon avec leur petit bambin, et je retrouve cette paralysie pas très mystérieuse que je connais bien en montant à bord de *La Belle Poule* en compagnie de son fringant commandant en second, premier résultat scientifique particulièrement réussi de l'insémination artificielle d'Alix l'intrépide par le prince Éric, ou inversement si on peut dire. Par chance, sur le quai, ça chante à tue-tête «Du rhum, des femmes, c'est ça qui rend heureux», le ministre retrouve ses esprits, s'échappe de la tempête intérieure qui menaçait de le fracasser et cingle vers la bonace qui sied à sa fonction.

En traversant la Bretagne profonde – ravissants villages de granit, hortensias à profusion et petit crachin de rigueur –, je m'arrête dans une chapelle du XIIe siècle partiellement restaurée par le ministère. Le député, Marc Le Fur, enquiquineur patenté de la majorité et héraut très sonore d'une droite vigoureuse, m'y accueille tout sourire au milieu d'un échantillonnage fourni de ses électeurs. Comme il advient immanquablement en ce genre de circonstance, le sourcilleux censeur du complice du maniaque Roman Polanski et de l'auteur d'un torchon pédérastique innommable s'avère le plus chaleureux des hôtes quand le ministre lui rend visite dans sa circonscription. La chapelle est au demeurant très belle et Marc Le Fur me signale «by the way» qu'il reste encore quelques travaux à financer pour la charpente. Les bons politiques négocient ce genre de choses en pacte de non-agression pour l'avenir, mais moi je ne sais pas y faire ; je promets pour la chapelle sans rien demander en échange. Pierre-Yves, sortant de sa réserve, dans la voiture : «Franchement, après tout ce qu'il a raconté sur vous, sa charpente, c'est un peu l'histoire de la paille et de la poutre, et moi vous savez les curés bretons, je les ai vus à l'œuvre quand j'étais au collège.»

Dimanche 14 août 2011

À Lorient, tout le monde est très nerveux ; ce n'est pas l'habituelle guéguerre entre les élus de gauche avec le maire de Lorient en tête contre leurs adversaires de droite qui suscite cette anxiété collective, mais plutôt la menace d'un incident violent ourdi par les nationalistes bretons surexcités par le déploiement de ferveur du Festival interceltique (six cent mille visiteurs !) et la venue qu'ils jugent provocatrice d'un ministre de la République honnie. De fait, un comité d'accueil d'aspect particulièrement revêche se tient à la porte du Palais des congrès où je dois assister à un mélodieux concert de harpe celtique.

Le sous-préfet : «Ils veulent vous remettre une lettre de protestation mais je vous déconseille de les approcher car ils sont très remontés.» Difficile de les éviter pourtant car ils occupent le terrain et bloquent quasiment l'accès. Il n'est pas question pour moi que le service d'ordre les disperse, ce qu'il serait d'ailleurs bien en peine de faire vu l'évident désir d'en découdre de ces robustes gaillards, ni d'emprunter une sortie de secours comme m'y incitent les élus miraculeusement réconciliés par la perspective peu engageante d'un pugilat général. Va donc pour la prise de contact et la remise de la lettre, ce qui n'est pas pour me déplaire. Une sorte de druide à la longue chevelure blanche est au centre de la troupe hostile et en commande les ondulations inquiétantes ; il me jette des regards courroucés tandis que je me dirige vers lui. Comme je lui tends fort civilement la main en prétextant qu'il me remette le poulet vengeur qui m'est destiné, le gourou de la rébellion bretonne me refuse la sienne en me déclarant d'une voix qui tremble de colère qu'il ne serre pas la main d'un jacobin. Ses affidés, beaux gosses au demeurant, version Pasolini celtique, ce qui ajoute encore un peu de sel à une situation déjà bien épicée, se concertent furieusement en breton, idiome sur lequel je n'ai malheureusement guère de lueurs, avant que l'un des leurs ne me demande du ton le plus rogue pourquoi je m'obstine à opprimer la culture bretonne. Mes dénégations pleines de bonne volonté n'obtenant pour toute réponse qu'un déluge de vociférations dont le sens exact m'échappe mais dont je devine la teneur, et le druide y ajoutant quelques malédictions de son cru, s'ensuit une brève période incertaine où chacun campe sur ses positions et où la moindre parole un peu vive de ma part risquerait de mettre le feu aux poudres. Que faire ? Heureusement, un ambassadeur des insurgés, jugeant sans doute que l'issue d'un affrontement direct pourrait tourner à l'avantage des forces de l'ordre, me remet théâtralement le placet que je promets de lire à tête reposée après le concert. La tension décroît suffisamment pour que je puisse entrer dans la salle, qui est d'ailleurs archicomble et partage sans doute les convictions des militants auxquels je viens d'échapper car j'y suis accueilli par une déferlante de sifflets auprès de laquelle les quarantièmes rugissants relèvent d'un clapotis au bassin des Tuileries. Apaisement inespéré qu'apporte le chant plaintif des harpes celtiques. En revanche, ça se complique à l'extérieur, où la garde rapprochée du druide, furieuse d'avoir laissé échapper sa proie, tente de forcer les portes et déclenche brutalement les hostilités contre le service d'ordre. On m'exfiltre par une issue de secours à la fin du spectacle et je remarque de loin les stigmates de l'échauffourée : vitres brisées du hall d'entrée, débris divers ; le druide et l'infanterie pasolino-celtique se sont repliés et fondus dans la foule.

Pour le concert, sur le port, de Tri Yann – les Rolling Stones du folk rock breton –, cédant aux supplications de mon entourage qui commence à en avoir un peu assez de mon philoceltisme suractif, j'assiste au spectacle depuis les coulisses. Vision superbe de ces intrépides sexagénaires qui se déchaînent sur scène, du public endiablé qui danse malgré la pluie battante, du kaléidoscope des lumières réfracté par les trombes d'eau, des énormes bateaux sur cales des chantiers navals à l'arrière-plan et de l'arrivée triomphale d'un bagad dont les binious mêlent miraculeusement leurs sons aigres aux vibrations des guitares électriques.

Vers une heure, on me boucle avec soulagement à la sous-préfecture ; un peu plus et le gentil médecin secouriste préposé à la gendarmerie me faisait une petite piqûre pour me calmer.

Lundi 15 août 2011

À Saint-Gatien, quelques heures enfin avec Mathieu et Sasha, mon petit-fils, que je ne vois que de loin en loin. Il revient d'Ukraine où son père l'envoie chaque année chez ses grands-parents maternels pour qu'il garde le contact avec cette partie de sa famille et continue à parler le russe. À huit ans, c'est un petit garçon délicieux et très mûr pour son âge qui ne s'étonne pas de vivre à Dubaï, de passer chaque mois de juillet dans une isba perdue où il partage gaiement la vie rustique des polissons du village et de retrouver son grand-père qui vit sur une autre planète. Il ne s'ennuie jamais, travaille excellemment à l'école et s'exprime aussi bien en français qu'en russe avec des notions d'ukrainien, de bulgare par sa mère, de philippin par sa nounou et d'arabe par imprégnation locale. Curieusement, je fais partie de son monde et il transporte une photo de son «dadou» partout avec lui dans ses pérégrinations.

Mardi 16 août 2011

Le ministère fonctionne toujours au ralenti. Rangement obsessionnel de mes dossiers. Il y en a vraiment de trois sortes, comme les casiers de courrier de Viansson-Ponté au *Monde* autrefois : les très urgents auxquels je réponds moi-même et presque toujours avec retard, les urgents que je refile en général à l'administration qui répond en modulant mes intentions de variations aux critères mystérieux, les emmerdeurs enfin à qui personne ne répond, ce qui ne les décourage aucunement d'insister et entretient en moi un vague et tenace sentiment de culpabilité.

Un peu de temps retrouvé aussi pour ceux qui me sont le plus proches et que toutes sortes de raisons tristes ont retenus à Paris, Luc et Liria, Yannis. Les filles en robe d'été, les garçons en tee-shirt, je ne les vois que de ma fenêtre.

Mercredi 17 août 2011

La plongée que je voulais faire depuis longtemps à Clichy-Montfermeil sans autre personne pour m'accompagner que Pierre-Yves et Félix afin de mesurer le plus exactement possible si le projet de la tour Utrillo est une folie comme certains le pensent encore ou si c'est au contraire l'initiative dont le bien-fondé convainc peu à peu tous ceux à qui j'en parle.

Ramadan : au pied de la tour, le marché somnole. Les «Français de souche», comme on dit à droite, sont partis en vacances ou se planquent. C'est à peine si j'aperçois quelques joggeurs qui filent vers la forêt de Bondy à deux cents mètres d'ici, et encore ce sont surtout des Beurs taillés comme des athlètes. Des femmes en hijab parmi les étals, des jeunes qui s'attardent devant les fripes, des Sri-Lankais qui vendent à d'autres Sri-Lankais. J'achète quelques précis de bonne pratique religieuse à des barbus débordant d'amabilité. À tous, lorsque je les interroge, l'avenir de la tour est parfaitement indifférent. Je repense à la controverse des derniers mois entre des sociologues qui considèrent que c'est devenu une zone de non-droit perdue pour la République et des représentants d'associations qui affirment le contraire et revendiquent les résultats positifs de leur action. Le fait est que tout est paisible ; ceux qui me dévisagent sans me reconnaître ne montrent aucune animosité. La restructuration du quartier avance vite depuis la dernière fois. Une mère d'origine marocaine avec deux petits enfants me dit qu'elle a hâte de s'installer dans son nouvel appartement. Quand je lui parle de la drogue et de la violence, elle hausse les épaules et me répond qu'il y en a beaucoup moins depuis l'ouverture du commissariat et qu'il ne faut pas croire les journalistes. À force de me voir traîner, quelques jeunes s'approchent et engagent la conversation ; ils parlent la langue des banlieues, ne tiennent pas en place, poursuivent de mystérieuses disputes intestines et accusent un peu tout le monde car « Ici monsieur, il n'y a pas de respect, tout est pourri », mais cela proféré sans agressivité, comme une sorte de jeu dont je ne connais pas les règles. Ils n'attendent rien et la perspective d'une station de métro au pied de la tour leur semble tout à fait irréelle. Lorsque je leur dis qu'elle sera là dans quelques années, cela déclenche une franche rigolade même pas amère.

Dîner avec Alain Elkann à qui je confie ma perplexité après ma visite de ce matin. Réponse : « Il faut aimer encore plus ceux qui ne nous aiment pas. » Alain est bien plus que l'élégant intellectuel fortuné dont il a l'apparence, il s'est beaucoup investi dans toutes sortes de projets humanitaires et a beaucoup pratiqué les faubourgs de Turin qui n'ont rien à envier à ceux de Paris.

Jeudi 18 août 2011

Le musée de la Photographie de Bièvres pourrait devenir un centre pilote pour l'action de la mission photo. Valérie Pécresse a beaucoup insisté pour que je le visite, c'est une véritable caverne d'Ali Baba du patrimoine technique de la photographie avec une collection fantastique d'appareils de toutes les époques et une photothèque très importante. Mais le statut juridique quasiment inextricable décourage les initiatives et tout le monde s'y dispute depuis des lustres. Une jeune conservatrice maintient l'institution vaille que vaille, elle m'accueille avec une méfiance polie que je mets un certain temps à désarmer.

Muriel Genthon, qui a hérité d'une montagne de problèmes avec la Drac Île-de-France et qui ne se décourage jamais : « Pour la tour je crois vraiment qu'on tient le bon bout, mais pour Bièvres je ne sais pas comment vous pourriez vous y prendre. » Elle va y aller avec Francis et mettre les uns et les autres autour d'une table.

Dîner avec Luc et Liria sur leur balcon. Soleil d'été. Malgré son état de faiblesse, un moment presque heureux où l'on tient la maladie en respect.

Bernard Fixot : « Il était minuit moins cinq pour les éditeurs quand nous en parlions entre nous. Maintenant, ils ne savent même plus quelle heure il est ! Ils ont certainement perdu leur montre, la mienne marche encore et elle m'indique qu'il n'y a plus une seconde à perdre. »

Vendredi 19 août 2011

Visite à Célia Bertin dans son appartement du XIVe, où elle s'est réinstallée depuis qu'elle est rentrée des États-Unis il y a quelques mois. Elle a quatre-vingt-dix ans et éprouve de sérieuses difficultés pour se déplacer. Mais la vivacité et le charme sont intacts ; elle travaille sur un nouveau livre dont elle préfère ne pas parler parce qu'il ne vaut mieux pas parler d'un livre tant qu'il n'est pas écrit. Célia Bertin est l'auteur de plusieurs romans dont l'un a obtenu le prix Renaudot il y a bien longtemps, mais aussi d'un *Femmes sous l'Occupation* passionnant où elle évoque ses propres souvenirs de résistante ainsi que de biographies remarquables de Jean Renoir ou d'une égérie oubliée de la République des lettres de l'entre-deux-guerres, *Jean Voilier*.

À Nancy, illuminations spectaculaires sur la place Stanislas, beaucoup de gens aux terrasses des cafés et autant qui se promènent dans les rues. Heureux comme Dieu en France.

Samedi 20 août 2011

Longue journée lorraine avec Pierre-Yves et Félix. Tournée des châteaux durant la matinée ; celui du maréchal Lyautey à Thorey-Lyautey, vaste bâtisse 1900 dans le genre palais balnéaire remplie jusqu'au grenier des brimborions de son épopée marocaine agencés avec ce mélange d'ordre militaire et de folie exotico-romanesque dont seule la maison aux turqueries délirantes de Pierre Loti à Rochefort peut soutenir la comparaison. Un musée du Scoutisme, on ne peut plus «signe de piste», complète la visite. Le bouillant maréchal et Baden-Powell enfin réunis. Je me disais aussi...

Celui d'Haroué : dans un vallon tranquille, splendide architecture XVIIIe et jardins d'une grâce délicate dessinés par Emilio Terry, le décorateur paysagiste chéri de la Café Society et de Carlos de Beistegui. Le tout est admirablement entretenu et mis en valeur par Minnie de Beauvau-Craon qui met son point d'honneur à y résider toute l'année, ce qui est sans doute très plaisant en été mais certainement plus rude durant les longs mois de l'hiver lorrain, car avec trois cent soixante-cinq fenêtres et pas de chauffage central il doit y faire un peu frisquet même si on peut se consoler en se disant que c'est bon pour les boiseries.

Celui de Gerbéviller enfin, littéralement décapité pendant la Première Guerre mais dont le rez-de-chaussée mérite à lui tout seul d'être classé. Parc fantastique avec un nymphée comme il n'en existe aucun d'une telle importance en France et pour lequel le ministère a quand même daigné libérer quelques subsides.

Chaque fois, confirmation d'une vérité que l'on devrait marteler auprès de nos grands argentiers : les héros du patrimoine sont ces familles aux revenus souvent mesurés qui nous gardent de telles merveilles et les donnent à voir. Elles sont encore heureusement nombreuses, réparties sur toute la France, discrètes, intrépides et formidablement efficaces.

Passage trop rapide au musée de Sarreguemines où l'on s'est mis en peine pour me montrer les superbes collections de faïences. Les ministres ont peut-être des contraintes, mais sont-ils bien conscients de celles que s'imposent les gens qui les reçoivent pour leur faire honneur ? Céleste Lett, le député-maire, est malgré tout content de cette visite éclair, il sait que je me suis attaché à cette partie de la Lorraine qui reste imprégnée de culture germanique et dont les aspirants touristes ignorent à quel point elle est belle.

En fait, j'avais hâte de retrouver mes deux amies, Georgette et Rita, dames d'un certain âge à la vie modeste et retirée, mais gaies, l'esprit délié, curieuses de tout, qui m'apprennent que le platt n'est pas un bas allemand et qui savent tout sur la vie des communautés mennonites.

Je les aime l'une et l'autre tendrement, mais c'est une autre histoire que je raconterai peut-être un jour.

Wingen-sur-Moder : il s'agit de réinaugurer le musée Lalique sur lequel Philippe Richert, collègue ministre et président du conseil régional d'Alsace ayant échappé à la fusillade générale des dernières élections, porte le regard de Chimène. L'endroit est riant, petite montagne vosgienne du Bas-Rhin, verdure à tous les étages, routes qui serpentent et ruisseaux qui chantonnent, maisons à colombages, clochers où les cigognes reviennent depuis plusieurs années. Mais il ne faut pas s'y tromper, les pâturages sont gorgés du sang de la dernière guerre car s'y déroulèrent des combats terribles, ceux dont le film *Indigènes* rend très bien compte au cours de la bataille finale qui eut lieu précisément dans les parages. L'histoire sociale n'est pas moins tourmentée. Le musée est là pour exorciser tous ces drames, et c'est ce qui explique sans doute pourquoi il a été si bien agencé. Jean-Michel Wilmotte de nouveau. Aujourd'hui, c'est à croire que toute l'Alsace s'est donné rendez-vous pour la visite ministérielle.

Le grand truc du Théâtre du Peuple à Bussang, c'est le fond de la scène qui s'ouvre à la fin du spectacle sur le panorama somptueux de la forêt vosgienne. L'idée du fondateur, Maurice Pottecher, il y a plus d'un siècle, était, par cette ouverture à vrai dire toujours saisissante, d'« assainir l'art au contact de la nature ». Je dois dire que j'attendais ce moment du double fond magique avec impatience malgré tout l'intérêt du cabaret-spectacle qui nous était proposé ce soir. Public nombreux et fervent ; l'air vif de la montagne vosgienne assainit effectivement l'atmosphère des relations entre les artistes et le ministre, tandis que quelques cigarillos mystérieux qui passent de main en main parmi la jeunesse contribuent à parfumer la bonne humeur générale.

Retour à Paris à l'aube. Félix, qui conduit la voiture-bureau depuis près de vingt heures, toujours aussi sûr, gentil, charmant.

Dimanche 21 août 2011

Je fais la surprise à maman de débarquer à Gallician pour mon anniversaire. La vie y est douce pour elle dans le joli mas camarguais de mon frère Jean-Gabriel et la chaleur estivale qu'elle a toujours aimée lui rappelle son enfance à Marseille. Il y a d'ailleurs beaucoup de lieux à proximité qui appartiennent à la mémoire familiale, mais elle évite de s'y rendre, par lassitude ou par désir inconscient de ne pas attiser sa nostalgie.

Pierre-Yves a récupéré une voiture et nous en profitons pour retourner à Barjac sur le site du domaine d'Anselm Kiefer. Ma visite précédente m'ayant laissé une impression mitigée, je souhaite me rendre compte plus tranquillement de l'intérêt qu'il y aurait à le recevoir en donation. Il fait très beau, horizon magnifique que le ciel bas et le brouillard m'avaient empêché d'entrevoir. Le domaine est fermé et nous en faisons le tour en empruntant des chemins dans le maquis jusqu'au point où nous en avons une vue d'ensemble au pied de l'étrange cité des cubes de béton monumentaux, quelque chose entre un San Gimignano futuriste et les ruines d'une ville bombardée. En arrière, on aperçoit quelques-unes des casemates, la magnanerie et les imposantes structures de fer qui la tiennent comme prisonnière, la colline qui recèle le labyrinthe des corridors et des bunkers. La crainte des molosses en liberté me retient d'escalader la haute clôture en fer. Tout est calme et silencieux sous le soleil de plomb, personne aux alentours, la nature est âpre, rocailleuse et sauvage, nous sommes dans le haut Gard, à la limite de l'Ardèche, rien à voir avec les paysages de Provence qui ressemblent tant à la Toscane. Je retrouve cette impression d'être confronté à un univers grandiose, certainement extraordinaire mais d'une puissance sombre et imperceptiblement maléfique qui de nouveau me rappelle étrangement *Les Chasses du comte Zaroff*, chef-d'œuvre du cinéma d'épouvante de série B; au fond, c'est sans doute l'effet qu'Anselm Kiefer en attend sur les visiteurs.

François-Marie Banier dans sa magnifique bastide à l'abri des regards entourée de gigantesques pins parasols. Pascal Greggory, Martin d'Orgeval, des jeunes gens au physique agréable et à la nationalité imprécise, tous en bermuda et tee-shirt dans l'abandon de l'été. On se tient à l'ombre, sur des canapés profonds qu'il faut disputer à des braques de Weimar, clones de celui que William Wegman a immortalisé par ses photos, qui me considèrent avec une antipathie distante. Conversation enjouée sur laquelle plane de temps à autre l'inquiétude de la poursuite des démêlés judiciaires. Les éphèbes n'ont pas l'air très concernés, par méconnaissance de l'actualité française, et les braques non plus, par snobisme méfiant inhérent à leur condition de toutous de la jet-set.

François-Marie m'emmène dans les communs de la bastide où il a installé son atelier. Il me montre les grands tirages photographiques qu'il a préparés pour l'exposition qu'il doit faire à la Bibliothèque nationale. Il ne doute pas que Bruno Racine maintiendra son programme malgré la persistance du scandale. J'en suis moins sûr.

De retour à Gallician, je raconte au cours du dîner ma visite à la bastide. Jean-Gabriel rit beaucoup, maman pas du tout. Elle a oublié qu'elle m'incitait autrefois à prendre exemple sur François-Marie qui «lui au moins savait trouver des mécènes au lieu de tirer le diable par la queue avec des cinémas constamment au bord de la faillite».

Appel de François Fillon pour me fêter mon anniversaire.

Lundi 22 août 2011

À Pézenas, ville chérie de Molière, le ravissant petit théâtre que j'ai fortement contribué à sortir de l'oubli et de la ruine définitive qui le menaçait est en plein travaux. Les ouvriers sont en train de déjeuner. Ni vu ni connu j'en profite pour visiter le chantier qui est bien avancé. Le théâtre devrait pouvoir rouvrir avant les élections de l'année prochaine; avec un peu de chance, je serai encore ministre et ce serait tellement bien de pouvoir l'inaugurer avec Muriel Mayette.

Retour à la poste de Béziers devant laquelle j'étais passé trop vite la dernière fois et qui est plus que jamais menacée de démolition. J'ai eu le temps de me renseigner : elle a bel et bien été construite en béton avant la Grande Guerre et c'est l'un des premiers exemples de ce type de construction en France, au même titre que le Théâtre des Champs-Élysées. Je tourne autour, j'entre sous prétexte d'acheter des timbres, je prends un café à la terrasse du bistrot d'en face. Il y a, affichée sur la vitrine d'un magasin tout à côté, une pétition qui demande qu'elle ne soit pas détruite et des riverains m'ayant reconnu viennent me voir pour que j'intervienne auprès du député-maire. C'est un universitaire inculte, ce qui n'est pas antinomique, et il veut à tout prix la raser sans autre projet que de la remplacer par une placette où il pourra disposer quelques hideux bacs à fleurs en ciment comme ceux dont il a déjà parsemé la ville. Je lui en ai parlé une première fois à l'Assemblée nationale, en essayant de lui expliquer qu'il pourrait tirer parti de la qualité architecturale du bâtiment auprès des visiteurs éventuels plutôt que de faire passer ses bulldozers. Mais j'ai tout de suite compris qu'il s'agit d'une obsession chez lui ; la poste est en face de l'hôtel de ville, il la voit tous les jours devant lui depuis les fenêtres de son bureau et il la hait en rêvant à ses bacs à fleurs. Pour tout arranger, les adversaires de la démolition regroupent essentiellement des électeurs de gauche quand il est l'un des seuls élus de droite du département. Il en fait une affaire politique ; il entend leur régler leur compte en pulvérisant la poste comme s'ils étaient retranchés à l'intérieur.

En quittant la ville nous passons devant un énorme centre commercial avec salle de spectacle, jeux divers et parkings d'une facture particulièrement hideuse et brutalisante. On ne dira jamais assez à quel point tant de maires sont les assassins de leur ville.

Mardi 23 août 2011

La petite escapade à Béziers n'est pas passée inaperçue. Les mouchards se sont mobilisés et j'ai droit à un appel furibard du député-maire. Il m'informe sur un ton sans réplique qu'il rasera la poste dès qu'il en aura fini avec les formalités administratives. Cette histoire ne me regarde pas, il a bien vu dans mon jeu, une fois de plus j'agis contre les intérêts de la majorité... Comme il refuse de m'entendre, je lui annonce qu'il ne me reste plus qu'à classer la poste pour la protéger et que je vais informer le préfet du lancement de la procédure. Il me déclare que j'aurai bientôt de ses nouvelles avant de raccrocher.

Jean-Pierre, qui vient de rentrer de vacances : « Je comprends bien que tout cela t'exaspère, mais enfin tu as mieux à faire que de te battre maintenant avec des maires qui saccagent leur ville quand la majorité a besoin d'eux. C'est trop tard, on est déjà en pleine campagne, si tu lui en parles je vois mal le président s'intéresser à ton histoire et te donner raison. Ce n'est certainement pas ce qu'il attend de toi. » Élodie acquiesce.

Mercredi 24 août 2011

Louis Benech a commencé à remanier les jardins des Archives. Je profite du fait que Susanj et ses potes soient encore en vacances pour y faire un tour sans risquer de me faire alpaguer et de me retrouver obligé d'endurer une énième discussion vaine et sans espoir. Ce sera magnifique lorsqu'on ouvrira la cité interdite au public, au printemps prochain.

François Fillon : «Alors, vous avez passé de bonnes vacances?» Moi, à la fois pour me faire bien voir et parce que c'est la vérité : «Je n'ai pas pris de vacances. Enfin, une semaine seulement.» François : «Eh bien, vous avez eu tort. — J'ai fait la tournée des festivals. — C'est très bien, mais il faut aussi savoir prendre des vacances.»

Jeudi 25 août 2011

Les affaires reprennent! Bianca Li veut organiser une fête de la danse au Grand Palais et il lui manque encore à peu près tout l'argent pour le faire. Elle entre dans mon bureau, à demi nue, exsudante d'entrain et de gaieté, à peu près sûre de me convaincre. Elle a raison. Mon conseiller, Pierre Lungheretti est sous le charme et va s'activer pour siphonner quelques subsides à Georges-François, quant à moi c'est direct dans la réserve du ministre. Enfin, il faudra quand même regarder d'un peu plus près à la dépense parce que la drôlesse est aussi gourmande qu'elle est habile.

Le cher Argentin, Edgardo Cozarinski, retrouvé après tant d'années où je l'avais perdu de vue. Son beau physique à la Stroheim, son intelligence et sa modestie, l'inimitable poésie qu'il met dans ses écrits et dans ses films. Miracle des vies intègres qui ne produisent que de belles choses et ne se soucient pas d'être reconnues et célébrées.

Vendredi 26 août 2011

Cédric a de gros ennuis avec sa femme. Ils viennent de se marier, ils ont déjà trois enfants et en gros elle lui a mis le marché en main :

«C'est moi ou ton ministre!» Pierre-Yves pense qu'il y a autre chose mais il est vrai que j'impose un rythme d'enfer à mes officiers de sécurité. Bien qu'ils se relaient régulièrement, leur vie privée en souffre certainement. Cédric est totalement désemparé.

Rock en scène au parc de Saint-Cloud. Il fait beau, il y a beaucoup de monde et des groupes excellents. Mais le ministre est en représentation et on le trimballe dans tous les sens. La raison de cette promenade en laisse : les élus accourus en grand nombre et qui, ne voulant rater aucun journaliste ni aucune caméra, entraînent la douteuse attraction que j'incarne çà et là où ça bourdonne. Il faut reconnaître qu'ils financent largement l'opération et ils en veulent donc pour leur argent.

Samedi 27 août 2011

Deuxième Grand Ramdam au parc de la Villette. Le succès de l'an dernier se confirme et on évite les maladresses telles que les remerciements sur scène au ministre, sorte de chiffon rouge agité devant la foule et qui déclencherait immanquablement le traditionnel concert de sifflets.

Dimanche 28 août 2011

Superbe exposition «Mme Grès, la couture à l'œuvre» au musée Bourdelle, organisée par l'excellent Olivier Saillard. Nous sommes dans un établissement de la Ville de Paris et je viens en visiteur du dimanche. La dame au guichet est toute contente de m'appliquer le plein tarif en déclarant bien fort pour que tout le monde entende : «Ici, il n'y a pas de carte qui tienne, tout le monde paie.» Le préposé au sas de sécurité me fait passer deux fois pour bien vérifier que je ne transporte pas une kalachnikov sous mon blazer. D'un côté, cela m'apprendra à vivre quand je m'habitue insidieusement aux petits privilèges dont je ne profite pourtant que parcimonieusement, et de l'autre cela me montre à quel point l'animosité à l'encontre du pouvoir actuel et l'appétit de vengeance sont répandus et se saisissent de la moindre occasion pour s'exprimer.

On connaît mal le cinéma espagnol en France : en dehors de Pedro Almodóvar, point de salut. Pourtant, *Le Pain noir*, terrible chronique de l'apprentissage de la vie par un enfant dans un village catalan après la guerre civile, n'a pas volé ses nombreux goyas, les césars espagnols. Après la projection, je téléphone à son réalisateur, Agustí Villaronga, pour lui dire à quel point j'ai aimé le film. Il n'en revient pas que je sois parvenu, non sans mal, à le localiser et il me paraît sincèrement touché par mon appel. Comme quoi, le ministre de la Culture a un peu plus de crédit au-delà des Pyrénées que dans le XIVe arrondissement.

François Fillon : « Oui, je sais, le TGV s'arrête à Sablé, mais vous voudriez qu'il fasse un détour ? Il faut bien qu'il s'arrête quelque part. »

Le même : « Il est très bien, mon Festival de Sablé. De la musique baroque dans des églises romanes, il y a un monde fou, et d'ailleurs le ministre de la Culture y va chaque année ! Vous voudriez qu'on leur parle d'art contemporain dans la Sarthe ? Essayez et vous n'aurez personne. »

Lundi 29 août 2011

Hommage à Pierre Messmer pour le quatrième anniversaire de sa mort. Comme bien des gaullistes historiques, il passait pour dur, rigide et intraitable quand il était aux affaires. En privé, comme de juste, charmant, sympathique, bienveillant, très attentif à ne jamais humilier personne. Il m'avait pris en amitié et je l'aimais beaucoup. La petite cérémonie bien menée par Marc Laffineur est émouvante. Les compagnons de la Libération présents, très vieux, très fatigués, emmitouflés pour se protéger de la brise qui annonce l'automne.

Dans un tout autre genre, réussite de la garden-party de Canal Plus où je débarque par surprise. Il fallait bien ça après toutes les bisbilles permanentes entre la chaîne et ses concurrents où chaque arbitrage qui ne va pas exactement dans le sens de Canal est immédiatement l'objet de récriminations farouches. Accueil chaleureux de Bertrand Meheut et embrassades un peu précautionneuses de ma part avec l'armée des ricaneurs de service que la fête a mis particulièrement en verve.

L'agenda est de nouveau rempli à ras bord. La trêve n'a pas duré.

Mardi 30 août 2011

La rentrée syndicale s'annonce chaude et il règne une certaine agitation parmi les Drac. Celle de la région Auvergne étant en flèche, réunion à Clermont-Ferrand avec les délégués. Échange plutôt tranquille ; quelque chose de l'été est encore dans les cœurs. Buffet tous ensemble sur la terrasse ensoleillée.

La jeune femme qui suit le dossier de l'enseignement des arts à l'école : « Les professeurs s'en foutent, les élèves sèchent les cours, aucun proviseur ne nous a demandé le matériel informatique que nous avons acheté pour ciné-lycée. Il nous reste sur les bras et on ne sait plus quoi en faire. »

À Ennezat, dans un champ entouré d'une zone pavillonnaire et sous un bon mètre de terre s'étend la nécropole juive qui date du Moyen Âge, avant que ce cafard de Saint Louis eût lancé les grandes persécutions contre le peuple « déicide ». Elle a été découverte inopinément il y a une dizaine d'années par un paysan qui maniait sa charrue, mais c'est ma visite au colloque sur l'archéologie juive qui a déclenché le discret rachat des parcelles de terrain et le projet de fouilles d'envergure. Il est probable que l'on va ouvrir ici un chapitre important pour la connaissance de l'histoire de la communauté et de la société en général en ces temps reculés. Michel Charasse, qui est bien le seul homme politique à s'être intéressé au Champ des Juifs : « Il n'y a qu'un Mitterrand pour comprendre ce genre de choses. J'aurais emmené votre oncle, je vous y retrouve, c'est bien. » Point de fausse vanité, des mots qui me touchent. Et de surcroît venant de lui.

Dîner chez la meilleure copine de Dina. Plusieurs de ces fortes femmes du Moyen-Orient qui respirent à pleins poumons l'air de Paris et n'ont pas peur de souffler dans les bronches des barbus.

Mercredi 31 août 2011

Gérard Longuet : « Ah, tu as visité le château de Lyautey, il y règne comme un parfum d'amitiés particulières, tu ne trouves pas ? » Comme je le félicite pour la bonne action qui consiste à soutenir cette belle institution, il lève les yeux au ciel et assène avec un demi-sourire aux lèvres : «Laisse tomber, tu veux bien!»

Incroyable faconde de Jean Malaurie que l'on pourrait écouter pendant des heures. Quoique dans sa quatre-vingt-dixième année, il est déjà reparti pour soutenir les petits peuples du cercle polaire en Sibérie, surveiller sa fondation au Groenland, se replonger dans ses études à Dieppe, préparer une nouvelle expédition dans l'Arctique. Je comprends cependant qu'il est inquiet pour l'avenir de sa merveilleuse collection «Terre humaine» et qu'il a besoin d'aide. Aussi beau dans son grand âge que lorsqu'il écrivit *Les Derniers Rois de Thulé* et qu'on le photographiait sur la banquise avec cet air à la Jack London qui n'a pas dû faire craquer que les ours blancs.

Réception pour la conférence des ambassadeurs à l'Élysée. Les ministres sont assis sur le côté selon leur rang protocolaire pour écouter le discours du président. Il est quinze heures : irrépressible envie de dormir que je cherche à dissimuler en me tenant la tête dans les mains. Je constate entre deux attaques de l'horrible assoupissement que je ne suis pas le seul.

Il y a une convention pour la culture à l'UMP, contribution au programme de la campagne présidentielle. On peut s'attendre au pire. Copé et Tabarot se sont bien gardés de m'en parler et c'est Roselyne, chargée de mettre en forme les propositions, qui vient me voir. Elle est inquiète, moi aussi.

Jeudi 1ᵉʳ septembre 2011

Je connais peu d'hommes politiques personnifiant autant le charisme, ce mélange d'élégance et d'autorité qu'Antoine Rufenacht. Sans doute habité d'ambitions très hautes pour une époque trop basse, venu à la politique trop tard après le gaullisme triomphant qui était à sa mesure, trop protestant aussi peut-être pour se prêter aux combines de la sacristie parlementaire, il n'a pas eu le destin national que lui préparait Raymond Barre, dont s'inquiétait François Mitterrand et que Jacques Chirac a étouffé à force d'embrassades à double fond. Il a donc préféré peser de tout le poids de son intransigeante morale républicaine sur Le Havre, ville qu'il a sortie du gouffre où l'avaient enfoncée des années de semi-dictature communiste pour en faire une métropole moderne dont on a même fini par admettre qu'elle était belle. Ultime leçon que d'autres feraient bien de méditer, il a laissé il y a plusieurs mois la mairie au jeune et brillant second qu'il avait formé pour lui succéder en lui laissant le temps de faire ses preuves avant la prochaine élection. Il vient me voir pour me parler du développement de la vallée de la Seine dont le volet culturel est l'objet d'une OPA des séides fabiusiens et du désintérêt persistant de la majorité.

Retour de l'université d'été du Medef avec le sénateur Henri Weber, aux illusions trotskistes raisonnablement perdues et aux générosités juvéniles tout aussi raisonnablement préservées.

Descente à Perpignan, les belles projections nocturnes de Visa pour l'image, les bons alcools et les bons cigares de l'hypersympathique préfet Delage.

Vendredi 2 septembre 2011

Il y a des détails qui ne trompent pas, la campagne électorale a bel et bien démarré, la nervosité générale est perceptible ; pour une aussi petite affaire que le déplacement d'un transformateur électrique hors de la cathédrale, on demande à cor et à cri la présence du ministre et tout ce que le département compte d'élus est sur le pied de guerre pour figurer sur la photo ! Il ne me reste plus qu'à changer les plombs pour l'éclairage du stade de foot...

Vif éloge de ma part à Jean-François Leroy, l'homme de Visa pour l'image, lors du déjeuner à la préfecture pour les sponsors japonais que j'abreuve aussi de compliments sur la culture nippone, le courage des populations à Fukushima ; Jean-François, en aparté, me remercie chaleureusement ; mon petit discours a été très apprécié du grand patron japonais qui dirige la délégation, il a confirmé aussitôt qu'il maintiendrait son mécénat pour l'année prochaine.

Le président valide les projets concernant la crise de la filière musicale et le futur Centre de la musique : «Et maintenant, tu avances, tu avances et si on t'embête tu m'en parles directement.»

Samedi 3 septembre 2011

Jean-Pierre : « Il faut que tu fasses plus attention à Pierre Hanotaux. Il n'en peut plus de fatigue et tu n'as pas l'air de t'en rendre compte. Comme il te protège en toutes circonstances, ce sera le dernier à venir se plaindre auprès de toi. » Exact. Je m'aperçois aussi que je parle peu de Pierre en relisant ces notes. Il est à la fois si efficace et toujours si conciliant avec moi (peut-être trop ?) que je ne lui fais pas assez sentir à quel point je lui suis reconnaissant pour tout le travail qu'il abat et sa constante disponibilité.

Dimanche 4 septembre 2011

Maman est rentrée du Midi dans la limousine extrêmement confortable qu'Olivier a mis à sa disposition. Elle ne peut plus affronter la fatigue des gares et des aéroports. Elle a découvert le monde des stations-service et des boutiques d'autoroutes : « C'est incroyable tous ces gens partout, et je ne m'étais pas rendu compte que la France se déplace en pyjama ! » Moi : « Encore un effet de votre esprit de classe... » Elle, piquée : « Enfin, je n'ai jamais eu l'esprit de classe ! » Mes frères rigolent. Je me demande ce que les gens prétendument en pyjama et sans doute en survêtement pensaient en voyant débarquer d'une voiture imposante cette dame impeccablement vêtue et coiffée, image de la reine mère dans les téléfilms. Rien sans doute.

Lundi 5 septembre 2011

Le projet d'un musée du jeu vidéo excite beaucoup de monde. Claudie Haigneré a saisi la balle au bond pour la Cité des sciences. Reste à trouver l'argent sans se faire manipuler par les principaux acteurs de l'industrie qui cherchent déjà à tirer les marrons du feu chacun pour sa gouverne. Peut-être faudrait-il en profiter pour associer le projet à celui d'un musée de la télévision que m'avait présenté François Confino et qu'il n'arrive pas à boucler.

Remise de la Légion d'honneur à Shirley MacLaine à la Cinémathèque. Elle est en grande forme ; très peu changée et apparemment très peu martyrisée par la maladie du bistouri. Elle est aussi branchée New Age et théories de la réincarnation, le genre de bricolages spiritualistes auxquels je ne comprends rien, ce que j'avoue doucement dans mon petit discours improvisé et qui a pour effet de la mettre en joie : un futur converti en perspective ! Projection de *La Garçonnière* de Billy Wilder où elle est aussi géniale que Jack Lemmon.

Mardi 6 septembre 2011

Inauguration d'une plaque en l'honneur de Fimalac, la société de Marc Ladreit de Lacharrière dans la grande salle des antiquités du Louvre. Une fois de plus, Marc a mis la main au portefeuille pour soutenir Henri Loyrette et contribuer à la restauration des antiques, un domaine plutôt austère sur lequel ne se précipitent pas les mécènes. Jolis discours comme dans une réunion de famille dont la *Vénus de Milo* serait la mariée.

Roselyne m'apporte un premier relevé des réflexions de la commission culture de l'UMP. C'est un pensum indigeste de poncifs éculés comme on en lit tout aussi bien à gauche et où les actions du ministère brillent par leur absence. Elle en est parfaitement consciente mais je sens bien qu'elle ne peut pas y faire grand-chose ; elle a relevé les copies par loyauté vis-à-vis de ses collègues. C'est d'ailleurs tout aussi loyal de sa part de venir m'en parler, vu que les bonnes âmes du parti pensent qu'un programme culturel doit intéresser les militants et leurs guides éclairés, à l'exception du ministre de la Culture, le dangereux trublion.

Petit dîner chez Paolo et Dolores Branco. On reparle beaucoup de Raúl Ruiz, dont Paolo était le producteur attitré. Sa mort, la semaine dernière, a consterné chacun d'entre nous. J'apporte à Catherine Deneuve un livre sur les jardins qui devrait lui plaire. C'est une jardinière autant qu'une cuisinière émérite, elle devient une autre Colette lorsqu'elle est dans sa maison de Normandie qui évoque immanquablement pour moi la *Partie de campagne* de Jean Renoir. Le fils de Paolo, fort joli gandin libertaire, est un militant anti-Hadopi très écouté de ses congénères, mais l'ambiance n'est pas à la bagarre et la conversation reste plaisante. Il faut dire que le charme du jeune homme, tout d'ironie et d'insolence légères, ne me prédisposait pas à me croiser une nouvelle fois.

Mercredi 7 septembre 2011

Approche des sénatoriales, qui s'annoncent mal.

Maurice Leroy : «Moi, pour mes campagnes, avec mes gars, j'y vais comme un vrai bolchevique : on bouscule tout sur notre passage et on ne laisse rien au hasard ; c'est la révolution d'Octobre dans le Loir-et-Cher.» Il sait de quoi il parle, il a commencé sa carrière au parti communiste avant que ce madré de Pasqua ne le remarque et l'exfiltre.

Jean de Boishue : «Au lieu d'accepter d'être encore Premier ministre lors du dernier remaniement, François aurait dû se retirer sur l'Aventin, comme Pompidou après 68, et se préparer pour la présidentielle. Il est vrai que je ne suis pas sûr que le gros de l'UMP l'aurait suivi. Beaucoup en ont marre du comportement du président, mais de là à couper le cordon quand la plupart des militants sont farouchement sarkozystes...»

Récital Charles Aznavour à l'Olympia avec Doris. Inoxydablement vert et professionnel. Mais pourquoi veut-il absolument chanter in extenso toutes ces nouvelles chansons, empêtrées d'une philosophie de café du commerce et nettement moins bonnes que les anciennes? Charles Trenet, en pareille circonstance, n'avait pas commis la même erreur. En tout cas, triomphe, c'est de son âge, et donc tout le monde est content.

Jeudi 8 septembre 2011

Jacques Doillon vient me parler de ses projets de formation. Aucune critique à l'égard de ce qui existe déjà, contrairement à ce qui se passe chaque fois que l'on vient me proposer une formule nouvelle où il s'agit souvent de régler des comptes et de napalmer les autres ; non, juste une idée originale et généreuse pour laquelle il cherche, sans la moindre trace d'arrogance, l'appui du ministre.

Déjeuner de réconciliation seul à seul avec Claude Bartolone, si tant est qu'on ait été fâchés, même si je garde un souvenir cuisant de la petite sérénade qu'il m'avait servie au Salon du livre et de la presse jeunesse de Montreuil. Il est élégant, drôle, avec beaucoup de charme. Cette réflexion où l'opposant résolu pointe néanmoins son nez : « Voilà un président qui a conjuré par sa réactivité et son énergie l'une des pires crises financières, qui nous a sortis de l'imbroglio ivoirien, qui vient de gagner une guerre en Libye et pas des moindres, qui a finalement consenti à endosser les habits de la fonction et qui même dans le domaine du carnet rose remporte un succès avec sa jolie femme qui va bientôt lui donner un enfant, et qu'est-ce qui se passe ? Eh bien rien, il est toujours aussi impopulaire et ne décolle pas d'un point dans les sondages. Vous ne trouvez pas que c'est bizarre ? »

Réunion chez le président à propos de la Maison de l'histoire de France. François Fillon et Jean-Paul Faugère qui doivent se demander s'ils n'ont pas mieux à faire, Guaino silencieux, les autres impassibles. Aucune critique sur la manière dont j'ai mené la barque malgré la forte inflexion par rapport au projet initial. En revanche, accès de rogne contre les syndicats des Archives et contre cette guéguerre des banderoles que je n'arrive pas à éteindre. François : « Mais enfin Frédéric ne peut quand même pas envoyer les CRS pour quelques chiffons qui traînent, ce serait le plus grand service que l'on rendrait à tous ceux qui s'opposent au projet. » Le président : « Bon, bon, essaie de régler ça quand même, Frédéric, je sais que ce n'est pas simple, mais enfin c'est exaspérant, surtout quand on pense qu'on est en train de leur construire un centre d'archives fantastiques ! Le fond du problème, c'est qu'ils ne veulent pas y aller. » On est bien d'accord. La conversation, car c'en est une, se déporte sur Jean-Jacques Aillagon qui ne veut pas quitter la présidence de Versailles malgré l'accord formel qu'il m'avait donné et qui m'avait permis de le faire renommer pour dix-huit mois. Il se répand partout dans la presse, fort contente de l'aubaine, en invoquant l'injustice qui lui est faite et l'inconséquence du ministre en agrémentant ses commentaires de toutes sortes de piques désagréables. Le président, très remonté : « Il part et puis c'est tout ! Et toi Frédéric, tu ne perds pas ton temps à lui répondre. Ce type, je le connais encore mieux que toi, il est impossible. Je pourrais en dire beaucoup à son sujet, mais ça n'en vaut pas la peine, je préfère m'abstenir. » Un silence. On se doute de ce qui va suivre. Sur un ton radouci : «Pour le remplacer, on prend Catherine Pégard, tout le monde est d'accord?» C'est la première fois qu'il en parle mais on était tous au courant et de toute façon c'est effectivement la bonne idée. Catherine saura apaiser ce monstre qu'est Versailles sans l'endormir, personne ne niera ses compétences, et sa personnalité habile, consensuelle fera le reste. François, en sortant de la réunion : «Je me souviens que c'est vous qui lui en avez parlé la première fois, il y a trois mois, à la fin d'une réunion comme celle-ci. Il était certainement déjà décidé, mais il ne voulait pas que ça se sache, et j'ai eu peur que votre sortie fasse finalement du tort à Catherine. Vous avez dû le sentir car heureusement vous n'en avez plus parlé après.» Il est très attaché à Catherine, comme moi, comme tous ceux qui la connaissent.

Appel d'un conseiller de Bartolone pour me dire qu'il a été très content du déjeuner. Est-ce donc qu'il l'appréhendait? Ce serait me faire trop d'honneur.

Vendredi 9 septembre 2011

Commémoration du dixième anniversaire des attentats du 11 Septembre dans les jardins de l'ambassade américaine. Discours très sobre du président, exactement dans le ton qu'il fallait et sans s'autoriser aucune de ces digressions dont il a parfois du mal à se dépêtrer et qui flanquent la frousse à tout le monde.

Philippe Belaval me dit qu'il n'est pas nécessaire de classer la poste de Béziers. Le permis de démolir est bloqué par tellement de recours que le maire n'arrivera jamais à ses fins. En tout cas, long sursis pour que j'essaie de nouveau de le convaincre. Le préfet est du même avis. Soit.

Samedi 10 septembre 2011

Festival de la fiction télé à La Rochelle. Rémy Pflimlin n'a décidément pas hérité d'un boulot en or. Les producteurs de fictions et de documentaires se plaignent et concentrent avec raison leurs attaques sur France Télévisions, énorme machine engoncée dans ses habitudes et paralysée par une pléthore bureaucratique qu'il est impossible de réformer du jour au lendemain.

Malgré tout, déjeuner comme si tout allait bien dans cette fameuse grande famille de la télévision qui n'existe pas. Le simple fait que Rémy y assiste est cependant de bon augure. Beaucoup de jolies comédiennes ; Marianne Basler, Hélène de Fougerolles, exquises

Concert de Juana Italiano dirigé par Nanni Moretti à Bobigny. À peine le temps de lui parler, les viragos communistes de la mairie vaticinent à tout-va sur le grand soir qui s'annonce, je prends la fuite.

Dimanche 11 septembre 2011

Je devais aller accueillir à Roissy le président du Rwanda, Paul Kagamé, en visite officielle de réconciliation. La perspective de voir de près un personnage aussi sinistre et vénéneux et d'échanger des propos de courtoisie protocolaire m'excitait énormément. Mais le matin même de l'arrivée prévue, le président Kagamé refuse catégoriquement d'être accueilli à la descente de son avion par un membre de la famille Mitterrand. Au fond, je m'en doutais un peu, mais je m'étais bien gardé de le faire savoir nourrissant une confiance trop aveugle dans l'amateurisme du protocole de l'Élysée. Accessoirement, belle cavalcade entre les services affolés pour me trouver au pied levé un remplaçant dont le niveau protocolaire paraisse acceptable à l'illustre invité de la République.

Je ne sais pas comment ils s'en sont sortis puisque, à la même heure, l'on m'a demandé, en lot de consolation sans doute, de représenter le gouvernement à la messe à Notre-Dame en mémoire des victimes du 11 Septembre.

Lundi 12 septembre 2011

Mikhaïl Barychnikov à déjeuner, tellement aimable et naturel. Rien à voir avec le caractère magnifiquement luciférien de Noureev, auquel on le compare habituellement. Il évoque en français sa jeunesse en Lettonie où il a compris très vite que son père, qu'il aimait et qui était

510

officier dans l'Armée rouge, appartenait à une force d'occupation, puis cette émigration des Russes blancs qu'il a connue bien plus tard quand il a quitté l'Union soviétique et qui était la Russie même. À l'instar d'Ivan Bounine dont il connaît l'œuvre par cœur. Il est citoyen américain maintenant. Roselyne, à qui j'ai proposé d'être avec nous et qui ne s'est pas fait prier, était aussi heureuse que moi de la rencontre.

JR, le grapheur mystérieux des images immenses qu'il dissémine un peu partout, est presque aussi grand que ses photos ; jeune, mince, avec des lunettes noires. Il fuit toutes les accointances officielles, mais il a quand même accepté de venir me voir et j'ai l'impression qu'il est sensible au vif intérêt que je porte à son travail. Sa réticence à se faire récupérer par qui que ce soit lui permettra sans doute d'échapper aux dommages collatéraux du succès ; on le réclame partout, au Centre Pompidou certes, mais aussi aux États-Unis où il est en train de devenir une star de la photographie et des cultures urbaines.

Françoise Huguier a réussi sa biennale des images du monde, Photoquai, parcours photographique le long du quai Branly où elle a rassemblé les images prises par des jeunes photographes venus de la terre entière. Stéphane Martin parraine l'opération, toujours dans les bons coups et trouvant que c'est normal. Si tout le monde pouvait être comme lui...

Remise de décoration à Danny Glover. Il a la réputation d'être très à gauche et d'être venu en France pour militer contre la réforme des retraites. Et alors ? C'est un merveilleux comédien et la petite cérémonie se déroule dans une ambiance formidable.

Mardi 13 septembre 2011

Mathieu fait preuve d'un courage au quotidien qui m'impressionne et qui m'inquiète. Sa vie dans des avions qui le transportent aux quatre coins de la Russie, des Émirats et de l'Asie centrale, les horaires infernaux, les compagnies aériennes improbables, les rencontres avec des gens qui ne doivent pas être agréables à fréquenter, il prend tout cela gaiement, même si son état physique témoigne de la fatigue accumulée et s'il est assez avare de détails sur son activité. Le miracle, c'est que l'on parvienne malgré tout à se voir assez régulièrement; il ne manque jamais de me retrouver quand il passe par Paris.

Le label «Maison des Illustres» auquel je tiens beaucoup est sur les rails. Aujourd'hui c'est le lancement de l'opération, mais comme il y a une campagne électorale dans la campagne présidentielle pour le renouvellement du Sénat, Gérard Larcher fait capoter l'apposition de la première plaque sur le moulin d'Aragon et d'Elsa Triolet, sous le prétexte que ledit moulin se trouve sur le territoire de l'un de ses opposants. Forte agitation jusqu'à Matignon et l'Élysée. On se replie en panique sur une petite cérémonie dans les salons du Ministère. Tout se passe très bien au demeurant, mais je lui garde un chien de ma chienne.

Charles Pasqua : «En politique, mon petit, il y a des moments où il faut savoir manger son chapeau. »

Le même : «Sarkozy, ce n'est pas de Gaulle; Guaino, ce n'est pas Malraux. On fait avec ce qu'on a. »

Émission de Canal Plus sur l'armoire de fer des Archives nationales à laquelle je suis censé participer en autre Stéphane Bern dans une version «Secrets d'histoire» du ministère à l'usage des abonnés de la chaîne cryptée que je ne savais pas férue de ce genre d'enquêtes. On me fait entrer dans le périmètre Rohan-Soubise en opération de type commando car le ténébreux Susanj et sa sourcilleuse infanterie syndicale continuent à régner sur ces confins du non-droit. Là encore succès de l'opération : on me boucle à double tour dans la salle où l'on tourne au cas où les combattants de la révolution prolétarienne auraient envisagé de se saisir de moi et de m'enfermer définitivement dans l'armoire de fer en question.

Remise de décoration à un célèbre antiquaire; la rivière enchantée de la fortune et de l'entre-soi qui s'écoule doucement vers la chute finale qui nous noiera tous. Date non précisée mais lessivage collectif assuré.

Bernadette Chirac lors de la soirée au profit de la Fondation Claude-Pompidou : «Vous savez Frédéric, mon mari ne va pas bien du tout. Il ne regarde même plus la télévision. » Puis : «Il n'y a que Jean-Louis Debré et les Pinault qui pensent vraiment à lui. Jean-Louis vient le voir pratiquement tous les jours, François et Maryvonne se mettent en quatre pour être toujours près de nous et ils nous invitent pour les vacances.»

Charité de gauche, c'est Jane Birkin qui chante ; charité de droite, c'est corps de ballet ou film de Luc Besson ; charité mixte, c'est le ministre qui fait un discours.

Mercredi 14 septembre 2011

Béatrix, reine des Pays-Bas, est venue visiter la Biennale de Lyon ce matin. François Hollande arrive sur la terrasse de la Sucrière, l'usine désaffectée où se tiennent la plupart des expositions d'art contemporain, entouré des élus socialistes du département et d'un essaim de journalistes. Échange de courtoises insolences. Lui : «Je savais bien que l'art contemporain, ce sont aussi les installations précaires!» Moi : «On a raté la reine, mais elle nous a laissé le Hollande!» Gérard Collomb est le seul à rire franchement.

À l'exposition «off» se trouve un extraordinaire et très joli petit chien en métal articulé qui saute, jappe, fait la fête à la demande. Impossible de comprendre le mécanisme. Heureusement que ce n'est pas un Jeff Koons surdimensionné car ce serait terrifiant.

Victoria Noorthoorn, le commissaire de la Biennale, qui est une réussite, a choisi pour titre de la manifestation : «Une terrible beauté est née». Je la regarde, je l'écoute, c'est un nom qui lui va comme un gant.

L'Opéra de Lyon, presque entièrement reconstruit par Jean Nouvel, plaît à tout le monde. Tant mieux. Moi, je trouve cette symphonie en noir et escaliers mécaniques absolument sinistres. Haro sur les salles à l'ancienne et leur architecture à l'usage des possédants et vive les temples funéraires où s'épanouit la démocratisation culturelle! Je ne sais pas ce que l'on pensera de tout cela dans quelques années.

Jeudi 15 septembre 2011

On ne sait pas grand-chose de la princesse gauloise qui s'est fait enterrer au XIe siècle avant Jésus-Christ à Vix avec un fabuleux trésor funéraire, mais pour des hilotes dans mon genre c'est une nouvelle fois la confirmation qu'il y eut une civilisation brillante bien avant la conquête romaine et que ce sont les divisions politiques insurmontables de nos fameux ancêtres qui ont causé leur ruine. À Châtillon-sur-Seine, nous sommes sur les terres de François Sauvadet, géant centriste plutôt débonnaire et mon collègue au gouvernement. Atmosphère bon enfant, discours sous le soleil, on m'offre une réplique en format réduit du cratère qui est la pièce maîtresse du musée.

L'inauguration du Consortium de Dijon est politiquement plus délicate puisqu'elle s'effectue sous les auspices de François Rebsamen, le sénateur-maire socialiste, de François Patriat, le président du conseil général également socialiste et en présence de François Sauvadet qui passe ainsi de la princesse gauloise défunte aux premiers vagissements de l'art contemporain en Côte-d'Or. Mais ce sont des gens de bonne compagnie et ils sont de toute manière tous les trois secrètement épouvantés par ce qu'ils découvrent au Consortium : succession d'installations comme au dépôt de la Samaritaine du temps où l'on y trouvait tout et reliquats divers de plusieurs écoles que je croyais enfermées dans la caserne métaphysique d'*Art Presse* où Catherine Millet leur servait de cantinière. En pensant aux gros yeux que leurs électeurs ne manqueront pas de leur faire en leur demandant «Combien ça coûte ?», les trois compères sont bien contents de m'avoir sous la main pour faire l'article devant le public et la presse passablement ébaubis. Le genre de numéro qui flatte ma vanité naturelle, ma prédisposition congénitale à l'enthousiasme, ma lâche propension à vouloir faire plaisir à tout le monde et dont je ne me sors pas trop mal en général. Au demeurant, belle architecture de Shigeru Ban à qui l'on doit d'avoir contribué au Centre Pompidou Metz. Ce sera certainement très bien quand il y aura vraiment quelque chose à voir à l'intérieur. En partant, les trois élus me serrent la main avec un soulagement effusif qui fait plaisir à voir.

Dîner au musée Rodin pour la première dame d'Azerbaïdjan. Je ne fais que passer au dessert, la perspective de me retrouver assis à côté de Rachida Dati et de devoir subir une nouvelle fois le récit de sa guerre contre le couple Halter étant au-dessus de mes forces.

Vendredi 16 septembre 2011

Attaque particulièrement efficace et virulente des anticorrida à la fête du livre de Nancy organisée par la femme d'André Rossinot. Le Livre sur la place se déroule en plein air comme son nom l'indique et les militants ont réussi à s'infiltrer un peu partout dans la foule. Ils sortent banderoles et haut-parleurs tonitruants quand je commence mon discours. Le préfet est aux cent coups, les flics sont impuissants, la technique de la guérilla au cœur de la population résiste à toutes les tentatives d'arraisonnement. Rossinot m'encourage avec un sourire compatissant à poursuivre mon laborieux exercice de discoureur officiel recouvert par les huées des torophiles. De toute façon je n'ai pas le choix. Un pot de peinture rouge ayant raté sa cible et les haut-parleurs s'éteignant peu à peu après de tâtonnants efforts de localisation, tout finit par s'apaiser.

André Rossinot apprécie la manière dont je ne me suis pas défilé et insiste pour me raccompagner à la gare dans sa voiture : «C'est bien, en politique il faut avoir des *cojones*!»

Nouvelle invitation à visiter Belgrade par le ministre de la Culture serbe. Comme je lui demande ce qu'est devenue Jovanka Tito, la veuve du maréchal despote qui a réussi à tenir ensemble pendant près de quarante ans les morceaux vipérins de la défunte Yougoslavie sous un communisme lubrifié par les bonnes affaires, il m'apprend qu'elle vit désormais sous la protection du prince Alexandre, prétendant à la couronne qui l'héberge confortablement dans une dépendance de son palais, paie son électricité, son téléphone et la comble de discrètes attentions. Trop beau pour être vrai?

Samedi 17 septembre 2011

Journées du patrimoine : après avoir joué au gentil guide du ministère pour la file d'attente qui s'étendait bien loin sous les galeries du Palais-Royal, je file à Blérancourt pour contempler les premiers signes de la résurrection. Le projet d'aménagement d'Yves Lyon a été bien revu grâce à Ann-José, et les travaux ont commencé. Les mécènes américains sont de retour avec l'ambassadeur des États-Unis *himself*.

La conservatrice a pu rouvrir un des pavillons. Bonne humeur générale et la puissante confrérie des Amis de Blérancourt me jette de tendres regards.

À Toulon, inauguration du théâtre des frères Berling. Chacun laisse ses arrière-pensées au vestiaire et Hubert Falco joue au galant frétillant avec Fanny Ardant qui officie en tant que marraine. Nous rions tous les deux sous cape devant ce déferlement d'hommages fleuris ; le parrain du Midi ramené à l'état d'adolescent rougissant, perturbé par le jeu d'une jolie femme au parfum de célébrité et d'aventure.

« Si le Palais-Royal m'était conté » sur la scène du Palais-Royal avec Muriel Mayette en meneuse de revue qui conte de belles histoires entourée de ses boys, Jean-Louis Debré, président du Conseil constitutionnel à la brillante faconde, Jean-Marc Sauvé, ange exterminateur du Conseil d'État tombé avec délices et quelques trucs encore à maîtriser dans la marmite du « show-business », et moi, le troisième voisin de la Comédie-Française qui arrive en retard et en rajoute dans le cabotinage convivial.

Dimanche 18 septembre 2011

Le hangar Y tenu à l'abri des regards dans le bois de Meudon servait à accueillir et à réparer les dirigeables avant la Première Guerre alors que l'armée française essayait de rattraper son retard sur les zeppelins. C'est une immense structure de briques et de poutrelles de fer, extrêmement belle, en léger surplomb d'un étang, dont une société de pêche est la seule à avoir le droit d'approcher. L'ensemble dégage une très grande impression de poésie, de solitude et de mélancolie. Ce pourrait être un autre site pour la création théâtrale à l'instar de la Cartoucherie de Vincennes et de ce qu'en a fait Ariane Mnouchkine. J'y emmène James Thierrée qui cherche un lieu suffisamment ample pour s'installer. Muriel Genthon est aussi excitée que moi à l'idée qu'il pourrait investir un tel endroit qui est à sa mesure. Mais James est rebuté par le temps et l'argent qu'il faudrait y consacrer pour qu'il puisse s'en servir. On le demande partout, il craint de se retrouver prisonnier du rêve que nous faisons pour lui et pour lequel je dois bien reconnaître que je ne dispose pour l'instant d'aucune amorce de financement. Nous quittons à regret le hangar et l'abandonnons au sommeil où il est plongé depuis si longtemps.

La reine de Norvège se prête sans réticence aux exigences des paparazzis qui la photographient à l'inauguration de l'exposition Munch au Centre Pompidou. Pas d'attachés de presse hystériques comme avec la moindre semi-vedette du cinéma en promotion ni de dames d'honneur réfrigérantes pour nous casser les pieds. Elle connaît d'ailleurs bien l'œuvre de Munch et l'admiration qu'elle lui porte est sincère. Au dîner qui suit à L'Interallié, dans une ambiance plus diplomatico-coincée, je digresse un maximum dans mon discours en rappelant ses goûts pour la photographie et quelques détails de sa vie qui me touchent. Elle en est étonnée et je la crois très contente ; elle m'embrasse en partant devant l'ambassadeur qui n'en revient pas.

Son gendre, Ari Behn, est un romancier qui détonne dans le milieu des royautés ; sexy, raisonnablement sulfureux, peut-être même un peu allumeur sur les bords et en tout cas très bon écrivain. La reine m'a adressé un sourire appuyé lorsque j'ai évoqué ses livres et notamment celui où il raconte de manière assez autobiographique sans doute un séjour mouvementé au Maroc avec une bande de pédés plus ou moins drogués.

Lundi 19 septembre 2011

Le président Giscard d'Estaing remercie un à un les membres de la commission assis en ligne qui ont préparé le rapport sur l'hôtel de la Marine et oublie Hugues Gall assis au bout de la rangée, plus ou moins caché par l'un de ces pots à plante verte que l'on juge toujours indispensable de placer sur l'estrade d'où s'expriment les personnalités. Je lui fais des signes désespérés en pointant le doigt discrètement vers celui qui a été passé sous silence. Perplexité du président qui n'a pas l'habitude que l'on soit pris de mystérieuses convulsions quand il s'exprime et qui tente néanmoins d'en saisir le sens. Finalement, il interrompt son discours, se penche comme un grand oiseau, tourne la tête lentement et découvre Hugues que cette torsion effectuée avec une impeccable dignité arrache à la clandestinité de la plante verte. Excuses et compliments. La conférence de presse qui s'annonçait guindée tourne à la bonne franquette. Conclusion pro-Louvre pour l'affectation des pièces d'apparat qu'Henri Loyrette considérera certainement avec circonspection; rien ne revient plus cher que les cadeaux que l'on s'obstine à vous faire; centre des métiers d'art en gros pour le reste. L'infortuné Allard est définitivement écarté. Son audition s'était déroulée dans une atmosphère pesante avant de se conclure par un glacial «Nous n'acceptons pas les brochures publicitaires» prononcé par le président sur un ton sans appel alors qu'il tentait de faire circuler la maquette sur papier glacé de son projet. Curieux sentiment de tristesse à son égard; s'il avait été moins sûr de lui et plus attentif aux observations qu'on voulait lui faire, il aurait peut-être pu profiter d'un avantage qu'il avait sur ses concurrents, celui d'avoir au moins un projet cohérent. Au fond, c'est sa façon d'être qui a déplu le plus. Quant à Renaud, vivement qu'on se réconcilie.

Charleville-Mézières : a priori, aller passer une des premières soirées d'automne au pied des Ardennes dans la ville dont le jeune Arthur ne pensait qu'à déguerpir pour assister à un festival de marionnettes, voilà un programme plutôt insolite. Détrompez-vous, esprits perclus de parisianisme et de frivolités intellectuelles! Pierre Lungheretti a beaucoup insisté pour que je fasse le déplacement, il a eu raison. Très beau spectacle de marionnettes khmères, et un incroyable Danois en smoking qui se déplace avec son double, pantin plein d'insolence et de rouerie qui refuse de lui obéir au doigt et à l'œil. Une grande poésie à tous les étages, beaucoup de monde partout et quelques grognons qui vilipendent comme de juste le «guignol du gouvernement». Cerise sur le gâteau, réjouissante pantalonnade entre la députée UMP et la maire socialiste, animées d'une haine féroce l'une contre l'autre et tirant de toutes forces sur les fils du Pinocchio ministre pour l'attirer chacune de son côté.

Mardi 20 septembre 2011

Jean d'Amecourt revient de son ambassade à Kaboul auréolé des nombreux succès de sa mission : libération des otages, appui aux forces françaises qui ont payé cher leur intervention, réouverture du lycée français, etc. Il se retrouve à la retraite et cette perspective d'inactivité lui pèse. À rapprocher d'Yves Aubin de La Messuzière qui s'est rendu indispensable au Mucem et à la Mission laïque française.

Nicolas Demorand : « Ce que nous aimons sans doute le plus toi et moi en David Kessler, c'est la manière dont il vit toutes ses contradictions personnelles et parvient à rester fidèle à ses amis, toujours gai, amusant, attentif. » J'abonde dans son sens sans être certain qu'il en sera toujours ainsi avec l'inévitable violence du combat politique qui s'annonce. David est l'un des rares hommes de gauche qui porte des avis pertinents sur la culture, il va forcément se trouver embrigadé par tous les revanchards qui n'ont pas son équanimité. Quant au poison de l'ambition...

Remise des prix Marcel-Duchamp à Cyprien Gaillard au Centre Pompidou au milieu de toute la crème de l'art contemporain. Un milieu où je n'ai que des amis qui portent aux nues l'action du ministère ! Cyprien est jeune, beau, vit et travaille surtout à Berlin ; fortement convoité par Larry Gagosian et fidèle à la formule de Diderot selon laquelle les palais détruits sont des ruines bien plus intéressantes que lorsqu'ils abritent le pouvoir et la cour.

Mercredi 21 septembre 2011

Une réunion par heure dès le petit matin : la presse régionale, les services à compétence nationale, coucou c'est Monquaut, le ministre nigérien de la Culture, une commission de l'Assemblée nationale sur le mécénat, Michel Boyon qu'on voudrait toujours voir plus longtemps, Martha Gili et le Jeu de Paume, le cabinet à deux reprises, plus quelques casse-pieds qui ont réussi à forcer l'agenda et qu'on voudrait ne jamais voir, etc. Comment avoir le temps de préserver l'essentiel qui est de pouvoir réfléchir, imaginer, musarder même...

Didier Bezace voudrait que l'on prolonge son mandat au théâtre d'Aubervilliers. Je n'y vois aucun inconvénient, il a littéralement sauvé ce théâtre. Il demande seulement encore une année pour assurer une mise en scène à laquelle il tient. Hurlements au ministère sur le ton de « On s'est donné un mal de chien pour établir des règles enfin à peu près justes sur les renouvellements, il est là depuis quinze ans, si on fait une exception pour lui tout est à reprendre ! ». J'insiste, c'est juste pour un an ; on quitte mon bureau en maugréant et moi je ne suis plus aussi sûr d'avoir raison, malgré ma forte envie d'être agréable à Bezace.

Jeudi 22 septembre 2011

Yamina Benguigui me fait déposer régulièrement des bougies parfumées pour mon bureau qu'elle accompagne de mots charmants et doucement ironiques. Tant de bons souvenirs entre nous et cette gentillesse qui se moque bien des appartenances politiques...

Mon copain, le ministre de la Culture de Bulgarie, qui me fait passer durant les séances d'hypnose collective de Bruxelles les charmants dessins érotiques qu'il griffonne pour rester éveillé, me décore avec Sylvie Vartan et Henri Loyrette à l'ambassade de Bulgarie. Comme j'ai sondé le Quai d'Orsay pour qu'un honneur du même acabit lui soit accordé, j'ai eu droit à plusieurs appels affolés d'ambassadeurs que l'on a remisés dans quelques placards du protocole : «Vous n'y pensez pas, il est mêlé à de sombres trafics de femmes, c'est de notoriété publique!» Difficile à croire, mon copain ne ressemble sans doute pas à l'idée que l'on se fait d'un ministre de la Culture parmi les semi-chômeurs du Quai d'Orsay, avec son physique de débardeur et sa grosse voix de fumeur, mais c'est le type le plus sensible et le plus délicat qu'il m'ait été donné de rencontrer parmi ses homologues balkaniques et il est le seul à s'être vraiment démené pour arracher avec moi des fonds de secours pour Port-au-Prince à la pingrerie des bureaucrates européens. Il faut croire que certains de ses jolis croquis suggestifs ont dû circuler aussi au ministère des Affaires étrangères et qu'on en a retiré hâtivement la preuve de l'implication de leur auteur dans un réseau de galanterie sur lequel il n'existe d'ailleurs pas le moindre commencement d'indice le concernant. Sauf cette fameuse «notoriété publique» dont j'ai pu éprouver les faussetés et les ravages.

La reine Silvia a sauvé la monarchie en Suède que les gouvernements socio-démocrates successifs étaient en train d'étouffer à petit feu. En trente ans, elle a fait de son mari, le roi Carl Gustaf, paralysé de timidité et dyslexique, un souverain acceptable et redonné tout son lustre à l'institution. Elle a été très mal récompensée par les infidélités de son mari divulguées dans la presse et par une campagne incriminant ses parents allemands d'avoir été complices des nazis, ce dont une enquête sérieuse a démontré que c'était faux et qu'ils avaient eu au contraire un comportement irréprochable. Ces coups du sort et ces attaques l'ont manifestement marquée. Peu soucieux du *small talk* protocolaire habituel, je lui fais sentir au cours du dîner officiel de Compiègne où je suis assis à côté d'elle à quel point des inconnus dans mon genre se sentent solidaires de ce qu'elle a pu éprouver. Elle en reste interdite, stupéfaite et, je le vois bien à son regard, profondément émue. Le reste du dîner se passe en riant et cette complicité inattendue nous vaut les regards interrogatifs de tous les autres convives aussi guindés que les dignitaires à la cour d'Ottokar quand Tintin vient recevoir son Pélican d'or. Alors qu'on se sépare, elle plonge ses yeux dans les miens et insiste pour que je vienne la voir si je me rends en Suède. L'ambassadeur de Suède, qui commence à me connaître, me confie : « Vous savez, ce n'est certainement pas une invitation en l'air, cela fait très longtemps que je ne l'ai pas vue aussi contente. Prévenez-moi si vous envisagez d'aller en Suède. » Eh oui, Frédo qui se fait aimer des reines et pas des syndicalistes alors que ce devrait être le contraire.

Vendredi 23 septembre 2011

Le rapport sur la crise de la «filière musicale» m'est remis aujourd'hui. Le président dispose désormais d'un socle solide pour lancer le Centre de la musique. Il y a urgence ; malgré la montée en puissance d'Hadopi, la piraterie ne désarme pas et la vente des CD poursuit sa descente infernale. Quant à la carte musique, c'est le flop que me prédisait François Fillon en se riant de mes convictions, à vrai dire plutôt brinquebalantes.

Zizi Jeanmaire à la messe en hommage à Roland Petit qui vient de mourir, en larmes, éperdue de chagrin. Plus de danse, plus de succès à répétition, plus de truc en plumes. Juste des souvenirs, quelques amis bien fatigués, un appartement triste à Genève, la solitude.

Tout le ministère s'arrête pour regarder «Un dîner presque parfait» sur M6. J'essaie de donner l'exemple d'une impassibilité de bon aloi en restant dans mon bureau pour travailler, mais j'entends une symphonie de rires et de gloussements qui monte depuis le salon mitoyen.

Samedi 24 septembre 2011

Ariane Mnouchkine cherche des petits sous, comme à chaque rentrée, pour faire la soudure dans son budget, et comme à chaque rentrée, je lui explique que je n'en ai plus avant de les lui trouver.

Récital privé de Lang Lang à l'ambassade de Chine. Public choisi avec Edouard Balladur en distingué chef de file des nobles étrangers. L'ambassadeur est un bel homme, très aimable, qui a fait l'ENA et qui parle un français parfait. Il abrite aussi un cœur et une pugnacité de dragon sous la laque des manières urbaines les plus raffinées. J'évite de lui rappeler que j'ai fait de belles émissions avec le dalaï-lama. Je devrais peut-être ?

Dimanche 25 septembre 2011

C'est toujours à tâtons qu'il faut se déplacer à Alger et s'entretenir avec les officiels que l'on rencontre. Les plaies du passé, soigneusement entretenues de part et d'autre, font mal lors de chaque mouvement brusque ou parole irréfléchie. C'est d'autant plus difficile à gérer qu'on se ressemble à un degré de mimétisme que je n'arrive pas bien à évaluer.

Jean-Jacques Aillagon m'avait dit que la ministre de la Culture, Khalida Toumi, était une femme pas commode, très remontée contre les Français et avec qui il serait impossible de nouer une relation normale. Impression exactement contraire tout au long de la journée où nous parlons vraiment de tout et dans un climat de confiance qui grandit d'heure en heure.

Dès mon arrivée, lorsqu'elle m'accueille à la coupée de l'avion, le contact est chaleureux. Elle rit quand je lui avoue d'emblée que j'étais terrorisé à l'idée de la rencontrer. Elle ajoute : «Depuis que je cherche le pont humain qui nous permettra de nous rejoindre, je prends cet aveu pour un déclic!»

En revanche, frilosité de l'ambassade qui me surveille comme le lait sur le feu et qui, à force d'évoquer «nos amis algériens», me donne plutôt l'impression de se sentir entourée d'ennemis. En même temps, les enjeux qu'elle porte sont autrement plus importants et délicats que les miens et je serais très fanfaron de porter un jugement à l'égard de gens qui ont **bien** préparé mon programme et que je ne côtoie que l'espace de quelques heures. L'Algérie est un pays dur et Marie-Chantal ferait bien de tourner sa langue trois fois dans sa bouche avant de parler.

Au petit déjeuner de l'ambassade, Maïssa Bey, Boualem Sansal, d'autres, tous aussi attachants ; et tous auront eu la force de ne pas partir durant les années de plomb.

Khalida me demande de lui trouver des retraités du ministère de la Culture et des jeunes du service civil pour encadrer toutes les actions culturelles qu'elle n'arrive pas à mener faute de disposer d'assez d'agents compétents. Avec son cabinet, qu'elle me présente au grand complet, elle n'hésite pas à me faire l'inventaire de ce qui manque et de ce qui ne marche pas. On est loin des officiels tiers-mondistes à la fois obséquieux et hâbleurs à qui j'ai souvent eu affaire. Tout est clair, net.

Après-midi au musée des Beaux-Arts, ce stupéfiant monument de l'Algérie française, construit pour le centenaire de l'annexion et dont les collections incarnent le goût des conservateurs des années trente. Toujours cette impression, dont il faut se méfier, d'être dans une métropole de province autrefois prospère et désormais retranchée brutalement de la mémoire. Retrouvailles avec la directrice, Dalila Orfali, qui arrive à maintenir sa maison contre vents et marées, alors qu'elle a bien failli être engloutie lors des vagues islamistes les plus sévères qui voulaient détruire les statues antiques et brûler les si jolis Marquet. À chaque instant, démonstrations d'amitié et politesses prudentes. Khalida m'observe du coin de l'œil, visiblement surprise de constater que je connais le musée par cœur et que je voudrais descendre faire quelques pas au jardin d'Essai si cher à André Gide. Je précise « sans doute pas pour les mêmes raisons ! ». Elle rit encore. On s'entend décidément bien ; avec une autre, je n'aurais pas osé.

Petit thé du soir dans le genre débriefing à la villa Abdelazif, qui fut une manière de Villa Médicis et qui mériterait, là encore, que l'on aide Khalida à la faire revivre comme elle le souhaite. Il y a plein de vieux contentieux qui traînent et notamment à propos des collections d'œuvres d'art entre celles qui ont été emportées et celles qu'on a promis de rendre. Sentiment qu'on rouvre enfin les dossiers et l'ambassadeur approuve. Khalida, dans le hall de l'aéroport : «Reviens vite pour qu'on avance. Le pont humain n'attend pas.»

Hélas, pas le temps d'avoir vraiment revu Alger et d'avoir pu monter sur les étages élevés de cet immeuble que j'aime entre tous, L'Aérohabitat, réplique de la Cité radieuse de Le Corbusier à Marseille. Une mauvaise pensée : Alger, ce cauchemar de Le Pen, une ville française habitée par des Arabes.

Lundi 26 septembre 2011

Jean-Pierre : «Tu verras, ils vont te dire : on a fait le ménage, la confiance est revenue, les affaires reprennent! Circulez, y a rien à voir!» Effectivement, les patrons de Drouot minimisent l'impact des affaires récentes qui ont terni la réputation du centre de ventes aux enchères : déménageurs qui se servent au passage ou abusent de la crédulité de leurs clients, opacité des recrutements, complicités parmi certains commissaires, omerta générale. Francine Mariani-Ducray a suivi tout cela de très près et ne s'est pas laissé mener en bateau. Tout est maintenant sur la place publique et entre les mains de la justice; mes interlocuteurs donnent quand même l'impression d'avoir senti passer le vent du boulet.

Il est toujours intéressant de parler avec Patrick Buisson, surtout si on n'est pas d'accord avec lui. La vulgate de gauche est tellement étouffante qu'un peu de dialectique venant de l'autre bord – d'assez loin à l'autre bord, il faut le reconnaître – est somme toute stimulante. On évoque aussi d'autres sujets à caractère plus familial : la Cagoule, Vichy, les collabos, Eugène Deloncle, le mari de ma grand-tante maternelle Mercedes.

Les grandes manœuvres pour l'attribution des nouveaux réseaux télévisuels ont commencé. Visite de Jean-Paul Baudecroux, le fondateur du groupe NRJ qui a fait sauter les verrous qui enfermaient les radios libres, construit un empire et fait fortune. Daniel Toscan-Duplantier l'aimait beaucoup, et son père avait inventé le Rouge Baiser pour Dior, deux bonnes raisons pour prendre ses avis et sa candidature en considération. Quand je développe ce genre d'arguments devant Élodie, elle hésite entre appeler le Samu ou me flanquer sa démission, enfin c'est ce qu'elle me dit parce que je sais qu'au fond ça l'amuse.

Mardi 27 septembre 2011

De la convention culturelle de l'UMP je n'attendais donc pas grand-chose et la bouillie pour les chats qui nous est servie ne fait que confirmer l'indigence des contributions. Salle pleine de militants endormis, quelques élus lampistes pressés que ça se termine, Tabarot supposée chef de l'opération brille par son absence, Roselyne d'humeur morose. Je réveille un peu tout ce petit monde, mais en pure perte puisqu'on se moque complètement de ce que peut proposer le ministre. De surcroît, Roselyne est furieuse contre moi : elle pensait pouvoir sortir au plus vite de ce pensum ronronnant auquel elle n'a jamais cru, mon intervention complique un peu le débranchage programmé et définitif du débat moribond.

Concert de Pierre Boulez à la salle Pleyel avec Laurent Bayle qui me confirme que le maître est très fatigué et que l'on se demandait cet après-midi s'il aurait la force de diriger. Et pourtant, alors que j'étais allé écouter *Le Marteau sans maître* et *Pli selon pli* il y a plus de quarante ans à Chaillot et que j'en étais ressorti à demi-mort d'ennui avec le désir forcené d'écouter Sheila jusqu'à la fin de mes jours, ce soir, par le double effet de sa présence fragile et émouvante ainsi que d'un éventuel progrès de ma perception et de mon goût musical, je trouve le concert superbe. Laurent Bayle parle de Boulez avec l'affection d'un fils pour son père et le détachement amusé d'un disciple qui ne craint plus les foucades de son maître.

Mercredi 28 septembre 2011

Juste avant le Conseil des ministres, au petit buffet où l'on sert du café, j'avise un gros garçon placide pour lui rendre ma tasse. C'est le nouveau secrétaire d'État aux Français de l'étranger que j'ai pris pour un maître d'hôtel. Je n'ai évidemment rien contre les maîtres d'hôtel.

Catherine Pégard nommée présidente de l'établissement public de Versailles en Conseil des ministres. Le président : « Voilà une nomination que personne ne nous reprochera. » Hochements de tête approbateurs.

Nouvelle tentative pour ramener la présidente des Monuments nationaux à des méthodes de gouvernance moins brutales. Sans grand résultat : elle persiste à réfuter aveuglément tous les griefs dont nous sommes saisis et à y voir un complot dirigé contre elle. Énigme de la personnalité de cette femme à l'intelligence brillante, qui détruit tout ce qu'elle est en mesure d'entreprendre par les outrances de son caractère. Mon chef de cabinet adjoint, Raphaël, le militaire au cœur pur et au dévouement sans limite, a travaillé pour elle quelques mois ; il lui voue une animosité féroce qui en dit long sur le traitement qu'elle inflige à ses collaborateurs.

Robert Cantarella et Florence Giorgetti à déjeuner ; talentueux, séduisants, amicaux, ils forment un des couples les plus attachants du monde du théâtre et naviguent dans l'entre-deux, assez reconnus pour pouvoir travailler et enregistrer des succès notables et pas assez pour être épargnés par les coups du sort et être libres de monter ce qu'ils veulent. En tout cas profondément solidaires l'un de l'autre.

Conférence de presse budgétaire. Les récriminations habituelles et personne pour remarquer que je maintiens le budget au-dessus même du rythme de l'inflation en une période où tous les autres ministères sont frappés par la rigueur. Le grand salon est plein, c'est une consolation, le spectacle attire du monde.

Le président est apparemment peu atteint par la dégelée aux élections sénatoriales remportées par l'opposition. Il valide définitivement le Centre national de la musique. Qu'importent les échéances politiques, son genre n'est pas de lever le pied pour négocier les derniers virages. À la fin de la réunion, remarques acerbes sur le Grand Journal et l'esprit Canal Plus. Ça me laisse une mauvaise impression mais trop indéfinissable pour que je m'en explique la raison. Que prépare-t-il ?

Soirée pensum à l'Olympia pour réécouter le récital Aznavour avec le président arménien ; pas vraiment le genre de chic type avec qui j'aurais envie de faire la tournée des boîtes un peu « hot » à Erevan, si tant est qu'il en existe, mais il s'endort heureusement dès que Charles attaque : «Elle va mourir, la mamma» et me laisse donc tout loisir de m'abandonner à mes réflexions favorites sur ce qui ne marche pas au ministère.

Jeudi 29 septembre 2011

Suite de la danse du scalp autour des futures nouvelles fréquences télé avec la visite d'Alain Weill, le patron de RMC et BFM. Dans un pays où le moindre toussotement du ministre est aussitôt l'objet d'une avalanche de critiques qui l'accusent de signer une nouvelle fois l'intervention scandaleuse du pouvoir dans la vie des médias, on se presse quand même dans son bureau pour lui demander d'influencer, si ce n'est plus, Michel Boyon et son collège. Il ne vient à l'idée de personne que ce type de démarche est précisément l'illustration de ce que l'on dénonce avec une indignation qui vaut pour tout le monde, c'est-à-dire essentiellement pour les autres. Je regarde moi-même régulièrement BFM et je ne peux pas lui reprocher d'essayer..

Ivan Renar, le sénateur communiste du Nord qui m'est tellement sympathique, a été battu aux dernières élections. Il continue à présider l'association française des orchestres. «À soixante-quinze ans, il ne faut pas avoir de regrets, et puis tu sais...» Il est probable que la politique telle qu'elle se pratique aujourd'hui ne l'intéresse plus.

Vendredi 30 septembre 2011

Roger Taillibert s'inquiète des rénovations prévues au Parc des Princes qui vont altérer l'architecture qu'il a signée il y a quarante ans. Mais c'est le domaine des grandes affaires du Paris Saint-Germain et de la Ville de Paris qui n'en est pas à un revirement près dans le domaine de la préservation du patrimoine : ici les chatteries aux Qataris qui mettent soixante-dix millions d'euros dans l'opération, là le massacre en préparation des serres d'Auteuil pour l'extension de Roland-Garros. Roger Taillibert a construit beaucoup de stades à travers le monde, celui des Jeux olympiques de Montréal et aussi celui de Doha au Qatar qui le traite si mal aujourd'hui puisqu'il n'est même pas consulté pour le Parc des Princes. Il fut un temps où il s'intéressait à l'utopie de la reconstruction du palais des Tuileries, véritable Loch Ness du Louvre qui resurgit régulièrement pour donner des poussées d'urticaire à Henri Loyrette.

Alexandre Pougatchev, le bel angelot blondinet pour poster soviétique relooké «people» et Monte-Carlo, saborde *France-Soir* pour ne garder que l'édition sur Internet avec une cinquantaine de salariés. Le joli joujou qu'il s'est offert avec les sous de son papa oligarque lui a coûté dans les quatre-vingts millions d'euros et il y a englouti toutes ses illusions de Rupert Murdoch en herbe. Campagnes de publicité monstres, prix cassés, déclarations de matamore, rapprochement spectaculaire avec le Front national, rien n'a marché. Au fond, qui a cru vraiment à une résurrection programmée en dépit du bon sens en dehors de lui ? Je n'arrive même pas à lui prodiguer beaucoup d'attention car ce caprice de gosse de riche malmène tous ceux qu'il a embarqués avec lui. Il est probable que son papa le grondera un peu quand même.

Nonce Paolini n'a toujours pas digéré le «Dîner presque parfait» que j'ai cuisiné sur M6. Il me fait d'amers reproches et notre relation s'en ressent. Tout est bon pour les patrons des grandes chaînes quand il s'agit d'essayer de mettre le ministre en difficulté et d'en prendre avantage pour débiner ensuite leurs petits camarades. Je ne sache pas pourtant que j'aie pu me montrer hostile de quelque manière au groupe TF1, mais ces gens sont d'une dureté vraiment extraordinaire.

Tokyo Bar, de Tennessee Williams, au Théâtre des Treize Vents à Montpellier, dont Jean-Marie Besset est le directeur. Une journaliste de la presse locale, charmante et faux-jeton, tente de me faire revenir sur les circonstances de la nomination de Jean-Marie, le truc copinage et passe-droits. Elle a quand même un peu de mal à me resservir la soupe que le Syndeac lui a réchauffée : la salle est pleine, la pièce reçoit un très bon accueil. Il se trouve que c'est ce qui se passe à chaque nouveau spectacle que donne Jean-Marie Besset.

Un an après la mort de Georges Frêche, un des rares élus UMP qu'il n'a pas réussi à ratiboiser ou corrompre lâche : «Depuis qu'il n'est plus là, qu'est-ce qu'on s'emmerde, mais qu'est-ce qu'on s'emmerde !»

Claude Baland, le préfet de région : homme tranquille, fin et cultivé qui pratique l'humour en demi-teinte. Hospitalité on ne peut plus Relais et Châteaux à la préfecture.

Samedi 1ᵉʳ octobre 2011

En Picardie.

Menaces de manifestations anticorrida me dit Pierre-Yves.

Depuis plus de quarante ans, Alain et Marie-Maxellende Lagoutte ont consacré leur temps, leur énergie et une fortune réduite à ramener à la vie l'abbaye de Vaucelles, près de Cambrai. Jolie fête en leur honneur. Ils m'avaient demandé de venir de la manière la plus gentille qui soit ; bien modeste gage de reconnaissance de la part du ministre qui a permis d'attirer toute la presse du Nord.

Autre lettre, autre demande, écrite avec un soin intrigant : inaugurer la maison forestière où Wilfred Owen a été cantonné à l'automne 1918 et pour laquelle la petite municipalité d'Ors, village de quelques centaines d'âmes, a remué ciel et terre depuis des années afin de la restaurer et d'en faire un lieu de mémoire. Wilfred Owen ? Je me renseigne, ignorant que je suis ! Wilfred Owen est considéré comme l'un des plus grands poètes anglais du XXᵉ siècle et sa mort, à Ors précisément, une semaine avant la fin de la guerre, le nimbe de l'aura du génie foudroyé en pleine jeunesse. Le fait qu'il ait été le grand amour et sans doute l'amant de Siegfried Sassoon, autre poète emblématique de cette époque, étend en quelque sorte le territoire géographique de la ferveur qu'on lui porte. Va donc pour la maison forestière et branle-bas à l'ambassade du Royaume-Uni quand on apprend que je vais faire ce déplacement que je crois encore bien discret.

Stupeur en arrivant à la maison forestière : tout ce que le département compte de notabilités et une foule de gens venus de tous les alentours attendent de pied ferme l'arrivée du ministre avec un détachement militaire franco-anglais, une forte délégation de l'ambassade et d'amis de Wilfred Owen venus d'Angleterre. Totalement évidée, la maison est habitée par les poèmes d'Owen qui défilent en vidéo sur les murs ; air de famille avec la chapelle de Cocteau à Milly ou celle de Matisse à Vence, mais dans l'arrachement de la guerre et la nostalgie de ce qui aurait pu être. Owen a écrit dans cette maison sa dernière lettre à sa mère. Elle l'a lue en même temps qu'elle apprenait la fin du cauchemar et le début d'un autre, la mort de son fils.

Ils sont au moins deux mille dehors, il n'est pas question que j'échappe au discours que je n'avais pas du tout prévu de faire. Heureusement, j'ai emporté un recueil des poèmes d'Owen, en anglais avec les traductions en français. Et me voilà dans cette clairière en pleine forêt, tandis que la maison s'éteint peu à peu au crépuscule, à lire *Anthem for Doomed Youth* dans un silence religieux. J'aurais dû me méfier, je devrais savoir que le Cambrésis, à deux heures de Paris, est un pays où l'on va de découverte en découverte.

Jean-Pierre Bel, élu président du Sénat. Très à gauche, ancien trotskiste, vacances à Cuba dont sa femme est originaire. Machisme ordinaire de l'appareil socialiste qui a écarté Catherine Tasca qui aurait été pourtant parfaite comme deuxième personnage de l'État.

Dimanche 2 octobre 2011

«Mais oui maman, Jean-Baptiste Boursier est très beau, très sympathique, et il n'appartient pas à la race maudite comme votre fils dénaturé! — Mais enfin pourquoi dis-tu ça? Je ne t'ai rien demandé, je t'ai juste dit que tu devrais essayer de travailler avec ce garçon qui m'a l'air très bien si tu refais un jour de la télévision.» Mes frères rigolent, comme d'habitude.

Lundi 3 octobre 2011

Le rapport sur les canaux compensatoires numériques, ça vous intéresse? Mais si, mais si, je vous assure, je ne dirais pas qu'on se passionne mais enfin on arrive quand même à se prendre au jeu. Ne pas se laisser impressionner par cette terminologie barbare; l'enjeu est l'attribution des nouvelles fréquences de télévision, une révolution pour le public et des intérêts économiques énormes.

Il faut être au courant de tout sur le sujet dans les moindres détails; les grands caïmans de la télévision sont entrés dans une folle agitation; l'attribution des nouvelles fréquences, c'est la chèvre jetée dans le marigot dont ils se disputent le bénéfice de pouvoir la dévorer. Et comme ils sont aussi procéduriers en diable, toujours prêts à se poursuivre les uns les autres avant de se retourner contre l'État avec une touchante unanimité retrouvée, le ministre a tout intérêt à avoir appris ses leçons. Heureusement, Laurence Franceschini veille quand j'ânnone un peu. J'ai d'autant plus intérêt à être sur le qui-vive que je flaire qu'un mauvais coup se prépare du côté de Bercy contre Canal Plus ; une question de TVA qui remettrait en cause tout l'équilibre de la terreur entre les chaînes et entraînerait des ravages dans la production de cinéma ; rien d'officiel mais Laurence est inquiète et Pierre Hanotaux encore plus.

Déjeuner pour le monde de la musique chez le président qui joue à fond la carte de son soutien à la filière. Les producteurs, petits et gros, ronronnent comme des chatons qui ont eu double ration de Whiskas. Quelques défections parmi les artistes invités : à quoi bon se compromettre puisqu'on a obtenu ce qu'on voulait ?

Fête pour l'anniversaire de l'émission «Les mots de minuit» de Philippe Lefait et Thérèse Lombard. Ça se passe en direct à la Gaîté-Lyrique qui sert donc à quelque chose.

Mardi 4 octobre 2011

Qu'est-ce qui entraîne le président au Mas Soubeyran pour y visiter le musée du Désert ? L'exemple du courage et de la résistance intraitable des protestants des Cévennes après la révocation de l'édit de Nantes ? La fascination qui l'habite pour les questions religieuses et l'énigme de la foi ? Ce qu'il qualifie d'un mot qu'il utilise souvent avec une sorte d'envie et de respect : la transgression ? Il regarde tout très attentivement et hausse les épaules quand un journaliste lui demande si son but est de séduire l'électorat protestant.

Dans un recoin du musée, l'édit de Tolérance signé par Louis XVI. C'était un progrès formidable après un siècle de persécutions, mais en croyant plaire au président, quelques obséquieux considèrent doctement le texte comme négligeable ; un coup d'épée dans l'eau avant la réelle égalité de la Révolution quelques années plus tard. Le président écoute et ne répond pas.

Où sont passés les communistes qui ont tenu Alès durant des décennies ? La ville déborde de militants UMP surexcités venus pour écouter le président. Il y aurait paraît-il encore des gens pour croire au suspense de sa candidature quand tout indique que la machine UMP tourne déjà à plein régime pour le soutenir ?

Réunion à Matignon sur un point fiscal obscur concernant les retransmissions des matchs de foot à la télévision. C'est de mon ressort mais je n'y comprends vraiment rien et je panique à l'idée d'exprimer le point de vue que je n'ai pas. Roselyne, qui se doute bien de mon incompétence dans ce domaine, demande à prendre la parole en prétextant qu'elle doit repartir très vite. Elle s'exprime si clairement qu'elle me sauve la mise. Je n'ai plus qu'à reprendre après elle. François Fillon, qui n'est certainement pas dupe non plus : «Eh bien, je vois que le ministre de la Communication a bien potassé la question. Il n'y a qu'à s'en tenir à ce qu'il propose.»

Mercredi 5 octobre 2011

Dîner de la mode, neuvième édition. Je suis toujours globalement surpris que ce soit un milieu tellement à gauche et dont les défilés, les créateurs, les stars sont l'objet d'une attention si fiévreuse de la même presse qui tape sur le gouvernement avec rage. Les lecteurs ne pourront jamais s'acheter quoi que ce soit de ce qui est abondamment photographié, commenté, admiré. Charmante frivolité française qui n'en est pas à une contradiction près. Ainsi, Karl Lagerfeld fait l'objet d'une vénération universelle alors qu'il ne pêche pas par ses engagements progressistes. Dommage qu'il m'ait pris en grippe.

Jeudi 6 octobre 2011

Recette d'un bon petit scandale bien mitonné à servir chaud pour le ministre. Vous prenez un petit crucifix en plastique comme on les vend dans les boutiques de bondieuseries place Saint-Sulpice, vous le plongez dans un vase translucide que vous aurez préalablement rempli avec votre propre pipi, vous secouez bien pour que le crucifix revienne comme dans un nuage de gelée jaunâtre, vous photographiez et vous laissez un tirage chez Yvon Lambert pour qu'il l'expose à l'admiration des foules. Ah, j'oubliais, vous trouvez aussi un joli nom que tout le monde puisse retenir, un peu comme «pêche Melba» ou «bœuf

Strogonoff», en l'occurrence ce sera *Piss Christ* qui sonne effectivement très bien. Surtout aux oreilles des intégristes catholiques de Civitas qui lacèrent l'œuvre d'art régulièrement depuis le mois d'avril et se paient à bon compte une mégacampagne de publicité avec un grand succès auprès du public : défilés et bannières avec hymnes, chapelets et prières publiques d'un côté, concert de vertueuses indignations laïques au nom de la liberté de création de l'autre; échauffement général. L'artiste, Andres Serrano, qui a si bien cuisiné la chose, se déclare évidemment catholique et affirme qu'il a seulement voulu attirer l'attention sur les marchands du temple et ceux qui font commerce de la religion, belle cabriole intellectuelle où l'on ne sait pas ce qui l'emporte du désir de toucher les dividendes messianiques de la provocation ou de la frousse que lui inspirent les intégristes à vrai dire peu versés dans l'art contemporain et la charité chrétienne. Au fait, la photo est assez belle et toute l'affaire ne relève que d'une diablerie bien ordinaire. L'ennui, c'est que Civitas en a profité pour serrer les rangs et s'attaque désormais au programme du Festival d'Automne qui annonce deux pièces propres à faire saliver de rage nos nouveaux inquisiteurs. Ils fourbissent déjà les étendards de la croisade. Rencontre avec monseigneur Vingt-Trois qui regrette sincèrement les débordements et m'assure que ce sont des troupes qui échappent à son contrôle.

Mathieu : «La venue de l'exposition "Plaisir de France" au Kazakhstan est très attendue. Ce sera une opération de relations publiques formidable pour les Français.»

Interview avec Roxane Azimi, papesse renommée du *Journal des arts* dont Mark Alizart m'a dit qu'elle est un peu incisive certes mais très compétente dans sa partie. Mis en présence de ce joli tanagra persan, je commets d'emblée l'erreur irréparable de lui demander si elle a des souvenirs d'enfance de l'Iran d'avant la révolution islamique. Toute amabilité désintéressée et toute référence personnelle sont à exclure absolument avec ce genre de personnes farouchement drapées dans le tchador de la déontologie du journaliste; le moindre manquement à cette règle de fer étant impardonnable et sévèrement sanctionné. Donc l'interview se passe aussi mal que possible et c'est à la tronçonneuse électrique que l'incisive Roxane me déchiquette sous le regard impuissant de Mark. En même temps, le genre de fille à pleurer dans les aéroports quand l'avion est en retard.

Tandis que l'on parcourt Bordeaux investi par Evento, la grande manifestation culturelle d'automne, Alain Juppé, heureux comme un jeune soixante-huitard qui n'aurait pas viré sa cuti : «Je n'ai pas demandé à Michelangelo Pistoletto de diriger Evento pour être raisonnable, c'est un artiste génial et, regardez, grâce à lui, toute la ville est en fête. Je sais qu'il y a des gens pour trouver qu'il y va un peu fort, mais il faut savoir ce qu'on veut et travailler à l'explosif quand tout le monde dort!»

Patrick Stefanini a la réputation d'être un préfet de choc. En d'autres temps, je l'aurais sans doute vilipendé avec toute la mouvance de gauche ; maintenant, c'est le contraire, je le trouve républicain, fiable, agréablement réservé.

Vendredi 7 octobre 2011

Matinée guyanaise. Rodolphe Alexandre, le président de la région : «Il faut que vous reveniez, ils sont en train de démolir tout ce que vous avez mis en œuvre. Il n'y a que les palmiers que j'ai fait replanter comme vous l'aviez suggéré qu'ils n'osent pas arracher.» «Ils», c'est joli petit cul, pardon, Alain Tien-Liong, le président du conseil général, et ses amis, qui viennent me voir ensuite, effectivement très remontés et plus du tout d'accord pour que l'on profite des travaux prévus à l'hôpital Jean-Martial pour y installer aussi les Archives. Ils parlent de construire un centre d'archives pour lequel ils n'ont pas le premier sou vaillant. Remugles des violentes rivalités locales.

Fête de lancement de la saison estonienne. La belle ministre si chaleureuse a été remplacée par un monsieur très sérieux qui m'amène un chœur d'une cinquantaine de chanteurs à faire sauter les vitres du grand salon. Alcools locaux et esturgeons de la Baltique à gogo apportés par l'ambassade, c'est le week-end et toute la Rue de Valois s'intéresse brusquement à la culture estonienne.

Samedi 8 octobre 2011

Festival de géographie à Saint-Dié-des-Vosges. Comme les Rendez-vous de l'Histoire, à Blois : livres, colloques, débats entre des gens qui ne sont pas d'accord mais ont signé la trêve ; beaucoup de monde, la science vivante. Au centre de la ville, une construction moderne assez étrange, la Tour de la liberté, qui abrite un petit musée des bijoux de Braque où une dame délicieuse m'explique comment le «patron», ainsi que l'appelait Jean Paulhan, a confié à Heger de Loewenfeld, maître lapidaire, le soin de les réaliser. C'est ce dernier qui a légué la collection à la ville à laquelle il s'était attaché. Tous ceux qui le connurent confirment que Braque était un être d'une sagesse et d'une humanité merveilleuses. On le devine en regardant les bijoux et la reproduction d'une superbe photo de lui dont Johnny Depp a acheté l'original ; secrètes alliances des hommes intègres.

Au fin fond d'une vallée des Vosges, la scierie hydraulique de la Hallière, une fois restaurée, permettra de redécouvrir toute l'extraordinaire histoire du flottage, ces trains de bois que les «voileurs» pilotaient au péril de leur vie sur les rivières pour conduire leurs troncs d'arbres sommairement découpés par des bûcherons, hommes des bois à demi sauvages, vers les scieries. Temps de froid et de dangers, passé de familles où les fils dès l'enfance secondaient leur père, langues et parlers perdus, rudesse des mœurs et tristes souvenirs des petites villes où les buvettes d'absinthe et les filles guignaient la maigre solde de ceux qui remontaient à pied vers leurs forêts après un voyage de plusieurs semaines. Je me souviens du film d'Enrico avec Bourvil et Lino Ventura, *Les Grandes Gueules*, qui racontait cette histoire dans les années soixante alors qu'elle achevait de disparaître. On hoche la tête autour de moi, le tournage est resté gravé dans toutes les mémoires.

Rares sont les ministres qui se hasardent dans l'ancienne principauté de Salm, ce Monaco qui n'a pas marché et nous a laissé quand même à Paris le superbe hôtel de Salm, siège actuel de la grande chancellerie de la Légion d'honneur, achevé pour le prince régnant après des années de travaux à la fin du printemps 1789. Il y a des gens qui ont le sens de l'agenda ! D'autant plus que la Révolution, l'ayant forcé à déguerpir sans qu'il ait eu le temps de poser sa brosse à dents, annexa incontinent ses États dont Voltaire disait qu'«un escargot pourrait en faire le tour en une journée», sans doute par amertume d'en avoir été expulsé.

Raon-l'Étape était une des cités prospères de la défunte principauté et il reste maintes reliques de ce passé englouti dans le morne découpage républicain des arrondissements et des cantons ; notamment un magnifique théâtre à l'italienne que la mairie peine à restaurer ; elle sollicite donc l'aide du ministère. Raout chaleureux à l'hôtel de ville sous une série de beaux tableaux qui évoquent les princes de Salm en majesté. En fait, ils n'étaient guère aimés et la ville a connu tant de malheurs ensuite au cours des trois guerres franco-allemandes que toutes les nostalgies et les espoirs se concentrent sur la rénovation du théâtre.

De retour à Paris, je retrouve Pierre et Élodie sur le pied de guerre. Le coup que je redoutais est bel et bien parti : pressé par Bercy, le président envisagerait d'aligner la TVA de Canal Plus sur le taux pratiqué en général. Naufrage annoncé pour l'industrie du cinéma. Plus de taux préférentiel, plus d'engagement de Canal Plus, tonne Bertrand Meheut. Professionnels aux cent coups, bronca des sociétés d'auteurs, avalanche d'appels paniqués. On commence à la hâte à rédiger une note complète solidement argumentée pour éviter la catastrophe.

Dimanche 9 octobre 2011

Du matin jusque tard dans la nuit, rédaction de la note, va-et-vient de Pierre à Bercy et à Matignon pour arrêter le massacre, coups de téléphone tous azimuts. Christian Clavier et Alain Terzian, proches du président, appelés à la rescousse. Le moins que l'on puisse dire, c'est qu'ils ne se font pas prier. Je ne retiens pas la thèse de ceux qui affirment que le président, exaspéré par «Le Grand Journal» et «Les Guignols», aurait décidé de régler son compte à Canal Plus ; avec de telles imputations, on ne peut qu'augmenter la panique générale et risquer de braquer le chef de l'État. En revanche, il n'est pas impossible que certains vautours de Bercy aient pu penser que la rancœur les servirait dans leur manœuvre.

Lundi 10 octobre 2011

Pierre se bat comme un lion sur le dossier TVA de Canal Plus. Il a débusqué tous les auteurs du complot et les prend un à un pour les faire revenir sur leur mauvaise action. Le président, à qui j'ai fait parvenir la note avec un mot lui disant toute mon inquiétude : «Oui je sais, je sais, tu vas me parler de Canal Plus. Tous ces gens se goinfrent avec notre argent et toi tu pleurniches encore plus fort qu'eux.» Olivier Henrard me confie qu'il va recevoir ce soir une délégation des professionnels du cinéma et ensuite Jean-Bernard Lévy et Bertrand Meheut. Premier signe d'une éclaircie? Je suis quand même sacrément anxieux en partant pour Perpignan, un déplacement auquel je ne peux pas surseoir.

De toute façon, je ne suis pas là pour une partie de plaisir. Réunion avec des délégués du journal *L'Indépendant*, une institution dans la région, qui résistent à leur absorption programmée par un grand groupe du Sud-Ouest. On met en place un dispositif qui permettra de gagner du temps et de chercher une solution qui leur permettra de préserver leur quotidien. Ils repartent partiellement rassurés.

Le camp de Rivesaltes. Le terroir du bon petit vin, c'est un peu plus loin; ici, c'est l'entonnoir de toutes les horreurs qu'a pu commettre la République, dans une plaine aride et battue par les vents, glaciale en hiver, caniculaire en été. On y a enfermé les républicains espagnols, les communistes pendant la drôle de guerre, les otages et les Juifs sous Vichy, les prisonniers de guerre allemands, les militants du FLN, les harkis après la guerre d'Algérie. Il reste quelques baraquements à moitié démolis, l'atmosphère est sinistre; je souhaite que l'on en fasse un lieu de mémoire que l'on puisse visiter. Mais là où il faudrait opter pour quelque chose de simple et de sobre, les élus socialistes locaux parlent de construire un mémorial monumental qui coûterait une fortune plutôt que de laisser parler la force d'évocation des lieux dans leur désolation. Plus je les entends pérorer et plus je trouve leur instrumentalisation du passé impudente et insupportable. Je leur demande s'ils envisagent aussi d'apposer une plaque pour Guy Mollet qui y a fait «regrouper» les réfractaires à la guerre d'Algérie et les sympathisants du FLN. Prise de bec et on en reste là.

Inauguration du Théâtre de l'Archipel, dont le budget de construction laisse rêveur et qui devrait établir un «flux culturel» permanent entre Perpignan et Gérone en Catalogne. Les élus sont enchantés par cette nouvelle réussite de la décentralisation; à quoi bon faire le rabat-joie.

Pierre n'a pas de retour des réunions de l'Élysée avec le président mais il semblerait que la bronca généralisée fasse reculer Bercy.

Hospitalité toujours sympathique et bonnes histoires du préfet Delage pour se remonter un peu le moral.

Mardi 11 octobre 2011

François Fillon : « Vous êtes parti en flèche sur cette histoire de Canal Plus. Il faudra bien qu'ils lâchent quelque chose. Ils ne sont pas tellement à plaindre. » En somme, les choses évolueraient quand même plutôt dans le bon sens. Pierre, qui enchaîne les réunions avec Bercy, est modérément optimiste.

Toute la famille de Liliane Bettencourt réunie autour d'elle pour la remise des prix de sa fondation. Grands sourires et félicité familiale ! Un touchant tableau de réconciliation générale qui devrait mettre un peu de baume au cœur des responsables et des victimes des dommages collatéraux de la fameuse affaire à qui les juges d'instruction distribuent des récompenses d'un autre genre.

Remise de la Légion d'honneur à Joan Baez au Grand Rex. Elle me dit qu'elle se souvient très bien de la longue émission que nous avons faite ensemble, mais j'ai plutôt l'impression qu'elle le dit pour me faire plaisir. Elle a déjà vu tant d'officiels dans sa vie pour qui il faut trouver à chaque fois une parole agréable. C'est Denis de Kergorlay, le béguin fidèle qui a dû le lui souffler.

Mercredi 12 octobre 2011

L'affaire TVA de Canal Plus est réglée. La chaîne voit son taux passer de 5,5 % à 7 %. Bertrand Meheut fait la grimace pour le principe mais remercie chaleureusement pour le soutien que je lui ai apporté. Peut-être n'était-ce de la part du président qu'une menace pour intimider Canal Plus qu'il n'aurait jamais mise à exécution ; il y a beaucoup de cadavres entre tous ces messieurs et de griefs accumulés que nous ne connaissons pas, d'autres règles du jeu qui m'échappent. En tout cas, ce que je sais, c'est que mon directeur de cabinet aura joué un rôle essentiel pour que la situation se dénoue

538

sans drame. Évidemment chacun tire déjà la couverture à soi pour s'attribuer l'heureux résultat et bientôt il ne restera plus que lui, moi et quelques proches pour pouvoir dire comment les choses se sont vraiment passées, ce que nous nous garderons bien de faire. Le silence est le meilleur remède à l'ingratitude.

Lancement de la mission sur le spectacle vivant. À force de récriminations permanentes et de procès d'intention tonitruants, le Syndeac a réussi à empoisonner tellement l'atmosphère que j'ai vraiment besoin d'un état des lieux et d'une évaluation des remèdes à appliquer, dressés d'une manière mesurée et objective. Georges-François m'appuie ; je sens bien qu'il est épuisé d'être toujours au contact des perpétuelles exigences et que même lui, l'extralucide, est en quête d'une visibilité que nous avons plus ou moins perdue. La composition de la mission paraît idoine. Droite, gauche, et un conseiller à la Cour des comptes qui me fait la meilleure impression.

Philippe de Saint Robert : «Nous n'évoquions jamais la politique avec votre oncle. Il savait très bien où me portent mes convictions. Nous parlions de Montherlant qu'il connaissait mal et de la langue française qu'il pratiquait si bien.»

Je suis parfaitement lâche avec Francine Mariani-Ducray, saisissant le prétexte de sa nomination au CSA pour accepter sa démission de la présidence du conseil d'administration de la Villa Médicis qu'elle m'a proposée par correction. Le tour de plus en plus dur et autoritaire que prend la direction d'Éric de Chassey m'inquiète et je crains que le sens de l'État qu'elle possède au plus haut point ne l'entraîne à être trop compréhensive à son égard. Il se présente en effet comme le garant intransigeant du devoir administratif. De son côté, elle est une fois de plus parfaitement élégante, car elle a évidemment compris où je voulais en venir et évite soigneusement de le relever. Je ne me sens pas très fier de moi en face de cette femme pour qui j'éprouve respect et affection.

Jeudi 13 octobre 2011

Ce qu'il y a de mieux dans le Centre Pompidou mobile, c'est la structure nomade imaginée par l'architecte Patrick Bouchain. En revanche, l'enthousiasme de commande pour cette «opération de démocratisation culturelle» me laisse assez froid. Je ne sais pas trop d'où me vient cette réticence car au fond c'est une belle initiative que d'apporter quelques chefs-d'œuvre des collections d'art moderne dans de petites villes. Pourtant, il y a quelque chose qui sonne creux quelque part. Francis, très remonté : «C'est un racket sur les finances locales. Les municipalités de droite payent pour l'avoir et elles se sentent obligées de cracher au bassinet, mais après...»

Inauguration de la première étape à Chaumont, chez Luc Chatel, avec le président. Approbation collective enthousiaste puis discours sur l'accès à la culture dans un gymnase plein à craquer de militants pour qui il pourrait tout aussi bien évoquer l'avenir radieux de la culture de la betterave en Haute-Marne avec un résultat aussi ronronnant et consensuel.

Avant de remonter dans l'hélicoptère, je complimente Luc Chatel pour le succès de l'opération en des termes si affectueux et exaltés que je suis effondré, à la réflexion, par ce que cela me révèle de ma propre solitude.

Le président apprécie les déplacements en hélicoptère. Il reste le plus souvent silencieux et tranquille à regarder le paysage. À ses côtés, on se contente de lire sans le déranger.

Puis le président me parle de son fils qui est dans un internat militaire aux États-Unis. L'adolescent est paraît-il transformé moralement et physiquement. Il s'est parfaitement adapté à la discipline rigoureuse de l'école et ne veut la quitter pour rien au monde. Le président ne cache pas son admiration pour un garçon si déterminé, mais je sens une sorte de tristesse à l'idée qu'il est si loin de lui, en terre étrangère et qu'il ne lui demande rien.

Le président : «Tu es gentil d'avoir reçu mon père. Mais ne te donne pas trop de mal pour lui. Il ne faut pas se faire d'illusions, ce n'est pas toi qui l'intéresses. Si tu savais...»

Dans un hôtel particulier à peu près introuvable du XVIᵉ, belle exposition d'art contemporain arabe, les œuvres les plus intéressantes étant d'origine palestinienne. Public composite de galeristes réputés, de semi-branchés qui écrivent dans des revues et de messieurs à pinces à cravate en or accompagnés de dames au nez refait avec des sacs en croco.

Vendredi 14 octobre 2011

Journées parlementaires de l'UMP ; il faut bien faire plaisir de temps en temps à l'adorable Richard qui comptabilise avec ardeur le nombre de fois où le président me cite dans chaque discours pour me persuader que je suis un pion essentiel dans le dispositif de la campagne. Au déjeuner, rillettes et gros rouge, les jeunes militants persistent à scander «Mitterrand avec nous!», ce qui plonge une nouvelle fois Xavier Bertrand dans un abîme de perplexité narquoise.

Marc Dugain, prix du roman historique, aux Rendez-vous de l'Histoire, à Blois, pour *L'Insomnie des étoiles*, évocation brillante de l'Allemagne en 1945 et du sort réservé aux malades mentaux par l'atroce politique d'euthanasie des nazis. J'aime Marc Dugain, l'homme attentif et fidèle, l'écrivain qui sait faire revivre des situations historiques aux prolongements contemporains souvent mal perçus. Discours du ministre qui, malgré le prétexte plutôt sombre, fait se tordre de rire toute la salle. Je devais être en forme.

Samedi 15 octobre 2011

Jean-Marc Bustamente est un artiste subtil et élégant dont les œuvres me paraissent très belles sans que je sache très bien expliquer pourquoi elles me touchent tant. Il m'apprend un aspect stupéfiant de son existence : il a épousé la fille de Misia, dont les *Berlin Diaries*, relatant la vie dans la capitale du Reich durant la guerre, sont un de mes livres cultes. Elle est aussi la nièce de Tatiana Metternich que j'aimais beaucoup et à qui j'allais rendre visite régulièrement en Allemagne avant sa mort.

Patricia Falguières : intelligence brillante, grande culture, goût très sûr, forte personnalité. Elle ne demande rien, on la demande partout. On réfléchit avec Jean-Pierre aux responsabilités que l'on pourrait lui confier. Ce serait un atout formidable pour le ministère. Mais on y pense aussi trop tard.

C'est Adrien Goetz qu'il aurait fallu nommer à la Villa Médicis. Hélas, je ne le connaissais pas encore.

Dîner pour Farah avec Arlette, Claude Bernard, Henri Loyrette et sa femme. Arlette à Henri : «Vous devez être content d'avoir Frédéric pour ministre, c'est un tel chou!» Henri, un peu surpris tout de même : «Un chou, un chou, je ne sais pas, je n'y avais jamais pensé.» Arlette, sans se démonter : «Un chou, c'est quand même mieux qu'un cactus!» Rires.

Dimanche 16 octobre 2011

Traversée du parc du château de la Mormaire avec Maryvonne Pinault, qui pilote la petite voiture électrique silencieuse. Enchantement aux couleurs d'une splendide journée d'automne. Je devrais être intimidé mais ce n'est pas de mise avec le couple Pinault; on se sent bien en leur compagnie. Performance d'art contemporain inédite : même Alain Minc se montre aimable.

Découverte d'un couple de cygnes noirs, beaucoup plus fins et délicats que les cygnes blancs. Je croyais qu'ils n'existaient que dans *Le Lac des cygnes*. Maryvonne sait où l'on peut s'en procurer car elle possède aussi le secret des adresses mystérieuses.

Fin du «loft» version socialiste : les militants préfèrent François Hollande à Martine Aubry. Il paraît que ce sont les différences entre les programmes qui ont joué, à qui fera-t-on croire une blague pareille? On ne m'enlèvera pas de l'idée que les socialistes sont aussi sexistes que les autres et qu'ils ont préféré le pote sympa à l'emmerdeuse patentée sans retenir qu'elle est plus compétente dans tous les domaines et bien au-dessus de la mêlée politique.

Lundi 17 octobre 2011

Même si François Fillon récuse le terme, la rigueur est bien là. Valérie Pécresse me laisse peu d'espoir pour le musée des Voitures de Compiègne. Ce n'est pas faute de vouloir m'aider, mais quand on ne peut pas, on ne peut pas. Elle ne ferme pas tout à fait la porte quand même et me sert la phrase que je commence à entendre de plus en plus souvent : «On verra après les élections», elle ajoute : «Si ça se passe bien.» Autrement, toujours franche, réglo, vraiment gentille.

Bob Dylan vit dans un énorme camping-car anthracite avec appartement, studio d'enregistrement et moyens de communication planétaires. Il n'en sort, chapeau enfoncé jusqu'aux oreilles et lunettes noires comme un masque de ski sur les yeux, que pour monter sur scène. Le seul moment où il est possible de l'intercepter c'est lorsqu'il parcourt la centaine de mètres qui le sépare du monstre roulant et des coulisses, et encore faut-il avoir négocié à l'avance avec ses gardes du corps et une escouade de courtisans divers, tous aussi aimables que les cerbères de Kim Jong-il. Ayant imaginé, bien étourdiment je le confesse, qu'il serait peut-être sensible au fait que le ministre souhaite le saluer, je me poste donc sur son chemin à la sortie du concert. Miracle, il s'arrête un instant tandis que je lui débite mon compliment sous les regards immédiatement impatients de son entourage, me gratifie d'un sourire, me met la main sur l'épaule, comme le grand bwana blanc tapote gentiment le député des Pygmées, et repart se réfugier dans les entrailles du cuirassé roulant. Une groupie américaine, qui a paraît-il l'honneur de brèves incursions privées à l'intérieur, me siffle dans les oreilles : «Vous vous rendez compte, il s'est arrêté rien que pour vous!» Je me rends compte que j'aurais tout aussi bien fait de rester dans mon bureau à écouter bien tranquillement *Like a Rolling Stone*. Je l'écris sans amertume : qu'est-ce qu'un ministre forcément éphémère à côté d'un artiste qui aura marqué nos existences depuis une cinquantaine d'années?

Mardi 18 octobre 2011

Jihed a commencé à travailler à Direct 8. Petite entorse de ma part à mon refus obstiné de toute intervention à caractère personnel, mais la relation avec Yannick Bolloré est saine et je sais qu'on n'en parlera plus entre nous.

L'ambassadeur Orlov s'étonne des difficultés qu'il rencontre à faire avancer le projet de la cathédrale orthodoxe, malgré le choix ratifié par le jury du concours. Campagne de presse qui enfle peu à peu et refus obstiné de la Ville de Paris, martelé en termes peu diplomatiques par Bertrand Delanoë. Ou plutôt il fait semblant de s'en étonner car il nous connaît mieux que personne et sait très bien que la cathédrale est devenue un enjeu de la lutte de pouvoirs entre la majorité et l'opposition. Le conflit qui se prépare dépasse de loin le projet architectural et son implantation sur un site sensible. Mais il a beau jeu de juger sévèrement la pantalonnade bien française qui lui a été servie : le vote quasi unanime du projet par un ensemble de personnalités qui pensaient que cela n'avait aucune importance puisqu'elles ne doutaient pas qu'il ne serait jamais mis à exécution.

Gronderies indignées de François Le Pillouër et du Syndeac après la désignation de la mission de réflexion sur le spectacle vivant. Le grand salon où nous faisons des fêtes si charmantes transformé en tribunal populaire. Même Georges-François peine à enfumer l'assistance. Au fond, tant mieux, puisque c'est une guerre sourde qui se déroule depuis des mois, autant que l'on entende un peu le bruit du canon ministériel dans le camp adverse.

Brice Hortefeux à déjeuner. Il se montre impassible face à l'hostilité, voire la haine, que lui témoigne une bonne partie de l'opinion et des médias. C'est tout juste s'il en plaisante, d'ailleurs sans forfanterie, comme s'il s'agissait seulement des ennuis du métier.

Petit cocktail pour les cinéastes hongrois invités dans un festival dont les organisateurs, trop modestes, pensaient qu'il n'intéresserait pas le ministre. Malentendu réparé. En fait, c'est du lourd, comme dirait Jihed. Istvan Szabo, Marta Meszaros, accompagnés d'Helen Mirren, qui est la marraine du festival. Moment chaleureux entre retrouvailles et découvertes amicales. Marta, qui n'a jamais transigé avec le régime communiste, au bras d'Istvan, qui a reconnu sa complicité avec la police secrète. Aujourd'hui, le cinéma hongrois, qui fut relativement libre et beau malgré tout, est en ruines et le modeste petit geste d'aujourd'hui va droit au cœur de mes invités. Joli discours de remerciements d'Helen Mirren ; jeune et belle, comment a-t-elle pu réussir la performance d'incarner si parfaitement *The Queen* ? Au fait, elle ne sait pas si la reine a vu le film...

Ovation formidable de tout le beau monde de la Fiac lorsque je remets les insignes d'officier de la Légion d'honneur à Denise René. Elle a quatre-vingt-dix-huit ans, se tient toute menue et très droite, un peu absente. Elle lit un petit texte qui se termine par : « Quant à vous, Frédéric, je sais que vous m'avez toujours aimée. » Je repense à toutes ces invitations si belles qu'elle me faisait parvenir et que j'encadrais soigneusement.

Mercredi 19 octobre 2011

Tableau d'avancement des hauts gradés au Conseil des ministres.

Le président : «Ah, c'est bien d'être général! La République s'occupe bien de vous. Au fait, on a besoin d'avoir autant de généraux?»

Jean-François Copé : «Michèle Tabarot n'était pas là quand tu as fait ton intervention devant notre commission culturelle, eh bien c'est qu'elle avait autre chose à faire! Ce sont vos affaires, ça ne me regarde pas, tu t'arranges avec elle.» Difficile de faire plus cavalier, surtout quand on sait qu'elle ne fait pas un pas sans son accord.

Merveilleux musée éphémère de la Fiac rassemblé par la magie du commerce qui confirmerait l'antienne warholienne selon laquelle il n'y a pas de plus grand art que de gagner de l'argent. En plus, on peut y rencontrer des gens comme Jennifer Flay, Kamel Mennour ou Emmanuel Perrotin; pas forcément des tendres, mais aigus, énergiques, à la conquête de tout, vivants en somme.

En tout cas, tous en chœur : «Le marché redémarre!» Sur la façade du Grand Palais, des petits malins déploient une grande banderole : «François Pinault, please buy my work!», tandis qu'à l'intérieur, Bernard Arnault visite entouré d'un halo de convoitises.

Naissance de Giulia, la fille de Carla et du président. Volonté de non-communication absolue; c'est juste et élégant. La gueule des médias claque dans le vide.

Jeudi 20 octobre 2011

Pierre Hanotaux rejoint l'audiovisuel extérieur, Élodie le remplace. Pierre, qui a dirigé le cabinet pendant plus de deux ans et qui m'a constamment soutenu, aura joué un rôle essentiel aux périodes cruciales. La vie de directeur de cabinet est une vie de chien, à prendre sans cesse des coups pour le ministre, et il a beaucoup souffert; cœur pur, jamais un mot plus haut que l'autre ; c'est miracle qu'il ait tenu si longtemps.

Quand David Drummond plie son mètre quatre-vingt-dix pour s'asseoir et le déplie pour se relever, j'ai l'impression d'être enfermé avec une panthère. Quand il ne bouge pas sur son fauteuil, j'ai l'impression que son esprit se déplace partout dans la pièce, me frôle, s'éloigne, m'observe. Il faudra que je me décide un jour à lui avouer cet enchantement mystérieux et vaguement inquiétant qu'il exerce sur moi. Il me regardera certainement sans comprendre. La force de ceux qui exercent un pouvoir sur les autres réside souvent dans leur difficulté à le concevoir clairement.

Question d'actualité de David Assouline au Sénat. Comment le gouvernement va-t-il commémorer la répression sauvage des Algériens du 17 octobre 1961 ? Est-ce que j'envisage de faire quelque chose personnellement ? C'est le piège, David Assouline joue sur du velours ; il sait très bien que le gouvernement ne veut rien faire du tout car l'heure n'est pas à la repentance à quelques mois du cinquantième anniversaire des accords d'Évian qui tombe, manque de bol, en même temps que l'élection présidentielle où le président aura besoin du vote des pieds-noirs et de leurs descendants ; il sait aussi que j'ai toujours été partisan d'une reconnaissance officielle associée à un véritable travail historique expliquant comment on en arriva à commettre un tel massacre et à l'occulter si longtemps ensuite. Je bredouille une réponse lamentable. Je garderai toujours en mémoire le regard perçant et impassible de Jean-Pierre Chevènement observant la mouche du coche qui se noie dans le lait aigre de ses ambiguïtés et les huées indignées de Nicole Borvo Cohen-Seat, présidente du groupe communiste. Quand on se trouve acculé dans un corner, tout doit être bon pour en sortir, même la contre-attaque de mauvaise foi ; je regrette une fois de plus de ne pas avoir la « gnaque » infernalement efficace de Xavier Bertrand.

David Assouline est la grande gueule des socialistes au Sénat. Beau gosse, toujours sur la brèche, orateur moyen mais imprécateur jamais à court d'arguments, épuisant même ses amis par son ardeur à tirer sur toutes les ficelles du règlement pour se faire entendre. Bien qu'il soit encore jeune, on sent l'expérience des années de militantisme musclé, les castagnes contre la droite, les doutes et les impatiences à l'égard du pacte qui l'a conduit à rejoindre le Parti socialiste. David Assouline a certainement deviné que je l'aime bien, il doit hausser les épaules en se disant qu'il n'en a rien à cirer, mais il est probable que ça l'intrigue un peu quand même. Aimer bien, cela regroupe toutes sortes de choses différentes : la fascination pour le rebelle, le respect pour son engagement, le regret de ne pas pouvoir le suivre, la frustration de savoir que je ne pourrai jamais l'embrasser sur la bouche alors que j'en ai eu plusieurs fois envie. Le genre de confidences que je fais à Richard et qui le rendent écarlate.

Du vendredi 21 octobre au dimanche 23 octobre 2011

Voilà dix jours que je m'inquiète à propos d'un petit truc qu'on m'a trouvé dans des examens de routine que j'ai eu l'étrange intuition de vouloir faire. Petite incursion sur Internet : il ne faut pas laisser traîner. Je joue un peu au mariolle pour donner le change, et lorsque l'anesthésiste et le chirurgien m'auscultent intimement, je ne peux pas m'empêcher de leur confier que c'est bien la première fois que j'ai la chance d'avoir deux superbes hétéros penchés sur mon anatomie. On rigole, mais au fond je n'en mène pas large.

Deux journées un peu dures après l'intervention. On vient me voir, Mathieu, Jihed, Jean-Marc, mes frères. Tomás m'apporte des livres. François Fillon m'appelle : comment l'a-t-il su ? Pierre-Yves suppose que l'hôpital a dû prévenir l'Intérieur. J'oublie parfois que je suis ministre. Retour à la maison dimanche. Encore un peu vaporeux, mais ni vu ni connu quand même pour les petits amis de la presse. Les médecins me confirment que tout est en ordre.

Mise à mort crapuleuse de Kadhafi, sorti d'un trou comme celui d'où fut extrait Saddam Hussein. Ces dictateurs qui ont martyrisé leur peuple pendant des décennies finissent comme des rats, traqués dans des terriers infects. Dans le cas de Kadhafi, les images que la télévision diffuse en boucle sont particulièrement atroces et cruelles. Devant l'affreux spectacle de ce pantin hagard et hirsute que de pseudo-justiciers lynchent et exécutent dans une mêlée sinistre ponctuée de «Allah akbar» et de rafales d'armes automatiques, je me remémore la journée que j'ai passée avec lui pour l'interviewer il y a quinze ans. Près de Syrte, donc de l'endroit où il vient de connaître cette fin misérable, mais au milieu de l'apparat délirant de tentes bédouines et de gardes

547

féminines belles et farouches, la kalachnikov en bandoulière, qui lui permettait de se mettre en scène en sheik de cinéma, quelque chose comme un carambolage de Rudolph Valentino, de Luis Mariano et de de Zantafio. Malgré tous les crimes qu'il avait déjà commis, son exercice du pouvoir insensé, son narcissisme exacerbé par la coke et qui le poussait à se regarder sans cesse sur l'écran de contrôle pour se passer la main dans les cheveux et vérifier s'il était à son avantage, il exerçait une sorte de séduction sulfureuse qui me terrorisait et me fascinait en même temps. Je lui avais plu, il voulait que je reste avec lui, il avait deviné l'étendue de mes faiblesses ; j'ai détalé.

Lundi 24 octobre 2011

Forte délégation de ministres et de notables grecs – tours de taille imposants et gros sourcils charbonneux – pour l'inauguration de l'exposition du Louvre «Au royaume d'Alexandre le Grand». Ils débarquent toujours en force dès que l'on évoque de près ou de loin le chapitre de la Macédoine à propos duquel tout valeureux Hellène se doit d'être particulièrement chatouilleux. Il ne saurait y avoir de Macédoine que grecque, et même si l'exquise délicatesse des couronnes en laurier d'or qui sont l'un des clous de l'exposition paraissent bien trop fragiles pour pouvoir ceindre le front de nos augustes invités, ceux-ci les désignent d'un ton sans réplique comme étant l'expression de ce génie grec éternel dont ils sont les farouches héritiers.

Début du round des auditions budgétaires de rentrée devant les commissions du Parlement. Petit mot de Cahuzac pour s'excuser de ne pas assurer la présidence à l'audition d'aujourd'hui. Je soupçonne qu'il préfère me laisser tranquille alors que son rôle de président socialiste l'obligerait à me tarabuster, ce qu'il répugne certainement à faire compte tenu des relations amicales que nous avons nouées. Il n'est d'ailleurs certainement pas étranger à l'amélioration notable de mes relations avec la plupart de ses amis.

Rude soirée au Théâtre de la Ville. Comme prévu, les militants catholiques intégristes veulent empêcher la représentation de *Sur le concept du visage du fils de Dieu*, mais on ne s'attendait pas à tant de violence et à des opérations de type commando à l'intérieur de la salle même avec jets de fumigènes et incursions sur scène. Georges-François tente vaillamment de s'interposer entre des perturbateurs et les comédiens. Emmanuel doit faire baisser le rideau de fer pendant le temps nécessaire à la police pour expulser les infiltrés. J'évite de me montrer pour ne pas ajouter à la férocité des assaillants et je suis les opérations depuis les coulisses où tout est retransmis sur l'écran des pompiers. Emmanuel, à la fois bouleversé et d'un sang-froid absolu. La représentation reprend devant une salle surexcitée qui fait comme de juste un triomphe à la pièce, à vrai dire une assez pauvre chose.

Mercredi 26 octobre 2011

Le président, à la suite de ma communication au Conseil des ministres : «On n'aura jamais fait autant pour la culture en outre-mer qu'avec Frédéric.» Son regard fait le tour de la table : «Et avec Marie-Luce aussi évidemment.» Petit message de Roselyne : «Youki est redevenu le meilleur toutou du chenil. Attention, les roquets vont devenir jaloux!»

Georges Mathieu a bénéficié du sort très envié d'artiste contemporain officiel sous de Gaulle. Il a dessiné la pièce de dix francs, les affiches d'Air France, le logo d'Antenne 2, et Malraux n'a pas hésité à le bombarder de l'épithète «plus grand calligraphe de l'Occident». Les années Pompidou ont mis le holà à cet engouement. Les envieux qui avaient trop longtemps rongé leur frein ont fait le reste. Georges Mathieu a été précipité du haut de la roche Tarpéienne. C'est maintenant un très vieil homme qui n'affiche plus la superbe de ses années de gloire mais que ce très long purgatoire n'a pas rendu amer. Il est très content que je sois venu le voir et espère que je pourrai aider son fervent entourage à organiser l'exposition qui lui rendrait justice. Il m'offre une pièce de dix francs quand je prends congé; pas un pourboire, un collector.

Passage au Théâtre de la Ville après l'Assemblée nationale. Ça tourne à l'émeute et un détachement de prétendus salafistes prête main-forte aux cathos furieux! il y a maintenant un dispositif de sécurité considérable pour filtrer les spectateurs à l'entrée. Emmanuel, toujours aussi calme, assurera les représentations jusqu'au bout. Je me fais alpaguer en quittant le théâtre par la sortie de secours par des jeunes aux cheveux courts et blousons «bombers». Mais Pierre-Yves a prévu le coup, et je n'ai que le temps de saisir quelques regards enragés sur des visages qui pourraient prétendre à toute ma sollicitude en d'autres circonstances, avant de m'engouffrer dans la voiture.

Jeudi 27 octobre 2011

Toujours la même émotion lorsque je me rends à Colombey-les-Deux-Églises pour revoir la Boisserie, la maison de Charles et d'Yvonne de Gaulle. Elle rassemble et résume pour moi les vertus de la famille, de l'héroïsme et de l'austérité. Elle n'est pas triste, elle est intensément convenable. Elle n'est pas morte, elle est formidablement romanesque comme le furent le général et sans doute aussi à sa manière tante Yvonne. C'est au moins la quatrième fois que je pénètre à l'intérieur. La première fois, ce fut par une matinée glaciale et lumineuse, le 15 janvier 1991, je me souviens bien de la date car ce fut le jour du déclenchement de la guerre du Golfe. Il n'y avait aucun autre visiteur et, me jugeant sur ma bonne mine, les deux dames qui étaient là et qui étaient certainement encore au service de la famille m'ont laissé seul et sont allées s'affairer à la cuisine, non sans me préciser que je ne devais pas aller à l'étage. Je suis resté longtemps, j'ai tout regardé en détail, je me suis assis au bureau même du général dans la tour qu'il avait fait construire et j'ai regardé ce qu'il regardait par les fenêtres depuis sa table de travail.

Aujourd'hui, nous apposons la plaque «Maison des Illustres» à côté du portail d'entrée avec Jacques Godfrain, le président de la Fondation Charles de Gaulle. Sympathie mutuelle immédiate. Au fond, un Mitterrand qui aime à la fois son oncle et le général et qui ne s'en est jamais caché fait un peu partie de la famille. Il me remet une lettre de l'amiral de Gaulle qui regrette de ne pas être présent. Je suis frappé par l'élégance du style et de l'écriture au stylo noir et je la range soigneusement dans mes affaires.

Le cimetière, la croix de Lorraine, le mémorial; partout des souvenirs qui me renvoient à ma propre adolescence comme à la perception que j'ai eue très tôt de l'histoire de notre pays à travers la manière dont le général la concevait. Au Mémorial, on voit la DS noire avec les impacts de balles de l'attentat du Petit-Clamart. On se demande comment ils en ont réchappé et on comprend que Mme de Gaulle se soit inquiétée pour ses poulets; pas les flics de l'escorte mais ceux qui étaient dans le coffre et devaient être servis le soir à Colombey.

Visite à Clairvaux.

J'ai enfin obtenu de pouvoir participer à l'atelier d'écriture de la centrale de Clairvaux où sont incarcérés des condamnés à de très longues peines. Blanqui, Maurras, les généraux putschistes d'Alger, mais aussi Buffet et Bontems, Carlos y ont été enfermés. Fofana, l'assassin tortionnaire du «gang des barbares» qui a assassiné Ilan Halimi y est détenu.

Le directeur, très posé, pas loin du grand patron d'un hôpital, me dit qu'une trentaine de détenus ont souhaité participer à l'atelier: «Ce qui vous surprendra le plus sans doute, c'est qu'il est difficile de fixer leur regard; ils portent sans cesse leurs yeux de tous côtés.»

La jeune femme qui anime l'atelier parle d'eux sur un ton neutre. Les écrits des détenus sont publiés dans une revue qui est diffusée à l'extérieur de la centrale. Conformément à l'engagement que j'ai pris, je me contenterai d'un choix de lectures que nous commenterons ensuite ensemble. J'ai choisi des poèmes de Verlaine et de Rimbaud, des extraits des *Misérables* et des *Mémoires* du général de Gaulle.

Couloirs, barrières électriques, matons précis et calmes. Pas le grand vacarme qui frappe en général les visiteurs quand ils pénètrent dans une prison. Nous sommes enfermés, les détenus, les matons, la jeune femme et moi, dans une sorte de foyer comme dans une salle d'école.

J'essaie de comprendre ce qu'expriment les visages, les attitudes. Il y a effectivement cette histoire avec les regards à la fois intenses et perpétuellement aux aguets. Tous sont cordiaux. J'essaie d'adopter le ton tranquille et neutre de la jeune femme, mais il m'est impossible d'ignorer l'impression de violence latente que je ressens. Certains, plutôt passifs, ne correspondent pas à l'idée que je me fais des meurtriers et du grand banditisme, d'autres réagissent, posent des questions. Sont-ils dangereux? Au premier rang, un caïd d'une trentaine d'années, un perpétuel sourire aux lèvres. Un peu plus loin, un garçon plus jeune, beau, attentif, désireux de parler. Ils me connaissent certainement tous très bien et je me demande comment j'arriverais à me débrouiller si je devais être enfermé avec eux et comme eux pour une longue peine interminable. Moi, je sors tout à l'heure; eux ne sortent pas.

Verlaine les intéresse un peu mais ce sont les *Mémoires* du général qu'ils préfèrent de loin et je dois en lire d'autres extraits en plus de ceux que j'avais préparés. Échanges sur le thème de l'homme d'action qui est aussi écrivain.

À la fin de la séance, ils me remercient d'être venu. Je ne sais pas très bien ce que j'ai pu leur apporter. La jeune femme me dit qu'ils vont certainement écrire des comptes rendus de cette rencontre ; le directeur me confirme qu'il a toujours été d'accord pour que je vienne et il ajoute qu'il ne le regrette pas.

Le délégué de l'administration pénitentiaire, en fait son numéro deux, est un jeune homme timide qui me serre longuement la main en partant. J'apprends quelques instants plus tard que c'est le fils de Daisy de Galard, que j'aimais beaucoup. Au fond, cela ne me surprend qu'à moitié, le fils comme la mère, engagés dans la vie sociale, chacun à sa manière.

Emmanuel vers minuit : soirée calme, la représentation s'est déroulée normalement. Menaces réitérées pour samedi soir.

Vendredi 28 octobre 2011

«Quand vous n'êtes plus ministre, on vous engage en Lituanie!» Nous venons de construire, mi-rieurs, mi-sérieux, un programme de saison lituanienne pas mal du tout avec l'ambassadeur, une jolie femme parfaitement bilingue, très gaie, très vive. Pour moi, le tropisme balte vient de très loin, et on se sépare gonflés à bloc.

Sur la Moldavie, j'ai moins de lumières, mais l'ambassadeur, un autre jeune diplomate très agréable, dissipe l'impression un peu brouillardeuse que j'avais de son pays, l'un de ces éclopés de la construction européenne qui peine à se sortir d'un sombre XXᵉ siècle. Il m'apporte un très beau livre d'images qui donne envie de s'y rendre.

Pierre Lungheretti a trouvé la perle rare pour Mayotte : une fonceuse pleine d'énergie qui va jouer le rôle de Drac et à qui le chantier dans le registre «il y a tout à faire» ne fait pas peur. J'insiste sur le projet de musée de la culture mahoraise dans l'ancienne résidence du gouverneur pour lequel Stéphane Martin m'a rapporté une note d'intention qu'il qualifie lui-même de «pas trop encourageante»...

Pour aller retrouver Gérard Longuet à Bar-le-Duc, il faut descendre à la station Meuse du TGV, très bel édifice écolo-naturel construit en rase campagne et prendre la route sur une vingtaine de kilomètres à travers un paysage de collines et de forêts qui serait très beau s'il n'était massacré par un véritable archipel d'éoliennes. Je suis toujours frappé d'entendre les écolos se dresser contre les centrales nucléaires et ne trouver rien à redire à cette véritable lèpre qui démolit peu à peu les paysages avec la bénédiction des petites communes et des élus appâtés par les redevances que leur promettent les installateurs. Hélas, je suis si peu le ministre des paysages, domaine trusté par Nathalie qui prend tout de suite la mouche quand j'aborde la question.

Beau centre d'archives ultramoderne qui a dû «coûter bonbon» et, dans la ville, collège vide très ancien que l'on rénove sans savoir ce que l'on en fera. Classique.

Gérard Longuet a succédé à Louis Jacquinot dans sa circonscription de la Meuse. On imagine mal que le vieil uraniste eût pu passer le flambeau à un type repoussant. Du temps du groupuscule d'extrême droite Occident, avec son grand manteau en cuir de fasciste, ses lunettes noires, ses cheveux blonds, sa violence latente immédiatement perceptible, Longuet incarnait une ambiguïté sexuelle digne d'Arno Breker et des *Damnés* de Visconti. Je le trouvais très attirant; il venait à des boums chez moi avec celle qui allait devenir sa femme, toujours amical et gentil. Il veillait discrètement à ce que je ne me retrouve pas pris à partie dans les bagarres sanglantes qu'il déclenchait avec ses nervis à Sciences Po. Je ne suis pas sûr qu'il ait totalement rompu avec la nostalgie de ses erreurs de jeunesse, il en reste quelque chose de vaguement louche, une sorte de matière sombre et secrète profondément enfouie sous la cuirasse du notable de province et du ministre très convenable qui me renvoie au trouble d'autrefois.

Samedi 29 octobre 2011

En visitant de manière approfondie l'École des beaux-arts avec Henry-Claude Cousseau, j'ai l'impression de retrouver la description de la Villa Médicis par Renaud Camus avec ces phrases que je regrette de ne pas avoir apprises par cœur sur la splendeur qui peine à se survivre quand tout indique qu'elle s'est en fait évanouie. Le parallèle entre les deux institutions est flagrant dans tous les domaines, qu'il s'agisse du fonctionnement et de ses objectifs, de la répartition des espaces, de la vétusté dangereuse d'une grande partie des bâtiments et même de la mauvaise humeur générale des apprentis artistes qui ont tout de même la chance de pouvoir y travailler. Avec en prime pour les Beaux-Arts les ravages de parasitismes divers qui se sont abattus sur l'animal blessé et le meurtrissent cruellement comme ce bâtiment prétendument provisoire de l'école d'architecture qui coupe littéralement en deux tout le domaine depuis trente ans. La Villa Médicis porte encore beau malgré ses insidieuses infirmités, les Beaux-Arts saignent lentement. Dans un cas comme dans l'autre, c'est l'incurie de l'État qui est en cause, pas seulement par manque d'argent, mais par pingrerie d'imagination, absence de volonté, indifférence hypocritement emballée sous de timides promesses jamais mises en œuvre. La Villa résiste sur le Pincio de Rome par la force de l'habitude, parce qu'elle ne coûte pas cher et qu'il y a toujours assez de notables qui veulent passer un week-end à Rome. Les Beaux-Arts, eux, tanguent dangereusement en plein Paris au milieu de l'indifférence générale et malgré les appels au secours de ceux qui en ont la charge et ont l'abnégation d'essayer de conjurer son agonie. Cousseau ne se décourage jamais ; admirable de dévouement.

Soirée de sévères bagarres au Théâtre de la Ville. Le spectacle continue. Emmanuel aurait sans doute été chef de réseau dans la Résistance, il ne laisse rien au hasard, maintient le moral de ses troupes, égare et bloque les offensives de l'ennemi. Il me remercie avec chaleur d'être encore auprès de lui ce soir pour le soutenir, lui et son équipe.

Dimanche 30 octobre 2011

Élections tunisiennes, Ennahda rafle la mise. Les islamistes veulent s'emparer de la société encore plus que du pouvoir. La réalisation du premier objectif permet d'atteindre naturellement le second. En Tunisie, le pouvoir traînait par terre, ils n'ont eu qu'à se baisser pour le ramasser et en faire un gage de plus afin d'obtenir l'essentiel. Appels angoissés de Tunis, et chez nous les fariboles de la presse qui se gargarise de « révolution confisquée » après nous avoir bassinés avec le danger islamiste quand il n'existait pas encore et l'avoir ignoré quand il montait en puissance.

Samedi, le canard était toujours vivant, mais c'est Robert Lamoureux qui s'est envolé.

Lundi 31 octobre 2011

Départ pour les Rencontres africaines de la photographie à Bamako avec Xavier Darcos et Francis, j'emmène aussi Pierre-Yves que je suis toujours tellement content d'avoir avec moi. Cela fait des années que je voulais me rendre à cette manifestation dont tous ceux qui en reviennent parlent avec enthousiasme. J'ai la nostalgie de mon premier voyage qui remonte à sept ans : les Maliens, la ville, le grand fleuve ; fantasmes d'aventure et de romanesque. Et si je m'évadais cette fois pour me perdre dans la foule qui prend d'assaut le train Bamako-Dakar ?

La visite du ministre de la Culture français et du président de l'Institut français, ça fait beaucoup de France en même temps et revêt paraît-il la figure d'un événement. Au petit raout de bienvenue que l'ambassadeur a organisé à sa résidence, avec un bel accueil musical, ce sont d'ailleurs toutes les sommités maliennes et françaises de l'action culturelle qui se répandent en compliments. On surjoue les démonstrations d'amitié comme c'est la règle, mais il y a un fond sincère d'où chacun s'observe avec attention. L'ambassadeur, impeccable, chaleureux, sympathique. Le grand hôtel, comme dans les films : dames à l'endurante bonne humeur qui attendent leur mari parti en mission, conciliabules de messieurs cravatés blancs et noirs dans le «lobby», bar où les notables se torchent au whisky, discrètement, à l'abri d'un paravent.

Mardi 1ᵉʳ novembre 2011

Xavier est décidément un compagnon de voyage idéal, gai, plein d'allant, tout l'intéresse. Compte tenu de ses états de service, il pourrait manifester quelque susceptibilité à me voir incarner le rôle du ministre en titre. Il n'en est rien, ma manière d'être lui plaît sans qu'il ne me fasse sentir la plus petite trace de condescendance. J'en connais d'autres qui n'auraient pas cette élégance. Et en plus il a épousé une femme exquise qui n'est hélas pas du voyage.

Le musée et le parc nationaux se sont considérablement améliorés depuis sept ans. Tout est bien tenu, mon homologue me dit que c'est le résultat d'un programme de coopération qui a été financé par l'Agha Khan. Rafale de discours en plein air et forte chaleur devant un large auditoire avec un tiers d'expatriés, un tiers d'artistes et de photographes et un tiers de jeunes Maliens qui se sont faufilés. À l'ombre, quelques militaires fument, discutent, regardent les filles.

À l'intérieur, la sélection des photographies est encore meilleure que je l'espérais. «Clic-clac, merci Kodak», disait-on durant ma jeunesse. Tout est jeune ici.

Pieter Hugo, par exemple, c'est le Sud-Africain qui photographie des garçons qui tiennent des hyènes en laisse. Ce ne sont pas des toutous, les laisses sont des chaînes, la gueule des «fauves» est emprisonnée dans une muselière d'acier, et les types n'ont pas l'air d'être des angelots non plus. Il photographie aussi d'autres garçons qui fouillent dans des décharges à ordures apocalyptiques et qui regardent l'objectif avec un air de défi comme s'ils étaient en train de vouloir défendre un trésor qu'on essaierait de leur dérober. On me le présente, un grand Afrikaner roux pas très liant qui est déjà en cheville avec des galeries de Londres et de New York.

Déjeuner dans un restaurant panoramique donnant sur le parc; toutes proportions gardées, l'équivalent pour les festivaliers du bar du Carlton à Cannes. Un petit groupe de jeunes chantent en s'accompagnant au balafon des mélopées tristes et lancinantes. Je voudrais les féliciter mais aucun ne parle français. Enfin, ils se doutent que je leur dis des choses aimables et hochent la tête : beaux, sur la réserve, irréductiblement étrangers.

Contrairement à ce qui se passe au Burkina-Faso, je retrouve l'atmosphère de désolation qui est désormais le lot du cinéma africain. Souleymane Cissé m'emmène dans une sorte de terrain vague au bord du fleuve où il voudrait construire des studios et des ateliers à la manière de ce que Gaston Kaboré a réussi à Ouagadougou. Mais est-ce bien la solution quand il n'existe même pas une salle de cinéma dans tout le pays?

Ou plutôt si, il en existe une, le Cinéma Soudan qui est fermé depuis des lustres et qu'Abderrahmane Sissako voudrait rouvrir. On y court avec Xavier et Francis. C'est une merveille de salle à l'architecture soudano-coloniale, pur jus AOF, qui serait magnifique à filmer telle quelle avec les rayons de lumière qui percent à travers le plafond et les cadavres de fauteuils empilés les uns sur les autres. Abderrahmane dit qu'il serait possible de la récupérer et que cela ne reviendrait pas cher de la restaurer en ayant recours à des entrepreneurs chinois qu'il a déjà contactés. Et nous voilà tous à tirer des plans sur la comète pour faire redémarrer le cinéma malien à partir d'un Cinéma Soudan rendu à sa vocation première. Une foule compacte s'est massée autour de la salle qui nous demande si c'est vrai que je suis venu pour la rouvrir; un vieux me dit qu'il y a vu des films avec Michèle Morgan et Jean Marais. J'essaie d'imaginer la première de *Fortunat* ou du *Capitan* au Cinéma Soudan au début des années 1960.

Dans son palais ouvert à tous les vents, le président Touré est aussi doux, tranquille et charmant que lors de notre rencontre à Paris et nous reprenons notre conversation là où nous l'avions laissée, quelque part entre le Quartier latin et les rayons de disques de la Fnac Montparnasse. Dans la voiture qui nous ramène à la résidence, l'ambassadeur se déclare sur la même ligne que Juppé. Il me confie que la situation politique est bien plus grave que la sérénité du président ne le laisse présager. Il attend le coup d'État ou l'invasion. On vivrait à Bamako dans un état d'aveuglement, de fausse insouciance et de réelle inquiétude diffuse comme à Phnom Penh, en 1975, avant que ne déferlent des insurgés surarmés, des combattants islamistes en l'occurrence, qui ont largement puisé dans l'arsenal libyen en libre-service depuis la révolution.

À la fête d'inauguration de la Biennale, en revanche, la bulle est toujours parfaitement étanche. Le clou de la soirée est la remise des Arts et des Lettres à Malick Sidibé dont les photos de la jeunesse de Bamako dansant le twist aux temps pleins de promesses de l'indépendance ont fait le tour du monde sans qu'il en ait pris conscience durant de longues années. C'est un vieil homme maintenant, presque aveugle, que tous les photographes africains présents entourent du respect dû aux ancêtres pionniers. Après, comme l'alcool circule abondamment et que plus personne ne fait attention à moi, je traîne un peu. De beaux gosses me prennent en photo sur leurs portables; clichés de gamins hilares serrés pour le cadre contre un vieux Blanc fatigué par la chaleur de la nuit africaine; «C'est pour ma fiancée», me disent-ils tous avec un grand sourire.

Dans l'avion du retour, nous refaisons les comptes pour le Cinéma Soudan avec Xavier et Francis. Ça devrait pouvoir passer si chacun met bien sur la table ce qu'il promet dans l'euphorie persistante d'un beau voyage.

Mercredi 2 novembre 2011

Monotonie retrouvée des réunions, des dossiers techniques et des visites. Comment font les autres ministres quand ils reviennent de voyage? Est-ce qu'ils replongent tous aussi vite dans la préparation de la loi de finances ou la convention collective d'un établissement? Et dans ce cas, les voyages ont-ils si peu de prise sur eux qu'ils en ressortiraient comme s'ils n'avaient rien ressenti? Il en est certainement qui mettent un peu de temps à redémarrer tandis que le mélange de masochisme et de culpabilité permanente qui me caractérisent me fait bourrer mon agenda d'obligations en tous genres.

Le ministre de la Culture des îles du Cap-Vert me dit que nous ne reverrons sans doute plus jamais Cesaria Evora en France. Elle est repartie dans une de ses phases de dépression suicidaire où elle boit et ne se nourrit plus que de chips alors qu'elle a déjà connu plusieurs comas diabétiques. Lui est un homme raffiné, d'une grande délicatesse, très au fait de tout ce qui se passe à Paris.

Arvo Pärt a traversé de longues périodes où il lui était pratiquement interdit de composer, du temps où l'Estonie subissait le régime soviétique. Il vivait alors dans des conditions misérables et se consacrait dans une solitude minérale à l'étude des chants grégoriens et de la musique médiévale. Il est aujourd'hui considéré comme une véritable icône de la vie culturelle dans son pays. Il pleure quand je lui remets la Légion d'honneur devant son ministre des Affaires étrangères et tout un aréopage d'Estoniens et de musiciens français. Intégrité et courage de certains créateurs qui m'impressionnent tant parce que je pense que j'en aurais certainement manqué.

Jeudi 3 novembre 2011

Roselyne a beau être une forte femme, elle est amoureuse comme une gamine d'un baryton qui a du coffre. «J'espère qu'ils ont renforcé la literie», me glisse une de ses collègues, bonne copine. C'est un peu la version virile de la Castafiore; quand il me parle d'une voix tonnante, je vérifie, comme Tintin, que les vitres de mon bureau sont bien «Sécurit». Au demeurant rigolo et sympathique. Il vient me parler de l'enseignement du chant dans les conservatoires régionaux qu'il juge médiocre. Lui-même est un autodidacte qui a réussi à faire une très grande carrière, la Scala, Bayreuth, le Metropolitan. «À vingt ans, je ne savais pas lire les notes sur une portée, elles me faisaient penser à de petites pipes.» Roselyne adore l'opéra, elle a l'ouïe fine et sait très bien lire les notes...

Laurent Fabius vient me parler du mémorial Jeanne d'Arc et des musées de Rouen en général. Le cabinet, aligné comme des moineaux sur la branche, n'en croit pas ses oreilles : on se tutoie, on échange de vieux souvenirs. C'est comme pour le projet de musée de la Justice de Robert Badinter : il faudrait trouver des sous que je n'ai pas pour l'instant.

Jean-Pierre : «Tu m'avais beaucoup parlé de Laure Murat, tu avais raison, elle est absolument formidable.» À l'issue d'un déjeuner particulièrement réussi avec Laure, entre deux sessions à UCLA où elle enseigne; Tonie Marshall, qui ne la connaissait que de réputation, a été elle aussi conquise.

La proposition de loi relative au transfert du patrimoine monumental de l'État est désormais sérieusement calibrée pour éviter tout débordement qui consisterait à brader n'importe comment et à n'importe qui l'argenterie de famille. Rien ne pourra se faire sans la validation du ministère. Longue séance au Sénat, mes petites agaceries déclenchent un fou rire chez le bon Richard qui est obligé de quitter l'hémicycle.

Jean-Michel Ribes salive déjà à la perspective de se draper dans la toge du martial défenseur de la création artistique : les représentations de *Golgota picnic* commencent dans quelques jours. De toute façon, ni lui ni son théâtre ni la liberté ne risquent grand-chose, et à vaincre sans péril on triomphe avec gloriole...

Jean-Michel, décidément en verve : « En mai, tu seras le seul à ne pas être tondu ! Je te le promets ! »

Vendredi 4 novembre 2011

La médiathèque du patrimoine au fort de Saint-Cyr est l'une des cavernes d'Ali Baba où reposent les fonds photographiques que possède l'État ou dont il a la garde. Tout est bien rangé. Un dragon veille sur les collections ; il refuse d'en accueillir de nouvelles sous prétexte qu'il n'a plus de place et crache le feu de la damnation éternelle contre toute tentative de réorganisation qui pourrait toucher à ses trésors. Au demeurant plutôt sympathique, comme tous ceux qui consacrent leur vie à une idée fixe et se moquent bien du courroux éventuel du ministre.

Véronique Mortaigne, que j'ai croisée plusieurs fois dans une autre vie et qui écrit toujours de très bons articles sur la chanson dans *Le Monde*, vient m'interviewer sur le sujet. Je ne doute pas qu'elle juge sévèrement l'histrion devenu ministre du gouvernement actuel. Elle me pose d'ailleurs peu de questions et reste sur une attitude réservée pendant que je m'évertue à exposer tout ce que j'ai entrepris pour la chanson. En même temps, je la sais très honnête. On verra bien.

Cédric Villani, le jeune mathématicien de génie à lavallière, ne se formalise pas lorsque je lui avoue que j'ai eu 2 au bac dans sa discipline de prédilection et que je n'y ai jamais rien compris malgré toutes les tentatives désespérées de mon père et de mon frère Olivier pour creuser dans l'épaisse couche de nullité qui recouvrait mon cerveau. Il me donne discrètement et gentiment d'excellents conseils pour améliorer la qualité de l'enseignement artistique. Rencontre heureuse.

Abderrahmane Sissako porte le projet de réouverture du Cinéma Soudan avec une efficacité épatante. Il a obtenu le parrainage de Juliette Binoche. Xavier Darcos tient bon et Alain Juppé va nous soutenir. Mais je redoute l'habituel laminoir des corps intermédiaires du Quai d'Orsay qui vont évidemment travailler contre le projet puisqu'il ne vient pas d'eux. C'est malheureusement la règle car de toute façon aucun projet ne vient jamais d'eux.

Raoul Peck réussit très bien à la présidence de la Femis, l'école nationale du cinéma. Il a été ministre de la Culture à Haïti. Je pourrais peut-être reprendre l'école de cinéma de Port-au-Prince en mai, lorsque j'aurai échappé au sort funeste que Jean-Michel Ribes veut gracieusement m'éviter.

À l'entrée de l'exposition de Jean-Marie Le Clézio au Louvre, le tableau du *Serment des ancêtres*, entièrement restauré et dont j'avais fait rapporter les lambeaux de Port-au-Prince. Il repartira pour Haïti quand l'exposition sera terminée.

Promenade nocturne miraculeuse avec Henri Loyrette dans les salles désertes du Louvre. Même Belphégor nous laisse tranquilles.

Samedi 5 novembre 2011

Le musée Jean-Cocteau de Menton n'est sans doute pas la plus grande réussite architecturale de mon Rudy bien aimé : une sorte de mille-pattes trapu et blanchâtre sur le front de mer qui a certes l'avantage de ne pas fermer la vue sur la vieille ville mais qui manque de la grâce éthérée que l'on attribue au «prince des poètes».

Discours en rafales, le ministre se surpasse dans une sorte de crémeux mille-feuille lyrique digne du maire de Champignac, flonflons et *Marseillaise*. Jean-Claude Guibal, le député-maire, me demande d'intervenir auprès de Pierre Bergé, détenteur du droit moral de l'artiste, pour que le musée soit autorisé à vendre quelques fac-similés. Je ne sais pas trop comment m'y prendre pour donner un coup de main à cet homme si affable et bienveillant qui m'envoie me faire fusiller − car je ne doute pas de ce que sera la réaction de Pierre.

La vieille plaisanterie des Mentonnais qui regrettent en payant leurs impôts que leur ville se soit détachée de Monaco au XIXe siècle : on avait des chocolats, on les a jetés et on a gardé le papier qu'on ne finit plus de manger.

Dimanche 6 novembre 2011

David Lynch était venu me voir pour me demander de soutenir la dernière imprimerie d'art aux techniques traditionnelles de Paris, qui se trouve à Montparnasse. Le lieu est magnifique, encombré d'énormes machines anciennes toutes en état de marche, avec une odeur d'encre qui flotte et David au milieu en blouse de travail qui s'apprête à imprimer une lithographie de ses peintures. Virginie Seghers, la fille du poète, assiste à la séance. Elle est l'une des initiatrices de la loi sur le mécénat de Jean-Jacques Aillagon et elle fait partie du groupe hypermotivé qui protège et soutient l'imprimerie. Beaucoup de gens autour des machines, entre bobos de la rive gauche avec enfants et artisans d'art; Eva Joly est venue en amie de maison. Atmosphère franchement sympathique.

Chaque fois qu'il est à Paris, David Lynch s'enferme dans l'imprimerie, enfile sa blouse et se met méthodiquement au travail. Il connaît tous les typographes, les ouvriers qui mélangent pour lui les encres de couleur, le fonctionnement très compliqué des vénérables machines. Moment de grâce de le voir sortir lentement sa lithographie du ventre mécanique comme s'il s'agissait de l'accouchement d'un enfant.

Carnage, le film de Roman Polanski, se passe à New York. Le scénario est adapté d'une pièce de Yasmina Reza. Deux couples de bourgeois très politiquement corrects se rencontrent pour régler à l'amiable un conflit entre leurs enfants et ça ne tarde pas à déraper. Le film permet de constater qu'il n'a rien perdu de son génie de la mise en scène, de la direction d'acteurs et de son humour à entrées multiples depuis ses débuts avec les courts-métrages et *Cul-de-sac*. Accessoirement, incroyable tour de force de nous donner l'impression d'avoir tourné à New York alors qu'il lui est évidemment impossible de s'y rendre pour les raisons que l'on sait.

Lundi 7 novembre 2011

Le député socialiste de Loire-Atlantique, Dominique Raimbourg, très actif pour la défense des Roms. Il m'arrête dans la salle des pas perdus de l'Assemblée pour me dire qu'il est l'un des fils de Bourvil. Il sait sans doute que j'aimais énormément son père, qui m'a profondément marqué au seuil de l'adolescence quand je tournais dans *Fortunat*.

«La culture pour chacun» est un thème qui a injustement cristallisé les pires oppositions partisanes. Francis n'est nullement découragé et continue à se démener en faveur des associations avec opiniâtreté. Je ne lui manifeste sans doute pas suffisamment à quel point j'y attache la plus grande importance.

Petit coup de force pour participer à l'émission «Des racines et des ailes» au musée d'Orsay dont le ministère a largement financé les travaux de réaménagement. Atermoiements divers des producteurs pour éviter que je prenne la parole jusqu'à ce qu'Élodie remette les pendules à l'heure.

Crédits de la mission médias à l'Assemblée nationale jusqu'à plus d'heure. Hémicycle à peu près vide, Richard aux aguets.

Mardi 8 novembre 2011

La psychanalyste célèbre défend fort bien l'héritage moral et l'enseignement de Freud, je ne peux que l'approuver et m'en réjouir. Mais lorsque nous déjeunons avec Malika Bellaribi, qui fait un travail fantastique d'initiation à la musique des jeunes des banlieues, c'est à peine si elle lui adresse la parole et si elle écoute ce qu'elle dit. Esprit de classe d'une certaine élite intellectuelle parisienne.

Éric Garandeau, d'ordinaire si charmant, continue à se montrer féroce lorsque j'insiste pour que le Centre du cinéma participe un peu plus aux efforts de redéploiement budgétaire du ministère. C'est d'autant plus agaçant que je suis toujours de son côté pour le défendre contre les attaques des commissions des Finances du Parlement, ce dont il me donne acte sans que cela change quoi que ce soit à son comportement.

La Fondation Mona Bismarck, avenue de New-York, souhaite se rapprocher du ministère. Elle dispose de belles salles d'exposition et d'un emplacement idéal alors que je cherche partout où l'on pourrait accueillir Isabelle de Borchgrave, Théodore Stravinski, Calvi Di Bergolo, qui n'intéressent aucun de nos prestigieux établissements. Francis me dit qu'il ne faut pas trop y compter.

Martine Franck est gravement malade. Elle s'inquiète pour l'avenir de la Fondation Cartier-Bresson. J'essaie de la rassurer alors que je n'ai pour l'instant ni les moyens de lui venir en aide ni ceux d'arrêter le compte à rebours fatal que nous faisons semblant d'ignorer l'un et l'autre. Henri Cartier-Bresson était son mari. Elle est, elle-même, une photographe de grand talent. Sa beauté légendaire ne résiste plus au mal qui la dévore, j'ai de la peine à la reconnaître tant elle est devenue fragile.

Mercredi 9 novembre 2011

Jean-Luc Delarue au petit déjeuner. Il continue à m'envoyer des mots adorables auxquels j'essaie de répondre sur le même ton et il se montre toujours aussi affectueux à mon égard. Il voudrait que l'on travaille ensemble lorsque je ne serai plus ministre. Il cherche quelque chose auprès de moi mais je ne sais pas quoi.

François Fillon : « C'est une fille très bien. Elle s'est ramassée aux sénatoriales, on ne peut pas la laisser tomber comme ça. Elle a fait du bon travail sur les métiers d'art. C'est votre domaine, les métiers d'art, il faut lui trouver quelque chose. » C'est bien la première fois qu'il fait ce genre d'intervention directe. Il n'y a rien à redire, ce serait effectivement assez moche de ne pas s'occuper d'elle après tout le mal qu'elle s'est donné.

Francis dispose d'une petite enveloppe parfaitement réglementaire pour que le ministère puisse faire des achats de tirages originaux au salon Paris Photo. Il tempête devant les réticences de l'administration à honorer ses demandes alors qu'on sait très bien que je les approuve. À rapprocher des difficultés constantes à mettre la mission photo sur des rails solides.

Jean-René Fourtou, le président du conseil de surveillance de Vivendi et discret parrain du capitalisme français (André Rousselet, qui a la dent dure, le surnomme « Fourtou dans ses poches »), vient me voir pour me parler de la fondation philanthropique qu'il a montée avec sa femme. Très cordial, très normal. Il est aussi un conseiller du président et il n'est pas impossible qu'il ait voulu voir à quoi je ressemble.

Je décore en grande pompe à l'ambassade d'Italie le président de Mondadori pour la France. Si cela pouvait le dissuader de retirer à Presstalis la diffusion des trente magazines de son groupe. Mais je crains qu'une jolie médaille reçue avec des transports de gratitude n'y suffise pas.

Antoine Gallimard me fait visiter sa prestigieuse maison d'édition. Il fait nuit, tout est silencieux, le beau jardin est plongé dans l'obscurité à l'exception d'un rai de lumière qui provient du bureau de Philippe Sollers ; à chaque pas les fantômes sont au rendez-vous. Sentiment du poids de l'histoire et de l'influence au cœur de la république des lettres. Nous dînons avec Florence Malraux ; son intelligence aigue son rire clair, sa gentillesse pour moi.

Jeudi 10 novembre 2011

Marc Ladreit de Lacharrière déploie une énergie formidable pour tous ses projets de solidarité et d'enseignement. En plus, il ne donne de leçons à personne et va son chemin avec une jubilation quasi enfantine, en riant et en se frottant les mains comme le premier de la classe qui a enfin réussi à mettre le feu au lycée.

Loulou de La Falaise était belle, chic, spirituelle, extrêmement douée pour l'amitié et dotée d'un grand talent pour concevoir de jolies choses, dans le domaine de la mode en particulier où elle fut durant plusieurs décennies l'assistante directe d'Yves Saint Laurent. Pierre Bergé l'aimait, Thadée Klossowski l'aimait, tous ceux qui la connurent l'aimèrent. Trop élégante pour être jamais pesante, elle s'est cachée quand elle a compris qu'elle ne guérirait pas et elle est donc partie en silence, d'un pas léger ajoutant à son art de vivre celui de mourir sans embêter personne. C'est peut-être sa seule mauvaise action, l'église Saint-Roch était remplie de gens que sa mort embêtait beaucoup et qui ne cachaient pas leur chagrin.

Le président est très content du rapport de Valéry Giscard d'Estaing sur l'hôtel de la Marine. Ses préconisations raisonnables devraient mettre fin aux controverses. Il est possible aussi que cela lui retire une épine du pied car il s'était peut-être engagé ou laissé circonvenir sans le dire sur une mauvaise voie. Une curieuse pétition circule quand même qui regrette le projet Allard.

Inauguration de l'exposition Jean-Paul Goude aux Arts décoratifs. Le joli lutin, qui a inventé bien avant Photoshop tout ce qu'on pille désormais dans son œuvre, est ravi de cette reconnaissance et du boum artistico-mondain de la soirée. Il n'a pas osé inclure dans le florilège de ses films publicitaires le clip pour lequel je jouais le Père Noël. C'est dommage. Conseillers frileux, discrète intervention de la communication du ministère ? Peut-être le trouvait-il simplement moins bon que les autres.

Les Émiriens ne paient plus leurs factures pour les honoraires du futur Louvre d'Abou Dhabi et le chantier est arrêté. A-t-il seulement commencé ? Ils disent que c'est un malentendu et que les versements vont reprendre. On m'assure qu'il ne faut pas s'inquiéter. Mais la méthode Coué a des limites et je suis sûr qu'il y a eu un sérieux court-circuit quelque part. Et puis les Émiriens tiennent à bout de bras Dubaï qui est virtuellement en faillite ; ils doivent avoir un sacré trou dans leur trésorerie sans pouvoir l'avouer. Si la situation se prolonge trop longtemps, ce sera désastreux pour le Louvre et toute sa stratégie d'investissements. Quand j'appelle mon charmant homologue émirien, tout va toujours très bien. Fierté des princes du désert et approximations du *broken english* que j'ai du mal à comprendre. Ces conversations m'épuisent et ne me rassurent guère. Je pense qu'il va falloir aller y voir de plus près.

Dîner en l'honneur de Rossana Rummo qui quitte l'Institut italien, qu'elle a porté très haut avec des moyens dérisoires. C'est une personne d'une qualité exceptionnelle. Quel dommage qu'on ne puisse nommer un Italien à la tête de la Villa Médicis.

Vendredi 11 novembre 2011

Visite surprise avec Francis à la Bellevilloise pour le Salon de la photo off. Au cœur du XXe, c'est un lieu culturel alternatif qui a conservé l'essentiel de son décor d'origine d'ancienne épicerie coopérative ouvrière. Comme toujours lorsque je surgis au milieu de gens pour qui le pouvoir actuel est l'horreur absolue, il y a un moment de silence médusé et puis ça s'arrange assez vite. Série de photos lituaniennes qu'il faudra mettre absolument dans l'escarcelle de la saison que l'on a imaginée avec l'ambassade.

Célébrations de l'Armistice : il me revient de déposer une gerbe au pied de la statue de Clemenceau. Ça tombe bien, je l'ai toujours aimée.

Bien placée, bien sculptée, elle donne une impression très vivante de ce que fut sans doute le «Père de la Victoire». La famille Clemenceau avec de charmants bambins et d'aimables vieux messieurs assiste à la cérémonie. Petit discours où j'évite de m'égarer dans les bons mots du maître des traits cruels, notamment celui sur Lyautey.

Allez, on est seuls, je peux y aller quand même : «Lyautey? Ah, celui-là, il a au moins des couilles au cul, même si c'est pas toujours les siennes!» Oui, j'ai bien fait de m'abstenir...

Quand Gérard Longuet passe les troupes en revue, il adopte une démarche singulière. Il se tient très droit et à chaque pas, en cadence, remonte ses genoux très haut tout en gardant la jambe pliée. On pense-rait au Casino de Paris, dans un registre de tableau militaire, à vrai dire peu exploré jusqu'à maintenant par les chorégraphes du cancan, s'il n'y avait le contraste avec la rigidité du torse, la raideur du maintien, le visage impassible. Il peut marcher comme cela longtemps sans fatigue apparente; même les généraux les plus aguerris ont l'air empotés à côté de lui. J'ai essayé dans les couloirs du ministère un samedi où il n'y avait personne, je n'ai pas insisté, c'est à la fois très difficile à faire et épuisant.

Gérard Longuet : «La Défense, c'est le ministère le plus sympa! On décide, ils exécutent. Pas de syndicats, pas de baratin dans la presse, la Grande Muette!»

Inauguration par le président du musée de la Grande Guerre à Meaux, avancée ultime des Allemands pendant la bataille de la Marne. C'est Jean-François Copé qui est content et la grande foule des invités aussi; flopée de ministres et de «personnalités», visite au pas de course, caméras de télévision en pagaille, discours martial. Le musée a bénéfi-cié d'un financement confortable : «vision nouvelle», «scénographie interactive». Je préfère le mémorial de Péronne.

Réouverture du Théâtre national populaire de Villeurbanne avec *Ruy Blas* dans une mise en scène de Christian Schiaretti. Bombardement de discours de tous les poids lourds de la région lyonnaise qui n'a pas hébergé pour rien les usines Berliet. La pièce a affreusement vieilli et la mise en scène souligne hélas tous les moments où ce bon Victor tirait à la ligne en mirlitonnant sans vergogne. Autour du théâtre, dans la nuit de novembre où la bruine fait tout reluire, la merveilleuse ville des années 1930, comme une leçon d'architecture idéale.

Nuit à la préfecture chez les excellents Carenco, toujours comme en famille.

Samedi 12 novembre 2011

Pose de la première pierre au futur siège d'Euronews que Gérard Collomb couve d'un regard extrêmement attentif. La chaîne, qui est un succès, reste bien à Lyon et s'enracine dans la presqu'île qu'il a totalement remodelée. Nouvelle rafale de discours. Mickaël Peters, désormais seul maître à bord. La beauté du diable.

Ma collègue Nora Berra, qui a des ambitions politiques locales, est en super pétard contre Gérard Collomb pour des raisons que je ne cherche pas à approfondir. Je ne l'avais jamais vue comme ça. Il ne faut pourtant pas se fâcher avec le renard, il n'attend que ça pour la manger toute crue.

Dimanche 13 novembre 2011

Maman : «Je ne comprends rien au succès de ce film, *Intouchables*. Les gens riaient dans la salle avant même que la projection ne commence. Tu l'as vu? Tu as trouvé ça drôle? Moi qui ai tant aimé le cinéma, je devrais arrêter d'y aller.» Avec Olivier et Jean-Gabriel, on essaie d'expliquer que c'est un regard chaleureux sur le monde actuel, un vrai phénomène de société, mais on est un peu pauvres en arguments. Aucun de nous trois ne l'a encore vu. Je sais à peine qui est Omar Sy. Je devrais regarder Canal Plus plus souvent.

Lundi 14 novembre 2011

Réunion avec le président sur le Festival de Cannes. Je sais à qui il pense pour remplacer Gilles Jacob, il sait que je le sais et il se doute que je ne trouve pas que ce soit une bonne idée, mais alors pas du tout. On tourne autour du pot; averti par l'expérience, je n'avance pas le nom auquel je pense. Il prendrait certainement les devants pour dire que c'est impossible, mais on a dû lui dire que ce serait effectivement un bon choix et il doit être en train d'hésiter entre ce qu'il préfère et qu'il a sans doute plus ou moins promis et ce nom que je ne lui dis pas et qui donc l'intéresse de plus en plus. Le tout est d'éviter qu'il ne se braque et de laisser mûrir. Donc on prend la meilleure solution pour l'instant, qui est de ne rien décider, et on ressort le joker consensuel de demander au conseil d'administration le renouvellement de Gilles Jacob. Ouf!

Déjeuner théâtre avec le président. Nous avons fait la liste avec Olivier Henrard, mais il est difficile de faire l'impasse sur des gens qui le détestent et qui sont pourtant emblématiques de la profession. Les mêmes d'ailleurs doux et conciliants comme des agneaux dès qu'ils sont en sa présence. François Le Pillouër en gros Pilou bonasse, un rôle qu'il affectionne, se plaint un peu pour la forme. De toute manière, le président est d'humeur charmeuse et arrangeante. Il rappelle que jamais l'État n'a donné autant d'argent pour le théâtre, une vérité qu'ils ne veulent pas entendre quand je la leur rappelle mais qu'ils reçoivent cette fois sans la contredire. Il laisse aussi entendre qu'il va autoriser le dégel sur lequel j'insiste en douceur pour qu'il s'empare du sujet sans s'agacer et pour que chacun entende bien quand même. Macha Makeïeff, douce et charmante comme d'habitude. Jean-Marie Besset crée la surprise : «Je sais que ce n'est pas le sujet d'aujourd'hui, mais allez-vous autoriser le mariage gay?» Le président botte en touche : «Moi, je ne suis pas contre, mais... mais...» Beaucoup de mots aimables de sa part à mon adresse. Ça ne changera pas grand-chose lorsque je me retrouverai avec eux sur le ring et qu'ils auront oublié tout ce qui s'est dit à table.

Christian Deydier apparaît très remonté contre toutes les tracasseries administratives qui obèrent le marché de l'art et critique à l'égard de beaucoup de ses collègues qui roupillent tandis qu'il se démène comme un beau diable pour relancer les affaires et préserver l'éclat de la Biennale des antiquaires. Il a été élu président du syndicat et il est probable qu'il va leur mener un train d'enfer. Et c'est bien comme ça.

Grand prix de la Sacem au Casino de Paris : des ravages de la variétoc à la télévision sur la chanson française transformée en mélasse pour hit-parades traficotés et promos ringardes.

L'article de Véronique Mortaigne dans *Le Monde* est impeccable. Elle reprend tout ce que je lui ai dit, exactement et sans commentaire, sur une page entière. J'avais perdu l'habitude. J'ai eu raison de faire confiance à son honnêteté.

Mardi 15 novembre 2011

Passage éclair au Festival du film d'Amiens où je dois rencontrer les fonctionnaires de Bruxelles qui instruisent les dossiers de demandes d'aide des cinéastes africains et qui n'ont, selon moi, plus la moindre idée de la réalité matérielle catastrophique à laquelle ils sont confrontés pour présenter leurs projets. La situation est telle que prolifèrent maintenant, dans la pire économie tiers-mondiste, des officines chargées de mettre les dossiers en forme à Bruxelles et de les présenter pour les cinéastes ; lesdites officines rançonnent les malheureux candidats s'ils finissent par obtenir quelque chose. Bureaucratie, arbitraire, copinage et racket à tous les étages.

On me répond bien poliment ce qu'on me répond toujours en pareil cas : « Nous avons pris conscience du problème, nous sommes sensibles à la situation que vous décrivez, nous étudions de nouveaux dispositifs, nous allons prendre des mesures. » J'insiste sur le fait que je viendrai bientôt à Bruxelles et que je souhaite pouvoir rencontrer de nouveau mes interlocuteurs. « Oui, oui, bien sûr », me répondent-ils en s'agitant beaucoup sur leur fauteuil.

Mercredi 16 novembre 2011

Le président : « Vous êtes ministres et vous n'allez pas assez au contact. J'ai le relevé de vos déplacements en province, il faut bouger beaucoup plus. Quand on est ministre, on est toujours en campagne, et encore plus maintenant. Il y en a trop parmi vous, on se demande ce qu'ils font à ne jamais sortir de leur ministère ! Je vous assure que je vais suivre ça de près. » À moi, un peu plus tard, entre deux portes : « Je ne parlais pas pour toi, tu n'arrêtes pas d'aller partout, et même en privé pour les week-ends. C'est ce qu'il faut faire. »

Audition à l'Assemblée nationale sur la « copie privée », autre héritage de Jack Lang qui permet aux auteurs de toucher des droits quand on recopie un film pour son usage personnel. C'est minime à chaque fois, mais comme il y a beaucoup de fois cela finit par être intéressant. J'en ai fait moi-même l'expérience. Évidemment, comme on cherche de l'argent partout, Bercy voudrait bien récupérer ce modeste pactole sur le dos des auteurs. Discussion agitée, mais au fond ce sont des effets de manche, personne n'osera se mettre les artistes à dos pour un pré-texte pareil.

Didier Rykner distribue à longueur d'année et d'articles acides dans *La Tribune de l'art* les mauvais points à tous ceux qu'il juge néfastes à la défense du patrimoine. Il a mené campagne contre Anne Baldassari, Guy Cogeval, contre toute l'opération du Louvre Abou Dhabi. Un petit monsieur très gonflé d'importance et plein de fiel, l'esprit querel-leur et l'âme sans mansuétude, sûr du bon droit qu'il s'est attribué en l'ajustant à la mesure de ses passions et de ses vindictes et bien content de lui puisqu'il y a toujours assez de petits malins pour rire de ses saillies et de pleutres pour courber le dos devant lui. Pas nul dans cer-taines de ses indignations cependant, c'est bien là le problème, les méchants qui se maintiennent ont souvent un fond de compétence.

Le Syndicat des libraires me fait penser à ces touristes qui restaient sur la plage de Phuket pour photographier le tsunami produisant un si bel effet là-bas à l'horizon. Je n'arrive toujours pas à comprendre où sont passés les fonds considérables qui devaient leur servir à monter un Amazon à la française ; dépensés n'importe comment pour un résultat nul. Alexandre Bompard, qui a pris la direction de la Fnac, se révèle aussi effondré que moi par la situation.

Jeudi 17 novembre 2011

Le groupe Hersant, ou du moins ce qu'il en reste, avec de solides pépites comme *La Provence,* est en grande difficulté. Le journal de petites annonces, torpillé par Internet, vient de déposer son bilan en laissant près de mille deux cents personnes sur le carreau. Philippe Hersant, acculé par les banques, cherche à se dessaisir des autres titres dans les conditions les moins désavantageuses. Je comprends peu à peu, les moins désavantageuses *pour lui.* Son directeur, un type appa-remment sympathique, ne semble pas plus concerné que lui par le sort des salariés, au-delà de quelques propos de circonstance vite expédiés.

Contact aimable et impression pénible. Nous ne vivons pas dans le même monde. Philippe Hersant habite en Suisse.

Inquiétudes grandissantes sur la situation en Tunisie telles qu'elles me sont rapportées par le président des Amis du Bardo et Fadhel Jaïbi que je reçois ensuite. Fadhel, metteur en scène de grand talent, et sa femme, Jelila Baccar, qui incarne pour moi la version tunisienne des comédiennes méditerranéennes emblématiques, n'ont jamais transigé avec le régime de Ben Ali, en se tenant strictement à l'écart de toutes les tentatives de récupération. Pourtant la situation actuelle est tellement incertaine qu'ils éprouvent toujours autant de difficultés à mener à bien leurs projets.

Jean de Boishue et Jean-Paul Cluzel à déjeuner. Festival de conversation déliée, vive, amusante.

Lancement en grand tralala du Forum d'Avignon. La visite du président prévue pour demain a deux avantages immédiats : les difficultés concernant la donation Lambert sont semble-t-il aplanies ; des invités prestigieux se sont fait annoncer en même temps que les états-majors de Google, Amazon et autres cuirassés de l'économie numérique.

Atmosphère d'aquarium furieusement mondialiste mais au-dehors mistral et il fait froid. Nous rentrons à pied à la préfecture avec l'ami Burdeyron. La vie revient et reprend ses droits.

Vendredi 18 novembre 2011

Ouverture officielle du Forum. Chacun y va de sa contribution sur le registre : c'est très mal de pirater, Google et Amazon trichent et sont très méchants, il vaut mieux alerter l'opinion publique et les jeunes qui sont des inconscients lobotomisés par les Anonymous voyous, vivement des mesures urgentes, mais que fait l'Union européenne ? Imagination et volonté sont demandées au parloir.

Visite de la Fondation Lambert avec le président, impressionné par la qualité des œuvres et la personnalité tout en finesse d'Yvon. Éric Mézil et lui pilotent la visite avec habileté, sans jouer aux professeurs d'art contemporain pour le président, que ce genre de leçons exaspère, le laissant découvrir tranquillement ce qu'il a envie de voir et ne lui délivrant que de petites touches biographiques lorsqu'il le demande. Arrêt devant un bleu d'Yves Klein. Yvon Lambert écoute ses propos avec componction ; politesse et courtoisie naturelles de sa part, où se glisse certainement cette part de flagornerie universelle dont un président est à peu près toujours l'objet. Que pense vraiment à cet instant l'éminent collectionneur devant chef de l'État si plein de bonne volonté qui lui dit des choses qui ne comptent pas pour lui et qui ne lui inspirent au fond qu'une indulgence de circonstance dénuée de sincère sympathie ?

Roucoulade d'amour entre Yvon et Marie-Josée Roig, et cette fois c'est bien parti pour la donation. Je signale au président que le rôle du préfet Burdeyron a été décisif, et, geste rare de sa part puisqu'il considère que les préfets ne font que leur devoir, il le prend brièvement à part pour lui dire un mot gentil. À la fin de la visite, il insiste auprès d'Yvon Lambert pour pouvoir assister à la signature officielle de la donation prévue pour bientôt. «Bien sûr monsieur le président, bien sûr», sourires en chœur de toute l'assistance. Je ne sais pas pourquoi, mais je me méfie.

Et maintenant le grand discours très attendu devant un auditoire qui remplit toute l'ancienne chapelle des Papes et rassemble le gratin du Forum. Le président reprend l'antienne Hadopi et ajoute la lutte contre le streaming illégal avec un long développement sur le sujet. Christine Albanel est au premier rang, nous échangeons un regard amusé, celui de la bienvenue au club des anciens combattants de l'annonce intempestive. Applaudissements nourris de l'assistance. Nicolas Seydoux aux anges ; le Forum, c'est une affaire qui marche.

Au déjeuner qui suit, les quelques superpersonnalités conviées opinent du bonnet à chaque mot du président et prennent la parole pour surligner, seule Neelie Kroes fait entendre une musique différente en se montrant sceptique sur tous les dispositifs de régulation qui ont été mis en œuvre. Passe d'armes courtoise.

Rencontres bilatérales façon autotamponneuses ; chacun cherche s'il n'y a pas quelqu'un de plus important à voir que le malheureux qu'il a réussi à épingler en face de lui. Angeles vient de faire passer sa propre loi Hadopi au Parlement espagnol dans un climat de violent dénigrement de la part de ses anciens amis qui m'aura somme toute été épargné. Il est probable qu'elle va pouvoir passer bientôt à autre chose car tout indique que les socialistes vont être battus demain aux élections.

Une réunion de ministres de la Culture venus d'un peu partout. Pierre Sellal représente le Quai d'Orsay. La parole est à l'un de mes collègues étrangers, un brave type verbeux et qui plane dans une confusion complète. Je m'abandonne à un regrettable écart de langage en glissant à l'oreille de Pierre Sellal : «Celui-là, il est assez con.» Silence du secrétaire général, attaché à la retenue et aux bonnes manières de la diplomatie. Mon pauvre collègue n'en finit plus de s'enfoncer dans des considérations oiseuses. Quand il achève sa péroraison et que je regrette malgré tout d'avoir été si abrupt en le remerciant chaleureusement pour sa contribution, Pierre Sellal me murmure : «Vous aviez raison, il n'est pas "assez con", il est complètement con.»

Dimanche 20 novembre 2011

Si je pouvais au moins faire sentir aux députés de la majorité qu'il ne faut pas laisser le champ libre aux critiques des socialistes qui ne proposent rien et se contentent d'invocations grandiloquentes et superficielles. Au fond, les uns et les autres considèrent la culture comme un vieux meuble de famille encombrant qu'ils époussettent au moment des élections et qu'ils relèguent au débarras de la République le reste du temps pour aller s'occuper des affaires qu'ils jugent plus sérieuses. Mais évidemment, un meuble dessiné par Malraux et Lang, ça ne se déplace pas si facilement.

Lundi 21 novembre 2011

Réunion d'hommage à Laurent Terzieff au Théâtre du Lucernaire où, honte à moi, je n'étais jamais allé. Il est mort il y a plus d'un an, consumé de l'intérieur par un rêve mystérieux où il n'avait plus la force d'enfermer son amour du théâtre. Atmosphère sans tristesse ni pathos, tous ceux qui sont là et qui ne se consoleront jamais de l'avoir perdu ont l'élégance de ne pas faire étalage de leur chagrin, ce serait trahir la volonté de celui qui ne se plaignait jamais. Avec Lucien Attoun nous visitons lentement la petite exposition qui lui est consacrée. Je préfère évidemment les photos des années 1960, celles des tournages à Cinecittà surtout où il irradie une beauté fabuleuse empreinte d'une distinction qu'aucun jeune premier de cette époque ne possédait avec une force si singulière.

Numéro désopilant de Jean-Claude Dreyfus au gala de l'Union des artistes au cirque d'Hiver. Dans sa tenue de grosse travelote sur le retour du *Mardi à Monoprix*, il joue une hallucinante scène de ménage avec un phoque moustachu et acariâtre. Sa fantaisie, son humour et sa poésie, sa gentillesse aussi car finalement le mari phoque revient à de meilleurs sentiments. C'est très difficile de faire un numéro avec un phoque, il ne consent à vous donner la réplique que si on lui refile à chaque instant du poisson et le numéro est d'autant plus réussi qu'on lui donne discrètement ses friandises.

Dîner jeune chanson française; pas les artistes qui se plient au marketing télévisuel variétoc qui est ma hantise mais ceux qui ont vraiment du talent et qui sont d'ailleurs reconnus comme tels en faisant beaucoup de concerts; Camille par exemple qui tient des propos particulièrement intéressants sur son métier. En face de moi à table, Raphaël qui ressemble d'une manière stupéfiante à François Wimille, l'un des meilleurs amis de ma jeunesse, assassiné par le sida. Il en a la beauté, la grâce, la liberté de ton. À cette réserve près qu'il préfère les filles, tandis que François est mort d'avoir trop couru les garçons entre Paris, New York et ailleurs. Raphaël travaille beaucoup; François, qui possédait une infinité de dons, ne faisait pas grand-chose. À ce dîner, certains de mes invités se lèvent assez souvent pour aller aux toilettes.

Mardi 22 novembre 2011

Mort de tante Danielle. Sa voix si jeune au téléphone il y a quelques semaines encore. Elle me demandait d'intervenir sur un dossier concernant France Libertés. Ce que j'ai fait, je ne sais pas si elle l'a su. Depuis une dispute homérique à propos de ce criminel de Fidel Castro qu'elle défendait bec et ongles et contre toute raison, survenue il y a une quinzaine d'années, on ne se croisait plus que de loin en loin. À cette occasion, j'avais senti de sa part une animosité à mon égard nourrie par des années d'un contentieux injuste et j'en avais été atteint bien plus que je ne l'avais laissé transparaître. Danielle ne nous aimait pas, mes frères et moi; dans sa perception très manichéenne du monde et des rapports sociaux, elle nous jugeait sans doute gâtés, snobs, prototypes honnis des enfants du XVIe, ce que nous n'étions pas, en tout cas pas plus que ses propres fils, qui ont bénéficié de bien plus d'indulgences en tous genres que nous n'en avons reçu de nos parents. Je lui ai toujours reconnu de grands mérites, une grâce de jeune fille perpétuelle, la noblesse de sa fidélité à François, et en dehors de ses égarements mondialistes, le courage indéniable qu'elle mettait à défendre ses engagements. Mais elle n'avait en somme aucune envie de nous voir mes frères et moi. Il y a eu un léger mieux vers la fin, grâce à maman qui lui était très attachée malgré leurs manières de vivre différentes et parce que nous n'avions pas laissé tomber Jean-Christophe quand il a eu tous ses ennuis. Je l'appelais « ma tante », elle me disait « tu », pourtant cet usage n'était qu'une référence quasi protocolaire à un lien familial qui n'avait pas grande valeur ni d'importance pour elle. Elle était restée très populaire et savait se servir habilement de sa forte image publique pour soutenir ses convictions. L'opinion l'a connue sous un certain éclairage et moi sous un autre. À l'heure de sa mort c'est au premier que je devrais penser mais je n'y arrive pas tout à fait.

Soirée chez maman très éprouvée par la mort de Danielle. Moisson de souvenirs dont j'ai encore les photos et qui ne me disent que ce que je me force à y mettre d'agréable et d'heureux pour lui faire plaisir et la réconforter alors que je ne suis pratiquement jamais dans le cadre.

Mercredi 23 novembre 2011

Remise des titres de maître d'art. Toute la procédure d'attribution a été revue pour éviter les coups de pouce, parrainages intempestifs et procédés obscurs divers qui s'étaient progressivement incrustés, ce qui n'est pas allé sans quelques remous qui ont clapoté jusqu'à mon bureau. Mais le beau temps est revenu et l'atmosphère de la cérémonie est heureuse.

Tout le reste de la journée est consacré au débat sur la rémunération pour la copie privée à l'Assemblée nationale. Je profite seulement de l'interruption de séance où ces messieurs-dames vont à la buvette pour aller embrasser Sylvie Vartan qui fête ses cinquante ans de carrière à la salle Pleyel. Même pas le temps d'apprendre enfin *Qu'est-ce qui fait pleurer les blondes ?* Et j'ai beau regarder autour de moi dans l'hémicycle, c'est triste, il n'y en a pas une seule pour pouvoir m'éclairer.

Jeudi 24 novembre 2011

Le député-maire de Courbevoie voudrait restaurer le pavillon des Indes, jolie folie orientaliste qui a été démontée après l'Exposition universelle de 1878 et remontée dans le parc de Bécon où elle se dégrade inexorablement. Visite, encouragements, modeste promesse. Mais il faudrait penser à réaménager aussi le parc tout autour, très négligé et envahi par les baraques à frites. À Courbevoie se trouve également le très mystérieux musée des Cosaques, entièrement rempli de souvenirs de la Russie impériale et qui ne s'entrouvre que pour les descendants des exilés qui connaissent son existence et doivent montrer patte blanche à de vétilleux Dourakine confits dans la nostalgie impériale.

Réunion quasi surréaliste avec les éditeurs où nous essayons de les convaincre avec Élodie et Laurence de recourir aux possibilités offertes par le grand emprunt pour numériser et éventuellement rééditer leurs œuvres orphelines, plutôt que d'avoir systématiquement recours à Google. Méfiance générale ; l'offre de Google leur semble meilleure ou la nôtre arrive déjà trop tard.

Vendredi 25 novembre 2011

Les longues séances au Parlement se poursuivent pour l'examen des crédits du ministère. J'y ai pris mes habitudes et toutes mes interventions se déroulent dans l'atmosphère ronronnante que l'on réserve aux vieux routiers de cet exercice. Cela ne m'empêche pas de faire bien attention ; l'opposition ne dort que d'un œil et une petite phrase malheureuse est si vite partie, que l'on retrouve partout le lendemain et qui peut compliquer la vie pendant des semaines – parfois même pour plus longtemps encore si l'énervement ou la fatigue l'a rendue particulièrement maladroite ou offensante.

Samedi 26 novembre 2011

Forum *Libération* à Lyon où je suis censé débattre devant le public avec Umberto Eco sur le thème bien convenu «la culture peut-elle donner un sens à l'Europe?». Il avait prévu d'intervenir sur un autre sujet, il est de méchante humeur, s'accroche à ce qu'il a préparé et ne me laisse pas en placer une. Par courtoisie et lassitude je le laisse faire. De tout ce simulacre de rencontre intellectuelle, je ne retiens que l'ennui et le regret d'avoir dû me lever à cinq heures du matin pour y participer.

Obsèques de tante Danielle à Cluny, ordonnancées avec un sens certain de la mise en scène devant le décor magnifique de l'abbaye. L'aréopage socialiste avec ses principales stars, Martine en tête, occupe tout un côté des rangs de chaises; de l'autre côté de l'allée centrale, jalonnée d'une sorte de garde d'honneur dont je ne reconnais pas les uniformes, se tiennent la famille, les proches, les amis, les militants qui ont partagé son action. Compañeros, Barbudos, Kurdes et imposantes fratries des luttes tiers-mondistes se partagent avec plusieurs centaines d'anonymes le reste de l'esplanade. Il n'y a pas de place pour moi, le renégat qui représente néanmoins le gouvernement. Je reste debout, au vu de tous, durant toute la cérémonie, en marge du carré familial. Il fait froid, il pleut par intermittence, la cérémonie dure assez longtemps. Au fond, je suis assez content que personne ne se propose de m'accueillir d'un côté ou de l'autre, j'y trouve une morose satisfaction d'orgueil. C'est conforme à ce qu'était l'état de mes relations avec tante Danielle. Mes frères sont horrifiés.

Dimanche 27 novembre 2011

Wanda Landowska s'est fait construire en 1925 une salle de concert dans sa propriété de Saint-Leu-la-Forêt, près de Paris. Toute la crème du monde musical et artistique s'y est pressée durant l'entre-deux-guerres pour assister à ses concerts. Après le départ pour les États-Unis de Wanda Landowska, durant la guerre, la propriété a été morcelée et l'auditorium est maintenant habité par un couple qui souhaite s'en défaire. Ils se sont littéralement lovés à l'intérieur, sans toucher à la structure du bâtiment ; et tel qu'il est aujourd'hui, avec ce qui reste du jardin, c'est encore une pure merveille d'architecture Art déco. Une association se démène pour que ce charmant temple de la musique retrouve sa vocation première, mais il faut trouver un acquéreur, une formule juridique adéquate et tout le financement nécessaire. Nous nous y rendons comme des conspirateurs avec Jean-Pierre, mais l'incognito de notre visite est un secret de Polichinelle et les membres de l'association, le conseil municipal et l'ambassadeur de Pologne sont déjà sur place, entonnant tous le grand air du « il faut sauver l'auditorium ». Nous repartons avec des brochures éditées par l'association : belles photos de la salle de concert du temps de sa splendeur et de Wanda Landowska avec sa copine-esclave, grosse dame à la fois suave et sévère qu'on dirait sortie d'*Arsenic et vieilles dentelles*.

Retour par ces oppressantes banlieues d'Enghien et de Saint-Gratien, forteresses d'une petite bourgeoisie de station thermale cernées de toutes parts par les grands ensembles et les bretelles d'autoroutes labyrinthiques.

Jean-Luc Delarue à l'Hôpital américain : « Ça va aller maintenant, mais si tu savais tout ce qu'ils ont trouvé et que je trimballe depuis des mois ! » Il n'a pas mauvaise mine, il est gai et combatif. Sa compagne et son assistant me prennent à part et me disent que c'est très grave. Je perçois un peu mieux pourquoi il s'est rapproché de moi ces derniers temps ; désir de construire une amitié nouvelle au seuil de l'épreuve qu'il pressentait sans doute.

Essai de figuration intelligente auprès de Xavier Bertrand au « Grand Jury » RTL et dîner, ensuite, à son ministère. Il y a deux ou trois tables, il passe de l'une à l'autre et repart s'enfermer dans son bureau. En tout cas, il a l'air content que je sois venu ; et toujours moqueur : « Si tu pouvais éviter de dire que Blérancourt a été créé par deux lesbiennes américaines, ça m'arrangerait quand même pour te trouver de l'argent au conseil général. Les lesbiennes américaines, dans mon coin, ça fait peur à tout le monde. » J'évite de lui parler de mes découvertes à l'auditorium de Wanda Landowska.

Lundi 28 novembre 2011

L'esplanade du palais de Tokyo est plus sale que jamais : tags, poubelles éventrées, détritus divers, la pièce d'eau envahie d'une vase couleur de vomi ; des clochards dorment dans les recoins et les ados skateurs bousillent un peu plus à chaque passage acrobatique les revêtements et les marches. L'accord passé avec la Ville de Paris, avec qui nous partageons l'esplanade reste lettre morte et Georges-François s'épuise en vaines réunions pour déterminer «qui paie quoi» sans obtenir de résultat. Le palais de Tokyo doit rouvrir dans trois mois ; la perspective d'une inauguration devant un tel spectacle de désolation m'angoisse. J'ai demandé à Mark Alizart de me retrouver les statues qui étaient sur le parvis autrefois ; il a repéré où elles se trouvent, mais à quoi bon si rien n'avance.

Luc Barnier a été très heureux de recevoir sa décoration des Arts et des Lettres. Il voulait que la remise en soit discrète, mais beaucoup de gens de cinéma s'étaient passé le mot et finalement ce fut une petite fête très chaleureuse.

Mardi 29 novembre 2011

Emmanuel-Philibert et Jean-Marc à déjeuner. Les vrais garçons qui n'aiment que les filles mais qui m'aiment moi aussi. Ils ne se connaissaient pas, ils s'entendent tout de suite très bien.

Vote solennel à l'Assemblée nationale pour la rémunération de la copie privée. Cette fois, Bercy ne peut plus rien faire, mais il reste Bruxelles, qui n'a jamais digéré l'exception culturelle française et qui garde la rémunération de la copie privée en travers de la gorge.

Émission à Public Sénat avec Patrick Bloche. C'est curieux, je le connais bien désormais et ses réactions sont prévisibles, tandis que c'est comme si j'étais encore imprévisible pour lui, alors qu'il me connaît pourtant lui aussi depuis longtemps. Échange courtois pendant l'émission, aimable avant et après.

Cocktail en l'honneur de Pierre Nora au Centre national du livre. Je crois qu'il est sensible au fait que je mette un point d'honneur à faire abstraction de notre différend sur la Maison de l'histoire de France. Je n'ai pas besoin de me forcer.

Réponse d'Angeles Sinde au mot que je lui ai envoyé après la mort de son frère : « *Tus palabras me hacen llorar.* »

Mercredi 30 novembre 2011

Communication sur les canaux compensatoires au Conseil des ministres. J'en profite pour glisser un hommage appuyé à Michel Boyon et à son impartialité. Ce n'est pas que le président y trouve à redire, mais il n'aime pas beaucoup ce genre d'intrusion intempestive. Pas de commentaire. Message de Roselyne : « Youki, c'est la voix de son maître, mais attention, il ne faut pas japper trop fort. »

Discours aux Assises du numérique dans le grand amphithéâtre de Dauphine plein à craquer ; très technique, quelques digressions qui font rire. Mathieu Gallet : « Décidément, on a vraiment l'impression que ça vous passionne. » Toujours la vieille règle de Queen Mum : à force de s'intéresser, on s'intéresse vraiment.

À côté de la maison de Balzac à Passy, une bâtisse en ruine et un beau terrain. La Ville de Paris, qui en est propriétaire, veut absolument s'en défaire au lieu de s'en servir pour agrandir le musée. Claude Goasguen, député-maire du XVIᵉ, s'en désole mais ni lui ni moi n'avons les moyens de persuader Delanoë. Il a d'autres dépenses culturelles : le 104, la Gaîté-Lyrique, les aménagements urbains à l'usage des bobos électeurs...

Fanny Ardant, excellente dans *L'Année de la pensée magique*, au Théâtre de l'Atelier. Le best-seller de Joan Didion m'a paru lourd et emberlificoté lorsque je l'ai lu. C'était à Dubaï, chez Mathieu. Je levais sans cesse la tête de mon bouquin pour surveiller Sasha qui jouait dans le jardin. L'adaptation pour la scène et le jeu de Fanny le rendent simple, sobre et émouvant. Après, j'emmène Pierre Lungheretti, Dominique et Pierre-Yves manger des huîtres chez Charlot. Moment d'amitié heureuse.

Cinéma Soudan à Bamako : ça a l'air de mordre. Alain Juppé me confirme que le Quai d'Orsay est prêt à un effort particulier. Il tient le même langage à Xavier Darcos. Mais comme jamais aucune réforme n'est menée jusqu'au bout, il reste aux Affaires étrangères une administration-croupion qui double l'Institut français et qui s'ingénie comme il se doit à lui compliquer la tâche. Le risque de court-circuit vient de là.

«Sex in the city», exposition à la Bastille pour laquelle Solidarité Sida a beaucoup insisté sur ma venue. J'emmène Richard avec moi ; les inévitables petits Mickey de Canal Plus sont en embuscade et nous filment à tire-larigot sur le stand où sont présentés toutes sortes de «sex toys» ; comme de juste je fais le petit malin devant Richard qui ne sait plus où se mettre.

Clôture de la convention de l'Ordre des architectes, à l'espace Niemeyer de la place du Colonel-Fabien. J'étais très curieux de voir la réalisation du père de Brasilia, désir largement récompensé car l'intérieur de la coupole est d'une grande beauté. J'essaie d'imaginer ce que devait être le contraste entre les réunions présidées par Georges Marchais, avec tous ces gens perpétuellement de mauvaise humeur, et cette architecture lumineuse pleine d'élégance et de délicatesse. Jean Paul Gaultier y a organisé un de ses défilés et on peut louer l'endroit pour des manifestations plus légères que les colloques du comité central. Le siège du parti communiste connaît finalement le même sort que les églises : faute de fidèles, désaffection générale ; il faut trouver de nouveaux usages.

L'Histoire terrible mais inachevée de Norodom Sihanouk, roi du Cambodge : texte magnifique d'Hélène Cixous qui a déjà été monté par et chez Ariane Mnouchkine. Le Théâtre du Soleil en représente une version abrégée, en khmer avec sous-titres, jouée par une troupe cambodgienne de Battambang. C'est une petite jeune fille de feu qui incarne Sihanouk et le résultat est fantastique. Les comédiens vivent à la Cartoucherie, dorment sous des tentes individuelles, participent donc à ce communisme de la reine Ariane qui n'a rien à voir avec celui des Khmers rouges que dénonce le spectacle. Ils ont l'air très contents de leur sort, petits Khmers tout joyeux et tout sourire qui font la cuisine, se lavent, balaient et vivent tous ensemble quand la plupart de nos amis comédiens du Syndeac hurleraient au mépris de la convention collective et à la souffrance au travail.

Forcing pour faire nommer à la tête d'une Drac celle que Pierre Lungheretti et moi avons surnommée la «squaw». Une fille avec un sac tyrolien sur le dos, de gros yeux et des nattes qui dénote dans l'univers si conventionnel des hauts fonctionnaires du ministère mais qui est extrêmement compétente. Elle va secouer tout le monde, faire des étincelles, et son genre singulier s'imposera forcément. Elle est aussi très gentille, ce qui ne gâte rien.

Vendredi 2 décembre 2011

Le chantier des Archives nationales à Peyrefitte est presque achevé. Architecture très belle de Massimiliano Fuksas et programme mené sans dépassement ni retard. Ceux qui ont travaillé sur le chantier ont l'air touchés par l'hommage que je leur rends. Philippe Belaval : «Vous avez dit tout ce qu'il fallait dire et dans l'assistance on entendait une mouche voler pendant votre discours.» En guise d'épitaphe en somme, mais je n'ai fait que ce que je devais faire. Agnès Magnien, parfaite comme d'habitude. Pas de trace de Susanj et de ses amis qui doivent ronger leur frein à Paris. Mais je ne perds sans doute rien pour attendre.

Mikidache nous apporte son projet de Zénith à Mayotte. Pierre Lungheretti me confirme qu'on va trouver l'argent car le budget est modeste. À Mayotte, la situation sociale est très mauvaise; grèves et affrontements avec les forces de l'ordre; les politiciens locaux sont d'une nullité affligeante; la jeune femme que nous avons nommée pour mener à bien les projets du ministère n'a pas encore pu rejoindre son poste car sa sécurité n'est pas assurée.

Le Nouveau Théâtre de Montreuil, inauguré il y a quatre ans, est un défi au bon sens le plus élémentaire; il a coûté une fortune et s'avère incroyablement malcommode à utiliser : problèmes de sécurité, technicité rudimentaire, laideur des espaces empilés n'importe comment. Dominique Voynet m'attend de pied ferme pour que je lui trouve l'argent nécessaire pour tout reprendre de fond en comble : «Je ne veux m'adresser qu'à vous, car j'ai compris qu'il n'y a que vous qui puissiez prendre la décision.» Je n'ai aucune solution à lui proposer.

Samedi 3 décembre et dimanche 4 décembre 2011

Jean-Luc Delarue a quitté l'Hôpital américain. Il me reçoit chez lui, dans son bel appartement qu'il a rempli avec goût d'objets d'art contemporain. Il a commencé sa chimiothérapie et se force à l'optimisme. Sa compagne et son assistant font semblant, pour essayer de l'accompagner le mieux possible. Il est beau, n'a pas l'air particulièrement fatigué, mais je suis frappé par l'état de ses chevilles, elles sont exagérément gonflées et il se déplace en pantoufles.

Maroc.

Apposition de la plaque «Maison des Illustres» à l'entrée de la Villa Oasis d'Yves Saint Laurent à Marrakech. Pierre Bergé, qui a toujours soutenu la création de ce label, souhaitait en faire bénéficier la maison où Yves et lui ont été heureux, ont travaillé, ont construit l'œuvre et l'empire. Peu de ces semi-mondains qui traînent à Marrakech et qu'il évite le plus possible et beaucoup de Marocains à la petite cérémonie. Pierre est toujours là, quelque part, pas loin, disponible si j'ai besoin de lui.

Visite à l'École supérieure des arts visuels, très bien organisée, mais qui ne survit que grâce à l'apport de plusieurs mécènes. Avec la crise, les comptes sont de plus en plus difficiles à équilibrer. Une jeune fille tunisienne m'offre un tableau qu'elle vient de finir. Elle n'a pas l'air de me tenir rigueur de ma méchante réputation de suppôt de Ben Ali et rit quand je lui en fais la remarque : «Vous êtes l'ami univoque de mon pays !» Succès persistant de ce mot, *univoque*...

Inauguration du Musée berbère, dans le jardin Majorelle, entièrement financé par Pierre et qui est une merveille de goût. Il n'existe rien de tel au Maroc. Ministres et officiels qui trouvent très bien tout ce qu'ils découvrent, dont ils parlent avec effusion et dont ils ne se préoccupent en fait à peu près jamais.

Nuit à la «maison des invités» de Pierre, contiguë à la Villa Oasis, au fond du jardin Majorelle. Extrême raffinement, jusque dans les moindres détails; livres, dessins, confort absolu. On pourrait rester très longtemps. Avec Pierre, Doris Brynner, les Catroux, Charlotte Aillaud, Madison Cox, véritable fils adoptif dont la beauté persistante, les belles manières, le talent de paysagiste renvoient à un autre monde, enchanteur et infiniment gracieux. Il fait très beau. François Catroux bronze à peu près tout nu sur la terrasse, Charlotte raconte de jolies histoires, Betty me dit des choses adorables, Doris s'amuse de tout, Pierre règne. Des garçons aussi, d'un genre indéfini, très sympathiques de toute façon. Fleurs, cocktail, déjeuner entre nous, conversation enjouée et délicieuse.

Passage plus ou moins obligé au centre du festival du cinéma de Marrakech. Retour à la vulgarité «people» des pseudo-célébrités et pique-assiettes divers. Dehors, des petits jeunes aux yeux brillants se tordent le cou pour apercevoir les stars; dedans, les frères du gosse qui jouait dans *Babylone* me demandent des places pour la projection du soir, ils me disent que le cinéma a changé la vie de leur famille; tant mieux, si cela pouvait être vrai, mais je ne suis pas sûr que ce soit en bien.

Dans l'avion, je regarde le beau livre que Pierre a fait éditer *Yves Saint Laurent, une passion marocaine*, scrapbook des années que la mémoire a rendues heureuses avec des photos de toute la Café Society qui passait alors par la Villa Oasis. Je me répète les noms comme si je voulais les apprendre par cœur, tels les plans d'un film disparu. J'en rapporte un pour Jean-Pierre et un pour Lungheretti.

Lundi 5 décembre 2011

L'un des aspects intrigants de la personnalité de Patrick Buisson, c'est son goût pour le débat d'idées. Il ne porte pas de jugement sur les gens, ne lance pas d'anathème, ne cède pas à la tentation des racontars, ignore les rumeurs. En revanche, il analyse tout en fonction de sa propre grille de lecture d'homme de droite, dans la tradition maurrassienne, ayant toutefois jeté à la rivière les références antisémites. Il semble accepter très bien que l'on ne soit pas d'accord avec lui; il reste seulement muet, comme désolé quand on le contredit avec des arguments solides qui glissent pour lui à la surface des choses et ne peuvent atteindre le corpus très solide et très organisé de ses convictions profondes. Cette manière courtoise d'échanger des réflexions rend d'autant plus redoutable l'influence qu'on lui prête sur le président. Il prend manifestement la vie d'aujourd'hui comme un laboratoire qu'il étudie avec attention et dont il connaîtrait la formule, de telle sorte qu'il doit être difficile de le faire changer d'avis. Je ne m'explique toujours pas la longue proximité avec Le Pen et la direction de *Minute* pendant près de dix ans de cet homme si cultivé, si calme, apparemment si peu enclin à la violence.

Restauration de Versailles : des kilomètres de toits que nous parcourons avec Catherine Pégard, juchés sur des échafaudages. Tout est refait à l'identique, même s'il s'agit d'éléments qu'on ne verra jamais. Catherine a hérité du chantier dont le budget est astronomique, l'architecte des Monuments historiques est évidemment aux anges ; tous les deux, nous nous contentons d'admirer sans trouver rien à redire. À toutes les questions que l'on pourrait se poser, il faut seulement objecter que cela donne du travail aux métiers d'art ; quant au reste, garder pour soi l'ébahissement devant les mystères du fonctionnement de la corporation des architectes des Bâtiments de France et des architectes des Monuments nationaux qui marchent main dans la main avec l'administration du ministère.

Remise des insignes de la Légion d'honneur par le président à Martin Scorsese à l'Élysée. Je suis soudain frappé par leur ressemblance. Même gabarit, presque le même âge, volonté d'action et de puissance identique, nés d'eux seuls l'un et l'autre, également transgressifs, angoisse existentielle semblable.

Hommage à Jerzy Skolimowski à l'ambassade de Pologne. Le physique de boxeur s'est noyé sous l'apparence d'un monsieur bien convenable, mais le regard et la poignée de main sont d'une force incroyable. Discours et digressions sur le cinéma polonais avec références à Cybulski, le James Dean polonais mort de s'être accroché au train d'une fille qui s'en allait. Roman est présent : « Si c'est pour moi la prochaine fois, tu n'auras qu'à redire la même chose ! » L'ambassadeur m'annonce qu'il avance dans sa quête de mécènes pour l'auditorium de Wanda Landowska.

Mardi 6 décembre 2011

Visite du centre Google de Paris avec le président. Un immeuble entier refait à neuf; aménagement «sympa» avec les inévitables tables de ping-pong, machines à boissons, coins relax, une vieille deux-chevaux quelque part pour faire rigolo et décontracté, couleurs vives, moquettes criardes; une grande salle de jeux pour trentenaires avec un bon fond. On a dû phosphorer sacrément dans les réunions pour décider de l'architecture intérieure. Le côté forum culturel ouvert à tous que l'on m'avait profusément exposé est en revanche singulièrement absent, il ne s'agit que de l'ensemble de bureaux d'une sorte d'agence de pub branchée. Équipes de jeunes enthousiastes et positifs, très «United Colors of Benetton». Nous sommes plusieurs ministres dans le cortège. Discours du président dans le grand hall, qui insiste sur les droits de la propriété intellectuelle. Les patrons approuvent gravement de la tête. Je me demande ce qui l'a incité à faire ce déplacement. Sa fascination – compréhensible – pour ce qui réussit par la seule force de l'énergie, de l'intelligence et de l'organisation?

Déjeuner musique et danse à l'Élysée. Laurent Bayle et Brigitte Lefèvre pour leur discrète habileté à diriger la conversation, Bianca Li pour le fun. Les autres intimidés ou secrètement renfrognés. J'en profite pour arranger un peu mes affaires avec Marc Minkowski, qui pense peut-être que je n'ai pas fait assez attention à lui depuis deux ans, ce qui n'est pas faux et que je me reproche. Il y a eu deux réponses négatives, lesquelles? Olivier Henrard a refait la liste et n'en dira pas plus.

Pierre Soulages remet la Légion d'honneur à Alain Seban au Centre Pompidou. Toute la droite et la gauche de la nomenklatura, superstars comprises, de Bernadette Chirac à Anne Hidalgo. Avec un tel aréopage, le cher Alain est paré contre toute éventualité. Jean-Pierre sourit mystérieusement dans son coin; il n'est pas le seul. Enfin, Alain n'a pas volé sa décoration; il «tient» le Centre, ce qui n'est pas donné à tout le monde.

Mercredi 7 décembre 2011

Petit déjeuner avec Jill Abramson, rédactrice en chef du *New York Times*. Tentative de ma part pour que le *Herald Tribune* reste à Paris, le

New York Times étant la maison mère. Vague ressemblance avec Hillary Clinton, mais en plus dur et sec, femme de superpouvoir américaine qui ferait passer Anna Wintour (*Le diable s'habille en Prada*) pour une gentille girl-scout. Rien de ce que je tente de lui raconter ne paraît l'intéresser, ni le «printemps arabe», ni les prochaines échéances électorales.

François Fillon : «Arrêtez de m'embêter avec les salles de cinéma en zones rurales. C'est important, tout le monde est d'accord, mais je ne vais pas aussi m'occuper de ça. Qu'est-ce qu'ils fichent, au Centre du cinéma ? C'est leur boulot et ils ont tout l'argent qu'il faut. »

Le chantier du palais de Tokyo progresse vite. Le parti pris étant celui du dépouillement «destroy» façon entrepôts de Brooklyn, l'impression d'espace est formidable. Un détail qui permet de mesurer l'importance des travaux au-delà de leur apparente simplicité : la mise à nu du mur construit au siècle dernier pour éviter que la colline de Chaillot ne s'éboule dans la Seine et qui fait penser à la muraille de Chine.

Babar, Céleste, la vieille dame et ce coquin d'Arthur sont à la fête : remise de décoration aux Arts décoratifs à Laurent de Brunhoff qui a succédé à son père pour raconter les aventures du roi des éléphants. Il avait treize ans à la mort de Jean de Brunhoff et a enchaîné tout de suite en préservant miraculeusement le ton, le charme, la poésie et l'écriture de la série. Ambiance aristo-américaine. C'est maintenant un homme âgé qui vit depuis des lustres aux États-Unis.

Espace Pierre Cardin en folie : Liz McComb chante et le public transporté ne tient plus en place, danse devant la scène. C'est tout simplement prodigieux à entendre et à voir. On se croirait soudain dans une église de Harlem.

Jeudi 8 décembre 2011

Muriel Genthon est la collaboratrice idéale du ministre que je suis. Nette, précise, maîtrisant les dossiers, à la fois ferme et humaine dans ses relations avec ses subordonnés. Elle sent toujours où je veux aller sans avoir à me le demander, loyale au point de me contredire quand je me trompe ou que je m'emballe dans une mauvaise direction. Les relations avec elle sont simples, gaies et confiantes. En plus, elle est belle comme le jour et ne s'offusque pas quand on le lui dit. Muriel Genthon dirige la plus grande Drac, celle de l'Île-de-France, c'est un véritable ministère dans le ministère où elle est constamment exposée en première ligne aux difficultés de l'action culturelle et aux récriminations. Comme de juste, elle s'entend très bien avec Élodie et Laurence ; c'est simple, quand l'une des trois entre dans mon bureau, je suis heureux, je sens que le fardeau qui pèse sur mes épaules est tout d'un coup plus léger. Muriel est aussi la compagne de Jean de Boishue. Je l'ai appris par hasard, elle s'était bien gardée de me le dire, mais quand je l'ai appris ce fut encore avec plaisir.

Interview par Hedwige Chevrillon pour BFM TV. C'est en direct. Elle me pose une question très technique à laquelle je ne suis pas préparé. Panne subite, je bredouille à côté. Elle a la mansuétude de ne pas insister. Cela ne m'arrive que rarement, la fatigue sans doute.

Philippe de Saint Robert, horrifié comme moi par le mauvais français des présentateurs à la télévision. Il paraît qu'on ne peut rien y faire.

Vie de chien d'Anne-Marie Couderc. Présidente de Presstalis, la société qui distribue la majorité des titres de la presse, elle vit en permanence entre le dépôt de bilan, les inquisitions des élus, les injonctions contradictoires du gouvernement, les grèves à répétition et la menace constante d'être séquestrée dans son bureau par les gros bras des syndicats du livre. Avec cela, toujours positive et de bonne humeur.

Soirée Deezer au Carrousel du Louvre. Lise Toubon : « Voilà mon Frédo ministre préféré, le seul qui ne rate jamais une occasion de dire du bien de Jacques. » Je n'ai pas besoin de me forcer ; dans le marigot politique, Jacques Toubon est certainement le type le plus adorable que l'on puisse rencontrer.

Vendredi 9 décembre 2011

Week-end à Rome, Étienne Daho dans la tête. Il y a cette idée dans l'air que la Villa Médicis, durant mon bref passage, c'était plus gai, plus vivant, plus humain. J'ai beau en reparler longuement à Éric de Chassey, j'ai l'impression que mes remarques glissent sur lui comme sur les écailles d'un crocodile. Jean-Pierre : «Reconnais quand même que les restaurations avancent et que les pensionnaires n'ont pas l'air particulièrement mécontents.» C'est vrai. Je quitte la Villa comme un voleur qui aurait dérobé des sentiments qui lui font mal et dont il ne sait que faire car il ne connaît pas d'autre receleur que lui-même.

Le nouveau ministre des Biens culturels italiens est un professeur d'allure austère. Il hérite d'un ministère où son prédécesseur ne mettait pratiquement plus les pieds et où tout va à vau-l'eau. Conversation serrée, précise, intéressante. Il m'offre une très jolie gravure qui représente la place d'Espagne au XVII\ :superscript needed. Pas un pas, pas un geste à Rome sans qu'affleurent tous mes souvenirs, heureux et malheureux, en tout cas intenses.

Dîner au Piperno, le restaurant juif du ghetto de Rome et ses célèbres artichauts grillés. C'est Alain Elkann qui me l'avait fait découvrir ; Jean-Pierre, absolument ravi d'y retrouver la chère Aya disparue il y a quelques mois.

Nous dormons à l'ambassade. Hospitalité charmante de Jean-Marc de La Sablière et de sa femme, mon ancienne copine de Sciences Po. Je n'aurais voulu me réveiller à la Villa Médicis pour rien au monde.

Samedi 10 décembre 2011

«Rome au temps du Caravage» au palais de Venise. Nous y allons à pied. La pluie de la nuit a tout lavé ; enchantement d'un dimanche matin à Rome ; odeurs de marchés, familles qui se rendent à la messe, carillons et fragments de musique s'échappant des églises, prêtres américains athlétiques en soutane, grosses dames qui se parlent d'une fenêtre à l'autre, ragazzi pasoliniens réparant leurs scooters, bribes de parler romain. Scénographie de l'exposition par Pier Luigi Pizzi : du rouge, du rouge ! C'est somptueux, je regarde tout bien attentivement, je ne retiens rien. Syndrome de Rome.

Visite du Maxi, le nouveau musée d'art contemporain construit par Zaha Hadid, la Martha Argerich de l'architecture. Dehors, les formes qu'elle affectionne d'une grande baleine blanche échouée près du Tibre, et à l'intérieur, son héritage irakien, parcours et lumière de ziggourat.

Mais il n'y a presque rien à voir, comme au Macro, le musée de la ville de Rome, également très bien dessiné par Odile Decq, la talentueuse fiancée du vampire. Au fond, ne regarder des musées que leur architecture, c'est plus reposant. Les conservateurs du Maxi me font inscrire mes impressions sur le livre d'or en me demandant d'insister sur le fait qu'ils n'ont pas assez d'argent pour compléter leurs collections. Je m'en tire avec une formule diplomatique et ça leur convient très bien.

Au retour, dans l'avion, Jack Ralite me remercie confusément comme un vieux garçon timide pour toutes les attentions que j'ai eues pour lui durant ce week-end à Rome. Il a du mal à marcher, notre cortège s'est constamment ajusté sur son pas et la voiture était toujours prête pour lui.

Maman : « Je suis sûre que tu regrettes la Villa. Au fond, tu aurais peut-être mieux fait d'y rester. J'ai tellement aimé venir t'y retrouver. »

Dimanche 11 décembre 2011

Comme prévu, les représentations de *Golgota picnic* au Théâtre du Rond-Point tournent à la foire d'empoigne. Cordon de CRS autour du théâtre, prières publiques et bannières au vent, les jolis nazillons de Civitas surexcités, des mères de famille criant au sacrilège, Christine Boutin et Michael Lonsdale dans le rôle des manifestants d'honneur et de moralité, Jean-Michel Ribes tout à son affaire en Danton de la création artistique. La pièce est à peu près nulle ; Rodrigo Garcia une sorte de sous-Arrabal. Mais l'exaspération d'une frange de catholiques plus ou moins instrumentalisés par des extrémistes sortis d'on ne sait où ne doit pas être prise à la légère. On déborde du folklore et il y a là-dessous beaucoup d'angoisse, de peur, de méchanceté et peut-être de souffrance ; un nid de futures violences sur lequel personne ne se penche ni ne s'interroge sérieusement.

Lundi 12 décembre 2011

Le projet de couverture du grand patio de la mosquée de Paris se serait sans doute enlisé si je n'avais pas un peu bousculé les architectes des Bâtiments de France et la direction du Patrimoine. Accueil très chaleureux du recteur et des notables de la communauté à qui je rends visite pour le lancement du chantier. Ils se sentent si souvent traités sans égards, voire abandonnés, que toute marque de considération les touche.

Déjeuner chez mon aimable voisin, Jean-Louis Debré, pour parler de la candidature des «climats» de Bourgogne au patrimoine de l'Unesco. Toute une assemblée m'attend de pied ferme avec des notes et des photos sur ce sujet dont je ne sais absolument rien. Les «climats», ce sont les innombrables petits vignobles qui dessinent certains paysages de Bourgogne et leur confèrent un charme enchanteur, délicat et menacé. On tape *mezzo voce* autour de moi sur les autres candidats : les côtes de Champagne, les volcans d'Auvergne, les mines du Nord. Tous ont leurs avocats champions avec pléthore d'élus très concernés, de notables des chambres de commerce, d'agents du tourisme, d'érudits qui ont fait des années de recherche. En l'occurrence, Jean-Louis aura été le plus rapide en voulant m'enrôler dans sa campagne. Je m'attends à une sévère remontée d'huile de la part de Catherine Vautrin (Champagne), Brice (les volcans) et Martine (les mines).

Francis : «Le préfet Canepa a tout balisé pour que l'on puisse racheter la tour de Clichy-Montfermeil à un prix pour lequel personne ne trouvera à redire. On lui doit une fière chandelle. C'est à toi de décider, maintenant.» C'est bon, on fonce. Par ici madame la super inspectrice générale Arlot, j'ai encore besoin de vous !

Colloque des agents de la diplomatie culturelle : «La diversité culturelle, un atout pour la France dans un monde en mouvement». Les trois B : baratin, bavardages, billevesées. Je fais le discours de clôture, très applaudi ; je finirai conseiller à Pyongyang si je m'applique.

Dîner pour Leslie Caron. On parle beaucoup de la Cinémathèque de la danse, fondée et dirigée par Patrick Bensard, que la perspective de rejoindre la Maison de la danse à Puteaux n'enchante guère. Lambert Wilson, beau, charmeur, réservé, comme toujours. Il fut un temps où il se méfiait de moi, j'avais dû être maladroit, mais c'est fini maintenant.

Mardi 13 décembre 2011

On peut la retourner dans tous les sens, la circulaire de Claude Guéant sur l'obligation faite aux étudiants étrangers de retourner dans leur pays à l'issue de leurs examens même si on leur propose un travail en France est une catastrophe. Elle jette un éclairage désastreux sur notre politique d'immigration de plus en plus restrictive, s'avère économiquement contre-productive et suscite d'ailleurs une levée de boucliers chez de nombreux employeurs ; elle témoigne d'une méconnaissance et d'une frilosité extrêmes au moment où les révolutions arabes attendent de nous des signes de solidarité et souligne le manque d'humanité et la dérive crypto-lepéniste que l'on reproche au pouvoir actuel. Ce comportement d'huissier soupçonneux montre à quel point une bonne partie de la majorité est coupée de la réalité d'aujourd'hui. Claude Guéant n'a évidemment pas commis cette circulaire sans l'accord du président. Cela valait bien la peine d'aller visiter le centre de Google et de se féliciter de la présence de nombre de jeunes étrangers parmi les équipes. On me rétorque les faux étudiants chinois qui seraient envoyés par les triades et disparaissent dans la nature. Mais justement, ils ne passent pas d'examens ! On nage en pleine inconséquence. Appels à Laurent Wauquiez et à Valérie Pécresse qui sont vent debout et vont le faire savoir. Un sacré boulot en perspective : à la réunion du groupe UMP, ce n'est pas un sujet, tout le monde trouve ça très bien. Il n'y a plus qu'à organiser des Tea Parties avec Sarah Palin.

Le chantier du Théâtre éphémère s'achève. Tout a été construit fort bien et à une vitesse record. Muriel Mayette va pouvoir tenir sa saison sans le moindre accroc tant que la salle Richelieu sera fermée pour rénovation. La Maison de Molière reste au Palais-Royal ; c'est bibi qui l'a voulu et l'a imposé à tout le monde ! Euphorie générale et chaudes félicitations dans les salons du ministère à l'équipe qui a mené le chantier.

Jean de Boishue me confirme que la circulaire Guéant est passée directement de l'Élysée à l'Intérieur. François Fillon est furieux. Ils ont donc tort sur la forme comme sur le fond ; une mauvaise action accomplie dans la honte comme un coup bas.

Martin Malvy, ancien ministre de François et président de la région Midi-Pyrénées, notable socialiste à l'ancienne avec qui j'ai des rapports agréables, m'alerte sur la manière dont Bercy ronge peu à peu les avantages de la loi Malraux sur les secteurs sauvegardés qui a préservé le patrimoine de beaucoup de villes anciennes. Un ancien ministre socialiste, au secours d'une loi de Malraux, dans le bureau du neveu renégat ; situation finalement assez fréquente.

Mercredi 14 décembre 2011

En tout cas, la triste circulaire ne vient pas du bureau de Jean Castex à l'Élysée. Je n'avais pas commencé ma phrase pour m'en plaindre qu'il me dit tout le mal qu'il en pense. Il ajoute qu'elle est de surcroît inapplicable et qu'elle va entraîner un flot de contestations juridiques et de confrontations nouvelles avec les associations qui seront impossibles à «gérer».

Je me réveille donc chaque matin avec la voix exquise de Denisa Kerchova sur France Musique. Elle est aussi douce, spirituelle et jolie que je l'avais imaginée. Elle vient déjeuner avec Thierry Beauvert et Lionel Esparza, qui ont au moins trois qualités : celles d'être très intelligents, de connaître la musique avec une érudition phénoménale, d'en parler avec l'ignare que je suis sans l'ombre d'une condescendance. Jeunes gens de grande valeur, aux carrières heurtées par le jeu cruel des jalousies et des inimitiés dans un milieu qui prouve une nouvelle fois que la musique n'adoucit pas les mœurs.

Inauguration du cycle cinéma d'outre-mer à la Cinémathèque − ou la visite chez une poignée de héros qui produisent, tournent et sortent leurs films dans des conditions acrobatiques indignes de la République. Beaucoup d'espoirs dans la montée en puissance prévue de la chaîne France Ô. Mais on leur a déjà fait tant de promesses qui n'ont pas été tenues.

Moncef Marzouki élu président de la République en Tunisie. J'ai lu certains de ses écrits du temps où il était un médecin des pauvres, opposant résolu à Ben Ali. On peut attendre de bonnes choses d'un homme qui a écrit : «L'autocélébration et l'autodiffamation sont aujourd'hui les deux principaux désordres de la psychologie collective arabe. »

Dans la cage du tigre après en avoir dit tant de mal autour de moi depuis trois jours ; je planche au ministère de l'Intérieur sur les enjeux prioritaires de l'action culturelle devant une assemblée de préfets. Ils sont presque tous là, venus de la France entière. Il semblerait que mon intervention leur ait plu car ils applaudissent à la fin. Il paraît que ce type de manifestation d'approbation n'est pas le genre de la maison. Stéphane Bouillon, le directeur de cabinet du ministre : « Je vous le confirme, monsieur le ministre, cela n'arrive jamais, vous leur avez fait une forte impression. » C'est à entendre de tels compliments, au demeurant sans doute sincères, qu'on perd peu à peu son âme. C'est bien d'ici qu'est sortie la circulaire, et l'homme sympathique et mesuré qui me félicite si gentiment y a forcément prêté la plume.

En revanche, le nouveau préfet de la Guyane est resté à Cayenne pour m'accueillir. Allure militaire, l'habituelle amabilité de commande, belles moustaches blanches, anecdotes amusantes dans la voiture sur un ton pince-sans-rire. Je retrouve mon bungalow qui ouvre sur la mer. Le préfet me confirme que tous les présidents ont dormi ici avant moi et se sont plaints de la modestie de l'installation, sauf le président Mitterrand.

Le but du voyage : poursuivre le programme de la Maison des cultures guyanaises à l'hôpital Jean-Martial qui a du plomb dans l'aile depuis que la guerre entre Tien-Long et Rodolphe Alexandre s'est aggravée, renforcer Michel Colardelle à qui ils mettent tous des bâtons dans les roues, favoriser la reconnaissance des cultures bushinenguées, inclure les langues guyanaises dans le dispositif général du soutien aux langues régionales dont les défenseurs du basque ou du breton ne veulent évidemment pas entendre parler. Du pain sur la planche, en somme ! Pierre Lungheretti m'accompagne. Et j'ai mon Pierre-Yves avec moi.

Brève virée nocturne à Cayenne. Petite ville de province tropicale assoupie où les « Femmes debout » dans le genre Taubira fument en soutien-gorge sur leur balcon et se désolent d'être les seules à faire tourner la boutique. Une confirmation : Rodolphe Alexandre a tenu sa promesse, il a fait replanter tous les palmiers qui manquaient depuis des années sur la place centrale.

Vendredi 16 décembre 2011

Les Bushinengues me fascinent autant que les habitants de Miquelon, ce sont des survivants de l'extrême. Ils sont environ quinze mille à peu près irréductibles dans l'incroyable mosaïque ethnique de la Guyane, principalement répartis loin de la mer au bord du fleuve Moroni. Ce sont les descendants des Nègres marrons qui se sont échappés des plantations d'esclaves du Suriname au XVIIIᵉ siècle et que leurs maîtres hollandais lancés à leur poursuite n'ont jamais réussi à capturer. Les Bushinengues ont gardé la mémoire d'autres forêts, celles de leur Afrique perdue, et se sont forgé une identité de destin malgré leurs lointaines origines différentes à travers la révolte, la fuite, la constitution de fragiles républiques autonomes. Ils se sont adaptés, ont frayé avec les Indiens, non sans méfiance, et développé leur propre culture où une infinité de mythes et de savoirs se mélangent. Objets, peintures, musiques, rites : un autre monde d'une étonnante richesse. Avec cela, français comme vous et moi, avec passeport, Sécurité sociale et tout le fourbi si nécessaire.

Après deux heures d'hélicoptère au-dessus de l'épaisse moquette impénétrable sillonnée par des rubans de rivières boueuses, on atteint le Moroni. On se pose là où nous attendent les pirogues ; les pagayeurs bushinengués connaissent par cœur la carte des récifs et des rapides. Sur l'autre bord, le Suriname, c'est aussi chez eux. Quelle frontière ?

Arrivée à Papaichton, la capitale du pays bushinengué, avec toute la population qui nous attend au bord de l'eau. Quelques bâtiments en dur, le reste en lattes de bois et tôle ondulée. Visite au Grand Man, le chef du village ; quelques notables autour de lui. C'est un très vieil homme qui nous demande qu'on rende la statue d'un autre Grand Man, homme d'un passé indistinct et manifestement très révéré, qui a été emportée on ne sait pas trop par qui et remisée dans un musée de Bordeaux il y a longtemps. Je promets que l'on fera des recherches.

Pierre Lungheretti pense sans doute que j'en fais trop, retrouver cette statue dont on ne sait rien, c'est sans doute impossible.

Le maire et son conseil nous font les honneurs de la commune et de l'hôtel de ville. C'est rapide, passé le terrain de foot, il n'y a plus que la forêt, accessible aux seuls Bushinengues. Peintures très belles et charpentes sculptées également superbes. Michel Colardelle les raconte et attribue chacune des œuvres à tel ou tel groupe. Un grand Black aux dents en or qui a travaillé à Paris nous dit qu'il ne repartira plus jamais d'ici : il vend ses peintures et ses sculptures une fois par mois à des gens de Cayenne et c'est assez pour vivre. Un petit hôtel en dur avec des posters de Joe Dassin et de Mireille Mathieu ; il vient ici des visiteurs, routards vraiment aventureux ou misanthropes. Il y a aussi un dispensaire, un bureau de poste, une sorte de café avec la télé qui marche et que personne ne regarde, une école où les enfants viennent parfois de très loin en pirogue ; ils dorment souvent au village, recueillis par des parents. Michel Colardelle m'explique les liens de famille, mais il fait très chaud, je suis épuisé et je ne retiens pas tout.

Retour à Cayenne et clôture des états généraux du multilinguisme au centre culturel, l'Encre, avec des délégations venues de tous les confettis de l'Empire. On se croirait dans une maison de la culture de banlieue pour la soirée dansante « tropical parade ». Discours dégoulinant du ministre sur le registre de la citoyenneté fraternelle. On boit beaucoup, la colonie me reprend comme dans le vieux film d'Yves Ciampi au Congo, celui où la blonde avec des heures de vol dit qu'elle regrette l'odeur du métro, mais ce n'est pas Maria Félix non plus qui m'attend sous la douche du bungalow, plutôt les aplats géométriques de couleur vive des peintures bushinenguées qui tournent dans ma tête à une vitesse folle comme les cercles de Sonia Delaunay.

Samedi 17 décembre 2011

Tien-Long est bien plus gentil à Cayenne qu'à Paris. Il a repris ses bonnes habitudes de rigoler à toutes mes plaisanteries et remis son jean Wonderbra. On visite l'hôpital Jean-Martial. À ma grande surprise, les choses ont un peu avancé : les squatteurs sont partis et les bâtiments à l'entrée ont été nettoyés, mais tout reste à faire. Comme nous parcourons juste à côté la Maison des archives, qui sont effectivement à l'étroit, il m'annonce qu'il ne s'oppose plus à leur transfert à Jean-Martial, une décision collective me précise-t-il comme pour se dédouaner d'avoir été si hostile la dernière fois. On va voir ensemble la maison natale de Félix Éboué pour les «Illustres» et la cathédrale qui a été inscrite à l'inventaire. Dans la voiture qui nous ramène vers la préfecture et où nous nous entassons avec ses camarades, je lui demande pourquoi il a changé d'avis et approuve désormais si facilement tout ce que je souhaite faire. Il me répond que la gauche va arriver au pouvoir, que Sarko est foutu et moi avec, il n'y a donc plus de raisons de faire l'opposant, il vaut mieux reprendre pour soi ce qu'on a combattu si c'est bien quand même. C'est dit si candidement, si franchement que nous sommes tous pris d'un fou rire qui ne nous quitte pas jusqu'à notre arrivée à la préfecture où l'on nous considère avec un air éberlué.

À la préfecture, on signe plusieurs conventions d'action culturelle pour le cinéma, la lecture, la restauration de Jean-Martial. Tout ce qui donnait lieu à des marchandages et à des soupçons a disparu comme par enchantement. J'espère seulement que ce ne seront pas des chiffons de papier, Tien-Long est d'humeur tellement imprévisible avec son obsession de poser son joli petit cul sur le trône de Guyane pour y régner sans partage. Si la majorité change de camp, la guerre entre Rodolphe Alexandre et lui n'en sera que plus féroce et les projets risqueront une fois de plus de se retrouver otages dans la bataille. Cependant, au déjeuner républicain qui suit, la trêve se prolonge entre les deux adversaires qui échangent presque des amabilités. Le préfet : «Est-ce que vous vous rendez compte, monsieur le ministre, que Tien-Long ne se rend jamais à la résidence, par principe, et que c'est à cause de votre présence qu'il sera quand même venu chaque fois que vous l'avez fait inviter?»

Je n'ai peut-être jamais autant ressenti qu'en Guyane et à Cayenne cette tentation dont parlait François de devenir l'abeille travailleuse et l'architecte inspiré qui remet tout en place là où s'additionnent les incuries du passé et les luttes politiciennes. Cayenne, ses bâtiments en ruine et abandonnés, sa Drac inachevée, sa mangrove mouvante, son café sur la place des Palmistes, ses habitants tellement divers qui s'observent en chiens de faïence, ses deux présidents, dont l'un est malin, capricieux et charmant, et l'autre raisonnable, sérieux, entraînant par tout ce qu'il rêve d'accomplir.

On rentre en ayant zappé l'étape de Kourou et du lancement de *Soyouz*, faute de temps. C'est aussi bien, je n'ai pas l'âme d'un cosmonaute. S'il y a une prochaine fois, n'en déplaise à Tien-Long, ce sera pour le carnaval, où toutes les ethnies se mélangent paraît-il, et pour rencontrer les Amérindiens là-bas, très loin, dans la forêt.

Dimanche 18 décembre 2011

Mon frère Jean-Gabriel m'envoie un jeune architecte chinois qui a la réputation d'être très talentueux. Il veut participer à un concours important et ne dispose d'aucun appui ni conseil en France pour savoir comment présenter sa candidature. On a beau être dimanche, Ann-José Arlot passe par là. C'est un sixième sens chez elle, elle est toujours à côté quand j'ai besoin d'elle. Elle regarde le CV du nouveau venu, se plonge dans ses dessins et ses projets, grogne de plus en plus comme un bel animal féroce qui est tombé sur un morceau de choix, me prend à part pour me dire qu'il y a de bonnes chances pour qu'il ait un grand talent, revient vers lui, qui se demande à qui il a affaire et me jette des regards inquiets, et l'enlève brusquement pour l'emporter dans sa tanière. Elle m'appelle deux heures plus tard : il n'y a rien à redire, il est effectivement génial, elle s'occupe de tout.

Lundi 19 décembre 2011

Je continue à enchaîner les émissions matinales à la radio comme à la télévision. Mais je n'ai pas l'impression que la communication du ministère en soit améliorée. En fait, tout se durcit partout, l'irrationnel gagne, l'animosité à l'égard du président plombe les tentatives de débat. Les questions sont ou violentes ou biaisées, les réponses inaudibles ; le fond général du discours se résume à «vivement qu'on soit débarrassé de vous tous». Mais comme l'issue n'est pas encore certaine, chacun se donne encore l'illusion de la discussion, tandis que je tâtonne comme je peux.

En revanche, nette détente sur le front syndical ; Didier Alaime et Franck Guillaumet ont remplacé Monquaut à la CGT-culture. Ouf, on peut recommencer à se parler normalement. Ils ne lâchent rien sur la liste des revendications, mais on n'est plus dans ce jeu de séduction-aversion méprisante que Monquaut pratiquait avec une perversité infatigable et où il parvenait si bien à m'engluer, avec des résultats finalement désastreux pour tout le monde. Je les trouve sympathiques ; ils le sentent et ne s'en servent pas malignement.

Chaque fois que je retrouve Daniela Lumbroso, je repense à la chanson des Chaussettes noires qui égrène : « Oh, Danie-e-la ». Un de ces airs des années 1960 qui se sont incrustés dans la mémoire. Peut-être que sa mère aimait les Chaussettes noires et que c'est pour cela qu'elle s'appelle Daniela. Elle a voulu que je lui remette sa Légion d'honneur au ministère, même si son mari, ses proches, ses amis sont tous très remontés contre le gouvernement et appartiennent plus ou moins aux groupes qui préparent le Grand Soir version Hollande. D'où l'ambiance plutôt bizarre de la petite cérémonie où il y a foule avec une forte prépondérance de la jeune gauche offensive en repérage et pas mal de sourires sarcastiques échangés entre copains et copines qui comptent les jours. Je fais le rigolo de service sous le regard intense de Manuel Valls, plus bel hidalgo ibérique que jamais. « Oh Daniela, pourtant ne crois pas / Que tu peux, oh Daniela, jouer avec l'amour, / Sans risquer de te brûler un jour. » Pas de risque, en l'occurrence, la nouvelle chevalière est ignifugée et nous sommes contents, elle et moi, c'est l'essentiel.

Mardi 20 décembre 2011

Il ne faut plus dire « grand emprunt » mais « investissement d'avenir », c'est plus positif et ça sonne mieux pour les médias qui assistent à la conférence de presse que je tiens avec René Ricol en présence d'Alain Seban, Mathieu Gallet et Bruno Racine, élèves méritants de la première promotion des récompensés de la manne céleste. Cette impression renouvelée que de toute façon les journalistes s'en fichent et qu'ils viennent au ministère pour l'extrême-onction.

Candidatures pour la direction du musée Rodin. L'avalanche habituelle des interventions pour tel ou tel. Une jolie lettre de la mère de Mazarine qui tombe à pic : celle qu'elle recommande sur un ton gracieux et spirituel est celle que je préfère de loin. Jean-Pierre, qui suit l'affaire de près, est sur la même longueur d'onde.

Avantage d'être ministre : on découvre des gens qu'on croyait connaître un peu sans avoir envie de les connaître plus et qui se révèlent intéressants, pleins de ressources. Ma rencontre avec Pierre Lescure est excellente à tous points de vue. Sentiment partagé me semble-t-il.

Philippe Bélaval, le directeur du Patrimoine, est une belle figure de républicain à l'ancienne. Fin, lettré, poli, imprégné des meilleures valeurs de Marianne. Son péché mignon est d'aimer aussi les princesses. Il y en avait plusieurs à déjeuner, je l'ai taquiné sur le sujet, les nobles invitées étaient ravies et lui tout à son petit Marcel qu'il connaît par cœur. Un moment charmant.

Le comité d'histoire travaille sur son projet. Le décret pour la création de l'établissement public est prêt. Il faut faire vite : le non-programme socialiste pour la culture – à peine une page particulièrement indigente, ce qui relativise la nullité du texte de l'UMP – prévoit en effet de supprimer la Maison de l'histoire en reprenant les arguments des opposants.

Soirée pour le court-métrage au Centre Pompidou. Éric Garandeau a repris ce vieux combat qui fait toujours plaisir à tout le monde sans que personne ne se donne vraiment la peine d'y croire, avec cette capacité d'enthousiasme qui lui est propre. Je fais monter Agnès Varda sur scène, elle parle si bien que tout d'un coup on se dit que ça vaudrait quand même la peine qu'on se décarcasse un peu plus. Éric enchanté d'avoir trouvé la marraine idéale.

Mon Cédric s'en va. Il quitte le service la mort dans l'âme pour essayer de reconstruire sa famille à Toulouse.» J'ai eu beaucoup de chance avec mes officiers de sécurité. Jeune, attentif, prévenant, Cédric était heureux d'être avec moi et la perspective de se retrouver dans un commissariat en province pour une femme qu'il aime encore et dont il craint qu'elle ne l'aime plus guère le laisse désemparé comme un enfant. On se dit qu'on se retrouvera sûrement et on sait qu'on se ment.

Mercredi 21 décembre 2011

Claude Guéant, à la sortie du Conseil des ministres : «Je sais ce que vous pensez de la circulaire, Frédéric, mais cela fait beaucoup de bruit pour pas grand-chose. Elle ne concerne qu'un nombre très minime d'étudiants étrangers et il y a toutes les possibilités d'exception nécessaires.» Peut-être, mais le signal qui a été donné reste désastreux, et les administrations des préfectures ont déjà commencé à le relayer de la manière la plus restrictive, augmentant encore les dégâts. Le ministère de l'Intérieur ne s'attendait pas à une telle remontée de réactions hostiles ni à la prise de position très claire de Laurent Wauquiez. Selon Valérie Pécresse, maintenir la circulaire n'est pas tenable, elle sera sans doute annulée.

Étienne Mougeotte : «Aucun président de la République n'aura fait autant pour la presse que Nicolas Sarkozy. Pour sa survie économique, son indépendance et sa liberté. Il n'a reçu en retour que des campagnes de dénigrement d'une violence inouïe, des insultes et de la haine.» Étienne se ressert de la mousse au chocolat, seule consolation dont il dispose à cet instant devant ce sombre tableau de l'espèce humaine.

Élie Aboud, député de l'Hérault, vient me demander une aide du ministère pour que la ville de Béziers puisse racheter la maison de famille de Jean Moulin. Soit, c'est une belle initiative, mais qu'en est-il de la poste ? Le maire veut-il toujours la démolir ? Silence embarrassé. Élie est le bras droit du maire. J'aimerais bien savoir ce que Daniel Cordier pense de cette histoire de maison de famille de Jean Moulin. Jean-Pierre va lui poser la question.

Dîner de Noël avec les membres du cabinet, les conjoints, les enfants. Petits cadeaux. Comme une famille d'autant plus unie qu'elle se sait éphémère et menacée.

Jeudi 22 décembre 2011

Anne Baldassari fait visiter à la presse le chantier de rénovation du musée Picasso. Même les plus critiques et les plus vindicatifs vacillent devant la cohérence du projet et la manière dont elle l'explique avec sa clarté et sa fougue habituelles. Il y a trois vainqueurs dans ce combat qui était donné perdu d'avance lors de mon arrivée au ministère : Anne Baldassari, parce qu'elle a surmonté tous les obstacles pour le financer ; Jean-Pierre, parce qu'il n'a pas cessé de la soutenir et de trouver des solutions que je pouvais endosser ; le public enfin qui devrait être émerveillé par le résultat, mais cela on ne le saura que plus tard.

Dans ses tentatives désespérées pour que le ministère ne devienne pas un sous-marin de la gauche au sein du gouvernement, le bon Richard m'a concocté un déjeuner avec les représentants les plus déterminés de la droite dure. Thierry Mariani préside la table avec moi, Lionnel Luca et Jacques Myard l'encadrent, je prends Christian Vanneste, l'homophobe de service, à ma droite «pour lui faire du pied n'est-ce pas ?» ; le genre de plaisanterie qui met d'entrée Richard dans ses petits souliers. À la fin du déjeuner, Thierry Mariani me prend à part : «À chacun sa place, on s'y tiendra comme tu t'y tiens et ça marchera très bien comme ça.»

Richard me confirme dans l'après-midi qu'ils ont tous appelé pour lui dire qu'ils ont été très contents de nos échanges. Je n'ai pourtant pas l'impression de m'être éloigné de ce que je suis, ni de ce que je pense, même si j'ai quand même renoncé à faire du pied à Christian Vanneste.

Jean-Philippe Lecat, qui vient de mourir, injustement oublié, a été un ministre de la Culture compétent, actif, tolérant, pétri de bienveillance, qui a eu la malchance d'exercer ses fonctions après le rayonnant météore Michel Guy et avant l'ouragan Jack Lang. Maryvonne de Saint-Pulgent a eu la bonne idée de lui consacrer une journée d'études au ministère où nombre de témoins émérites, Catherine Tasca et Jack précisément, lui rendent hommage. À défaut d'avoir été un grand ministre de la Culture, ce n'est déjà pas si mal d'avoir été un bon ministre. Ils ne sont pas si nombreux

Dîner pour Aides au Centre Pompidou. Le tramway des «beautiful people» affiche complet. Le grand escalator est entièrement tapissé de préservatifs, une installation de Bryan McCormack, et tout le monde trouve ça très bien, très amusant. Il faut dé-dra-matiser pour récolter le plus de sous possible, montrer que la création artistique se moque du sida en étant plus forte que lui, ce genre de choses bien confortables qui me donnent envie de fuir. Enfin, je suis assis entre Marisa Bruni-Tedeschi et Bernadette Chirac, et voilà !

À propos de préservatifs, le « Petit Journal » a diffusé le reportage de ma visite avec Richard à l'exposition (!) de la Bastille consacrée à la lutte contre le sida. Le pauvre Richard y apparaît cerné de godemichets et de capotes, perdu, comme un Petit Poucet dans une forêt de sex-toys. On se le repasse en boucle dans tous les bureaux du ministère, et Richard, le bon genre et l'innocence incarnés, ne sait plus où se mettre. C'est bien la première fois qu'il m'en veut de quelque chose et j'aggrave mon cas en lui offrant un petit souvenir glané à l'installation de M. McCormack. Je crois n'avoir jamais rencontré un être si totalement dénué de mauvaises pensées, rigoureusement incapable de faire du mal à qui que ce soit, et, c'est bien sa chance, il a fallu qu'il tombe sur moi.

Vendredi 23 décembre 2011

La désignation de Nicolas Bourriaud comme nouveau directeur des Beaux-Arts a été bien accueillie. Il hérite d'une école qu'Henry-Claude Cousseau a réussi à remettre en marche mais qui souffre gravement des conséquences d'années de désintérêt de la part de l'État. Il va falloir trouver de l'argent, beaucoup d'argent, d'urgence.

François Fillon : « Vous voulez visiter le prytanée militaire de La Flèche ? Très bien, mais attention, hein, pendant les vacances, quand il n'y a plus personne. » Je fais l'étonné. Il rit.

Dans *Le Sommeil d'or*, le cinéaste Davy Chou tente de retrouver les traces du cinéma cambodgien d'avant les Khmers rouges. Hormis les films de Sihanouk, il ne reste pratiquement plus rien. Les bobines ont été détruites, les équipes assassinées, les salles transformées en dortoirs où s'entassent des familles misérables. Une séquence sauvée par miracle : des jeunes gens qui dansent le madison dans une villa de Phnom Penh, jeunes, gais, insouciants de la mort qui s'approche d'eux à toute allure.

Samedi 24 décembre 2011

Au petit déjeuner, désormais traditionnel, où je convie le personnel d'entretien et de sécurité à l'occasion des fêtes, ma copine Fatma s'exclame : «C'est vrai ce qu'on dit, monsieur le ministre, que vous ne serez plus avec nous l'année prochaine?» Indignation générale. Chérif, qui s'occupe de mon bureau : «En tout cas, moi, j'ai fait rentrer du bois pour votre cheminée pour plusieurs hivers encore!»

Le cirque traditionnel est méprisé par tous les syndicats du spectacle vivant, jugé vulgaire, archaïque, tourmenteur d'animaux, ringard et j'en passe. Il draine pourtant le plus grand nombre de spectateurs. Donc réveillon de Noël sous le chapiteau de Pinder avec les lions, les clowns, les éléphants et champagne dans la roulotte des enfants du patron avec la contorsionniste aux serpents, le dompteur et la troupe des acrobates mexicains.

Dimanche 25 décembre 2011

Déjeuner de Noël avec maman. Après-midi au ministère vide et silencieux avec mes amis les parapheurs. C'est parfait. Frédéric Sallet passe en fin de journée avec une dizaine de CV de candidats pour remplacer Cédric. Ils ont tous une photo. «Donc si vous n'y voyez pas d'inconvénient, cette fois-ci, je prends le plus moche!» Il me montre un type affreux : «Celui-là, c'est exactement celui qu'il vous faut, et en plus marié avec deux enfants.» J'acquiesce sans protester. De toute façon, avec lui, je ne sais jamais s'il me parle sérieusement ou s'il se fiche de moi. Ça fait partie de son charme. Il repart en sifflotant, enchanté, avec la photo du monstre.

Lundi 26 décembre 2011

À malin, malin et demi. L'officier de sécurité qui remplace Cédric est en fait absolument superbe : athlétique, les traits fins, un regard d'ange. C'est la photo qui était mauvaise. En plus, il me déclare d'emblée : «Je suis devenu flic un peu par hasard, monsieur le ministre;

moi, ce que je voulais, c'était devenir décorateur d'intérieur.» Je ne peux pas m'empêcher d'aller ricaner dans le bureau de Frédéric, consterné par sa bévue. Trop tard, ce qui est fait est fait !

Il y a plusieurs projets pour le pavillon français de la Biennale de Venise en 2013, ceux des grands noms de la république des arts d'aujourd'hui qu'on avance en toutes circonstances jusqu'à plus soif et celui du trentenaire Anri Sala qui est de loin le meilleur. Grande agitation dans le monde de l'art, qui est très ouvert, très progressiste, comme chacun sait, et dont l'écho se répercute jusqu'au tréfonds du ministère : Anri Sala est albanais d'origine, vit et travaille à Berlin. Il n'est donc pas vraiment français ou plutôt pas plus que ne l'étaient Picasso ou Modigliani, ai-je envie d'ajouter quand on tourne autour du pot devant moi sans oser annoncer franchement la couleur. Décision définitive aujourd'hui : ce sera bien Anri Sala et personne d'autre. Mark Alizart, qui l'a constamment soutenu au risque de se faire sévèrement alpaguer par nombre de ses amis, est soulagé. Jean-Pierre : «Je serais curieux de lire les articles qui vont critiquer, les arguments, les noms des auteurs. Mais personne n'osera peut-être descendre jusque-là.»

Hervé Bourges commandeur de la Légion d'honneur. Le président a validé en conseil des ministres sans barguigner ; j'avais un peu peur qu'il ne dise quelque chose de désagréable, car il ne l'aime pas, mais rien. Le salon des maréchaux fait salle comble pour honorer le nouveau commandeur, il se venge par un discours de remerciements interminable sur le thème ma vie, mon œuvre. Amusant spectacle de tous ceux qui sont pressés d'aller déjeuner, font de plus en plus des têtes d'enterrement et n'osent pas se défiler.

Déjeuner chez Marc Ladreit de Lacharrière pour son association des musées méconnus de la Méditerranée. Autour de la table, de quoi faire un gouvernement d'union nationale, et lui en président idéal : gai, entraînant, optimiste, avec quelques coups de patte quand les ministres se distraient.

Inauguration de l'exposition sur l'«invention du sauvage» au musée du quai Branly. Il y a tout ce que l'on sait un peu, bien illustré, bien présenté, sauf l'idée de l'érotisme du sauvage. Lilian Thuram est le parrain de l'exposition ; magnifique ; je repense à ma question, mais j'évite de la poser. Ségolène Royal surgit d'entre deux vitrines, telle

Fay Wray de la forêt de King Kong, belle, échevelée, chaleureuse; on s'embrasse, comme en famille donc.

Alain Casabona organise une nouvelle lecture dans l'ancien atelier de Picasso, rue des Grands-Augustins. Celui où l'officier allemand considère les épreuves de *Guernica* et lui demande horrifié : «C'est vous qui avez fait ça ?», et Pablo de répondre : «Non, c'est vous.» Cet atelier a été aussi occupé par Jean-Louis Barrault, et c'est Marie-Christine, sa nièce, qui lit un superbe texte de lui. Alain Casabona s'occupe du Conseil national de l'éducation artistique et il vient m'en parler de temps à autre au ministère pour me dire des choses très justes que je fais circuler à l'Éducation nationale sans jamais obtenir de réponse. C'est un homme cultivé, généreux, profondément gentil.

Hommage à Jack Ralite au Théâtre d'Aubervilliers : salle bourrée à craquer, pas très UMP. Il a décidé de mettre un terme à sa carrière politique, vaincu par l'âge qui l'empêche pratiquement de marcher. Petit discours où je rappelle à quel point il me faisait peur autrefois quand j'étais un jeune gommeux à foulard de soie au Festival de Cannes et lui une icône stalinienne au regard de bolchevique. Ça fait rire, et pourtant c'était bien comme ça. Leïla Shahid et Françoise Arnoul au premier rang; les amis que l'on ne voit pas assez avant, presque jamais pendant, et qu'on se jure de voir enfin beaucoup plus quand ce sera fini en se disant que ce sera peut-être encore comme avant.

Mardi 27 décembre 2011

Passage chez le préfet Canepa, dans son bel hôtel de Noirmoutier qu'il soigne avec ce «bon ton» attentif, héritage de République gaullienne qu'il est l'un des derniers à pratiquer comme si ça allait de soi. Or cela va de soi. Il a vraiment tout arrangé pour le transfert de la tour de Clichy-Montfermeil au ministère dans les meilleures conditions et il me manifeste une confiance amicale qui me regonfle et rejaillit sur tout ce que je fais. Il me rappelle beaucoup Hubert Védrine. Il en a l'esprit, la vivacité, la brillante intelligence. Pourtant, je le sens préoccupé, secrètement triste, et tout de go il me confie que sa femme est très malade. Je quitte un homme malheureux qui se tient seul dans le froid sur le perron de son hôtel et qui ne dit plus un mot.

Jihed aux sports d'hiver, Saïd en Inde, Mathieu dans les avions, mes frères en Corse et dans le Midi, Jean-Marc au Costa Rica, Emmanuel-Philibert en Suisse, Luc et Liria à la maison, maman et Jacques à Saint-Gatien et Valéry Freland pour m'accueillir à l'aéroport de Tunis.

Du mercredi 28 décembre 2011 au dimanche 1ᵉʳ janvier 2012

Plusieurs constatations tunisiennes :

1. Je ne connais plus personne dans les cercles du pouvoir. Ceux que je connaissais amicalement sont soit en prison, soit en exil, soit sous un profil tellement bas que je les gênerais plus qu'autre chose si je cherchais à les voir. Nombre de nouveaux visages, dans tous les domaines, dont je ne sais rien. Honte de ne les avoir jamais rencontrés du temps où j'étais le grand ami officiel et où ils résistaient en vivant dans la peur.

2. Sur la toile, je ne suscite presque que des réactions d'hostilité violente assorties de menaces ; qu'on lui reprenne sa maison, son passeport. Pour l'instant, mon statut de ministre étranger me protège, mais qu'en sera-t-il ensuite ?

3. Le socle des vrais amis tient bon, je les vois les uns et les autres ; ils me disent d'être prudent, en somme de ne pas trop me montrer. C'est tout aussi bien, je n'ai pas envie de sortir, sauf pour me rendre chez eux.

4. Aucun problème pour moi à Hammamet ; au contraire beaucoup de signes d'affection. Au moindre problème plusieurs personnes interviennent pour qu'on me laisse tranquille.

5. Tout est incertain mais on profite largement de la liberté retrouvée, dans la presse, à la télévision, dans la rue, au café. Personne ne regrette l'ancien régime et personne n'a voté pour les intégristes : la liberté implique aussi celle de ne pas dire ce qu'on pense, c'est un travers très partagé même en France. Inquiétude diffuse quant à l'avenir, au rôle des salafistes, au retour des touristes et à l'insécurité ambiante. Autrement, la vie suit son cours normalement, hormis les panneaux à la gloire de Ben Ali remplacés par des publicités pour les shampooings et les yaourts. Des

barbus et des femmes fantômes, mais qui existaient avant et qu'on ne voyait pas. Guère plus de voiles ni plus de monde à la prière.

6. Boris Boillon n'est pas là. Je me contenterai de rêver vaguement sur ses photos en James Bond «gay friendly». En revanche, Valéry, toujours vif, astucieux, serviable. Pas fatigué de cette existence sur le qui-vive et heureux de travailler aux côtés de Boris avec qui on ne s'ennuie jamais.

7. Mes chéries, Sihem, Amel, Dora. Lieu commun qui mérite d'être rappelé : ce sont les femmes qui gagnent les guerres et perdent les révolutions.

8. Clips de la famille Trabelsi en croisière qui passent en boucle sur les nouvelles chaînes de télévision : des gosses mal élevés vautrés sur des coussins en se goinfrant de glaces devant un écran de jeux vidéo, des fausses blondes à bourrelets en bikini avec des lunettes noires à monture de strass, des types obèses qui rigolent devant la caméra en jouant aux cartes et en fumant des cigares. Même les marins beaux gosses ont mauvaise mine. La nourriture, les magazines, les gadgets inutiles débordent de partout. Personne ne regarde la mer bleue, le paysage splendide. Ce serait dans un film de fiction, on dirait que le réalisateur exagère. Aux «Guignols», deux émissions distinctes sur deux chaînes différentes mais esprit Canal Plus garanti, apparitions tordantes de Ben Ali en émir saoudien qui fait le rusé en disant qu'on ne retrouvera jamais son magot.

9. La promenade d'Hammamet offerte par le prince Albert est intégralement taguée, les garçons se plaignent qu'il n'y ait plus d'Allemandes, on vent du pain sur les routes, les poubelles débordent partout, on ne répare plus rien.

10. Quoi de plus fatigant que les vacances ? on se sent brusquement épuisé dès qu'on s'arrête. Lectures, dîners, téléphones. Élodie et Jean-Pierre tiennent la boutique.

Lundi 2 janvier 2012

Jean-Pierre : «Tu te rends compte, on est le 2 janvier et c'est seulement maintenant que l'on reçoit les cartes de vœux ! Tu aurais eu tout le temps de les signer avant, comme si le ministre n'avait rien d'autre à faire au début de l'année!» C'est une vue du couloir du ministère que Francis et lui ont fait rénover par Felice Varini; les autres années, ce furent un charmant dessin de Sempé, une très belle photo de Bernard Plossu. Qui se rend compte du soin que Jean-Pierre met dans chacun des détails qui valorisent l'image du ministère?

Francis : «Bon, maintenant, la tour, la tour, et que ça saute, missié li ministre!»

Mardi 3 janvier 2012

Temps affreux sur le chantier du Louvre Lens. Le jour se lève sur un matin du Nord et se perd dans un épais brouillard glacial qui ensevelit le triste environnement industriel à l'agonie d'une région dévastée par la crise. Mais ces impressions lugubres sont balayées par la chaleur de l'accueil. Pourtant, que des socialistes purs et durs, toute la fine équipe qui tient le département, heureuse de me voir, consciente du fait que je n'ai pas cessé de soutenir le projet; ce qui n'était d'ailleurs pas difficile puisqu'il était déjà sur les rails lorsque je suis arrivé au ministère, Henri Loyrette, qui l'avait voulu, et Jean-Jacques Aillagon, qui l'avait décidé, ayant mis tout leur poids dans la balance; mais on ne sait jamais, un mauvais coup peut toujours arriver avec des programmes de cette importance et dans une région dont les caciques font partie des bêtes noires de la majorité. Pour eux, si contents de ma visite, mon casque de chantier est celui du neveu de François plutôt que celui du ministre. Oui, nous étions vraiment euphoriques, tous ensemble, à crapahuter en pleine gadoue et à parcourir enfin les magnifiques volumes de l'atelier Sanaa. On se quitte enchantés d'avoir pu partager ce moment, en évitant de parler de l'inauguration prochaine, qui aura lieu après les élections.

La chartreuse de Douai : jardin des sculptures, peintures flamandes, caravagesques français, impressionnistes; un autre de ces extraordinaires musées de province admirablement tenus où l'on pourrait passer des journées entières. Le maire de Douai, Jacques Vernier, est un polytechnicien, spécialiste de l'environnement, qui réfute obstinément tout autre mandat que celui qu'il exerce depuis trente ans. C'est rare.

À la Compagnie de l'Oiseau-Mouche, les comédiens sont, comme le dit la novlangue du politiquement correct, des «personnes en situation de handicap». C'est la première fois qu'un ministre de la Culture leur rend visite, habituellement ce sont les sous-ministres de la Santé qui viennent et sont préposés à l'admiration compassionnelle qui exaspère les handicapés. Il y en a de sévères, des autistes, des trisomiques, toutes les variations de l'étrangeté mentale. L'atelier théâtre permet à chacun de trouver une place et de s'exprimer, parfois avec une force stupéfiante. À leur répertoire, surtout Beckett et Ionesco ; les textes les plus complexes, les situations absurdes, les longs monologues ne leur font pas peur, tandis qu'ils sont perdus dans les comédies de boulevard. Déjeuner tous ensemble. On fait beaucoup de photos. Un garçon, dont la beauté est habitée par une sorte de violence larvée qu'il ne s'explique pas lui-même, demande à me revoir avec insistance. Je ne sais pas quoi lui répondre. J'aimerais lui consacrer du temps, et en même temps il me fait peur.

Passage à la piscine de Roubaix, pour laquelle on projette une extension. Déplacement aux archives du monde du travail où l'on réclame à cor et à cri depuis des années des conservateurs en renfort. Visite de la maison natale du général de Gaulle à Lille où l'on appose une autre plaque «Maison des Illustres» avec Jacques Godfrain. Le berceau du général, ses jouets d'enfant ; le même milieu que celui de mon grand-père maternel ; familles bourgeoises où un fils reprenait l'affaire et où les autres devenaient professeurs de grec et de latin, avocats, militaires, avec des femmes austères qui partageaient leurs valeurs, des enfants morts en bas âge et un cousin excentrique parti quelque part sans donner de nouvelles. Exposition Boilly au palais des beaux-arts, ses merveilleuses scènes de la vie bourgeoise pleines de gaieté et d'affection pour les êtres, détachées des horreurs révolutionnaires, de l'emphase de l'Empire, du conformisme de la Restauration. Didier Fusillier retrouvé en pleine forme ; son entrain et sa gaieté, sa vivacité d'esprit, le mettent à l'abri des foucades de Martine, sa tempétueuse patronne, qui rend les armes dès qu'elle l'a en face de lui.

À chaque étape de cette journée, à vrai dire hallucinante, les discours, les livres d'or et les médailles, les médias locaux, les responsables des principaux départements du ministère, les officiels, monter et descendre de voiture un nombre incalculable de fois, se protéger du froid, garder intact en soi le feu sacré.

Le petit déjeuner rituel des ministres au début de l'année, place Beauvau, c'est un peu la récré des bons élèves chez le surgé. Bonne humeur de commande, Roselyne en rigolote officielle de la bande. Après, petite promenade vers l'Élysée au milieu des journalistes et des caméras («Alors, alors? — Alors rien!»), et toute la classe se retrouve devant le proviseur pour le conseil. Échange de vœux entre le président et le Premier ministre. On essaie de glaner le moindre grain d'information nouvelle qui se serait glissé dans ces propos de circonstance, mais l'exercice, mécanique tournant à vide, est tellement lubrifié qu'on n'en saura pas plus sur l'état des relations entre les deux hommes.

Le président : «Il lit les journaux. Et quand il a fini de lire les journaux, qu'est-ce qu'il fait? Il les relit?»

Le Premier ministre : «Il est tellement mal élevé. C'est incroyable ce qu'il peut être mal élevé.»

L'ambassadeur du Qatar incarne le visage sympathique et plein d'aimable sollicitude d'une tyrannie entreprenante et matoise. C'est la chanterelle qui attire les oiseaux de toute envergure, du perdreau de l'année rêvant d'aventure au lourd faucon des grandes affaires, roucoulant du désir de se faire bien voir à la cour de l'émir. Mais c'est à Doha que s'opère le tri entre ceux que l'on laissera s'égosiller en vain et ceux qui auront droit à la becquée de pétrodollars. L'ambassadeur voit donc tout le monde, ne décourage personne, transmet bien diligemment chaque demande des postulants à la faveur du prince, fait patienter quand la réponse tarde à venir et console quand elle ne vient pas du tout. C'est un métier pour lequel il est récompensé par des avalanches d'invitations à des dîners parisiens sinistres et à des colloques soporifiques qu'il affronte toujours avec le même sourire bienveillant, un usage de mieux en mieux maîtrisé du français, de bonnes et belles manières insubmersibles. Je n'aimerais pas être à sa place.

Lancement des commémorations nationales 2012 après une sourcilleuse relecture du recueil. J'ai fait revoir le texte sur Pierre Benoît. Celui sur les accords d'Évian est squelettique. A priori, pas de nouvelle affaire Céline à l'horizon.

François Hollande a qualifié le président de «sale mec». Lui et ses proches ne répugnent pas à sacrifier à la bonne vieille tradition radicale-socialiste des coûteuses agapes dans des restaurants étoilés. À verser au dossier «Fouquet's» et «Casse-toi pauvre con» dont on nous rebat les oreilles.

Jeudi 5 janvier 2012

Pierre Oudart va venir renforcer la direction générale de la Création artistique auprès de Georges-François. Il était jusqu'à maintenant affecté à des fonctions périphériques bien au-dessous de ses capacités et de son talent. Il nous permettra de mieux répondre aux attentes du monde de l'art contemporain qui continue à me reprocher, tout à fait injustement, de ne pas assez m'intéresser à lui. C'est Jean-Pierre et Francis qui l'ont sorti du tréfonds du ministère, Georges-François, qui ploie sous la tâche, n'a pas fait d'objection. Ils se sont bien entendus d'emblée. Le plus piquant et le plus triste aussi dans cette nomination : il m'aura fallu près de trois ans avant de trouver l'oiseau rare. Je suis certain qu'il y en a d'autres d'aussi grande qualité prêts à prendre d'autres emplois pour lesquels on souffre d'un manque avéré de compétences. Légèreté du ministre qui a trop souvent tendance à se contenter de ce dont il dispose ou résistance opaque de l'administration à laisser avancer les meilleurs ? Un peu des deux sans doute, mais que de temps et d'opportunités perdus.

Dans la série des grandes occasions perdues, ma visite trop tardive à l'abbaye de Royaumont n'est pas mal non plus. À quarante kilomètres de Paris, dans un de ces recoins secrets du Valois où l'on a toujours l'impression d'être au bout du monde, l'abbaye est un monument cistercien d'une magnificence stupéfiante. Elle est le siège de la fondation créée par les anciens propriétaires avant leur mort et qui fonctionne un peu comme une Villa Médicis, à la fois centre culturel et musical très actif et lieu de rencontres et de débats. Mais c'est une fondation privée, voyez-vous, et qui a en plus l'outrecuidance de bénéficier d'une modeste subvention du ministère, autant de raisons qui expliquent qu'elle soit traitée de haut par la Rue de Valois et que l'on ne s'y soit pas inquiété d'y dépêcher un jour le ministre.

Vendredi 6 janvier 2012

Situation générale épouvantable, déferlement d'hostilité contre le président, amertume de l'opinion où son impopularité bat des records : il n'en a cure et va célébrer le six-centième anniversaire de la naissance de Jeanne d'Arc. Domrémy, et la maison natale de la Pucelle d'Orléans tellement rafistolée au cours des âges qu'elle n'évoque plus rien, comme ces vieilles belles dont les multiples liftings ont effacé l'idée même qu'elles eussent pu être désirables ; Vaucouleurs et quelques historiens spécialisés qui nous récitent les anciens albums illustrés du Livre de Job ; un gymnase bourré de citoyens ordinaires dont je ne m'étonnerais pas qu'il s'agisse de militants UMP qui écoutent bien sagement un discours tiré d'une séance de spiritisme où Camille Pascal a reçu la visite de Paul Claudel. En fait, la Jeanne d'Arc du président est celle du film de Dreyer auquel il fait si souvent référence, jusqu'au Conseil des ministres qui l'écoutent éberlués ; en exaltant la Jeanne des légendes, il parle de sa vérité la plus intime, celle où il puisa le courage qui le fit entrer dans l'école maternelle ou « Human Bomb » gardait des petits en otages.

Beaucoup de digressions personnelles durant le discours : Victor Hugo, Jean Moulin, Aimé Césaire, héritiers de Jeanne ; les racines chrétiennes de la France ; toujours cette manière inconsciente de parler de lui, de se décrire lui-même à partir de ces concepts et de ces images largement fantasmés d'une histoire de France comme on nous l'enseignait autrefois à l'école. Il se rend aussi très bien compte de ce qu'il affirme, mais est-ce qu'il se rend compte de ce que d'autres en feront ?

Pourquoi avoir emmené tant de monde avec lui ? Au moins trois Falcon. Dans celui qui nous ramène vers Paris : « J'ai eu bien raison de venir, je ne regrette pas. » On a donc dû lui dire de ne pas faire ce déplacement, que ce n'était ni opportun ni utile et il est passé outre ; il n'est pas sûr d'avoir eu raison, il veut qu'on l'approuve, ce qu'on ne manque pas de faire. À quoi bon le contredire, ce n'est pas ce dont il a besoin pour conjurer son angoisse.

Soirée en l'honneur du Ballet royal du Danemark à l'Opéra Garnier. La reine Margrethe et le prince Henrik ont prévu d'y assister à titre privé. Mais ce n'est jamais vraiment privé et je les attends sur les marches à l'extérieur. Canettes de bière un peu partout sur le sol, des jeunes vautrés qui fument tranquillement leurs pétards en s'embrassant et ricanent en voyant passer les spectateurs en tenue de soirée, en somme le grand chic français à son meilleur. Je ramasse les canettes une à une, sous les yeux stupéfaits de ces messieurs de l'Opéra qui finissent par reprendre leurs esprits et commencent à se baisser à leur tour, et je demande très diplomatiquement aux accros de la fumette s'ils peuvent se déplacer de quelques mètres. Frédo de la télé avec ses canettes de bière à la main ne leur est pas antipathique, ils se poussent un peu, on devrait pouvoir passer sans trop d'encombres.

La reine n'est pas du genre «à la bonne franquette» quand elle fait son boulot. À Luzech, dans le Midi de la France où elle passe ses vacances au château de Caïx, elle va au marché, parle aux villageois comme une gentille voisine et on dit : «Ah, la grande dame, si simple, si naturelle», selon les règles bien établies du snobisme populaire. Ce soir, quand elle sort de sa limousine avec le prince consort, l'ambassadeur et les dames d'honneur qui suivent, le scénario n'est pas le même ; robe longue à ramages et fourrures, bijoux étincelants, haute taille et port altier, amabilités soigneusement calibrées : quarante ans de règne, mille ans de dynastie, un arbre généalogique remontant aux premiers Vikings prend d'assaut l'Opéra Garnier sans un regard pour les alanguis de l'escalier qui en oublient éléphants roses et bécots et demandent en chœur : «Céki, céki?» Ensuite, tout se passe pour le mieux : *Napoli* sur scène avec le corps de ballet qui «entrechatte» gracieusement la délicate chorégraphie de Bournonville ; la kermesse aux étoiles dans la salle où le public qui s'ennuie un peu se tort le cou pour apercevoir sa majesté ; Sissi, dans la loge royale, avec moi en grand maréchal de la cour à qui tant de fourrures et de plumages donnent une furieuse envie d'éternuer. Ça se regâte un peu à l'entracte où il est prévu d'aller prendre quelques rafraîchissements dans un foyer particulier où d'élégants délégués du gratin parisien attendent d'être présentés. Il faut emprunter un vénérable ascenseur pour atteindre le carré enchanté. Nous voici dans le vieux bocal qui grince, la reine, sa principale dame d'honneur, le prince Henrik, un officier de sécurité nordique avec la tête ailleurs. Surgit Pierre Combescot qui s'engouffre à son tour. Passablement cuit, il reprend une conversation interrompue il y a bien longtemps avec le prince quand il était encore un jeune et sémillant diplomate français qui croisait paraît-il beaucoup dans ces cercles raffinés où certains messieurs ont plaisir à se retrouver ensemble ; sans un mot, sans un regard pour la reine, il attaque tout de go son vieux camarade des charmantes soirées d'antan : «Alors mon chou, tu n'as quand même pas oublié tes vieilles copines ? Et les biquets danois, ils sont aussi mignons que les petits Français ? Il paraît que c'est toi qui leur dessines leurs uniformes à la cour, tu fais aussi les essayages ? » L'ascenseur n'en finit pas de descendre, la dame d'honneur a pris une jolie couleur tirant sur le rouge écrevisse, l'officier de sécurité appuie nerveusement sur le bouton de l'ascenseur que cette fausse manœuvre bloque entre deux étages avant que je ne reprenne discrètement la main et remette la lourde machine en marche ; le prince consort, qui regrette sans doute d'être un peu trop sorti autrefois, ployant sous l'avalanche des heureux souvenirs de sa jeunesse, se dandine d'un pied sur l'autre, tandis que la reine, à qui plusieurs générations de rois assassinés par des anarchistes ont transmis un self-control à toute épreuve, contemple avec une attention soutenue la cage d'escalier qui défile lentement, si lentement devant elle. On arrive enfin à bon port, et alors qu'elle vogue comme un somptueux cuirassé vers le foyer pendant que ce diable de Pierre continue à évoquer, en serrant sa victime, les joyeuses parties fines au bon vieux Fiacre d'autrefois, je lui glisse, tout de même un peu fort, car j'ai remarqué le fil discret du sonotone : «C'est un écrivain très renommé, majesté, et comme tous les artistes il est un peu provocateur.» Elle, sans ciller et le pas martial mais enveloppée de toutes les glaces du Groenland : «Merci, je l'avais remarqué ! »

Pas d'autre incident à signaler ensuite. Pierre Combescot a disparu, sans doute garrotté par Brigitte Lefèvre, Hugues Gall félicite chaleureusement la reine pour la belle tenue du corps de ballet, on ne s'étend pas sur Bournonville, qui fut le premier à mettre en valeur les grands danseurs masculins, je fais un discours très Stéphane Bern dans le texte, les petits rats offrent des fleurs à Sa Majesté, harengs baltiques et aquavit, skål !

Samedi 7 janvier 2012

La vie politique est une addiction implacable. Lorsqu'elle cesse par la force des choses – élections perdues sans espoir de revanche, règlement de comptes qui parvient à ses fins, scandale insurmontable avec une bonne dose de ridicule –, l'ancien drogué n'en finit pas de parcourir vainement son carnet d'adresses, d'appeler dans le vide et de se morfondre en remâchant ses meilleures heures oubliées de tous, ses griefs plus ou moins imaginaires. Le présent est jalonné d'humiliations, l'avenir n'offre que de mornes perspectives de boulots plus ou moins de complaisance, de conférences maigrement rémunérées et qui sentent le réchauffé. Je croise souvent de ces pauvres vies qui se traînent. Rares sont celles et ceux qui descendent du train parce qu'ils l'ont librement décidé, ils en parlent alors comme d'une victoire sur eux-mêmes, ils sont gais, rajeunis, sans regrets. Ainsi de Frédérique Bredin, que je croise par hasard ; elle fut députée, maire, deux fois ministre et le sérail lui prédisait un grand avenir.

Dimanche 8 janvier 2012

À propos d'une affaire qui défraye la chronique, maman me demande ce que je pense de ces épouses d'hommes influents qui les laissent brusquement tomber quand ils sont pris dans un scandale, se mettent à table chez les flics où elles déballent tous les petits secrets qu'elles avaient bien gardés et divorcent en emportant tout ce qu'elles peuvent. Elle est surprise de me voir leur trouver des circonstances atténuantes. Le fait est que j'en ai croisé quelques-unes et que leur sort n'était pas enviable. Corsetées par leur éducation bourgeoise, longtemps fidèles et dévouées, s'occupant de leurs enfants, confinées dans leur rôle d'organisatrices des relations publiques assommantes de leur homme et de showrooms ambulants de leur réussite dans les mondanités, mais au fond perpétuellement humiliées dans leur statut de faire-valoir, ravalées publiquement lorsqu'elles tentent de prendre la parole, souvent maltraitées et trompées, voyant leurs rêves de jeunes filles et les années qui passent engloutis en pure perte, il ne leur reste que les armes des victimes, la trahison et la fuite. L'attitude du majordome de Liliane Bettencourt qui enregistrait toutes les conversations de sa patronne sur un magnétophone soigneusement dissimulé avant d'aller tout balancer à la police me semble bien pire moralement. Elle est d'accord pour le majordome, moins convaincue pour les jeunes femmes en révolte.

Lundi 9 janvier 2012

Les grands-ducs du Luxembourg n'avaient pas été invités à l'inauguration du Centre Pompidou à Metz. Cette désinvolture avait beaucoup mortifié les Luxembourgeois qui n'oublient jamais de rappeler que Robert Schuman, le père de l'Europe, est né dans leur pays et qu'il y a bien plus qu'une tradition historique d'échange entre Luxembourg et Metz, une familiarité profonde. Oral de rattrapage, je reçois le couple grand-ducal en essayant de faire oublier nos mauvaises manières. Ils viennent avec leur ministre de la Culture, qui est aussi ministre de plein d'autres choses, la très fine et très sympathique Octavie Modert. Jean-Pierre et Raphaël ont préparé soigneusement le programme avec Laurent Le Bon. Le préfet a mis les petits plats dans les grands, les préoccupations protocolaires s'effacent par un coup de magie, on s'amuse comme en vacances en sautant sur les divans profonds des frères Bouroullec.

Inauguration du Théâtre éphémère au Palais-Royal. La salle est vraiment belle, visibilité et acoustique parfaites, technique impeccable, léger et agréable parfum du bois neuf. Le public qui remplit tous les gradins n'en revient pas que l'on ait pu construire si vite et si bien. Muriel Mayette, bonne camarade, insiste beaucoup : « C'est le ministre qui l'a voulu, qui l'a fait, etc. » Pour rejoindre le Théâtre éphémère depuis la salle Richelieu, les comédiens du Français n'ont même pas besoin de sortir dans le froid, ils passent par les salles de répétition sous la cour des colonnes de Buren.

Mardi 10 janvier 2012

Évaluation de Richard Descoings sur l'éducation artistique à l'école dont on trompette que c'est un grand succès et dont je sais très bien qu'elle ne marche pas : « Vous ne pouvez rien y faire, tout est dans les mains de l'Éducation nationale où les syndicats n'en veulent pas. Ils l'ont torpillée dès le départ en lessivant les programmes dans des commissions paralysantes, ils l'étouffent en refusant que l'on crée une filière spécifique. Encore deux ou trois ans et plus personne n'en parlera ! »

Le Pillouër et Voirin de fort méchante humeur. Ils font monter les enchères avant les élections. Quand je le leur dis, ils font les insultés. Après, ça se calme, on avance sur quelques dossiers techniques. Au fond, même si les socialistes leur font des promesses, ils ne sont pas certains qu'ils les tiendront et, à tout prendre, je ne suis pas le pire des interlocuteurs. L'avantage avec les salauds de droite c'est qu'on peut les engueuler sans aucun risque...

L'augmentation de la TVA sur les livres, étranglement surprise exécuté brusquement par la machine technocratique sans qu'on l'ait vu venir, ruine d'un seul coup le dispositif que nous avions mis en place pour aider les libraires. Effet psychologique désastreux. Élodie et Laurence se démènent pour obtenir un délai de grâce. Politique de gribouille à courte vue dont le ministre n'est pas responsable mais dont il doit essayer de réparer les dégâts. Ce n'est pas la première fois.

Raoul, spectacle magnifique de James Thierrée, avec Jérôme Cahuzac accompagné d'une belle créature, et toujours aussi amical. Allons, c'est le charme du soir qui rend la journée soudain moins amère.

Mercredi 11 janvier 2012

Le président : «Oui, je sais, je sais, je n'écoute rien ni personne ; vous savez bien que ce n'est pas vrai. Au contraire, je laisse tout le monde parler et j'écoute beaucoup. Et je vais vous faire une confidence, je retiens même ce qu'on me dit !»

Jean-Bernard Lévy : «Vous avez bien joué pour la TVA Canal. Ils s'en sont souvenus, la TVA sur le livre, c'est le retour du boomerang. Il faut être au moins deux pour résister, nous avions Canal et le cinéma ; les libraires étaient seuls sans les éditeurs. Et vous, qu'est-ce que vous pouvez faire ? Ce n'est pas avec un point et demi de plus de relèvement que vous pouvez jouer la carte de l'opinion.»

Cette atmosphère étrange aux vœux du président de la République à l'Élysée ; tous ces parlementaires et ces conseillers de Paris assis bien sagement en train de l'écouter, qui le haïssent et pensent : «Plus que quatre mois et tu vas voir ce que tu vas voir.» Lui formule des vœux pour la France et après salue chacun de manière très courtoise.

Avant-première très CAC 40 de *J. Edgar*, le film de Clint Eastwood sur le tout-puissant patron du FBI, pendant presque cinquante ans, folle honteuse qui détestait les pédés, les libéraux, les communistes et les Kennedy. Vincent Bolloré et Christophe de Margerie d'accord pour mettre des sous dans le Cinéma Soudan. J'ai emmené Doris, très gaie, tout de suite copine avec tout le monde.

Jeudi 12 janvier 2012

Gilles Jacquier, grand reporter d'images, est mort assassiné à Homs durant les combats de la guerre civile syrienne. Impossible de savoir par qui à l'heure actuelle.

Conseil supérieur des Archives. J'ai Georgette Elgey à côté de moi qui ne dit que des choses aimables et gentilles. Mais la Maison de l'histoire ne tarde pas à surgir comme le monstre d'*Alien*. Une virago que je n'avais jamais rencontrée se lance dans une vitupération implacable. Il paraît que c'est la femme de Susanj. Jolie, un air de douceur; tricoteuse sous la Terreur.

Déjeuner avec Guillaume Peltier, le nouveau bébé gourou dont s'est toquée la camarilla qui ceinture le président. Aimable, souriant, gentil sourire du garçon qui laisse sa place aux vieilles dames dans le métro. Précédé d'une flatteuse réputation d'analyste acéré des sondages et de tacticien vigoureux qui a creusé jusqu'aux dernières radicelles de la France profonde. Pour lui, la réélection du président ne fait pas un pli s'il colle bien à la stratégie du «à droite toute». Considérations allant dans le même sens sur la nécessité de répondre aux «vraies attentes du vrai peuple de droite». Il vient directement du Front national et il n'a sans doute pas eu le temps de beaucoup changer. Son aplomb me laisse bouche bée. Il me donne l'impression de ces ardents guerriers d'autrefois sur leur destrier dont la fougue permettait de gagner des batailles et dont l'aveuglement faisait perdre des empires. Je le contredis, il trébuche un peu, mais repart prestement à l'assaut. Après le déjeuner, Béatrice Mottier, conquise mais étonnée de l'avoir vu vaciller : «Vous avez bien vu que vous l'intimidiez.» Je ne saisis pas pourquoi et je ne crois pas que cela puisse durer longtemps ou servir à quelque chose.

Mes amis chrétiens d'Alep donnent un grand raout pour le mariage de leur fils à l'Opéra Garnier. Malgré l'ancienne affection que je leur porte, je ne vois pas comment je pourrais m'y rendre alors que le soulèvement contre Bachar et la répression enfoncent chaque jour un peu plus la Syrie dans une spirale sanglante infernale. Certains de leurs amis insistent sur le ton de la mondanité joyeuse pour que j'y aille et font semblant de ne pas comprendre que je refuse ; soit ils comprennent évidemment très bien, soit ils sont si futiles qu'ils ne comprennent rien à rien.

Vendredi 13 janvier 2012

Le Parisien est un excellent journal, populaire mais pas réac, très complet avec des faits divers bien racontés ; chaque fois que je l'achète je me dis que je devrais arrêter *Libération*. Jean Hornain, le directeur général, et Mme Amaury, la présidente, ont l'air de très bien s'entendre ; il est vrai que le journal marche quand la plupart des autres tirent la langue. Gens sérieux, fiables, avec qui on ne s'ennuie pas.

Déjeuner consacré au «monde du livre» avec le président à l'Élysée. Il arrive en retard, très tendu. La France vient de perdre son triple A il y a une heure. La conversation ne démarre jamais vraiment ; éditeurs et libraires sont à couteaux tirés, le président ne veut pas qu'on lui parle de la TVA. Il aurait fallu commencer par les auteurs, des propos sur la littérature, même superficiels ; on s'enferme dans des discussions de boutique qui ne le sortent pas de ses soucis et parmi lesquelles il se déplace à l'aveuglette en enfonçant des portes ouvertes sur la propriété littéraire, les droits d'auteur, la numérisation dont ses interlocuteurs n'ont pas très envie de parler non plus.

La Tribune est à l'agonie, siphonnée par *Les Échos*, les pages saumon du *Figaro* et Internet. La gauche fait un mauvais procès au gouvernement en l'accusant de vouloir la mort du journal et de ne rien faire pour le sauver, alors que le ministère se démène au contraire pour essayer d'attirer des repreneurs fiables. Je reçois des appels désespérés des journalistes, on tente d'obtenir des délais au tribunal de commerce, mais pour l'instant les seuls candidats solides prévoient uniquement une édition Internet avec un licenciement massif de la rédaction.

Michel et Marina reviennent de Grèce très inquiets devant la dégradation accélérée de la situation. L'orphelinat qu'ils financent et dont ils s'occupent est submergé de demandes auxquelles ils n'ont plus les moyens de répondre. Ils sont bien les seuls membres de l'ancienne famille royale à partager le malheur de leur pays.

Samedi 14 janvier 2012

François Hollande parle de « réenchanter » la France. Lourde tâche, il devrait venir faire un tour au ministère cerné par la mauvaise rumeur générale.

Exemple : la tribune désagréable de Catherine Millet dans *Libération* qui me reproche pêle-mêle de ne rien faire pour l'art contemporain, ce qui est faux, de lancer des réunions inutiles, elle n'a qu'à pas venir, d'arriver en retard, ce qui est assez médiocre et en l'occurrence inexact. Je croyais que nous avions une relation certes lointaine mais suffisamment courtoise pour qu'elle me fasse ce genre de reproches directement et m'épargne une telle volée de bois vert dans la presse. Je lui réponds par une lettre franche mais aimable et respectueuse. Elle me renvoie un poulet aigre et antipathique. Cette manie que j'ai de toujours vouloir convaincre les gens hostiles et d'essayer de pacifier des situations d'antagonismes que j'ai du mal à m'expliquer rationnellement ne mène décidément à rien. Dommage, c'est bien, *Art Presse*; belle maquette, bons articles. Je ferais mieux d'écouter Jean-Pierre qui connaît tout ce petit monde par cœur et me conseille de laisser tomber.

Dimanche 15 janvier 2012

Au concert d'Amadou et Mariam, la grande salle de la Cité de la musique est plongée dans le noir absolu. À leur demande. Expérience un peu angoissante de cécité collective avec la voix et les sons des deux aveugles maliens pour nous conduire dans cette obscurité qui est la leur en permanence et qu'ils nous font partager le temps d'un récital.

Lundi 16 janvier 2012

C'est un peu mystérieux pour moi, cette visite de la Cité du cinéma de Luc Besson par François Fillon avec tout le tremblement des élus locaux, des médias, des célébrités diverses et de tous les gens qui ont mis de l'argent ou travaillé sur le projet. Au fait, nous ne sommes pas sortis du grand hall de l'ancienne centrale électrique, et pourtant il paraît que tout sera prêt à fonctionner dans quelques mois. Luc Besson ressemble à Coppola à l'époque où il voulait absolument forcer le destin. C'est ce qu'il faut éviter de dire ; on ne parle pas de corde dans la maison d'un pendu.

Didier Lockwood est un type épatant. Musicalement surdoué, il a préféré la voie du jazz et consacre une bonne partie de sa carrière et de ses succès à l'école qu'il a fondée. Il me remet un rapport sur les réformes qu'il faudrait introduire dans les conservatoires, où en gros rien n'a changé depuis des lustres. Ses conclusions sont sages, mesurées, parfaitement raisonnables ; elles suscitent une opposition farouche de la plupart des directeurs de conservatoires.

Perle d'une directrice de conservatoire : « Il faut arrêter de dire conservatoire, c'est trop... conservateur. » Elle cherche fébrilement autre chose.

Dîner chez Jean Hornain et son copain Yannick. Les deux petits Ukrainiens montrent fièrement leurs bulletins de l'école alsacienne où ils ont de très bonnes notes. C'est Yannick qui va aux réunions de parents d'élèves.

Mardi 17 janvier 2012

Rafales de vœux : les ministres à la presse, au personnel de leur ministère. Le Premier ministre aux parlementaires. Usage surréaliste étant donné que, entre les ministres et ceux qui sont gratifiés de ces délicates attentions, on se souhaite, même plus secrètement, exactement le contraire.

Les plans-reliefs au Grand Palais. Le président heureux comme un enfant devant les belles maquettes monumentales de la France d'autrefois. Il ne manque que le train électrique. Mais c'est encore une fois son histoire de France qui s'étale devant lui. En l'occurrence, de manière spectaculaire car les plans-reliefs sont de toute beauté et encore valorisés par une scénographie en miroirs de Nathalie Crinière qui permet de voir tous les détails ; très fragiles aussi, ce fut toute une histoire de les transporter sans dommage depuis les soupentes du musée des Invalides jusqu'au Grand Palais.

Le président : « Je ne suis pas un robot. Toi, tu le sais bien, mais les autres, quand est-ce qu'ils vont le comprendre ? »

Dîner pour Fanny Ardant. Joli plan de table autour de notre grande chérie qui avait l'air bien contente. Il y a ce lien entre nous depuis notre première rencontre, un certain soir où je tenais la caisse de l'Olympic et où j'ai vu surgir François Truffaut avec la jeune femme brune inconnue dont il venait de s'éprendre. Seul voile de tristesse sur la soirée, Luc, trop mal, qui n'a pas pu venir.

Mercredi 18 janvier 2012

Les laboratoires de cinéma au bord du dépôt de bilan les uns après les autres, ruinés par l'avènement du numérique. C'est le tour de LTC. Tarak ben Amar, qui a tenté de reprendre l'affaire, renonce à continuer ; il me dit qu'il y a mis beaucoup d'argent à fonds perdu et qu'il n'en peut plus de se faire engueuler par tout le monde parce qu'il ne peut pas aller plus loin. Élodie négocie avec le tribunal de commerce. Elle commence à avoir l'habitude. Réunions avec les syndicats, patrons et personnels, dans mon bureau, pour obtenir des moratoires et éviter les licenciements massifs.

Francis a réussi à constituer un tour de table de mécènes afin de financer la fondation pour la « culture partagée ». Au moins deux millions d'euros disponibles pour des projets qui viennent en aide aux associations engagées sur les terrains les plus difficiles : prisons, milieux défavorisés, banlieues à problèmes... Philippe Vayssettes, le patron de la banque Neuflize OBC, accepte de présider la fondation.

Jeudi 19 janvier 2012

André Rousselet au téléphone : «Je suis désolé, mon cher Frédéric, mais je ne peux pas venir déjeuner avec toi au ministère. Ton président est un voyou. Il m'a mis en cause à la télévision d'une manière inqualifiable. J'aurais été heureux de te voir, dans les circonstances présentes tu comprendras que c'est impossible.»

La proposition de loi sur la numérisation des livres indisponibles. Début du marathon à l'Assemblée nationale. Hervé Gaymard est le rapporteur, garantie de sérieux. C'est tout un patrimoine oublié de la littérature qui va redevenir accessible. On peut s'attendre à des résurrections aussi importantes que celle de l'œuvre d'Irène Némirovsky après le prix Renaudot sensationnel de *Suite française* en 2004.

Dîner chez Marisa Bruni-Tedeschi; gaie, gentille, généreuse. Le piano auquel elle s'est remise et travaille quatre heures par jour; les petits-enfants dont elle s'occupe beaucoup; anecdotes amusantes sur sa vie de famille actuelle, mais discrètes, pleines de fantaisie et de poésie. Libre, libre comme il faudrait parvenir à l'être.

Vendredi 20 janvier 2012

Déplacement ambidextre à Chambéry. Le conseil général, avec son président, Hervé Gaymard, les éditeurs méritants de livres pour les tout-petits, la signature d'un contrat «territoire lecture» aux stipulations mystérieuses pour un ministre qui n'a pas bien lu son dossier, la visite de la chapelle des ducs de Savoie où je pense à Emmanuel-Philibert comme chaque fois que j'entends son nom.

Puis, aux Charmettes, nouvelle «Maison des Illustres», avec Bernadette Laclais, la maire socialiste de Chambéry, toute la nomenklatura des élus de la gauche locale. Droite et gauche donc réunis : professionnels et républicains, aimables quoique toujours un peu distants. (Hervé Gaymard, catholique à famille nombreuse, et Bernadette Laclais, belle femme un peu froide, ne sont pas très «gay friendly», et encore moins portés sur le mariage homo.)

Le vallon des Charmettes est bien préservé et malgré le froid de l'hiver on comprend l'enchantement ressenti par Mme de Warens et Jean-Jacques Rousseau lorsqu'ils découvrirent la jolie maison où ils allaient filer le parfait amour. Il était encore un tout jeune homme qu'elle avait déniaisé quelques années plus tôt, à seize ans, elle était une femme dans la trentaine qui avait mené une vie plutôt aventureuse, certainement très intelligente et cultivée. «Ici commence le court bonheur de ma vie, ici viennent les paisibles mais rapides moments qui m'ont donné le droit de dire que j'ai vécu.» Pages poignantes des *Confessions* lorsqu'il la retrouve bien des années plus tard, alors qu'il est devenu un homme célèbre et qu'elle a connu sa «nuit tragique», vieillie, ruinée, éteinte. Les Charmettes, c'était aussi le nom de la maison de ma grand-mère à Marseille que maman a dû quitter en 1932 lorsqu'elle a été vendue, ce dont elle ne s'est jamais consolée.

Examen des candidatures pour le patrimoine de l'Unesco avec le président de la République. Les volcans attendront, ils ont l'habitude; le poids politique de François Baroin pèse plus que celui de Catherine Vautrin, toute impérieuse qu'elle soit : ce sont les «climats» de Bourgogne qui l'emportent sur la Champagne.

Samedi 21 janvier 2012

Croisé Geneviève Dormann qui sort de la messe en mémoire de Louis XVI. Il paraît qu'il y avait beaucoup de monde. J'aimerais bien y aller une fois, ne serait-ce que pour voir. Toujours aussi intrépide, yeux cernés de la grande fumeuse, belle encore, très plaisante.

Retour à l'auditorium Wanda Landowska. Tout le monde est très excité. L'association des vénérables disciples de l'artiste, le maire, l'ambassadeur de Pologne qui continue la pêche aux mécènes, les propriétaires actuels, vraiment charmants et prêts à attendre encore un peu avant de vendre.

Valérie Lang est une actrice de talent. Chacun le reconnaît bien volontiers, mais personne ne l'aide à obtenir le théâtre pourtant modeste qu'elle souhaiterait diriger, ce qu'elle ferait très bien car elle est également organisée et efficace. Elle paie au tarif le plus fort le fait d'être la fille de Jack. Profiter de cette période où les gens regardent ailleurs pour tenter de lui donner ce qu'elle mérite d'avoir. Georges-François et Pierre Lungheretti cherchent.

Fête pour l'anniversaire de Christine Lagarde au restaurant Les Ombres sur le toit du musée du quai Branly, avec une vue spectaculaire sur la tour Eiffel illuminée. À peu près tout le gouvernement noyé dans une cohue sympathique. La belle Christine a déjà rejoint le FMI et il y a sans doute quelques arrière-pensées à l'idée de la voir s'éloigner parmi tous ses amis si empressés à lui manifester leur affection. On a préparé des petites saynètes surprises : sketch désopilant de Roselyne, plus meneuse de revue que jamais.

Comme je lui dis adieu, triste soudain à l'idée que je ne la reverrai pas : «Courage, mon Frédéric, dans quelques mois tu pourras revivre comme tu le souhaites, faire tout ce que tu veux.» J'ai le sentiment qu'elle parle pour elle-même, mais ai-je donc l'air d'être tellement décalé par rapport aux autres ?

Dimanche 22 janvier 2012

Remise de décoration à Barbara Wirth dans son bel appartement de la place du Palais-Bourbon. Beaucoup d'amateurs des jardins pour celle qui leur a consacré un talent et un goût vraiment extraordinaires. On aime les jardins en France, mais contrairement à ce qui se passe en Angleterre, on méconnaît trop souvent celles et ceux qui leur donnent la vie. Bêtise crasse qui voudrait que ce soit un art de droite, réservé au bonheur de quelques-uns.

Dîner avec Jean-Marc ; enfin. Il ne se passe pas de jour sans que je pense à lui. Son intelligence, son humour, sa tendresse pour moi.

Lundi 23 janvier 2012

Suicide de la femme de Luc Chatel. J'avais croisé une jeune femme, chic et souriante, mère de quatre beaux enfants. Je me remémore les propos du président il y a quelques semaines sur les ravages de la politique dans les familles, la nécessité de s'occuper de ses proches.

Restitution des têtes maories à la Nouvelle-Zélande au musée du quai Branly. Beaux sauvages tatoués à demi nus, toute l'ambassade, une foule compacte de connaisseurs plus ou moins avérés, télévisions du lointain archipel, Catherine Morin-Desailly radieuse, rituels mystérieux. Il ne faut pas embrasser le Maori, juste frotter délicatement son nez contre le sien.

Déjeuner avec Olivier de Bernon, le nouveau président du musée Guimet. Une nomination que j'ai obtenue de haute lutte, avec l'appui de Jean de Boishue et de Christian Deydier, contre tout le collège des experts du musée, incrustés en dépit de toutes les règles dans ce fromage et parfaitement indifférents à ses difficultés, voire responsables de ses dysfonctionnements et de son déclin. J'ai connu Olivier de Bernon il y a douze ans, à Phnom Penh, ce qui lui a valu une campagne de dénigrement particulièrement odieuse, certain jeune ex-conseiller culturel en Asie n'ayant pas hésité à faire courir le bruit que notre complicité s'était scellée lors de virées crapoteuses à Bangkok. Message reçu avec ravissement par des oreilles complaisantes. Olivier de Bernon est exactement l'homme qu'il faut pour nettoyer les écuries d'Augias, mais le cadeau est empoisonné et il va certainement souffrir. Cela ne lui fait pas peur.

J'étais allé accueillir la dépouille mortelle de Gilles Jacquier avec sa famille en pleine nuit au Bourget la semaine dernière. Le père, un gros monsieur qui fut moniteur de ski, pleurait à chaudes larmes quand les gendarmes ont sorti le cercueil de l'avion et répétait : «Mon fils, mon fils.» On lui rend hommage au Théâtre éphémère avec Rémy Pflimlin, Annick Cojean et toute la famille qui est revenue. Il était beau, cette séduction qu'ils ont toujours, père de deux petites filles, prix Albert-Londres, respecté et admiré. Images poignantes de ses obsèques à Bernex, sous la neige qui tombe à gros flocons. Discours sobre du ministre, mais face à la mort ça ne sert à rien d'autre qu'à réconforter un peu sa famille. Il semblerait qu'il ait été tué par un obus de mortier tiré par les rebelles, mais on n'est sûr de rien.

Retrouvailles avec Didier Le Bret, l'ambassadeur de France à Haïti, qui me complimente pour tout le programme mis en œuvre par le ministère et qui a été ponctuellement accompli. Retour d'amabilités, rien n'aurait été possible sans lui. Puis je fais le rigolo à l'émission d'Alexandra Sublet sur France 5. Métier de schizophrène.

Mardi 24 janvier 2012

Vœux du président au monde de la culture sur le chantier du Mucem à Marseille. Claque de la culture UMP aux premiers rangs ; comme ça ne fait quand même pas beaucoup de monde, on a renforcé les troupes avec tous les élus du Midi dans le genre Maryse Joissains : «Je suis si contente, si contente.» Derrière, les incertains, les renfrognés et les mécontents qui applaudissent mollement ou pas du tout. Ensuite, on visite avec le président et on prend la passerelle reliant le bâtiment au fort Saint-Jean, qui vient juste d'être terminée (merci Ann-José Arlot). J'essaie de lui expliquer tout ce qu'on a fait et l'allure générale une fois les travaux achevés, mais il n'a pas envie d'écouter, ce sont les élus locaux qui l'intéressent ; le temps est venu de serrer les rangs.

Dehors, le mistral argenté qui fait étinceler la mer. On se plaint du froid quand on ferait mieux de regarder. Site splendide de Marseille, la ville qui mérite tout, abandonnée aux caciques, aux combinards et aux voyous.

Lancement de l'*André-Malraux*, le bateau construit pour la recherche archéologique sous-marine, au port de La Ciotat. Florence Malraux est la marraine, la bouteille de champagne cogne sur la coque sans se briser. On la relance à deux, la troisième fois est la bonne. Il paraît que ça porte chance. Beaucoup de monde sur le quai, le discours du maire s'envole au vent, il improvise et nous marie Florence et moi. Elle est ravie, moi aussi.

L'Éden Théâtre des frères Lumières. Fermé, très abîmé, la mairie cherche de l'argent pour le restaurer. L'usine était juste à côté mais elle a disparu. De toute façon, celle du premier film était à Lyon.

Ultime arbitrage budgétaire où François Fillon m'accorde ce que je demandais : «Maintenant, monsieur le ministre de la Culture et de la Communication, si j'étais vous, je débarrasserais le plancher sans demander mon reste. On ne sait jamais, il ne faut pas trop tirer sur la corde.»

Mercredi 25 janvier 2012

Le décalogue pour la culture dont nous avons eu l'idée avec mon homologue slovène a été finalement adopté à peu près tel quel par l'ensemble des ministres de la Culture réunis à Bruxelles. Même la ministre irlandaise qui me poursuivait de mystérieuses imprécations en gaélique a accepté de signer. Comme toujours, Bernd Neumann aura été d'un grand secours.

Réunion du cabinet pour essayer d'intéresser la presse à ce qui est tout de même une victoire de l'«exception culturelle» à la française. Mais tout le monde s'en fiche et ne cherche même pas à savoir de quoi il s'agit. Je pense à ce que Jack Lang aurait su faire de ce joli coup qui restera un coup d'épée dans l'eau. Pour une fois que le monstre Bruxelles bougeait un peu, il est quand même assez décourageant d'enregistrer un si piètre résultat.

Dîner d'écrivains. Vassili Alexakis, l'enchanteur, Éliette Abecassis, belle et intéressante, Nancy Huston, Simonetta Greggio, Malika Mokeddem : tonalité générale de gauche mais bonne ambiance. Laurent Binet, également amical et sympathique, très à l'aise chez le suppôt d'un président qu'il déteste. Il suit la campagne de François Hollande.

Jeudi 26 janvier 2012

Discours au Midem, à Cannes, où je décris les grandes lignes de ce que sera le Centre national de la musique dans une salle pleine de professionnels et d'artistes qui n'attendaient que cela. Donc succès à verser au crédit de la mission musique. Seul le militant de la CGT conteste en bloc : le dispositif favorise les grands au détriment des petits, les musiciens n'ont pas été assez consultés, etc. J'explique patiemment que c'est précisément le contraire que j'ai mis en œuvre.

Remise de décorations dans une atmosphère d'émeute paparazzienne : Shakira, que je croyais être une blonde sculpturale et volcanique, est un charmant petit tanagra. Il paraît qu'il faut toujours regarder la mère pour savoir ce que deviendra la fille plus tard. La reine colombienne super sexy de la pop latino ferait bien de se méfier. Au demeurant fine mouche, très gentille, très amusante. Ses attachés de presse expliquent profusément qu'elle verse beaucoup d'argent aux organisations qui s'occupent des orphelins victimes des narcotrafiquants. Retrouvées, Patricia Kaas, bonne camarade, et Françoise Canetti, trop modeste, que je pousse toutes les deux sur scène pour être aussi sur la photo.

Le président de la Côte d'Ivoire, Alassane Ouattara, est affable, d'une politesse raffinée, s'exprimant de manière naturelle et tranquille. Il descend d'un ancien empereur du pays Kong et il y a une sorte de discrète assurance royale dans ses manières. Il ne fait pas du tout ses soixante-dix ans et n'a pas l'air marqué par les nombreux méandres d'une carrière politique mouvementée. Je suis le ministre qu'on voit à la télévision l'accompagnant pour déposer une gerbe à l'Arc de Triomphe. Des choses protocolaires que le ministre accomplit avec soin et que Frédo regarde le soir à la télévision en regrettant que Gérard Lefort ne soit pas avec lui pour demander en rigolant : «Mais qui c'est celui-là ? Regarde, regarde donc, il est enrhumé, il n'arrête pas d'éternuer ! »

Le monde du parfum au ministère. Aussi incroyable que cela puisse paraître, il n'y avait jamais été reçu et encore moins honoré. Les nez, les noms, les fragrances, les flacons : un art que même les métiers d'art ne veulent pas reconnaître.

Au dîner de la mode pour le Sidaction, où je passe après le dîner officiel pour le couple ivoirien, les belles jeunes femmes élégantes, décolletées, épaules nues, sortent dehors pour fumer malgré le froid. Comme je leur demande si elles n'ont pas peur de s'enrhumer : «T'inquiète Frédo, c'est des pétards et ça réchauffe.» Parfois j'ai un peu de mal à ajuster entre l'Élysée et le pavillon d'Armenonville.

Vendredi 27 janvier 2012

Ma collègue Claude Greff est une bonne copine ; franche, réglo, pas bégueule. Je lui devais bien une visite dans sa circonscription d'Indre-et-Loire, qu'elle mène tambour battant. Quand on a un ministre un peu connu sous la main, ce n'est pas pour traîner à ne rien faire. Donc

Amboise, le château, la fondation Saint-Louis et le monument d'Abdel-Kader qui y a été reclus avec toute sa smala. Le vin d'honneur avec les viticulteurs. Le sculpteur gloire locale, le déjeuner dans un restaurant troglodyte avec les artistes du cru ; mais pas le temps d'approcher du château de Saumur surgissant dans un rai de lumière quand le soleil d'hiver dissipe enfin le brouillard ; apparition de conte de fées qui panique le cortège à l'idée que le ministre voudrait encore bousculer le programme pour s'y rendre.

Au Cadre noir de Saumur, merveilleuse bibliothèque sur le cheval, l'école française, toutes ces belles histoires d'équitation et de savoirs mystérieux pour moi, charme du jeune colonel qui a organisé la visite, si content qu'un ministre de la Culture s'intéresse au patrimoine et aux traditions de l'école. Assemblée fournie de notables, de militaires, de dames qui montent encore en amazone, une autre France, bien plus ouverte et sympathique qu'on ne le pense.

Musée Joseph-Denais à Beaufort-en-Vallée, petite ville où l'on voit tout de suite que le député-maire a du goût. Pas à coups de petites fleurettes, mais en soignant l'ameublement urbain, les constructions municipales : « Quand c'est moche, je refuse les permis de construire. On s'est habitué. » Le musée est un fabuleux cabinet de curiosités rassemblées par un collectionneur du XIXᵉ siècle que la conservatrice, Sophie Weygand, a restauré avec un tact et une délicatesse infinis. Un lieu enchanté qui réconcilierait l'abruti le plus borné avec l'idée d'un musée. Marie-Christine Labourdette m'avait dit : « Vous allez adorer. » C'est le cas et je suis tellement ému par la grâce de cet endroit, la joie de la conservatrice et de son équipe de se savoir comprises, qu'il en passe quelque chose dans mon discours. C'est simple, tout le monde a les larmes aux yeux. Sauver, restaurer, rouvrir ce musée, ce fut la grande aventure de tous ceux qui sont là pour l'inauguration ; contre vents et marées ; pensez donc, un cabinet de curiosités dans un bourg du Maine-et-Loire, et puis quoi encore !

Prytanée militaire de La Flèche : j'en ai toujours rêvé ; l'internat militaire, le côté *Désarrois de l'élève Torless*, la vie entre soi, hors du temps et hors du monde, les amitiés exaltées, les cruautés et les sublimations viriles, le souvenir de Jean-Claude Brialy qui a été interne, les bâtiments majestueux. Je sais me tenir, mais le chef de corps me considère avec méfiance. Il insiste sur le fait que le prytanée est mixte désormais.

On me dégote quand même deux élèves qui me récitent bien sagement les rituels de l'école. Je repars à la nuit tombée, la caserne se découpe, gigantesque, sur le ciel étoilé. Le chef de corps se détend, soulagé de me voir partir; les officiels n'avaient pas ses préventions, ils me remercient d'être venu avec chaleur. Il faut oublier l'Autriche-Hongrie.

Samedi 28 janvier 2012

Jean-Pierre : «Tu en fais trop. Tu donnes l'impression que tu veux tout voir comme si tu étais condamné à ce que ça s'arrête bientôt. On n'arrive plus à suivre et à force ça finit par nous angoisser.»

Soirée au Théâtre ouvert, chez les Attoun dont Georges-François a finalement admis qu'ils pourraient garder leur théâtre jusqu'à cent cinquante ans. Pièce ennuyeuse, à peu près sauvée par la mise en scène de Jean-Pierre Vincent, très aimable, comme s'il n'avait rien dit et comme si je n'avais rien entendu de tout le mal qu'il pense du ministère et de son titulaire.

Dimanche 29 janvier 2012

Festival de la bande dessinée à Angoulême; les réunions de conciliation dans mon bureau auront servi à quelque chose! Le festival rend hommage à Art Spiegelman, le génial auteur de *Maus* (les souris à Auschwitz), qui a conçu une exposition carte blanche superbe; on ne se quitte plus de la journée. Hommage à Fred également, l'auteur du ravissant *Petit Cirque* et de la série des *Philémon*. Très âgé maintenant, fragile, adorablement cordial et gentil. Je regarde à la dérobée des photos de lui dans la soixantaine tandis qu'il s'appuie sur mon bras, c'était il n'y a pas si longtemps, et je pense qu'il ne me reste plus beaucoup de temps pour faire ce que je souhaite encore réaliser.

Visite à La Rochefoucauld, où la duchesse m'attend comme la gorgone. Elle me montre le donjon écroulé, la maquette de Pei; difficile de la contredire, le projet de marier le Moyen Âge et le XXIe siècle qu'elle porte avec tant de fougue susciterait certainement un engouement formidable. Mais une fois de plus, l'argent manque, on retourne le problème dans tous les sens sans trouver la solution.

Lundi 30 janvier 2012

Déjeuner avec Henri Loyrette. Il approuve tout à fait mon projet de voyage aux Émirats pour que les règlements reprennent, même s'il reste confiant et pense que la crise n'est que passagère.

Jean-Pierre : «Fais bien attention à tout ce que te dit Guillaume Cerutti. Il connaît à fond le ministère, il dirige Sotheby's avec un flair remarquable et il t'a toujours ménagé. Ce n'est pas un homme facile, il a des idées très arrêtées sur les réformes à faire, mais il est extrêmement intelligent, expérimenté et intéressant. Quand on pense à tous les médiocres et les malveillants qui se mêlent de tout n'importe comment, avec lui tu es sur un autre rayon.»

Visite de la fondation Cartier-Bresson dans le bel immeuble industriel qui me fascinait déjà lorsque j'avais mes cinémas, impasse Lebouis, tout à côté des Olympic. Superbe exposition Paul Strand et Cartier-Bresson au Mexique dans les années 1930, très bien, très clairement présentée. Nouvelles inquiétantes sur la santé de Martine Franck.

Mardi 31 janvier 2012

Réunion générale des directeurs des théâtres nationaux et des centres dramatiques. Comme une sorte de baroud d'honneur des revendications en attendant la suite. Rien de nouveau. Georges-François et Pierre Lungheretti ferraillent avec Le Pillouër mais ça se passe correctement. D'un côté ils pensent qu'on est déjà partis et à quoi bon se fatiguer à discuter avec nous et d'un autre ils se méfient un peu de ce que l'avenir pourrait leur réserver et ils se disent qu'il ne faut pas couper les ponts au cas où l'on serait encore là après les élections.

Banco sur la tour de Clichy-Montfermeil. On l'achète grâce au préfet Canepa, qui a lissé tous les problèmes administratifs, à Augustin de Romanet, qui a engagé la Caisse des dépôts, à Jean de Boishue, qui n'a jamais cessé d'y croire. Grand raout avec tous les élus autour de Jérôme Bouvier, le véritable initiateur du projet. On projette le film qui fait l'état des lieux et préfigure ce que la tour va devenir. Euphorie générale.

Mercredi 1ᵉʳ février 2012

Au petit déjeuner, Michel Boyon me tient informé des réflexions du CSA concernant l'attribution des nouvelles chaînes et de toutes les intrigues et interventions diverses qui se manifestent. Il ne le ferait pas s'il n'avait tout à fait confiance en moi qui écoute, ne répercute rien et me garde bien de prétendre l'influencer. Cette attention lui convient et lui suffit amplement.

Le superflic qui me fait «flasher» au Conseil des ministres, mon Clint Eastwood à moi, s'est vraiment dégelé, enfin toutes proportions gardées, depuis que j'ai décoré Shakira. Il me dit qu'il aurait aimé être à ma place, la médaille qu'on agrafe sur la poitrine, le bisou, le petit verre ensuite où on est comme des amis. Il a les yeux brillants. C'est bon mon mignon, pas la peine d'en rajouter, tu sais bien que je suis «hétéro friendly»!

Un mot du président, à la fin du Conseil, à Luc Chatel qui a été absent durant trois semaines : «Nous sommes tous très heureux de te revoir parmi nous.»

Marc Fumaroli et Jean Clair à déjeuner avec Jean-Pierre. Vifs, amusants, à la fois cruels sur l'état général de la vie culturelle et bien plus ouverts à la modernité qu'ils n'ont la réputation de l'être, imputations dont ils se fichent d'ailleurs royalement l'un et l'autre.

Chez Sotheby's, Guillaume Cerutti me montre un petit film des années 1970 que j'avais totalement oublié où l'on me voit avec Francis dans la galerie de son père.

Vibrant hommage à André Chastel au Louvre. Discours, décorations diverses, deux cents invités. Grand dîner organisé par Marc Ladreit de Lacharrière pour Régis Wargnier qui a été élu à l'Académie des beaux-arts. Discours, etc. Cela est bel et bon, mais je pense à tout ce qui m'attend au bureau et qui est nettement plus urgent et préoccupant. Toujours cette difficulté à concilier ce qui est symbolique, protocolaire et ce qui est l'essentiel du travail de fond.

Jeudi 2 février 2012

Visite de la tour de Clichy-Montfermeil avec la presse. On part du ministère dans un bus affrété spécialement. Il fait très froid, la petite escapade met tout le monde en joie, ambiance *Les Bronzés font du ski*. On monte jusqu'au treizième étage, Jérôme Bouvier et les élus expliquent, forte impression générale. Au retour, arrêt surprise à l'église du Raincy, chef-d'œuvre d'architecture en béton des années vingt d'une beauté saisissante, surtout à l'intérieur avec la lumière qui éclaire la nef au travers d'une myriade de petits vitrages multicolores. Tout au long de l'escapade, toute mignonne sous son bonnet en fourrure, bonne petite fille sage qui regarde avec de jolis grands yeux intéressés, Sophie Flouquet consigne ses impressions sur son gentil carnet de première de la classe où elle n'inscrit jamais que des horreurs sur le ministère et sur moi par la même occasion. Compte tenu de la bonne humeur générale qui a tout pour l'exaspérer, je peux m'attendre au pire.

Concert de clavecin à l'ambassade de Pologne, qui décidément ne lâche pas prise sur le projet de l'auditorium Wanda-Landowska. Nous avons d'autres points d'intérêt communs avec l'ambassadeur et sa femme, et notamment un projet qui m'est cher : faire mieux connaître au public français la personnalité de Joseph Czapski, « l'homme qui faisait des conférences sur Proust au goulag », peintre de grand talent et figure exemplaire de l'aristocrate intellectuel européen. Je l'ai connu alors qu'il était un très vieil homme retiré dans la maison de retraite des artistes polonais dans la banlieue parisienne et je ne l'ai jamais oublié. C'est une gloire en Pologne, mais la France, où il a longtemps vécu, ne sait presque rien de lui.

Dîner par petites tables après le concert. Camille Pascal particulièrement désagréable. Jalousie ? Excès de vanité ? Sentiment de puissance ? Comportement inutile et pénible.

Vendredi 3 février 2012

Alain Gouzon avait rejoint le service de la communication du ministère, qu'il dirigeait avec une grande compétence. Il était très aimé de tous les services. Il vient d'être emporté par un cancer fulgurant. Il a travaillé presque jusqu'au dernier jour. Émotion considérable au ministère.

Luc Bondy demande une rallonge très importante pour l'Odéon. Je me refuse à incriminer Olivier Py à propos des difficultés financières du théâtre et je répugne à faire un tel effort. Georges-François m'assure qu'il va «se débrouiller». Une fois de plus il reprend sans rechigner le fardeau d'erreurs qu'il n'a pas commises.

Déjeuner *Le Monde de l'art* avec le président de la République. Miracle de l'autorité naturelle, quand Jennifer Flay parle, de sa voix douce avec son accent anglais chantant, toutes les petites conversations particulières chuchotées s'arrêtent. Même le président est impressionné. Emmanuel Perrotin, clair et intéressant. Kamel Mennour, brillant, chic, aussi beau à regarder que bon à écouter. Tous parlent avec assurance, sans obséquiosité ni donner de leçons, c'est exactement comme cela qu'il faut prendre le président, qui sort enchanté de la rencontre.

Grand émoi à la réunion des Drac. Certains socialistes préconisent qu'elles soient directement rattachées aux régions. Une initiative qui torpillerait le concept même du ministère. Je joue sur du velours.

Yvon Lambert, lui aussi très content du déjeuner avec le président, nous expose à Jean-Pierre, Mark Alizart et moi-même qu'il a encore quelques petits problèmes à régler pour la donation. On se regarde tous les trois comme si l'on venait de découvrir un cadavre à la dernière page du dernier épisode du feuilleton devant l'auteur qui demande à signer pour une nouvelle série. Les petits problèmes auraient à voir avec le suspense des élections que cela ne m'étonnerait pas outre mesure.

Samedi 4 février 2012

En vol, autour de la table de la salle à manger. Les derniers arbitrages budgétaires viennent d'être rendus mais n'ont pas encore été communiqués officiellement. Je sais de source sûre que le président est revenu au cours de la nuit sur son intention de dégeler une partie des crédits du ministère. Cette histoire du dégel revient chaque année; il s'agit de libérer une sorte d'épargne forcée à laquelle tous les ministères sont astreints, dont le montant est faible mais qui a valeur de symbole pour tous les acteurs culturels. C'est le président qui décide ; les autres années ce fut oui, mais cette fois, compte tenu de la situation générale, ce sera non. Je voudrais absolument le faire revenir sur sa décision. Ses conseillers, qui prétendent approuver mon intention, m'ont murmuré que le moment est favorable, et ils se tiennent cois maintenant, le nez dans leur assiette, en attendant que j'appuie sur le bouton rouge.

Heureusement que l'avion est solide, aucun coucou ordinaire n'aurait pu résister à la déflagration. Stewards et hôtesses ont détalé comme des lapins vers la cabine de pilotage, les conseillers sont pétrifiés comme s'ils venaient de découvrir par le hublot que les moteurs sont en flammes, et moi, il faut bien le reconnaître, je m'en fiche un peu. C'est toujours pareil, quand je me retrouve en plein désastre, il y a un autre moi-même qui s'intéresse à la situation avec une sorte de détachement tranquille. Les accès de courroux présidentiel passent par plusieurs phases : explosion atomique pour commencer, ondes radioactives ensuite vers l'entourage sommé d'accompagner le souffle dévastateur, répliques d'intensité diverse du cataclysme initial en fonction de l'attitude plus ou moins contrite du fautif, apaisement progressif, puis on passe à autre chose, comme si rien n'était advenu. Il peut même y avoir quelques cajoleries post-traumatiques si la victime de l'algarade a l'air de peiner à s'en remettre. Ça ne dure pas trop longtemps, mais on a quand même intérêt à avoir accroché sa ceinture. Certains sont sortis durablement mortifiés de ce genre d'épreuve, mais il suffit de connaître le mode d'emploi pour ne pas trop s'en faire. En ce qui me concerne, je n'ai jamais vu ce qu'il pouvait y avoir d'humiliant à subir de telles semonces qui en ont fait monter plus d'un sur leurs grands chevaux une fois qu'ils se retrouvaient loin de l'œil du maître. À travers l'imprudent qui a déclenché la grande commotion, c'est le destin que le président engueule, celui qui l'a fait ce qu'il est et qui l'empêche d'atteindre à ce qu'il voudrait être. C'est évidemment trop obscur et trop intime et on ne peut pas l'aider dans des moments pareils, mais ce n'est pas une raison non plus pour s'en offusquer.

« Donc, si j'ai bien compris, il n'y a pas de dégel pour l'instant », me glisse fielleusement celui des conseillers qui m'incitait le plus obligeamment à tenter ma chance. Je lui réplique : « Une bonne dégelée vaut mieux qu'un mauvais dégel ! » Ce n'est certes pas très fin comme réponse mais il en reste sans voix, assurément dépité de me sentir si peu ébranlé.

Dimanche 5 février 2012

Liliane Bettencourt, à maman qui est allée déjeuner avec elle à Neuilly : « Est-ce que vous avez revu François récemment ? — Hélas, François est mort depuis plusieurs années. — Ah, oui, c'est vrai, comme André, c'est terrible. » La suite de la conversation, normale, enjouée, charmante. La mémoire qui s'en va, un chemin avec des repères encore solides, mais parsemé de gouffres où le pas se dérobe brusquement.

Lundi 6 février 2012

Caroline Cayeux, sénateur-maire de Beauvais, me demandait depuis quelque temps de venir dans sa ville. Elle a longtemps travaillé aux côtés de Philippe Seguin et c'est une fidèle de François Fillon, deux bonnes raisons pour ne pas lui faire faux bond.

On visite la cathédrale en cours de restauration avec Étienne Poncelet, l'un des meilleurs architectes des Monuments historiques, et le vicaire général. (Pas d'évêque en vue, Camille Pascal n'est pas au courant sinon il dirait encore que c'est parce qu'il a lu *La Mauvaise Vie* !) Puis les ateliers de la tapisserie qui relèvent du Mobilier national ; toujours le même problème de ce savoir-faire incomparable dont l'essor est étranglé par l'attitude des syndicats (ils disent que non, évidemment, mais si, mais si). Déplacement à pied dans la ville, les gens demandent des autographes, réception à l'hôtel de ville, médaille, livre d'or, télé régionale.

Le cortège comprend un aréopage d'élus locaux, et parmi eux, tout sourire, deux députés qui n'ont cessé depuis vingt ans de tenter de dézinguer Caroline Cayeux. Elle leur parle le plus aimablement du monde. Devant la mairie, statue de Jeanne Hachette, qui incarna la résistance de la ville contre Charles le Téméraire. J'évite de faire des parallèles qui seraient pourtant bienvenus dans mon discours.

On file dans la Somme pour inaugurer la médiathèque de Corbie, petite ville apparemment bien tranquille sous les lourds nuages et le ciel bas de la Somme. Illusion : tout le monde est à couteaux tirés entre le député UMP et les notables socialistes locaux, les discours des uns et des autres se répondent comme un duel d'artillerie devant le personnel de la médiathèque qui ne porte pas le président dans son cœur et le fait sentir. Le préfet, qui en a vu d'autres, en Corse et ailleurs : «Moi, je n'étais pas très pour ce déplacement, mais le député et votre cabinet ont beaucoup insisté.» Encore un coup de ce sacripant de Richard, resté pour une fois bien au chaud rue de Valois.

Dîner avec Roman Polanski et Catherine Pégard chez des amis de mon frère Jean-Gabriel. Description angoissante des ravages du puritanisme américain sur la censure implicite qu'il impose dans les films. Comme on dit à Roman qu'il exagère pour toutes les raisons que l'on peut imaginer, il cite des exemples probants à partir de toutes les scènes qu'on ne peut plus montrer à la télévision, les mots et les situations qui n'ont pas droit de cité dans les films choisis par les compagnies aériennes.

Mardi 7 février 2012

Je n'arrive pas à imaginer que Marine Le Pen soit vraiment la méchante personne dont elle prétend incarner le rôle avec le talent qu'on lui connaît, une propension atavique à la démagogie, l'abattage des monstres de foire, cette sorte de volupté sensuelle qui fascine beaucoup de gays, ce dont elle est paraît-il enchantée. Je pense plutôt qu'elle est prisonnière de sa relation fusionnelle avec son père et qu'il y a au fond plus d'attachement filial impliquant violence et vengeance à l'encontre de leurs contempteurs que d'irrémédiable mauvaiseté dans ce qu'on est bien obligé de prendre pour une action politique. Je ne me cache pas que cette curieuse bienveillance lointaine qu'elle m'inspire, l'indulgence pour la bonne fille à son vilain papa, est dangereuse et rejoint finalement son objectif de dédiabolisation du Front national et de normalisation des idées détestables de cette formation encore infestée de gens abominables. Mais bon, je ne vois pas non plus ce qu'on gagne à l'insulter, ce qui est d'ailleurs la meilleure manière pour lui permettre d'améliorer ses aptitudes et d'obtenir de nouveaux suffrages.

L'agenda des émissions matinales à la radio nous force à nous croiser dans un couloir étroit où, comme par hasard, stationne un monde fou, moins attiré par la machine à café qu'alléché par la perspective d'assister à la collision. On espère un bel éclat; la polémique sur mon livre, vigoureusement lancée par la présidente du Front national et solidement relayée par certains socialistes, m'a causé quelques pénibles désagréments et a bien failli me coûter mon poste. Elle suinte encore dans le corridor traquenard, où chacun retient son souffle. Mais les cannibales ne savent pas que je lui ai envoyé mon dernier livre assorti d'une dédicace dans le registre «sans rancune», et ils savent encore moins que cette bravade, au demeurant sincère, lui a plu. Elle me l'a fait savoir. Je suis frappé par son physique : grande, solide, beau teint et jolies jambes. Va-t-on jouer la séquence de la cheftaine compréhensive et du louveteau vicelard ou celle de la marâtre en pétard et de l'écervelé trop suave ? Fine mouche, elle s'accommode gaiement de la surprise et, au fond, la situation nous amuse; on en a vu d'autres et on en verra d'autres. C'est à son tour de me dédicacer son livre. Pendant qu'elle écrit soigneusement sur la page de garde, on entend venant du studio d'à côté le chroniqueur qui l'a reçue évoquer à l'antenne la séquence «bâton merdeux» qui vient de s'achever. On ne saurait être plus élégant. La dédicace en revanche invoque «l'exemple des gens de bonne volonté». Bon, on n'est tout de même pas allés jusqu'à se faire la bise.

Serge Dassault a aussi une tour dont il veut faire un centre culturel. Il vient me la montrer avec le maire de Corbeil-Essonnes. Le projet est très avancé, soutenu par des conseillers de l'Élysée, et la mienne à Clichy-Montfermeil ne lui inspire aucune sympathie. Comme j'ai toujours eu de bonnes relations avec lui, j'essaie de noyer le poisson en me demandant où se trouvent les petits piranhas qui poussent ce projet aux accointances mystérieuses.

Le directeur du Centre national des arts plastiques n'aime décidément pas du tout que je mette le nez dans ses affaires. Lorsque je le lui fais remarquer, il devient rouge d'exaspération et va ensuite se plaindre auprès d'un influent protecteur qu'il a au cabinet de François Fillon. Je suis alors obligé de cafter auprès de Jean de Boishue, tout rentre provisoirement dans l'ordre, quelques semaines passent et puis ça recommence. Mark Alizart me dit : «Désormais, il vaut mieux que vous passiez par moi, monsieur le ministre.» Sous-entendu : «Vous ne savez pas vous y prendre avec lui.» Comme disait ma grand-mère : «C'est un monde, tout de même!»

Dîner de la Société des Amis du musée national d'Art moderne. Le tramway. Bernadette Chirac : «Avez-vous remarqué qu'Alfred Pacquement vous a cité plusieurs fois dans son discours ? C'est inhabituel chez lui ; cela veut dire qu'il vous apprécie.» Tant mieux, il fait partie de ceux dont l'estime m'importe. Francesca de Habsbourg, née Thyssen, en marraine de la soirée. C'est une autorité dans le domaine de l'art moderne ; héritage familial et goût paraît-il très sûr. Amusante et chaleureuse. J'ai du mal à l'imaginer mariée dans une famille comme les Habsbourg si froide, austère, percluse de nostalgies impossibles.

Mercredi 8 février 2012

Dîner du Crif, le Conseil représentatif des institutions juives de France au pavillon d'Armenonville. Les politiques en rangs serrés, et pour les principaux candidats à l'élection présidentielle avec leurs états-majors il n'est pas question de manquer à l'appel. L'hypothèse selon laquelle il faut gagner le vote juif, comme s'il s'agissait d'une communauté à part et homogène, m'a toujours mis mal à l'aise ; elle me semble suspecte et insidieusement raciste. Mais enfin, hormis les extrêmes, le Front national aux persistants relents d'antisémitisme, et le Front de gauche où Mélenchon attise un antisionisme plus que «borderline», tout le monde semble trouver normal de se livrer à cet exercice de retape électorale auquel le Crif lui-même prête largement la main. Le contraire serait même jugé scandaleux et condamnable. Atmosphère de congratulation générale donc, ponctuée de discours largement consensuels. On n'est pas venu pour parler politique bien sûr, mais on ne pense évidemment qu'à cela, chacun s'observe du coin de l'œil et mesure la moindre inflexion, le moindre compliment ou salut un peu appuyé pour en tirer des indications qui seront ensuite disséquées, commentées, alors qu'elles n'ont en vérité aucune valeur. Le sommet du jeu de dupes collectif étant atteint lorsque le président et son principal challenger se serrent la main devant les photographes comme s'ils étaient contents de se retrouver sur des valeurs sacrées alors qu'ils sont venus précisément pour glisser le message que l'autre les pratiquerait en fait moins sincèrement et avec moins de ferveur que soi-même.

Après les sorbets, ça sent un peu la fin de croisière et c'est un moment clef pour pousser son avantage, celui où l'on passe de table en table pour aborder ceux à qui on n'a pas encore parlé ; le moment où l'on peaufine les petits arrangements après les grandes manœuvres. Comme il y a des sièges vides maintenant, Claude Guéant m'invite à m'asseoir près de lui, il insiste, je m'exécute. La circulaire sur les étudiants étrangers a été finalement rapportée et la nouvelle version, pourtant à peine moins restrictive, a été présentée comme un signe de l'évidente bonne volonté du ministre de l'Intérieur à écouter les critiques des membres du gouvernement qui n'étaient pas de son avis. Avec tous les photographes qui mitraillent à qui mieux mieux, la présence du ludion culturel qui a fait part sur les ondes de son opposition à la circulaire est la bienvenue et ne peut évidemment pas faire de mal. Fort bien, embrassons-nous, Folleville ! Il se montre d'ailleurs gai et détendu, peut-être un peu pompette, comme je ne l'avais encore jamais vu.

François Hollande en revanche est nettement moins aimable. Comme je me penche pour le saluer en passant devant sa table à l'invitation de Manuel Valls qui rigole toujours quand il me voit, le candidat socialiste m'accueille comme si j'allais lui dérober son portefeuille ou lui rajuster la cravate et me répond avec humeur, sans me serrer la main et en faisant un grand geste de renvoi : « C'est bon, c'est bon, allez, rentrez chez vous ! » Et il se retourne ostensiblement.

Jeudi 9 février 2012

Bruxelles pour toutes ces histoires de fiscalité sur les médias et de financement du Centre du cinéma que j'apprends par cœur comme on avale des cuillerées d'huile de foie de morue, que j'arrive à restituer correctement avec Laurence derrière moi qui chuchote à mon oreille « C'est ça, c'est bien ça », et que j'oublie ensuite dès que j'ai à peu près obtenu d'être entendu. Heureusement, tout traîne à Bruxelles, cela me permet de réapprendre ma leçon avant chaque nouveau round et de passer pour un type sérieux qui maîtrise ses dossiers.

Joaquín Almunia, commissaire à la Concurrence, comme un gentil prof plein d'indulgence pour celui qu'il soupçonne d'être un cancre mais qu'il interroge sans insister parce qu'il a de la sympathie pour lui.

Scotché malgré tout quand je lui déclare que les jeux vidéo sont aussi un art et doivent donc bénéficier de la même fiscalité que le cinéma. Il va suivre une formation avec ses petits-enfants.

Françoise Hardy, croisée devant la gare du Midi, le beau visage, les cheveux blancs, lasse et frigorifiée, attendant je ne sais quoi. Cette manière d'être à la fois attentive et réservée, si attirante et singulière, ce désir que j'ai de me faire apprécier d'elle. En vain je crois.

Fête lituanienne au ministère. La jeune ambassadeur – il faut dire «ambassadrice», mais je me refuse à la féminisation des mots, et elle aussi – a fait venir des chefs de Vilnius. Buffets superbes, beaucoup de monde; Lionel soulagé de ne pas avoir eu à nourrir autant d'invités : «Faites-nous plus de fêtes comme celle-là, monsieur le ministre, ça me permet de rester dans mon budget et de vous gâter pour les autres!»

Article bien écrit mais dévastateur par Gilles Martin-Chauffier dans *Match*. On imagine le plaisir qu'il a dû prendre à l'écrire. Vilenies en chaîne de Macé-Scaron sur iTélé. Ni l'un ni l'autre ne manquent de talent et ils bénéficient de la bonne vieille tradition du respect pour les polémistes et les pamphlétaires. L'un, fils de famille, écrit des livres agréables à lire mais un peu convenus et ennuyeux. Le second, schéma édifiant de l'ascension par le mérite, évite de perdre du temps et préfère recopier des tranches entières piquées chez les autres sans que personne s'en émeuve durablement. Je n'aurai décidément jamais ma place parmi ces beaux esprits. Il faut reconnaître aussi que je l'ai quand même un peu cherché.

Vendredi 10 février 2012

Hugues Gall est inquiet pour la réélection du président. Bien qu'il soit très discret à ce sujet, j'ai l'impression que le président le consulte moins souvent qu'avant. Le pré carré se referme de plus en plus et ce n'est pas bon signe non plus.

Alain Seban est quant à lui rassuré car il est reconduit à la tête du Centre Pompidou. Il n'a jamais été question pour moi d'envisager une autre hypothèse. La maison est très difficile, elle vieillit trop vite, comme une belle qui aurait forcé sur tous les plaisirs de l'existence, et il lui transfuse en permanence son énergie, même s'il n'est pas compliqué de trouver des bonnes âmes pour le démolir. On parle évasivement de la bibliothèque et de sa réorganisation complète ; il faut attendre un peu, la période n'est pas propice. Air connu.

Pour Sébastien Proto, rien n'est encore joué. Parcours de «wonder boy», silencieux, opiniâtre, travailleur acharné. Hostile de manière très argumentée, à l'égard des socialistes. Avec la fougue de sa jeunesse et aucune gêne concernant l'évolution des mœurs et celles du ministre en particulier. Le plus beau gosse de la droite civilisée et un charme auquel je ne dois pas être le seul à être sensible. Marié avec enfants, il y en a qui ont de la chance. Très content d'être le directeur de cabinet de Valérie, qui est ministre comme elle est dans la vie, jamais dans les petits trucs, les combines, les rumeurs.

Elyes Fakhfakh, ministre du Tourisme de Tunisie. Il est membre du parti Ettakatol, le centre gauche laïque. Jeune, très conscient des difficultés de toutes sortes, pas du tout hâbleur. La conjoncture actuelle du tourisme est mauvaise, mais pas désespérante si la situation se normalise grâce à des garçons aussi capables que lui. Il balaie d'un revers de la main tous les reproches que je me fais à moi-même.

Alexandre Gady, défenseur sourcilleux du **patrimoine, qui** m'a trouvé trop laxiste en plusieurs circonstances et **l'a fait bruyamment** savoir. J'aurais dû le connaître plus tôt ; dossiers **solides** et bien en ordre ; il a raison sur beaucoup de points que je n'ai pas suivis d'assez près. Après quelques grincements de sa part, contact plus confiant. Jean-Pierre : «Ils sont tout un petit groupe, tu devrais les consulter régulièrement. Ils t'embêteront mais te diront des choses intéressantes. Et puis, tu adores ça !»

Dîner à l'Automobile club, organisé par Max Armanet. Assistance très contente que j'aie suivi ses conseils et fait inscrire plusieurs avions des débuts héroïques à l'Inventaire.

Samedi 11 février 2012

Week-end aux Émirats afin de remettre un peu plus la pression sur «nos amis émiriens». Jean-Pierre découvre avec de grands yeux l'invraisemblable développement urbain gagné sur le désert. Et encore,

Abou Dhabi paraît raisonnable et à taille humaine à côté de la science-fiction de Dubaï.

Visite du chantier du Louvre. C'est vite fait : il n'y a pas de chantier, juste quelques tôles éparpillées dans un décor lunaire de pierraille surchauffée. Rien n'a avancé depuis la dernière fois et le village «Métropolis» des travailleurs est fermé. Où sont-ils passés?

Le cheik Sultan, regard plus caressant que jamais, me délivre toute une série de messages rassurants : «*No more misunderstanding, little problems are over.*» J'en déduis que la crise de confiance a été sévère et que les problèmes de trésorerie furent, ou sont, bien réels. Je n'arrive pas à arracher un calendrier pour la reprise des règlements et du chantier. Toujours la même ambiance de ruée vers l'or noir : princes d'Orient énigmatiques, femmes fatales accrochées à leur portable en toisant des Bédouins implorants, fonctionnaires français qui font claquer leur attaché-case sous le soleil et tournent comme des vautours, ballet des limousines climatisées roulant sur des autoroutes comme dans *Solaris*, un ministre qu'on promène et qui s'obstine à poser des questions.

La Palestinienne en abaya noire qui me fait visiter le Musée islamique de Chardja laisse entrevoir qu'elle est très belle, rit volontiers et parle parfaitement l'anglais; l'université américaine de Beyrouth sans doute. Belles collections, l'émir achète beaucoup dans les grandes ventes internationales. Il écrit des livres en anglais sur sa vie de roi du désert et projette de venir bientôt à Paris.

Soirée à Dubaï avec mon petit-fils, Sasha, et sa mère. Petite maison tranquille avec un jardinet dans un «resort» plein de Russes qui font du jogging en survêtement fluo. L'enfant est heureux, gentil et beau, il travaille très bien dans son école internationale et attend avec impatience que je ne sois plus ministre pour que je l'emmène faire du ski dans le grand mall avec les Iraniennes en tchador et les Australiens en bermuda. Je promets vaguement; tristesse de vivre loin de lui et de ne pas le voir grandir.

Dimanche 12 février 2012

Petit déjeuner surprise avec le cheik Sultan. Il a tenu à venir pour savoir si tout se passe bien. Protestations d'amitié. On reparle du projet de l'emmener à la chasse à Chambord à l'automne, ce qui donne encore plus d'intensité au regard de velours. Pour moi qui déteste la chasse, ce serait une première, mais c'est un engagement qui vaut ce qu'il vaut : l'automne...

Visite de la collection privée du fameux docteur et collectionneur que m'avait amené le sénateur qui connaît tant de monde. Des dames ouvrent pour nous avec des gants de soie de lourdes vitrines remplies de corans anciens et de manuscrits aux calligraphies mystérieuses. Le docteur nous invite ensuite à déjeuner au Royal Mirage, palace hollywoodien au bord de l'eau où de jeunes et jolies blondes sans occupations clairement définies bronzent à la piscine en lisant des magazines people. Je reparle au docteur de son projet de musée à Paris pour lequel j'avais engagé toute une série de contacts. Il évoque en souriant des « *little problems* », selon la formule décidément consacrée et je n'en saurai pas plus. Cette fois, c'est plutôt à une version persico-arabique du *Troisième Homme* ou de *Monsieur Arkadin* à laquelle je pense auprès d'un hôte si prévenant.

Réception à l'ambassade, décorations... je retrouve mes petites copines artistes de la dernière fois, toutes vives, toutes mignonnes dans leurs abayas noires. Elles vont venir étudier les beaux-arts à Dijon. L'ambassadeur s'est mis en quatre pour qu'elles puissent s'inscrire, obtenir des bourses, persuader les parents.

Lundi 13 février 2012

Déjeuner patrimoine avec le président à l'Élysée. Mes nouveaux amis des associations de sauvegarde sont tétanisés et ne disent pas grand-chose. Récit assez touchant d'un garçon aux moyens modestes qui retape un château. Sonia de La Rochefoucauld suscite un effet choc sur le président à qui j'avais fait passer une note à propos du donjon et du projet Pei. Longue digression sur l'hôtel de la Marine ; tout le monde hoche la tête en signe d'approbation. Olivier Henrard a joué le jeu avec les listes que je lui avais fait passer. À comparer au déjeuner des historiens dont l'organisation a été confiée à Camille Pascal qui n'a rien trouvé de mieux que de ne pas me faire convier. Un des historiens, à peine sorti de table, s'est d'ailleurs fendu d'un article cruellement sarcastique dans *Libération*. Médiocre consolation.

Inauguration de tapisseries à la Cour des comptes. Tous ces messieurs en hermine, ça fait un peu bizarre, quand même. Dîner avec Doris, Maryvonne, Dina, pour ne pas désespérer de l'hiver retrouvé.

Mardi 14 février 2012

Préparation de la saison croate. La ministre de la Culture est une grosse dame, écrivain et professeur de littérature, extrêmement sympathique, qui a prévu un programme intéressant avec Peter Knapp en commissaire pour la photographie et la venue au Louvre de l'*Apoxyomène*. Je dis « Oui, oui » en me demandant ce que cela veut dire. On me montre des images : c'est un athlète en bronze antique d'une beauté époustouflante. J'évite de parler de quelques petits sujets qui fâchent : les oustachis, la dictature effroyable de Pavelic pendant la guerre, les horreurs commises lors de l'éclatement de la Yougoslavie.

Laurence Drake va s'occuper du fonds de dotation de la culture partagée. Casting « spécial Francis » : mais où a-t-il trouvé une beauté pareille ? De toutes parts, on me l'annonce aussi très compétente. Très réservée quand je la rencontre, très consciente des espoirs que l'on met en elle pour ce qui restera une initiative plutôt réussie du ministère.

Robin Renucci pour les Tréteaux de France. Il en avait très envie. Il suffisait d'y penser. Ça remarche tout de suite.

Dîner avec Bernard Fixot et Valérie-Anne. Sombres prédictions pour le résultat des élections ; il confirme ce que tout le monde sait mais qu'il ressent plus particulièrement puisque le président le consultait régulièrement en 2007 et lui avait confié l'édition de son livre-programme. Il n'écoute plus que Buisson, Peltier et Pascal. Même Guaino serait sur la touche.

Mercredi 15 février 2012

Communication sur la politique de la photographie au Conseil des ministres. Le président n'écoute pas et parle avec Alain Juppé. Les autres ministres dorment ou s'en fichent. Petit message triomphant de

Roselyne : «Alors mon Youki, tu vois, ça ne marche pas à tous les coups!» Je lui réponds que j'aurais dû annoncer qu'elle posera nue sur la prochaine carte de vœux du ministère. Elle me fait oui, oui de la tête.

Le président : «Hollande? Mais il n'est pas sympa du tout. Il ne faut surtout pas se fier à son air de bon gars. C'est tout le contraire. Tu vas t'en rendre compte, pas trop tard j'espère. Marine Le Pen? C'est rien, Marine Le Pen, c'est une plaisanterie, cette histoire. Un peu d'agitation, mais rien de sérieux, elle ne peut pas tenir longtemps.»

Réunion avec les préfets de Basse-Normandie pour voir si le plan d'implantation des éoliennes ne menace pas le site du Mont-Saint-Michel. Cartes, zones de protection, graphiques. Je sens que je les exaspère avec mes demandes, d'autant plus qu'ils me soupçonnent, avec raison, d'avoir cafté au président. Mais je ne lâche pas le morceau.

Bruno Le Maire : «On a beau être tous épuisés, on pourrait vraiment l'aider s'il nous le demandait; il se contente de nous dire de faire notre travail, d'aller au contact et de taper fort; moi, je veux bien, mais c'est vague, ce n'est pas une campagne. En fait, il ne nous demande rien, absolument rien. Mais qui donc lui prépare ses discours? La petite bande qui ne veut pas nous voir?»

Nicolas Sarkozy vient d'annoncer qu'il est officiellement candidat, ça ne change rien, hormis qu'il sera sans doute encore plus difficile de lui parler.

Jeudi 16 février 2012

Forum sur la politique du livre avec un représentant de chaque tendance à la tribune. Un jeune lepéniste est assis à côté de moi, emprunté, pas sûr de lui. Morne débat et de ma part médiocre prestation. Dans le public, une femme évoque l'absence de retraites pour les vieux écrivains, la pauvreté voire la misère à laquelle ils sont confrontés.

Nicolas Demorand à déjeuner : «La situation est vraiment très grave. Si tu ne nous accordes pas cette avance sur la subvention, *Libération* va mettre la clef sous la porte.» C'est compliqué pour moi, j'ai encore en mémoire l'engueulade carabinée du président lorsque j'ai fait le geste une première fois il y a quelques mois. Il le sait. Je me débrouille quand même en espérant qu'il regarde ailleurs. Trois jours plus tard, article au vitriol sur je ne sais plus quel sujet culturel. J'appelle Nicolas pour lui dire que ce n'est tout de même pas très chic. Il rit : « Oui, je sais, nous, à *Libé*, on est tous des ingrats ! »

Nicolas Demorand était un garçon très attachant lorsque je l'ai connu, il y a quelques années. Études brillantes, intelligence vive, beaucoup d'humour, l'ambition servie par un esprit libre et une fantaisie attirant la sympathie. Avec juste ce qu'il fallait de fêlure émouvante qui permettait d'apercevoir des tourments de désir amoureux pour les jeunes filles. Ayant eu le courage et l'habileté de s'affranchir des fatalités de carrière inscrites dans les gênes d'un normalien agrégé pour rejoindre l'univers incertain des médias, il y a découvert des travers qui y sont très répandus : l'esprit de dérision à tout prix, la pensée sclérosée de la bonne conscience de gauche, l'illusion de l'influence instillée par la popularité et son cortège de facilités en tout genre. Il y a succombé parce qu'il est difficile d'y résister et peut-être parce qu'il y était tout de même enclin. Le pacte insidieux avec le succès l'a transformé : il est devenu dur et pontifiant, l'ouverture aux autres s'est refermée, l'intérêt pour les contradictions s'est éteint, l'aptitude à réfléchir s'est asséchée. Encore quelques années de réussite à l'abri de la forteresse de la pensée dominante en compagnie de la meute du politiquement correct et il risque fort de devenir ce qu'il croyait détester dans sa jeunesse : un vieux con faussement progressiste.

Philippe Caubère entre comme fou dans mon bureau. Il est arrivé au bout de la subvention qui est accordée pour trois ans lorsqu'on quitte la direction d'un centre dramatique et hurle qu'on le traite comme un misérable et qu'on ne cesse de l'humilier. Je lui demande seulement de s'excuser auprès de Muriel Genthon qu'il a gravement offensée ; il se rassérène et présente ses excuses ; on règle le problème. Il part surpris, content et furieux. Je le rattrape : « Pas humilié, quand même, cette fois-ci ? — C'est vrai, pas humilié. » L'état de furieux doit lui être nécessaire quand il est au ministère ; ça peut se comprendre, je le serais sans doute moi-même si j'étais Philippe Caubère, obligé de frapper à toutes les portes pour être enfin reçu par le ministre.

Tous les quinze jours environ, nous nous accordons une petite pause whisky en fin de journée avec Jean de Boishue. Ce sont des moments privilégiés pour moi. Jean souffre de tous les maux qui accablent la majorité, il n'en est que plus alerte et plus amusant quand il me les énumère avec un luxe de détails sur la psychologie et les faiblesses de la ménagerie politique.

Vendredi 17 février 2012

Coup de force avec Francis pour trouver enfin les bureaux convenables qui abriteront la mission photo aux Archives où il y a toute la place nécessaire. Agnès Magnien pour les Archives elles-mêmes et Maryvonne de Saint-Pulgent pour la Maison de l'histoire, ne sont pas enthousiastes, mais comme je me donne moi-même la peine d'inspecter les quelques pièces vides dont on peut disposer, elles me laissent faire et finissent même par en rire tant mon obstination leur paraît incongrue. C'est ainsi que nous sommes finalement de très bonne humeur lorsque Susanj et le louchon qui l'accompagne en toutes circonstances sortent de leur trou, au rez-de-chaussée, pour nous alpaguer avec la rage froide et le ton menaçant qui les caractérisent. Faute de l'avoir pratiquée, ils ignoraient seulement que le caractère de Maryvonne de Saint-Pulgent peut présenter quelques aspérités. Échange vigoureux qu'ils préfèrent interrompre en prenant la fuite. Bonne occasion pour observer que le parc des Archives remodelé par Louis Benech est désormais prêt à accueillir du public.

Visite de Frédéric Lefebvre qui évoque divers sujets sans grande importance. C'est drôle de constater comme en cette période floue les ministres du second rayon, comme nous, qui se sentent en roue libre et déboussolés ont besoin de se rapprocher les uns des autres pour se flairer et savoir sur qui ils peuvent compter, ne serait-ce que pour obtenir des informations qu'on trouve d'ailleurs facilement dans la presse.

Samedi 18 février 2012

Mauvaises nouvelles en provenance de la Villa Médicis. Un des murs de l'allée des orangers s'est effondré et peu après des vols et des dégradations importantes ont été constatés dans les jardins. Le directeur minimise l'impact de l'écroulement du mur, ce qui est singulièrement maladroit vis-à-vis de l'opinion italienne traumatisée par l'affaire du mur de Pompéi qui s'est désagrégé récemment, et il incrimine le personnel et les pensionnaires sans aucune preuve pour les vols. Vent de révolte contre lui. Je demande une inspection par les services et Jean-Pierre insiste auprès du nouveau président du conseil d'administration pour qu'il se rende sur place. Fureur du directeur.

Dimanche 19 février 2012

M'étant échappé quelques instants d'une journée de parapheurs, je tombe par hasard nez à nez avec Jean-Luc Mélenchon devant la Comédie-Française. Je le remercie pour son soutien lors de la polémique sur *La Mauvaise Vie*. « Oui, c'était parfaitement dégueulasse de leur part, mes anciens camarades socialistes. Moi, c'est le genre de campagne qui me fait horreur. Pour le reste, c'est bon, on n'est vraiment d'accord sur rien, hein ! Mais ça, c'était dégueulasse, inacceptable surtout venant des socialistes. » Il fait beau. C'est de l'histoire ancienne, comme tout passe vite en politique.

Lundi 20 février 2012

Réunion pour définir les espaces qui seront attribués à la Maison de l'histoire avec Maryvonne de Saint-Pulgent et le cabinet. La présidente du nouvel établissement public veut faire construire un bâtiment dans le parc. Refus catégorique de ma part, interdiction absolue de modifier cet espace vert que j'ai arraché de haute lutte et qui va bientôt ouvrir. Maryvonne est une star dans le monde du ministère et des réseaux culturels ; elle n'a pas l'habitude qu'on lui résiste si fermement. Tout le monde plonge son nez dans les plans et, miracle, on trouve une autre solution qui convient à chacun, Maryvonne de Saint-Pulgent comprise. Élodie après la réunion : « Vous devriez toujours être comme ça, monsieur le ministre ! » En filigrane, ces questions que je me pose sans cesse sur mon éventuelle faiblesse de caractère, cette aversion pour les conflits que certains me reprochent, qui serait associée à une qualité quand même, ma hantise d'humilier qui que ce soit.

Déjeuner avec agnès b. Magie d'une vie construite, droite, solide et belle. Stupéfaction en apprenant qu'elle est un peu plus âgée que moi : le talent et la générosité conservent et préservent l'ardeur de la jeunesse. Le souvenir très ancien d'un voyage dans une caravelle prise dans des turbulences violentes et sa petite main qui cherchait la mienne pour se rassurer. Elle l'a sans doute oublié, moi pas.

Ursula Plassnik, l'ambassadeur d'Autriche, est une grande et belle femme à l'intelligence brillante. Elle a été longtemps ministre des Affaires étrangères. On cherche ensemble les meilleurs moyens pour mieux faire connaître la culture autrichienne en France, écartelée entre la crèmerie des valses avec Sissi et le pain noir de Thomas Bernhard et d'Elfriede Jelinek.

Réunion avec les pontes des principaux quotidiens au chevet de Presstalis en coma dépassé. Anne-Marie Couderc ne dispose plus de la trésorerie nécessaire pour assurer les échéances du mois prochain. Il faut que ces messieurs allongent des subsides. Les patrons des quotidiens ayant une sainte trouille qu'ils ne soient plus distribués durant la campagne se lamentent comme Géronte tout en avançant des chiffres, évidemment insuffisants. Ambiance de marchands de tapis. La réforme de tout le système est de toute façon inévitable, elle coûtera très cher, les syndicats du livre attendant de leur côté que le fruit soit bien pourri en faisant chauffer leurs calculettes. On me cite des chiffres faramineux à propos des précédents plans sociaux auxquels ont procédé plusieurs groupes de presse. On se sépare sans rien décider sur les montants, mais le message est passé et on va se revoir très vite.

Jean de Boishue, pas content du tout : « Tu te débrouilles comme tu veux mais il faut que ça tienne. Chez nous c'est niet absolu pour remettre tout à plat maintenant, ne te laisse pas faire par cette diablesse d'Anne-Marie Couderc. — Et moi, comment je fais, je braque *Le Figaro*, *Le Monde*, *Libération* ? — Non, tu récupères en douceur un peu de ce que nous leur donnons, tu sais très bien faire ce genre de choses... — La prochaine fois je mettrai de l'arsenic dans ton whisky. — Je le boirai avec plaisir, si tu savais comme j'en ai marre de toutes ces histoires. »

L'exposition Ai Weiwei au Jeu de Paume, dissident chinois valeureux et artiste je-m'en-foutiste. Les choses étant ce qu'elles sont, tout le monde s'extasie. Soit.

Mes amis chrétiens d'Alep ont prêté des œuvres majeures à l'Institut du monde arabe. Ils sont présents à l'inauguration de la nouvelle scénographie, tristes et abattus. Je ne sais pas quoi leur dire. Trop de contradictions au sein de la tendresse que je leur porte.

Prix Toscan-du-Plantier; cette fois, la contradiction est pour tous ceux qui sont réunis à l'hôtel George-V. Aucun gouvernement ne s'est donné autant de mal pour protéger le cinéma, ils le savent mais voteront quand même pour François Hollande. Je fais celui qui ne se doute de rien.

Mardi 21 février 2012

Claude Perdriel, dans une forme olympique à quatre-vingt-cinq ans, vient me parler du rachat de *Rue 89* par le groupe du *Nouvel Observateur* dont il est propriétaire. Considérations très avisées sur la crise de la presse et sur la manière dont son groupe continue à y échapper. Souvenir des années 1970 où l'on allait avec François Wimille et Catherine Breillat aux fêtes qu'il organisait dans un château près de Paris : feux d'artifices, jolies filles et jeunes énarques lorgnant sur les voitures de sport, belles «cougars» sans complexes et banquiers à la cool, tout le monde de gauche, «Those Were the Days». Je me demande où ils ont bien pu tous passer tandis que lui est toujours bien là, respirant la joie de vivre.

Renaissance du musée Rodin depuis que Catherine Chevillot en est devenue la directrice. Quelques discrètes suggestions de ma part auxquelles elle répond du bout des lèvres. La dame ne se laisse pas faire et c'est aussi pour ça que je l'ai nommée. Elle travaille sur un sujet de fond : la réouverture de la maison-atelier de Rodin à Meudon. Mais comme toujours, pas d'emploi disponible. Pour en trouver au moins deux, il va falloir se battre avec Guillaume Boudy, l'Harpagon du secrétariat général qui va encore faire de gracieuses pirouettes pour me refuser ce que je lui demande.

Jean-Pierre : «Tu es vraiment beaucoup trop indulgent avec lui. Il siphonne en permanence les autres directions pour alimenter la sienne en attirant les meilleurs et il garde tous les emplois disponibles pour lui en te racontant des histoires. Ton chouchou, que tu trouves si spirituel et gentil, travaille pour lui avant de travailler pour toi. Les autres directeurs sont furieux mais ils n'osent pas te le dire. » Il y a certainement du vrai dans les fulminations de Jean-Pierre. Le secrétaire général, administrateur hors pair, s'est rendu indispensable dans un ministère où il y a plus de trente mille agents, mais il est sans doute devenu trop puissant, il faudrait trouver le moyen de mieux le contrôler. Le problème est que ce chenapan connaît tous mes points faibles : il m'enduit de sirop, me fait rire, use de son charme, ne dit jamais non franchement. À ma décharge, je ne suis pas le seul à me faire manipuler, en sa présence les mécontents ronronnent comme des chats et lorsque je leur demande en aparté ce qu'ils en pensent, ils se récrient. Solidarité de la haute administration inamovible malgré le jeu des chaises musicales en face des ministres qui passent. Jack Lang, en visite amicale : « Tu le tapes un bon coup après les élections, si tu es encore là, mais tu le gardes, tu auras du mal à en trouver un meilleur. »

Franck Riester, tout feu tout flamme, sur le Centre national de la musique dont il a largement inspiré les mécanismes. L'ombre légère qu'il y avait entre nous s'est dissipée ; tant mieux.

J'attends les visages émerveillés et les compliments hyperboliques au Festival de Cannes de tous ceux qui ont traîné les pieds en espérant que le film ne se ferait pas lorsqu'ils découvriront le *Vous n'avez encore rien vu* d'Alain Resnais.

Mercredi 22 février 2012

Le président : « Enfin, écoutez-moi, ne vous laissez pas embobiner, je sais comment ça se passe, j'ai quand même été élu, vous n'allez pas m'expliquer comment faire. »

Daniel Rondeau est depuis quatre mois ambassadeur de France auprès de l'Unesco. Ça nous change de Rama Yade qui n'en fichait pas une rame (!). Pas assez bien pour toi, ma chérie ? Où l'on reparle des bouddhas de Bamiyan et aussi du Cinéma Soudan. Ses articles dans *Le Monde* sur la tragédie des clandestins qui se noient en essayant d'atteindre Lampedusa, écrits alors qu'il était ambassadeur à Malte : la meilleure tradition des diplomates-hommes de lettres qui agace tellement les romanciers ambitieux et les frileux compassés du Quai d'Orsay.

Conférence de presse pour le Printemps des poètes. Ils reviennent de loin. Malgré toutes mes objurgations, Luc Chatel leur a sucré leur subvention de l'Éducation nationale et j'ai dû faire des acrobaties pour compenser. On verse des larmes de crocodile à l'Éducation nationale sur le manque d'intérêt supposé pour la poésie en France et on aurait laissé mourir sans hésiter une des meilleures initiatives dans ce domaine. Juliette Binoche, en marraine, récite un petit poème, s'arrête et me passe le micro, brusquement fragile, inquiète, perdue. Il s'est passé quelque chose mais je ne saurai pas quoi.

Daniel Buren menace de tout arrêter pour le Monumenta qu'il prépare pour le mois de mai au Grand Palais. Encore cette sombre histoire d'allées et venues du public qui doit assister au même moment aux représentations de la Comédie-Française dans une autre aile du Grand Palais. Jean-Paul Cluzel au téléphone : «C'est peut-être immense, le Grand Palais, mais c'est une horlogerie très délicate, et si personne n'y met du sien, moi je ne peux pas remonter les aiguilles.» Il s'en occupe, il va trouver une solution.

Alain Juppé, croisé à l'Assemblée nationale : «Bon, c'est à l'assaut maintenant; il charge le bourrin au maximum, c'est marche ou crève! Franchement, je ne sais pas si le bourrin va résister.» C'est dit avec un grand rire qui le rajeunit soudain.

Fin du marathon parlementaire sur la numérisation des œuvres indisponibles. Tout le mal qu'il a fallu se donner pour résoudre une question nouvelle mais relativement simple et dont la réponse était claire pour tout le monde.

Jeudi 23 février 2012

Lancement du chantier de la Fabrique, le centre de préparation et de répétitions prévu pour le Festival d'Avignon. Belle architecture de Maria Godlewska, qui a déjà réalisé plusieurs centres culturels et salles de spectacle d'une grande élégance. Malgré toutes les tentatives de ratissage de Bercy et grâce à l'habileté de Georges-François qui s'est «débrouillé» une fois de plus, j'ai donc tenu ma promesse à l'égard d'Hortense et Vincent. Vu qu'ils ne disent jamais grand-chose, ils se réjouissent *mezzo voce* mais je pense qu'ils me savent quand même gré du résultat. Marie-Josée Roig à l'issue de la conférence de presse : «Vous voulez que je vous parle d'Yvon Lambert, on a quelques petits ennuis actuellement.» Moi : «Parlez-en à Jean-Pierre Biron, comme vous le savez il suit l'affaire de très près, il y pense jour et nuit, il adore ça.»

Le préfet Burdeyron, officier des Arts et des Lettres. Il ne l'a pas volé. Avignon, dans toutes ses composantes culturelles, lui doit une fière chandelle. Petite réunion intime et familiale. Il est ému et moi aussi. Cérémonie des adieux ?

Vendredi 24 février 2012

La mission de réflexion sur le spectacle vivant avance à grands pas. Le plus grand mérite en revient à Hervé-Adrien Metzger, conseiller maître à la Cour des comptes, qui s'est passionné pour le sujet et mène tout son quadrige avec un doigté remarquable. J'aurais dû regarder sa biographie d'un peu plus près ; il a fait le pompier de service dans les secteurs les plus divers : aérospatiale, affaires militaires, alimentation et agriculture, organisations internationales. Le genre de pépites qu'on trouve en cherchant bien dans la haute administration et qui parlent normalement aux gribouillons dans mon genre.

Yaacov Agam vient me voir avec un projet de sculptures où deux œuvres lumineuses se répondraient entre New York et Paris. Il a largement passé quatre-vingts ans, frêle, une longue barbe blanche : il ressemble aux rabbins violonistes dans les tableaux de Chagall. Il expose son projet avec feu et il est très intéressant à écouter. Mark Alizart est sceptique. Je le prends à part pour lui dire qu'un garçon qui connaît si bien l'art contemporain ne peut pas traiter cavalièrement l'un des derniers patrons de l'art cinétique et qu'il ne faudra pas attendre longtemps avant que l'on redécouvre ce chapitre incontournable de l'histoire de l'art du XXᵉ siècle. Il me regarde comme toujours quand il n'est pas content avec le sourire ironique du premier de la classe qui en sait plus que le prof ; un peu penaud tout de même me semble-t-il. Sur mon bureau, Agam a déposé un délicieux dépliant en couleurs que je garderai précieusement. Denise René doit me sourire quelque part.

Soirée des césars avec Doris. Guillaume Canet préside, elle en est folle, moi aussi, ça tombe bien. Mieux que les autres années mais quand même tellement franchouillard quand on se prétend un cinéma planétaire. Mots très gentils de Guillaume au dîner qui suit lorsque je lui dis qu'il m'intimide. Avec l'alcool, l'enthousiasme de commande, la vulgaire illusion de la joyeuse famille, ce sentiment sourdement angoissant d'être toujours entre deux, ni vraiment ministre ni vraiment de leur monde.

Samedi 25 février 2012

Tristes histoires où des méchancetés ordinaires de la vie de province et les atermoiements d'un ministère trop lointain s'additionnent au risque d'affecter irrémédiablement les êtres et les choses.

Histoire n° 1 : Pétaudière à Colmar ! La mairie essaie de reprendre le contrôle du musée à l'association de notables qui le gère conformément à une vieille tradition germanique. L'incident de frontière est déclenché par la polémique lancée à Paris par les ayatollahs Didier Rykner et Vincent Noce au sujet de la restauration selon eux trop hâtive du retable d'Issenheim, extraordinaire chef-d'œuvre de la Renaissance qui attire près de deux cent mille visiteurs par an et contribue aux extases mystiques d'Olivier Py. La conservatrice et la restauratrice servent de boucs émissaires aux belligérants et sont moralement dévastées par les critiques qui s'abattent sur elles. Au fond, personne ne sait ce qu'il en est de la restauration : bataille d'experts, comme d'habitude. Le ministère a la tutelle du musée, mais il donne l'impression d'être aux abonnés absents.

Rude bagarre sur place où je m'emploie à calmer les combattants et à rassurer la conservatrice qui ne mérite certainement pas d'avoir été si mal traitée. Une décision pour commencer : pas question d'installer le chauffage dans la chapelle où le retable est exposé en majesté. Il vaut bien qu'on garde son manteau en hiver pour l'admirer.

Histoire n° 2 : le Val d'Argent s'enfonce profondément au cœur des Vosges dans un paysage splendide. Jadis prospère grâce aux mines d'argent, c'est un pays dévasté qui a perdu la moitié de ses habitants, avec tous les taux catastrophiques de la grande pauvreté, chômage, illettrisme, RSA. La petite ville de Sainte-Marie-aux-Mines résiste : création d'un centre culturel par une association de jeunes qui prennent sur leur temps et leur maigre salaire ; festival des minéraux où des minéralogistes viennent du monde entier, hélas seulement pour quelques jours ; cycle de concerts dans une merveilleuse chapelle de montagne et musée de la Mine remarquablement organisé qui raconte toute l'histoire des transhumances ouvrières depuis le Moyen Âge et permet de s'enfoncer dans les galeries encore argentées. Sous-capitalisé et ne faisant pas de bénéfices, le musée a été l'objet d'un rapport d'inspection défavorable conduit à la va-vite par le ministère et mouchardé comme il se doit à la Cour des comptes. Les sommes en jeu sont modestes. Le ministère refuse toute aide ; le préfet de région veut fermer la mine ; dans la voiture, il n'exprime pas beaucoup de sympathie pour ce Val d'Argent qui certainement vote mal ; les habitants totalement désespérés n'attendent rien de bon d'un ministre qui devrait logiquement leur infliger le coup de grâce.

Écœurement devant tout cet abandon que le ministère a laissé filer par indifférence. J'essaie tant bien que mal de recoller les morceaux. Philippe Richert, président de la région, m'assure qu'il va «faire quelque chose». De visites en réunions, je vois le préfet devenir de plus en plus silencieux : tant de détresse, de volonté pour s'en sortir et de négligence de la part des pouvoirs publics éveilleraient-elles en lui une sollicitude nouvelle? «Revenez, revenez vite», me dit le maire en m'accompagnant à la voiture. La période, toujours la période qui n'est pas propice...

Après cela, détour pour amadouer un peu plus le préfet vers l'un de ces burgs alsaciens que l'un de ses amis restaure avec une énergie contagieuse. Paysage hugolien et balcon forestier grandiose sur la plaine d'Alsace. Le haut Königsberg au loin. Un prêté pour un rendu : il me promet de faire mieux attention au Val d'Argent.

Longue visite au Théâtre national de Strasbourg où j'aurais dû venir depuis longtemps. La directrice, Julie Brochen, belle, forte et sympathique ; programmation très culturellement correcte, avec une forte fréquentation. Plus d'une centaine d'emplois, ce n'est décidément pas cela qui manque dans le spectacle vivant, mais à quoi bon relever, cela gâcherait la bonne ambiance. Cours d'art dramatique où de jeunes apprentis comédiens mettent en scène comme on l'imagine la circulaire Guéant sur les étudiants étrangers.

Catherine Trautmann, chevelure filasse pas coiffée et robe chasuble ample, s'est tellement laissée aller que je la prends pour une des femmes de ménage qui passent l'aspirateur dans le hall. Heureusement que je préfère les femmes de ménage, cela me permet de ne pas faire de gaffe et d'ajuster in extremis lorsqu'elle me parle d'un bateau sur le Rhin qu'il faut sauver de la démolition. On évoque les lugubres collections de crânes réassemblés pour Himmler par l'institut pseudo-scientifique des nazis avec le recteur de l'université qui l'abritait en ces temps d'épouvante.

Tous socialistes et plus si affinités, cordiaux, dynamiques, déjà là et persuadés que ce sera bientôt mieux encore.

Longue promenade nocturne dans la ville fantomatique et glacée avec Georges-François en attendant le train du retour. Il ne se fait pas d'illusion sur son sort si les prédictions de ses amis se confirment ; il est devenu trop proche de moi.

Dimanche 26 février 2012

Messages personnels au gré de mon répondeur :

Inès : «Tiens-toi droit, va à la piscine et arrête d'avoir l'air d'un chien battu. Tout va bien et ça ira encore mieux quand tu m'auras écoutée !»

Catherine : «*E viva la vita bella! Grazie per tutto.*»

Fanny : «Oui, oui, je sais ce que c'est que d'être au fond du gouffre, il faut regarder en haut, très fort, et ça remonte. Allez, on remonte ensemble.»

Mais comment font-elles, mes trois grâces ?

Lundi 27 février 2012

Pascal Houzelot espère décrocher une des nouvelles fréquences pour son projet de chaîne de télévision. Il vient aux informations, interroge, furète, un vrai métier. Je l'aime bien, il ne manque ni de cran ni d'imagination, mais je m'en méfie un peu aussi, comme de tous ceux qui dînent beaucoup en ville.

Mardi 28 février 2012

Philippe Hersant et son directeur général reviennent me voir avec leur conseiller en communication. Ils vont en avoir besoin. Impression pénible que j'ai du mal à dissimuler : ils ne pensent qu'à retirer leurs billes dans les meilleures conditions pour eux et sans se préoccuper du reste. Laurence évite de me regarder, elle sait très bien ce que j'en pense et elle a raison, *as usual*, de s'en tenir à une analyse strictement technique. Et moi, j'évite aussi de la regarder car je sais également ce qu'elle pense.

Réunion de tous les partenaires de la tour de Clichy-Montfermeil. Maurice Leroy : «Ils ont raison, Tour Médicis, c'est ce qu'il y a de mieux comme nom. Pour moi, c'est parfait. Tu sais comme j'ai toujours été pour ce projet.» La chose formidable chez Maurice Leroy, en plus de la sympathie qu'il inspire par ses manières joviales et sa truculence, c'est son aptitude quasi illimitée à la mémoire sélective.

En fait, Maurice Leroy, c'est Raminagrobis chez les Tontons flingueurs. Michel Audiard en aurait été fou s'il l'avait connu. Il a une capacité à enterrer les dossiers qui l'embêtent en faisant croire qu'ils sont prioritaires pour lui qui relève du grand art. Derrière son affabilité, de l'habileté ; derrière son habileté, de la brutalité ; derrière sa brutalité, du cœur et de la générosité ; mais il faut trouver le bon chemin. Moi, il me plaît beaucoup tel qu'il est. Esprit très souple, très délié, très subtil, enfermé dans un corps massif ; connaissant bien la grosse corde des passions humaines et surtout des mauvaises passions de son parti et sachant toujours la tirer à propos. Sans préjugés, sans rancune, d'un abord chaud, facile, prêt à obliger quand son intérêt ne s'y oppose pas.

Projection de *La Chartreuse de Parme* en version télé Rai et Dolce Gabbana à l'ambassade d'Italie. Stendhal doit se retourner dans sa tombe. Nullissime.

Mercredi 29 février 2012

Ministre depuis plus de trente mois, je découvre encore des hauts fonctionnaires de grande valeur qui gravitent autour du ministère et qui ne sont jamais venus me voir, soit par discrétion, soit parce qu'ils ne souhaitent pas être récupérés par le pouvoir actuel. Je ne sais pas à quelle catégorie appartient Bruno Ory-Lavollée. Il dirige actuellement le domaine de Chantilly pour l'Agha Khan mais aurait quelques problèmes avec son patron, homme d'une urbanité parfaite et d'une exigence sans doute difficile à satisfaire. Jean-Pierre m'en parle avec chaleur ; on est d'accord, on aurait dû le recevoir plus tôt.

Déjeuner tâtonnant avec Jean-François Copé. C'est quelqu'un qui ne laisse jamais rien au hasard et aucun détail de côté. Vieux citron défraîchi traînant dans un coin du gouvernement, je dois être encore bon à presser pour le cas où il resterait une petite gougoutte.

Exposition en hommage à Michèle Morgan à la mairie de Pantin. «Mon petit garçon, dont je suis si fière et que je suis toujours aussi heureuse de retrouver.» Public de groupies qui ont vu *Quai des brumes* à sa sortie et de folles qui ne se sont pas consolées de la disparition de Cinémonde. Février, année bissextile, c'est aujourd'hui l'anniversaire de Michèle : «Il suffit de diviser quatre-vingt-dix par quatre et tu sauras l'âge que j'ai !» Elle rit, le magnifique regard bleu plein de gaieté, soudain rendue à son éclatante jeunesse.

Concert de Ricardo Chailly avec l'Orchestre de Paris à la salle Pleyel. Un peu égaré, je fais du gringue à Bruno Hamard, le directeur, qui est tout à fait mon genre dans le registre quarante ans intello chic. Pierre Lungheretti : «Vous êtes fou, il est marié avec une comédienne ravissante.» Je la regarde, elle est effectivement ravissante. Retrouvailles avec Laurent Bayle que je n'ai pas vu depuis trop longtemps et avec qui je sais me tenir. Calmé par sa présence et par Gershwin.

Jeudi 1ᵉʳ mars 2012

Visite au Frac de Bretagne à Rennes. Construction particulièrement réussie d'Odile Decq dans un nouveau quartier. Sculpture minimaliste d'Aurélie Nemours sur le côté, belles perspectives ouvrant sur un grand parc. Aréopage socialiste de bonne humeur (Le Drian, Rogemont, le maire, etc.). Odile est une spécialiste des décrochements et des parcours insolites, comme au musée qu'elle a réalisé à Rome, et j'en profite pour courir partout comme un collégien à l'école buissonnière. Sourires indulgents de ces messieurs dans le style : «Amuse-toi, amuse-toi, la fin de la récré est pour bientôt.»

Drac magnifiquement installée dans un hôtel XVIIIᵉ. Il suffit que le directeur soit un type aimable, humain et compétent pour que les services n'arborent pas ce visage rechigné que j'ai pu observer dans d'autres Drac. C'est le cas ici et la fameuse période ne pèse pas sur la gentillesse de l'accueil. Ils sont pourtant de gauche et syndiqués comme les autres.

Châteaubriant, pour me rendre compte une fois encore du grand malheur du patrimoine semi-abandonné et des éclopés des Monuments historiques sitôt qu'ils ne sont pas visités régulièrement par le public. Une association tente bravement un «lieu d'interprétation historique», formule magique lorsque l'on n'a pas les moyens de créer un musée. Tout près, la Carrière des Fusillés, où furent assassinés vingt-sept otages en octobre 1941 dont Guy Môquet qui n'avait que dix-sept ans.

Ancenis, abcès de fixation de toutes les associations de sauvegarde du patrimoine. Cela fait plusieurs mois que des militants de la préservation des sites m'apostrophent avec autant de ténacité que les pourfendeurs de la corrida. La Sécurité sociale veut construire un bâtiment administratif sur un des côtés du parc du château. Des sondages préparatoires ont fait s'effondrer un pan de mur de l'ancien rempart. Un comité d'accueil très hostile au projet attend le ministre de pied ferme. Le permis de construire a été accordé par la préfecture mais des recours ont été déposés et tout est arrêté.

En fait, la petite ville est pauvre, le château lui-même est vide, à moitié en ruine, le parc à l'abandon et le bâtiment projeté n'obère pas vraiment le site; il est plutôt discret et de facture agréable. Le maire attend beaucoup de l'arrivée d'une administration qui ramènera un peu d'activité et quelques emplois. Réunion à la mairie avec les pour et les contre : empoignade générale. Je ne sais absolument pas quelle décision prendre ; je peux faire annuler le permis ou laisser les choses suivre leur cours. Le préfet me dit que les arguties juridiques vont bloquer la situation pour quelques semaines encore mais qu'elles ne tiennent pas la route.

Dans le train du retour, article de Didier Rykner sur Ancenis, évidemment favorable à l'association de sauvegarde et qui s'achève par le sempiternel : à quoi sert le ministre de la Culture ? À se rendre sur place, mon petit vieux, c'est déjà ça. Il commence à me casser les pieds, celui-là.

Vendredi 2 mars 2012

Guillaume Roquette, de *Valeurs actuelles*, a tapé fort sur le ministère et sur son malheureux titulaire par la même occasion dans un article fort bien troussé. Intrigué, j'ai demandé à le rencontrer. Qu'on serve de paillasson à toute la presse du politiquement correct de gauche, passe encore, mais si on doit se faire également engueuler avec autant de vivacité chez les fondamentaux de droite, c'est à désespérer de Neuilly et de Versailles ! Type sympa, avenant. Il n'est sans doute pas d'accord avec mes exercices de funambulisme consensuel mais il me laisse venir sans hostilité. Conversation solide, contact agréable. Il repart son casque de scooter sous le bras.

Déjeuner avec Silvia Baron Supervielle. Laurence, sous le charme : « Enfin une bouffée d'air, la campagne est tellement violente que même au ministère l'atmosphère devient parfois irrespirable. » À mon étage, je ne ressens rien, mais si Laurence le dit, alors qu'elle est toujours d'humeur si sereine...

Samedi 3 mars 2012

Je continue à courir dans tous les sens comme pour me cacher à moi-même que je n'ai plus prise sur grand-chose en ces temps de campagne où il est impossible de mener à bien quoi que ce soit de conséquent. D'où l'importance que prennent les sujets concernant le patrimoine où je garde une marge. Que me restera-t-il plus tard d'une folle journée comme celle-ci qui devrait pourtant me réjouir puisque je vois que certains programmes auxquels j'étais attaché se sont réalisés?

L'escapade en Midi-Pyrénées? À Tarbes : le musée des Hussards inauguré en grande pompe et qui rayonne d'une insolite poésie militaire. Et puisque je fais aussi des découvertes vers lesquelles je ne me serais pas aventuré si je n'étais pas ministre : le Théâtre du Parvis, dans un centre commercial où il parvient vaillamment à préserver son identité. À Lourdes, qui ne m'incite ni au respect ni à la dérision, juste une tiède curiosité d'apprenti ethnologue. Au Théâtre national de Toulouse, où débarque une troupe de théâtre africain qui me reconnaît : « On peut avoir des autographes, monsieur Drucker ? »

Les gens et leurs divers visages? Le sourire de Jean Glavany, qui m'accompagne toute la matinée au milieu de ses adversaires politiques; le préfet de Saint-Pierre-et-Miquelon que je retrouve comme un ami de classe; le vieux monsieur qui me dit : « Vous savez, les premiers uniformes de hussards, c'est moi qui les tenais de ma famille et qui les ai donnés au musée »; les paras qui veulent faire des photos avec moi; l'évêque, devant la basilique, très doux et très gai, qui ventile depuis des années des centaines de milliers de pèlerins et qui va prendre sa retraite en redevenant simple curé de campagne, vertu d'humilité et d'obéissance; Laurent Pelly à qui je confie, avec toute la lassitude accumulée et le vain désir secret de lui plaire sans doute : « J'aimerais lire *Le Condamné à mort* de Genet chez vous » – le regard incrédule qu'il me lance.

Les Victoires de la musique? Avec la promenade dans les coulisses et dans les loges, qui est toujours un exercice amusant, à pratiquer avec précaution étant donné qu'il y a une caméra à chaque mètre et des micros baladeurs qui traînent partout. La bonne atmosphère de rigolade entre pseudo-copains qui se retrouve illico sur Internet.

Le petit divertissement supplémentaire de la soirée plus ou moins inattendu? En pleine bousculade, je tombe sur François Hollande venu faire la risette aux artistes. Coagulation immédiate des caméras et des perches. Lui m'avisant avec un air faussement sympa mais sur un ton qui l'est beaucoup moins : « Encore cinq semaines et je vous libère! » Moi : « Vous me libérez de quoi ? Je ne suis pas du tout prisonnier. »

Regard peu amène de l'affranchisseur du misérable esclave de la sarko-zie; il passe avec ses sbires en formation rouleau compresseur. Les petits malins de Canal Plus n'en perdent pas une miette.

À moins que ce ne soit ce moment, très tard dans la nuit, où je vais recevoir au Bourget le cercueil de Rémi Ochlik, photographe, vingt-huit ans, lui aussi tué à Homs; ses copains qui tournent en rond dans le hall sinistre, sa mère qui ne pleure pas et regarde droit devant elle, les gendarmes qui ouvrent une porte : «Et si maintenant la famille souhaite se recueillir.» Oui, ce moment-là évidemment.

Dimanche 4 mars 2012

Triste lecture, *J'aime pas le sarkozysme culturel*, par Frédéric Martel. L'auteur est donc une petite célébrité dans l'inframonde des donneurs de leçons culturelles. On lui doit de gros bouquins besogneux sur l'histoire du mouvement gay ou la culture «mainstream» que j'ai lus avec application lorsqu'il tentait de poser au conseiller du ministère. Mais ses démêlés avec l'INA qu'il tentait de rançonner, la déception de me sentir peu réceptif à ses recommandations et la perspective plus prometteuse de proposer ses services à gauche l'ont rendu à son penchant obsessionnel au dénigrement systématique et à la calomnie permanente. Tout cela n'a pas grande importance; quoique particulièrement assaisonné par ses remontrances, je ne suis qu'une cible parmi d'autres et son narcissisme compulsif s'abîme au sein d'un cercle très étroit de ricaneurs professionnels. Mais tout de même, il fait partie de ces gens dont on se dit qu'il aurait mieux valu ne pas les croiser pendant la guerre.

Je dis à maman que Michèle Morgan m'a demandé de ses nouvelles. Elle me demande comment je l'ai trouvée : «Nous devons avoir le même âge, à quelques mois près.» Je lui réponds que Michèle est bien plus jeune, à cause du 29 février. Elle rit.

Dîner pour Tim Burton à la Cinémathèque à la veille de l'inauguration de l'exposition qui lui est consacrée. Charmant, timide, je lui montre l'autographe avec un petit arbre dessiné qu'il m'avait donné à Cannes il y a quinze ans. Sa femme, Helena Bonham Carter, joue le rôle d'Elizabeth mère dans *Le Discours d'un roi*. Elle parle très bien français. Atmosphère détendue, très amicale. Léa Seydoux sensationnelle avec ses cheveux courts. Je me souviens de la petite fille qui courait sur la plage d'Hammamet avec Farida. Elle s'en souvient aussi, enfantine encore.

Lundi 5 mars 2012

Le député-maire UMP de Chartres évoque de grands projets d'aménagements autour de la cathédrale pour lesquels il avance avec précaution en se garantissant au maximum auprès de la direction du Patrimoine. Les élections successives ont été mouvementées : listes dissidentes de droite, recours et invalidations, victoires sur le fil. On ne saurait être trop prudent.

La maison de tante Léonie labellisée «Maison des Illustres». Joli discours de Claude Contamine, président des amis du petit Marcel, charmants souvenirs, papiers à fleurs, odeur d'encaustique, c'est bien ça. Sous les combles, un bel espace aménagé pour célébrer le culte. Atmosphère sympathique de lecteurs fervents qui relisent constamment la *Recherche* (phénomène curieux et maintes fois remarqué, on ne lit pas Proust, on le relit ! «Que faites vous pendant vos vacances ? — Je relis Proust»). Il ne manque que Jacques Sereys et ses géniales interprétations-monologues. Visite au Pré Catelan, le jardin exotique créé par l'oncle du petit Marcel, à la nuit tombante ; miracle de la bourgeoisie cultivée et un peu zinzin de la Belle Époque qui a recouvert la France de villas mauresques, de constructions bizarres et de jardins d'essai avec des essences rares venues de très loin. À Illiers-Combray, où la boulangère vend une spécialité de petites madeleines, combien y a-t-il de lecteurs qui «relisent» la *Recherche*?

Exposition de kimonos somptueux à la Fondation Pierre Bergé-Yves Saint Laurent et dîner très kabuki avec les collectionneurs japonais. Intonations rugueuses des messieurs, gazouillis mélodieux des dames comme dans les films de Kurosawa.

Mardi 6 mars 2012

Le préfet Canepa apprécie manifestement beaucoup Ann-José Arlot. Il l'écoute avec beaucoup d'attention, s'amuse de ses rires de lionne, lui parle avec l'indulgence qu'on réserve aux enfants turbulents parce que surdoués. Encore un signe de l'ouverture d'esprit d'un homme qui doit souvent s'ennuyer avec la plupart des notables de cette droite à laquelle il appartient pourtant.

Élie Aboud, député de l'Hérault, revient pour me parler de la maison de Jean Moulin à Béziers. Il m'apprend, sur le ton du type qui vient d'écraser une mouche sur son pare-brise, que les recours à la démolition de la poste ont été rejetés et que le maire en a profité pour la faire raser aussitôt. Ni le directeur de la Drac locale ni la direction du Patrimoine ne m'ont prévenu. Sentiment d'impuissance devant le mélange d'ignorance et de brutalité dont il s'est rendu complice puisqu'il est le bras droit du député-maire de Béziers. Morale de l'histoire : il ne faut jamais relâcher son attention sur les détails, la surveillance sur les sujets auxquels on tient, la pression sur ceux qui vous disent que tout va bien et à qui on ne doit accorder qu'une confiance limitée. J'ai failli à me conformer à ces trois exigences. De toute façon, tout le monde s'en fiche, de la poste de Béziers, autour de moi, même si l'on prend un air vaguement contrit. Le préfet, que j'appelle à propos d'Ancenis, me confirme qu'il ne bougera pas tant que je n'aurai pas pris de décision ; maigre consolation.

La berline de Napoléon, celle de Waterloo, exposée à la Légion d'honneur : c'est déjà l'Aston Martin de James Bond. Abandonnée par l'empereur le soir de la défaite, elle permet d'imaginer par une foule de détails ce que fut la puissance de l'homme qui fit trembler l'Europe.

Dîner pour Yvon Lambert ; au fond, il vaudrait beaucoup mieux être son ami que son ministre. En changeant de statut, je changerai aussi de bord et je comprendrai son comportement. Avoir passé sa vie à accumuler une prodigieuse collection sans avoir jamais été aidé par personne et surtout pas par les pouvoirs publics donne tous les droits à l'égard de l'État quand il découvre enfin la valeur de l'œuvre accomplie. Si j'étais lui, j'adopterais sans doute la même attitude. Conversation légère, amusante, pleine de gaieté.

Mercredi 7 mars 2012

Thierry Tuot, conseiller d'État à qui j'ai déjà eu recours avec profit, vit à plus de cent kilomètres de Paris. Chaque jour, bien avant l'aube, il soigne ses chevaux avant de prendre le train pour Paris. Je lui demande si cette rude discipline ne lui pèse pas, mais il me répond qu'elle lui laisse au contraire tout le temps libre pour lire et réfléchir. Président du conseil d'administration de la Villa Médicis, il prend la défense du directeur; et moi qui pensais qu'il m'aiderait à assouplir le caractère d'Éric de Chassey!

Le Grand Prix de poésie: Anne Perrier, Suissesse de quatre-vingt-dix ans dont je n'avais jamais entendu parler. Je suis décidément ignare, car le prix a été salué par des applaudissements nourris parmi la nombreuse assistance qui se pressait au ministère. On a lu des poèmes de la lauréate, vu un film que lui a consacré la télévision suisse. Brève et belle intervention de Silvia Baron Supervielle.

Hommage à Rémi Ochlik dans le grand auditorium du musée des Arts premiers. Je suis tétanisé à l'idée de prendre la parole devant ses camarades, sa famille, la salle pleine de reporters photographes. Une vie incroyablement riche, jalonnée de missions ultradangereuses et de reportages exceptionnels à Haïti et dans les pays arabes durant les révolutions, fauchée à vingt-huit ans, et l'on voudrait que je dise quelque chose? Je n'ai qu'une seule envie, celle de me taire. Une journaliste américaine, Marie Colvin, a été tuée avec lui; on a le plus grand mal à exfiltrer de Syrie ceux qui étaient près de lui dans la maison qui a été bombardée par l'armée en toute connaissance de cause semble-t-il, dont la journaliste Édith Bouvier qui a été gravement blessée.

Jean-Pierre: «Puisque tu vas aux Arts décoratifs pour l'exposition Vuitton, profites-en pour dire quelques mots aimables à Béatrice Salmon, la directrice, que tu connais. Elle en est restée à votre échange sur Isabelle de Borchgrave et le refus du musée d'exposer son œuvre. Or, elle n'y est pour rien. Tu sais comme c'est compliqué aux Arts décoratifs. C'est quelqu'un de très bien, vraiment très bien.» Il a raison, je fais ce qu'il me dit de faire. On ne se rend jamais assez compte du tort que l'on peut causer en infligeant sa mauvaise humeur à qui ne le mérite pas.

Initiative de David Richard: organiser chaque mois un concert dans le grand salon du ministère. Gros succès. Ce soir, Malika Bellaribi.

Jeudi 8 mars 2012

J'inaugure, je reçois des journalistes étrangers, je remets des prix et des décorations, j'organise des petites fêtes pour tel ou tel, au fond je ne suis plus que le jouet sonore du ministère dont l'action est laminée par la campagne et je ne sers franchement plus à grand-chose. En prendre son parti, tenir malgré tout dans l'espoir de trouver une opportunité pour agir quand même.

Déjeuner à RTL avec les ténors de la chaîne, Jean-Michel Aphatie, Serge July, etc. À un compliment de Christopher Baldelli je réponds : «Oui, je n'aurai pas été un trop mauvais ministre.» Qu'est-ce qui me prend? Le manque de confiance en moi qui me pousserait à jouer les matamores? J'aurais mieux fait de me taire.

Visite à la datcha de Tourgueniev à Bougival avec l'ambassadeur Orlov. Muriel Genthon m'avait prévenu : «N'y allez pas, c'est un cafouillage inextricable. La propriété est à cheval sur deux communes, il y a au moins deux associations qui prétendent exercer des droits, c'est dans un état épouvantable et on ne peut rien faire tant que tout le monde continuera à se disputer.» Elle avait raison, on ressort effondrés, Orlov et moi. Pourtant, la datcha du plus francophile des grands écrivains russes, le souvenir de Pauline Viardot, l'argent dépensé par Gorbatchev pour la remettre en état, après sa visite avec Raïssa, ça vaudrait quand même la peine qu'on tente quelque chose.

Pour la chapelle du Vésinet en revanche les travaux de restauration après l'incendie avancent bien; les fresques de Maurice Denis ressurgissent de l'épaisse couche de fumée noire.

Correspondance pour Bakou à l'aéroport d'Heathrow. Les valises repassent par les services de sécurité. Je ne sais pas qui a la bonne idée dans le groupe de dire aux contrôleurs qu'il s'agit de la délégation du ministre français de la Culture. Flammes dans le regard de l'un des préposés qui pianote sur son portable; un chef surgit : fouille minutieuse et interminable de chaque bagage, conciliabules mystérieux entre tous les pandores qui nous regardent comme des délinquants. Rebuts de la politique corrompue de l'au-delà du Channel ou terroristes en puissance? On attrape l'avion pour Bakou d'extrême justesse.

Vendredi 9 mars et samedi 10 mars 2012

Il y a au moins trois villes à Bakou : le caravansérail persan ; la ville russe de la ruée vers l'or noir avec ses palais Gould et Rothschild, lestée de quelques bâtiments staliniens dans le goût oriental du Géorgien sanglant ; la métropole moderniste de la dynastie Aliyev avec buildings sur les hauteurs et front de mer sur la Caspienne comme à Nice. Et peut-être une quatrième qui s'éparpille tout autour dans de petites maisons casemates en parpaings comme il y en a partout dans cette région du monde. L'ensemble est encore couvert de neige. On me dit : « Quel dommage, dans un mois tout sera en fleurs. » Voir Bakou et mourir, mais peut-être pas comme l'écrit Olivier Rolin.

Le président en son palais ; visite de courtoisie et propos de circonstance : progrès, droits de l'homme, amitié avec la France. Air concerné, voix étouffée. Nicolas Sarkozy n'est resté que quelques heures, les opposants parlent d'une autre dynastie Assad, rumeurs de troubles réprimés, le « printemps arabe » n'est pas un sujet. Encore jeune, réputé noceur autrefois, apparence sérieuse et convenable, il a succédé à son père, communiste de la vieille génération à qui son origine caucasienne et certainement pas mal d'autres choses avaient permis de faire une ascension fulgurante au sein du KGB avant d'atteindre le saint des saints du Comité central et d'en repartir en emportant un morceau de choix de la défunte URSS lors de l'écroulement final. Étrange sensation en visitant le musée qui célèbre le père de la patrie : un prolétaire pour film bolchevique, l'apparatchik en gabardine qui s'efforce d'avoir l'air terne sous Brejnev, le dirigeant souriant d'un pays normalement occidentalisé qui joue au golf avec Clinton et s'entretient aimablement avec le pape. Très beau du début jusqu'à la fin, séduisant et singulier quand on compare avec le festival de sales gueules des dirigeants communistes.

La première dame, qui a toute la main sur la vie culturelle, toujours réservée, très silencieuse, se déplace comme un nuage. Personne ne moufte ; le pouvoir derrière le trône. Je lui inspire sans doute une certaine sympathie car elle me parle quand même des Arméniens, les ennemis héréditaires qui occupent un cinquième du pays. Leur réputation est ici exactement l'inverse de ce qu'elle est en France. L'oppresseur qui se cache dans le cœur de chaque victime.

Le ministre de la Culture, exsudant à travers chaque phrase l'enthousiasme et l'inquiétude, tout droit sorti d'un film de Lubitsch. L'ambassadeur à Paris, francophone et francophile, clair, net, précis, en service commandé mais pas désagréable du tout, au contraire. Le jeune interprète, malin, charmant, au courant de tout, sans doute un fils de famille appartenant au clan du pouvoir et bien plus qu'un aimable et compétent traducteur. Flics imposants et peu liants avec qui on préférerait ne pas avoir à s'expliquer dans une cave de la police. Tout le monde manifestement très informé, très aimable, discrètement «gay friendly» (considérations de l'ambassadeur, en passant, sur la lutte contre le sida, le sort désastreux des pédés chez le voisin iranien).

On visite tout ce qu'il faut et notamment le musée d'Art moderne de la première dame et le futur musée des Tapis, avec une conservatrice bien mignonne, un peu décalée, un peu destroy. On parle beaucoup d'un futur festival de cinéma, de resserrer les liens culturels avec la France, de Gérard Depardieu qui passe par ici et par là comme le furet. Il y a certainement beaucoup d'argent qui circule mais il est préférable de ne pas s'approcher du coffre, il est certainement radioactif.

L'inauguration de l'exposition «Plaisirs de France» remporte un succès mérité. Le Tout-Bakou, les expatriés, la première dame très contente du résultat. La Réunion des musées nationaux et Philippe Costamagna ont bien joué le jeu. Raout ensuite à l'ambassade de France pour qui la période est faste : on ouvre bientôt un lycée français.

Dîner avec la crème des musées français que l'Azerbaïdjan intéresse beaucoup; c'est le nouveau Dubaï. Un petit air de repas d'adieu. Compliments d'une très grande gentillesse et certainement sincères de Jean-Paul Cluzel. Depuis le restaurant au sommet du Hilton, on découvre toute la ville en chantier du big business mondialisé. Effectivement, Dubaï, ça vient très vite.

Cité ancienne et ville de l'or noir soigneusement liftée et éclairée. Mais il faudrait aller voir en coulisses. Beaux cadeaux bien choisis : livres, photos et tapis. Achats de petits souvenirs chez un antiquaire beau gosse. J'ai emmené Jean-Pierre, Liria, Mathieu, aussi gais et contents que moi. Tous les trois, en chœur : «Tu devrais essayer, puisque maintenant la Tunisie c'est râpé pour toi.» On rit, moi un peu jaune.

Dimanche 11 mars 2012

Meeting à Villepinte. Pas de voiture officielle bien entendu, on s'entasse pour y aller dans une petite Renault de location avec Félix, Pierre-Yves, Emmanuelle Seigner, car il faut jouer au candidat-ministre pour aller applaudir le candidat-président. Le genre d'hypocrisie qui me laisse pantois. Au fond, depuis trente ans et la campagne de François, je n'ai plus vu de meetings qu'à la télévision. Arrivée dans une énorme salle bourrée de militants venus de toute la France et chauffés à blanc qui agitent frénétiquement une mer de drapeaux tricolores. Excitation soudaine – un reporter me saute dessus pour me demander dans quel état d'esprit je suis : «Heureux et combatif» – et sentiment immédiat de ma schizophrénie. Le type qui vient de répondre avec cette formule martiale et ce visage buté croit-il vraiment à ce qu'il dit? Il me fait plutôt l'effet d'une tête à claques. Cela ne m'empêche pas de continuer dans l'exercice d'apesanteur. Mal placé sur le côté (tiens, tiens), je m'installe près de Bernadette Chirac. Un peu d'agitation dans le service d'ordre, mais comme elle me fait bon accueil, personne n'ose me dire de décamper. Olivier Henrard m'avait demandé de trouver des artistes. Maigre moisson. Bon, Carla, évidemment, Jean d'Ormesson, quelques autres, pas beaucoup. Clameurs, bribes de *Marseillaise*, le nom du candidat-président scandé à tout rompre. Bernadette Chirac : «C'est fantastique, vous ne trouvez pas, on se croirait à un concert de rock!» Interventions sur le podium : Enrico Macias mélodramatique, Gérard bourré, Guaino gaulliste, Bernadette appliquée, Copé va-t-en-guerre, Fillon trop bien pour l'exercice; roulements de sono interminables et arrivée de l'artiste. Toujours cette curieuse impression qu'il est seul avec lui-même, qu'il parle à son rêve, que toute cette ferveur qui pousse la salle à l'interrompre à plusieurs reprises le gêne. Je sors groggy, agité, anxieux. La descente après le bad trip.

Heureusement, fin de la journée à La Courneuve pour entendre l'orchestre des jeunes Demos avec Laurent Bayle. Assistance d'élus communistes : «Vous étiez au meeting? C'était bien?» Dit avec une sorte de curiosité gourmande, sans animosité, comme s'ils avaient vraiment raté quelque chose. Laurent : «Merci d'être venu, vous avez l'air un peu fatigué; votre voyage à Bakou? Autre chose?» Gentiment, sans aucune ironie.

Maman : «On a regardé le meeting à la télévision. Je m'attendais à ce que tu interviennes, on ne t'a pratiquement pas vu, sauf quand on montrait Bernadette.»

Lundi 12 mars 2012

J'ai promis depuis longtemps à Patrice Martin-Lalande, député influent de la majorité, de visiter sa circonscription en Sologne. Programme classique : le préfet, les élus locaux, l'église que le ministère aide à restaurer, un beau château Renaissance avec un couple d'aristocrates comme je les aime – parkas, bottes et mains calleuses –, qui le sort peu à peu de la ruine qui le guettait. Air de printemps qui dissipe lentement les nappes de brume sur la Loire, gentille société provinciale toute contente de recevoir le ministre, des dames qui aiment «Secrets d'histoire». L'une d'elles écrit un livre sur Eugène de Beauharnais «où l'on apprendra tout ce qu'il faut savoir sur lui». Moi, ce qui m'intéresserait plutôt, c'est ce qu'il ne faut pas savoir et que je sais pourtant, mais j'évite de le préciser à l'ardente admiratrice du beau-fils de Napoléon qui se contentera très bien d'évoquer son heureuse vie de ménage et ses nombreux enfants.

Impression surréaliste que je retire de ce déplacement si serein, si tranquille, comme coupé du monde de bruit, de fureur et d'amertume dont je viens. Dans la voiture qui m'emmène, le préfet me confie que Martin-Lalande a perdu sa mère la veille au soir. Il y était très attaché. Vertu stoïcienne de m'avoir accompagné durant toute la visite sans laisser paraître sa peine.

On m'a brossé un portrait contrasté de Jean d'Haussonville, le directeur général du domaine de Chambord. En fait, le seul reproche que l'on puisse lui faire est de ne pas s'abaisser à répondre à ceux qui le critiquent. Je ne m'explique pas très bien toutes les raisons qui me le rendent bientôt très proche, hormis celles qui relèvent de l'évidence de son charme et de son élégance. Mettons simplement qu'il incarne parfaitement ce lieu magique avec un goût très sûr. *The right man in the rigth place.*

Papa fut président autrefois de l'association des Amis de Chambord. Il me disait, selon cette phrase que l'on cite souvent pour beaucoup d'autres choses : «Chambord est triste comme la grandeur.» Cela ne le décourageait d'ailleurs pas du tout. Je me demande s'il arrive à Jean d'Haussonville de penser parfois la même chose. L'immense forêt en automne, les enfilades de pièces vides, l'isolement du château de la Belle au bois dormant. Peut-être que ce n'est pas triste mais féerique, exaltant, différent chaque jour et à chaque heure.

Jean Linard était un céramiste qui a édifié une extraordinaire cathédrale de sculptures autour de sa maison, à l'orée d'un petit bois, à Neuvy-Deux-Clochers, village du bout du monde. C'est un frère du facteur Cheval et de Picassiette ; il est mort il y a deux ans, sa femme et ses enfants ploient sous les difficultés pour protéger cette œuvre fragile, ouverte à tous les vents et menacée par petits et grands voleurs. On lance la procédure de classement ; ils sont partagés entre leur fidélité pour l'artiste et la crainte de ne plus pouvoir vendre la propriété.

Mardi 13 mars 2012

La mission sur les librairies a trouvé quelques antidouleurs, aux effets très provisoires, pour faire passer l'amère pilule du relèvement d'un point et demi de la TVA sur les livres. Ça ne change rien au fond : mauvaise mesure qui les a dressés contre nous et contredit tous les efforts que j'avais déployés pour bâtir un plan de soutien sérieux. Mais comment se fait-il qu'on se soit laissé prendre comme des enfants et que l'on n'arrive pas à se faire écouter à Bercy, à Matignon, à l'Élysée ? Ces messieurs ont la tête ailleurs, ils ne lisent que les sondages.

Réouverture du musée d'Ennery. Marie-Christine Labourdette a tenu parole et la presse spécialisée paraît contente de découvrir un lieu, des collections, une histoire qu'elle ignorait. Mais il reste encore à faire : on ne pourra visiter que sur rendez-vous et par petits groupes. Je dis que c'est déjà très bien d'avoir obtenu de remettre le musée en marche ; toutefois je suis déçu qu'on n'ait pas pu faire plus et j'ai du mal à le cacher. Toujours ce problème de postes et d'emplois que je n'arrive pas à obtenir.

Mercredi 14 mars 2012

Jean-Pierre : «Je sais que tu en as marre que Sophie Flouquet te tape dessus à longueur d'articles. Mais elle a demandé que tu la reçoives. Tu ne peux pas lui dire non. Et puis il faut bien reconnaître que c'est la seule qui travaille vraiment dans son domaine.» Elle travaille, elle travaille, d'accord, mais si elle pouvait être un peu plus conciliante et positive de temps en temps, ça ne gâcherait rien. Je la reçois donc, sans illusion sur le résultat.

Lancement officiel du fonds de dotation pour la culture partagée. La réunion des mécènes qui y participent et la prestation de Laurence Drake font bonne impression sur les journalistes qui sont venus plus nombreux que je ne m'y attendais. Francis ravi de voir naître son bébé.

La plupart des ministres organisent des meetings de soutien au président dans leur circonscription. Bruno Le Maire, Laurent Wauquiez et Valérie Pécresse sont particulièrement motivés et infatigables. Je n'ai pas de circonscription et l'idée d'organiser des meetings, je ne sais où et je ne sais comment, alors que je n'appartiens même pas à l'UMP, me dépasse.

Roselyne : «Tu devrais aller au moins aux matchs de foot. Tous les ministres y vont, et en face ils ne s'en privent pas non plus. Très bons, les matchs de foot, on passe à l'antenne pendant la mi-temps.» Mais c'est vraiment au-dessus de mes forces. Valérie prenant ma défense : «Laisse-le tranquille, il reçoit des centaines de gens chaque semaine dans son ministère et il est tout le temps en déplacement. C'est sa manière à lui d'être en meeting permanent.»

Salon du livre. Accueil plus chaleureux que je ne l'imaginais, compte tenu des circonstances. Le beau sourire de Jean-Marc Roberts. L'émir de Chardja est donc venu pour présenter ses Mémoires. Valeureuse tentative. Je passe à son stand pour le féliciter : un petit monsieur en complet sombre, éperdu de gratitude. Chardja, un point de chute en cas d'exil si tout tourne vraiment très mal ! Régime sec, mais le whisky n'est pas loin. Belles plages jusqu'en Irak et croisières sur demande en Iran.

Jeudi 15 mars 2012

Rebondissement imprévu pour les fouilles archéologiques qui vont commencer bientôt au cimetière juif d'Ennezat. Une association de fidèles orthodoxes très déterminés souhaite qu'on recouvre tout l'enclos pour le dissimuler à la vue des profanes et en préserver le caractère sacré. J'explique que ce n'est pas au moment où l'on s'apprête à déterrer la nécropole après huit siècles d'oubli qu'on va tout refermer. Dans la délégation, un jeune rabbin ravissant, particulièrement intraitable, le genre à vous lapider sans haine juste pour faire sortir le péché. J'évite de lui parler du film sur les deux orthodoxes à papillotes amoureux l'un de l'autre qui avait fait sensation à Cannes.

Hier, à la salle Pleyel, concert donné par l'Orchestre national de Corée du Nord avec celui de Radio France, sous la direction de Myung-whun Chung. Belle idée de sa part, la rencontre des musiciens du Nord et du célèbre chef de Corée du Sud à Paris avec leurs collègues français ; diplomatie culturelle et Jack Lang en renfort pour surmonter les réticences des frileux du Quai d'Orsay. Je reçois le soir les artistes soigneusement encadrés par quelques officiels et leurs épouses en tenues traditionnelles qui arborent leur meilleur sourire : soixante jeunes robots, aussi expressifs que des soldats de plomb, qui obéissent au doigt et à l'œil au commissaire politique, sorte d'armoire blindée ambulante, sans doute plus versé dans le chant révolutionnaire et les marches militaires que dans les valses de Vienne. Discours du ministre, applaudissements saccadés ; pour un peu, on se croirait à Pyongyang et je me prendrais pour Kim Jong-il, le dirigeant bien-aimé. Le commissaire politique ronronne de satisfaction patriotique. Mais j'ai ma botte secrète pour lubrifier la réconciliation artistique entre l'avant-garde rouge et les valets de l'impérialisme : le buffet où Lionel a disposé à ma demande d'excellents alcools. Récréation bienvenue que j'arrache au commissaire politique frappé d'une coupable imprudence : en quelques instants, les soldats de plomb fondent comme neige au soleil et se transforment en véritables gremlins. Ils avaient décidément bien soif et ne crachent pas non plus sur tous les plaisirs interdits mis à leur disposition par les fantoches de l'Occident corrupteur en s'éparpillant à travers l'étage pour se photographier en se livrant à toutes sortes de privautés comme des collégiens en folie. Même les pompiers du ministère peinent à les localiser et à les contenir. Le commissaire, lui-même passablement désorienté par de copieuses rasades, est devenu mon meilleur ami, tandis que les officiels et leurs épouses disparaissent comme par enchantement, sans doute peu désireux de courir le risque que l'on ébruite l'écho de la perverse soirée jusqu'au tréfonds du royaume ermite. Survient Myung-whun Chung, fêté comme un héros par les harpistes et les violonistes en folie. Mais pour être de Corée du Sud, le maestro partage les mœurs austères de ses cousins du Nord et mesure aussitôt d'un œil perçant l'étendue des dégâts du brusque débordement collectif. Il se saisit du micro et aboie sur un ton sans réplique : «Allez, on s'en va, ces Français sont des jean-foutre, il n'y a plus rien à boire et rien à bouffer ici, je vous emmène tous avec moi!» Le rappel à l'ordre triomphe des vapeurs de l'alcool, les rangs se reforment aussitôt, le chef emmène l'armée un peu vacillante mais reconstituée qui s'évanouit d'un seul coup, emportant le commissaire comme autant de gardes rouges qui se seraient saisis d'un traître au parti enfin démasqué. La jeune Française qui m'a servi d'interprète : «J'ai un peu édulcoré la traduction. Les Coréens ont un bon fond mais ils peuvent être parfois un peu brutaux. C'est un peuple très vigoureux.»

Vendredi 16 mars 2012

Accueil plutôt rude à Fleury-Mérogis. Nous sommes avec le préfet, le directeur, des policiers, dans la première cour, après le mur d'enceinte, attendant que l'on nous ouvre la porte de la prison. Au-dessus de nous une bonne centaine de cellules, comme un hémicycle. Les détenus nous ont vus arriver, ils hurlent imprécations et insultes par les lucarnes. Vacarme assourdissant de la rage et du malheur, effet assez terrifiant quand on n'a pas l'habitude. J'en prends évidemment pour mon grade : «Salaud, pédé, tu devrais être à notre place!» Le directeur : «Ne vous frappez pas, ça pourrait être bien pire.»

Je suis venu pour soutenir l'association animée par Ludivine Sagnier qui organise des ateliers de théâtre et d'activités artistiques pour les jeunes détenus. En l'occurrence, surtout des filles dans le foyer où nous sommes bouclés. Défilé de mode, saynètes, remise de trophées dans une atmosphère joyeuse. Ce ne sont pas les mêmes qu'au comité d'accueil : deals, petits braquages sans doute. La règle est de n'en jamais parler. Ludivine s'est profondément investie et revient souvent : on la traite comme une copine. Séance photo, autographes, orangeade, on échange nos adresses avec un jeune métis extrêmement sympathique. Regard du préfet qui me fait sentir que je ne devrais pas. Tant pis, c'est trop tard.

Brève rencontre avec Kenzaburo Oe, Prix Nobel de littérature, invité d'honneur au Salon du livre. Il connaît à fond la littérature française et Céline en particulier qu'il a lu dans le texte. Il me fait immanquablement penser à l'image que j'ai d'Ozu : mélancolie, alcool, noblesse de l'attitude et des gestes, très beau, très réservé. Hélas à peine le temps de se parler. Quand je lui dis que j'aimerais le revoir si je reviens au Japon, il me serre la main avec une force extraordinaire : «Je vous attends, mais faites vite, je suis très vieux maintenant.»

Dîner pour Rob Wynne, artiste new-yorkais célèbre, chez Michel et Marina. Charme des noms qu'il donne à ses œuvres fragiles comme le verre : *Remember Me, Imitation and Disguise, Artificial Paradise*.

Samedi 17 mars 2012

Morts de Michel Duchaussoy et de Pierre Schoendoerffer qui m'attristent beaucoup l'une et l'autre. Je me bats avec les messages de condoléances qu'on m'a présentés, toujours tellement conventionnels, pour essayer d'obtenir qu'ils expriment des sentiments sincères. (Sur le blog de Jean-Jacques Aillagon, sarcasmes à propos de ma manie supposée des condoléances. Bizarre.)

Les élus et les autorités de Bayonne sont encore traumatisés par l'accueil que la gauche et les militants indépendantistes ont réservé au président il y a quinze jours, l'obligeant à se réfugier dans un café avant qu'on ne parvienne à l'exfiltrer. Je me déplace dans une ville extrêmement tranquille où l'on me dit à chaque instant : «Tout va bien, tout est calme» avec des accents de rescapés d'un bombardement atomique. Jean Grenet, le député-maire, est un ancien chirurgien : «Hélas, je n'opère plus que les âmes, c'est bien plus difficile.»

À Saint-Palais, sur la route de Pau, arrêt au couvent des franciscains où l'on déploie de grands efforts pour saisir au vol le boom des pèlerins sur les routes de Compostelle. Présence de Michèle Alliot-Marie qui avait insisté pour que je m'arrête. On se goberge au cours d'un panta-gruélique buffet préparé par une escouade de fortes dames et on m'offre mon deuxième bâton basque. Tout cela très sympathique. Mais où sont passés les élus de gauche ?

Ils sont à Pau où ils m'attendent en rangs serrés pour me voir signer avec Martine Lignières-Cassou, la députée-maire, une autre conven-tion « ville d'art et d'histoire ». (Il faudrait quand même que je me décide à retenir sérieusement à quoi ça sert vraiment.) Mystérieuse alchimie des affections humaines : l'ancienne militante trotskiste et le petit chéri du XVIᵉ se sont plu tout de suite, dès la première rencontre à l'Assemblée. En tout cas, elle tient bien ses troupes et tout se passe aussi gentiment que possible. Elle a été longtemps l'adjointe d'André Labarrère, ceci explique peut-être cela ; Labarrère qu'on appelait fine-ment « l'embrayage », mais si, vous savez, la pédale de gauche.

On fait tout ce qu'il faut faire, les discours, la visite du château, l'ex-position Gaston Phébus, les invocations à Henri IV et à Bernadotte. Curieuse impression de ville touristique pour Anglais de la Belle Époque et coloniaux cuits par l'outre-mer, les uns cherchaient le soleil d'hiver du Midi, les autres la fraîcheur estivale des Pyrénées, sauf que les hôtels ont été transformés en appartements et que les visiteurs d'au-trefois ont disparu. Le long du boulevard qui ouvre sur le panorama montagneux célèbre, des jeunes qui bronzent à la terrasse des cafés aux premiers vrais rayons du printemps.

Intéressante découverte : la demeure où fut exilé Moncef Bey, le souverain tunisien déposé en 1943 par les Français qui auraient mieux fait de s'abstenir, n'est pas le misérable nid de microbes, humide et fétide, dont on parle encore à Tunis sur un ton indigné, mais une belle villa ensoleillée précédée d'un agréable jardin en plein centre-ville.

Retour fissa vers Paris où je dois accueillir la future reine de Hollande à la salle Pleyel. Léger désappointement, la princesse Maxima des Pays-Bas est certes une belle plante, mais elle a appuyé sur la touche « service royal minimum » pour un ministre de la République venu, s'imagine-t-elle, passer les petits fours. Elle arrive en retard, s'entretient seulement avec la délégation néerlandaise qui a avalé tous les parapluies d'un pays assurément pluvieux et soigne son profil pour les chaînes de télévision accourues d'Amsterdam. Mes courageuses tentatives de *small talk* se perdent dans les brumes du Zuiderzee. Le public attend depuis déjà dix bonnes minutes lorsque l'on entre enfin dans la salle avec les camera-men et leurs projecteurs allumés pleins phares. Tout pour plaire à des auditeurs peu câlins qui frémissent d'impatience d'écouter l'orchestre du Concertguebow et se retrouvent à faire de la figuration dans la ver-sion batave d'une émission de Stéphane Bern dont je peine à égaler en cet instant les endurantes capacités d'émerveillement pour le sang bleu. La princesse prend place sans trop d'encombres, pimpante étoile dans son halo de lumière et l'éblouissement des groupies de sa petite cour. En revanche, mon laïus de bienvenue, prononcé sur une scène froide comme la banquise où les musiciens déjà installés pointent sur moi des regards accusateurs, déclenche une salve de sifflets à décoiffer tous les Frisons. Je recours donc à une fine plaisanterie qui a déjà servi en me réjouissant de pouvoir profiter d'une telle occasion qui me permet de saluer la présence de tous ces Hollandais dans la salle. Ça fait rire. Je la vois qui demande à son ambassadeur : «Mais qu'est-ce qu'il dit? Qu'est-ce qu'il dit?»

Dimanche 18 mars 2012

Paris Normandie est en redressement judiciaire. Je reçois les délégués des journalistes qui accablent de reproches Philippe Hersant pour sa gestion, son manque d'implication, son exil doré en Suisse. Comment leur donnerais-je tort?

Les Adieux à la reine de Benoît Jacquot, d'après le beau livre de Chantal Thomas qui raconte la chute brutale de l'ancienne monarchie, la fuite éperdue de la cour, Versailles qui se vide en quelques heures, Marie-Antoinette abandonnée et trahie par celle qu'elle aimait tendre-ment. Léa Seydoux est magnifique dans le rôle de la lectrice narratrice; montage de Luc subtil et brillant, effectué depuis son appartement, dans cette entente parfaite avec Benoît sur laquelle la maladie ne saurait avoir de prise.

Lundi 19 mars 2011

On finit toujours rattrapé par le petit bout de la lorgnette : obsèques aux Invalides de Pierre Schoendoerffer avec un grand déploiement d'honneurs militaires et un discours de Gérard Longuet. Certes, Pierre fut le cinéaste des soldats – grandeur et servitude –, et l'armée lui devait bien cela. Mais il fut beaucoup plus : un artiste de l'aventure, un maître des formes du cinéma d'action qu'il traitait avec une grande liberté, le cousin français de John Ford. Truffaut, pacifiste, l'admirait beaucoup. François Fillon pense comme moi que ce traitement rapetisse l'artiste en prétendant rendre hommage à l'homme.

Francis : «Qu'est-ce que c'est que cette frénésie de déplacements ? Une fuite en avant pour que la campagne ne te rattrape pas ?»

Aujourd'hui : Arbois, où la demeure bien préservée de Pasteur devient «Maison des Illustres»; les salines d'Arc-et-Senans pour conforter l'équipe qui s'est sentie maltraitée par le ministère; le musée Courbet à Ornans, magnifiquement aménagé pour faciliter l'acquisition d'un tableau qui est encore en suspens. Forte impression que me laisse Claude Jeannerot, le sénateur socialiste, président du conseil général du Doubs, ironique, délié, certainement redoutable quand on l'a contre soi, mais enchanté de ma venue et me le faisant sentir avec une sincérité brusque.

Au demeurant, pays du Jura, besogneux, rudes, encore à l'écart du printemps, d'une grande beauté qui ne se galvaude pas. De l'oxygène pour mieux supporter l'atmosphère méphitique de Paris.

De quelque manière que l'on envisage les crimes de Mohamed Merah : horreur et terreur. Ce soir, tout le monde politique est à la synagogue Nazareth. Roselyne près de moi. Silence.

Mardi 20 mars 2012

Les malabars de la sécurité assurent une tâche ingrate pour un modeste salaire; ce sont des Africains fraîchement naturalisés, pour la plupart après des années de galères pour faire renouveler leur carte de séjour, en bloc pour Marine Le Pen : «Il faut tout faire sauter monsieur le ministre, on compte sur elle ! — Tout faire sauter, et le ministre avec ? — Oh non, vous c'est pas pareil.» Ils rigolent, solidement accrochés à leur programme.

Sète et le centenaire de Jean Vilar. Un monde fou dans les rues, la ville vote globalement à droite, avec un maire UMP qui a le Front national sur ses talons et a parlé de «gays femelles» à propos des lesbiennes. Exposition des belles photos d'Agnès Varda sur les grandes années d'Avignon; Pierre Vassiliu perdu dans la foule, ému que je le reconnaisse, faible et malade (l'alcool?); vibrant hommage à Jean Vilar avec des lectures de textes au musée Paul-Valéry par de jeunes élèves du conservatoire qui évitent de déclamer; le cimetière marin et la tombe du poète avec la nuit qui s'avance. Forte envie de revenir pour les joutes, pour Brassens, pour Roger Thérond dans cette sorte d'île-rocher, entre lagunes à malaria et rivage des Syrtes avec l'accent du Midi; songes et histoire que je ne connais pas et ne fais qu'effleurer.

Le préfet Baland : «Ses fleurs poussent à l'intérieur.» Sans doute de gauche.

Mercredi 21 mars 2012

Appel de Laurent Binet qui suit donc pas à pas la campagne de François Hollande pour en faire un livre. Le syndrome Yasmina Reza, mais attention, c'est difficile de réussir une autre fois *L'Aube, le soir ou la nuit.* Il voudrait assister à un meeting du président-candidat. Je préfère penser que ce n'est pas seulement pour cela qu'il s'est montré si gentil lorsqu'il est venu dîner au ministère. J'interviens auprès de quelques petits chefs, je m'enferre à expliquer, mais je n'obtiens que des refus même pas embarrassés. Puis au fond, ce n'était peut-être pas une bonne idée; à quoi bon aller chercher des verges pour se faire fouetter?

Autrement, business *as usual*; réunions, visiteurs, questions diverses comme si on était là encore pour vingt ans.

Jean de Boishue : «François se donne à fond; on n'a aucune reconnaissance pour sa loyauté; il n'avouera jamais qu'on va droit dans le mur avec cette campagne de scarabées aveugles qui colle au Front national, mais je sais très bien ce qu'il en pense.»

Dîner chez François et Maryvonne Pinault avec Dina et William Christie. Et si on se cramponnait les uns aux autres, pour toujours, puisque toutes les perspectives d'avenir sont si sombres et tellement éloignées de ce que nous souhaitons vraiment?

Jeudi 22 mars 2012

Petit déjeuner avec Olivier Henrard. Il me conseille de passer plus souvent au centre de campagne du candidat-président et ajoute, désabusé : «Même si je sais que ça ne sert pas à grand-chose.»

«Tu t'appelles comment? Tu es le neveu de Danielle? Tu habites où?» Le gros garçon qui tire sur ses cheveux me repose la même question à plusieurs reprises durant ma visite chez les journalistes du *Papotin*, l'association de bénévoles parrainée par Marc Lavoine qui fait un magazine avec des handicapés mentaux. Sous un chapiteau près du périphérique, ils sont environ une trentaine à me demander toutes sortes de choses sur la vie d'un ministre. Certains sont très atteints, d'autres mutiques, d'autres encore ne trahissent a priori aucun signe de confusion, de manque ou de détresse. Un jeune autiste témoigne d'une érudition cinéphile hallucinante, une petite Noire qui paraît complètement perdue gribouille sur une feuille de papier sans rien dire. Pour moi, le malaise habituel à faire le bon garçon alors que tout cela m'angoisse profondément et que ma propre hypocrisie me fait honte. Je me raccroche à l'exemple de Roselyne qui a trouvé d'emblée le ton juste et aux bénévoles qui ne sont ni dans l'infantilisme ni dans la compassion. Alors que je m'apprête à repartir, Esther, la petite Noire silencieuse, me donne un dessin : j'y apparais nettement dans un graffiti de couleurs enchevêtrées. Esther n'est donc pas si perdue : elle dit ce qu'elle veut dire, à sa manière et avec une résolution qui lui est propre.

Plaque en hommage à Michel Guy sur le 156, rue de Rivoli, où il habitait. Les mêmes qu'il y a quarante ans, resserrés par l'émotion. Enfin, ceux qui sont encore en vie ou qui ont la force d'assister à cet éloge. Le discours ne m'est pas difficile; quoique à la marge, je faisais partie de la petite bande et en ce genre de circonstances j'ai la nostalgie communicative. Andrée Putman n'est pas venue, elle ne sort plus de chez elle. Il pleut, le deuil, c'était il y a longtemps, mais on est tristes même s'il ne faut pas l'être.

Inauguration du «centre d'interprétation» d'Alise-Sainte-Reine, en Bourgogne, célébrant Alésia et Vercingétorix, avec le Premier ministre, François Sauvadet et une foule considérable de gaulois sarkozystes. La plus élémentaire charité inciterait à passer l'événement sous silence.

C'est le pire du roman national, la mort-aux-rats définitive de la Maison de l'histoire de France érigée en mausolée, mi-stalinien mi-Uderzo, avec une avalanche de brocantes pseudo-historiques rassemblées par des bureaucrates de l'identité nationale qui ont forcé sur le gros rouge. Les contributeurs locaux, tous enchantés du résultat, ont dû casquer un maximum. À tout prendre, je préfère le Parc Astérix ! En plus, Alésia, ce n'était sans doute pas là, enfin personne n'en est vraiment certain. Au demeurant, belle architecture de Bernard Tschumi et superbe panorama par temps clair pour apercevoir les légions romaines de touristes qui ne vont pas manquer d'approcher.

Dîner souvenir pour Helmut Newton, présidé par June, sa femme, bonne photographe sous le nom d'Alice Springs, longtemps restée dans l'ombre du maître et très à cheval sur les droits ; tout cela très chic, très mode, très *Égoïste*. La phrase d'Hemingway à qui on demandait ce qu'il faut faire pour écrire une bonne biographie : « *First, you kill the widow !* »

Vendredi 23 mars 2012

Bernard Kouchner au petit déjeuner : « Ne te fais aucune illusion, tu ne fais pas partie de leur monde. Tu peux leur être utile, ils peuvent se servir de toi, mais ils ne t'aiment pas et te jetteront sans regret à la première occasion. » À mettre sur le compte de son expérience personnelle. On parle de l'affaire Merah, d'accord pour reconnaître que ce n'est pas le tournant de la campagne dont parlent les médiocres et que le président se comporte avec une parfaite dignité. De toute façon, qui pourrait songer raisonnablement à instrumentaliser l'onde de choc. Angoisse d'entendre la voix de Merah qui repasse partout sans cesse, l'accent des jeunes Toulousains d'aujourd'hui, le discours de certains rappeurs. Des garçons qui lui ressemblent, j'en ai connu dans une autre vie. Pas envie d'y penser plus, étant donné que j'y pense déjà assez comme ça.

Bernard encore : « Tant qu'on mettra le départ de Bachar comme préalable, il n'y aura pas de solution en Syrie. Il n'y a pas non plus de solution sans les Russes. » C'est avec ce genre de réflexions qu'il s'est rendu insupportable aux tenants de la vulgate officielle. Je ne suis pas loin pourtant de lui donner raison.

Coup d'État au Mali. Pas de nouvelles du président. Confusion générale. Adieu le Cinéma Soudan ? Il y en a qui doivent se frotter les mains, ceux qui continuent à régler leurs petits comptes jusque dans les grands naufrages.

Le reste avance : signature pour le centre des cultures guyanaises à Jean-Martial avec les élus guyanais, mon Tien-Long *included* ; reprise des règlements pour le Louvre Abou Dhabi confirmée par le cheik au beau regard ; «Maison des Illustres» chez Georges Clemenceau, rue Benjamin-Franklin : tout est soigneusement conservé, le Tigre est là, cultivé, éclectique, maître de son goût, dans son décor très IIIe République au milieu de ses livres et de ses reproductions photographiques de chefs-d'œuvre de l'antiquité grecque. Et même le fameux jardinet. Souvenir de l'une des inoubliables reparties spirituelles du Tigre à propos du jardin précisément. Intraitable bouffeur de curés, il écrit au supérieur de l'école catholique voisine qui a coupé un arbre qui lui faisait de l'ombre pour le remercier quand même : «Je vous appelle "mon père" parce que vous m'avez donné le jour !» Réponse de l'homme d'église : «Je vous appelle "mon fils" parce que je vous ai rendu la lumière !» Ou le contraire, je ne sais plus.

Inauguration de l'exposition des photos d'Helmut Newton au Grand Palais. Pas forcément les meilleures mais tout pour plaire à la multitude des invités branchés parisiens qui se pâment d'admiration et se félicitent mutuellement d'avoir si peu changé quand il leur arrive de se reconnaître sur les grands tirages. Johnny Pigozzi parmi la foule, qui prend des photos à la dérobée avec un petit air de malice sournoise. Il en est resté aux années Warhol et ça amuse quelques attardés.

Amis intimes à dîner dans la petite salle à manger du ministère. Liria, Michel et Marina, Doris, Philippine, Janine... J'ai décidément peu abusé de cette facilité à laquelle mes collègues sacrifient volontiers, j'ai eu bien tort.

Samedi 24 mars 2012

Obsèques de Jean-Pierre Caillard dans la cathédrale de Clermont-Ferrand. Il était le patron du groupe de presse *La Montagne*, le grand quotidien d'Auvergne. Homme profondément sympathique, d'une attention et d'une gentillesse extrêmes à l'égard des autres; la preuve que l'on peut réussir en étant humain et bon. Il avait vingt kilos à perdre, des problèmes cardiaques depuis longtemps, et m'en parlait chaque fois que nous nous rencontrions comme d'une fatalité qu'il combattait avec un agenda de forcené : «Si je m'arrête, je meurs.» Il a été foudroyé en plein travail. La cathédrale est pleine, l'émotion très vive. Brice Hortefeux à l'intérieur, Michel Charasse à l'extérieur, tristes comme je les ai rarement vus. Ils repartent ensemble, bras dessus, bras dessous.

Foire de Maastricht avec Jean-Pierre. Hervé Aaron pour m'accueillir, toujours délicat et charmant. Stupéfiante leçon de choses sur la vitalité du marché de l'art en Europe qui semble contredire tout ce qu'on entend à Paris et incroyable profusion d'œuvres exceptionnelles. C'est vaste, calme, personne ne me connaît, pour une fois j'ai tout mon temps pour tout regarder. Depuis le temps que Jean-Pierre insistait pour que je m'y rende !

Dimanche 25 mars 2012

Le fils de Dina Vierny ne comprenait pas que je n'aie pas visité le musée Maillol qu'elle a fondé rue de Grenelle. Faute à peu près rattrapée en allant voir l'exposition consacrée à Artemisia, l'artiste peintre italienne de la première moitié du XVIIᵉ siècle que les féministes ont annexée. Le genre d'observations dont je suis friand et qui suscitent un silence de plomb quand je les expose au ministère : Dina Vierny avait quinze ans lorsqu'elle rencontra Maillol, il en avait soixante de plus. Ce fut pourtant un grand amour partagé. Situation désormais officiellement proscrite dans le contexte de l'hypocrite et pudibonde morale petite-bourgeoise actuelle. Je l'ai rencontrée il y a quelques années chez Éric de Rothschild : petite femme brune et ronde, sans doute très avisée, qui ne faisait pas ses quatre-vingts ans et ressemblait encore aux portraits et aux sculptures que Maillol fit d'elle adolescente.

Élodie : «On n'en fera jamais assez pour David Caméo qui a littéralement sauvé le musée de la céramique à Sèvres. Mais il faut qu'il admette que l'on accole le nom de Limoges au musée puisque vous avez obtenu d'en faire une seule maison.»

Dîner chez Emmanuel-Philibert et Clotilde. Il a tout préparé lui-même, gentil, drôle, attentionné, heureux mari, bon père de ses filles, l'ami délicieux dont je suis «*il mio ministro adorato*».

Lundi 26 mars 2012

Pierre-Yves : «Mais enfin pourquoi vous donnez-vous encore tant de mal ? À ce stade de la campagne, tout le monde s'en fiche. Je le tiens de mes collègues, les autres ministres ne font plus rien, ils se préparent pour la suite.» Moi : «Ils participent à des meetings, interviennent dans les médias pour soutenir le président.» Il fait la moue, pas convaincu.

Justement je planche devant les «jeunes actifs de l'UMP». Pas si jeunes dans une assistance nombreuse et pas très actifs non plus car les questions qu'ils posent sont les redites des thèmes de campagne. Béatrice Mottier : «Vous devriez faire plus de réunions de ce genre, ils étaient passionnés par ce que vous leur avez dit.» Je la regarde, abasourdi : ce ne fut qu'une longue litanie de propos de circonstance, ennuyeuse et vaine.

Hommage à Émile Biasini au ministère. Tous ceux qui l'ont combattu et le débinaient auprès de François quand il mettait en œuvre le chantier prométhéen du Louvre qui n'aurait jamais été mené à bien sans lui sont là pour en dire le plus grand bien et se féliciter de l'avoir soutenu. Il est vrai qu'il est mort il y a quelques mois et n'est donc plus là pour se défendre contre tous ces compliments.

Formidable exposition sur la *Sainte Anne* de Leonardo da Vinci. Les esquisses, les projets, les premières versions qui l'ont suivi durant toute sa vie jusqu'au tableau lui-même. Controverses habituelles sur la restauration. Henri Loyrette, royal, au milieu de toute l'effervescence des visiteurs, surtout attentif aux mécènes italiens qui ont financé l'exposition et sont venus exprès avec femme et enfants. Moi dans le rôle qu'il attend de moi : le ministre qui félicite abondamment les bienfaiteurs.

Mardi 27 mars 2012

Lancement au Grand Palais du portail Arago : désormais l'ensemble des collections photographiques du ministère sera librement consultable sur Internet. Trente mille images tout de suite et la numérisation de l'ensemble se poursuit rapidement. C'est un grand succès pour la mission photo et les efforts déployés par Francis. Beaucoup de monde pour assister à la naissance, atmosphère très chaleureuse, l'œil du cyclone. Une réflexion entendue à la dérobée par mon oreille qui traîne : «Ce type est incroyable, il arrange encore les coussins quand tous ses potes courent aux chaloupes du *Titanic*.»

Il me reçoit à déjeuner dans sa jolie maison du VIIe arrondissement. Elle n'a rien d'ostentatoire mais comme il n'y a que des jardins privés tout autour, on a l'impression de se retrouver dans le Paris du XIXe siècle, celui de Chateaubriand et de George Sand. Décoration raffinée et confortable dans le style qu'affectionne sa famille. Banquier efficace et fortuné, il considère évidemment une victoire de François Hollande, l'homme qui a dit : «Je n'aime pas les riches», sans aucun enthousiasme, mais il est habitué aux coups du sort. Il a d'ailleurs déjà des antennes parmi les socialistes. Il voue une affection ancienne au président, est indulgent pour ses incivilités dont il pense qu'elles lui ont fait beaucoup de tort et juge dangereuse la dérive ultra droitière de sa campagne. En le quittant, comme il me raccompagne à travers son jardin en fleurs, brusquement saisi par le printemps, je repense à cette idée si fragile d'une droite civilisée, qu'il incarne comme François et à qui la brutalité du monde actuel laisse si peu de place pour s'exprimer et pour agir.

Olivier Henrard m'a vivement conseillé de recevoir Jacques-Antoine Granjon, qui ferait selon lui un excellent président pour le palais de Tokyo et s'entendrait très bien avec Jean de Loisy. Il a aussi ajouté que je serai sans doute un peu surpris par son apparence. Effectivement, me retrouve avec un malabar à cheveux longs, qui tient du rocker des années 1970, en Harley Davidson. Mais le charme opère aussitôt. La quarantaine, extrêmement courtois et d'une intelligence aiguë, doux, bienveillant, organisé, ce type me «tape dans l'œil», comme on dit familièrement. On m'a fait passer une note : il a construit un véritable empire avec une entreprise de vente sur Internet, emploie près de mille cinq cents personnes, possède une collection d'art contemporain remarquable. Aucune objection à le nommer président du palais de Tokyo, bien au contraire.

Attribution des fréquences des nouvelles chaînes de télévision. Du travail d'orfèvre, tout le monde est servi. Et même Pascal Houzelot, qui a réussi à se glisser parmi les vainqueurs. Aucune contestation notable. Michel Boyon peut être content de lui, bien que ce ne soit pas son genre.

Mercredi 28 mars 2012

L'une des meilleures remises de décorations depuis longtemps : Magali Noël, Patrick Chesnais, Jean-Laurent Cochet, Jorge Lavelli. Émotion et enthousiasme dans l'assistance, très nombreuse. J'aime ce genre de cérémonies auxquelles j'attache beaucoup d'importance. On me dit que je soigne bien mes discours, que j'emploie les mots qui touchent et font plaisir. C'est bien le moins que je puisse faire.

Petit conflit la semaine dernière avec Georges-François et Muriel qui voulaient réduire la subvention du théâtre de Stains après un rapport d'inspection très critique. Comme l'a dit opportunément Hugues Gall : « Évitez de faire porter l'effort budgétaire sur les petits théâtres alors que vous êtes parvenu à mobiliser un soutien considérable pour la Philharmonie. On dira deux poids deux mesures et on aura raison. » Le maire de Stains et la directrice sont maintenant dans mon bureau ; ils ont appelé Marie-George Buffet en renfort. Courtoise. Comme d'habitude, elle défend ses poulains avec chaleur et estoque en reprenant habilement l'argument d'Hugues Gall. Idée folle : croiseraient-ils donc dans les mêmes milieux ? La directrice, Beure véhémente et sympathique, appartient exactement au genre de personnes que j'ai instinctivement envie de soutenir. Réconciliation générale : le théâtre garde sa subvention. Georges-François use de sa formule favorite : « Je me débrouillerai. » Muriel rit.

Jeudi 29 mars 2012

Déjeuner chez Hachette en l'honneur de Michael Connelly, célèbre écrivain américain de polars à succès. Bonnes manières d'Arnaud Nourry et de Laure Darcos pour me montrer que, malgré les tempêtes Google, nous avons bien travaillé ensemble. Les bureaux de la direction d'Hachette sont installés dans une tour sans âme et tristement fonctionnelle du front de Seine, mais Arnaud Nourry a fait déplacer les boiseries de l'ancien siège social dans la salle à manger. Bel effet de contraste avec les baies vitrées ouvrant sur la Seine : un bateau qui passe, effet de reflet d'un petit Marquet sur l'acajou.

Remise du rapport sur l'amélioration du sort des documentaires à la télévision. Éric Garandeau affirme que cela lui sera très utile, le cabinet entonne le chant de la victoire. Fort bien, mais savent-ils à quel point les rencontres avec les responsables des chaînes de télévision se font sur le mode de la supplication, de l'humiliation, de l'insécurité permanente ?

Vendredi 30 mars 2012

Les Russes s'impatientent au sujet de la cathédrale orthodoxe du quai Branly. Situation confortable après ce que m'avait dit le président : « Pour la cathédrale, tu ne t'en occupes pas, je m'en charge. » L'ambassadeur Orlov aussi embêté que moi. Le genre d'histoire dont je me suis méfié dès le départ et qui ne va pas cesser de s'aggraver.

Art Paris au Grand Palais. Plusieurs photos à faire acheter par le ministère dont celles du Suisse Walter Pfeiffer. Mark Alizart et Francis remontés à bloc pour tordre le bras au Centre national des arts plastiques qui va rechigner comme d'habitude.

Cate Blanchett est extraordinaire dans *Big and Small* de Botho Strauss au Théâtre de la Ville. Solitude absolue d'une paumée magnifique errant dans une Allemagne indifférente. Ignare que je suis qui ne connaissait pas Botho Strauss et se raccroche à Fassbinder pour mieux comprendre. Après la représentation, plus de deux heures en scène et performance épuisante, Cate est normale, gentille, heureuse du triomphe qu'elle vient de remporter. Elle se souvient très bien que nous avons vu un film ensemble à Cannes, mais on ne se rappelle plus lequel.

Samedi 31 mars 2012

Passage à la permanence du candidat-président, rue de la Convention. La plupart de l'équipe est sur les routes ; ceux qui restent, en jean et col roulé, très «Allez les gars, on est tous une bande de jeunes et on en veut». Les chouquettes des secrétaires sont excellentes.

Après, «Tables rondes du printemps des jeunes populaires». Ça sent plutôt l'automne mais le ministre fait tout bien comme il faut. Un proche conseiller du président : «Tu devrais prendre Cannes, Brochand est fatigué et te laissera faire, pour quelqu'un comme toi ce sera dans la poche.» Je le regarde abasourdi. Plus que trois semaines...

Dimanche 1ᵉʳ avril 2012

Pour les socialistes, je n'étais rien et je ne suis pas devenu grand-chose. De pantin frivole de la télé-paillettes au rayon Stéphane Bern bis, le clone ayant d'ailleurs dépassé le modèle original, je suis passé au statut plus intéressant de traître à sa double famille, celle de François à laquelle je n'appartenais pas beaucoup et celle du Parti socialiste que je n'intéressais pas du tout, avant de parvenir au stade d'adversaire convenable et plutôt gentillet dont on se demande encore par quel hasard on se voit obligé de ferrailler contre lui. Ils ne le pensaient pas tous avec autant d'âpreté, mais la lutte politique est rude, et en des temps d'antisarkozysme primaire on n'allait pas faire le détail avec le copain de Carla... Mes débuts avec eux ont donc été difficiles, je me heurtais à un bloc de franche hostilité, même si je sentais çà et là des failles que j'investiguais avec prudence. Puis ça s'est arrangé peu à peu ; j'étais disponible, pas rancunier, d'humeur conciliante ; tout élu a un jour ou l'autre besoin d'un ministre, même s'il est de l'autre bord, et aucune conviction n'interdit de sacrifier un peu au principe de réalité. Malgré tout, j'avais aussi quelques amis qui se souvenaient de ma vie d'avant, je les ai gardés et j'en ai eu d'autres. Vers la fin, l'atmosphère est même devenue franchement détendue ; toutes les bisbilles ordinaires n'avaient guère de sens, on pensait que je n'en avais plus pour longtemps. Il y en eut même pour me dire qu'ils me regretteraient. C'était sans risque, ils sentaient bien qu'il m'arrivait d'en avoir marre.

Maman ne sait pas pour qui elle va voter. Elle est partagée entre sa fidélité à la mémoire de François qui l'incite à voter pour Hollande et les réflexes de son grand âge qui lui font apprécier Sarkozy « pour tout le mal qu'il se donne ». Je lui dis que l'arrivée de Hollande au pouvoir ne sera pas le retour de François mais celui de Danielle ; pas le souffle mais le sectarisme ; le dogme plutôt que la sagesse. Elle hésite encore : « De toute façon, j'aimais beaucoup Danielle. »

Lundi 2 avril 2012

Tout continue à se dérouler au ministère comme si la campagne électorale ne faisait pas rage à l'extérieur. En fait, chacun cherche au cabinet un point de chute pour après ; les fonctionnaires n'ont pas trop d'inquiétude à se faire, les autres pourraient se retrouver sans rien. Je m'emploie à tenter de les recaser, un par un. Ce que m'a dit Roselyne : « On juge aussi un ministre sur sa capacité à ne laisser personne au bord du chemin ; j'ai déjà tout arrangé. » Elle est aussi connue pour ça : réglo jusqu'au bout. Pierre Lungheretti remplace Élodie, partie dans le privé, à la direction du cabinet. C'est courageux de sa part car il s'expose dangereusement. Comme prévu, Jean-Pierre et Francis ne demandent rien ; ils se mettent en chasse pour ceux qui n'ont encore rien trouvé.

On vient me voir, on m'adresse des demandes, je rencontre des gens que je souhaitais voir, je règle des questions qui traînaient plus facilement que d'habitude compte tenu de l'évanouissement dans la campagne de tous les casse-pieds qui donnaient leur avis et faisaient des difficultés.

Le soir, concert d'Accentus dirigé par Laurence Equilbey, avec Laurent Bayle, l'ami fidèle. Patricia Barbizet, près de moi durant tout le concert, attentive, tellement attentive. Je ne dis rien, mais je vois bien qu'elle sent que je comprends et que j'apprécie.

Mardi 3 avril 2012

Avdeev et Orlov penchés sur le cancre à qui ils font les gros yeux. Il a bâclé son problème de cathédrale, et comme ils n'ont pas pu aller se plaindre au maître lui-même qui a bien la tête ailleurs, ils adressent leurs remontrances au seul de la classe qu'ils ont pu attraper. L'enfant puni a beau expliquer en pleurnichant qu'on ne lui a jamais laissé les moyens pour résoudre la question, les deux censeurs continuent à le gronder impitoyablement ; ils accusent la légèreté du maître qui ne tient pas ses promesses, l'inconséquence de tout le collège qui a approuvé les résultats du concours avant de les jeter à la corbeille, la paresse du mauvais élève qui a copié servilement sur le dos de ses petits camarades les bons points pour la maquette et qui n'a pas pré-venu que les chahuteurs de la Ville de Paris allaient rendre l'atmos-phère de la classe irrespirable en y lâchant les boules puantes de leur refus de construire. Sous mon bonnet d'âne fulmine la vengeance de l'écolier sournois ; s'ils agitent ainsi le martinet c'est qu'ils ont certai-nement reçu le knout. Pour qu'Orlov revienne me voir et qu'on ait dépêché Avdeev, c'est que l'affaire ne passe pas et que ça barde à Moscou. L'ambassadeur, le ministre de la Culture, de bons amis et de longue date, quel gâchis ! Ils refusent évidemment que l'on reprenne tout à zéro, mais ils savent aussi sans doute que l'on ne pourra pas faire autrement. Avec le président, s'il est réélu, avec son successeur encore plus. Staline demandait combien le pape avait de divisions blindées, il faut combien d'Airbus pour construire une cathédrale ? Encore un problème de robinets à la portée des examinateurs mais qui dépasse le gamin écervelé.

Dans une vitrine, à l'antichambre de la salle du Conseil des ministres, la toison d'or dont Juan Carlos a gratifié le président. Débat pour déterminer s'il doit la rendre s'il n'est pas réélu. On se tourne vers moi, comme si j'étais Stéphane Bern.

Constat de décès provisoire du Soudan Ciné. Chacun de ceux qui signent le permis d'inhumer jure ses grands dieux qu'il a tout fait pour que le défunt puisse recouvrer la santé. Tristesse de tous ceux qui avaient si bien travaillé sur le projet au ministère.

Mercredi 4 avril 2012

Le général Jean-Louis Georgelin, grand chancelier de la Légion d'honneur, est parvenu au faîte de tout ce que peut offrir la République à une carrière de soldat exemplaire. Il me témoigne une sympathie attentive et discrète qui me touche. Cela me confirme que malgré mon peu d'aptitudes physiques je me serais très bien adapté à la vie militaire et arrangé de tous les non-dits nécessaires.

Ann-Josée Arlot : «Laisse tomber pour l'escalier du carré Richelieu. L'architecte ne peut vraiment pas le garder et son projet tient la route.» Soit, en d'autres temps j'aurais continué à résister, mais à quoi bon persister à bloquer cette affaire quand tous ceux qui s'en occupent ont déjà tourné la page.

Brian Ferry a trois fils d'une vingtaine d'années, plus beaux, plus insolents et plus délurés les uns que les autres. Venus pour assister à la remise de décoration de leur père, ils me jettent des regards en dessous et rieurs qui, je dois le reconnaître, ne sont pas pour me déplaire.

Boum pour les Croates. Les directeurs d'établissements pourtant conviés brillent par leur absence, en revanche le reste du ministère se rue sur les yaourts et les aubergines farcies. Ça suffit à donner l'impression que la fête est réussie.

La mort de Richard Descoings a frappé tout le monde de stupeur. Colloque nocturne en son honneur à Sciences Po avec de nombreux étudiants, très émus en évoquant sa personnalité. On me révèle un certain nombre de détails sur sa vie privée dont je n'avais pas idée et qui me le rendent encore plus mystérieux et sympathique. En tout cas, encore une mauvaise publicité pour l'hôtellerie new-yorkaise.

Jeudi 5 avril 2012

Claude Miller est mort. J'étais toujours heureux de le voir quand il venait au ministère. Une fois, je lui ai rappelé notre première rencontre. Je faisais partie de la commission d'avances sur recettes. Il venait de déposer le scénario de *La Meilleure Façon de marcher*. Nous étions aussi gênés l'un que l'autre. Dans le petit bar de l'Olympic, en 1974.

Il était temps pour moi de jeter la rancune à la rivière concernant Michèle Cotta qui, fidèle à sa méthode, m'avait sorti autrefois de la télévision en me cajolant pour m'endormir avec des «mon petit chat je n'aime que toi» du plus bel effet. Je n'ai d'ailleurs jamais pu me déprendre d'une certaine affection pour elle ni de l'admiration pour son aptitude d'acier à la survie. Elle paraît contente de me retrouver, à nouveau bien aimable, mais de toute façon ce n'est pas très important puisqu'elle s'en fiche complètement.

Déjeuner très détendu avec David Kessler et la crème de l'équipe des *Inrocks*. C'est à moi de ne plus me préoccuper de ce qu'ils peuvent penser. Nous passons un certain temps à déchiqueter à belles dents Frédéric Martel et Joseph Macé-Scaron, passe-temps d'autant plus distrayant que la joyeuse petite bande est certainement pressée d'aller rapporter la conversation aux intéressés. On voit le niveau quand le jeu tire à sa fin.

Énorme boum au Grand Palais pour les vingt ans des radios libres. Jean-Paul Cluzel a fait de cet angle mort des Champs-Élysées le centre des événements en tous genres de la vie parisienne. Quant à la Réunion des musées nationaux qui était au bord de la cessation d'activités, elle remarche à fond depuis qu'il en assure la présidence.

Roselyne : «J'ai pas de tatouage, de sous-tif en cuir et de cagoule, tu crois qu'ils vont quand même me laisser entrer?»

Oui, je m'amuse enfin un peu, et je n'en éprouve aucun remords alors que je suis tellement enclin à me culpabiliser d'ordinaire. Peut-être aurais-je dû m'y prendre comme cela depuis le début? Et en plus, aucun parapheur ne traîne.

Vendredi 6 avril 2012

Gérard Mestrallet, le patron de GDF Suez, vient dîner avec Jean d'Haussonville pour signer la convention de mécénat de Chambord. Nous avons à peu près le même âge, il a fait de bien meilleures études que moi. Aimable, précis, normal. Chaque fois que je rencontre des grands patrons comme lui, plus puissants que des ministres, je me pose toutes sortes de questions : sont-ils eux aussi des tueurs comme les politiques? Quelle est leur formation morale et qu'en ont-ils gardé? Quelles sont leurs failles et leurs faiblesses? Y a-t-il une dimension romanesque dans leur parcours? Aurais-je été capable de faire ne serait-ce qu'une petite part de ce qu'ils ont accompli? La plupart d'entre eux se sont coulés dès leur prime jeunesse dans le cadre institutionnel informulé mais strict de la nomenklatura avec ses rites, ses réseaux, ses sentiments d'appartenance à une collectivité qui exerce le pouvoir. Le fait est que l'amateur que je suis se sent quand même plus proche des outsiders géniaux tels que François Pinault ou Pierre Bergé, partis sur les routes sans un sou en poche, sans relations et sans autre bagage que leur culture d'autodidacte et leur volonté d'en découdre avec une société qui les ignorait.

Visite du chantier de l'hôtel Lambert avec Jean-Pierre. Impression de péplum hollywoodien sur la construction de la grande pyramide; démesure, fourmilière, reconstitution du décor original qui permet d'en rajouter un peu partout étant donné qu'on ne sait jamais ce que fut vraiment le décor original. Tout cela n'est pas pour moi, Marie-Hélène et Alexis doivent se retourner dans leur tombe. Les associations de sauvegarde qui ont signé le compromis avec le prince loukoum se plaignent de ne pas pouvoir visiter les travaux comme l'accord le stipulait pourtant.

Yves Marek, bel exemple des ravages qu'un esprit trop libre et trop sûr de lui peut entraîner sur une carrière prometteuse. Il vient de faire paraître des réflexions sur la politique du ministère, très éloignées de la bien-pensance officielle, qui lui répond dans le même ouvrage par la voix de Claude Mollard, un ancien de chez Jack Lang qui m'a pourtant toujours considéré comme un grain de poussière à faire glisser de la pointe du pied sous le tapis. Conversation très intéressante, beaucoup de choses à retenir dans sa vision très sombre de la démagogie culturelle et du mépris des élites pour la culture populaire, conclusions inapplicables par les temps qui courent. Je l'avais rencontré à plusieurs reprises dans le passé et m'en étais assez mal porté. Il ne s'en souvient pas.

Réunion mouvementée avec le maire d'Orléans, Serge Grouard, un UMP fort en gueule. Il veut démolir une partie du secteur ancien de la rue des Carmes pour y faire passer son tramway et raser un immeuble industriel des années 1950 construit par Jean Tschumi au bord de la Loire pour installer une grande salle des sports à la place. Je suis allé soigneusement repérer les lieux : la rue des Carmes est bien assez large pour faire passer le tramway, mais l'habitat y est pauvre, principalement des immigrés maghrébins ; quant au bâtiment Tschumi, c'est un exemple remarquable d'architecture fonctionnelle. Il tergiverse sur les vraies raisons pour la rue des Carmes et traite le bâtiment Tschumi avec un mépris grossier. Après la poste de Béziers et le bâtiment Zehrfuss c'est assez pour moi des renoncements et de la négligence : refus catégorique de le laisser faire. Il part en claquant la porte pour agiter ses réseaux. Le député qui l'accompagnait reste un peu pour essayer de dissiper l'orage, il sent que l'affaire risque de mal tourner pour son copain que ses colères rendent insupportable même à leurs électeurs.

Dîner chez Jean-Paul Cluzel. Une question devant ses autres convives intéressés : « Pourquoi avez-vous fait tant d'émissions sur ces royautés sans intérêt ? » Moi : « Beuh, beuh... »

Samedi 7 avril 2012

Rendez-vous avec Michel Charasse à Saulieu, au restaurant de Bernard Loiseau que sa femme, Dominique, a repris à la perfection. Je ne suis pas un habitué des grands établissements gastronomiques, mais j'ai fait classer l'ancienne salle à manger du restaurant, sur les suggestions de Michel Charasse précisément. Dès les années 1930, du temps d'Alexandre Dumaine, chef mythique, les caciques de la République, fines gueules comme chacun sait, aimaient s'y retrouver autour d'une bonne table, et bien des campagnes électorales et des combinaisons ministérielles s'y sont tramées au cours d'interminables repas loin des indiscrétions parisiennes. On s'attend à chaque instant à voir ressurgir le fantôme d'Édouard Herriot, la serviette blanche nouée autour du cou, devisant avec celui d'André Le Troquer, dont une accorte jeune serveuse coupe la viande en se penchant, éveillant cette lueur dans le regard de l'illustre manchot qui finira par lui coûter sa carrière. François Mitterrand y venait souvent ; il y prépara sa conquête du pouvoir et resta fidèle aux délicieuses agapes avec ses proches une fois devenu président ; c'était son paysage. C'est aussi celui de Michel Charasse, foncièrement attaché aux liturgies républicaines et à la mémoire de François. Le déjeuner avec le gardien du temple mitterrandien, comme il le dit lui-même plaisamment, est un bonheur ; faconde, humour, férocité, en comparaison *Les Tontons flingueurs*, c'est *Sissi impératrice*. Il est difficile d'expliquer le charme puissant qu'il dégage, mais je mets au défi les esprits les plus revêches de ne pas y succomber quand on passe un moment avec lui. Raphaël, âme noble et cœur pur versés à droite, est conquis et n'en revient pas de l'être.

« Quarante-six ans d'engagement socialiste, une vie auprès de François Mitterrand, tous les combats que j'ai menés pour la gauche, et cette bande de mariolles qui m'excluent du parti parce que j'ai refusé leur cuisine dans le Puy-de-Dôme, vous ne trouvez pas cela incroyable ! Je ne veux plus rien avoir à faire avec ces gens-là. C'est plié, plus rien, plus jamais. »

« Le président, je ne voterai pas pour lui et il le sait très bien. Qu'est-ce qu'ils s'imaginent tous ceux qui dégoisent le contraire ? Mais c'est le président, c'est la République, et ceux qui ne le respectent pas, ce sont les mêmes qui racontent n'importe quoi sur moi. »

« Avec votre oncle, moi, je venais d'Auvergne, lui du Morvan, on se retrouvait ici. Je suis vraiment content que vous ayez fait toute cette route, c'est plus long mais ça en valait la peine. Une autre fois, je vous emmènerai voir cet étang qui était pour lui presque aussi important que Solutré. »

Concert à la Cité de la musique, *La Passion de saint Mathieu*. Dîner avec Laurent Bayle ensuite. On reparle des merveilleux livres de Gilles Cantagrel sur le cantor et de beaucoup d'autres choses encore ayant trait à l'avenir de la Philharmonie. Toujours la même impression de ressortir moins ignorant et meilleur après avoir passé un moment avec lui.

Dimanche 8 avril 2012

L'adorable Max Karkégi, à qui j'avais rendu visite à Vitré, est mort. Il m'avait fait, avec sa femme, les honneurs de sa belle maison au charme délicieusement désuet. Que va devenir sa fabuleuse collection de souvenirs, de livres, documents et photographies sur les cours royales, en particulier sur l'Égypte du temps de la monarchie et des autres couronnes défuntes du Moyen-Orient ? Qui peut s'intéresser encore à cet étrange et si poétique trésor en dehors de quelques égarés dans mon genre ?

Maman, comme Cluzel : « Je n'ai jamais bien compris pourquoi tu t'intéresses à tout cela ? » J'ai renoncé à expliquer que je ne le comprends pas moi-même.

Lundi 9 avril 2012

Il y a toute une part de mon existence qui n'aura jamais été concernée par ma vie de ministre. La part Saverio, du nom de celui que j'aime depuis plus de quarante ans, que je retrouve de loin en loin mais qui est toujours intensément présent ; cette part où s'épanouissent les nostalgies, les songes, les projets d'avenir fous, accrochés comme du lierre à ce socle secret. Cette part a été comprimée, étouffée par mon activité, mon emploi du temps, mon statut officiel, elle reprend ses droits au fur et à mesure de l'évanouissement progressif de mes responsabilités. Je recommence à rêver plus souvent de ma grand-mère, de mon ami Thierry, mort quand j'avais dix-sept ans, de Saverio bien sûr. Mais quand tout sera fini, alors cette part récupérera tout mon espace intérieur en me laissant aussi une curieuse impression de vide, comme si seule la contrainte de la réprimer la rendait plus désirable et fertile.

Tancrède séduit tout le monde et je n'échappe pas à la règle. On s'épuiserait à dresser la liste des raisons qui expliquent ce succès ; mettons que ses qualités intellectuelles sont à la mesure de l'attirance qu'exerce son physique. Tancrède n'est pas seulement beau et remarquablement intelligent, il est aussi jeune, cultivé, bien élevé, travailleur plein de vaillance et encore très ambitieux. Il existe beaucoup de clefs pour essayer de forcer le mystère du charme et aucune n'y parvient tout à fait ; mettons que je viens d'en citer quelques-unes mais que même leur addition n'y suffit pas non plus : Tancrède est le charme incarné. Ou autrement dit par l'une de mes chères amies qui s'y connaît en comètes masculines : « Ce garçon a une classe folle ! »

Tancrède se prête à chacun et ne se donne à personne. Il est aimable, attentif, prévenant avec tous, mais on ne lui connaît aucune liaison dictée par l'emballement sensuel, l'amusement ou l'intérêt. On sait seulement qu'il ne vit pas seul depuis longtemps, on devine qu'il a l'expérience de la nuit, mais le peu de temps soustrait à son travail qu'il épargne pour sa vie privée est soigneusement préservé. Les jaloux, qui subissent l'enchantement comme les autres, en sont pour leurs frais. Faute de pouvoir le prendre à défaut, ils n'arrivent pas à médire de lui. Or par son comportement, ses gestes, sa démarche, la manière pourtant sagement classique dont il s'habille, on sent constamment la présence de son corps ; il émane de lui une puissance sexuelle qui se diffuse jusque dans les atmosphères les plus opaques et répand une sorte d'allégresse légère même parmi les personnes a priori les moins enclines à la ressentir.

Tancrède, c'est le nom que je lui donne, celui du neveu du Guépard qui va conquérir le nouveau monde auquel son oncle, attaché à l'ancien, renonce par fidélité et lassitude. Je me donne ainsi le meilleur rôle, non sans regret, mais comment pourrais-je faire autrement puisque l'arrivée de Tancrède au sein de mon cercle rapproché manifeste l'irruption soudaine du romanesque et le retour brutal des sentiments dans un univers ordonné en fonction de la compétence et de l'efficacité ? Or Tancrède est aussi efficace et compétent, et s'il est évidemment conscient de l'effet qu'il suscite, il en est également innocent. C'est plus fort que lui et que nous tous réunis.

Tancrède est dur, il fonce droit devant lui, silencieusement dans les ténèbres de l'avenir. Quand il dansait le rock, il n'y a pas si longtemps, avec ses petites amoureuses dans des surprises-parties de province, il devait déjà se demander : «Mais où cela me mène-t-il ?» Quand un metteur en scène de théâtre célèbre qui l'avait pris comme assistant s'éprit violemment de lui au point de lui exprimer tout à coup rageusement son désespoir de ne pas être aimé en retour, il pleura beaucoup, non pour celui qu'il avait servi loyalement mais sur son propre sort : «Comment me délivrer de cette impasse ?» Quand il en fut aux prémices de son ascension dans une grande entreprise où ses rivaux ne savaient plus que faire pour l'empêcher, il regardait au-dessus de leurs têtes : «À quelle hauteur faut-il que je monte pour retrouver ceux qui sauront me reconnaître et m'aimer ?» Tancrède est seul. Il a des parents auxquels il est attaché bien sûr, mais ils sont loin, il a des amis peut-être, mais on ne les connaît pas, il lui faut des alliés, et ça ne court pas les rues, qui conduisent au pouvoir. Je suis l'un d'eux et je lui suis déjà tellement reconnaissant d'être ce qu'il est que je n'en attends aucune rétribution. On m'accordera la faiblesse d'en avoir pourtant un peu rêvé et l'honnêteté d'avoir réussi quand même à le cacher plus ou moins.

Mardi 10 avril 2012

Colloque sur l'emploi des jeunes organisé par Manpower. Discours de Xavier Bertrand prévu pour lancer les débats. Il m'a demandé de venir. Potron-minet : les chefs d'entreprise ont beau avoir l'habitude de se lever tôt, l'assistance roupille pendant qu'une dame essaie de chauffer la salle pour accueillir l'invité vedette. Raclements de gorge, toux, éternuements, tous ces signes qui ne trompent pas d'une attention fuligineuse. Il a sans doute encore moins dormi mais il réveille tout le monde en quelques phrases. Une fois de plus je me demande où il puise une telle énergie.

L'arrivée de Catherine Pégard à Versailles se passe au mieux. Jean-Jacques Aillagon a renoncé à louer un appartement dans les bâtiments de fonction du personnel. On imagine le tableau, Catherine prenant toute la maison en main, et Jean-Jacques se promenant dans le parc, parlant avec ses anciens obligés. Souvenir de ce que m'avait dit Edouard Balladur quand il remuait ciel et terre pour prolonger son mandat : «Mais enfin qui est-il pour exiger que l'on fasse une exception pour lui?» Cela dit, des exceptions, il y en a eu quand même quelques-unes, et comme l'État craint les enquiquineurs résolus, il pouvait bien tenter sa chance avec les méthodes d'intimidation qu'on lui connaît.

Thomas Dutronc, le charme de son père sans la paresse, la grâce de sa mère sans la gravité, le talent d'un peu des deux.

Mercredi 11 avril 2012

Inauguration du palais de Tokyo par le président. La grande foule. Jean de Loisy parfait; tranquille, naturel, pas obséquieux pour un sou. Digression classique sur Yves Klein, la transgression, les femmes nues, l'aventure d'un génie. On écoute bien sagement. L'habituelle transfiguration des corps qui se redressent, des visages qui sourient avec de discrets hochements d'approbation quand le président parle, tandis que les esprits vagabondent et s'apprêtent à se répandre en commentaires sarcastiques quand surviendront le départ, le réveil, le retour à la normale. Les ouvriers noirs qui travaillent encore sur le chantier demandent au président de pouvoir faire des photos souvenirs sur leurs portables. Il s'y prête de bonne grâce ; le vrai plaisir qu'il éprouve à se retrouver en amitié avec ceux-là mêmes que son ministre de l'Intérieur et la campagne stigmatisent. Il ne croit pas à ce qu'il dit, il vit ce qu'il croit et ne dit pas, mais il a choisi et il ira jusqu'au bout.

Déjeuner en forme d'adieux avec Michel Boyon et les membres du CSA. Petit discours sincère et très émouvant pour moi. Laurence et Jean-Pierre le nez dans leur assiette. Une place est vide, celle de Rachid Arhab qui n'a pas prévenu de son absence. Je relève en passant sans insister. J'imagine ce qu'un homme aussi poli que Michel Boyon doit en penser.

Thierry Marx, cuisinier célèbre, a créé un centre de formation pour des jeunes qui sortent de prison. Toute sa vie est marquée par l'engagement à l'égard des gens en difficulté, ce qui ne l'a pas empêché d'être un chef réputé et particulièrement inventif. Jean-Marc, que j'ai attrapé au vol, très intéressé. Il croit aux vertus apaisantes de la gastronomie. Il n'a pas tort.

Jeudi 12 avril 2012

Mais si, j'en fais quand même, des meetings ! Tiens, aujourd'hui, c'est à Saint-Mandé, au « café politique » organisé par le député-maire. Pourquoi Saint-Mandé plutôt qu'ailleurs ? Parce que c'est là que vécut longtemps ma grand-mère et où je venais la voir, le jeudi, lorsque j'étais enfant. La part Saverio.

Palais de Tokyo : quatre jours de portes ouvertes au public qui se prolongeront chaque soir jusqu'à minuit. Triomphe immédiat ; ce ne sont pas tant les expositions qui ne sont pas encore complètement installées que l'agencement général du palais avec ses immenses volumes, l'architecture minimaliste totalement concertée, cette atmosphère d'un vaste entrepôt de l'art où règnent la liberté, le jeu, la possibilité d'imaginer ce que l'on veut qui électrisent littéralement le public. Si l'on ajoute que la programmation des manifestations à venir est à la fois éclectique et excitante, il est évident que Jean de Loisy a remporté son pari. Soulagement lorsque je repense aux atermoiements de ma première année au ministère. C'est curieux, ce genre de choses, tout ce qui s'est fait et qui ne se dit pas, ça me donne parfois presque envie de pleurer. On garde ce qu'on rate, on perd ce qu'on réussit.

Vittoria Matarrese, ma collaboratrice la plus proche à la Villa Médicis, qui a dû croire parfois que je l'avais abandonnée, maintenant très contente de travailler avec Jean de Loisy, et Julie Narbey, mon ex-conseillère budgétaire, que François Fillon ne voulait pas que je nomme comme numéro deux, se retrouvent au cœur de l'aventure que convoitait toute une armée d'énarques-loups qui n'auraient pas obtenu aussi bien la confiance du patron. Francis : « La dropeuse qui laisse tomber tout le monde, ce n'est pas toi. Voilà quelque chose au moins qu'on ne pourra pas te reprocher. » Camilla aussi est heureuse d'être là, mais qui sait que Camilla dont je ne parle jamais compte aussi beaucoup pour moi ? Sa merveilleuse mère sans doute.

Marilu Marini, dans les coulisses des *Bonnes* au théâtre d'Aulnay-sous-Bois : « Je repars en Argentine jusqu'en décembre. Soit vous venez me voir là-bas, soit on se retrouve sans faute à mon retour. » Chaque fois que je passe un moment avec elle, je sens avec intensité qu'elle va bientôt me manquer. Heureusement, je ne la rencontre pas très souvent, parce que autrement ce serait infernal.

Vendredi 13 avril 2012

J'appelle au téléphone un bon serviteur de l'État qui a très largement dépassé l'âge de la retraite pour lui annoncer qu'il faudrait songer à abandonner une présidence toute honorifique qu'il occupe depuis un quart de siècle. Le genre de démarche que j'accomplis avec la gaieté de cœur que l'on imagine. Il s'en doute peut-être un peu, on a déjà évoqué décorations et petits avantages pour faire passer la pilule amère. Je tombe sur sa femme : « Oui monsieur le ministre, bien sûr monsieur le ministre, je vous passe mon mari. » Et sans mettre sa main sur le combiné : « Paul, y a Mittran qui te demande, te laisse pas faire ! » J'ai l'habitude, Mitterrand, c'est pour les gens de gauche quand ils sont de bonne humeur, Mittran, c'est pour les gens de droite quand ils sont de mauvaise humeur, autrement ça fluctue au gré de la politesse et de l'ignorance. De toute façon, François n'a jamais su dire autre chose que Kendy pour Kennedy.

Autre communication réjouissante quelques heures plus tard avec une jeune femme incroyablement rampante qui me donne elle aussi habituellement du «monsieur le ministre» à chaque phrase. Elle m'expose la situation embrouillée de son compagnon, producteur de films en difficulté. Je raccroche et veux passer un autre appel mais elle a mal raccroché de son côté et commente notre conversation avec le garçon en question : «Ah, mais qu'est-ce qu'il est con ce mec! qu'est-ce qu'il est con, il comprend rien à rien! Il les pêche où, ses ministres, Sarko? Dans un pot de chambre, je te dis, dans un pot de chambre!» Heureusement, je dispose d'une autre ligne...

Se trouver de Pirandello au Théâtre de la Colline avec Pierre Lungheretti et Sihem. J'ai du mal à m'intéresser à cette histoire de grande actrice tenaillée par le doute, portée avec bravoure par Emmanuelle Béart. En revanche, flash immédiat pour Vincent Dissez, le perturbateur définitif dans la pièce, un acteur que je ne connaissais pas. Quand je demande à Pierre Lungheretti comment Stanislas Nordey s'y prend pour rendre les comédiens si sexy sur scène, il me fournit quelques indices auxquels je pensais quand même un peu. La mère de Stanislas Nordey joue aussi dans la pièce et me parle avec admiration de son fils. Très sympathique.

Samedi 14 avril 2012

Depuis mon arrivée, j'étais intrigué par le sort du musée de la Tapisserie à Aubusson et par la bataille rangée entre la majorité des élus de gauche du département de la Creuse et le député UMP, Jean Auclair. Les uns veulent que l'on développe le musée, ce qui me semble souhaitable compte tenu de tout ce qu'on met en œuvre au ministère dans ce domaine, et lui s'y oppose paraît-il farouchement. Guerre picrocholine mystérieuse dans l'un des plus beaux et des plus pauvres départements de France qui n'en finit plus de se dépeupler.

Arrivée donc à la gare de La Souterraine en milieu de matinée : rien que le nom, c'est déjà tout un programme. Quand on est en période électorale, chaque déplacement d'un ministre doit être privé. Donc pas de préfet, pas de service d'ordre, c'est aussi bien comme ça; en revanche, il a fallu que j'insiste auprès du Drac au téléphone pour qu'il veuille bien se déranger : «Ah, je croyais que c'était privé, je ne sais pas si j'ai le droit de venir. » Le vétilleux juriste serait encarté au Parti socialiste que cela ne m'étonnerait pas.

Jean Auclair me prend dans sa voiture brinquebalante. Ses collègues de la majorité parlent de lui avec condescendance : un plouc accroché à sa cambrousse et un caractériel à qui il ne faut pas se frotter. On s'entend immédiatement très bien, comme de juste. Il est gai, plein de vie, connaît le département comme sa poche ; il a aussi des fiancées un peu partout, robustes villageoises qui le poursuivent de leurs assiduités et de leurs crises de jalousie mais fournissent un bataillon de colleuses d'affiches et de distributrices de tracts durant la campagne. Je m'aperçois très vite que le conflit sur le musée s'inscrit dans un contexte de vieilles et féroces luttes où il a été humilié par ses adversaires assez bassement et lâché par ses amis politiques, bourgeois de sous-préfectures qui n'apprécient pas ses manières rustiques. Heureux que le ministre se déplace spécialement pour lui, rigole de bon cœur à ses saillies et ne rechigne pas à lui conter à son tour quelques bonnes histoires un peu salées, le Casanova de la Creuse n'émet plus d'objections pour l'extension du musée. «Je sais pourquoi tu y tiens ; c'est parce que ton oncle l'a inauguré et qu'il est revenu le visiter plusieurs fois. En ce temps-là, il y avait du respect pour les élus ; le grand type du département, c'était Chandernagor, on n'était pas du même bord mais jamais un mot de travers, pas de coups fourrés ; tout a changé. »

Commence une virée hallucinante où il m'emmène, à vive allure, dans son tacot dont les tôles vibrent dangereusement, dans un château où un couple gay restaure des tapisseries («Mes potes, faut pas croire »), à plusieurs apéritifs dansants avec les anciens («Ils travaillaient tous dans les ateliers de tapisserie avant qu'ils ne ferment»), chez une mairesse qui a restauré une statue de Marianne («Tout le monde l'a laissée tomber à Paris quand elle a demandé de l'aide pour la statue, c'est le trou du cul de la République ici, personne vient jamais»), dans les trois derniers ateliers de lissiers qui tiennent encore le coup («Si tu savais comme ils s'en foutent, les socialistes, pour eux, les artisans, la tapisserie, les compagnons, c'est des trucs de droite à dégager!»). On arrive finalement au musée, toute la ville ou à peu près m'attend à l'intérieur. Mais l'atmosphère est étrange. Chacun veut me dire qu'il est pour l'extension du musée «mais pas comme ça, pas comme il le dit, lui, l'autre». Il n'y a que des autres dans l'assistance. Les crédits sont votés, département et région, le ministre a gardé une enveloppe, et rien ne se passe depuis des lustres. Il y a trop de blessures accumulées dans ce coin de France, ceux qui sont restés ne peuvent plus se supporter, comme des naufragés sur un radeau qui prend l'eau de toute part. Il faudrait avoir le temps, revenir, convaincre : Aubusson, c'est une marque connue dans le monde entier, il ne serait pas si difficile de la faire revivre. Le musée existe, il est triste mais ne demande qu'à grandir, les conservateurs font tout ce qu'ils peuvent, il y a des professeurs et des étudiants des Beaux-Arts qui y croient. Le Drac : «Vous voyez comme c'est compliqué, moi j'ai renoncé à m'en occuper.» Il s'arrête, il voit bien comment je le regarde.

Fin de la journée au château de Boussac, merveilleuse demeure d'un peu toutes les époques, dominant la petite Creuse. Accueil très chaleureux; depuis le temps, on sait que je suis proche de tous ces gens qui ne roulent pas sur l'or et qui préservent partout notre patrimoine : «On espère que vous allez rester...»

Nous repartons comme des fusées dans la guimbarde diabolique pour que j'attrape le train à Châtellerault. Le rythme se corse un peu car je veux aussi m'arrêter à Nohant sur le parcours, juste le temps d'acheter des cartes postales. «Tu n'as pas peur des radars? — Y en a pas dans le coin, c'est bizarre non?» Il rit.

Sur le quai : «On ne sait jamais, si ça se termine bien quand même, tu reviens tout de suite et je te promets, on te le sort ton musée!» Amis pour la vie; s'ils étaient tous comme lui...

Dimanche 15 avril 2012

Grand meeting du candidat-président à la Concorde. Marée humaine, les ministres dans le carré VIP. Phrases ronflantes et creuses des vedettes américaines avant l'arrivée de la star. Sur les grands écrans, le type qui traduit pour les sourds, comment fait-il avec des mots aussi vides? Je le regarde épaté par la performance. Le président personnalise tout son discours entre cette foule dont il n'aime pas qu'elle l'interrompe et la grande houle des drapeaux qui incarne cette belle France des images de son endurante enfance. Le «Aidez-moi» qu'il répète à plusieurs reprises pour conclure, c'est celui du général de

Gaulle lors du putsch des généraux d'Alger. 1961. Le petit Nicolas avait sept ans, sans doute déjà devant son poste de télévision.

Au même moment, meeting de François Hollande à Vincennes. Même dispositif : foule compacte des militants surchauffés, carré VIP pour les anciens et les futurs, écrans géants avec sous-titres du discours pour permettre à ceux qui sont loin de suivre. Chaque fois que François Hollande évoque le grand ancêtre François Mitterrand, avec les émouvantes envolées lyriques de rigueur, les sous-titres inscrivent Frédéric Mitterrand : mouvements divers parmi la foule et affolement dans le carré VIP. Jack et Monique se tordent de rire mais ils sont bien les seuls. On met un bon quart d'heure à localiser l'infortunée claviste qui tape les sous-titres dans un recoin obscur derrière la scène et qui, à courir après le discours qu'elle entend mal, n'a évidemment pas pris conscience de sa malencontreuse erreur.

Lundi 16 avril 2012

Jean-Pierre : «Il faudra que tu m'expliques un jour pourquoi le président a confié sa campagne à un illuminé, un moutard et une grenouille de bénitier?» Le fait est que son camp est remonté à bloc; la machine UMP fonctionne à plein régime et il remonte dans les sondages. Il n'est pas exclu qu'il puisse finalement l'emporter.

Tout est enfin prêt pour la signature de la donation Yvon Lambert, mais comme il est exclu que le président puisse y assister ainsi qu'il le souhaiterait, c'est donc remis à plus tard, après l'élection présidentielle. Au fond, tout se passe comme prévu.

Mardi 17 avril 2012

Petite cérémonie pour Christian Noyer, commandeur des Arts et des Lettres, à la Banque de France, dont il est le gouverneur. Entre les boiseries de la chancellerie d'Orléans qu'il nous a transmises alors que le dossier traînait depuis un siècle et le futur musée de l'Économie, il fait partie, comme le général Georgelin, de ces hommes parvenus au sommet et qui ont toujours appuyé mes demandes. Ils sont très rares.

Jean de Boishue : «Quoi qu'il arrive, il ne faudra pas oublier que tu as été ministre.» Pour lui, cela signifie quelque chose, mais pour les autres?

J'emmène Liria dîner avec la première dame d'Azerbaïdjan; elle a toujours un très bon jugement sur les gens. Diagnostic : «On ne sait rien évidemment. C'est trop loin de nous, trop compliqué à comprendre, mais c'est sans doute une femme bien. Finalement, elle ne t'a jamais rien demandé que tu ne puisses faire.» Je pense la même chose.

Mercredi 18 avril 2012

Conseil des ministres expédié en moins d'une heure. Train fébrile des petits papiers; beaucoup d'ultimes petits coups de pouce et de décorations à régler entre les ministres. Communication de Maurice Leroy sur le Grand Paris : pas un mot sur la tour et les projets culturels. Je le lui reproche amèrement. «Désolé, tu sais ce que c'est, une communication, c'est court, je n'ai pas pu tout mettre.» De toute façon, personne n'a écouté, on a la tête ailleurs.

Yom Hashoah : très belle cérémonie au mémorial. Des enfants et des «personnalités» lisent le nom des déportés du convoi n° 55. J'essaie de bien prononcer, lentement, sans mettre le ton. La lecture se prolongera jour et nuit avec tous les noms qui sont inscrits sur le mur. Je pense à la photo du jeune Camondo avec son petit chien dans les bras, à la mère de Philippine, repères intimes et personnels pour se représenter l'horreur. Ce sont les premiers qui me viennent à l'esprit. La part Saverio, plus que jamais.

Jeudi 19 avril 2012

Asghar Farhadi, le réalisateur d'*Une séparation*, s'est installé à Paris. Il y prépare son nouveau film avec un producteur français. Il est confronté non seulement à des problèmes de papiers pour lui et sa famille mais aussi à la bureaucratie du Centre du cinéma qui s'aligne sur la préfecture et lui fait toutes sortes de difficultés pour délivrer l'autorisation de tournage. On marche sur la tête; après toutes les déclarations solennelles sur les atteintes à la liberté de création en Iran et sur la solidarité avec les artistes persécutés auxquelles se livrent sempiternellement les ministres, on retombe sur la réalité papelarde et soupçonneuse. Claude Guéant m'ayant répondu de manière négative, quoique contournée de quelques attendus juridiques, pour une affaire à peu près similaire il y a quelques semaines dont le principal défaut était de concerner un médecin cardiologue tunisien réputé mais inconnu, j'écris à son directeur de cabinet que je pense mieux à même d'apprécier la situation et j'appelle Jean de Boishue pour plus de sûreté. Ce n'est pas l'hystérie xénophobe que la campagne du président a fait lever qui arrangera les choses.

Jean-Louis Martinelli vient me voir. On fait semblant de parler de sujets sérieux concernant l'avenir du Théâtre des Amandiers et le spectacle vivant en général. Mais je prends cette visite pour ce qu'elle est réellement : une marque d'amitié de sa part.

Film intéressant sur Kathleen Ferrier. D'autant plus réussi qu'il y a très peu d'archives filmées, encore moins que pour Maria Callas. À ses débuts, alors qu'elle était pauvre et inconnue, elle avait posé sa candidature pour l'horloge parlante. Refusée sous prétexte qu'elle n'avait pas une assez belle voix !

Vendredi 20 avril 2012

Le discours d'Eva Joly hier soir au cirque d'Hiver m'a mis en joie (« Nous sommes ici chez nous, les Youpins, les Nègres, les Arabes, les Norvégiennes ménopausées ! »). On se moque de ce qu'elle dit, on se gausse de son accent par une sorte de contradiction frivole puisqu'on ne peut qu'estimer sa vision humaniste et reconnaître qu'elle parle vrai, sans ruse ni subterfuge. J'éprouve de la méfiance à l'égard de ses amis écolos. Elle a mis en examen quelqu'un qui m'est cher et on ne devait pas s'amuser tous les jours quand on passait dans son bureau de juge d'instruction. Elle aurait dû rigoler plutôt que de se fâcher quand Patrick Besson a publié la chronique hilarante où il brocardait son accent dans *Le Point*. Soit. Mais rien ne m'empêchera de penser que je suis moi aussi à ma manière une Norvégienne ménopausée, quand bien même elle pourrait avoir du mal à le croire.

Chance de l'élection au suffrage universel, car c'est comme le direct à la télévision : «irruption de la vie et du réel dans le débat, jusqu'à l'outrance et au mensonge qui se dévoile d'ailleurs aussitôt, surgissement de talents méconnus, parole donnée à ceux qui ne l'ont jamais ou alors si peu». Qui a écrit cela ? Je cherche, je cherche. On découvre le talent tribunitien de Mélenchon, la bohème révolutionnaire de Philippe Poutou, qui me rappelle Francis Lemarque et le groupe Mars quand ils se produisaient dans les usines sous le Front populaire, la flamme d'insurgée de Nathalie Arthaud, avec ce quelque chose de terrifiant qui lui déforme la bouche, la haine de classe que son beau visage furieux ne parvient pas à contenir.

Visite avec Patrick Braouezec du site Christofle, à la Plaine-Saint-Denis. Les anciennes usines de métal argenté sont une autre friche industrielle impressionnante, à demi squattée par quelques artistes et artisans qui n'ont qu'une envie, celle de ne pas être dérangés et de se faire oublier. On les comprend. Braouezec réfléchit à une solution, comme à la Belle de Mai de Marseille ou aux Œillets d'Ivry, qui permettrait de les garder dans la place et de faire revivre les immenses entrepôts encore déserts.

Samedi 21 avril 2012

L'atmosphère qui règne au ministère me fait penser à celle qui entoure des malades condamnés dont tout le monde s'efforce de dire gaiement qu'ils vont très bien. En fait, si les apparences sont sauves, chacun travaille au ralenti et cherche à s'organiser pour la suite.

Je ne fais pas exception à la règle : je profite du week-end pour déménager tous mes livres à Saint-Gatien. En ce qui concerne les cadeaux que j'ai reçus, je me suis renseigné auprès de Frédéric Sallet, j'ai le droit de conserver ceux dont la valeur n'excède pas cinq cents euros. En fait, je ne garde que des babioles sans valeur dont le côté kitch écarterait toute autre convoitise que la mienne et j'expose tous les autres sur ma table de réunion pour que chacun puisse choisir un souvenir.

Parmi les déménageurs, un Algérien d'une quarantaine d'années d'une intelligence rare. Il me dit qu'il était capitaine dans l'armée. Cela ne m'étonnerait pas qu'il ait traversé des expériences sévères durant la guerre civile sans que je puisse déterminer dans quel camp il se trouvait ; du côté des forces armées, des barbouzes paramilitaires, des islamistes ? En tout cas, se retrouver déménageur en France quand on s'exprime si bien et que l'on fait preuve d'un tel charisme, cela fait travailler mon imagination. On échange nos numéros de téléphone.

Dimanche 22 avril 2012

Soir du premier tour à la Mutualité. Foule des militants surchauffés ; le président, galvanisé par l'adversité et le défi d'une victoire à l'arraché, martèle les thèmes de la «France forte» puisqu'il ne peut plus reculer. Dans la salle au-dessus, tout le joli monde des ministres et consorts calcule en se cachant à peine l'addition des pourcentages, Nicolas plus Marine ; il n'y a pas le compte, mais avec l'élan qu'il donne à la campagne, peut-être. Exercice d'autopersuasion collective pour expliquer que les résultats sont meilleurs que prévu, seulement un point d'écart avec Hollande, ça se jouera dans un mouchoir de poche, comme on l'a toujours dit, encore un effort et le champion va l'emporter. Lancinante litanie des additions qui reprend de plus belle. Chacun y va de son expérience pour tirer un peu plus les chiffres dans le bon sens. On attend avec impatience le débat à la télévision qui confirmera que c'est le tournant, le virage, la tendance favorable qui repart. «Le président en a demandé trois, Hollande va se dégonfler bien sûr, mais de toute façon, avec un seul, il en sortira quand même écrabouillé, aucun doute là-dessus.» Quelques-uns : «Ah, si nous avions quinze jours de plus ! C'est ce qui manque, quinze jours de plus.»

Roselyne, tout en affichant son imperturbable bonne humeur, me glisse à la dérobée : «Ça y est, c'est foutu, on est dans le mur ; à la niche, mon Youki, à la niche, je te l'avais bien dit.» Quant à Sébastien Proto, qui erre au milieu des visages radieux, il ne parvient pas à dissimuler son inquiétude. Avec une pointe d'amertume qui n'est pas dans son caractère, il me reprocherait presque de m'en être rendu compte.

Jean-Gabriel m'appelle pour me dire que maman est tombée. Elle est à l'hôpital. Les médecins ne sont pas inquiets.

Lundi 23 avril 2012

Comme une sorte d'agonie, désormais – mais était-ce la vie avant?

Je distribue ma réserve de ministre, je décore à tour de bras, je recase mes collaborateurs autant que possible. Autrement, je continue à faire comme si; c'est ce que l'on attend de moi et c'est conforme à mon caractère. La noria des visites et des réunions contribue à prolonger l'illusion.

Je ne note plus qu'à la hâte la teneur de ces jours.

Déjeuner avec Alain Carignon, aimable et disert. Il appuie à fond la stratégie de la campagne en homme qui a déjà tout perdu et ne dispose plus que d'un fil très ténu pour essayer de se refaire.

Mardi 24 avril 2012

Le député Marc Le Fur, celui de la chapelle avec la jolie charpente à réparer, remue ciel et terre pour que je n'aille pas visiter la collégiale de Lamballe où je voulais voir l'œuvre de Geneviève Asse. François Fillon me rattrape au téléphone alors que je suis tout près : «Frédéric, tu ne vas pas visiter ce chantier, le maire est déchaîné contre nous et le député est furieux contre toi, il remonte tous les autres en disant que tu n'es pas solidaire.» Je ne discute pas, j'obtempère.

Musée de Pont-Aven pour faire passer le sentiment de frustration. Il ne passe pas malgré le charme du musée et la gentillesse de l'accueil.

Visite impromptue du château de Josselin pour parfaire la remise en forme. Boussac en démultiplié. Propriété de Josselin de Rohan, sénateur et notable de la République à Paris, duc miraculé dans son fief, cravate en tire-bouchon et mains calleuses, revenu de tout et rigolo.

Le Beau Sancy, diamant légendaire de la couronne de France, est exposé chez Sotheby's. Que du beau monde pour admirer une petite larme sur un coussin rouge.

Mercredi 25 avril 2012

Suite de l'incident Le Fur. Le député me dénonce à la réunion hebdomadaire de l'UMP comme un traître à la cause. Jean Auclair et Patrice Martin-Lalande prennent vigoureusement ma défense. François Fillon ferme le ban : «Je n'admets pas que l'on mette en cause la loyauté du ministre de la Culture, de quelque manière que ce soit.» Symptomatique de l'affolement général malgré les déclarations martiales de commande.

Tentative pour maintenir Emmanuelle Huynh au Centre de la danse contemporaine d'Angers. Je découvre un véritable complot pour l'évincer derrière mon dos entre le délégué à la danse du ministère et la mairie d'Angers. Ce pourrait être un acte de la comédie de la fourberie ordinaire, mais c'est surtout une vraie saloperie. Convoqué, le délégué se tord comme un ver de terre : «C'est pas moi, c'est pas moi.» Encore un qui attend le 6 mai avec impatience.

Jeudi 26 avril 2012

Jean-Pierre : «Comment trouves-tu la photo ? — Quelle photo ? — Mais la tienne, celle qu'on mettra dans le couloir après toutes les autres. Elle est quand même mieux, non ?»

Jacques Toubon : «Et toi, tu n'as rien prévu pour après ? — Euh, non, c'est comme toi, tu n'avais rien prévu non plus, alors... — Oui, mais moi j'avais Lise.»

Déjeuner avec David Kessler. Docteur Jekyll a mis longtemps mais il y est arrivé et Mister Hyde ne lui va pas si mal. Il est pris pour le rôle qu'il endosse avec un aplomb sidérant et assume avec délices. Ton badin, toujours amusant, mais c'est de l'écume sur du granit. Stupéfaction devant la dureté de ses jugements sur Guillaume Boudy, Georges-François Hirsch et même Laurence Franceschini. Le chamboulement du ministère est en marche et la liste des proscriptions est prête.

À quoi bon rappeler les complicités d'un passé encore récent et quelques petits services réciproques qui feraient tache. C'est la curée, et le goût du sang est le plus fort.

À l'ambassade d'Autriche, Ursula Plassnik : «Jörg Haider était très intelligent, très séduisant, très dangereux, constamment borderline.»

Vendredi 27 avril 2012

Grand meeting au Zénith de Dijon. Ambiance frénétique de place forte assiégée par les électeurs socialistes majoritaires dans la ville de François Rebsamen, fidèle lieutenant de Hollande. Le président prononce son discours sur scène entouré de jeunes militants enthousiastes. Parmi eux, un Black aussi emblématique que les autres de l'appel à la jeunesse. À côté de moi, un élu local de quelque notoriété me donne un coup de coude, complice et rigolard : «T'as vu, même bouboule il est content, il applaudit!» J'ai envie de le gifler.

Samedi 28 avril 2012

Dans la loge improvisée du président, après chaque meeting, se presse la petite bande hétéroclite de ses proches. Carla toujours, ses fils souvent, Farida, l'œil vissé à une petite caméra, les copines de Carla, Didier Barbelivien parfois, les grands élus du coin, les ministres commis d'office qui tentent de s'accrocher au sillage de la comète. L'adrénaline n'est pas retombée, tout le monde est très excité et le félicite à tout-va. Il remercie, écoute à peine, reprend des passages de son discours comme pour être bien sûr de s'être fait entendre. Sa chemise est trempée de sueur. Il se change. Il a le corps d'un homme encore jeune, sportif et qui s'entretient. On ne regarde pas ailleurs, il continue à parler.

Dimanche 29 avril 2012

Maman bien remise de sa chute : «Je vais voter pour ton président bien sûr. Comment pourrais-je faire autrement à l'égard d'un homme qui a nommé mon fils ministre de la Culture?» Mes frères et moi en chœur : «Ça, c'est un véritable argument. Vous devriez passer à la télévision, ça convaincrait tout le monde!»

Spectacle Pina Bausch au Théâtre de la Ville. Tout ce temps que j'ai perdu sans la connaître et maintenant elle est morte. Emmanuel, Emmanuel, comme ce sera triste de ne plus nous voir. Je ne dis rien mais cela doit se lire sur mon visage.

Lundi 30 avril 2012

Le maire d'Angers est bien le type antipathique auquel je m'attendais. Rien à voir avec son prédécesseur, également socialiste, mais vif, ouvert, amusant. Celui-là est sentencieux, borné, décidé à avoir la peau d'Emmanuelle Huynh coûte que coûte. Il n'a pas la moindre idée du travail qu'elle accomplit et il ne connaît rien à la danse. Mais il veut à tout prix marquer son territoire tout neuf. Je lui dis que j'ai les moyens de l'en empêcher car le ministère assume une bonne part de la subvention et que je ne m'en priverai pas. Il hausse les épaules, son œil vague fixé sur le compteur.

Dernière tentative pour intéresser l'ambassadeur du Qatar à un mécénat pour le musée des Voitures de Compiègne. Il m'écoute très gentiment, visite avec moi le grand garage magique, admire les carrosses amoncelés, mesure les dangers de la verrière qui fuit à la moindre intempérie, parle avec le sénateur Marini et repart en me disant : « Vous savez, tout le monde se plaint auprès de moi de ne pas pouvoir atteindre l'émir, mais je n'y peux rien, il a ses propres canaux et il décide tout seul. » Je crains hélas que ce ne soit la stricte vérité.

Mardi 1ᵉʳ mai 2012

Visite à l'atelier de Geneviève Asse avec Jean-Pierre. Exquise. Elle ne s'est pas du tout formalisée de l'annulation au dernier moment de la visite à la collégiale de Lamballe alors qu'elle était déjà à la gare Montparnasse, prête à prendre le train pour me rejoindre. Elle a près de quatre-vingt-dix ans et respire cette force tranquille, célébrée en d'autres occasions et qui caractérise toute son existence. Contre les murs, un tableau après l'autre. Elle travaille encore régulièrement tous les jours, comme Pierre Soulages, son contemporain.

Ouvrant sur le square juste à côté, un bâtiment des années trente, en brique, qui est beau et me fait en même temps une impression sinistre. Je me renseigne : c'est là que les voyous qui s'étaient infiltrés parmi les résistants ont torturé et tué à la libération de Paris des dizaines de gens suspectés, à tort pour la plupart, d'avoir collaboré avec les Allemands.

Meeting du Trocadéro. Plus que cinq jours. Foule immense portée jusqu'à l'incandescence. Je me place à côté de Carla ; je sais que les caméras sont braquées sur elle. C'est bien le moins que je puisse faire. Discours du président : cette étrange solitude, comme s'il y avait une lassitude en lui, pas physique, plus profonde. Imperceptible sans doute pour ceux qui sont venus de loin afin de l'écouter au milieu du déferlement lyrique collectif.

Mercredi 2 mai 2012

Réparation in extremis du tort fait à Régine Chopinot, ultime motif de satisfaction. Situation bloquée pour Emmanuelle Huynh ; le maire d'Angers s'entête, moi aussi. Conversation heureuse avec Jorge Lavelli à qui je rappelle que je n'aurais jamais osé tourner *Madame Butterfly* si je n'avais pas vu sa sublime mise en scène avec Marina il y a trente ans à l'Opéra, et s'il ne m'avait été révélé ce qu'est un bon danseur de tango en l'admirant au mariage du fils de Philippine il y a vingt ans. On aborde aussi des sujets à peine plus ou moins sérieux, c'est selon. Conversation moins gaie avec Jean Castex : il n'y a plus de sondages officiellement mais les chiffres dont il dispose ne l'incitent pas à l'optimisme.

Jean-Marc plus proche de moi que jamais. C'est la part Saverio qui reprend chaque jour un peu plus l'avantage. En revanche, Yannis me dit qu'il y a des petits malins dans les chaînes de télévision qui se vengent déjà de la protection que je lui aurais apportée. Vilenies.

Le duel télévisé : Hollande n'est pas écrabouillé comme le prédisaient les ardents gardiens de la flamme présidentielle. Donc il est vainqueur puisque le handicap de départ s'est retourné en sa faveur. Découverte d'un nouveau mot pour enrichir mon vocabulaire, l'anaphore : «Moi, président, je... Moi, président, je...»

Jeudi 3 mai 2012

Déjeuner à Luxembourg avec le couple grand ducal. Conversation prudente sur le résultat de l'élection prochaine. On parle aussi d'Emmanuel-Philibert dont ils ne sont pas surpris que je dise le plus grand bien. Cette perle de Raphaël a fait préparer en un temps record un beau cadeau : une gravure ancienne de la ville de Luxembourg très bien encadrée.

Avec Octavie Modert, ma collègue ministre, visite à Jean-Claude Juncker. On pousse une porte au rez-de-chaussée d'une maison comme les autres, sans garde ni huissier, et hop on est chez le Premier ministre, président de l'Eurogroupe. Bureau de prof d'université avec des livres, des papiers un peu partout, une bonne odeur de cigares. En bras de chemise, gai, chaleureux ; il fouille dans le bar et s'excuse de ne plus avoir de quoi nous offrir à boire.

Jean-Pierre, que j'ai emmené avec moi : « C'est bien, le Luxembourg. »

Dîner avec les membres du cabinet. Retour de Pierre Hanotaux, Élodie et Mathieu. Ils se sont tous cotisés pour m'offrir le biscuit du prince impérial et de son chien Némo par Carpeaux qui veillait sur moi dans mon bureau. Presque tout le monde est recasé, enfin presque car c'est une volée de moineaux générale dans tous les ministères et il ne reste plus guère de places à prendre, même dans le privé. Des cartons partout dans les bureaux ; moral d'acier chez quelques-uns qui y croient encore. Soins palliatifs.

Vendredi 4 mai 2012

Jean de Boishue mécontent de constater que je me dénigre trop souvent : « Arrête, enfin, tu as fait énormément de choses, on s'en rendra compte quand tu ne seras plus là. » Suit un inventaire à la Prévert entre la philharmonie et le canot d'Ouessant. Je l'arrête. Des larmes qui sèchent, des sourires qui reviennent, au fond c'est l'essentiel...

Visite à Marie-Claude Pietragalla dans son atelier-studio de Bagnolet qui lui sert d'école de danse et de salle de répétition pour ses ballets. Belle et forte. Elle est avec son compagnon. Très soudés l'un à l'autre, sans amertume à l'égard du ministère qui ne les aide guère. Trop tard, trop tard.

In extremis, voici Marie France, la plus réussie des garçons Marilyn et ses transgenres, faite chevalier des Arts et des Lettres. Elle a invité toutes ses anciennes copines pour la cérémonie. Ce ne sont plus les blondes flamboyantes à poitrine opulente du carrousel, mais des dames rangées à sac en croco comme des bourgeoises du XVIᵉ. Commentaire de l'un des pompiers antillais à un jeune collègue qui vient d'arriver : « Tu verras, ce qui est bien avec le ministre, c'est qu'il reçoit plein de belles femmes élégantes. » Retrouvailles avec Hélène Hazera, l'inventrice du travelo lesbien. Physique de mise en abîme, vertigineux.

Anne-Marie Couderc honore l'échéance de Presstalis. Le scénario rustines a fonctionné, mais pour combien de temps encore ? Fin juin ? Septembre ? Jean de Boishue : « Elle ne nous rend pas service, un mois de grève des journaux en ce moment, ça nous aurait certainement bien arrangés ! » Je mets quelques instants à comprendre qu'il ne parle pas sérieusement. Jean c'est un des types qui sont restés sur le pont du *Titanic* pour jouer du violon plutôt que de prendre la place des femmes et des enfants dans les canots de sauvetage.

Samedi 5 mai 2012

La traversée du Massif central en pleine nuit avec Christophe qui conduisait à travers une tempête de neige, la petite virée au Havre avec Catherine Pégard par une journée de grand soleil, quand était-ce donc ? Deux beaux souvenirs que je n'arrive plus à situer, effacés de mon agenda, comme s'effacent les rêves.

Jacques Cheminade a obtenu 0,25 % des voix au premier tour, ça fait à peu près cinquante mille dingues dans la nature. Même en raclant à fond comme on s'y emploie, je doute qu'on arrive à les rattraper.

Pierre Lellouche : « Il faut trouver quelqu'un, il faut trouver quelqu'un. Il y a plein de monde, mais en fait il n'y a personne. Moi, je me débrouille très bien dans mon coin, mais c'est pas comme ça qu'on va s'en sortir. »

Éric Besson : «Ils peuvent toujours courir pour la passation de pouvoirs. Moi, le 15, je suis parti, j'ai déjà pris mes billets. J'en ai ma claque de toutes leurs histoires, tu comprends ce que je veux dire, j'en ai ma claque.»

Dimanche 6 mai 2012

48,5 % des Français ont voté pour le programme le plus à droite qu'ait jamais connu la Vᵉ République. C'est surtout ce que je retiens de la défaite du président. La stratégie Buisson échoue donc de très peu ; elle a encore un grand avenir devant elle. Je doute que la gauche, enfiévrée dans ses clameurs de victoire, en ait vraiment conscience, «À la Bastille / On l'aime bien, / Nini peau de chien, / Elle est si bonne et si gentille».

Du lundi 7 mai au jeudi 17 mai 2012

Le président : «Il ne faut pas être amer en politique, ça ne sert à rien, ça ne mène à rien.»

François Fillon, un SMS après la présidentielle : «Ne vous éloignez pas trop, Frédéric, j'ai la nostalgie de nos réunions.»

On passe à l'«expédition des affaires courantes». Un peu comme les réflexes qui agitent un cadavre encore chaud. Les ministres tentent de calquer leur attitude sur la sérénité et l'élégance du président. Encore beaucoup de visites au ministre, surtout de la part des membres de l'ex-opposition en plein repérage, inaugurations mineures et quasi clandestines, longue conversation avec un dirigeant islamiste tunisien que personne ne veut recevoir et qui n'est pas du tout contre le bikini sur les plages, figuration à des cérémonies officielles comme celle du 8 mai, Jean-Pierre qui range soigneusement son bureau, Francis qui se demande ce que deviendra la mission photo, Laurence positive, Georges-François inquiet, Philippe Bélaval attentif, Pierre Lungheretti sur le coup jusqu'à la dernière seconde, çà et là de gros soupirs, tristesse de la séparation avec mes secrétaires, mes officiers de protection, mes chauffeurs, raouts d'adieux chaleureux, Rudy Riciotti qui m'embrasse comme un frère : «Et maintenant, tu disparais pendant au moins un an, plus de nouvelles, plus rien», papiers et dossiers bien en ordre, passation des pouvoirs à Aurélie dans une atmosphère d'irénisme joyeux, testament et recommandations inutiles, larmes qui me touchent quand je démarre et le visage de Guillaume Boudy courant derrière le scooter que m'a prêté Jean Digne comme dans les films quand la séparation est soudain inévitable et le retour impossible.

Post-scriptum : En attendant de s'installer à l'Élysée, le président élu se promène et participe à un certain nombre d'événements culturels qu'il honore de sa présence. C'est moi qui l'accueille, affaires courantes et protocole républicain obligent. «Encore vous! me dit-il chaque fois sur un ton plutôt badin et il se laisse conduire comme si j'étais vraiment son ministre. C'est devenu un petit jeu qui n'amuse que nous, si j'en juge par les regards torves que me jette son entourage. Dernière rencontre à la veille de la passation des pouvoirs pour la cérémonie en hommage aux victimes de l'esclavage au jardin du Luxembourg : «Décidément, vous faites partie des meubles! — Oui, monsieur le président, d'autant que je n'aime pas les déménagements. — Vous voulez dire qu'il faut que je vous garde? — Bien sûr, à quoi bon changer nos habitudes!» Pendant la cérémonie, il y a une flammèche d'ironie dans son regard quand il croise le mien. À la fin de la cérémonie, je lui lance : «À mercredi, donc, monsieur le président, pour votre premier Conseil des ministres!» Il se retourne et s'arrête : «Je vais y réfléchir.»

Maman, le soir même : «Tu aurais dû insister. On ne sait jamais!»

Tout ce qui a été accompli durant ces trois années n'aurait pu l'être sans le dévouement, la loyauté et la compétence des membres de mon cabinet. Que celles et ceux que je ne cite pas ne m'en tiennent pas rigueur et sachent que toute ma gratitude leur est acquise. J'éprouve le même sentiment pour les responsables de l'administration qui m'ont accompagné avec autant d'attention et de diligence et qui n'auront jamais douté, je l'espère, du respect que je leur ai toujours porté. Quant à mes secrétaires et ceux qui prenaient soin de moi avec une sollicitude et une fidélité sans faille, ils sont les dédicataires de cet ouvrage. Puissent-ils y voir un modeste mais fervent témoignage de ma fidèle affection et de ma profonde reconnaissance.

La photocomposition de cet ouvrage
a été réalisée par
GRAPHIC HAINAUT
59163 Condé-sur-l'Escaut

Impression réalisée par

La Flèche

pour le compte des Éditions Robert Laffont
en novembre 2013

Dépôt légal : octobre 2013
N° d'édition : 53708/04 – N° d'impression : 3003306
Imprimé en France